Weitere Titel der Autorin:

Das Lächeln der Fortuna
Das zweite Königreich
Der König der purpurnen Stadt
Die Siedler von Catan
Die Hüter der Rose
Das Spiel der Könige
Hiobs Brüder
Der dunkle Thron
Das Haupt der Welt
Der Palast der Meere

Von Ratlosen und Löwenherzen

Titel in der Regel auch als Hörbuch und E-Book erhältlich

Über die Autorin

Rebecca Gablé studierte Literaturwissenschaft, Sprachgeschichte und Mediävistik in Düsseldorf, wo sie anschließend als Dozentin für mittelalterliche englische Literatur tätig war. Heute arbeitet sie als freie Autorin und lebt mit ihrem Mann am Niederrhein und auf Mallorca. Ihre historischen Romane und ihr Buch zur Geschichte des englischen Mittelalters wurden allesamt Bestseller und in viele Sprachen übersetzt. DIE FREMDE KÖNIGIN ist nach DAS HAUPT DER WELT ihr zweiter Roman zur deutschen Geschichte.

REBECCA GABLÉ

DIE FREMDE KÖNIGIN

Historischer Roman

BASTEI
LÜBBE
TASCHENBUCH

BASTEI LÜBBE TASCHENBUCH
Band 17702

Dieser Titel ist auch als Hörbuch und E-Book erschienen

Vollständige Taschenbuchausgabe
der bei Lübbe Ehrenwirth erschienenen Hardcoverausgabe

Copyright © 2017 by Rebecca Gablé
Copyright © der deutschen Originalausgabe 2017 by Bastei Lübbe AG, Köln
Copyright dieser Ausgabe © 2017 und © 2018 by Bastei Lübbe AG, Köln

Dieses Werk wurde vermittelt durch die
Michael Meller Literary Agency GmbH, München

Titelillustration: © akg-images; © www.buerosued.de
Umschlaggestaltung: www.buerosued.de
Innenillustrationen, Karte und Stammbaum: Jürgen Speh, Deckenpfronn
Satz: Dörlemann Satz, Lemförde
Gesetzt aus der Aldus
Druck und Verarbeitung: C. H. Beck, Nördlingen
Printed in Germany
ISBN 978-3-404-17702-8

5 4 3 2 1

Sie finden uns im Internet unter www.luebbe.de
Bitte beachten Sie auch: www.lesejury.de

In dankbarer Erinnerung an

Ursula Lübbe

Der Tod ist ein holder, niedlicher Knabe, blühend,
wie sie den Liebesgott malen, aber so tückisch nicht – ein stiller,
dienstbarer Genius, der der erschöpften Pilgerin Seele den Arm
bietet über den Graben der Zeit, das Feenschloss der ewigen
Herrlichkeit aufschließt, freundlich nickt und verschwindet.

Friedrich Schiller, *Kabale und Liebe*

DRAMATIS PERSONAE

Es folgt eine Aufstellung der wichtigsten Figuren, wobei die historischen Personen mit einem * gekennzeichnet sind.

DEUTSCHE UND EINWANDERER

Gaidemar, der Bastard
Adelheid* von Burgund, Königin von Italien und des Ostfränkischen Reiches
Otto I.*, ihr Gemahl, König des Ostfränkischen Reiches und von Italien
Liudolf*, König Ottos Sohn aus erster Ehe, Herzog von Schwaben und schwarzes Schaf
Ida* von Schwaben, seine Gemahlin
Liudgard*, König Ottos Tochter aus erster Ehe
Konrad* »der Rote«, Herzog von Lothringen, ihr Gemahl
Emma*, Adelheids Tochter aus erster Ehe
Wilhelm*, König Ottos unehelicher Sohn, Erzbischof von Mainz
Heinrich*, Brun*, Mathilda* und Otto*, Adelheids und Ottos gemeinsame Kinder
Heinrich* »Henning«, König Ottos Bruder, Herzog von Bayern
Judith* von Bayern, seine Gemahlin
Brun*, König Ottos Bruder, Erzbischof von Köln
Dedi* von Wettin, Graf im Hassegau, Liudolfs Freund und Mitverschwörer
Wilhelm* »Wim« von Weimar, Graf im Südthüringgau, noch ein Mitverschwörer
Arnulf*, Pfalzgraf von Bayern, Judiths Bruder und ebenfalls Mitverschwörer

Friedrich*, Erzbischof von Mainz, Wendehals
Gero* von Merseburg, der »Slawenschlächter«, Graf der Ostmark
Wichmann* und Ekbert* Billung, König Ottos rebellische Vettern
Immed von Saalfeld, Graf im Ammergau, Gaidemars Ziehbruder
Uta von Saalfeld, Gräfin im Westergau, Gaidemars Ziehschwester
Hulda von Lüneburg, Gräfin im Salzgau, Adelheids Vertraute
Hardwin von Wieda, Graf im Liesgau, Kommandant der königlichen Panzerreiter
Sigismund, Graf im Westergau, ein Schuft
Notker* »Pfefferkorn«, Maler, Arzt und Hospitarius von St. Gallen
Ulrich*, »der heilige Krieger«, Bischof von Augsburg

ITALIENER

Berengar*, Markgraf von Ivrea und gelegentlich König von Italien
Adalbert*, sein Sohn
Atto* (eigentlich Adalbert Atto), Graf von Canossa
Tedald*, sein Sohn
Otbert*, Graf von Mailand
Walpert*, Erzbischof von Mailand
Guido, Pfalzgraf von Asti
Dado von Benevent, sein Schwager

Exoten

Bulcsú*, oberster Richter und Kriegsherr der Ungarn
Lehel* und Sûr*, ebenfalls ungarische Heerführer
Nakon*, Fürst der Obodriten
Stoinef*, sein Bruder und Mitregent
Tugomir*, Fürst der Heveller
Bolilut*, sein Sohn und Erbe

ERSTER TEIL
951–954

Garda, August 951

»Wenn Ihr leben wollt, müsst Ihr graben«, raunte der Mönch in dem ausgefransten, staubigen Habit.

Adelheid blickte nicht auf und ging weiter zur Kapelle, ohne ihren Schritt zu verlangsamen. Aus dem Augenwinkel sah sie, dass der Mönch seinen Weg in entgegengesetzter Richtung fortsetzte – nicht hastig, nicht gemächlich, aber würdevoll, so wie Mönche eben gingen. Sie wusste trotzdem, dass dieser Mann nicht war, was er zu sein vorgab.

So wie alle Männer in ihrem Leben.

Die Morgensonne lugte bereits über die Burgmauer und ließ die staubige Erde hier und da wie Juwelen funkeln. Trotz der frühen Stunde herrschte schon reges Treiben im Innenhof: In der Schmiede auf der Nordseite sang der Hammer. Drei dienstfreie Wachen hatten sich an der offenen Tür versammelt und fachsimpelten mit dem Schmied. Mägde scharten sich um einen Eselskarren, der Brot, Kohlköpfe und fangfrischen Fisch aus dem Dorf heraufgebracht hatte. Alle wirkten geschäftig, aber jeder fand Zeit, der Gefangenen auf dem Weg zur Frühmesse einen kurzen Blick zu schenken. Manche waren mitfühlend, andere hämisch, die meisten undurchschaubar.

Adelheid betrat die dämmrige, schlichte Kapelle, während die beiden Wachen, die sie hergeleitet hatten, vor der Kirchentür Aufstellung nahmen. Stumm wie üblich, denn ihnen war wie allen Burgbewohnern verboten, das Wort an sie zu richten. Vater Giovanni stand bereits vor dem Altar und murmelte auf Latein vor sich hin, den Rücken zu der kleinen Gemeinde, die aus drei alten Weibern und einem blinden Mönch bestand.

13

Adelheid kniete sich in den buttergelben Sonnenfleck, der durch die Fensteröffnung über dem Altar auf den Boden fiel, und faltete die Hände. Die Sonne färbte die Dunkelheit vor ihren geschlossenen Lidern rötlich und wärmte ihr das Gesicht wie eine liebkosende Hand. Es war ein schönes Gefühl.

Heilige Jungfrau, voll der Gnaden. Heute ist der einhundertundneunzehnte Tag meiner Gefangenschaft, wie du zweifellos weißt. Seit fast vier Monaten bete ich zu dir, mich aus der Hand meiner Feinde zu befreien, aber es nützt nichts. Bruder Guido ermahnt mich, nicht den Glauben zu verlieren und mich darauf zu besinnen, dass ich eine burgundische Prinzessin und die Königin von Italien bin. Ich weiß, ich muss tapfer sein. Vor allem für Emma. Aber es wird von Tag zu Tag schwieriger. Heute früh beim Aufwachen habe ich mich dabei ertappt, dass ich keinen Funken Hoffnung mehr hatte. Und da kommt ein Fremder und sagt, ich solle graben. Hast du ihn mir geschickt? Bitte, heilige Muttergottes, lass mich an der richtigen Stelle graben. Und bitte, bitte lass es keine Falle sein …

»Wo haben sie Euch hingebracht?«, fragte Anna furchtsam, kaum dass die schwere Tür zu ihrem Kellerverlies mit dem vertrauten, hallenden Poltern zugefallen war.

»Zur Kapelle. Ich durfte die Frühmesse hören«, antwortete Adelheid.

»Gelobt sei Jesus Christus«, murmelte Bruder Guido. Er war nicht nur Benediktiner, sondern ebenso Priester und konnte somit selber die Messe feiern. Aber ohne Kirche, vor allem ohne Brot und Wein, fühlte es sich immer falsch an, wie gemogelt.

»Hier, die Wache hat unser Essen gebracht.« Die Magd wies auf den kleinen, wackeligen Tisch: ein Laib Brot und ein Krug Brunnenwasser. Das war alles, so wie jeden Tag. Für drei Erwachsene und ein Kind.

Adelheid nickte. Beim Anblick des mehlbestäubten Brotes sammelte sich zu viel Speichel in ihrem Mund, doch sie wusste, sie musste sich beherrschen und noch ein wenig warten. Wenn sie ihren Anteil schon jetzt am frühen Morgen anknabberte, würde sie wieder die ganze Nacht nicht schlafen können vor Hunger.

Sie kniete sich ins feuchte Bodenstroh und beugte sich über ihre schlummernde Tochter. Eine Fackel steckte in einem eisernen Wandhalter, und in ihrem Licht sah Adelheid die unnatürliche Blässe des Kindes. Emmas Geburtstag fiel auf den Tag des heiligen Cyprian im September, und falls sie ihn noch erlebte, würde es ihr dritter sein. Sie war immer zart gewesen. Selbst als Säugling hatte Emma nie Speck aufgewiesen; die älteren Hofdamen und Dienerinnen in Pavia hatten die Köpfe darüber geschüttelt. Aber jetzt war das Gesichtchen ausgezehrt, und unter den Augen lagen Schatten wie mit Holzkohle aufgemalt. Adelheid nahm Emmas kleine Hand in ihre und hauchte einen Kuss darauf. *Fang ja nicht an zu heulen*, schärfte sie sich ein. *Das hilft niemandem.*

Das Kind wurde nicht wach.

Adelheid richtete sich auf. »Ein Fremder in einer Mönchskutte hat mir auf dem Weg zur Kapelle zugeflüstert, ich solle graben«, berichtete sie Anna und Guido. Sie hielt die Stimme gesenkt. Sie war allein mit ihrer Magd und ihrem Kaplan, aber sie fürchtete immer, die Wachen könnten sie durch ein verstecktes Loch in der Mauer belauschen.

»Graben?«, wiederholte Anna, ebenso leise, aber unverkennbar ungläubig. »Durch *Ziegel?*«

»Aber was ist unter den Ziegeln?«, gab Adelheid zu bedenken.

»Fels«, antwortete der Bruder prompt. »Erinnert Euch an unsere Ankunft: Diese Burg thront auf einem Felsrücken über dem See.«

Adelheid nickte und streckte die Hand aus. »Gebt mir Euer Speisemesser, Bruder Guido.«

»Aber meine Königin, Ihr müsst doch einsehen, dass es keinen Zweck hat«, wandte er nachsichtig ein. Er war schmächtig, von eher kleinem Wuchs und mit einem sanftmütigen Wesen gesegnet, aber weil er hier der einzige Mann war, tat er gern so, als besitze nur er einen Funken Verstand. »Wir müssen uns in Geduld fassen und beten, dass Gott diese Prüfung bald vorübergehen lässt. Das ist das Einzige, was wir tun können.«

»Nur zu, betet, das kann keinesfalls schaden. Aber wenn wir nicht bald hier herauskommen, wird es für Emma zu spät sein. Also werde ich graben.«

Er löste das stumpfe, kurze Messer von der geflochtenen Kordel, die ihm als Gürtel diente, und legte es in ihre wartende Hand, warnte aber: »Wenn sie Euch erwischen, wird es furchtbar werden.«

»Ich weiß.«

Ihr Verlies lag tief in den Eingeweiden der Festung. Als die Gefangenen im Frühling hergebracht worden waren, hatten sie in der feuchten Kälte hier unten erbärmlich gefroren, aber inzwischen hatte die Sommerhitze, die draußen in der lebenden Welt das Gras verdorren ließ, den Keller ein wenig aufgewärmt. Der fensterlose Kerker war niedrig, maß jedoch acht mal zehn Schritte. Nicht wirklich genug Platz, um für einen männlichen und zwei – oder zweieinhalb – weibliche Gefangene den Anstand zu wahren, aber wenigstens hatten sie mit Hilfe einer Schnur und einer Decke eine Ecke abtrennen können, wo der Eimer stand, in den sie ihre Notdurft verrichten mussten. An der gegenüberliegenden Wand hatten sie ihre Schlafdecken ausgebreitet, nur für Emma gab es ein Schaffell. Der gesamte Boden war mit einer Strohschicht bedeckt, die halbwegs üppig und in vier Monaten immerhin einmal erneuert worden war. Den Blick nach unten gerichtet, schritt Adelheid langsam durch das Verlies, traf ihre Wahl willkürlich, sank etwa in der Raummitte auf die Knie und schob das Stroh beiseite. Die schmalen, roten Ziegel, die darunter zum Vorschein kamen, waren wie Fischgräten verlegt, schwärzlicher Lehm füllte die Fugen. Adelheid kratzte diese um drei der Ziegel vorsichtig mit Bruder Guidos Messer aus und wischte die Klinge gelegentlich im Stroh ab. Dann nahm sie den ersten Backstein zwischen Daumen und Zeigefinger beider Hände und ruckelte. Der längliche Ziegel löste sich anstandslos. Überrascht starrte Adelheid darauf hinab, legte ihn hastig beiseite und löste den nächsten. Innerhalb kürzester Zeit hatte sie den Bodenbelag auf einer Fläche von sechs oder acht Handtellern gelöst.

Es raschelte, als Anna sich zu ihr ins Stroh hockte. »Und? Was ist unter den Ziegeln?«

»Schutt«, antwortete die junge Königin.

Bruder Guido hörte mitten im *Credo* auf zu beten und gesellte sich zu ihnen. »Und unter dem Schutt?«

Einen Moment sahen sie sich an, dann klaubten sie alle drei mit bloßen Händen das lose Material aus dem kleinen Erdloch. Zwei weitere Ziegel lösten sich vom Rand der Grabung. Der Schuttbelag bestand aus kleinen Kieseln und Gesteinssplittern, und die Schicht war vielleicht einen Spann tief. Darunter kam zu ihrer Verblüffung ein Eichenbrett zum Vorschein, und als sie auch das freigelegt und angehoben hatten, stieß Anna einen kleinen Schrei aus. »Heiliger Mauritius!«

»Was ist los?«, fragte Emma schlaftrunken.

Adelheid wandte sich zu ihr um. »Gar nichts.« Sie lächelte ihrer Tochter zu. »Alles ist gut, mein Liebling.«

Und vielleicht, *vielleicht* war das heute ausnahmsweise einmal keine Lüge.

Unter dem Holzbrett war der Fels, vor dem Guido sie gewarnt hatte, aber er formte ein so tiefes Loch, dass Emma sich darin hätte verstecken können. Und damit nicht genug, war der Fels porös. Als der Mönch das achtlos beiseitegelegte Messer zur Hand nahm und halbherzig damit an der Kante herumstocherte, bröckelte ein faustgroßes Stück heraus und kullerte abwärts. Adelheid steckte den Arm in das Loch, fischte den Brocken heraus und wog ihn in beiden Händen. »Leicht.«

»Aber selbst wenn der ganze Burgfels aus diesem porösen Stein besteht, brauchen wir Jahre, um uns ins Freie zu graben«, prophezeite der Mönch düster.

»Ich glaube nicht, Bruder Guido«, widersprach Adelheid versonnen.

»Wieso nicht?«

Ehe sie antworten konnte, hob Anna den Kopf. »Schritte!«

Adelheid sprang auf die Füße und schob hastig das Holzbrett zurück. Aber noch ehe Bruder Guido auch nur den ersten Ziegel wieder an seinen Platz gelegt hatte, rasselte der Riegel der Kerkertür.

Langsam schwang die Tür auf, und Berengar von Ivrea trat ein, eine Fackel in der linken Faust. »Nun, meine spröde Schöne? Hast du es dir überlegt? Bist du heute vielleicht gewillt, dem Witwenstand zu entsagen?«

Er war ein breitschultriger Mann um die fünfzig in einem verschrammten Lederwams, und das mächtige Schwert an seiner Seite wäre gar nicht nötig gewesen, um zu betonen, welch ein gefährlicher Krieger er war. Man sah es an dem scharfkantigen Gesicht mit dem gelockten, graumelierten Bart, vor allem an den Augen. Kühl und berechnend betrachteten sie die Gefangene, und immer schien ein Hauch von grausamer Belustigung darin zu glimmen, so als sei all das hier nur ein Streich, als sei nichts auf der Welt wirklich ernst.

Adelheid schüttelte langsam den Kopf. »Ich kann Euren Sohn nicht heiraten, Graf Berengar, so schmeichelhaft Euer Ansinnen auch sei.«

Er verschränkte die Arme vor der breiten Brust und sah an ihrer rechten Schulter vorbei. »Was ist mit eurem wackeren Mönchlein? Hat ihn der Schlag getroffen?«

Adelheid wandte den Kopf. Bruder Guido lag mit dem Gesicht nach unten und mit ausgebreiteten Armen auf dem Boden. Er hatte gerade noch Zeit gefunden, den Strohbelag über das freigelegte Brett und die gelösten Ziegel auszubreiten, und hatte sich darübergeworfen, um etwaige verräterische Spuren zu verdecken.

»Er verrichtet eine Buße«, erklärte Adelheid. »Er schweigt und fastet seit drei Tagen.«

»Ah. Ist er endlich der Verlockung erlegen und hat deine kleine Zofe besprungen? Oder am Ende gar dich?«

Adelheid würdigte ihn keiner Antwort. Sie wusste ganz genau, warum er ständig solche Dinge zu ihr sagte. Und was es in Wahrheit war, das er von ihr wollte. Vermutlich hätte er es sich längst genommen, hätte ihm nicht so viel daran gelegen, dass sie seinen Adalbert heiratete, einen pickeligen Jüngling von fünfzehn Jahren. Allein die Ehre seines Sohnes war es, die Berengar bewog, sich zu zügeln. Aber wie lange noch, war unmöglich vorherzusagen, denn er war es gewöhnt, sich zu nehmen, was er wollte. Die Erkenntnis, wie ausgeliefert sie ihm war, erfüllte Adelheid mit erdrückender Furcht und gab ihr das Gefühl, klein und wertlos zu sein. Doch weil sie ahnte, dass genau das seine Absicht war, setzte sie alles daran, sich nicht einschüchtern zu lassen.

»Welch große Tapferkeit Ihr beweist, indem Ihr eine schutzlose Witwe beleidigt«, versetzte sie frostig. »Aber nachdem Ihr meinen Gemahl vergiftet habt, denkt Ihr vermutlich, es spielt keine Rolle, was Ihr sagt oder tut. Denn tiefer kann man wohl kaum sinken.«

Berengar von Ivrea lachte in sich hinein, so als gefiele ihm ihr Schneid. Dann hob er beiläufig die Rechte und schlug Adelheid ins Gesicht. So viel ungehemmte Kraft lag in dem Hieb, dass sie taumelnd ins Stroh fiel. Anna stieß einen kleinen Schrei aus, Emma ein erbarmungswürdiges Wimmern.

Die junge Königin von Italien stützte die Hände ins Stroh, kam wieder auf die Füße und wischte sich mit dem Handrücken das Blut ab, das aus dem linken Nasenloch rann. »Würdet Ihr meiner Zofe wohl erlauben, mit meiner Tochter einen Moment hinaus in die Sonne zu gehen? Ehe wir unsere Unterhaltung fortsetzen?« Ihre Stimme bebte nicht, und sie flehte auch nicht. Aber es war nicht weit davon entfernt.

»Nichts da, Herzblatt«, knurrte Berengar. »Die kleine Emma soll ruhig sehen, was es einem Weib einbringt, so störrisch zu sein. Das kann ein Mädchen gar nicht früh genug lernen, scheint mir.«

Es war keine neue Erkenntnis, dass Berengar von Ivrea vollkommen mitleidlos und unbarmherzig sein konnte. Er war schon der mächtigste Mann in der Lombardei gewesen, als Lothar – Adelheids Gemahl – vor fünf Jahren König geworden war. Und er war die eiserne Faust hinter Lothars Thron gewesen. Doch irgendwann hatte ihm das nicht mehr genügt, und dann war der junge, kerngesunde König plötzlich und scheinbar unerklärlich erkrankt und gestorben. Jeder in der Lombardei, in ganz Italien wusste, dass Berengar dahintersteckte. Und Lothar war kaum unter der Erde gewesen, als Berengar sich zum König ausrufen ließ. Doch nach lombardischem Recht gehörte die Krone Adelheid, denn sie war die Erbin ihres Gemahls. Und deswegen wollte Berengar sie mit seinem Sohn vermählen und würde vor nichts haltmachen, um sein Ziel zu erreichen.

Er trat einen Schritt zurück und stieß die Tür auf. »Komm herein, mein Junge.«

Nach einem winzigen Zögern trat Adalbert in den dämmrigen Kerker. Er war großgewachsen wie sein Vater und nicht mehr so spindeldürr wie noch vor einem Jahr. Seine Haltung war stolz, der Blick der dunklen Augen herausfordernd und missmutig. Es war schlimmer geworden mit den Pickeln. Selbst im zuckenden Fackelschein sah Adelheid die roten, eitrigen Pusteln auf Stirn und Wangen und die kraterartigen Narben, die ihre Vorgänger hinterlassen hatten. Eine Bürde für einen Jungen in Adalberts Alter, wusste sie, und fast hätte sie ihn bedauern können. Hätte er nicht seine Reitgerte mitgebracht.

»Nur zu, sag der Königin, was du auf dem Herzen hast«, forderte Berengar ihn auf. Es klang gönnerhaft. Er gab sich nie die geringste Mühe, zu verhehlen, dass er Adalbert verachtete.

»Du wirst heute endlich einwilligen, mich zu heiraten, Adelheid«, sagte der Jüngling, aber der Befehlston missglückte, weil er mit einem stimmbrüchigen Kiekser endete. »Wir sind es satt … *Ich* bin es satt, darauf zu warten.«

»Ich bedaure, Adalbert.« Adelheid war nur vier Jahre älter als der Junge, doch als sie sah, wie ihre Zurückweisung ihn kränkte, hatte sie das Gefühl, ihm Trost spenden zu müssen. Wie eine ältere Schwester es vielleicht getan hätte. »Es liegt nicht an dir, verstehst du. Aber mein Witwenjahr ist noch nicht vorüber. Meine Trauer schmerzt mich noch zu sehr, als dass ich jetzt schon einen neuen Gemahl wählen könnte.«

Der Tonfall war genau der falsche gewesen, erkannte sie mit sinkendem Herzen. Adalbert stieg die Zornesröte ins Gesicht und brachte seine Pickel förmlich zum Leuchten. »Du hochmütiges Miststück«, stieß der Junge wütend hervor und hob den Arm mit der Gerte. »Ich werd dir deine Trauer austreiben!«

Adelheid wandte den Kopf nach rechts und hob schützend die Arme vors Gesicht. Der erste Hieb traf sie auf Hals und Schulter, und sie staunte über die Schärfe des Schmerzes. Emma fing an zu schluchzen. Pfeifend fiel der zweite Schlag, dieses Mal auf die linke Brust, und Adelheid musste sich auf die Zunge beißen, um still zu bleiben.

Heilige Muttergottes, lass nicht zu, dass sie Emma wehtun.

Zwischen ihren schmalen Unterarmen sah sie Berengar seinem Sohn die Gerte aus der Hand reißen und den Jungen beiseitestoßen.

Adelheid wandte ihnen den Rücken zu und schloss die Augen.

Und egal, wie sie mich zurichten, gib mir die Kraft zu graben …

Gaidemar wusste, dass ihm die Zeit davonlief.

Über dem Westufer versank die Sonne wie eine geschmolzene Kupfermünze, und allmählich nahm der Himmel eine taubenblaue Tönung an. Das Wasser des Sees schimmerte einen Ton dunkler und kräuselte sich in sachten Wellen. Grillen sangen im hohen Ufergras, und irgendwo in der Nähe trällerte ein Distelfink im Gebüsch.

Das schrille Gezwitscher ging ihm auf die Nerven. Gaidemar kramte den Wetzstein aus dem Beutel am Gürtel, zog das unscheinbare Messer aus der versteckten Hülle im Ärmel und fing an, die Klinge zu schärfen. Das beruhigte ihn, und das ungewohnte Geräusch stopfte dem Distelfink den Schnabel.

Gut so.

Es war eine Woche her, dass er die Königin im Burghof abgepasst und ihr im Vorbeigehen den Rat zugeflüstert hatte, der möglicherweise ihr Leben retten konnte. Aber hatte sie ihn überhaupt gehört? Falls ja, würde sie tun, was er gesagt hatte? Falls ja, konnte sie wirklich einen Weg in die Freiheit graben?

Gaidemar hatte keine Ahnung.

Er wusste nur dies: Wenn sie nicht bald kam, war sein Plan gescheitert, und er würde sich etwas anderes überlegen müssen. Und zwar schnell. Denn sollte Berengar von Ivrea zu der Erkenntnis gelangen, dass Adelheid von Burgund sich nicht dazu bewegen ließ, seinen Sohn zu heiraten, würde er sie töten.

Das hätte Gaidemar nicht unbedingt den Schlaf geraubt –

schließlich kannte er die Dame ja überhaupt nicht –, aber es hätte bedeutet, seinen König zu enttäuschen. Und das war nie ratsam. Für einen Mann in seiner Position erst recht nicht.

Er spähte durch das mannshohe Schilf, in dem er sich verborgen hielt. Im nahen Dorf flammten die ersten Lichter in den bescheidenen Holzhütten auf und blinzelten in die Dämmerung, aber kein Mensch war auf der staubigen Straße zu entdecken. Die Fischer von Garda gingen früh schlafen, wusste er, denn sie fuhren lange vor Sonnenaufgang auf den See hinaus. Gaidemar hatte reichlich Zeit gehabt, sie und ihren Lebensrhythmus zu studieren. Anders als sie schlief er tagsüber ein paar Stunden und durchwachte die Nächte. Er wusste, falls Adelheid überhaupt jemals kommen würde, dann im Schutz der Dunkelheit.

Er legte Messer und Wetzstein beiseite, denn im schwindenden Licht konnte er einen Wanderer nicht rechtzeitig kommen sehen und mit dem schleifenden Geräusch womöglich unwillkommene Aufmerksamkeit auf sich lenken. Er musste vorsichtig sein. Mochte er auch im Auftrag des Königs hier sein, führte er doch kein besiegeltes Pergament mit sich, um das zu beweisen. Und selbst wenn. Es hätte den fürchterlichen Berengar todsicher nicht davon abgehalten, ihn diskret aus der Welt zu schaffen. Denn wer sollte es je herausfinden? König Ottos Macht mochte fünfhundert Meilen weit und über die Alpen bis hierher reichen, aber sein Blick eher nicht.

Gaidemar griff seufzend nach seinem Proviantbeutel und fischte ein Stück altbackenes Brot heraus, als er ein Geräusch hörte. Leise, verstohlen – wie das Huschen eines kleinen Tieres. Er spähte angestrengt zum Eingang der Höhle hinüber, der wie das schiefe Maul eines Ungeheuers in der schroffen Felswand gähnte. Doch nichts rührte sich dort. Falscher Alarm, wieder einmal. Er wusste ja nicht einmal, ob er an der richtigen Stelle wartete. Das ganze Unterfangen war hoffnungslos, er hatte es ja von Anfang an gewusst …

Er ließ sich auf die Ellbogen zurücksinken, biss ein kleines Stück von seinem Brot ab, suchte und fand die ersten Sterne am wolkenlosen Abendhimmel. Er kontrollierte auch seine Weinvorräte und fand den Schlauch über halb voll. Doch er genehmigte sich nur einen kleinen Schluck. Wenn er einschlief und sie verpasste, würde er sich das nie verzeihen. Falls sie denn je kam und nicht längst tot war.

Mit einem ungeduldigen Laut schüttelte Gaidemar den Kopf, als könne er das sinnlose Kreisen seiner Gedanken damit zum Stillstand bringen.

Die letzten zwei, drei Stunden vor dem Morgengrauen waren immer die schlimmsten. Seine Lider wurden so schwer, als hätten die Feen ihm einen Streich gespielt und winzige Bleigewichte an seine Wimpern geknotet. Von Nacht zu Nacht wurde es schwieriger, standhaft und vor allem wach zu bleiben. Ein wenig steif erhob er sich aus dem Schilf und wandte sich zum Seeufer, um sich mit ein paar Händen voll Wasser zu erfrischen. Am besten wäre es vermutlich, ich stecke gleich den Kopf hinein, überlegte er, als er aus dem Augenwinkel ein Licht sah.

Er blieb stehen und drehte langsam den Kopf in die Richtung. Es war der unstete Schein einer Fackel, der im Höhleneingang zu verharren schien.

Gaidemar verließ sein Versteck im Schilf und bewegte sich so lautlos wie möglich auf den flackernden Lichtpunkt zu. Als er vielleicht noch zehn Schritte entfernt war, erkannte er einen Mönch, der die Fackel hielt, und zwei schmale Frauengestalten, von denen eine ein kleines Kind vor die Brust gebunden trug. Er nahm die Rechte vom Heft seines Messers, trat bis an den Rand des Lichtkleckses und verneigte sich.

»Erschreckt nicht, edle Königin«, bat er leise.

Die kleinere Frau zog hörbar die Luft ein, es war fast ein Schrei. Aber die andere mit dem Kind, die voranging, stand still wie ein Findling. »Wer seid Ihr?« Es klang herausfordernd, auch wenn die Stimme ein wenig bebte.

Das war weiß Gott kein Wunder.

»Mein Name ist Gaidemar. König Otto schickt mich.« Das war nur fast richtig, aber für lange Erklärungen hatten sie jetzt keine Zeit.

Sie atmete tief durch. »Um was zu tun?«

»Euch zur Flucht zu verhelfen, wenn ich kann.«

»Ach wirklich? Und woher weiß ich, dass Ihr nicht Graf Berengar dient und mich geradewegs zu ihm zurückbringt?«

Die Fackel flackerte und fauchte in der kühlen Nachtbrise, die um diese Stunde immer über den See strich, doch Gaidemar sah die Furcht in den Gesichtern der Flüchtlinge: Der Mönch starrte ihn mit undurchschaubarer Miene an, aber Schweiß glänzte auf seiner Stirn. Die Dienerin atmete zu flach und schnell. Und die junge Königin hatte die Hände schützend auf den Rücken ihrer Tochter gelegt und die Augen zu weit aufgerissen.

»Warum hätte ich dann zu Euch kommen und Euch raten sollen zu graben?«, entgegnete Gaidemar.

»Es sähe ihm ähnlich«, erwiderte sie prompt. »Er ist ein Spieler, und je grausamer das Spiel, desto mehr erheitert es ihn.«

»Verstehe. Nun, wir können hier herumtrödeln und debattieren, bis die Sonne wiederkommt, edle Königin, aber ich schätze, in einer, spätestens zwei Stunden wird man Eure Flucht bemerken. Darum riskiert Ihr nicht viel, wenn Ihr Euch mir anvertraut. Denn tut Ihr es nicht, schnappen sie Euch auf jeden Fall.«

»Was fällt Euch ein, Ihr unverschämter Lump«, empörte sich der Bruder zischend. »Wisst Ihr eigentlich, wen Ihr vor Euch habt?«

Die Königin hob gebieterisch die Hand, und Gaidemar fuhr die Frage durch den Sinn, ob man Prinzessinnen solche Gesten lehrte wie das Lesen und Sticken.

»Er hat recht«, beschied Adelheid ihren Begleitern. »Vergebt mein Zögern, Gaidemar. Wir haben schwere Monate hinter uns und können nicht so recht glauben, dass sie vorüber sein sollen.«

Er machte ihr nichts vor. »Das sind sie ja auch noch nicht. Es ist ein ziemlich weiter Weg bis zu dem Ort, wo Ihr in Sicherheit sein werdet.«

»Wo bringt Ihr uns hin?«, verlangte der Mönch zu wissen.

Gaidemar blickte nochmals zum Himmel auf und wies dann nach Osten. »Erst einmal in das Kornfeld dort drüben. Bis es hell wird, erreichen wir kein besseres Versteck. Aber wenn wir Glück haben, werden sie glauben, Ihr seiet schon gestern Abend entkommen und viel weiter weg von der Burg, dann werden sie die umliegenden Felder nicht durchkämmen.«

»Und falls doch?«, fragte Adelheid.

»Dann lassen wir uns etwas einfallen«, gab er brüsk zurück – mit mehr Selbstsicherheit, als er empfand.

»Ich bin überzeugt, in der Kunst seid Ihr unübertroffen«, sagte die junge Königin mit einem Lächeln.

Es war matt und eine Spur spöttisch, dieses Lächeln, aber trotzdem verspürte Gaidemar ein sonderbares Durchsacken in der Magengegend, so als hätte er eine Stufe übersehen.

Er wandte ihr abrupt den Rücken zu. »Kommt hier entlang. Und löscht die Fackel.«

Schweigend folgten ihm die Flüchtlinge. Der halbvolle Mond erhellte ihnen den Weg und übergoss den See mit einem silbrigen, unirdischen Schimmer. Sie kehrten dem Gewässer den Rücken und schlugen einen schmalen Pfad ein, der sich fast unsichtbar durch die braun versengte Wiese schlängelte und bei einer Einsiedelei endete. Diese war schon lange verlassen, hatte Gaidemar bei seinen Erkundungsgängen herausgefunden. Die unfachmännisch aufgestapelten Bruchsteine waren mehrheitlich heruntergepurzelt, sodass man nur noch den Grundriss des winzigen Kapellchens erahnen konnte. Gleich dahinter begannen die Felder, und die nächtlichen Wanderer hatten Glück: Hier war Gerste angebaut, und sie stand reif und so hoch, dass sie ihnen fast bis an die Hüfte reichte.

Gaidemar teilte die Halme behutsam, um sie nicht abzuknicken. »Macht einen großen Schritt hinein. Trampelt so wenig wie möglich nieder, und geht im Gänsemarsch.«

Sie befolgten seine Anweisungen, und er bildete die Nachhut. Als sie vielleicht hundert Schritt weit ins Korn vorgedrungen waren, ließ er sie anhalten. »Hier sollten wir fürs Erste sicher sein. Legt Euch hin, und sobald es hell wird, haltet die Köpfe unten.«

Dankbar sanken die beiden Frauen und der Mönch ins duftende Korn. Die Königin löste behutsam die löchrige Decke, in welcher sie das Kind getragen hatte, und bettete das kleine Mädchen auf die Erde. »Gott sei gepriesen, dass mein Knoten gehalten hat«, sagte sie leise. »Es war eine gefährliche Kletterei in der Höhle, und meistens brauchte ich beide Hände, um mich festzuhalten.«

Gaidemar nickte, setzte sich im Schneidersitz vor sie und streckte ihr wortlos seinen Proviantbeutel entgegen.

»Danke.« Nach einigen Fehlversuchen gelang es ihr, den Knoten zu lösen, und sie förderte Brot, Feigen und Ziegenkäse zutage.

»Vermutlich nicht das, was ihr gewöhnt seid«, entschuldigte sich Gaidemar vorsichtshalber, wenngleich er bei seiner ersten Feige ein paar Tage zuvor geglaubt hatte, er sei gestorben und wider alle Wahrscheinlichkeit im Paradies gelandet. »Aber es hätte Argwohn erregt, wenn ich im Dorf nach edleren Speisen gefragt hätte.«

Die Königin reichte ihrer Magd eine Frucht und antwortete kopfschüttelnd: »Brot und Wasser sind wir gewöhnt, nichts sonst. Dies hier ist ein Festmahl für uns.« Sie gab die zweite Feige an den Mönch weiter und begann, an der dritten zu knabbern.

»Ich habe auch Wein.« Gaidemar holte den Schlauch aus der Tasche, die er über der Schulter getragen hatte, und gab ihn ihr.

»Ihr zuerst«, sagte Adelheid mit einer einladenden Geste.

»Das ist nicht nötig«, wollte Gaidemar abwehren. »Ich hatte vorhin …«

»Ihr zuerst«, wiederholte sie, und er hörte etwas Stählernes in ihrer Stimme, das er einem Schilfhalm wie ihr nie zugetraut hätte, etwas ganz und gar Unbeugsames. »Mein Gemahl starb an vergiftetem Wein, und ich habe nur Euer Wort, dass Ihr in König Ottos Diensten steht und nicht in Graf Berengars. Also werdet Ihr vor mir trinken.«

»Oh. Verstehe.« Er nahm ihr den Schlauch wieder ab und trank einen ordentlichen Zug. Er war nicht wütend. Sie hatte ja völlig recht mit ihrem Argwohn.

Adelheid ließ ihn nicht aus den Augen, vergewisserte sich, dass er nicht nur vorgab zu trinken. Als sie erkannte, dass er sie nicht hinters Licht führte, entspannten sich ihre Züge. Sie ergriff den Schlauch mit ihren schmalen Händen und trank durstig.

»Soll ich Emma wecken und ihr zu essen geben?«, fragte die Dienerin. »Sie hatte so furchtbaren Hunger gestern Abend.«

Adelheid setzte ab und schüttelte den Kopf. »Lass sie schlafen. Verzeiht mir, Gaidemar, ich habe Euch meine Begleiter noch gar nicht vorgestellt. Dies ist Bruder Guido, mein Kaplan. Und Anna, meine Zofe. Sie sind meiner Tochter und mir freiwillig in die Gefangenschaft gefolgt.«

»Ja, das habe ich gehört«, antwortete er. Und er fand, es sprach für die beiden treuen Seelen, aber ebenso für die junge Königin. Er wartete, bis sie ihren ärgsten Hunger gestillt hatten, ehe er fragte: »Es stimmt also wirklich, dass der Fels unter dem Bergfried teilweise brüchig und von Höhlen durchzogen ist?«

Bruder Guido nahm einen anständigen Zug aus dem Weinschlauch, setzte ab und wischte sich mit dem Handrücken über die Lippen. »Es stimmt. Der ganze Boden unseres Kerkers war mit Holzbrettern abgedeckt, unter denen sich loser Stein und Kavernen verbargen. Wir haben an einem der tieferen Löcher begonnen zu graben und den Schutt, den wir aushoben, in die übrigen verfüllt. Ich hatte trotzdem keine Hoffnung, dass wir einen Weg in die Freiheit finden könnten, doch die Königin hat nie den Mut verloren.«

Adelheid zog die schmalen Schultern hoch. »Ich hatte den Höhleneingang im Felsen gesehen, als man uns herbrachte. Ich habe gebetet, dass wir einen Zugang zu den Höhlen finden, wenn wir nur lange genug graben, aber ... es wurde von Nacht zu Nacht schwerer, daran zu glauben.« Sie sah auf ihre schlafende Tochter hinab und strich ihr behutsam eine verirrte Haarsträhne von der Wange. Dann sah sie Gaidemar wieder an. »Ich konnte es mir nicht leisten aufzugeben.«

Er nickte und wandte den Blick ab. Nicht nur bezaubernd und verdammt mutig, sondern obendrein auch noch *nett*, dachte er verdrossen. Das hat mir so gerade noch gefehlt ...

»Aber woher wusstet *Ihr* von der Beschaffenheit der Felsen und der Höhle?«, wollte sie wissen.

»Ein Schäfer hat mir davon erzählt. Ich traf ihn draußen auf den Hügeln, als ich die Burg auskundschaften wollte. Er war nicht gut auf Graf Berengar zu sprechen, weil …« Gerade noch rechtzeitig besann er sich, dass er hier Damen vor sich hatte. Eine Königin gar. Und wer konnte wissen, ob ihr in Berengars Händen nicht das Gleiche passiert war wie der Tochter des Schäfers. Gaidemar wechselte die Richtung. »Es war nicht schwer, ihm den besten Fluchtweg zu entlocken. Jedenfalls, nachdem ich ihn gebeten hatte, langsamer zu reden. Das Deutsch, das ihr hier in der Lombardei sprecht, klingt höchst sonderbar für jemanden, der in Thüringen aufgewachsen ist.«

»Und ich nehme an, Ihr seid nicht wirklich ein Mönch?«, fragte Adelheid und wies auf seine Verkleidung.

Gaidemar musste sich ein Grinsen verbeißen. »Ich bin ein Panzerreiter, edle Königin.«

»Oh.« Es klang beeindruckt. Offenbar war der Ruf von König Ottos handverlesenen Reitersoldaten über die Alpen gelangt. »Und wenn ich fragen darf, wer genau seid Ihr? Gaidemar … von wo?«

»Gaidemar von Nirgends«, klärte er sie auf. »Ich bin ein Bastard.«

Die Zofe starrte ihn an und hatte für den Moment das Kauen vergessen. Bruder Guido räusperte sich pikiert. Was die Königin von der Eröffnung hielt, war unmöglich zu sagen, denn sie ließ es sich nicht anmerken. »Vergebt mir«, bat sie. »Ich hätte nicht fragen sollen. Ich glaubte, König Ottos Reiterlegionen bestünden aus jungen Edelleuten.«

»Fragt, so viel Ihr wollt, es macht mir nichts aus. Ich hatte beinah zweiundzwanzig Jahre Zeit, mich daran zu gewöhnen, was ich bin.«

»Doch wenn Ihr ein Panzerreiter seid, wo ist dann Euer Ross?«, wollte Bruder Guido wissen.

Gaidemar schnitt eine kleine, schmerzliche Grimasse. Das war ein *sehr* wunder Punkt. »In einem Mietstall nicht weit von hier an der Straße nach Verona. Ich konnte es nicht mit herbringen, es hätte Aufsehen erregt und nicht zu meiner Verkleidung gepasst. Es ist auch nicht so einfach, ein Pferd in einem Kornfeld zu verstecken …« Aber er konnte es kaum erwarten, seinen treuen

Amelung wieder auszulösen. Und dieses grässliche Mönchsgewand loszuwerden.

»Wie wunderschön der Nachthimmel ist«, sagte die Königin leise, den Kopf in den Nacken gelegt. »Ich habe mich manches Mal gefragt, ob ich den Himmel noch einmal wiedersehe.«

»Ja. Das kann ich mir vorstellen.« Gaidemar schnallte die zusammengerollte Wolldecke von seiner Tasche und streckte sie ihr entgegen. »Hier. Versucht, ein paar Stunden zu schlafen.«

Adelheid nahm die Decke mit größter Selbstverständlichkeit. Sie war eine Königin und sicher gewöhnt, dass andere sich bereitwillig ins stachelige Korn legten – Hauptsache, sie ruhte weich gebettet …

Bald kehrte Stille ein in der kleinen Mulde im Feld. Der Mönch und die beiden Frauen schliefen reglos und still – ein tiefer Erschöpfungsschlaf –, nur die kleine Emma warf sich hin und her und wimmerte einmal, vermutlich von bösen Träumen geplagt. Gaidemar saß mit angezogenen Knien bei ihnen und fragte sich, wie die vergangenen Monate wohl für diese Menschen gewesen sein mochten. Die Königin hatte einen ordentlichen Bluterguss am linken Jochbein, hatte er vorhin im Fackelschein gesehen. Und von Berengar und seinen Überredungskünsten einmal ganz abgesehen, wie hatten sie bei Wasser und Brot ausgeharrt, wo vermutlich keiner von ihnen vorher je Hunger gekannt hatte? Womit hatten sie die endlosen, öden Tage verbracht?

Er hatte keine Ahnung, aber er fand, es verdiente Respekt, dass sie den Mut nicht verloren, sondern die klitzekleine Chance ergriffen hatten, die sich ihnen bot, und sich mit bloßen Händen einen Weg in die Freiheit gegraben hatten. Das machte ihm ein wenig Hoffnung, denn es waren gute Voraussetzungen für den weiten und gefahrvollen Weg, der noch vor ihnen lag.

Liudolf spürte, dass er den anderen davonzog, und er beugte den Oberkörper weiter vor. Nicht um weniger Windwiderstand zu bieten, sondern es war eher, als wolle er eins mit seinem Pferd werden. »Komm schon, Beli. Ich weiß, dass das hier noch nicht alles ist.«

Aber Beli war ein sturer Dickschädel – vielleicht verstanden sie sich deswegen so gut – und neigte dazu, seine Reserven aufzusparen, bis es zu spät war, statt sich von seinem Reiter anspornen zu lassen.

»Komm schon«, versuchte der Prinz es noch einmal, es war ein verschwörerisches und einschmeichelndes Flüstern. »Vertrau mir nur dieses eine Mal.«

Beli machte einen Satz, dass es Liudolf beinah die Arme aus den Schultern riss. Sein ganzer Leib schien sich zu strecken, und der Hufschlag wurde schneller.

»Na also!«, rief der Prinz lachend und spuckte die rauen Haare der fliegenden Mähne aus, die sich in seinen Mund verirrt hatten.

Sie kamen aus dem Schatten der Bäume auf die ansteigenden Wiesen, die die Pfalz umgaben, und die Hitze traf Ross und Reiter wie ein Schmiedehammer. Aber Beli ließ sich nicht beirren und galoppierte mit unveränderter Geschwindigkeit hügelan.

Zu seiner Linken glaubte Liudolf einen der Verfolger zu hören. Er riskierte einen blitzschnellen Blick über die Schulter, und tatsächlich: Sein Halbbruder holte auf.

Fluchend schaute der Prinz wieder nach vorn. »Jetzt, Beli«, drängte er. »Dies ist der Augenblick.«

Schaumflocken flogen von Belis Maul, aber er wurde nicht langsamer. Unaufhaltsam wie ein reißender Strom näherte er sich der einsamen Schlehe, die die Ziellinie markierte. Wilhelms Fuchs schob sich neben sie, Liudolf hörte ihn und sah seinen Kopf am Rand seines Blickfeldes, aber er wusste, der Sieg war ihm nicht mehr zu nehmen, und er stieß ein triumphales Lachen aus und reckte die linke Faust in die Luft, als die Schlehe vorbeiflog.

Sobald er aufhörte zu treiben, fiel Beli in Schritt und keuchte ausgepumpt.

Liudolf klopfte ihm selig den schweißnassen Hals. »Du bist einfach der Beste. Ich schwöre, ich hatte nie zuvor einen Gaul wie dich ...«

»Oh, gewiss doch. Und vermutlich nimmst du ihn heute Nacht mit in dein Quartier und hüllst ihn in seidene Decken ...«, brummte sein Bruder, der an seiner Seite ebenfalls in Schritt gefallen war.

»Nein, vielen Dank, ich kann mir bessere Gesellschaft am Abend vorstellen«, entgegnete Liudolf lachend. »Du warst gar nicht übel, Bruder. Für einen Pfaffen, meine ich.«

Wilhelm schenkte ihm ein Lächeln – scheinbar nachsichtig, in Wahrheit jedoch gefährlich – und würdigte ihn keiner Antwort.

»Nimm den Mund lieber nicht so voll«, warf ihr Schwager Konrad ein, der die Schlehe auf seinem etwas zu stämmigen Braunen als Letzter passiert hatte. »Wilhelm hätte dich geschlagen, wäre das Ziel hundert Schritte weiter gewesen.«

»Ja, und ich *hätte* grüne Haare, *wäre* meine Mutter eine Waldfee gewesen«, gab Liudolf unbeeindruckt zurück.

»Was man ihr nun wirklich nicht nachsagen kann«, bemerkte Wilhelm und lenkte seinen herrlichen Wallach mit den Knien Richtung Torhaus. »Kommt, es wird Zeit. Reiten wir zurück.«

Schweren Herzens wendete auch Liudolf sein Pferd. »Ja.« Er seufzte. »Wir sind schließlich nicht zum Vergnügen hier ...«

»Sag das nicht«, widersprach Konrad und warf sich die lange, ewig unordentliche Blondmähne zurück über die massigen Schultern. »Der Wein, den sie in Ingelheim zum Essen einschenken, ist immer hervorragend.«

Konrad war ein Bär von einem Kerl und ein paar Jahre älter als Liudolf und sein Bruder. Mit seinen beinah dreißig Jahren hätte er eigentlich der Besonnene in ihrem ungleichen Kleeblatt sein müssen. Aber Konrad war ein Draufgänger und ein Raufbold, zu hitzköpfig, um vernünftig zu sein. Falls überhaupt einer von ihnen über diese weithin überschätzte Eigenschaft verfügte, dachte Liudolf oft, dann war es Wilhelm mit seiner wortkargen Art und seiner frommen Bücherbildung, die ihn freilich nicht daran hinderten, ein paar höchst weltliche Laster zu pflegen. In aller Diskretion, natürlich.

Liudolf sah von seinem Bruder auf seiner linken Seite zu seinem Schwager auf der rechten, atmete tief durch und dankte dem Himmel für diese beiden Freunde. Gerade in schweren Stunden brauchte ein Mann Freunde, und Liudolf ahnte, dass es schwere Stunden sein würden, die ihm bevorstanden.

Ingelheim zählte zu den komfortableren Pfalzen – den königlichen Burgen, die über das ganze Reich verstreut lagen und dem ewig umherziehenden Hof als Herbergen dienten. Zehn Meilen westlich von Mainz nahe dem Rheinufer gelegen, war sie vornehm und großzügig angelegt, weil Karl der Große sie erbaut hatte.

Die drei jungen Männer ritten durch das hölzerne Torhaus in der Südwand der Palisade und gelangten in den grasbewachsenen Innenhof, wo Knechte und Wachen herbeikamen, um ihnen die Pferde abzunehmen.

Liudolf, Wilhelm und Konrad wandten die Schritte zum Westrand der Anlage, wo die *Aula Regia* – die vornehme Steinhalle – sich über den niedrigen hölzernen Wirtschaftsgebäuden und Wohnquartieren erhob wie eine thronende Königin über ihren knienden Untertanen.

Zwei Wachen flankierten den Eingang und neigten die Köpfe, als sie die Ankömmlinge erkannten. »Der König hat alle rausgeworfen und wollte nicht gestört werden, Prinz, aber Euch sollen wir reinlassen«, erklärte der Linke.

»Danke, Wido.«

Mit mehr Entschlossenheit, als er empfand, trat Liudolf durch das mächtige, zweiflügelige Bronzetor, Wilhelm und Konrad einen halben Schritt hinter ihm.

Der riesige Hauptsaal der Halle lag verlassen, die langen Bänke und Tische waren leer. Nur hier und da zeugten ein paar Brotkrümel oder eine abgenagte Birne auf der Tischplatte davon, dass hier heute früh noch eine große Hofgesellschaft das Frühstück eingenommen hatte.

Die Halle mit den hübschen Rundbogenfenstern hatte beinah etwas Sakrales, und dort, wo in einer Kirche der Altar war, stand hier auf der Empore die hohe Tafel in einer Scheibe aus Sonnenlicht, das durch das östliche Fenster fiel. An der Mitte dieser Tafel saß eine einsame, unverkennbar königliche Gestalt: groß, breitschultrig, und das blonde Haar leuchtete wie gesponnenes Gold im Sonnenschein. Nur die Haltung wirkte untypisch gebeugt, und als Liudolf näher trat, erkannte er den Grund. Der König hatte ein Buch vor sich auf dem Tisch liegen.

»Vater«, grüßte der junge Mann mit einem Lächeln, aber verhaltener als sonst für ihn üblich. Liudolf liebte und bewunderte seinen Vater – man konnte praktisch gar nicht anders –, aber er verspürte auch immer ein leises Unbehagen in seiner Gegenwart. So als hätte er vorsorglich schon einmal ein schlechtes Gewissen, weil er neben dem untadeligen König immer wie ein hoffnungsloser Sünder dastand.

König Otto hob den Kopf und strahlte. »Ah, da seid ihr also wieder. Wilhelm, sei so gut, komm her und hilf deinem alten Herrn.«

Wilhelm umrundete die Tafel, schnürte unterwegs den dunklen Mantel auf und schlang ihn sich über den linken Arm, während er neben den König trat. »Wobei?«

Otto wies auf die rechte Spalte der rechten Seite des dicken Buches. »Dieses Wort hier. Ich weiß, ich kenne es, aber es entzieht sich mir wie ein Fisch, den man mit bloßen Händen zu fangen versucht.«

Wilhelms Blick folgte dem langen, schwieligen Finger auf der elfenbeinfarbenen Pergamentseite. »*Ministratores*«, las er mühelos.

»Ein recht langes Wort«, murmelte der König zu seiner Verteidigung.

Wilhelm nickte, entgegnete jedoch: »Dann seid nur froh, dass nicht *Peradulescentulus* dort steht.«

Der König ließ sich gegen die Sessellehne sinken und seufzte. »Ich beneide dich um deine Finesse.«

»Beneidet mich nicht, mein König«, gab Wilhelm mit einem

sparsamen Lächeln zurück. »Sie wurde mit ziemlich vielen Rutenschlägen erkauft, und meine halbe Kindheit war ich wütend, weil ich Bücher studieren musste, während Liudolf Fechten lernte.«

»Ich erinnere mich gut daran«, sagte der König. »Bis schließlich mein kluger Bruder Brun deine weitere Erziehung übernahm und verkündete, auch ein zukünftiger Bischof müsse ein Schwert führen können. Heute scheint mir, es wäre gescheiter gewesen, meine beiden Söhne in der einen wie der anderen Kunst unterweisen zu lassen, denn auch ein Prinz sollte des Lesens mächtig sein.«

»Zum Glück ist es dafür nun zu spät«, bemerkte Liudolf mit Inbrunst, nahm den goldenen Weinkrug, der am Tischende stand, und schenkte ein paar Becher voll.

»Sag das nicht«, widersprach der König boshaft. »Man ist nie zu alt, um lesen zu lernen. Schau mich an.«

Der König hatte es Liudolfs Mutter auf dem Sterbebett versprochen: Er werde das Lesen erlernen und das Wort Gottes und die gelehrten Schriften studieren, wie sie es sich wünschte. Liudolf fand immer, es war ein sonderbarer, unsinniger letzter Wunsch. Und er war ein wenig gekränkt gewesen, dass die Königin ihrem Gemahl nicht aufgetragen hatte, nachsichtig und gütig für ihre Kinder zu sorgen, wie andere Mütter es doch ganz gewiss getan hätten. Liudolf war zwar schon sechzehn gewesen, als sie starb, aber trotzdem hätte er ihre posthume mütterliche Fürsprache gut gebrauchen können. Genau genommen brauchte er sie heute – fünf Jahre später – noch genauso dringend …

Er stellte einen der Pokale neben das kostbare Manuskript. »Aber Ihr seid der König, Vater. Normalsterbliche wie wir können nur verzweifeln, wenn wir Euch nacheifern wollen.«

Otto ignorierte den Becher und blätterte die nächste Seite um. Den Blick auf die bräunlichen Buchstaben gerichtet, erwiderte er milde: »Und doch wäre es für meinen Erben vielleicht ratsam, es wenigstens dann und wann zu versuchen, denkst du nicht?«

Das Poltern der Eingangstür ersparte Liudolf, antworten zu müssen. »Ah, hier kommen die Damen …«, mutmaßte er freudestrahlend, doch als er den Kopf wandte, sickerte das Lächeln aus seinen Mundwinkeln. Weder seine Schwester noch seine Gemahlin hatten die Halle betreten, sondern sein Onkel.

König Otto klappte sein Buch zu und schob es ein Stück beiseite. »Henning. Gut. Somit wären alle Herzöge des Reiches versammelt. Setzt euch. Wir müssen beraten. Nein, Wilhelm, leiste uns Gesellschaft«, sagte er zu Liudolfs Halbbruder, der sich schon abwenden wollte.

Kommentarlos setzte Wilhelm sich dem König gegenüber auf eine unkomfortable, kleine Holzbank. Er war nur ein Bastard und konnte deswegen keinen Adelstitel bekleiden, aber allen war klar, dass der König ihn für ein hohes Kirchenamt vorgesehen hatte. Damit würde Wilhelm eines Tages so mächtig sein wie jeder Herzog – wenn nicht mächtiger. Und um ihn mit der Reichspolitik vertraut zu machen, bat der König seinen unehelichen Erstgeborenen immer häufiger zu den Ratssitzungen.

Liudolf glitt auf den Platz zur Rechten des Königs, ehe sein Onkel sich dort breitmachen konnte. Konrad setzte sich zu Wilhelm auf die Bank, während Onkel Henning den bequemen Sessel auf der anderen Seite des Königs einnahm.

»Also?«, begann Otto und sah in die Runde. »Was hören wir aus der Lombardei?«

»Nichts Gutes«, antwortete Henning düster. »Berengar von Ivrea hat über den Sommer viel Rückhalt gewonnen.«

»Aber er hat den jungen König ermorden lassen«, warf Konrad angewidert ein. »Wie können die italienischen Grafen ihm nur folgen?«

»Sie folgen dem, der Stärke und Machtwillen beweist, das ist überall auf der Welt gleich«, belehrte Henning ihn unwirsch. »Und es war unserer Sache dort nicht gerade förderlich, dass Liudolf über die Alpen gezogen ist und versucht hat, die lombardische Krone für sich selbst zu ergattern ...«

»Wie oft muss ich mir das noch anhören?«, knurrte Liudolf. »Ich wollte der armen Adelheid aus der Klemme helfen, nichts weiter. Sie ist schließlich eine Cousine meiner Frau, sollte dir das entfallen sein, Onkel. Aber du musstest ja die allgemeine Verwirrung ausnutzen, um selbst über die Alpen zu ziehen und dir das

Friaul unter den Nagel zu reißen. Ich bin nicht sicher, wie dienlich *das* unserer Sache war.«

»Das Friaul gehört traditionell zu Bayern, dessen Herzog ich zufällig bin«, gab Henning zurück. Gelangweilt, selbstgefällig – ganz und gar unerträglich, wie üblich.

»Und du hast recht daran getan, es zu nehmen«, sagte der König beschwichtigend zu seinem Bruder.

Liudolf stieß hörbar die Luft aus. *Das war ja klar,* lag ihm auf der Zunge, aber er würgte es mühsam hinunter. Verstohlen und aus dem Augenwinkel betrachtete er den Bruder seines Vaters, der mit der unversehrten linken Hand Rosinen und Nüsse aus der Tonschale auf dem Tisch klaubte und sie sich mit seinen legendär miserablen Tischmanieren allesamt gleichzeitig in den Mund stopfte. Die verkrüppelte Rechte lag auf der Tischplatte und steckte wie üblich in einem Handschuh aus feinstem Rehleder, dessen elegant bestickte Stulpe den halben Unterarm umschloss. Er gab Henning immer einen verwegenen Anstrich, dieser Handschuh. Obendrein sah der Herzog von Bayern auch noch unverschämt gut aus. Um die dreißig, das Haupt- und Barthaar voll und blond, die Augen hell wie die Flügel eines Bläulings, genau wie die Augen des Königs, nur stechender. Lange hatte Henning gegen den König rebelliert und nach seiner Krone getrachtet. Vor zehn Jahren hatte er sogar ein Mordkomplott gegen ihn geschmiedet. Doch zu Liudolfs größtem Bedauern hatte er dafür nicht den Kopf verloren, sondern war genau hier in Ingelheim in Festungshaft gelandet. Und danach hatte sich irgendetwas geändert. Liudolf hatte nie so recht begriffen, was genau oder warum. Jedenfalls hatte Henning dem König die letzten zehn Jahre treu gedient, ihm die Wünsche praktisch von den Augen abgelesen und sich möglicherweise sogar sein Vertrauen erworben. Dabei träumte Onkel Henning in Wahrheit immer noch von der Königswürde, und auch deswegen verabscheute er Liudolf, den Kronprinzen. Er war gerissen und völlig frei von Skrupeln. Man war gut beraten, ihm niemals den Rücken zuzudrehen.

»Das Friaul ist ein wertvolles Bollwerk gegen die Ungarn, und *wir* sollten diejenigen sein, die es kontrollieren«, erklärte der König seinem Sohn mit der typischen Geduld, sah dann zu seinem Bruder und fügte hinzu: »Und ich wäre dankbar, wenn wir auf haltlose gegenseitige Anschuldigungen verzichten könnten.«

»Und doch wird die Frage wohl erlaubt sein, was Liudolf getrieben hat, ohne Eure Erlaubnis Truppen in die Lombardei zu führen.«

Konrad schnalzte mit der Zunge. »Es war kaum mehr als eine Leibwache und …«

»Ich denke, ich habe mich klar ausgedrückt«, unterbrach der König scharf, und mit einem Mal wirkte er erhaben und unnahbar wie eine Marmorstatue. Liudolf staunte immer wieder darüber, wie sein Vater sein von Gott verliehenes Königtum offenbaren konnte, wenn es seinen Absichten diente, plötzlich und unübersehbar wie das Aufflammen einer Fackel. Und es ließ niemanden je unbeeindruckt.

Onkel Henning hob augenblicklich die behandschuhte Rechte zu einer Geste des Einlenkens.

Otto richtete den geruhsamen Blick auf Liudolf, betrachtete ihn einen Moment schweigend und sagte dann bedächtig: »Es war überflüssig und ungehörig, ohne meine Erlaubnis nach Italien zu ziehen, und es hat unserer Sache geschadet.«

Liudolf biss die Zähne zusammen, gab sich dann einen Ruck und sagte mit gesenktem Kopf: »Es tut mir leid, mein König. Vergebt mir.«

»Von Herzen. Aber tu es nie wieder, mein Sohn.«

Die unausgesprochene Drohung kränkte Liudolf. Er hatte sich entschuldigt, was ihm nie leichtfiel, und er fand es ungerecht, dass sein Vater ihn trotzdem weiter demütigte. Und das Unerträglichste war Hennings Gesicht. Die gekräuselte Lippe und das amüsierte Funkeln in den Augen verrieten, wie sehr er sich an Liudolfs Unbehagen weidete.

»Bei allem Respekt, mein König«, meldete Konrad sich zu Wort. »Aber Liudolf ist der Herzog von Schwaben und hat lediglich schwäbische Interessen gewahrt. Ich habe Mühe zu erkennen, wo sein Fehltritt liegen soll.«

»Dann will ich es dir erklären«, erwiderte Otto, die Stirn ein wenig gefurcht. »Die Sicherung der Lombardei ist eine Reichsangelegenheit, das weiß man jenseits der Alpen genauso gut wie hier. Und wenn meine Herzöge in meinen Angelegenheiten vorpreschen wie übereifrige Jagdhunde, statt meine Anordnungen zu befolgen, schadet das unser aller Ansehen.« Er sprach ruhig, aber eine unüberhörbare Schärfe lag in seinem Tonfall. »Und nun wüsste ich gerne, wie es mit dieser Reichsangelegenheit steht.«

Zu Liudolfs Verwunderung war es sein Bruder, der das Wort ergriff. »Ich habe einen Mann nach Garda geschickt, der Adelheid aus Berengars Klauen befreien soll.«

»Gut. Erst wenn das geschehen ist, können wir handeln. Vorher riskieren wir mit jedem Schritt, dass auch sie unter rätselhaften Umständen das Leben verliert wie ihr Gemahl.«

»Du hast *einen* Mann geschickt?«, fragte Henning ungläubig. »Er muss ein Recke wie Roland sein, dass er die unglückselige Adelheid ganz allein aus der Festung von Garda befreien soll ...«

Wilhelm deutete ein Schulterzucken an. Ganz anders als Liudolf konnte er Hennings Herablassung immer von sich abperlen lassen. »Ich habe ihm angeboten, so viele Männer mitzunehmen, wie er für richtig hielt, doch er sagte, bei einem so heiklen Auftrag sei mehr als einer immer zu viel.«

»Wer ist er?«, fragte der König neugierig.

»Ein Panzerreiter aus Thüringen. Sein Name ist Gaidemar, und er ist ...«

»Ich erinnere mich an Gaidemar«, warf Otto ein, und man hörte, dass er sich mit Wohlwollen erinnerte. »Er war noch ein Grünschnabel, als wir gegen meinen Schwager nach Westfranken gezogen sind, aber er hat Hugos Männer das Fürchten gelehrt, vor allem mit der Wurflanze.«

»Das ist der Mann«, bestätigte Wilhelm, und er sah den König ganz sonderbar an, so als wolle er mit seinem Blick ein Loch in dessen Schädel bohren, um zu sehen, was Otto dachte. Liudolf wurde überhaupt nicht klug aus den stummen Botschaften, die sein Vater und sein Bruder tauschten. Aber dann wandte Wilhelm seine Aufmerksamkeit der Schale auf dem Tisch zu, wählte mit Sorgfalt eine Rosine aus und rollte sie zwischen Daumen und Mittelfinger der Rechten hin und her, statt sie zu essen. »Ich habe seinen Weg seit Eurem Westfrankenzug dann und wann verfolgt, Vater, und ich glaube, wenn irgendwer diese Tat vollbringen kann, dann er.«

Henning ließ nicht locker. »Und wenn du dich täuschst? Was wird aus der schönen Adelheid, wenn dein famoser Panzerreiter erwischt und aufgeknüpft wird?«

»Dann haben wir nichts verloren bis auf einen guten Mann«, entgegnete Otto.

»Ja, aber Berengar wird aus ihm herausholen, wer ihn geschickt hat, eh er ihn aufhängt, und dann steht Ihr da wie ein …« Er überlegte es sich im letzten Moment anders und ließ das Wort unausgesprochen.

Der König stützte einen Moment das Kinn auf die Faust und dachte nach. Die anderen Männer in der Halle wussten es besser, als das Wort zu ergreifen, und warteten schweigend.

Schließlich regte sich Otto und sagte: »Ich ziehe nach Rom.«

Der Ankündigung folgte verdattertes Schweigen. Liudolf tauschte einen Blick mit Konrad und formte mit den Lippen tonlos: »*Rom*?«

Sein Schwager zog ratlos Augenbrauen und Schultern hoch.

»Das wird den Heiligen Vater über die Maßen entzücken, mein König«, prophezeite Wilhelm spöttisch.

»Ja, ganz sicher«, stimmte Henning mit einem Lächeln zu, das ebenso mutwillig wie boshaft war. »Aber was genau wollt Ihr in Rom, mein König?«

»Das werde ich wissen, wenn ich dort bin«, antwortete Otto geheimnisvoll. »Aber wenn ich schon einmal jenseits der Alpen bin – mit meinem Gefolge von … hm, sagen wir, zweitausend Mann –, werde ich nach der jungen Königin Adelheid sehen und mich von ihrem Wohlergehen überzeugen.«

»Wozu?«, fragte Liudolf verständnislos. »Und wenn Ihr auf einmal so um ihr Wohlergehen besorgt seid, weshalb rügt Ihr mich dann dafür, dass ich ihr zu Hilfe kommen wollte?«

Der König musterte ihn einen Moment forschend, ehe er sagte: »Ich möchte einen Blick auf sie werfen, mein Sohn. Was ich natürlich eigentlich will, ist Adelheids Krone. Vielleicht finde ich ja einen etwas … eleganteren Weg, sie zu bekommen, als Berengar.«

Wilhelm und Konrad tauschten einen verwunderten Blick. Henning runzelte die Stirn und beäugte den König unsicher, so als ginge er im Kopf alle möglichen Deutungen dieser sonderbaren Ankündigung durch und finde eine absurder als die andere. Ausnahmsweise konnte Liudolf dieses eine Mal mit seinem Onkel fühlen, denn ihm erging es genauso. Und ihn beschlich ein ganz fürchterlicher Verdacht.

Lombardei, August 951

»Wir müssen schneller werden«, drängte Gaidemar.

»Das sagt Ihr andauernd«, beschwerte sich Bruder Guido.

»Und ich werde es so lange sagen, bis es etwas nützt«, stellte der junge Panzerreiter in Aussicht. Er sah zu Adelheid hinauf, die mit ihrer Tochter im Sattel saß. »Wir müssen vor Einbruch der Dunkelheit noch ein paar Meilen schaffen, sonst werden wir unsere Verfolger niemals los.«

»Aber wir haben seit zwei Tagen keinerlei Anzeichen von Verfolgung gesehen«, wandte der Mönch ein.

»Ihr vielleicht nicht«, konterte Gaidemar ominös.

»Ich habe nichts dagegen, heute noch ein gutes Stück weiterzukommen«, ging Adelheid dazwischen. »Und ich bin gern bereit zu laufen. Warum reitet Ihr nicht, bis wir rasten, Bruder? Ihr könnt Emma eine Geschichte erzählen.« Sie wusste, dass Bruder Guido von schmerzenden Knien geplagt wurde.

Doch er lehnte entrüstet ab. »Kommt nicht infrage.«

»Wieso denn nicht? Ich bin ausgeruht, seid versichert.«

»Weil es sich nicht gehört«, erklärte der Mönch verdrossen.

Gaidemar streifte ihn mit einem Blick – halb nachsichtig, halb spöttisch. So als wolle er sagen: Gib doch zu, dass du dich vor Pferden fürchtest. Doch er sprach es nicht aus.

Er führte seinen temperamentvollen Rappen mit der Rechten und strich ihm mit der Linken abwesend über die Nüstern, während er zurückblickte. Sein dunkles, gewelltes Haar, das bis auf die breiten Schultern fiel, schimmerte matt im Sonnenschein, aber die mörderische Hitze schien dem jungen Panzerreiter nichts anhaben zu können.

Adelheid wandte sich im Sattel ebenfalls um. Der staubige Pfad, der sich zwischen einem Weinfeld und einem Mandelhain durch die Hügel schlängelte, lag verlassen und still. Der Himmel war so blau wie Lapislazuli, Grillen sangen im hohen Gras, und die Luft roch nach heißem Staub. Kein Windhauch regte sich.

Es war der dritte Tag ihrer Flucht. Sie hatten sich stetig nach Süden bewegt, und allmählich verschwanden die Berge hinter ihnen im Dunst. Diese Gegend war dünn besiedelt, und Gaidemar mied die belebte Handelsstraße, die Verona mit Bologna verband. Seit gestern Mittag waren sie keiner Menschenseele mehr begegnet.

Trotzdem war Gaidemar wachsam und angespannt. »Gibt es eine Stadt zwischen diesen Hügeln und dem Bischofssitz von Reggio Emilia?«, fragte er.

»Mantua«, antwortete Adelheid. »Es kann nicht mehr weit sein.«

Das schien ihm nicht zu gefallen. »Seid Ihr sicher?«

Sie runzelte die Stirn. »Ich lebe seit meinem sechsten Lebensjahr in diesem Land und bin seine Königin. Glaubt mir, ich *bin* sicher.«

Er nickte, abwesend und ohne sich zu entschuldigen. Adelheid wurde nicht so recht klug aus Gaidemar. Dabei war sie eine gute Menschenkennerin. Einer burgundischen Prinzessin und Königin von Italien blieb nichts anderes übrig, denn die Leute meinten selten das, was sie zu ihr sagten. Also musste sie sie studieren und durchschauen, um ihre wahren Absichten zu erkennen. Das hatte Adelheid sich selbst gelehrt – wie so viele andere Dinge –, doch bei Gaidemar versagte diese Fähigkeit. Er war höflich und korrekt und hatte sie sicher bis hierher gebracht. Doch er wurde vage, manchmal gar abweisend, sobald sie ein persönliches Wort an ihn richtete.

Als sie sich in dem Feld am Ufer des Gardasees verborgen hatten und die Verfolger kommen hörten, war er davongeschlichen, hatte die Suchmannschaft von ihrem Versteck fortgelockt und war so lange ausgeblieben, dass Anna und Bruder Guido schon argwöhnisch wurden. Schließlich war er wieder in ihrer Mulde im Gerstenfeld erschienen, seine unscheinbare Klinge und sein Mönchsgewand blutbesudelt. Aber etwas an seiner Miene hatte sie alle davon abgehalten, ihn zu fragen, was geschehen war.

Bei Morgengrauen waren sie aufgebrochen und unbehelligt auf die Straße gelangt, wo Gaidemar in einem Gasthaus an einer Wegkreuzung sein Pferd und seine Ausrüstung deponiert hatte. Er löste sie aus, kaufte bei der fetten Wirtin Proviant und drängte zum baldigen Aufbruch.

Beinlinge und Tunika aus guter, dunkler Wolle, Lederwams, festes Schuhwerk und der unverkennbar weit gereiste Umhang, vor allem aber Schwert und Lanze waren weit besser mit seinem Gebaren vereinbar als das Mönchsgewand, und auch wenn er keine Rüstung mit sich zu führen schien, trug er seine Zugehörigkeit zu König Ottos Panzerreitern doch mit Stolz und scheinbar mit Leichtigkeit. Amelung, der Rappe mit der hübschen Flocke, war sein ganzer Stolz. Trotzdem hatte Gaidemar darauf bestanden, dass Adelheid und Emma auf Amelung ritten.

»Hat ein Panzerreiter nicht eigentlich zwei Pferde?«, fragte die Königin.

»Ein Reisepferd und ein Schlachtross«, stimmte er zu. »Manche Reiter haben auch noch einen berittenen Burschen, also drei Pferde insgesamt.« Aber er nicht, hörte sie aus der Antwort heraus, und sie ahnte, dass seine Mittel dafür nicht ausreichen. Nicht zum ersten Mal fragte sie sich, warum König Otto ihr ausgerechnet diesen sonderbaren Retter geschickt hatte anstelle eines Grafen oder Bischofs, aber sie nahm an, er hatte gute Gründe. Und bislang hatte sie auch keinen Grund, sich zu beklagen.

Gaidemar klopfte Amelung den schweißfeuchten Hals. »Er

ist mein Reisepferd. Und hat mich vortrefflich über die Berge gebracht.«

»Und Ihr liebt ihn mehr als mancher Vater seinen Erstgeborenen, scheint mir«, zog Adelheid ihn auf.

Gaidemar überraschte sie mit einer kleinen selbstironischen Grimasse. »Da könntet Ihr recht haben ...«

Adelheid lachte. Es kam ihr vor, als lache sie zum ersten Mal seit vier Monaten.

Allmählich wich das Grauen von ihrer Seele, so wie ein zäher Nebel von der schwachen Herbstsonne aufgezehrt wurde. Manchmal, wenn ihr morgens beim Aufwachen als Erstes einfiel, dass Lothar tot war, konnte es immer noch vorkommen, dass die Finsternis über sie hereinbrach. Dann fehlte er ihr so sehr, dass sie es wie einen körperlichen Schmerz spürte, irgendwo hinter dem Brustbein, als stecke dort eine vergiftete Pfeilspitze, und das Gift saugte alle Kraft aus ihren Gliedern.

Adelheid war sechs gewesen, Lothar neun, als ihre Mutter seinen Vater heiratete und die Kinder miteinander verlobt wurden. Sie waren zusammen aufgewachsen, hatten jedes Geheimnis, jede Kinderkrankheit und jeden Kummer geteilt. Lothar war immer der Sanftmütige gewesen, Adelheid die Anführerin und nicht selten Anstifterin zu irgendwelchem Schabernack. Aber es war ohne Belang, dass ihre Rollen vertauscht gewesen waren, denn in ihrer Vorstellung und der ihrer kleinen Welt am Hof zu Pavia bildeten Lothar und Adelheid ohnehin eine Einheit. Selten wurde der eine Name ohne den anderen ausgesprochen. Sah man ihn, war sie meist nicht weit. Die Hochzeit war die natürlichste Sache der Welt für sie beide gewesen und Emma wahrhaftig ein Kind der Liebe. Adelheid hatte nicht damit gerechnet, dass es ewig währen würde. Sie war eine Frau, die den Tatsachen ins Auge sah, und sie wusste, das Leben war flüchtig. Das hatte sie gelernt, als sie mit fünf Jahren ihren Vater hatte sterben sehen. Aber dass drei kurze Jahre und ein einziges Kind alles waren, was Gott ihr und Lothar zugestanden hatte, erfüllte sie mit Trauer. Dass es keine Krankheit, sondern Berengars feiger Giftanschlag gewesen war, der sie auseinanderriss, mit Bitterkeit. Doch nun lag Lothars Tod zehn Monate zurück, und sie und Emma waren wider alle Wahrscheinlichkeit Berengars Klauen entkommen – zumindest fürs Erste. Adelheid spürte ihren Lebensmut wieder erwachen.

Der Mandelhain blieb zurück, und der Pfad führte hügelab zu einem munteren Bachlauf. Ein lichtes Gehölz erhob sich am anderen Ufer.

Gaidemar schaute prüfend auf das klare Wasser. »Es ist nicht tief.« Er sah zu Anna. »Kannst du hindurchwaten? Falls nicht, nehme ich dich auf den Rücken.«

Die Magd lachte ihn aus. »Ein bisschen Wasser macht mir keine Angst, junger Herr.«

»Ja, das dachte ich mir«, gab er mit einem anerkennenden Nicken zurück und führte sein Pferd durch das Flüsschen. Amelung schnaubte indigniert, sobald das kalte Wasser seine Hufe umspülte, aber er scheute nicht.

Der Mönch und die Zofe folgten, und als sie am anderen Ufer waren, hockte Bruder Guido sich auf die Erde, schöpfte mit beiden Händen und trank. »Hm«, machte er genießerisch, als er die Hände sinken ließ. »Köstlich und herrlich kühl. Es ist …«

Adelheid sah einen Schatten heranfliegen, und im nächsten Moment lag Bruder Guido mit dem Gesicht nach unten im Wasser. Ein Pfeil ragte zwischen seinen Schultern aus dem Rücken.

Anna schrie auf.

Gaidemar hatte das Schwert schon in der Rechten. »Zurück übers Wasser!«, befahl er Adelheid.

Sie wendete das Pferd und sah aus dem Augenwinkel zwei Bewaffnete in eisenbeschlagenen Lederwämsern aus dem Dickicht treten: ein bärtiger Unhold mit rotem Zottelschopf und ein Glatzkopf. Der erste hielt einen Bogen in der Linken, der andere schwang ein gewaltiges Schwert und stürzte sich mit einem Kampfschrei auf Gaidemar.

Der junge Panzerreiter glitt zur Seite und ließ seine eigene Klinge niederfahren. Doch der Angreifer hatte einen dicken runden Eichenschild, der den Schwerthieb mit einem dumpfen Poltern abfing. Dann schwang der Glatzkopf wieder seine Waffe, und die Klingen kreuzten sich klirrend. Noch während sie schleifend auseinanderfuhren, schmetterte Gaidemar seinem Gegner die geballte Linke ins Gesicht. Mit einem wütenden Knurren taumelte der Glatzkopf zurück. Blut sprudelte aus einer Platzwunde an der rechten Braue und lief ihm ins Auge.

Gaidemar wandte für einen Lidschlag den Kopf. »Worauf wartet Ihr?«, schnauzte er Adelheid an. »Verschwindet!«

Sie wusste, er hatte recht, aber sie zögerte noch.

Der Rotschopf hatte seinen Bogen fallen lassen und ein Jagdmesser gezückt, mit dem er sich von links auf Gaidemar stürzte. Fasziniert beobachtete Adelheid, dass der Panzerreiter sein eigenes Messer längst in der Linken hielt. Während er schon wieder das Schwert mit dem Kahlköpfigen kreuzte, warf er das Messer mit einer rasant schnellen Bewegung aus dem Handgelenk. Es flog wie ein glitzernder Vogel und blieb in der Kehle des Rotschopfs stecken. Der brach mit einem schauerlichen Gurgeln in die Knie und tastete mit fahrigen Bewegungen nach dem Messerschaft. Adelheid legte Emma eine Hand über die Augen. Der Rotschopf schaffte es, das Messer aus der Wunde zu ziehen, die daraufhin erst recht zu sprudeln begann. Er fiel röchelnd ins Gras und lag still.

Gaidemar hatte unterdessen den Glatzkopf ein paar Schritte zurückgedrängt, ließ das Schwert wieder und wieder auf den Rundschild niedersausen und war auf dem Vormarsch. Es war ein Glück, dass er dem Schwertkampf jetzt seine ganze Aufmerksamkeit schenken konnte, denn er hatte einen gefährlichen Gegner. Obwohl immer noch Blut in sein Auge rann und ihm doch gewiss die Sicht nehmen musste, parierte er Gaidemars blitzschnelle Schwerthiebe ohne erkennbare Mühe. Als er mit dem Rücken an einen Baumstamm stieß, duckte er sich nach links weg und machte gleichzeitig einen Satz nach vorn, benutzte seinen massigen Schild wie eine Ramme und stieß ihn Gaidemar in die Seite. Der geriet für einen Moment ins Straucheln. Der Moment reichte. Die Klinge des Glatzkopfes fuhr nieder, und Adelheid biss sich auf die Zunge, um einen Schrei zu unterdrücken, denn sie war sicher, Gaidemar werde den Arm verlieren. Doch der junge Panzerreiter schaffte es irgendwie, sich wegzudrehen, obwohl er das Gewicht auf dem falschen Fuß hatte, und so kam er mit einer klaffenden Wunde davon. Der Glatzkopf hatte seine Deckung geöffnet, um den Stoß führen zu können. Gaidemar rempelte den Schild mit der rechten Schulter beiseite und rammte seinem Gegner den linken Ellbogen ins Gesicht. Die Nase brach mit einem hörbaren Knirschen.

Der Mann brüllte, und Gaidemar nutzte den Augenblick, da sein Kontrahent nur mit seinem Schmerz beschäftigt war, um ihm die Klinge aus der massigen Faust zu treten.

Der Glatzkopf hatte sich wieder gefangen. Er hob den Schild, um Gaidemars tödlichen Stoß abzuwehren, tauchte nach rechts weg, sprang über den armen Bruder Guido hinweg ins Wasser und über das Flüsschen.

Keuchend fuhr Gaidemar zu Adelheid herum, stieß roh ihren Fuß aus dem Steigbügel und riss die kurze Flügellanze aus der Halterung am Sattel.

Der Glatzkopf rannte auf der anderen Seite des Baches den staubigen Pfad hinauf, der den Mandelhain säumte. Hätte er sich umgeschaut, hätte er gesehen, dass Gaidemar die Lanze ohne Eile bis an die rechte Schulter hob und dann verharrte. Mit einem Mal war der eben noch so agile, leichtfüßige Schwertkämpfer zu einem Standbild erstarrt, während er Maß nahm. Dann machte sein ganzer Körper eine kleine, aber kraftvolle Vorwärtsbewegung, die Lanze schnellte aus der Hand wie ein Pfeil von der Bogensehne und traf den Flüchtenden in den Rücken. Der Glatzkopf riss die Arme hoch und stürzte lautlos auf die staubige Erde.

Mit einem Mal war es sehr still am Ufer des murmelnden Baches. Selbst die Vögel in dem lichten Wäldchen, wo die Angreifer gelauert hatten, waren vorübergehend verstummt.

Adelheid nahm die Hand von Emmas Augen und strich ihrer Tochter über das feine Haar. »Entschuldige, mein Liebling«, murmelte sie.

Emma wandte sich mit einem leisen Jammerlaut zu ihr um und vergrub das Gesicht an ihrer Brust. Adelheid legte ein wenig ungeschickt den linken Arm um sie, weil sie die Zügel in der Rechten hielt. »Es ist alles gut, Emma. Hab keine Angst.«

»Böse Männer«, flüsterte Emma erstickt. »Böse Männer …«

Adelheids Brust zog sich zusammen. Emma wurde immer einsilbiger. Dabei hatte sie früher ohne Unterlass geplappert, seit sie zu sprechen begonnen hatte. Doch sie hatte in den letzten Monaten einfach viel zu viele ›böse Männer‹ sehen müssen. »Ja, es waren böse Männer, aber Gaidemar hat uns vor ihnen beschützt. Alles ist gut«, wiederholte die Mutter hilflos.

Gaidemar hatte sich derweil über Bruder Guido gebeugt und ihn mit der unverletzten Hand auf den Rücken gedreht. Der linke Arm des Mönchs fiel mit einem leisen Platschen ins Wasser. Leblos. Gaidemar sah über die Schulter zu Adelheid und schüttelte den Kopf. »Tut mir leid.« Mit der Linken strich er Guido über die Augen, um die Lider zu schließen, mit der Rechten bekreuzigte er sich. Sein Ärmel war nass und dunkel von Blut, und als er die Hand sinken ließ, tröpfelte es von den Fingerspitzen auf die Erde.

Adelheid schwang das rechte Bein über den Widerrist seines Pferdes und glitt aus dem Sattel. »Anna, hör auf zu flennen und tu etwas Nützliches. Hier, nimm Emma.«

Die Zofe nickte und fuhr sich schniefend mit dem Ärmel über die Augen, murmelte aber: »Ein paar Tränen wird der arme Bruder Guido doch wohl verdient haben, oder?«

»Ganz gewiss«, stimmte Adelheid zu, »aber im Moment haben wir Dringlicheres zu tun. Wo wollt Ihr denn hin?«, fragte sie Gaidemar, der ans andere Ufer watete.

»Ich will sehen, ob Glatzkopf noch atmet. Und ich will meine Lanze zurück.«

»Lasst mich erst Euren Arm verbinden«, widersprach sie. »Sonst verblutet Ihr, eh Ihr zurück seid.«

Er schnaubte – halb belustigt, halb verächtlich. »In einem Mann ist viel mehr Blut, als man meint, edle Königin. In einem Panzerreiter erst recht.«

»Bitte, wie Ihr wollt.« Es geriet ein bisschen spitzer, als sie beabsichtigt hatte. Und sie stellte fest, dass ihre Hände zitterten. Der plötzliche Überfall und Bruder Guidos Tod hatten sie mehr erschüttert, als sie sich eingestehen wollte.

»Hoffentlich kriegt unser tollkühner Held kein Fieber«, murmelte Anna. »Wenn er uns hier in der Wildnis verreckt, nützt er uns nichts, und dann ...«

»Schsch«, schalt Adelheid und wies diskret auf Emma, die jetzt die Arme um Annas Hals geklammert hatte.

Schweigend beobachteten die beiden Frauen, wie der junge Panzerreiter sich dem gefällten Gegner näherte. Er tippte ihn ohne viel Feingefühl mit der Schuhspitze an, stellte dann einen Fuß auf die Schulter und befreite seine Lanze mit einem Ruck. Beinah liebevoll wischte er seine Waffe an den Kleidern des Toten ab, ehe er den Leichnam unter den Achseln packte und ein Stück zwischen die Mandelbäume schleifte. Seine Bewegungen waren kraftvoll und doch sparsam, verrieten viele Jahre unermüdlicher Kampf- und Waffenübungen.

»Eine Augenweide«, bemerkte Anna mit einem kleinen Seufzer. Einem *schmachtenden* Seufzer, argwöhnte Adelheid. »Geschmeidig wie eine Katze.«

Die Königin gab ihrer Magd recht, ging aber nicht darauf ein. »Wir brauchen Verbandszeug.« Sie schaute zu Bruder Guido, dann weiter zu Rotschopf. Langsam trat sie zu ihm. Gaidemars Messer lag eine Elle von seiner ausgestreckten Hand entfernt im Gras. Eine unscheinbare Waffe mit einer matten Klinge und einem schmucklosen Griff, aber scharf. Adelheid hob es auf, spülte es im Wasser des Bachs ab und begab sich daran, Streifen aus Rotschopfs schmuddeligem Wams zu schneiden.

»Was in aller Welt tut Ihr da?«, fragte Gaidemar plötzlich neben ihr.

Adelheid wandte den Kopf. »Wir brauchen etwas, um Euren Arm zu verbinden.«

Er schaute kurz auf seinen blutgetränkten rechten Ärmel hinab und nickte unwillig. »Gut von Euch«, brummte er.

»Oh, überschlagt Euch nur nicht«, gab sie verdrossen zurück. Es fiel ihr nicht leicht, den Rotschopf anzufassen. Er war über und über mit Blut besudelt. Der Anblick erfüllte sie mit leisem Grauen, mit Ekel und Mitgefühl, und widerstreitende Empfindungen machten sie immer ein wenig grantig. »Denkt Ihr, dort lauern noch

48

mehr Strolche von der Sorte?« Sie wies mit der Messerspitze zu den Bäumen hinüber.

Gaidemar schüttelte den Kopf. »Das hätten wir schon gemerkt. Aber früher oder später werden diese beiden hier vermutlich vermisst, und andere werden kommen, um sie zu suchen. Und uns. Bis dahin sollten wir weit weg von hier sein.«

Adelheid nickte. Sie hatte aus Rotschopfs Gewand zwei lange Streifen geschnitten und im Flüsschen ausgewaschen. »Zeigt mir Eure Wunde.«

Er schüttelte den Kopf und streckte die Hand aus. »Danke, ich mach das selbst.«

»Man kann sich selbst keine Oberarmwunde verbinden.«

»Doch. Glaubt mir.«

Mit einem ungeduldigen Seufzer drückte sie die feuchten Binden in die ausgestreckte Hand. Pranke traf es besser, fiel ihr auf. Großer Handteller, breite, kräftige Finger. »Na schön, wie Ihr wollt.«

Gaidemar sah sich eingehend um und dachte einen Moment nach. Dann entschied er: »Wir gehen durch den Bach. Im Wasser hinterlassen wir keine Spuren.«

»Aber der Bach führt nicht nach Süden«, wandte Adelheid ein.

»Ich weiß. Doch es spielt keine Rolle. Es wäre ohnehin zu gefährlich, in die Nähe von Mantua zu kommen. Wir müssen uns einen Pfad durch unwegsames Gelände suchen.«

Sie hatten nicht mehr viel Proviant. Aber Adelheid wies ihn nicht darauf hin. Sie war sicher, er wusste es selbst. »Ganz gleich, wie die Zeit drängt, wir dürfen Bruder Guido hier nicht für die Tiere des Waldes liegen lassen. Er war ein treuer Freund und ein Gottesmann.«

Gaidemar nickte. »Wir legen ihn auf Amelungs Rücken und begraben ihn heute Abend.«

Im letzten Sommer hatte König Otto die Panzerreiter gegen Boleslaw von Böhmen geführt, und bei der blutigen Schlacht an der Moldau, mit der sie Boleslaw in die Knie zwangen, hatte Gaidemar eine ganz ähnliche Wunde davongetragen. Sie war tadellos verheilt, die Narbe jedoch noch ein wenig gerötet und erhöht – wie ein winziger Grat auf seiner Haut. Sie verlief fast schnurgerade über die Außenseite des Oberarms, nur am unteren Ende knickte sie nach rechts ab. Und nun würde zwei Zoll oberhalb ein weiterer kleiner Grat hinzukommen, fast parallel zum ersten.

Gaidemar hatte nichts gegen seine Narben, im Gegenteil. Sie zu betrachten war wie der Klang einer vertrauten Stimme: Sie brachten Erinnerungen zurück. Beim Anblick seines Oberarms fiel ihm etwa die feuchte Wiese am Ufer der Moldau ein. Unter grauem Himmel hatten sie gegen die Böhmen gekämpft, die tapfer waren und sich um keinen Preis unterwerfen wollten. Als die Sonne zu sinken begann und ein messingfarbener Strahl sich einen Weg durch die Wolken bahnte, war die Erde auf der zertrampelten Wiese ziegelrot gewesen von all dem Blut, das sich mit dem Schlamm vermischt hatte. Fürst Boleslaw hatte zum Strecken der Waffen blasen lassen, und der Jubel der siegreichen königlichen Panzerreiter scholl über das weite böhmische Flachland, während Boleslaw vor Otto das Knie beugte – wieder einmal – und der siegreiche König in die Stadt Prag einritt.

Immed hatte es schlimmer erwischt als Gaidemar, er hatte eine hässliche Axtwunde an der Schulter. Gaidemar hatte seinen Ziehbruder gehalten, während der Feldscher sie ausbrannte. Ein Leben lang hatten er und Immed einander argwöhnisch umschlichen wie zwei Luchse im Wald, aber im Lazarettzelt nach der Schlacht waren sie auf einmal doch mehr Brüder als Widersacher gewesen und …

»Wie lange wollt Ihr die Sauerei noch bewundern, edler Herr?«, riss Annas Stimme ihn aus seinen Erinnerungen. »Bindet lieber einen Lappen darum, ehe es alle Fliegen in diesem gottlosen Sumpf anzieht.«

Gaidemar nickte und griff nach der Binde, die ausgewaschen und halbwegs ordentlich aufgerollt neben ihm auf seinem Mantel lag.

Anna schaute mit kritisch zur Seite geneigtem Kopf zu, während er sich den Arm verband. »Das macht Ihr ziemlich geschickt.«

»Wenn man keinen Burschen hat, muss man lernen, selbst für

sich zu sorgen.« Er wickelte den Verband fest, aber nicht zu eng, und stopfte das Ende am oberen Rand unter der Binde fest.»Das sollte halten.«

»Wie heilt es?«

»Tadellos.« Es war drei Tage her, und er sah keine Anzeichen von Wundbrand.

»Aber Ihr habt Fieber.«

Er winkte mit der Linken ab.»Nur ein bisschen. Das vergeht wieder, sei unbesorgt. Gutes Heilfleisch.«

Die Zofe sah ihn an, und Gaidemar las Furcht in ihren Augen. Natürlich fragte sie sich, was aus Adelheid, der kleinen Emma und ihr selbst werden sollte, wenn er starb. Sie befanden sich ohne nennenswerten Proviant in einem tückischen Bruchwald, und auch wenn Berengars Männer sich nicht in dieses Gelände wagten, hatten sie die Verfolgung gewiss noch nicht aufgegeben.

Er stand von der feuchten Erde auf, nahm den Mantel und schüttelte ihn aus, ehe er ihn nachlässig zusammenfaltete und über Amelungs Rücken legte. Sein Pferd war an einer der jungen Erlen angebunden, die diesen Moorwald beherrschten, und graste unbekümmert.

»Du bist zu beneiden, Kumpel«, murmelte Gaidemar.»Ich wünschte, wir Menschen könnten auch Gras fressen.«

Er klopfte ihm im Vorbeigehen die Schulter und trat zu Adelheid, die mit Emma auf dem Schoß auf einem umgestürzten Baumstamm saß. Das kleine Mädchen ließ teilnahmslos den Kopf hängen und weinte leise vor sich hin.

»Sie hat Hunger«, sagte Adelheid bedrückt.

»Ja, ich weiß.« Und er tat, was er sich noch am Vormittag strengstens untersagt und frühestens morgen zu tun gelobt hatte: Er ging an Amelungs Satteltasche und fischte die letzte Handvoll Feigen heraus. Die Notreserve. Damit setzte er sich neben die Königin auf den rauen Erlenstamm, der noch feucht vom Regen der vergangenen Nacht war, und hielt Emma die Hand hin. Eine Feige lag darauf.»Schau her, Emma.«

Die Kleine hob den Kopf und streckte die Hand nach der Frucht aus.

Aber Gaidemar war schneller und zog sie weg. »Möchtest du sie haben?«

Das kleine Mädchen nickte. Sie hatte die gleichen Augen wie ihre Mutter: groß, haselnussbraun und goldgefleckt, umgeben von langen, dichten Wimpern.

»Was bekomme ich denn dafür?«, fragte er.

Emma tauschte einen unsicheren Blick mit ihrer Mutter. »Was wollt Ihr denn?«, fragte sie vorsichtig.

»Hm, warte, lass mich überlegen. Deine Nase vielleicht?«

Emma kicherte und schüttelte entschieden den Kopf.

»Ein Öhrchen?«, schlug er stattdessen vor und zupfte behutsam an ihrem rechten. »Nein, ich merke schon, das ist auch festgewachsen.«

»Ihr seid so dumm, Gaidemar!«, rief sie hingerissen und klatschte in die Hände.

»Du solltest nie den Mann beleidigen, der in der Hand hält, was du begehrst, Liebes«, riet ihre Mutter.

Gaidemar zwinkerte Emma zu. »Dann will ich ein Lied. Sing mir etwas vor«, verlangte er.

Emma überlegte kurz, richtete sich dann auf dem Schoß der Mutter zu ihrer vollen Winzigkeit auf und sang: »*Kleine Spinne Kunibert, heute ist die Welt verkehrt. Hast ein Silbernetz gesponnen und doch nichts damit gewonnen. Liegst ganz stille auf der Lauer in der Ecke an der Mauer, doch die Katz hat dich geseh'n, und da ist's um dich gescheh'n.*

Kleiner Kater Adalbert, heute ist die Welt verkehrt …«

Gaidemar lauschte pflichtschuldig den Schicksalsschlägen, die nacheinander auch Katze, Hund und Pferd ereilten, und als das kleine Mädchen geendet hatte, überreichte er ihr die Feige mit einer Verbeugung. »Hochverdient, Prinzessin.«

Farbe war in ihre Wangen zurückgekehrt, und ihre Augen strahlten. Während sie gierig abbiss, gab er ihrer Mutter eine zweite Feige.

»Habt Dank.« Adelheid nahm nur einen mäusekleinen Biss. »Es wird Zeit, dass wir aus diesem Sumpf herauskommen. Unsere Vorräte sind erschöpft.«

»Ich weiß«, sagte Gaidemar unverbindlich.

»Ihr meint, wir sollten noch länger hier ausharren? Wie lange? Bis unsere Verfolger an Altersschwäche sterben?«

Er lachte, verblüfft von ihrer Flapsigkeit. Adelheid begegnete ihm weder herablassend noch besonders herrisch, aber sie wahrte in jeder Lage ihre königliche Würde. Das moosgrüne Kleid, in welchem sie aus dem Burgverlies geflohen war, trug sie seit vier Monaten. Aber irgendwie brachte die Königin es fertig, die schmutzigen und verschlissenen Lumpen wie eine Festtagsrobe wirken zu lassen. Sie war eine großgewachsene Frau, aber viel zu dünn. Arme und Hände wirkten mager. Adelheid trug das braune Haar zu einem Zopf geflochten und im Nacken zusammengesteckt, und es schimmerte mit einem Hauch von Kupfer, wenn die Sonne darauf fiel. Ihre großen, goldgefleckten Augen waren warm im Ton, aber ihr Ausdruck meist ein wenig entrückt und unmöglich zu deuten, weil die Königin nicht zuließ, dass sie ihre Empfindungen preisgaben. Eine zierliche Nase, hohe Wangenknochen, ein hinreißender Mund mit samtigen Lippen von der Farbe reifer Himbeeren und ein wahrer Schwanenhals – sie war wohl die schönste Frau, die er je gesehen hatte. Schönheit allein focht ihn nicht an, doch Adelheids zierliche zartrosa Ohren standen ein klein wenig ab, und das verlieh ihrer Erscheinung einen Hauch von Niedlichkeit, die ihn auf sonderbare Weise schwach zu machen drohte.

Er verschränkte die Arme vor der Brust, um eine Art Barriere zu schaffen, und wurde mit einem scharfen Aufflackern von Schmerz im rechten Oberarm belohnt. »Noch eine Nacht und einen Tag«, entschied er. »Ich weiß, dass wir nichts mehr zu essen haben, aber sicher ist sicher. Lieber hungrig als tot.«

Sie verdrehte die Augen. »Welch harsche Wahl …«, spöttelte sie. »Könnt Ihr nicht jagen? Dieser Sumpf wimmelt von Kleinwild.«

»Hm«, stimmte er zu. »Aber wir dürfen nicht riskieren, Feuer zu machen. Gebt mir Bescheid, wenn Ihr hungrig genug seid, um rohes Kaninchen zu probieren, dann werde ich versuchen, eines zu fangen.«

Die Königin knabberte missvergnügt an ihrer Feige, und es war einen Moment still. Eine Ralle rief im Schilf an einem der vielen Tümpel, ein wehmütiger Klageruf, der kaum besser zu der sumpfigen Wildnis und dem bleigrauen Himmel hätte passen können.

»Habt Ihr Geschwister, Gaidemar?«, fragte Adelheid unvermittelt.

»Ich bin mit drei Ziehbrüdern und fünf Ziehschwestern aufgewachsen, falls Ihr das meint.«

»Jüngere Schwestern, nehme ich an? Ich habe mich gefragt, woher ein raubeiniger Krieger wie Ihr weiß, wie man einem kleinen Mädchen ein Lächeln entlockt.«

Er brummte unbestimmt, unendlich verlegen. Aber sie hatte natürlich recht. Die kleine Emma erinnerte ihn an Uta, die jüngste seiner Ziehschwestern, die sechs oder sieben gewesen war, als er zu den Panzerreitern ging.

»Wo seid Ihr aufgewachsen?«, bohrte Adelheid weiter.

»In Saalfeld.« Er hatte gehofft, dass diese Befragung ihm erspart bliebe, doch Adelheids leicht gehobene Brauen verrieten ihm, dass sie mehr hören wollte. »Es ist eine Königspfalz in Thüringen. Der König ... kommt kaum jemals hin, weil sein Bruder in Saalfeld einmal ein Komplott gegen ihn geschmiedet und ein Gastmahl für seine Mitverschwörer gegeben hat. Manche sagen, es sei ein verfluchter Ort. Doch der Kastellan von Saalfeld ist König Otto treu ergeben. Er war mein Ziehvater.«

Die Königin nickte langsam, und sie ließ ihn nicht aus den Augen, als sie fragte: »Und wer ist Euer leiblicher Vater?«

»Ich habe nicht die leiseste Ahnung«, antwortete er frostig, wandte ihr rüde den Rücken zu und ging zu seinem Pferd zurück, das ihn nie mit unangenehmen Fragen löcherte.

Es war natürlich nicht ganz zutreffend, dass er keine *Ahnung* hatte, wer sein Vater sein könnte. Seine Ahnung ebenso wie die wenigen Fakten über seine Herkunft, die er kannte, sprachen allesamt dafür, dass er König Ottos Bastard war: Er war zur Aufzucht in eine vornehme Familie gegeben worden. Irgendwer hatte für seine Kleidung und Waffen gezahlt, und zwar nicht zu knapp, denn sie waren immer eine Spur besser gewesen als die seiner Ziehbrüder – was sein Leben in ihrer Mitte nicht unbedingt leichter gemacht hatte. Solange er zurückdenken konnte, trug er einen kostbaren Ring an einer Lederschnur um den Hals, einen glatten Goldreif, so breit und schwer, dass er eher für eine Männerhand gemacht schien, und auf der Innenseite waren die Buchstaben »DS« eingeprägt. Das hatte jedenfalls der Dorfpfarrer von Saalfeld behauptet, und er hatte hinzugefügt, es stünde für *Dux Saxoniae* – Herzog der Sachsen. Und Otto war nicht nur König des Ostfränkischen Reiches, sondern ebenso Herzog von Sachsen.

Damit nicht genug, war früher gelegentlich ein sehr feiner Edelmann nach Saalfeld gekommen, um nach Gaidemar zu sehen. Nicht oft. Alle Jubeljahre. Der geheimnisvolle Fremde war immer bei Dämmerung erschienen und trug stets einen dunklen Kapuzenmantel. Gaidemar konnte sich nicht erinnern, sein Gesicht je bei vernünftigem Licht gesehen zu haben. Doch er erinnerte sich an die Augen. Wie die Flügel eines Bläulings.

Gaidemar hatte diese Augen wiedergesehen, als er zu den Panzerreitern gekommen war und König Otto ihm nach der Belagerung von Reims eine wundervolle Lanze zur Belohnung für seine Tapferkeit geschenkt hatte. Er hatte ihm sogar die Hand auf den Arm gelegt. Aber der Blick der blauen Augen blieb reserviert. Unnahbar. Vielleicht auch abweisend, Gaidemar war nicht sicher. Nun, wie dem auch sei, das Rätsel seiner Vaterschaft schien gelöst. Wer indes seine Mutter gewesen sein mochte, würde wohl ewig ein Geheimnis bleiben. Prinzessin oder Hure, alles schien möglich, und darüber nachzugrübeln führte in einen Sumpf ganz ähnlich diesem trostlosen, grauen, gefahrvollen Bruchwald. Man konnte endlos darin umherirren, ohne je ein Ziel zu erreichen. In seiner Kindheit hatte Gaidemar ganze Tage in diesem Sumpf verbracht. Heute mied er ihn, so gut es ging, und stolperte nur noch selten hinein.

»Wach auf, Prinz Langschläfer! Es hat geschneit!« Und noch ehe Liudolf die Augen aufschlug, landete etwas Kaltes, Glitschiges in seinem Gesicht.

Mit einem knurrenden Protestlaut setzte er sich auf. »Na warte, Ida von Schwaben, das wirst du büßen …«

Sie sprang lachend zurück, aber Liudolf bekam sie am Handgelenk zu fassen und zog sie auf ihr Lager hinab. »Was fällt dir ein, deinen Herrn und Meister mit einem Schneeball zu wecken?«

»Du bist nicht mein Herr und Meister«, stellte sie klar, strich sich mit dieser entschlossenen Geste, die er so liebte, die Haare hinters Ohr und beugte sich über ihn, um ihn zu küssen.

»Nein, ich weiß«, räumte er mit einem ergebenen Seufzer ein, der Ida zum Lachen brachte, und sie küsste ihn noch einmal.

Liudolf ließ sich in die weichen Felldecken zurücksinken, packte Idas Oberschenkel mit einer seiner großen Hände und zog sie rittlings auf sich. Mit geschlossenen Lidern, dieses kleine Verschwörerlächeln auf den Lippen, schnürte sie seine Hosen auf. Er schauderte vor Wonne, als sie auf ihn glitt. Wie in allen Dingen des Lebens hielt Ida auch bei der Liebe nichts von Firlefanz. Sie wollte kein Vorspiel, und sie wollte kein allmähliches Aufschaukeln, sondern einen geradlinigen, kraftvollen Akt. Liudolf setzte sich auf, wühlte sich unter die diversen Schichten ihrer Röcke, bis er ihr göttliches Hinterteil fand, legte die Hände darauf und zog sie seinen Stößen rhythmisch entgegen, bis sie beide zu keuchen begannen. Ida verschränkte die Arme in seinem Nacken, schloss die Augen und lehnte den Oberkörper ein wenig zurück. Die weißen Atemwolken, die sie ausstießen, vermischten sich.

»Schneller«, befahl Ida. »Härter, na los, mein Herr und Meister …«

Liudolf warf sie auf den Rücken, sodass ihre herrliche rote Haarpracht flog. »Was immer meine edle Herzogin befiehlt …«

Er drückte ihre Schultern in die Kissen und pflügte in sie hinein, wieder aufs Neue so entzückt von der Erkenntnis, dass ausgerechnet er diese unglaubliche Frau bekommen hatte, dass es seine Lust zu einer fiebrigen Euphorie steigerte.

Ida überließ sich ihm, wölbte sich ihm entgegen und sah ihm in die Augen, als sie kam. Ihre lautlose Wonne trieb auch ihn in Windeseile zum Höhepunkt, und anders als seine Frau musste er die Augen zukneifen.

Sie hielten einander eng umschlungen, bis ihr Atem sich wieder beruhigt hatte, Liudolf immer noch halb auf ihr, den Kopf an ihrer Schulter. Sie hatten es nie eilig, sich voneinander zu lösen, verweilten lieber noch ein wenig in der warmen Vertrautheit unter der Decke, und nicht selten begannen sie noch einmal von vorn. Doch ehe es heute dazu kommen konnte, wurde der Zelteingang zurückgeschlagen und Liudolfs Bruder trat ein.

Wilhelm erfasste die Lage mit einem einzigen Blick – es gab nicht viel, was seinen scharfen, schwarzen Augen je entging. »Auf, auf, ihr Turteltäubchen«, spöttelte er. »Der König rüstet zum Aufbruch und wünscht auf dem heutigen Ritt eure Gesellschaft.«

Liudolf war erleichtert über diese Auszeichnung, denn die vergangenen zwei Tage hatte der König seinen Bruder Henning mit sich reiten lassen, doch er fragte verdrossen: »Wie kommt es, dass du immer früher auf bist als ich und immer schon weißt, was für den Tag ansteht, ehe ich auch nur pissen war?«

Wilhelm hob vielsagend die Schultern. »Vielleicht denkst du mal darüber nach. Und jetzt beeilt euch. Konrad und Henning sind mit dem König bei der Frühmesse. Du solltest wenigstens zum Frühstück erscheinen.«

Liudolf wollte hastig die Decke zurückschlagen, doch Ida legte ihm beschwichtigend die Hand auf den Arm. »Ich glaube nicht, dass du dem König deine Loyalität jeden Tag aufs Neue beweisen musst, mein Gemahl. Ganz gewiss nicht beim Frühstück.«

Wilhelm hob die Linke zu einer ergebenen Geste. »Vergebt mir, ich wollte euch nicht bevormunden. Tut, was ihr für richtig haltet.«

»Wenn der König bei der Frühmesse ist, was tust du dann hier, frommer Wilhelm?«, neckte Ida.

Er wandte sich zum Ausgang. »Einer der vielen Vorzüge des Priesterstandes ist es, dass man die Zeiten seiner Gottesdienste allein bestimmen kann.«

Und damit ging er hinaus.

Ida schnalzte. »Herrje … Jetzt ist er eingeschnappt.«

»Blödsinn«, entgegnete Liudolf unbekümmert, drückte ihr einen Kuss auf die Stirn mit den hauchfeinen Sommersprossen und löste sich schweren Herzens aus ihren Armen. »Er meint es nur gut mit uns.«

»Ich bin nicht ganz sicher, ob das stimmt«, sagte sie versonnen. »Aber auf jeden Fall ist er eine wirksame Waffe gegen deinen grauenvollen Onkel Henning. Und ich nehme an, Hennings Feinde sind unsere Freunde.«

»Sagt ausgerechnet die Frau, die behauptet, ich sähe die Dinge immer zu einfach und zu sehr in schwarz und weiß unterteilt«, bemerkte Liudolf und schnürte seine Hosen zu.

Sie waren verlobt worden, als Liudolf acht und Ida sieben Jahre alt waren. Ihr Vater, der damals Herzog von Schwaben gewesen war, hatte keine Söhne gehabt, und so war von vornherein sonnenklar, dass Liudolf seine Nachfolge antreten sollte. Darum hatte er auch lange Perioden seiner Kindheit und Jugend am Hofe des schwäbischen Herzogs verbracht und war mit seiner wilden, rothaarigen Braut gemeinsam aufgewachsen. Sie hatten sich immer gut verstanden. Sie waren von ähnlichem Gemüt und teilten die Leidenschaft für Pferde. Liudolf vertraute seiner Frau blind, und er wusste ihr politisches Gespür zu schätzen. Falls er hier und da dafür belächelt wurde, dass er so großen Wert auf den Rat seiner Frau legte, war es ihm von Herzen gleich. Sein Vater, der König, hatte immer auf Liudolfs Mutter gehört, solange sie lebte, und hatte es gewiss niemals bereut. Es war eine Art Familientradition.

Gemeinsam traten sie aus ihrem Zelt in eine verzauberte Welt hinaus: Eine dünne Schneeschicht bestäubte funkelnd die Passstraße und die steile Wiese, auf der das königliche Heer sein Nachtlager errichtet hatte. Die Gipfel der gewaltigen umliegenden

Berge waren ganz in frisches Weiß getaucht, das im klaren Licht des frühen Morgens rosa schimmerte.

»Jesus Christus, danke, dass ich das sehen darf«, murmelte Ida – untypisch ergriffen.

»Ja, es ist fast zu schön, um von dieser Welt zu sein«, stimmte Liudolf zu, legte ihr den Arm um die Schultern und führte sie zu dem Zelt mit dem grünen Wimpel über dem Eingang, in welchem die hohen Adligen, Bischöfe und die Offiziere der Panzerreiter ihre Mahlzeiten einnahmen. Drinnen herrschten Stimmengewirr und eine dumpfige Wärme von den vielen Leibern und den Kochfeuern. Liudolf geleitete Ida an das Ende eines der provisorisch aufgebockten Tische und wartete, bis einer der jungen Soldaten, die hier Dienst taten, ihnen heiße Biersuppe vorsetzte.

Während sie auf der Bank Platz nahmen, sah Liudolf sich im Zelt um. »Friedrich von Mainz hält wieder einmal Hof«, bemerkte er und wies diskret nach links, wo der mächtige Erzbischof mit dem goldgelockten Engelshaar allein an einem Tisch saß und mit seinen mitreisenden Prälaten und Diakonen sprach. Auch Liudolfs Schwager Konrad stand dabei, einen dampfenden Becher Suppe in der Hand und in ein offenbar ernstes Gespräch mit dem Prior von St. Alban vertieft.

Das war auch Ida nicht verborgen geblieben. »Mir war bis heute nicht klar, dass Konrad erbauliche Predigten zum Frühstück mag.«

»Hm«, machte Liudolf und blies versonnen über seine sämige Suppe, der ein verführerisches Aroma nach Bier und Kümmel entstieg. »Konrad hat Ärger mit ein paar Bischöfen in Lothringen. Vermutlich kann er Friedrichs Unterstützung gut gebrauchen.«

»Weil der König ihm die seine versagt?«, tippte sie, die schmalen, rotgoldenen Brauen in die Höhe gezogen.

»Keine Ahnung«, bekannte Liudolf, nahm einen ordentlichen Schluck aus seiner Schale und verbrannte sich die Zunge. »Aber ich schätze eher, es ist ihm peinlich, mit der Klage über seine aufsässigen Bischöfe zum König zu rennen wie ein petzender Rotzlümmel.«

»Tja«, machte Ida unverbindlich, löste den Holzlöffel vom

Gürtel und begann, ihre Suppe zu essen. »Du meine Güte, der Fraß wird mit jedem Tag grässlicher«, sagte sie mit einer kleinen Grimasse, löffelte aber unbeirrt weiter. »Ich kann mir vorstellen, dass es für den König nicht nur Vorzüge hat, wenn die Herzöge seines Reiches sein Bruder, sein Sohn und sein Schwiegersohn sind. In einem Disput wird ihm jeder unterstellen, nicht unparteiisch zu sein.«

»Wie bezaubernd, dass auch einmal jemand an meine Lage denkt«, sagte die vertraute, tiefe Stimme plötzlich hinter Liudolfs Schulter, und im nächsten Moment glitt der König neben ihm auf die Bank.

»Vater!« Liudolf wollte aufstehen, um sich zu verneigen, aber Otto bekam ihn am Ärmel zu fassen und zog ihn kopfschüttelnd zurück auf seinen Platz. »Im Feldlager wollen wir auf allzu große Förmlichkeiten verzichten, mein Junge.«

Liudolf schwieg verdattert, und wie so häufig sprach Ida aus, was er dachte: »Aber Ihr verzichtet sonst niemals auf Etikette und die Einhaltung der höfischen Formen, mein König. Und heute ist auch das erste Mal seit unserem Aufbruch, dass Ihr Euch überhaupt hier im Offizierszelt blicken lasst.«

König Otto nahm von dem jungen Soldaten, der ganz kopflos vor Ehrfurcht war, dankend eine Schale Suppe entgegen und stellte sie sorgsam vor sich auf den nicht sonderlich sauberen Tisch. »Du denkst, ich sei zu erhaben, um mich unters Volk zu mischen?«

Ida hob kurz die Schultern und nickte dann. »So ist es.«

»Wobei Bischöfe und Edelleute nur bedingt als ›Volk‹ durchgehen«, schränkte Liudolf ein.

Der König neigte versonnen den Kopf zur Seite. »Es ist kein Anzeichen von majestätischer Würde, wenn der König Distanz zu seinen Untertanen wahrt, fürchte ich. Es ist einfach meine Art.« Sein Lächeln war eine Spur verlegen.

»Ihr haltet es für eine Schwäche?«, fragte Liudolf erstaunt.

»Hm.« Otto dachte nach und zog derweil einen glänzenden Silberlöffel aus dem Beutel am Gürtel, tauchte ihn in die Suppe und ließ ihn dort. »Vielleicht nicht unbedingt eine Schwäche. Nicht wie Trunksucht oder Lasterhaftigkeit oder Feigheit. Eher eine angeborene Eigenschaft wie blaue Augen oder große Hände.« Er aß einen Löffel und betrachtete dabei seine gewaltige Rechte, in der der feine Löffel lächerlich filigran wirkte. »Auf jeden Fall bringt sie einem nicht viele Freunde ein, diese Veranlagung«, schloss er.

»Dafür verehren Euch alle, und Eure Feinde fürchten Euch«, wandte Ida ein. Sie schmeichelte ihm nicht, sondern stellte nur nüchtern die Tatsachen fest. »Ein König, der niemals eine Schlacht verliert, kann es sich leisten, erhaben zu sein, oder?«

»Du hast vermutlich recht«, stimmte Otto zu, und Wohlwollen lag in seinen hellblauen Augen, als er seine Schwiegertochter betrachtete. Aber ebenso Melancholie. »Erzähl mir von Mathildis«, bat er.

Er ist einsam, fuhr es Liudolf durch den Kopf, während Ida dem König bereitwillig von den kleinen Abenteuern ihrer zweijährigen Tochter berichtete. Manchmal fiel es Liudolf so schwer, an der Königskrone vorbeizuschauen und den Menschen zu betrachten. Otto war vermutlich der mächtigste Mann der Welt. Er hatte die Slawen und die Friesen besiegt, seine beiden Schwager im Westfrankenreich – König Ludwig und den Herzog von Franzien – seinem Willen unterworfen, und jetzt führte er seine Armee über die Alpen, um seine Macht nach Italien auszuweiten. Wahrscheinlich zitterte nicht nur Berengar vor Ottos Ankunft, sondern der Papst in Rom ebenso. Bis heute wäre Liudolf nie auf die Idee gekommen, sein Vater hätte vielleicht lieber einen Haufen Freunde als all die Macht und die Krone. Der Gedanke war einfach absurd. Sein Vater war König Otto, Herrgott noch mal, kein gewöhnlicher Sterblicher, der Freunde brauchte. Und doch …

»Wir sollten aufbrechen, Liudolf«, riss die Stimme des Königs ihn aus seinen Gedanken, jetzt wieder sachlich und nüchtern, wie man ihn kannte. »Der Proviantmeister sagt, wenn wir nicht bis morgen Abend Bozen erreichen, bekommen nur noch die Pferde ein Nachtmahl.«

Liudolf trank hastig den Rest seiner Suppe und stand auf. »Ich wär so weit, mein König.«

»Gut. Dann schick nach den Pferden. Vielleicht kannst du mir einen Rat geben, was ich mit meinem neuen Wallach anfangen soll. Fürst Tugomir hat ihn mir geschenkt, und er ist ein herrliches Tier, aber er hat ein paar Unarten, die ich ihm gern abgewöhnen würde.«

»Natürlich schau ich ihn mir an, Vater«, erbot Liudolf sich bereitwillig und versuchte seine Enttäuschung zu verbergen, dass der König nichts Bedeutsameres mit ihm zu erörtern hatte.

Doch König Otto fügte hinzu: »Und außerdem hätte ich gern alles gehört, was du über Berengar von Ivrea weißt, diesen Halunken.«

»Nun, zuallererst bin ich gar nicht sicher, ob er wirklich ein Halunke ist.«

»Tatsächlich?« Der König legte ihm einen Moment die Hand auf die Schulter, und ein beinah schelmisches Funkeln lag in seinen Augen. Er war gütig, dieser Blick, und voller Liebe, aber er bewies nur wieder einmal aufs Neue, dass der König die politischen Ansichten seines Sohnes und Thronfolgers nicht die Spur ernst nahm.

»Ja«, knurrte Liudolf und musste sich zusammennehmen, um die Hand seines Vaters nicht abzuschütteln. »Und womöglich wäre es das Beste, Berengar seinen Sohn mit Adelheid vermählen zu lassen. Es gibt gute Gründe, die dafür sprechen.«

Otto nickte. »Ich merke, wir werden einen kurzweiligen Tag haben, du und ich.«

Canossa, September 951

Gaidemar hämmerte mit dem Schwertknauf an das mächtige Burgtor, aber nichts rührte sich. Er versuchte es noch einmal. Alles blieb still.

Er trat einen Schritt zurück und blickte zur Luke des Torhauses empor, die ihn leer und dunkel angähnte.

»Sie werden zur Jagd geritten sein«, sagte Adelheid – scheinbar die Ruhe selbst. »Es ist ein herrlicher Tag dafür.«

»Sie können nicht *alle* ausgeflogen sein«, widersprach Gaidemar. Er schaute sich um. Die Burg von Canossa thronte trutzig auf einem steilen Felsen über dem sonnenversengten Hügelland, wo nur hier und da ein paar Kiefern mit ihrem satten Grün das hellbraune Einerlei unterbrachen. Das gleichförmige, schrille Zirpen der Zikaden schien der einzige Laut der Welt zu sein, und der würzige Duft von wildem Thymian erfüllte die warme Luft.

»Ich hab Hunger«, bekundete Emma.

»Du hast immer Hunger«, entgegnete ihre Mutter abwesend, die mit der Kleinen im Sattel saß. »Versucht es noch einmal, Gaidemar.«

Ohne große Hoffnung hob er das Schwert, als eine Stimme aus der dunklen Luke rief: »Wer seid Ihr?«

Gaidemar legte den Kopf in den Nacken. »Königin Adelheid von Italien begehrt Obdach für ihre Tochter, sich selbst und ihr Gefolge!«, antwortete er. *Und zwar ein bisschen plötzlich,* sagte er nicht, aber es lag in seiner Stimme.

»Ach du Schreck …« Ein Kopf mit einem rotwangigen, jungen Gesicht und Segelohren erschien in der Luke und nahm die Wanderer kurz in Augenschein. Dann verschwand er wieder. »Öffnet das Tor!«, hörten sie ihn rufen.

Polternd wurde ein Sperrbalken aus seinen Ösen gezogen, und dann schwangen die beiden hohen Torflügel nach außen.

Gaidemar nahm Amelung am Zügel und führte ihn ins Torhaus, ehe die Wachen es sich anders überlegen konnten.

Anna folgte und blickte sich voller Argwohn um. »Wenn der Burgherr auf Berengars Seite steht, kommen wir hier nie wieder raus«, murmelte sie vor sich hin.

»Oh, sei keine Gans«, gab Adelheid zurück. »Bischof Adelardo hat uns versichert, dass der Graf vertrauenswürdig sei.«

Aber ihr scharfer Tonfall verriet ihre eigenen Bedenken, argwöhnte Gaidemar. Und der Bischof von Reggio Emilia hatte dermaßen vor Berengar geschlottert, dass er die Königin nach nur einer Nacht unter seinem Dach gleich weitergeschickt hatte, nämlich hierher zu seinem Lehnsmann, dem angeblich königstreuen Grafen von Canossa. Wollte er sie in Sicherheit wissen? Oder hatte er die Seiten gewechselt und trieb ein doppeltes Spiel?

Gaidemar spürte ein warnendes Kribbeln zwischen den Schultern, als das Tor sich in ihrem Rücken wieder schloss.

Der junge Wachsoldat kam aus dem Torhaus geeilt und machte einen artigen Diener vor Adelheid. »Wenn Ihr gütigst einen Moment warten wollt, edle Herrin.«

Adelheid nickte ein wenig ungnädig, hob Emma aus dem Sattel und reichte sie zu Anna herunter. Dann saß sie ab. »Wir sind staubig und durstig und wären dankbar für einen Schluck Wasser.«

Der Soldat machte sicherheitshalber noch einen Diener. »Man wird Euch gewiss umgehend bewirten«, stellte er vage in Aussicht und wandte sich ab, vermutlich um dem Offizier der Wache oder dem Kastellan ihre Ankunft zu melden.

Die Königin nahm die Schultern zurück und senkte ein klein wenig die Lider, wie immer, wenn sie mit einer Demütigung rechnete.

»Was für ein Flegel«, schimpfte Anna der davoneilenden Wache hinterher. »Das gefällt mir immer weniger.«

Gaidemar trat ohne Hast zu seinem Pferd und ließ die Hand unter die Satteltasche gleiten, bis er den Schaft seiner Lanze ertastete. Immer ein beruhigendes Gefühl.

Eine schläfrige, trügerisch friedliche Spätnachmittagsruhe lag über dem sonnenbeschienenen Innenhof. Im Schatten an der hohen, steinernen Westmauer döste ein Hund, und ein missgelaunter Hahn scharrte am Brunnen im Staub. Das war alles.

»Mutter, wo sind denn …«, begann Emma.

»Schsch«, machte Adelheid und legte ihr warnend die Hand auf die Schulter. Sie tauschte einen Blick mit Gaidemar, und er deutete ein Achselzucken an.

Sie alle fuhren zusammen, als ein Poltern aus dem Stallgebäude neben dem Torhaus erscholl, und gleich darauf brüllte eine kräftige Männerstimme: »Pass doch mit der Schubkarre auf, Lorenzo, du Trottel, du reißt mir die Boxenwände ein!«

Im nächsten Moment kam mit langen Schritten ein schmaler, grauhaariger Mann in etwas abgetragenen Kleidern aus dem Stall. Seine Schuhe waren staubig, er hielt einen Bogen in der Linken, und von den Fingern der rechten Hand baumelte ein gut gefüllter

Köcher. Als er die vier Ankömmlinge und das Pferd in der Hofmitte entdeckte, änderte er den Kurs und hielt geradewegs auf sie zu. »Nanu? Wie kann ich Euch zu Diensten … Grundgütiger!« Er blieb wie angenagelt stehen. Dann legte er Köcher und Bogen auf die Erde, schloss die Lücke zwischen ihnen mit drei Schritten und sank auf ein Knie nieder. »Meine Königin. Gelobt sei Jesus Christus, dass er Euch sicher nach Canossa geleitet hat.«

Adelheid lächelte. »Graf Atto. Wie schmeichelhaft, dass Ihr Euch erinnert. Ich war höchstens fünfzehn, als wir uns zuletzt begegnet sind.«

»Und doch schon durch und durch eine Königin.« Er sah lächelnd zu ihr auf, doch nichts Anzügliches lag in diesem Lächeln.

Eine gute Portion der Anspannung verschwand aus Adelheids Schultern, auch wenn ihre Haltung eigentlich unverändert blieb. »Erhebt Euch. Ich bin zu Euch gekommen, weil ich dringend einen Freund brauche.«

»Ich weiß. Und Ihr seid hier genau richtig«, erklärte Atto von Canossa ohne große Feierlichkeit und kam mühelos auf die Füße. Er wirkte agil und flink für seine Jahre – ein lebenslanger Jäger, tippte Gaidemar.

Der Graf wandte den Kopf ab und pfiff gellend durch die Zähne. Anna und Emma hielten sich die Ohren zu.

Aus allen Richtungen kamen Wachen und Knechte herbeigelaufen. Der Burgherr erteilte ein paar Befehle: »Lasst Gästekammern herrichten. Wir haben eine schöne Rehgeiß und ein paar Hasen erlegt. Die Köchin soll sich sofort ans Werk machen. Einstweilen lasst Brot und was immer wir an kaltem Fleisch haben, in der Halle auftragen und unseren besten Wein. Was steht ihr denn da und glotzt, Herrgott noch mal, es ist eure Königin, die uns hier beehrt, also macht mir gefälligst keine Schande!«

Die Burgbewohner raunten ehrfürchtig und fielen vor Adelheid auf die Knie. Der Anblick verschaffte Gaidemar eine sonderbare Genugtuung. Diese Frau war nicht seine Königin und streng genommen nur eine Aufgabe, die man ihm übertragen hatte. Aber in den zwei Wochen ihrer abenteuerlichen Flucht hatte er sie … schätzen gelernt. Jedes andere Wort, das sich in seine Gedanken stehlen wollte, verscheuchte er schleunigst wieder, wenngleich sich sein Puls jedes Mal beschleunigte, sobald Adelheid ihm die Hand reichte, um sich in unwegsamem Gelände oder aus dem Sattel helfen zu lassen. Er *schätzte* sie. Sie war eine großartige, mutige und königliche Dame, und es hatte ihn wütend gemacht, dass sie sich durch die Wildnis schlagen und hungern und vor Verfolgern verstecken musste. Hier endlich wurde ihr die Ehrerbietung zuteil, die ihr zustand, und das befriedigte ihn.

»Dies ist meine Tochter Emma, Graf. Meine treue Anna, die mich freiwillig in die Gefangenschaft begleitet hat, und Gaidemar, ein Panzerreiter aus Sachsen, der uns zur Flucht verholfen und sicher hierher geleitet hat.«

Atto zwinkerte Emma zu, sodass sie kicherte, bedachte die Zofe mit einem anerkennenden Nicken und streckte Gaidemar die Hand entgegen. »Dann ist ganz Italien Euch zu Dank verpflichtet, Gaidemar.«

»Ich habe Zweifel, dass Berengar von Ivrea mir sonderlich dankbar ist«, widersprach dieser trocken und schlug ein.

Der Graf von Canossa lachte brummelnd in sich hinein. »Nichts macht mich fröhlicher als sein Verdruss«, bekannte er und fügte gedämpft hinzu: »Dieser gottverfluchte Hurensohn.«

Gaidemar schaute ihm einen Moment in die Augen und entdeckte dort nichts als Wärme und Aufrichtigkeit. Ihm war, als glitte ein Mühlstein von seinen Schultern. Er hatte es tatsächlich geschafft. Unterwegs hatte er ein paarmal beinah den Mut verloren, aber hier waren sie. »Das ist er ganz gewiss«, antwortete er ebenso leise. »Aber ist er auch verrückt genug, um diese Burg hier zu belagern?«

Atto schnaubte. »Das braucht uns nicht zu kümmern. Diese Burg ist uneinnehmbar.«

Keine Burg ist uneinnehmbar, lag Gaidemar auf der Zunge. Das betete der König seinen Panzerreitern immer wieder vor, wenn sie eine Festung angriffen, und bislang hatte er jedes Mal recht behalten. Aber Gaidemar nickte lediglich.

Atto wandte sich wieder an Adelheid. »Seid willkommen in meinem bescheidenen Heim. Kommt herein, edle Königin. Ihr müsst erschöpft, hungrig und durstig sein nach Eurer langen Wanderschaft. Also erfrischt Euch und lasst uns einen Becher auf Eure sichere Ankunft hier trinken.«

»Ich muss mein Pferd versorgen«, entschuldigte sich Gaidemar.

Aber der Burgherr winkte ab. »Kommt nicht infrage.« Er wandte den Kopf und rief: »Lorenzo, kümmere dich um dieses vierbeinige Prinzlein!« Er nahm Gaidemar besitzergreifend beim Arm. »Ich würde sagen, Ihr habt fürs Erste genug getan, mein Junge.«

Adelheid stieg aus dem hölzernen Badezuber, hüllte sich in das Leinenlaken, welches Anna ihr um die Schultern legte, und schmiegte die Wange an den Stoff, der vom häufigen Waschen ebenso grau wie weich geworden war. »Herrlich …«, murmelte sie.

»Die Frau des Grafen hat Euch einige Kleider geschickt.« Anna wies auf das Bett neben dem Fenster. »Sie hat Eure Figur, behauptet die Magd.«

Auf der farbenfrohen Wolldecke lagen ein langes Leinenhemd und drei Kotten mit passenden Überkleidern ausgebreitet: lindgrün, buttergelb und ziegelrot. Alle drei sahen wie neu aus, Säume und Halsausschnitte waren mit fein bestickten Bordüren besetzt. Adelheid wickelte das Laken fester um sich, rieb sich mit einem Ende über die nassen langen Haare und trat näher. Eines nach dem anderen befühlte sie die hübschen Kleider und ließ ihre Fingerspitzen die Beschaffenheit des kühlen Leinens ertasten. Ohne Vorwarnung schossen ihr Tränen in die Augen. Es war so lange her, dass irgendwer ihr Ehrerbietung erwiesen hatte. Seit Berengar sie und Emma gefangen genommen hatte, war jeder einzelne Tag eine Schlacht gegen ein vielarmiges Ungeheuer gewesen: Furcht, Schläge, Fußtritte, Kälte, Dunkelheit, Hunger, aber vor allem die ständigen Erniedrigungen hatten sie in die Knie zwingen wollen. Es war das erste Mal gewesen, dass sie Erniedrigung erfuhr, und anfangs hatte sie überhaupt nicht gewusst, wie sie ihr die Stirn bieten sollte. Auch vor Lothars Tod war ihr Leben weiß Gott nicht immer nur ein Bett aus Rosenblättern gewesen, aber ganz gleich was geschah und wohin es sie verschlug – man hatte sie immer wie die Prinzessin behandelt, die sie war. Bis Berengar ihr bei Lothars Beerdigung zugeflüstert hatte: »Richtet Euch nicht zu behaglich ein in der Rolle der trauernden Witwe …«

Doch jetzt hatte der Albtraum ein Ende, schienen diese drei feinen Kleider zu sagen. Sie und Emma waren unter Freunden und in Sicherheit.

Die Erkenntnis erschütterte sie ein wenig, aber Adelheid nahm sich zusammen und fuhr sich unauffällig mit dem Arm über die Augen. »Das rote, oder was meinst du?«, sagte sie über die Schulter.

»Auf jeden Fall«, stimmte Anna zu und hob das feine Leinenhemd an den Schultern hoch. »Ich kleide Euch an, und dann setze ich Emma in den Zuber.«

Emma war auf einem Hirschfell vor dem Kamin eingeschlafen. Ihr Kittel starrte vor Dreck und wies einen langen Riss unterhalb des Halsausschnitts auf, ihr einst so seidiges blondes Kinderhaar war verfilzt, und sie war furchtbar dürr. Genauso verwahrlost wie Adelheid selbst und wie Anna, aber mit der Mühelosigkeit, mit welcher Kinder sich auf Veränderungen einstellen, hatte sie akzeptiert, dass sie hier unter Freunden waren, und schlummerte selig.

Adelheid ließ das feuchte Laken zu Boden gleiten, streckte die Arme über dem Kopf aus, und Anna streifte ihr das Hemd über.

»Emma und du braucht auch neue Gewänder«, bemerkte die Königin.

»Die Magd kümmert sich darum«, beruhigte Anna sie. »Alle hier sind wirklich ausnehmend freundlich und zuvorkommend.«

»Höre ich Argwohn?« Adelheid schlüpfte ohne Annas Hilfe in die Kotte, überließ es aber der Zofe, die Bänder an Taille und Halsausschnitt zu schnüren.

»Ich glaub nicht«, gab Anna zurück. »Es ist nur irgendwie schwer, Vertrauen zu fassen, wenn man hinter sich hat, was wir hinter uns haben.«

Adelheid nickte. »Das Gleiche ging mir eben auch durch den Kopf. Und ich weiß nicht genug über Atto von Canossa, um seine Loyalität einschätzen zu können. Verlassen wir uns also auf das

Urteil des ehrwürdigen Bischofs von Reggio Emilia, etwas anderes bleibt uns nicht übrig.«

Anna half ihr in das ärmellose Überkleid und brummte missfällig. »Ich verlasse mich lieber auf unseren blauäugigen Schutzengel mit dem starken Schwertarm.«

»Ja, mir ist nicht entgangen, dass du … Bewunderung für Gaidemar hegst«, neckte die Königin sie, mit einem Mal übermütig. »Aber sieh dich vor. Die Panzerreiter sind dafür berüchtigt, dass sie keuschen Jungfrauen die Köpfe verdrehen.«

»Dann ist es ja gut, dass keine von uns eine keusche Jungfrau ist, edle Königin. Außer Emma, versteht sich.«

Sie teilten ein verschwörerisches Lachen. *Kichern*, verbesserte Adelheid sich verblüfft. Vor ihrer Gefangenschaft wäre ihr im Traum nicht eingefallen, so zwanglos mit einer Magd zu sein. Anna war ein Bauernmädchen aus Canarazzo, einem Dorf unweit von Pavia am Ufer des Tessin, und ihr Vater hatte sie in die Stadt gebracht, um sie irgendwo als Magd zu verdingen, weil er neun Töchter und keinen Sohn hatte. Anna hatte als Küchenmagd im Königspalast begonnen und war schnell aufgestiegen, weil sie fleißig und gescheit war. Als der Kämmerer sie der Königin als persönliche Dienerin vorschlug, hatte Adelheid zugestimmt und es nie bereut. Sie hatte Anna immer gemocht. Aber erst jetzt wurde ihr klar, wie die Monate der gemeinsamen Gefangenschaft ihr Verhältnis verändert hatten, und sie war nicht sicher, ob ihr das gefiel.

»Jedenfalls hast du recht«, sagte sie. »Wir können von Glück sagen, dass König Otto uns ausgerechnet diesen seiner Panzerreiter geschickt hat. Nicht wegen seiner schönen blauen Augen …«

»… von dem Grübchen am Kinn und den feinen Zügen, den dunklen Locken und der stattlichen Statur ganz zu schweigen …«

»… sondern weil er uns sicher hierher geleitet hat.«

»Ich versteh trotzdem nicht, warum der mächtige König Otto keine Armee geschickt hat, wenn ihm dran gelegen war, Euch zu retten.«

»Sei versichert, er hatte seine Gründe. Und jetzt sei so gut und mach mir die Haare.«

Atto von Canossa entstammte einem alten langobardischen Adelsgeschlecht und hatte Landbesitz bis hinunter nach Lucca. Doch die Felsenburg von Canossa, die er hatte erbauen lassen, war sein ganzer Stolz, und hier hielt er einen vornehmen, wenn auch kleinen Hof. Er zog seine Pferde, den Weinbau und die Jagd mit Falken und Hunden der großen Politik vor, vertraute er Adelheid an ihrem ersten Abend in der Halle an, und seine Gemahlin Ildegarda, ein etwas einfältiges, aber gutmütiges Geschöpf, schien diese Neigung zu teilen. Sie hatten zwei laute, ungezogene Söhne und eine kleine Tochter, Prangarda, die in Emmas Alter war und die neue Freundin selig mit Beschlag belegte.

So vergingen die Tage beschaulich und friedvoll unter einem unverändert wolkenlosen Sommerhimmel, und die vier Wanderer erholten sich rasch von den Strapazen ihrer abenteuerlichen Reise.

»Ich muss achtgeben, dass ich nicht zulege«, bemerkte Adelheid, als sie sich im goldenen Nachmittagslicht zum Nachtmahl in der wundervollen Halle der Burg einfanden. »Vier Monate Hunger sind auf Dauer keine Ausrede, um jeden Tag zu schlemmen.« Sie nahm eine Handvoll Oliven aus der Tonschale auf der hohen Tafel vor sich und begann zu knabbern.

Gaidemar runzelte verwundert die Stirn. »Ist es ein Privileg von Königinnen, das eine zu sagen und das andere zu tun?«, erkundigte er sich. Er lehnte mit verschränkten Armen an einer der dicken Steinsäulen, zwei Schritte zu ihrer Rechten. Er hatte die Arme vor der Brust verschränkt, das linke Knie angezogen und den Fuß gegen die Säule gestemmt. Er schien entspannt, hätte man meinen können, aber seine Augen hörten nie auf, durch die Halle zu schweifen und jeden Höfling zu inspizieren, der sie betrat.

»Es ist das Privileg aller Damen«, belehrte Adelheid ihn.

»Kaum«, widersprach er. »Meine Ziehmutter ist gewiss eine Dame, aber sie meint immer, was sie sagt. Und umgekehrt.«

»Eine praktische, bodenständige Frau?«

Darüber musste er einen Moment nachdenken. Dann zuckte er die Schultern. »Vermutlich, ja.«

Adelheid spuckte diskret einen Olivenkern in die linke Hand. »Und habt Ihr sie gern?«

»Was soll das werden?«, fragte der raubeinige Panzerreiter argwöhnisch.

»Eine höfliche Unterhaltung. Wir kennen uns seit fast einem Monat, und ich weiß so gut wie nichts über Euch.«

»Warum belassen wir es nicht dabei?«, schlug er vor.

»Wieso werdet Ihr so stachelig, wenn man ein persönliches Wort an Euch richtet?«, konterte sie herausfordernd. »Gibt es ein finsteres Geheimnis?«

Er verdrehte die Augen, schien einen Moment nicht zu wissen, was er sagen sollte, und dann trat eine Wache zu ihnen und erlöste ihn: »Besuch für Euch, edle Königin.«

Adelheid wechselte einen erstaunten Blick mit Gaidemar. »Für mich? Wer ist es?«

»Prinz Henning, der Herzog von Bayern, Herrin.« Der Soldat war sichtlich beeindruckt.

»Oh, fabelhaft …«, knurrte Gaidemar.

Ehe sie sich nach dem Sinn dieser Bemerkung erkundigen konnte, kam mit langen, selbstbewussten Schritten das schönste Mannsbild in die Halle, das Adelheid je gesehen hatte. Seine Kleider waren vornehm, aber staubig. Offenbar hatte er eine weite Reise gehabt und sich unterwegs nicht geschont. Er trug einen Handschuh an der Rechten – *nur* an der Rechten, bemerkte sie erstaunt –, hatte goldblondes Haar und sehr männliche, doch ebenmäßige Züge. Wie die Marmorstatuen, die die römischen Steinmetze einst geschaffen hatten, deren Wissen und Kunstfertigkeit aus der Welt verschwunden waren.

»Welch großes Glück, Euch wohlauf und in Sicherheit zu finden, edle Königin«, sagte Henning mit einem Lächeln.

»Darauf hätte ich im Frühling kaum zu hoffen gewagt«, antwortete Adelheid. »Nehmt Platz, Prinz.«

Er verneigte sich galant und glitt in den Sessel an ihrer Seite. Dabei streifte sein Blick Gaidemar, der sich von seiner Säule gelöst hatte und einen Schritt zurückgetreten war, angespannt wie ein Jagdhund, der Witterung aufgenommen hat.

König Ottos jüngerer Bruder nickte ihm desinteressiert zu und stutzte dann. »Und Ihr seid?«, fragte er eine Spur schroff.

»Gaidemar, mein Prinz, zwölfte Reiterlegion.« Seine Verbeugung wirkte ein wenig unwillig.

»Grundgütiger!« Der Prinz schüttelte lachend den Kopf. »Ich hatte ja keine Ahnung, dass es ein fleischgewordener Fehltritt meines Bruders war, den wir ausgesandt haben, die Königin aus der Hand ihrer Feinde zu befreien. Wie … drollig.«

Er streckte einen langen Arm nach dem Weinkrug aus, schenkte sich ein, ohne Adelheid zuerst etwas anzubieten, wie es sich eigentlich gehört hätte, und trank geräuschvoll. Er schien Gaidemar schon wieder vergessen zu haben, und mit einiger Verspätung hielt er der Königin seinen Becher hin.

Sie schüttelte den Kopf. »Danke.«

Achselzuckend nahm er gleich noch einen anständigen Zug. »Mein Bruder, der König, schickt mich zu Euch, wie Ihr Euch vermutlich schon gedacht habt.«

»Wie schmeichelhaft. Wo befindet sich der König?«

Er sah sie erstaunt an. »Du meine Güte, Ihr wisst es noch gar nicht? Er ist in Pavia.«

Adelheids Herzschlag beschleunigte sich. »Er ist nach Italien gekommen?«

»Es gab einiges, das dafür sprach, und Eure … Misere war nicht der unwichtigste Grund. Er ist mit einer kleinen Armee über die Alpen gezogen, und als Berengar davon hörte, ist er Hals über Kopf aus Pavia geflohen. Es ist zu schade. Wir hatten uns so darauf gefreut, ihm Beine zu machen.«

Adelheid hielt einen Moment inne, um sich Berengars Wut und Enttäuschung auszumalen: Erst ihre Flucht, dann die Heimsuchung durch den mächtigen König Otto aus dem Norden, schließlich die Schmach seiner Vertreibung. Ihr wurde ganz warm ums Herz. »Geflohen wohin?«, wollte sie wissen.

»Irgendeine gottverlassene Felsenburg namens San Marino.«

Sie nickte. Da bekommen wir ihn niemals heraus, eh er nicht will, dachte sie, aber das sagte sie nicht. Wenn eine Frau dergleichen behauptete, glaubte ihr sowieso niemand. Und im Augenblick war es auch egal.

»Nun residiert Otto jedenfalls in Eurem Königspalast … Ein

ausgesprochen eleganter Palast, übrigens, wir Barbaren aus dem Norden sind alle gebührend beeindruckt. Und er hat mich gebeten, Euch hier aufzusuchen, um Euch zu ihm zu geleiten, edle Königin, zurück nach Pavia und auf Euren Thron, wohin Ihr gehört.« Wieder zeigte er dieses Lächeln, das so charmant wirkte und sympathische Krähenfüße in seine Augenwinkel zauberte. Aber sein Blick war auf ihre Brust gerichtet, und Adelheid wollte gar nicht wissen, was genau es war, das sie in seinen Augen funkeln sah.

»Habt Dank, Prinz«, antwortete sie. »Ich bin geehrt, dass König Otto in Sorge um mein Wohlergehen ist und mir sogar seinen Bruder und Reichsherzog schickt, um mich zu ihm zu geleiten.«

Jetzt fiel ihr wieder ein, was sie über Prinz Henning gehört hatte: Er hatte sich mehr als einmal gegen seinen königlichen Bruder erhoben und versucht, ihn vom Thron zu stoßen. Nach der letzten gescheiterten Rebellion hatte Henning um ein Haar den Kopf verloren und war eine Zeitlang in strenger Festungshaft gewesen. Aber dort hatte er offenbar seine Lektion gelernt. Seit zehn Jahren stand er unverrückbar zu König Otto, der ihm inzwischen offenbar großes Vertrauen entgegenbrachte, denn er hatte ihn zum Herzog von Bayern erhoben. Doch Adelheid verspürte ein warnendes Ziehen in der Magengegend. Gaidemars unzureichend verhohlenes Misstrauen wäre gar nicht nötig gewesen, um sie zu warnen. Sie spürte selbst, dass Henning von Bayern irgendetwas … Finsteres in sich trug.

»Wann sollten wir Eurer Ansicht nach aufbrechen?«, fragte sie.

»Sobald Ihr reisefertig seid«, erwiderte er, warf sich eine Olive in den Mund und spuckte den Kern ins Bodenstroh. »Mein königlicher Bruder erwartet Euch mit großer Ungeduld.«

»Wieso das?«, erkundigte sie sich erstaunt.

»Ich schätze, das sagt er Euch am besten selbst«, gab er mit einem sonderbaren Lächeln zurück und schaute sich um. »Wird bald aufgetragen? Ich komme um vor Hunger.«

Wie aufs Stichwort erschienen Graf Atto und Gräfin Ildegarda mit ihren unausstehlichen Söhnen und traten an die hohe Tafel.

»Prinz Henning!« Der Graf von Canossa neigte höflich den Kopf. »Eine Ehre.«

Ein wenig träge stand Henning aus dem gepolsterten Sessel auf und begrüßte seinen Gastgeber, ohne dessen Familie die geringste Beachtung zu schenken. »Graf Atto. Ich bin gekommen, um Euch die Königin schon wieder zu entführen, fürchte ich.« In wenigen Worten berichtete er von König Ottos Ankunft in Pavia und Berengars Flucht. »Mein Bruder hat mir aufgetragen, Euch auszurichten, er werde den Dienst und die Treue nicht vergessen, die Ihr der Königin erwiesen habt.«

Atto blickte von Henning zu Adelheid und wieder zurück, die klugen braunen Augen voller Spekulationen. »Was ich getan habe, war nur meine Vasallenpflicht und darüber hinaus eine Freude.« Dann vollführte er eine einladende Geste. »Speist mit uns, Prinz.«

»Bemerkenswert viele Vasallen der italienischen Krone haben ihre Pflichten in den letzten Monaten vergessen, scheint mir«, bemerkte Henning, während sie sich setzten, die Diener die Krüge füllten und dampfende Tonschalen mit Eintopf auftrugen. »Vielleicht waren sie der Ansicht, mit Berengar auf dem Thron führen sie besser als mit Lothars Witwe?«

»Ich will über ihre Ansichten keine Vermutungen anstellen«, gab Atto neutral zurück. »Aber Berengar *hat* viel Rückhalt im Land, es würde zu nichts führen, das zu leugnen. Und auch nicht jeder, der treu zu Königin Adelheid stand, war in der Position, ihm offen die Stirn zu bieten.«

Henning schaufelte Eintopf in sich hinein, beide Ellbogen auf den Tisch gestützt. »Von einer Burg wie dieser kann man indes jedem Wüterich die Stirn bieten, scheint mir.«

Adelheid überlegte, ob es die Beleidigung sein sollte, nach der es sich anhörte, und falls ja, welches Ziel Henning damit verfolgte.

Attos Gedanken schienen in die gleiche Richtung zu gehen. Er lächelte sparsam. »Ja, Canossa ist eine hervorragende Anlage. Ich bin dennoch erleichtert, dass uns eine Belagerung erspart bleibt, denn wir sind nicht gut proviantiert … Rudolf, Tedald, hört auf zu raufen, wie oft muss ich es sagen, dass sich das bei Tisch nicht gehört!«

Die ungezogenen Bengel ließen für den Augenblick voneinander ab, und in der plötzlichen Stille an der hohen Tafel hörte Adelheid Prinz Henning raunen: »Mach dich rar, Bastard. Du hast hier überhaupt nichts verloren.«

Gaidemar, der zwei Schritte hinter Adelheids Sessel gestanden hatte, wie es seine Gewohnheit geworden war, trat zu ihr und bat mit einer makellosen Verbeugung: »Würdet Ihr mich entschuldigen?«

Sie sah ihm einen Moment in die Augen, entdeckte dort aber nichts von der Kränkung, die sie stellvertretend für ihn empfand. »Gewiss, lieber Freund«, sagte sie nachdrücklich.

Er nickte, streifte den Prinzen mit einem Blick, der ganz und gar undurchschaubar war, und ging ohne Eile zum Ausgang.

Adelheid erwog, Henning ob seiner Unhöflichkeit zurechtzuweisen. Er hatte überhaupt kein Recht, einen Mann aus der Halle zu weisen, der in ihren Diensten stand – und sei es auch nur vorübergehend –, und sie ahnte, dass es Henning gegenüber besonders wichtig war, ihre Stellung zu wahren. Doch sie schwieg. Sie hatte sich dazu erzogen, den wahrscheinlichsten Ausgang einer Konfrontation vorherzusagen und erst dann zu entscheiden, ob sie sie führen wollte oder nicht. Sie nahm an, dass Henning sie absichtlich provozierte, also weigerte sie sich, seinen Köder zu schlucken. Stattdessen hob sie ihm lächelnd ihren vergoldeten Weinpokal entgegen, und als sie den Hass in den Augen des Prinzen las, war es ihr einen Moment, als stürze sie kopfüber in einen dunklen Brunnenschacht.

Gaidemar hatte Amelung vor dem hölzernen Stallgebäude neben dem Torhaus angebunden und striegelte ihn. Haar für Haar. Das tat er gern, es half ihm immer, seine Gedanken zu ordnen. Vogelstimmen erklangen in der Dämmerung. Er hörte ein Taubenpaar im Dachstuhl der Kapelle gurren. Turteltauben, entschied er, keine Ringeltauben. Ein Buchfink, den er nicht sehen konnte, zwitscherte irgendwo am Eingang des Speicherhauses, und weiter links erscholl das unverwechselbare Klack-klack-klack einer Drosselschmiede.

Du und deine Vögel, hörte er seinen Ziehvater in seiner Erin-nerung spotten. *Das ist ein alberner Mädchenzeitvertreib, also hör endlich auf damit!* Gefolgt von einer dieser Ohrfeigen, die im-mer beiläufig aussahen, immer genau das Ohr trafen und an de-nen man noch stundenlang Freude hatte.

Er war indes kein grausamer Mann, Arnold von Saalfeld, im Gegenteil. Und er hatte sich Mühe gegeben, seinen Zögling ge-nauso zu behandeln wie seine Söhne. Es war ihm nie ganz ge-glückt, aber Gaidemar nahm ihm das nicht übel. Er fand es völlig normal, dass ein Vater sein eigen Fleisch und Blut mehr liebte als das Kuckuckskind, das man ihm ins Nest gelegt hatte. Gaidemar wusste, er konnte von Glück sagen, dass Arnold und seine Frau so anständige Menschen gewesen waren. Sie hatten ihn in ihrem Haus und an ihrer Tafel willkommen geheißen und ihn gelehrt, was sie für gut und gottgefällig hielten. Gaidemar hatte nicht ge-hungert und nicht gefroren, solange er in ihrer Obhut aufwuchs, und wenn seine Ziehmutter ihren eigenen Söhnen gelegentlich liebevoll übers Haar strich oder einen Leckerbissen zusteckte, ihm aber niemals, hatte er rasch gelernt, sich nicht mehr danach zu sehnen.

Mit seinen Ziehbrüdern lagen die Dinge natürlich ein wenig anders, denn Kinder waren nun einmal grausam und Immed ver-mutlich schlimmer als der Durchschnitt. Aber wenigstens hatte Gaidemar in ihrer Mitte gelernt, das Wort »Bastard« zu hören, ohne zusammenzuzucken oder sich die Kränkung anmerken zu lassen, denn er hatte reichlich Gelegenheit gehabt, sich in dieser Kunst zu üben. Darum erschütterte es ihn nicht, dass Prinz Hen-ning ihn so rüde vor die Tür gesetzt hatte. Was ihn hingegen er-schütterte, war der Ausdruck in ihren Augen, als sie es hörte. Er sah ein, dass er es nicht länger leugnen konnte: Er hatte sich in die Königin verliebt. Zuerst in das verwilderte, unbeugsame Geschöpf in den grünen Lumpen, und da war seine Liebe eine eigentüm-liche Mischung aus Bewunderung und Herausforderung gewesen. Doch seit er sie zum ersten Mal in dem erlesenen ziegelroten Kleid gesehen hatte, das sie wie eine wahre Königin aussehen und gleichzeitig doch eigentümlich verletzlich erscheinen ließ, stand es noch viel schlimmer um ihn. *Rettungslos* war das Wort, das sich aufdrängte …

»Ich bin ein Narr, Amelung«, vertraute er seinem Pferd im Flüsterton an, steckte sich die Striegelbürste unter die linke Achsel und bearbeitete geduldig mit den Fingern einen verfilzten Knoten in der Mähne. »Ich kann nur hoffen, dass sie mich bald zur Zwölften zurückschicken, damit ich die schöne Königin wieder vergessen kann …« In Wahrheit graute ihm davor, sie nicht mehr zu sehen.

Amelung schnaubte verschwörerisch und nickte.

Gaidemar lachte in sich hinein. »Ah, ich wusste, du würdest das verstehen.« Er hatte den störrischen Knoten endlich besiegt, nahm den Striegel wieder zur Hand und bürstete die Mähne aus. »Wie selig sie sein muss, nach Hause zurückzukehren. Ich frage mich allerdings, wenn der König die Absicht hatte, sich persönlich hierher zu bemühen, wozu haben sie mich dann geschickt, um sie aus dem Kerker zu holen? So vieles hätte schiefgehen können.«

Amelung gab keinen Kommentar ab, aber er dachte vermutlich, dass es gesünder für Gaidemar sei, sich nicht die Köpfe der Mächtigen zu zerbrechen.

»Wieso seid Ihr hier draußen und nicht in der Halle?«, fragte Anna plötzlich in seinem Rücken.

Gaidemar wandte den Kopf. Sie hielt Emma an der linken Hand, Graf Attos kleine Tochter an der rechten. »Hoher Besuch«, antwortete er und berichtete kurz von Hennings Ankunft und ihrem bevorstehenden Aufbruch.

»Kein Grund, die Königin mit all diesen Fremden allein zu lassen, oder?«, bemerkte Anna kritisch.

»Hm«, machte er und strich mit einem rauen Holzstück über den Striegel, um die Haare zu entfernen, die sich in den Borsten verfangen hatten. »Ich hatte keine große Wahl. Aber ich glaube nicht, dass der Königin in Graf Attos Halle irgendwelche Gefahren drohen.«

»Dann seid Ihr ein Dummkopf, Gaidemar«, entgegnete die Zofe seufzend. »Habt Ihr gegessen?«

»Mach dir keine Gedanken«, er wandte ihr wieder den Rücken

zu und setzte seine Arbeit fort. »Wenn ich hier fertig bin, gehe ich in die Wachkammer, da werde ich sicher etwas bekommen.«

»Ich könnte Euch in die Gesindeküche schmuggeln«, erbot sie sich. »Sobald ich Emma ins Bett gebracht habe. Dort ist das Essen deftig und die Gesellschaft fröhlich, und wenn wir Glück haben, bekommen wir, was an der hohen Tafel übrig geblieben ist.«

»Danke, Anna. Gut von dir. Ein andermal.«

»Wie Ihr wollt. Also dann, gute Nacht, piekfeiner Gaidemar.«

»Gute Nacht, schöne Damen.«

Alle drei kicherten, als sie in der Dämmerung verschwanden.

Gaidemars Hoffnung hatte nicht getrogen: Als er in den schattigen Hof hinter dem langgezogenen Holzgebäude kam, wo Graf Attos Burgwache ihr Quartier hatte, fand er die Männer dort auf Holzbänken um ein lebhaftes Feuer versammelt, über dem ein Kessel mit blubberndem Eintopf hing. Mit raubeiniger Gastfreundschaft luden sie ihn ein, ihr Nachtmahl zu teilen, schenkten ihm einen Tonbecher von dem säuerlichen Wein ein, den man hier statt Bier trank, und beglückten ihn mit typischen Soldatengeschichten von Schlachten, Belagerungen und Plünderungen. Gaidemar kannte sie zur Genüge von seinen Kameraden bei den Panzerreitern: In der Erzählung wurden die gegnerischen Truppen immer ein wenig zahlreicher, die Mauern der eingenommenen Burgen höher, die davongetragenen Wunden schwerer und die Huren schamloser, als es tatsächlich der Fall gewesen war, und die Anekdoten wurden grundsätzlich mit großen Gesten und grölendem Gelächter vorgetragen. Gaidemar hatte nicht viel dafür übrig, aber er lauschte höflich, dankbar für die zahlreichen Speckwürfel im Eintopf und das frische, deftige Brot, das es dazu gab.

»Und was ist mit dir, he?«, fragte schließlich ein Kerl mit sonnenverbrannter Stirnglatze, der eine Art Anführer zu sein schien. »Bist du mit dem bayrischen Herzog gegen die Ungarn gezogen?«

Gaidemar kratzte den letzten Löffel Eintopf aus seiner Schale und schüttelte den Kopf. »Ich bin mit König Otto ins Westfrankenreich gezogen, gegen Hugo von Franzien. Und danach gegen die Böhmen.«

»Böhmen?«, wiederholte ein Vierschrötiger mit schwarzem Zottelbart. »Komm schon, erzähl uns nichts. Jeder weiß, dass König Otto nur Panzerreiter gegen die Böhmen geführt hat.«

Gaidemar schob sich den Löffel in den Mund und nickte.

Betretenes Schweigen machte sich breit, und die Männer tauschten verstohlene Blicke. »Du bist … Ihr seid ein Panzerreiter?«, fragte Stirnglatze.

»Kein Grund, in Ehrfurcht zu erstarren. Wir kampieren im Schlamm, essen ungenießbaren Lagerfraß, bluten und sterben genau wie ihr.«

Der Junge mit den Segelohren, der sie bei ihrer Ankunft hier eingelassen hatte, schnaubte ungläubig. »Blödsinn! Ihr habt jeder ein eigenes Zelt mit Daunenkissen und Felldecken, goldene Trinkbecher und Diener!«

Das hörte Gaidemar nicht zum ersten Mal, aber es amüsierte ihn immer wieder aufs Neue. »Glaub mir, so ist es nicht. Eine Reiterlegion umfasst tausend Mann. Wenn sie alle eigene Zelte und Dienerschaft hätten, müsste der Tross für eine einzige Legion zwei Meilen lang sein. Aber auf einem großen Feldzug führt König Otto fünf oder zehn Legionen. Wie sollte so ein Tross jemals irgendwo ankommen? Wie sollten all die Menschen ernährt werden?«

Seine Argumente überzeugten die Burgwachen nicht. »Trotzdem«, widersprach Stirnglatze mürrisch. »Panzerreiter sind Edelleute.«

Gaidemar gab keinen Kommentar ab. Er wusste, er würde sie nicht überzeugen, und er war nicht länger willkommen in ihrer Mitte. Sie wollten ihn nicht davonjagen, weil sie unerfreuliche Folgen befürchteten, wenn sie einen »Edelmann« beleidigten, aber ihre ungezwungene Kameradschaft hatte sich verflüchtigt.

Gaidemar stand auf und reichte dem Jungen mit den Segelohren seine Schale. »Habt Dank für den Eintopf und den Wein. Gute Nacht.«

»Gute Nacht, Herr«, murmelten sie höflich, ihre Mienen verschlossen.

Inzwischen war es fast völlig dunkel geworden. Trotzdem schlenderte Gaidemar zum Stall zurück, um Amelung den Apfel zu bringen, den er zu seiner Eintopfschale bekommen hatte. Das letzte bisschen Tageslicht würde wohl reichen, um in seine Kammer im Gästehaus zu finden, schätzte er, und falls nicht, konnte er sich zu seinem Gaul ins Stroh legen. Es wäre weiß Gott nicht das erste Mal. Er musste an eine kalte Regennacht in den Ardennen denken, als er mit Gottfried und Heinrich von Eschborn, zwei Brüdern aus dem Taunus, als Späher ausgesandt worden war und Gottfried sich einen Pfeil eingefangen hatte. In der Brust. Als es dunkel wurde und Gottfrieds Brust hörbar zu brodeln begann, hatten sie gemerkt, dass sie sich verirrt hatten, und …

Ein gedämpfter Schrei riss ihn aus der Erinnerung an diese lange, bittere Regennacht. Gaidemar blieb reglos stehen, und sein Herzschlag beschleunigte sich ein wenig. Er hatte die Stimme erkannt.

»Bitte, Herr … Bitte tut das nicht …«, hörte er sie flehen, aber es klang resigniert.

Jetzt konnte er ausmachen, woher die Stimme kam: irgendwo hinter dem Speicherhaus, wo er vorhin den Buchfink gehört hatte. Er zog das Messer und schloss die Finger der Linken um den vertrauten Schaft. Stoff riss, und eine Männerstimme befahl: »Halt still, du Luder, oder ich brech dir jeden Knochen.«

Es klang wie das Knurren eines Bären. Wütend und gefährlich.

Gaidemar setzte sich in Bewegung. Das letzte Licht schwand jetzt schnell, aber er wusste, wo der niedrige geflochtene Zaun stand, der das Kräuterbeet neben dem Speicherhaus umgab. Er hätte mit geschlossenen Augen einen Lageplan dieser Burg zeichnen können. Das gehörte zu den Dingen, die einen guten Panzerreiter ausmachten.

Lautlos umrundete er das zweistöckige Holzgebäude, und auf der verdorrten Wiese an dessen Rückseite fand er Anna, die versuchte, gleichzeitig ihr zerrissenes Kleid vor der Brust zusammenzuhalten und ihren aufdringlichen Verehrer mit einer ihrer kleinen Hände abzuwehren. »Bitte, Prinz, seid doch vernünftig. Wenn die Königin erfährt …«

Er schlug sie mit dem Handrücken ins Gesicht, und Anna fiel zu Boden. »Du machst den Mund nur auf, wenn ich es sage, und dann nicht zum Reden«, stieß er hervor.

Gaidemar war es einen Moment, als sei die warme Abendluft zu Eis gefroren. Er konnte sie nicht mehr einatmen. Er blieb reglos stehen, starrte mit verengten Augen zum Abendstern empor und wünschte einen schwachen Moment lang, er wäre noch ein halbes Stündchen länger bei den Burgwachen geblieben. Denn ganz gleich, was er jetzt tat oder nicht tat, es konnte nur schlimm für ihn enden, das wusste er ganz genau.

»Vergebt die Störung, Prinz«, hörte er sich sagen.

Henning hatte sich über Anna gebeugt und sie beim Unterarm gepackt. Er wandte den Kopf, ohne sie loszulassen. »Was kann so wichtig sein?«

Gaidemar improvisierte. »Die Königin hat mich gebeten, Euch aufzusuchen.«

»Um diese Zeit?«

»So ist es.« Gaidemar wusste selbst, wie fadenscheinig das klang.

»Und? Was will sie?« Henning ließ Annas Arm los und richtete sich auf.

»Sie hat mir aufgetragen, unsere Rückreise nach Pavia mit Euch zu erörtern.« So unauffällig wie möglich steckte Gaidemar das Messer in den Gürtel, aber er ahnte, dass es dem Prinzen nicht entging.

»Dann komm morgen früh«, knurrte der. »Jetzt verpiss dich.«

Gaidemar trat stattdessen einen Schritt näher. »Wenn wir aufbrechen wollen, ehe die Tageshitze einsetzt, bleibt nicht mehr viel Zeit, Prinz.« Er zog Anna auf die Füße. »Besser, du gehst zu ihr. Sie hat schon zweimal nach dir gefragt. Was denkst du dir nur dabei, hier herumzutändeln, statt dich um deine Herrin zu kümmern?«

Die Zofe starrte ihm einen Moment ins Gesicht, zur Abwechslung einmal sprachlos. Sie war ihm nahe genug, dass er sie deutlich erkennen konnte. Ihre Augen waren geweitet, die Lippe aufgeplatzt.

»Na los«, drängte er.

Sie nickte, knickste fahrig vor ihm, hob die Röcke an und rannte.

Der Prinz schaute ihr nach. Sein Atem ging ein wenig rau, und die Linke war zur Faust geballt. Gaidemar konnte seinen Zorn und seine Erregung förmlich spüren, so wie man Hitze fühlte, wenn man an eine Esse trat. Er war nicht überrascht. »Der Schänder« wurde Prinz Henning bei den Panzerreitern genannt. In jungen Jahren hatte er noch »Henning Hasenfuß« geheißen, weil er jeder Schlacht aus dem Wege ging, aber mit zunehmendem Alter hatte der Prinz Tapferkeit gelernt. Darum genoss er Achtung bei den Panzerreitern. Aber wenig Sympathien.

»Das war ein Fehler, furchtloser Gaidemar«, sagte Henning mit einem Lächeln in der Stimme.

»Ich weiß nicht, was Ihr meint, Prinz.«

»Du weißt ganz genau, was ich meine. Hast du eigentlich eine Ahnung, was es bedeutet, einen gefährlichen Feind zu haben?«

Gaidemar verschränkte die Arme vor der Brust und sah ihn unverwandt an. »Ich bin dann und wann schon einem auf dem Schlachtfeld begegnet. Es hat mir bislang nie den Schlaf geraubt.«

Henning lachte in sich hinein. »Sei versichert, das wird sich ab heute ändern.«

»So viel lag Euch an der kleinen Zofe?«, konterte Gaidemar verständnislos und dachte: Wärst du ein bisschen nett zu ihr gewesen, hätte sie sich vermutlich freiwillig zu dir gelegt, denn sie ist ein lebenslustiges Geschöpf. Aber das hätte dir sicher den Spaß verdorben ...

»Das Luder interessiert mich nicht«, erwiderte der Prinz verächtlich. »Aber ich schätze es nicht, wenn ein dahergelaufener Bastard es an Respekt mangeln lässt und meine Pläne durchkreuzt. Im Übrigen kann ich sie mir morgen immer noch holen, wenn mir der Sinn danach steht, und somit hast du dein Leben völlig umsonst ruiniert.«

Unter den Augen der Königin wirst du dir das niemals erlauben, dachte Gaidemar. Er nickte und tat, als müsse er ein Gähnen unterdrücken. »War's das? Dann würd ich jetzt gern schlafen gehen, edler Prinz. Denn ganz gleich, was Ihr sagt, mir fallen fast die Augen zu.«

Henning entließ ihn mit einem nachlässigen Wink der behandschuhten Rechten. »Träum süß.«

Pavia, Oktober 951

Adelheid musste blinzeln. Sie hatte nicht damit gerechnet, dass die Leute von Pavia die staubige Straße vom Stadttor bis hinauf zum Palast säumen würden, um ihr und Emma zuzujubeln. Und es waren viele. Zu beiden Seiten des Weges hatten sie Aufstellung genommen – Handwerker in langen Schürzen und die Lederkappen in den Händen, Kaufherren in kostbaren Mänteln, Frauen jeden Alters aus den unterschiedlichsten Schichten, und Kinder liefen johlend vor dem kleinen Reiterzug einher.

Eine stämmige Bäckersfrau trat unerschrocken auf Adelheid zu, ihre kleine Tochter auf dem Arm.

Adelheid hielt den hübschen Schimmel an, den Graf Atto ihr geborgt hatte.

»Willkommen daheim, meine Königin«, sagte das Kind und streckte ihr einen Strauß Feldblumen entgegen, der schon ein wenig mitgenommen und welk aussah.

»Danke. Wie wunderschön sie sind. Hast du die etwa für mich gepflückt?«

Die Kleine, die vielleicht zwei Jahre älter war als Emma, nickte emsig. »Mit Mutter zusammen.«

Adelheid lächelte der Frau mit den feisten Wangen und dem Doppelkinn zu. »Wie gut von euch.«

Die Bäckerin knickste. »Gott segne Euch. Wir sind ja so froh, dass wir Euch wiederhaben.«

»Gott möge euch ebenso segnen«, erwiderte die Königin, strich dem kleinen Mädchen über den Schopf und ritt wieder an. Mit dem Blumenstrauß winkte sie der jubelnden Menge zu.

Emma saß vor ihr im Sattel und blickte sich ein wenig skeptisch um.

Adelheid legte einen Arm um sie. »Hab keine Angst, Liebling. Es sind unsere Untertanen, und sie alle sind gekommen, um unsere Heimkehr zu feiern.«

»Das wollen wir zumindest hoffen«, sagte Prinz Henning, der an ihrer Seite ritt.

»Seid unbesorgt«, gab Adelheid zurück. »Von den Menschen hier haben wir nichts zu befürchten.«

»Mit Verlaub, aber das hat Euer Gemahl vermutlich auch gedacht, ehe er vergiftet wurde.«

Es waren nicht die Menschen von Pavia, die ihn ermordet haben, sondern Berengar von Ivrea, lag ihr auf der Zunge, aber sie schwieg.

Vier Tage hatten sie von Canossa bis hierher gebraucht. Vier Tage, die sie in seiner Gesellschaft verbracht hatte, und Adelheid hatte immer noch nicht durchschaut, was er damit beabsichtigte, dass er ständig solche Dinge zu ihr sagte. Dinge, die ihr Angst einjagen oder sie klein und dumm erscheinen lassen sollten. Und da ihr nicht einfiel, was er damit bezwecken könnte, schien es nur einen zulässigen Schluss zu geben: Er tat es, weil es ihm Vergnügen bereitete. Was sie selbst betraf, so war es ihr gleich, doch es machte sie wütend, wenn er Emma erschreckte. Das Kind hatte genug durchgemacht.

Sie drückte ihrer Tochter einen Kuss auf den Scheitel. »Da, siehst du? Das hübsche junge Mädchen streut Lavendel vor uns auf die Straße.«

»Warum?«, wollte Emma wissen. »Wird alles zertrampelt.«

»Stimmt«, musste ihre Mutter einräumen. »Sie opfert ihren Lavendel, um uns Ehre zu erweisen. Dir auch, Emma. Also sei eine huldreiche Prinzessin und wink ihr zu.«

Emma hob die kleinen Hände und winkte frenetisch.

Die Menschen jubelten und lachten und riefen ihren Namen.

Emma strahlte, und ihre Wangen glühten vor Aufregung.

Adelheids Herz schien sich für einen Moment zusammenzuziehen, und sie dankte Gott, dass er sie und Emma aus Gefangenschaft und Dunkelheit erlöst und ihnen das Glück dieser Heimkehr geschenkt hatte.

»Gaidemar«, sagte Prinz Henning barsch über die Schulter.

»Prinz.« Es klang kaum weniger frostig.

»Reite hinauf zum Palast und kündige unsere Ankunft an.«

Was für ein alberner Befehl, dachte Adelheid. Wenn das Volk von Pavia sie hier so zahlreich willkommen hieß, war man im Palast sicher längst auf ihr Kommen eingerichtet. Aber sie widersprach nicht. Sie wusste nicht, was zwischen den beiden Männern vorgefallen war. Ihr Gefühl sagte ihr, dass es etwas mit Annas blutiger Lippe zu tun hatte – über die ihre Zofe sich nichts entlocken ließ –, doch Adelheids Gefühl warnte sie ebenso, dass dies eine Angelegenheit sei, in die sie sich besser nicht einmischen sollte. Eins wusste sie indes mit Gewissheit: Sie würde froh sein, von der Gesellschaft des Prinzen erlöst zu sein, wohingegen sie Gaidemar vermissen würde, wenn er zu seiner Reiterlegion zurückkehrte.

»Gewiss«, knurrte dieser unwillig und scherte nach rechts aus dem Zug aus. Amelungs schwarzes Fell glänzte feucht in der Spätsommersonne.

»Guckt mal!« Emma wies mit dem Finger geradeaus. »Da kommen Männer.«

Adelheid blickte nach vorn. »Ich denke, Euer Auftrag hat sich erledigt, Gaidemar.«

Er nickte knapp und reihte sich wieder hinter ihnen ein. Vier Männer auf edlen Rössern kamen ihnen vom Palasthügel entgegen, zwei Edelleute und zwei Priester. Ihnen folgte eine zwölf Mann starke Ehrenwache in matt glänzenden Kettenpanzern.

Am Fuß des sachten Hügels trafen sie aufeinander, und beide Züge hielten an.

Die vier Reiter saßen ab. »Seid willkommen in Pavia, Königin Adelheid«, sagte der rechte, ein gutaussehender junger Priester in einem schlichten, dunklen Gewand, wie es seinem Stand zukam, aber mit einem juwelenbesetzten goldenen Kruzifix auf der Brust. »Mein Name ist Brun, Abt der Abtei zu Lorsch.«

König Ottos Bruder, wusste Adelheid, sein Kanzler und sein

Erzkaplan. Eine verblüffende Anhäufung einflussreicher Ämter für einen so jungen Mann.

Sie neigte höflich den Kopf. »Habt Dank, ehrwürdiger Vater.«

»Dies sind König Ottos Söhne Wilhelm und Liudolf, Letzterer der Herzog von Schwaben, und Konrad, Herzog von Lothringen.«

Wie auf ein geheimes Zeichen sanken alle vier vor ihr im Straßenstaub auf ein Knie nieder. Brun, Wilhelm und Konrad von Lothringen mit Würde, der junge Prinz und Herzog von Schwaben mit unzureichend verborgenem Unwillen.

Adelheid hob die Linke. »Erhebt Euch. Und habt Dank für Euer Willkommen. Meine Tochter und ich sind glücklich, wohlbehalten heimgekehrt zu sein, und ich weiß sehr wohl, dass wir das allein König Ottos Hilfe zu verdanken haben.«

Sie kamen auf die Füße, und Brun breitete einladend die Arme aus. »Erlaubt uns, Euch zum Palast zu eskortieren. Der König erwartet Eure Ankunft mit freudiger Ungeduld.«

Adelheid spürte wieder dieses nervöse Ziehen in der Magengegend.

Da die Straße sich auf dem kurzen Rest des Weges verbreiterte, hatten vier Reiter nebeneinander Platz. Brun und Liudolf – die Prinzen – reihten sich neben Adelheid und Henning ein, und so gelangten sie zu dem gewaltigen Bronzetor mit seiner vertrauten, grün schimmernden Patina. Adelheid musste sich zusammennehmen, um nicht aus dem Sattel zu gleiten und die wundervoll gearbeiteten Reliefs auf den beiden Torflügeln zu küssen.

Noch ehe sie es ganz erreicht hatten, schwang das Tor auf, und die Reiter gelangten in den Innenhof mit den herrlichen Marmorsäulen, die eine schattenspendende, umlaufende Arkade trugen. Die Schönheit dieser Anlage war schon unter normalen Umständen überwältigend, aber jetzt musste Adelheid ihre ganze Selbstbeherrschung aufbieten, um die Tränen zurückzudrängen. Dort links war der gewendelte Treppenaufgang zu dem Türmchen, wo sie und Lothar ganze Sommerabende verbracht und auf den glitzernden Tessin hinabgeschaut hatten, immer in der vergeblichen Hoffnung, die Amme könnte vergessen, sie ins Bett zu schicken, wenn sie sich hier nur lange genug versteckten. Dort neben dem Brunnen stand der Mandelbaum, in dessen Schatten sie Lothar gesagt hatte, dass sie ein Kind erwartete. Jeder Rosenbusch, jedes versteinerte Schneckenhaus im Marmor, jeder Riss in den Bodenfliesen barg eine Geschichte. Aber jetzt war nicht der Moment, sich ihrer zu erinnern.

Adelheid reichte Emma hinab in Bruns ausgestreckte Arme, wartete, bis er sie mit einem freundlichen Wort auf die Füße gestellt hatte, und ließ sich von ihm aus dem Sattel helfen.

»Wenn es Euer Wunsch ist, werde ich Euch jetzt gleich zu meinem Bruder, dem König, geleiten«, erbot sich der junge Abt.

Adelheid hob verwundert die Brauen. So groß war Ottos Neugier, sie zu sehen, dass er ihr keine Gelegenheit ließ, sich nach vier Tagen im Sattel frisch zu machen und umzukleiden?

Aber sie wusste, ihr blieb nichts anderes übrig. Der mächtige Otto war mit einer Armee in ihr Königreich einmarschiert und residierte in ihrem Palast. Er hatte sie aus der Hand eines potenziellen Thronräubers befreit, aber wenn sie verhindern wollte, dass Otto selbst als Nächster in diese Rolle schlüpfte, blieb ihr nur ein einziger Weg: Sie musste ihn wie einen überaus willkommenen Gast behandeln.

Sie nahm sich nur einen Augenblick Zeit, um sich zu Gaidemar umzuwenden, der ebenfalls abgesessen war und die Pferde der Prinzen einsammelte. »Habt Dank für alles, was Ihr für uns getan habt.«

Er verneigte sich vor ihr, vier oder fünf Zügel in der Rechten, schien etwas sagen zu wollen und tat es dann doch nicht.

Adelheid sah prüfend an sich hinab. Das ziegelrote Kleid, das Gräfin Ildegarda ihr so großzügig überlassen hatte, schien die Reise ohne sichtbare Spuren überstanden zu haben. Alsdann, dachte sie und atmete tief durch. »Ich bin bereit, ehrwürdiger Vater«, sagte sie zu Brun.

Sie betraten das mächtige Hauptgebäude aus hellem Sandstein, durchquerten die Vorhalle und stiegen die breite Treppe empor. Zwei fremde Wachen flankierten die Flügeltür zur Halle, doch als sie sie kommen sahen, öffneten sie ihnen und neigten höflich die behelmten Köpfe.

Adelheid betrat den vertrauten Saal mit den beiden Marmorthronen auf der Estrade unter dem reich bestickten Baldachin. Die Nachmittagssonne fiel durch das große Westfenster darüber und ließ den großen, schlanken Mann, der dort stand, als Schattenriss erscheinen. Doch als er die Ankömmlinge hörte, wandte er sich um und kam ihnen ein paar Schritte entgegen.

»Königin Adelheid.« Seine Stimme war tief und volltönend.

Sie schloss die kleine Lücke zwischen ihnen, ohne zu zaudern. »König Otto.«

»Es ist mir eine Ehre«, sagten sie wie aus einem Munde und bissen sich beide auf die Unterlippe, um ernst zu bleiben. Dann trafen sich ihre Blicke, und sie mussten doch lachen.

Otto war keine fleischgewordene römische Statue wie sein Bruder Henning, aber doch ein gutaussehender Mann. Um die vierzig, schätzte Adelheid. Seine Statur wirkte athletisch. Man konnte sehen, dass er einen Gutteil seiner Regierungsjahre auf dem Schlachtfeld und im Sattel verbracht hatte. Der kurze, gepflegte Bart war ebenso goldblond und gelockt wie das Haupthaar, die Nase ein wenig gekrümmt, so als wäre sie einmal gebrochen gewesen. Seine Augen waren von einem strahlenden, aber hellen Blau, das sie an Gaidemar erinnerte, und der Ausdruck war undurchschaubar.

»Kommt.« Otto nahm ihren Arm und führte sie zu dem rechten der beiden Thronsessel, der ein wenig größer war als der andere und mit mehr Ranken und Zahnmustern verziert. »Nehmt Platz. Ihr müsst erschöpft sein nach der langen Reise von Canossa hierher.«

Sie trat scheinbar zufällig beiseite, sodass seine Hand von ihrem Arm glitt. »Es war nicht die größte Strapaze der letzten Monate«, entgegnete sie. »Und dies ist der Thron meines Gemahls.«

»Den Gott zu sich gerufen hat, sodass der Thron an Euch fiel.«

Sie strich mit den Fingern der Linken über den kühlen Marmor. »Weswegen Ihr mir einen Eurer berühmten Panzerreiter geschickt habt, um mich zu befreien.« Es war keine Frage.

»Lasst uns einen Schluck Wein auf Eure glückliche Heimkehr trinken, ehe Ihr mich mit Unterstellungen ob meiner niederen Motive überhäuft, edle Königin«, bat er mit einem Lächeln. Es war nachsichtig und warm, dieses Lächeln, vor allem unerwartet charmant.

Adelheid setzte sich auf den bescheideneren der beiden Thronsessel, legte die Hände auf die kunstvoll behauenen Armlehnen und blickte abwartend zu ihm auf.

»Ich lasse Euch allein«, sagte der junge Abt Brun und schlenderte zur Tür der Halle, die weit offen blieb, um den Anstand zu wahren.

Otto selbst griff nach dem vergoldeten Krug auf dem Tisch und schenkte einen Pokal voll, dessen Fuß und Kelch mit Perlen aus rotem Jaspis verziert waren. Es war Lothars Lieblingsbecher gewesen. Otto streckte ihn ihr entgegen.

Adelheid machte keine Anstalten, den Pokal zu nehmen. »Niemals ohne Vorkoster.«

Der König trank kommentarlos. Anders als sein Bruder Henning soff er nicht wie ein Ochse am Trog, sondern nahm einen kleinen Schluck, den er genießerisch über die Zunge rollen ließ. »Hervorragend. Wie steht es jetzt?« Einladend hielt er ihr den Becher erneut hin.

Sie griff danach. »Auf Euch, König Otto. Habt Dank, dass Ihr meiner Tochter und mir Hilfe gesandt habt.« Sie trank, ohne ihn aus den Augen zu lassen. Otto schien auf irgendetwas zu warten. Womöglich hoffte er, ein »Ich stehe in Eurer Schuld« zu hören. Aber Adelheid hatte Politik geradewegs mit der Muttermilch eingesogen – sie dachte nicht daran, ihre Position ohne Not zu schwächen.

Der König lehnte sich ihr gegenüber an den schweren Tisch, verschränkte die Arme und schaute auf sie hinab. »Ich bete, dass Eure kleine Tochter die Wochen des Schreckens unbeschadet überstanden hat.«

Monate, dachte Adelheid, *nicht Wochen*. Doch sie verbesserte ihn nicht. Es erschien ihr bemerkenswert, dass er überhaupt einen Gedanken an Emma verschwendete. Adelheid hob kurz die Schultern. »Es hat den Anschein, als hätte sie alles schon vergessen. Sie ist widerstandsfähig.«

»So wie ihre Mutter?«

Sie setzte den Becher nochmals an die Lippen und sah dem König über den Rand hinweg einen Moment in die Augen. »Vielleicht.«

»Auf jeden Fall ist es bewundernswert, wie lange Ihr Berengar die Stirn geboten habt. Und nun ist er nach San Marino geflohen, und Pavia hat Euch jubelnd empfangen. Aber das ändert nichts daran, dass er viele Freunde in der Lombardei und in ganz Oberitalien hat.«

Adelheid nickte – scheinbar gelassen. »Er wird zurückkehren und wieder versuchen, die Macht an sich zu reißen, sobald Ihr den Rücken kehrt.«

»Ich fürchte, Ihr könntet recht haben.«

Einen Moment schwiegen sie beide, so als warte jeder, dass der andere fortfuhr.

Dann kam Otto einen Schritt näher und legte die Rechte auf die hohe Rückenlehne ihres Throns, ohne Adelheid aus den Augen zu lassen. »Ich sehe, Ihr trauert noch um Euren Gemahl.«

»So wie Ihr um Eure Gemahlin.«

»Es ist fünf Jahre her, dass sie starb.«

»Und dennoch ist es so.«

Otto lächelte, und dieses Lächeln offenbarte so einen Ozean an Einsamkeit, dass Adelheid einen Stich in der Herzgegend spürte. Sie verstand nicht, warum dieser König, den manche den mächtigsten Mann der Welt nannten, ihr diesen Blick in seine Seele gewährte, aber für den Moment fand sie sich vollständig entwaffnet. Sie ertappte sich bei höchst sonderbaren Gedanken: Sie wollte ihm Trost spenden. Sie wollte ihn lehren, seine Gefühle besser zu verbergen, auf dass er seinen Feinden nicht ins offene Messer lief. Und womöglich wollte sie sogar diejenige sein, die die Leere in seinem Innern ausfüllte ...

Bis sein Ausdruck sich veränderte und distanziert wurde, so als hätte jemand ein Fenster mit einem schweren Holzladen verschlossen. Otto brauchte niemanden, der ihn Vorsicht lehrte, erkannte sie. Er spielte mit ihr. Wie hatte sie nur etwas anderes glauben können?

»Habt Ihr je daran gedacht, Euch wieder zu vermählen?«, fragte er – scheinbar leichthin.

»Früher oder später.« Sie strich mit den Daumen über die eingemeißelten Rillen der Armlehnen. Der glatte Marmor fühlte sich kühl und angenehm an. Und vertraut. »Auf Dauer wird mir nichts anderes übrig bleiben. Berengar von Ivrea ist nicht der Einzige, den es nach meinem Thron gelüstet. Meine Tochter und ich brauchen Schutz vor den Begehrlichkeiten ehrgeiziger Fürsten. Was ist mit Euch?«

Er nickte langsam. »Ich brauche Söhne.«

»Tatsächlich? Die beiden, die ich vorhin gesehen habe, schienen mir ganz vorzeigbar.«

»Wilhelm ist ein Bastard, und Liudolf ist ein Blatt im Wind. Großzügig und gescheit wie seine Mutter, aber weder ihr Pflichtbewusstsein noch ihre Beständigkeit hat er geerbt. Er ist ein guter Junge, versteht mich nicht falsch. Doch es scheint ratsam, die Zukunft meines Hauses nicht allein auf ihn zu gründen.«

»Armer Liudolf«, bemerkte Adelheid mit leisem Spott. »Er wird schwer enttäuscht sein, wenn er jetzt noch Brüder bekommt. Und der Mutter seiner Brüder wird er nicht gerade Wohlwollen entgegenbringen.«

»Er wird es verstehen, denn er weiß, dass Gott jeden von uns morgen abberufen kann. Darum weiß er auch, dass ein König mehr als einen Sohn braucht. Im Übrigen habe ich nicht den Eindruck, dass Ihr Euch vom Wohlwollen anderer abhängig macht.«

Adelheid zog die Brauen in die Höhe. »Was in aller Welt hat all das mit mir zu tun?«

Das gerade noch so verhaltene Lächeln nahm einen schelmischen Ausdruck an. »Denkt darüber nach, edle Königin. Ich bin zuversichtlich, Ihr kommt von allein darauf.«

Adelheid spürte ihre Wangen heiß werden, und das war ihr lange, wirklich sehr lange nicht passiert. Doch mit einem Mal war sie verlegen. Sie trank noch einen Schluck, damit Otto es ja nicht merkte.

»Ihr könnt nicht wirklich so überrascht sein«, sagte er leise, und die Hand glitt von der Rückenlehne auf ihre Schulter. Schwer und warm fühlte sie sich dort an. Alles andere als unangenehm.

»Es ist nicht Euer Vorschlag, der mich überrascht, denn er ist naheliegend«, räumte sie ein. »Was mir hingegen ein wenig den Atem verschlägt, ist Euer Tempo.«

Otto nickte zerknirscht. »Editha hat immer gesagt, ich falle mit der Tür in jedes Haus. Diplomatisches Fingerspitzengefühl gehört nicht zu meinen Stärken, fürchte ich.«

Unwillkürlich sah sie auf die Finger hinab, die auf ihrer Schulter ruhten: breit und stark, die Nägel verblüffend sauber.

»Das kann ich glauben«, gab sie mit einem Lächeln zurück.

»Also?«

»Euer Antrag ehrt mich, mein König. Aber es würde bedeuten, dass ich meine Heimat verlassen und über die Berge in den nebligen Norden ziehen müsste, wo es ewig schneit, wo die Menschen schwerblütig, ungehobelt und missgelaunt sind, immerzu trunken vom Bier, das sie dort so schätzen. Bei der Vorstellung graut mir ein wenig, wenn Ihr die Wahrheit wissen wollt.«

Otto fing an zu lachen. Es war ein warmes Lachen voller Frohsinn, und es zauberte ein Funkeln in seine hellblauen Augen. »So fürchterlich sind wir nun auch wieder nicht«, beteuerte er.

Adelheid sah mit einem skeptischen Stirnrunzeln zu ihm hoch. »Vater Liutprand, der Euer Reich bereist hat, erzählt, Euer Palast in Magdeburg sei eine zugige Bretterbude.«

»Ach herrje.« Otto hörte auf zu lachen und setzte sich vor sie auf die kleine Stufe am Fuße ihres Throns. »Da hat er recht, fürchte ich. Ich liebe Magdeburg, weil ich wundervolle Erinnerungen damit verbinde, aber es ist ein wenig … schlicht.«

»Für Schlichtheit bin ich nicht geschaffen«, bekannte sie unverblümt. Es schien ihr nur anständig, ihm reinen Wein einzuschenken. »Und ich wäre auch nie damit zufrieden, zwischen den Schatten Eurer Erinnerungen zu leben.«

Otto ergriff ihre schmale Rechte mit seiner Soldatenpranke. Es geschah so plötzlich, dass Adelheid sich beherrschen musste, um nicht zurückzuzucken, aber seine Hand fühlte sich angenehm an, stellte sie fest: warm, trocken und rau. Er führte die ihre kurz an die Lippen. »Dann lasse ich die Bretterbude einreißen und baue dir einen Palast, Königin Adelheid. Ich gebe dir an weltlichen Schätzen, was immer du dir wünschst, denn ich habe reichlich davon. Nur nimm mich. Erlöse dich selbst aus deiner Schutzlosigkeit und mich aus meiner Einsamkeit und fülle meine Halle mit deinem Zauber und mit Kindern, auf dass die Schatten der Erinnerung vertrieben werden.«

Adelheid verschränkte ihre langen, feingliedrigen Finger mit den seinen und nickte. »Ja. Ich denke, das könnte ich.«

Am Namensfest des heiligen Märtyrers Dionysius, dem neunten Oktober im Jahre des Herrn 951, nahm Otto aus dem Geschlecht der Liudolfinger, Herzog von Sachsen und König des Ostfrankenreiches, in der Basilika St. Michael zu Pavia Königin Adelheid von Italien zur Frau.

Es war ein wundervoller Tag, der Himmel blau, die Sonne warm, und dennoch lag der erste würzige Hauch von Herbstluft über der schönen Stadt am Tessin. Der italienische Adel füllte die große hallenartige Kirche – diejenigen, die von Anfang an treu zu Adelheid gestanden hatten ebenso wie jene, die es mit Berengar gehalten und es sich nun rasch anders überlegt hatten, weil sie König Otto lieber nicht zum Feind wollten.

Schon wieder säumte das einfache Volk die Straßen und jubelte, schon wieder streuten kleine Mädchen Blumen aufs staubige Pflaster, als der König und die Königin Hand in Hand aus der Kirche kamen. Alle schienen wie trunken vor Glückseligkeit und Festtagsstimmung.

Alle bis auf Gaidemar.

Zusammen mit gut zwei Dutzend Männern der siebten Reiterlegion, die Otto über die Alpen geführt hatte, saß er im Sattel und riegelte den Platz vor dem Westportal der Kirche gegen das herandrängende Volk ab, und sobald der festliche Zug aus Brautpaar, Geistlichkeit, Adel und Höflingen sich Richtung Palast in Bewegung setzte, bildeten sie den Geleitschutz.

Gaidemar ritt ganz vorn und hatte einen ungehinderten Blick

auf die Königin: Adelheid trug eine mitternachtsblaue Brokatrobe, perlenbesetzte Seidenschuhe mit goldenen Bändern an den kleinen Füßen und einen kostbaren, golddurchwirkten Mantel im königlichen Purpur. Ein elfenbeinfarbener Schleier bedeckte ihr Haar – »umschwebte« traf es eigentlich besser –, und er war so leicht und duftig, dass die sachte Brise ihn allenthalben nach hinten wehte und der Welt einen Blick auf die raffiniert aufgesteckten braunen Flechten darunter gewährte. Von den hinreißenden Ohren ganz zu schweigen.

Gaidemar wurde so elend von ihrem Anblick, dass er Amelung am liebsten herumgerissen hätte, um im fliegenden Galopp und auf Nimmerwiedersehen aus Pavia zu verschwinden. Natürlich hatte er gewusst, dass so etwas hier passieren würde. Die Schnelligkeit ihrer Wiedervermählung hatte ihm vielleicht ein wenig den Atem verschlagen. Und er wäre im Traum nicht darauf gekommen, dass es ausgerechnet König Otto sein würde, auch wenn es politisch naheliegend war, wie er zugeben musste. Ebenso hatte er gewusst, dass seine Gefühle für Adelheid unangemessen waren und eine heimliche Schwärmerei bleiben mussten. Allein mit ihr in der Wildnis hatte er sich manchmal alberne Träumereien gestattet, denn in der Wildnis hatten Stand und Etikette nicht dieselbe Macht wie in Pavia oder Magdeburg. In der Wildnis war Gaidemar alles gewesen, was zwischen der jungen Königin und den Verfolgern, dem Hunger und der lebensfeindlichen Umgebung gestanden hatte. Adelheids Dankbarkeit und ihr Vertrauen, die sie nicht leichtfertig verschenkte, hatten ihn mit Stolz erfüllt. Und mit Kühnheit. Darum hatte er es versäumt, seine vermessenen, nicht selten unanständigen Träume im Keim zu ersticken. Und jetzt zahlte er für diese Sünde …

Die bunte, gut gelaunte Hochzeitsgesellschaft zog durch das Torhaus in den säulengesäumten Innenhof des Palastes.

Während irgendwelche ausstaffierten italienischen Grafensöhne sich gegenseitig aus dem Weg rempelten, um Adelheid beim Absitzen behilflich zu sein, bildete die Ehrengarde der Panzerreiter eine Gasse zum Eingang der großen Halle, wo die letzten Vorbereitungen für das Hochzeitsbankett getroffen wurden.

Die Panzerreiter saßen ab, nahmen ihre Pferde am Zügel und legten zum ehrerbietigen Gruß die rechte Faust auf die linke Brust, als das Königspaar sie passierte.

Bei Gaidemar hielt die Königin einen Moment an, obwohl es im Protokoll todsicher nicht vorgesehen war, und nickte ihm mit einem kleinen, sehr königlichen Lächeln zu. »Ich habe Euch seit unserer Ankunft kaum gesehen, lieber Freund. Kommt mit in die Halle und feiert diesen glücklichen Tag mit uns.«

Gaidemar war so verdattert, dass es ihm die Zunge lähmte. Er schlug den Blick nieder und verneigte sich ein wenig zu hastig. Dabei erhaschte er einen Blick auf den König, dessen Miene sturmumwölkt war. Otto betrachtete den jungen Panzerreiter mit unverhohlener Geringschätzung, schien zu erwägen, Adelheids Einladung zu widerrufen, und tat es dann doch nicht. Aber sein Schweigen war unheilvoll.

Gaidemar fragte sich verwirrt, was er angestellt haben mochte, um das königliche Missfallen auf sich zu ziehen. Noch einmal verneigte er sich vor der wunderschönen Braut. »Habt Dank, edle Königin. Sobald meine Wache vorüber ist.«

Aber er dachte nicht daran, am Festmahl teilzunehmen. Stattdessen wollte er sich am Ende seiner Wache einen Weinkrug von unbescheidener Größe besorgen, sich auf die Palastmauer setzen, um ihn zu leeren, und sich anschließend in den Fluss stürzen.

Er fand, das war ein hervorragender Plan.

Er hatte gerade erst begonnen, ihn in die Tat umzusetzen, und den Krug noch nicht einmal halb geleert, als sich hinter seiner rechten Schulter jemand räusperte.

Stirnrunzelnd wandte Gaidemar den Kopf und entdeckte einen vierschrötigen Kerl mit Stiernacken und angerostetem Kettenpanzer. »Was gibt es denn?«

»Der König wünscht Euch zu sprechen, Herr.« Respektvoll, aber eine Spur hochnäsig. Ein königlicher Gardist, schloss Gaidemar, der an der Tür zur Halle Dienst tut und gehört hat, dass ich in irgendwelchen Schwierigkeiten stecke.

Er schwang das linke Bein zurück über die Mauer, sodass er auf der Krone saß wie im Sattel, und hob den Krug an die Lippen.

»Noch heute, wenn's keine Umstände macht«, setzte Stiernacken nach.

Gaidemar stieg von der Mauer, drückte ihm seinen Krug in die Finger und tätschelte ihm unsanft den leicht verbeulten Helm. »Mach dir nicht ins Hemd. Ich komm ja schon.«

Er wandte sich ab und ging mit langen Schritten Richtung Halle, aber Stiernacken ließ sich nicht abhängen. Er holte ihn ein und bemerkte: »Da entlang. Der König erwartet Euch in der Kanzlei. Und tragt Euren Wein gefälligst selbst.« Er streckte ihm den Krug entgegen.

Gaidemar winkte ab. »Wohl bekomm's. Ich habe so ein Gefühl, ich sollte einen klaren Kopf bewahren.«

»Ich würd sagen, dafür ist es eine Stunde zu spät.«

Sein freches Mundwerk gefiel Gaidemar, aber das ließ er sich nicht anmerken. »Hat der König am Abend seiner Hochzeit nichts Besseres zu tun, als mit dem Kanzler seiner Braut zusammenzuhocken?«

»Fragt ihn doch mal.«

»Hm. Gute Idee.«

Mit einem Zwinkern, das weitaus verwegener war als er sich fühlte, ließ Gaidemar den unverschämten Leibwächter stehen und betrat das weiß getünchte Fachwerkgebäude, das auf der Nordseite der großen Halle lag.

Die Tür führte gleich in den Hauptraum. Dort war es dämmrig, die kleinen Fenster mit Pergament bespannt, und deckenhohe Regale mit Schriftrollen und dicken Folianten säumten die Wände. Es roch nach Staub und Lampenöl. König Otto saß mittig hinter dem langen Tisch, auf dem für gewöhnlich die Kanzleischreiber ihre Pergamentrollen ausbreiteten, und links und rechts des Königs standen seine beiden Söhne. Vom Kanzler war weit und breit nichts zu entdecken.

Gaidemar war nicht überrascht. Er legte die Faust auf die Brust und verneigte sich. »Mein König.«

Otto trug noch seine Festtagsgewänder, aber ein glatter, goldener Stirnreif hatte die schwere Krone ersetzt. Sein Gesicht war seltsam ausdruckslos, wie gemeißelt, und auf dem leergeräumten Tisch vor ihm lag sein blankes Schwert. Das hier ist ein Gericht, erkannte Gaidemar, und mit einem Mal war sein Mund staubtrocken.

»Du bist Gaidemar?«, fragte Otto.

»Ja, mein König.« *Warum tust du das?*, überlegte er. *Du weißt genau, wer ich bin. Warum machst du dir die Mühe, mich zu kränken, wo du doch die Macht hast, mich zu töten?*

»Wir haben viel Gutes von dir gehört«, fuhr Otto fort, aber es klang skeptisch, als bezweifle er, was er gehört hatte. »Du hast dich als mutiger und findiger Soldat bewährt, und deswegen habe ich gebilligt, dass mein Sohn Wilhelm dich in geheimer Mission nach Garda sandte.« Er wies auf den schwarzhaarigen Sohn zu seiner Linken. »Du hast deinen Auftrag erfüllt und die Königin aus der Hand ihrer Feinde befreit. Sie berichtet mir nur das Beste von dir. Aber all das ist nur die halbe Wahrheit, nicht wahr?«

Gaidemar fühlte sich, als hätte er einen Huftritt vor die Stirn bekommen. Wie benommen schüttelte er den Kopf. »Ich kann Euch nicht folgen, fürchte ich.«

»Nein?« Mit einem kleinen Ruck lehnte der König sich vor und verschränkte die Arme auf der Tischplatte. »Willst du leugnen, dass du dich an Adelheids Zofe vergangen hast? Einer ebenso treuen wie keuschen Jungfrau, die ihrer Herrin in der größten Not zur Seite gestanden hat?«

Seine Stimme bebte ein wenig. Es war so schwach, dass man es ohne Weiteres hätte überhören können, aber Gaidemars Sinne waren geschärft. So wie im Feld, wenn er sich in Lebensgefahr befand. Er wusste, das war auch jetzt der Fall. Er fürchtete sich, weil er ahnte, dass es aus dieser Falle kein Entrinnen geben würde, doch vor allem war er fassungslos. Niemals hätte er geglaubt, dass ein Reichsherzog, ein *Prinz* zu solch einer niederträchtigen Intrige imstande wäre.

Wie dumm du bist, hörte er seinen Ziehvater in seinem Kopf sagen. *Eines Tages wirst du an deiner Dummheit krepieren.*

Es sah so aus, als sollte die Prophezeiung sich erfüllen.

97

»Ja, mein König, das leugne ich allerdings. Ich habe mich nicht an Anna vergangen.«

»Dann willst du uns weismachen, es sei mit ihrer Einwilligung geschehen? Das bilden Kerle wie du sich in solchen Fällen ja nur zu gern ein, nicht wahr?«

Was soll das sein, ein Kerl wie ich?, dachte Gaidemar, auf einmal so wütend, dass er Mühe hatte, sich zu beherrschen. »Ich habe sie nicht angerührt, weder mit noch ohne ihre Einwilligung. Und ich kann nicht glauben, dass sie etwas anderes behauptet.«

»Das entzieht sich meiner Kenntnis«, entgegnete Otto eisig und lehnte sich ein wenig auf seinem Schemel zurück, als müsse er räumliche Distanz zu Gaidemar schaffen. »Ich werde das arme Mädchen keiner qualvollen Befragung ob dieser ... widerwärtigen Angelegenheit unterziehen. Denn das ist nicht nötig.«

Prinz Liudolf an Ottos rechter Seite regte sich, warf seinem Vater einen zweifelnden Blick zu und stützte dann die Hand in die Seite. »Aber, mein König, wenn das Mädchen gar nicht befragt wurde, woher wissen wir dann ...«

»Es gibt einen glaubwürdigen Zeugen.«

»Wen?«, wollte Wilhelm wissen.

»Meinen Bruder Henning.«

Liudolf lachte verblüfft auf. »*Glaubwürdig?* Ich würde jede Wette eingehen, dass das Mädchen eine völlig andere Geschichte erzählt.«

»Wieso?« Der König schien verwundert und winkte dann ab. »Welchen Grund zu lügen könnte Henning haben?«

»Er braucht keinen Grund«, erwiderte der Prinz. »Niedertracht ist sein liebster Zeitvertreib, und wenn Ihr das nicht wisst, dann seid Ihr ...«

»Liudolf«, sagte Wilhelm. Nur dieses eine Wort. Er sprach nicht einmal laut, aber es klang dennoch wie ein Peitschenhieb. Und es wirkte. Prinz Liudolf wechselte einen Blick mit seinem Bruder und hielt den Mund.

»Es war der Wunsch der Königin, dich zum Kommandanten ihrer persönlichen Wache zu ernennen«, eröffnete Otto dem armen Sünder vor sich. »Aber nun werde ich einen Vorwand ersinnen müssen, um es ihr abzuschlagen. Ich beginne meine Ehe also mit einer Lüge, und das verdanke ich allein dir, Gaidemar.«

Der Beschuldigte schwieg beharrlich, denn er traute seiner Stimme nicht.

»Auf Vergewaltigung steht der Tod durch den Strang, wie du zweifellos weißt, doch ich lasse dir dein Leben, weil du das der Königin und ihrer Tochter geschützt hast. Einen Strolch wie dich kann ich in meinem Reiterheer indessen nicht gebrauchen.«

»Vater ...«, begann Prinz Liudolf, und es klang erschrocken. »Ich bitte Euch, das noch einmal zu überdenken. Dieser Mann ist schließlich unser ...«

»Du findest den Zahlmeister in seinem Zelt an der Ostmauer, er wird dir deinen restlichen Sold aushändigen«, fuhr der König schneidend fort, so als wäre er nicht unterbrochen worden. »Danach bist du frei zu gehen, wohin du willst. Aber du wirst nicht zur zwölften Legion nach Magdeburg zurückkehren. Du bist die längste Zeit ein Panzerreiter gewesen. Du darfst dich entfernen. Je eher, umso besser.«

Gaidemar war im ersten Moment nicht sicher, ob er sich rühren konnte. Als er es versuchte, bewegten seine Glieder sich eigentümlich langsam, so als wäre er unter Wasser. Er wandte sich ab, und als er zur Tür ging, fühlte er seine Füße nicht den Boden berühren.

Bedächtig zog er draußen die schmale Pforte hinter sich zu. Er hatte keine Ahnung, wieso, aber Stiernacken stand immer noch da, den Krug in der Hand. Gaidemar riss ihn ihm aus den Fingern, ohne den Mann anzusehen, und ging davon, so schnell er konnte. Er hatte kein Ziel. Er wusste nicht, was er tun sollte, weder jetzt noch mit dem Rest seines Lebens, aber er wollte irgendwohin, wo er Stiernackens neugierigen Blicken entzogen war.

Er umrundete die Halle, in der immer noch gelacht, musiziert und gefeiert wurde, machte Amelung im mittleren der drei langen Stallgebäude ausfindig, setzte sich neben ihn ins Stroh und lehnte den Rücken an die hölzerne Boxenwand.

Sein Pferd hörte für einen Moment auf zu fressen, wandte den edlen Kopf mit der schönen Flocke und schien ihn versonnen zu betrachten. Dann schenkte es seine ungeteilte Aufmerksamkeit wieder dem Hafer in seiner Krippe.

Gaidemar trank einen ordentlichen Schluck, ehe er den Hinterkopf mit einem dumpfen Laut gegen die Bretterwand fallen ließ. »Als ich sie Hand in Hand mit ihm aus der Kirche kommen sah, dachte ich, der Tag könnte nicht mehr schlimmer werden«, vertraute er Amelung an. »Aber Gott hat mich eines Besseren belehrt.« Er nahm noch einen Zug. »Wieder einmal.«

Er war erschüttert über die Schnelligkeit, mit der diese Katastrophe über sein Leben hereingebrochen war. Und er war so wütend über die himmelschreiende Ungerechtigkeit, dass es ihn drängte, irgendetwas in viele kleine Stücke zu zertrümmern. Prinz Hennings Schädel, zum Beispiel. Dieser gottverfluchte Hurensohn hatte nicht lange gezögert, seine Drohung in die Tat umzusetzen. Gaidemar hatte damit gerechnet, dass der Prinz ihm seine Finstermänner auf den Hals hetzen oder ihn in die vorderste Frontlinie stellen lassen würde, irgendetwas in der Art. Aber *das* hier hatte er nicht kommen sehen. Was für eine kleinliche, absurde Rache. Und dennoch hätte die Wirkung kaum verheerender sein können.

Mit einem Mal war Gaidemar heimatlos. Obendrein würde er vermutlich Mühe haben, einen anderen Broterwerb zu finden, denn er konnte nicht viel außer reiten und töten. Aber all das war nicht das Schlimmste. Das wirklich Erdrückende war, dass der König ihm seine Identität genommen hatte. Gaidemar besaß keinen Namen, keine Familie, keine Geschichte. Doch wenn er sich gelegentlich mit der Frage befasst hatte, wer oder was er denn eigentlich sei, war die Antwort ganz einfach gewesen: ein Panzerreiter.

Das war nun vorbei, und erst jetzt, da er sie verloren hatte, stellte er fest, welch ein wichtiger Bestandteil seiner Selbst die Zugehörigkeit zu dieser handverlesenen Elitetruppe gewesen war. Er fühlte sich entwurzelt und ruderlos. Ihm wurde ganz schwindelig von dem großen, leeren schwarzen Loch, das plötzlich in seinem Inneren klaffte, und er vergrub den Kopf in den Armen und setzte alles daran, nicht zu wimmern.

Sei bloß still, befahl er sich. Ein Laut, und du gehst zurück zur Festungsmauer und nimmst den schnellen Weg nach unten, klar?

»Gaidemar?«

Er zuckte zusammen, und es war kein Wimmern, das er im letzten Moment unterdrückte, sondern irgendetwas viel Schlimmeres. Eine Art erschrockenes Schluchzen.

Schleunigst ließ er die Arme sinken und blinzelte ins Halbdunkel des Mittelgangs hinaus. Zuerst sah er gar nichts. Und das war kein Wunder, erkannte er, als er seinen Besucher entdeckte: schwarzes Haar, dunkle Priesterrobe – perfekt getarnt.

»Prinz Wilhelm.« Gaidemar räusperte sich und kam auf die Füße. »Welch unerwartete Ehre.«

»Ich bin kein Prinz.« Er trat zu ihm in die Box, lud ihn mit einer Geste ein, wieder Platz zu nehmen, und setzte sich neben ihn.

»Nein, ich weiß.«

»Also schlage ich vor, wir verzichten auf Förmlichkeiten und reden aufrichtig miteinander. Von Bastard zu Bastard, wenn du so willst.«

Gaidemar wandte den Kopf und betrachtete den jungen Priester. Dessen Miene wirkte offen und wohlwollend, aber Gaidemar war auf der Hut. *Wir könnten nicht unterschiedlicher sein*, schärfte er sich ein. *Denn dich will er in seiner Nähe und hat dich für ein hohes Kirchenamt erziehen lassen. Ich hingegen habe niemals ein einziges persönliches Wort von ihm gehört, wurde zu den Panzerreitern gesteckt und jetzt mit einem Tritt in den Hintern davongejagt ...*

»Du sollst wissen, dass ich das Urteil des Königs nicht billige«, erklärte Wilhelm, so als könne er seine Gedanken lesen. »So wenig wie Liudolf es tut.«

»Danke.«

»Sehr kühl und höflich«, kommentierte Wilhelm mit leisem Spott.

»Ja, was sonst bleibt mir übrig?«, konterte Gaidemar und rang darum, an seiner äußerlichen Gelassenheit festzuhalten. »Was kann ich tun, wenn der König das Wort seines Bruders so hoch schätzt, dass er keinen Finger rührt, um die Wahrheit ans Licht zu bringen und …«

»Der König weiß, dass du die Wahrheit sagst und Prinz Henning lügt«, fiel Wilhelm ihm ins Wort. »Zumindest ein Teil von ihm weiß das. Aber Henning ist … seine Schwachstelle. Der König hat beschlossen, ihm alles zu vergeben, was in der Vergangenheit geschehen ist, ihn zum Herzog von Bayern zu machen und so weiter, und darum *muss* er sich einreden, Henning habe sich geändert.«

Gaidemar war einen Moment sprachlos. Dann protestierte er: »Aber das ist … vergib meine Offenheit, aber das ist Selbstbetrug.«

»Hm«, machte Wilhelm. »Eine Schwäche, der alle Menschen sich dann und wann gern hingeben, denkst du nicht?«

»Gefährlich für einen König.«

»Ich weiß. Und er weiß es auch. Aber wie gesagt, Henning ist sein wunder Punkt. Und Liudolfs Fürsprache hat dir mehr geschadet als genützt, denn Liudolf ist eifersüchtig auf Henning und fürchtet seine Konkurrenz. Darum hört der König nie richtig hin, wenn Liudolf etwas gegen Henning sagt.«

Gaidemar verschränkte die Arme vor der Brust. »Warum erzählst du mir all das eigentlich?«

»Dazu kommen wir später. Frag mich etwas anderes.«

Gaidemar fand diese Unterhaltung höchst absonderlich, aber sein Bedürfnis nach Antworten überwog seinen Argwohn. »Wieso ist Prinz Liudolf eifersüchtig auf seinen Onkel? Schließlich ist *er* der Thronerbe, nicht Henning.«

»Bist du sicher?« Wilhelm verschränkte die Arme genau wie Gaidemar und sah ihn mit undurchschaubarer Miene an.

»Ist nicht Liudolf des Königs einziger ehelicher Sohn? Und kommen Söhne nicht vor Brüdern in der Erbfolge?«

»In der Regel ja. Im Byzantinischen Reich kann der Kaiser übrigens auch einen seiner Bastarde zum Nachfolger bestimmen. Dort zählt allein die Blutlinie. Nichts sonst.«

»Im Ernst?«, fragte Gaidemar verblüfft.

Wilhelm nickte nachdrücklich.

»Woher weißt du das?«

»Man lernt die wunderlichsten Dinge, wenn man mit Bücherbildung vollgestopft wird«, erklärte Wilhelm. »Stell dir nur vor, welche Möglichkeiten dir und mir offengestanden hätten, wären wir in Konstantinopel geboren …«

Gaidemar war fasziniert. War das wirklich möglich? Irgendwo weit, weit im Osten gab es eine Welt, wo es vielleicht keine lebenslange Bürde war, ein Bastard zu sein? Wie fremdländisch …

Doch Wilhelm war mit seinen Gedanken längst in die Realität zurückgekehrt. »Nach fränkischer Tradition gibt es jedenfalls kein Gesetz, das die Krone dem Erstgeborenen zuspricht. Der König entscheidet. Es stimmt zwar, dass er Liudolf zu seinem Nachfolger erklärt hat, aber zum Mitregenten hat er ihn nicht krönen lassen. Das bedeutet, die Entscheidung ist nicht unumkehrbar. Das wissen sowohl Liudolf als auch Henning sehr genau. Unser Großvater, König Heinrich, zum Beispiel, vermachte sein Reich ja auch Otto und nicht deinem Vater, nicht wahr?«

Gaidemar fuhr zusammen, als hätte er versehentlich in die Glut gegriffen. »Meinem … was?«

»Prinz Thankmar«, sagte Wilhelm übertrieben deutlich und im Tonfall überstrapazierter Geduld. »König Ottos älterer Bruder. Dein Vater. Dämmert's?«

»Aber … aber ich dachte, der König …« Gaidemar brach ab und senkte hastig den Kopf, denn er spürte seine Wangen heiß werden.

Wilhelm sah ihn betroffen an. »Du willst mir erzählen, niemand hat dir je gesagt, wer dein Vater ist?«

»Nein.«

»Und du dachtest, es sei der König?« Er stieß die Luft aus. »Herrje, wie du uns hassen musst, Gaidemar. Ihn, Liudolf, mich – uns alle. Aber du und ich sind keine Brüder. Wir sind Vettern.«

Gaidemar starrte ins Stroh zwischen seinen angewinkelten Knien. Prinz Thankmar. Was für ein herber Schlag … »Ein Verräter, der gegen seinen eigenen Bruder rebelliert hat.« Er verzog einen Mundwinkel zu einem bitteren Lächeln. »Kein Wunder, dass der König mich auf Distanz hält und mir jede Abscheulichkeit zutraut.«

Der junge Priester seufzte leise. »Thankmar war nicht so schlimm, wie du glaubst. Der König war auch nicht ganz unschuldig an der Rebellion seines Bruders, und er hat bitterlich um ihn getrauert, als Thankmar starb. So wie wir alle. Liudolf und ich haben ihn vergöttert. Er war ein großartiger Onkel, für jeden Streich zu haben.« Er lächelte mit einem Hauch von Nostalgie.

»Ein Mann kam nach Saalfeld, wo ich aufwuchs«, begann Gaidemar stockend. »Nicht oft. Immer bei Dämmerung, und er trug eine Kapuze. Woran ich mich am besten entsinne, ist die kostbare Goldkette auf seiner Brust.«

Wilhelm nickte. »Thankmar, kein Zweifel. Wir haben uns früher gefragt, ob er das schwere Ding zum Schlafen ablegt oder auch noch im Bett trägt. Er liebte alles, was schön und kostbar ist, aber diese Kette ganz besonders.«

»Die Besuche hörten auf, als ich ungefähr neun war …«

»Weil er auf der Eresburg gefallen ist.«

»*Gefallen?*«

»Er kämpfte bis zuletzt, das Schwert in der einen, den Dolch in der anderen Hand. Wie würdest du das nennen?«

Gaidemar war nicht ganz sicher. »Aber … aber wenn mein Vater schon so lange tot ist, wer ist dann für meinen Unterhalt aufgekommen? Wer hat meine Ausrüstung und Pferde bezahlt?«

»Der König. Oder seine Kanzlei, um genau zu sein. König Ottos jüngster Bruder Brun ist der Kanzler, und er hat dafür gesorgt, dass die Wünsche deines Vaters befolgt wurden. Thankmar hatte genau festgelegt, was aus dir werden sollte. Er hat übrigens auch deinen Namen ausgewählt. Gaidemar – der ›für die Lanze gerühmte‹. Wie man hört, machst du dem Namen alle Ehre.«

Nur das Mahlen der Pferdezähne und ein gelegentliches Hufestampfen waren zu hören, während Gaidemar sich all das durch den Kopf gehen ließ. Schließlich fragte er: »Woher weißt du, wie Prinz Thankmar … mein Vater starb?«

»Mein Onkel Tugomir hat es mir erzählt, der Fürst der Heveller.«

»Der Bruder deiner Mutter?«

Wilhelm nickte, nahm den Krug, der vor ihnen im Stroh stand, und trank einen kleinen Schluck. »Er lebte als Geisel an Ottos Hof, und er war Thankmars Freund. Er war bei ihm, als er starb.« Er drückte Gaidemar den Wein in die Finger und betrachtete ihn eingehend. »Du hast Ähnlichkeit mit deinem Vater. Das Haar, die Augen. Vermutlich war das der Grund, warum der König so frostig zu dir war. Er hält es nicht immer gut aus, an seine Fehltritte oder die seiner Familie erinnert zu werden, das habe ich auch schon gelegentlich zu spüren bekommen.«

»Oh, ich bin sicher, du hattest es schwer, während du bei Hofe aufwuchst und mit Prinz Liudolf gemeinsam erzogen wurdest und …« Gaidemar brach ab. Es war höhnischer geraten, als er beabsichtigt hatte.

Wilhelm schwieg einen Moment. Dann antwortete er mit einem Schulterzucken: »Ich hatte Glück. Mehr Glück als du, keine Frage. Aber nicht alle bei Hofe hatten für den Bastard einer Slawin viel übrig, sei versichert.«

Gaidemar atmete tief durch und nickte. »Nein, darauf wette ich. Aber wenigstens weißt du, wer deine Mutter war.«

»Stimmt.«

»Du hast nicht zufällig irgendeine Ahnung, wer meine gewesen sein könnte?«

Wilhelm schüttelte den Kopf. »Ich habe versucht, es herauszufinden, aber ich bin nicht weit gediehen. In meiner Erinnerung gab es nur eine Frau in Onkel Thankmars Leben, und sie war eine angelsächsische Prinzessin. Aber du wurdest geboren, ehe sie an den Hof kam, und was er getrieben hat, bevor er sie traf, scheint niemand zu wissen. Allerhand, schätze ich. Doch wer immer deine Mutter auch gewesen sein mag, ihm lag genug an dir – und damit vermutlich auch an ihr –, um dich gut zu versorgen, bei anständigen Leuten unterzubringen und zu besuchen, wenn er konnte.«

Und das war nicht so wenig, betete Gaidemar sich vor. Also warum kannst du nicht zufrieden damit sein?

Er zog die Lederschnur aus dem Halsausschnitt und zeigte Wilhelm den Ring. »Hier. Kennst du ihn? Innen sind zwei Buchstaben eingeprägt. Ein D und ein S.«

»*Dux Saxoniae?*«, fragte Wilhelm verblüfft.

»Das hat der Pfarrer in Saalfeld auch vermutet.«

Wilhelm betrachtete den Ring eingehend. »Ich glaube nicht, dass ich ihn je zuvor gesehen habe, aber ich schau ihn mir morgen bei Tageslicht an.«

Enttäuscht steckte Gaidemar sein geheimnisvolles Schmuckstück wieder weg. »Morgen bei Tageslicht sollte ich weit fort von Pavia sein.«

»Nein, das solltest du auf keinen Fall«, widersprach sein Cousin unerwartet. »Du wirst hier gebraucht.«

»Und ich war sicher, ich sei vorhin verbannt worden.«

»Hm.« Wilhelm zuckte gleichmütig die Achseln. »Der Zorn des Königs verraucht schnell, vor allem, wenn er im Grunde seines Herzens weiß, dass er im Unrecht ist. Ich hoffe, du kannst ihm vergeben, Gaidemar. Er hat sich dir nicht gerade von seiner besten Seite gezeigt, aber er ist ein großartiger Mann.«

»Meine Vergebung wird ihn kaum kümmern.«

»Aber mich vielleicht.«

Gaidemar rang einen Augenblick mit sich, ehe er antwortete: »Ich *weiß*, dass er ein großartiger Mann ist, denn ich bin mit ihm in den Krieg gezogen.« Aber er würde noch ein Weilchen brauchen, bevor er dem König die Ungerechtigkeit seines Urteils vergeben konnte. Von der Heirat mit Adelheid ganz zu schweigen …

»Na schön. Das soll mir für heute genügen. Und es ist gewiss das Beste für alle Beteiligten, wenn du fürs Erste aus seinem Blickfeld verschwindest, aus Hennings erst recht. Darum schlage ich vor, dass du dich Prinz Liudolf anschließt, wenn er die Heimreise antritt. Er ist ein Pferdenarr wie du und brennt darauf, dir sein neues Gestüt zu zeigen.«

Gaidemar verspürte Erleichterung. Er wusste so gut wie nichts über Pferdezucht, und er war auch nicht erpicht auf die schwäbische Provinz, wo er kaum ein Wort verstehen würde, wenn die Leute den Mund aufmachten. Aber es war wenigstens ein Plan. Und er hatte Prinz Liudolf auf Anhieb gemocht, der vor dem König für ihn Partei ergriffen hatte. Die Rivalität mit seinem Onkel mochte der Grund gewesen sein, aber es bewies Mut und Anstand. »Einverstanden.«

»Gut!« Das Stroh raschelte, als Wilhelm aufstand. »Ich bringe dich zu ihm. Er und Ida warten schon auf dich.«

»Ida?« Gaidemar kam ebenfalls auf die Füße und strich Amelung im Vorbeigehen über die Flanke.

»Liudolfs Frau. Jedenfalls nehme ich an, sie ist eine Frau, auch wenn sie sich meist benimmt wie ein Kerl. Hab ein Auge auf die beiden, sei so gut, und wenn du glaubst, dass sie Dummheiten begehen wollen, schick mir Nachricht.«

Gaidemar runzelte die Stirn. »Du willst, dass ich sie für dich ausspioniere?«, fragte er ungläubig.

Doch sein Cousin schüttelte den Kopf. »Im Gegenteil. Du kannst ihnen ruhig erzählen, was ich gesagt habe. Aber Liudolf braucht jemanden mit einem kühlen Kopf an seiner Seite, sonst neigt er dazu, Katastrophen anzurichten. Normalerweise passen Konrad und ich auf ihn auf, doch der König wünscht, dass ich an seinem Hof bleibe, und Herzog Konrad wird fürs Erste sein Statthalter hier in Italien, damit Berengar nicht übermütig wird und zurückkommt. Also musst du auf Liudolf achtgeben.«

Gaidemar wurde mulmig. »Wie kommt es, dass du solches Vertrauen in mich setzt? Und das nun schon zum zweiten Mal. Du kennst mich doch gar nicht.«

Wilhelm legte ihm die Hand auf den Arm. »Vielleicht besser, als du glaubst. Man kann vieles über einen Mann erfahren, wenn man seine Kameraden und Kommandanten befragt. Und wie sich herausstellte, hatte ich recht, denn du *warst* der Richtige, um die liebreizende Adelheid zu befreien und in Sicherheit zu bringen.«

Gaidemar schüttelte seine Hand ab und wandte sich zum Stalltor. »Das meiste hat sie selbst getan. Darum besteht kein Anlass, ihren Namen mit Herablassung auszusprechen.«

»Nein, vermutlich nicht.« Wilhelm schlenderte neben ihm einher. »Also wirst du ein Auge auf Liudolf haben?«

Gaidemar nickte. »Welche Art von Katastrophe ist es denn, die du befürchtest?«

»Tja, schwer zu sagen. Liudolf beherrscht sie alle, in der Hinsicht wie in so vielen Dingen ähnelt er deinem Vater. Liudolf fürchtet immer, in den Augen des Königs nicht zu bestehen. Daher seine Eifersucht auf Henning. Jetzt hat der König Adelheid geheiratet. Und offen gestanden sorge ich mich, was Liudolf tun wird, wenn sie einen Sohn bekommt.«

Saalfeld, Dezember 951

 »Willkommen, mein Prinz.« Arnold von Saalfeld verneigte sich. »Ihr erweist uns große Ehre.«

Er ist alt geworden, dachte Gaidemar. In den fünf Jahren, seit er die verschlafene Königspfalz verlassen hatte, war das einst mausbraune Haar seines Ziehvaters grau und schütter geworden, die Furchen, die von den Nasenflügeln zu den Mundwinkeln verliefen, hatten sich vertieft.

Liudolf nickte ihm mit einem gewinnenden Lächeln zu. »Es ist mir eine Freude, diese schöne und zu Unrecht vernachlässigte Pfalz endlich einmal zu besuchen«, antwortete er ebenso förmlich und wandte sich ab, um Ida vom Pferd zu helfen. Sie ignorierte seine ausgestreckte Hand, glitt aus dem Sattel und landete federnd im knöchelhohen Schnee.

»Erlaubt mir, Euch meine Gemahlin vorzustellen«, sagte Arnold, und Gaidemars Ziehmutter trat einen Schritt vor, hob die Röcke ein wenig an und knickste tief, den Blick sittsam gesenkt. Es wirkte höfisch und selbstsicher. Ihr blaues Kleid war schlicht, aber makellos, das feine Tuch gleicher Farbe, das ihr Haar bedeckte, wurde von einem kunstvoll bestickten Stirnband gehalten. Richlind von Saalfeld stammte aus einem fränkischen Adelsgeschlecht und hatte seit jeher mehr Wert auf vornehme Manieren gelegt als ihr Gemahl. »Heißer Würzwein und Erfrischungen stehen bereit, edle Prinzessin«, sagte sie mit einer einladenden Geste Richtung Halle. Dabei streifte sie Gaidemar mit einem kurzen Blick, und er war verwundert, Furcht in ihren Augen zu lesen.

»Oh, das kommt gerade recht«, erwiderte Liudolf mit Inbrunst. »Ich hatte doch tatsächlich vergessen, wie kalt der Winter in Thüringen sein kann.«

Arnold beschloss, die Andeutung zu ignorieren, und fuhr mit der Vorstellung seiner Familie fort: »Immed, mein Ältester«, sagte er mit unüberhörbarem Stolz. »Panzerreiter der zwölften Legion.«

»Prinz.« Immed verneigte sich tief, aber es war nur auf den ersten Blick ehrerbietig. Irgendetwas an seiner Haltung drückte Unwillen aus, womöglich gar Geringschätzung, auch wenn Gaidemar nicht hätte sagen können, woher er diesen Eindruck gewann. Als Immed sich wieder aufrichtete, taxierte er Gaidemar mit verengten Augen und ignorierte ihn dann.

»Hatto und Hugo, unsere Zwillinge.«

Die beiden Fünfzehnjährigen erröteten und verneigten sich so tief sie konnten, ohne umzufallen, und wussten nicht, wohin mit den Händen.

Liudolf zwinkerte ihnen zu. »Auch bald alt genug für die Panzerreiter, he?«

Hatto und Hugo tauschten einen Blick ungläubiger Hoffnung und nickten dann emsig. »Lieber heute als morgen, mein Prinz«, versicherte Ersterer.

Liudolf boxte ihm unsanft vor die Schulter. »Vielleicht kann ich ein gutes Wort für euch einlegen.«

Und damit wandte er sich ab und ging mit langen Schritten Richtung Halle.

Seine Gastgeber mussten sich beeilen, um nicht abgehängt zu werden.

»Wo ist Uta?«, fragte Gaidemar seinen Ziehbruder, während sie der kleinen Gruppe mit ein paar Schritten Abstand folgten.

»Drinnen.« Immed ruckte das Kinn zu dem sorgfältig gebauten Fachwerkhaus am Südrand des Innenhofs, das der Kastellan und seine Familie bewohnten. »Vater wollte nicht, dass sie sich blicken lässt. Vermutlich fürchtet er, Liudolf könnte sich an ihr vergreifen, wenn er sie sieht, sie ist nämlich ein echter Augenschmaus geworden.«

»*Prinz* Liudolf«, verbesserte Gaidemar ohne besonderen Nachdruck, in Gedanken bei seiner jüngsten Ziehschwester. Zwei ihrer vier Schwestern waren verheiratet, die anderen beiden in das Kanonissenstift in Quedlinburg eingetreten. Er war froh, dass Uta noch hier war und er sie wiedersehen würde, denn er hatte immer eine Schwäche für sie gehabt.

»Oh, blas dich nur nicht so auf«, konterte sein Ziehbruder verächtlich. »Auch wenn der Prinz dich in seinen Haushalt genommen hat, bist und bleibst du doch nur ein Bastard, und das hat er todsicher nicht vergessen.«

»Bestimmt nicht. Auch wenn er weniger Genugtuung als du darin findet, es ständig zu erwähnen.«

»Ich will nur verhindern, dass du zu hochfliegende Pläne schmiedest.«

Gaidemar nickte. »Deine brüderliche Sorge hat mich seit jeher gerührt.« Und damit legte er einen Schritt zu und schloss zu Liudolf und Ida auf.

»Ah, da bist du ja!« Die Herzogin von Schwaben legte ihm vertraut die Hand auf den Arm und raunte: »Da du die Köche hier kennst, hätte ich dich gern an meiner Seite, wenn ich meine Speisen auswähle.« Ihr etwas zu breiter Mund lächelte, und wie so oft verspürte Gaidemar einen Anflug von Lüsternheit bei diesem Lächeln. Es war ebenso keck wie verführerisch. Anfangs hatte ihr Mangel an damenhafter Zurückhaltung ihn zu Tode erschreckt. Inzwischen hatte er verstanden, dass es nicht ihre Absicht war, jeden Mann in Reichweite scharfzumachen – es geschah eher versehentlich. In Wahrheit gab es für sie niemanden als nur Liudolf. Der wiederum machte keinen Hehl daraus, dass er seiner Frau zu Füßen lag, und es störte ihn nicht im Geringsten, wenn sie an den Fechtübungen seiner Reiter teilnahm oder dreckige Witze erzählte. Seit Gaidemar sich abgewöhnt hatte, über alles schockiert zu sein, was Ida sagte oder tat, mochte er sie gern.

»Die Grafen Wilhelm von Weimar und Dedi von Wettin sind bereits eingetroffen, mein Prinz«, berichtete Arnold. »Der ... der Erzbischof von Mainz hat sich für morgen angekündigt.« Er sprach würdevoll, aber seine fahlen Wangen verrieten, wie sehr dieses weihnachtliche Gastmahl des Prinzen ihn ängstigte.

Liudolf gab vor, das Unbehagen des Kastellans nicht zu bemerken. »Großartig! Dann kann er uns die Christmette halten.« Er legte Ida den Arm um die Schultern und führte sie zur hohen Tafel, wo dampfende Zinnkrüge und Platten mit aufgeschnittenem Schinken, kaltem Hirschbraten und Brot bereitstanden. Hatto und Hugo stolperten fast über die eigenen Füße in ihrem Eifer, dem Prinzenpaar aufzuwarten, und Liudolf scherzte mit ihnen, während er sich auf den thronartigen Sessel setzte, der hier wie in jeder Pfalz bereitstand, um den König willkommen zu heißen.

»Heiliger Josef, steh uns bei«, flüsterte Arnold, der mit Gaidemar ein paar Schritte zur Linken stand. »Er wird uns alle an den Galgen bringen ...« Es klang verzweifelt.

»Ich glaube, Ihr zieht die falschen Schlüsse«, antwortete Gaidemar kühl.

Sein Ziehvater sah ihn flehentlich an. »Aber was in aller Welt hat er nur vor?«

Gaidemar hatte keine Ahnung, und darum war er dankbar, als Liudolf ihn zu sich rief: »Hier, Vetter, du musst diesen Hirsch probieren!«

Immeds bittere kleine Grimasse ob der vertraulichen Anrede entging Gaidemar nicht, als er die flache Stufe zur Estrade erklomm.

»Warum Saalfeld?«, hatte Gaidemar den Prinzen argwöhnisch gefragt, als sie Liudolfs Herzogssitz in Breisach in der zweiten Adventwoche verlassen hatten, um den weiten Weg über schauderhaft schlammige Straßen nach Thüringen anzutreten. »Warum nicht Frankfurt oder Mainz, wenn du Gäste aus dem ganzen Reich geladen hast? Sie liegen mehr in der Mitte, oder täusche ich mich?«

»Vermutlich nicht«, hatte sein Cousin mit einem unbekümmerten Schulterzucken eingeräumt. »Aber in Saalfeld haben wir gute Chancen, unter uns zu bleiben. Und ich dachte, es schadet nichts, wenn ich dir eine kleine Freude mache und du wieder einmal hinkommst.«

Gaidemar hatte darauf verzichtet, ihm zu erklären, dass seine Freude sich in Grenzen hielt. »Aber seit Henning damals sein Verrätergastmahl in Saalfeld gehalten hat, hat der König keinen Fuß mehr in die Pfalz gesetzt.«

»Meine Rede. Wir werden nicht unter Beobachtung stehen.«

»Schon der Ort ist verdächtig, zu Weihnachten erst recht. Das muss dir doch klar sein, Liudolf«, hatte Gaidemar eingewandt, beinah flehentlich.

»Vielleicht wird es Zeit, Saalfeld aus seinem unverdienten Schattendasein zu erlösen. Und da ich mich nicht mit verräterischen Absichten trage, kann mir gleich sein, was die Welt denkt.«

»Im Übrigen schadet es nicht, wenn der König von Liudolfs Gastmahl in Saalfeld erfährt und ins Grübeln gerät«, hatte Ida hinzugefügt. »Er soll ruhig merken, dass sein Thronerbe sich nicht jede Kränkung bieten lässt.«

Unbehagen hatte Gaidemar beschlichen, und es wollte einfach nicht wieder weichen.

Manchmal überkam ihn immer noch ungläubiges Staunen angesichts der Veränderungen, die wie ein Platzregen über sein Leben hereingebrochen waren, seit er mit Liudolf, Ida und ihrem Gefolge die Alpen überquert hatte. Der Prinz und seine Gemahlin hatten ihm nicht nur mit unkomplizierter Selbstverständlichkeit ihre Freundschaft geschenkt, sondern sie betrachteten ihn als Teil der Familie. Das war Gaidemar nie zuvor gewesen, Teil einer Familie. Er wusste kaum, wie ihm geschah, als sie ihn zum ersten Mal auf einen Becher Wein in ihr Zelt einluden, wo Ida mit unbedecktem Haar am Kohlebecken saß und Liudolf seinen Cousin bedenkenlos in seine Gedanken und Pläne einweihte.

Gaidemar hatte erfahren, wie tief die Wiederverheiratung seines Vaters den Prinzen gekränkt, vor allem verunsichert hatte. »Und dann ausgerechnet Adelheid! Sie ist Idas Nichte, verflucht noch mal! Sie hätte sich unter *meinen* Schutz stellen und ihre Wiederverheiratung in *meine* Hände legen sollen. Aber was passiert stattdessen? Mein Vater heiratet sie, sie wird meine *Stiefmutter*, obwohl sie jünger ist als ich. Ich stehe da wie der letzte Trottel, und Henning bepisst sich vor Lachen, darauf kannst du wetten.«

Letzteres war vermutlich richtig, hatte Gaidemar bei sich gedacht, doch er verstand nicht, warum es Liudolf so aus der Fassung brachte.

»Schau mich nicht so an!«, hatte der ihn angeschnauzt. »Sag mir, was du denkst!«

Auch nach seiner Meinung gefragt zu werden war eine völlig neue Erfahrung für Gaidemar. Zögernd, so als sei jedes Wort ein Fuß auf dünnem Eis, hatte er geantwortet: »Adelheid ist keine Frau, die … die ihr Schicksal in die Hände anderer legt, mein Prinz.«

»Das sollte dir nicht so fremd sein, Liebster«, hatte Ida eingeworfen.

»Sie hat das getan, was für sie, für ihre Tochter und Italien das Beste schien: Mit der Heirat hat sie für ihrer aller Sicherheit gesorgt. Und der König braucht mehr Söhne. Es hat nichts damit zu tun, dass er an dir zweifelt, aber mit Verlaub … auch du kannst morgen sterben, so wie jeder von uns, Prinz oder kein Prinz.«

Liudolf hatte ihm aufmerksam gelauscht. Als Gaidemar verstummte, hatte er ihm den feinen Bronzepokal entgegengehoben. »Du hast natürlich mit jedem Wort recht, Vetter. Aber Gott, wie ich wünschte, er hätte *mich* zu ihr nach Canossa geschickt, nicht Henning, diesen *Satan* …«

Bei anhaltend trockenem Herbstwetter hatten sie Liudolfs riesiges Herzogtum erreicht, wo die Menschen ihrem Landesfürsten zujubelten – wenn sie ihn denn erkannten –, so wie die Leute in Pavia es für Adelheid getan hatten. Ein paar Wochen waren sie auf dem beschaulichen Gut am Nesenbach geblieben, wo der Prinz ein Gestüt gegründet hatte, das die Stallburschen ob der großzügigen Anlage mit den weiten Koppeln den »Stutengarten« nannten und das den Prinzen mit einer kindlich anmutenden Euphorie erfüllte. Auch Gaidemar war dem Zauber der wundervollen Pferde schnell erlegen, und er hatte ganze Nächte damit zugebracht, mit dem Prinzen zu fachsimpeln und zu planen. Es war leicht, Freundschaft für Liudolf zu hegen und in ihm zu wecken. Gaidemar war so lange allein und auf sich gestellt gewesen, dass er geglaubt hatte, es entspräche seinem Naturell. So war es eine unerwartete Offenbarung, als er feststellte, wie sehr er die Gesellschaft des Prinzen und seiner Gemahlin schätzte. Er entdeckte ganz neue Seiten an sich selbst – eine Neigung zu Wortgefechten etwa, wo er doch immer als maulfaul verschrien gewesen war. Es waren Liudolfs Großzügigkeit und Herzlichkeit, die diesen neuen Gaidemar gleichsam aus dem beengenden Panzer des alten befreit hatten. Der neue Gaidemar bewohnte im Gutshaus am Stutengarten eine eigene Kammer und begann sich nach wenigen Tagen zu fragen, wie Liudolf und Ida so dünn sein konnten bei all den Köstlichkeiten ihrer Tafel. Er hatte mehr Geld als je zuvor in seinem Leben, denn Liudolf hatte darauf bestanden, ihm für Amelungs zukünftige Dienste als Zuchthengst im kommenden Frühjahr und Sommer einen Vorschuss zu bezahlen.

Diese Vielzahl erfreulicher Wendungen erschien Gaidemar schon beinah lächerlich. Auf jeden Fall waren sie hervorragend dazu geeignet, ihn von seinem gebrochenen Herzen abzulenken, und auch dafür war er dankbar. Doch als er am Tag vor dem Heiligen Abend den tückisch vereisten, steilen Pfad von der Pfalz durch den stillen Winterwald zur Saale hinunter einschlug, fragte er sich, warum zum Henker er nicht glücklicher war. Er lehnte sich am Ufer an eine der schlanken Buchen, starrte in die kahlen Äste hinauf und versuchte, sein Unbehagen zu ergründen.

War es ein Anzeichen von Oberflächlichkeit, dass Liudolf ihn schneller mit Ehren und vor allem mit seinem Vertrauen auszeichnete, als Gaidemar sie verdienen konnte? Nein, entschied er mit einiger Erleichterung, es waren Familiensinn und Selbstsicherheit. Also was dann? Waren es die großmäuligen Freunde, die sich benahmen, als wäre die Welt ausschließlich zu ihrem Vergnügen und ihrer Bequemlichkeit da, die ihn mit Argwohn erfüllten? Vielleicht. Er verstand einfach nicht, was Liudolf an einem arroganten Hitzkopf wie Dedi von Wettin fand und außerdem …

Er hatte das Schwert in der Hand und war herumgewirbelt, ehe seine Besucher auch nur in Reichweite seiner Klinge waren.

»Gnade!«, flehte Immed und hob beide Hände. »Wir sind es nur.«

»Ich bin unschlüssig, ob ›nur‹ dir gerecht wird«, gab Gaidemar zurück und trat lächelnd zu Immeds Begleiterin. »Uta? Bist du das unter all den Schals und Tüchern?«

Sie wickelte die oberste Schicht ab und enthüllte einen Blondschopf – zerzaust und unordentlich wie eh und je. Aber das niedliche Kindergesicht von einst war verschwunden. Wie Gaidemar immer geahnt hatte, war eine hinreißende junge Frau aus ihr geworden. Sie knickste vor ihm. »Es ist so schön, dich zu sehen.« Doch sie hielt den Blick gesenkt und machte keinerlei Anstalten, ihn zu berühren. Immed hatte es verboten, mutmaßte Gaidemar.

Er musterte seinen Ziehbruder einen Augenblick und steckte dann die Klinge weg.

»Du bist ziemlich nervös, mein Bester«, bemerkte Immed. »Für einen gemachten Mann mit so mächtigen Freunden, meine ich.« Er trug einen Bogen über der Schulter, und ein Köcher hing am Gürtel.

»Auch ein gemachter Mann mit mächtigen Freunden findet sich nicht gern mit einem Messer im Rücken wieder«, gab Gaidemar zurück.

Immed seufzte komisch. »So schlecht denkst du von mir ...«

Weil ich dich kenne. Aber es war immer schwierig, Immed mit dem gebotenen Misstrauen zu begegnen, wenn er lächelte so wie jetzt. Die dunklen Augen funkelten mutwillig dabei, und der beinah üppige Mund verlor den sonst so vordergründigen grausamen Zug. Es war ein ansteckendes Lächeln.

»Du willst zur Jagd?«

Immed nickte. »Vater hat angedeutet, dass die prinzliche Heimsuchung unsere Speicherhäuser überfordern könnte, also dachte ich, es schadet nichts, wenn ich einen Weihnachtsbraten für uns schieße.« Er zeigte mit dem Daumen auf seine Schwester. »Sie hat mir keine Ruhe gelassen, bis ich gesagt habe, ich nehm sie mit. Aber wehe, du gibst einen Laut von dir, wenn wir den Hirsch stellen, Schwesterchen.«

Die Drohung perlte von Uta ab. »Ich wusste, wir würden dich

hier finden«, sagte sie zu Gaidemar. »Hier hast du dich immer verkrochen, um deine Gedanken aufzuräumen, wie du es nanntest.«

»Ich bin heute nicht sehr weit damit gediehen«, bekannte er. »Aber es ist schön, dass du dich erinnerst.«

»Du hast mir gefehlt«, bekannte sie.

»Uta, nimm dich zusammen«, schalt der große Bruder. »Vergiss nicht, was Vater gesagt hat: Gaidemar ist jetzt ein feiner Edelmann und könnte auf die Idee kommen, sich an einer arglosen Jungfrau zu vergreifen. Und das wollen wir doch nicht, oder? So kurz vor deiner Hochzeit.«

»Das würde er niemals tun!«, protestierte die Dreizehnjährige entrüstet.

Gaidemar gab keinen Kommentar ab. Arnolds Misstrauen hätte ihn gekränkt, hätte er nicht geahnt, dass Immed es erfunden hatte.

»Du heiratest?«, fragte er stattdessen. »Wer ist denn der Glückspilz?«

»Graf Sigismund von Westergau«, sagte Uta stolz. »In der Woche nach Ostern.«

Gaidemar reichte ihr den Arm. »Erzähl mir von ihm. Aber lasst uns ein Stück gehen, eh wir hier festfrieren.«

Es war beinah wie früher: Sie streiften durch den winterlich stillen Wald am steilen linken Ufer der Saale, und Uta redete ohne Unterlass, obwohl ihr Bruder sie in regelmäßigen Abständen anfuhr, endlich die Klappe zu halten, weil sie das Wild verjagte. Unbeeindruckt schilderte sie Gaidemar ihre erste und bislang einzige Begegnung mit ihrem Verlobten anlässlich des Pfingsthofes im letzten Jahr in Magdeburg, und ihre Stimme plätscherte so munter wie der Siechbach, der ganz in der Nähe in die Saale mündete. Gaidemar hörte interessiert zu, und er war erleichtert, als er erkannte, dass sie mit Zuversicht und Neugier in die Zukunft blickte, nicht mit Furcht. Mit den Augen suchte er die wellige Schneedecke nach Fährten ab, und in dem Moment, als er die Hufabdrücke eines Rothirschs entdeckte, knurrte Immed: »Wenn du jetzt nicht still bist, Uta, werde ich dich knebeln.«

Es wirkte. Uta brach mitten im Satz ab und folgte dem Beispiel ihres Bruders und Ziehbruders, die ohne hastige Bewegungen von Baum zu Baum glitten und den Spuren im Schnee folgten. Nach kaum einer Stunde fanden sie den Hirsch, der an einer der verwitterten Holzkrippen stand, die Arnolds Wildhüter im Winter stets mit Heu füllte. Da die drei Jäger den kaum spürbaren Wind im Gesicht hatten, fraß ihr ahnungsloses Opfer unbeirrt weiter, den Kopf mit dem prachtvollen Geweih zum Futter gesenkt, während sie näherschlichen.

Dann blieb Immed stehen, ließ langsam den Bogen von der Schulter gleiten und legte einen Pfeil ein, ohne den Blick von seiner Beute zu wenden.

Uta sah flehentlich von einem der jungen Männer zum anderen, und als sie nichts als Jagdfieber in ihren Augen glimmen sah, öffnete sie den Mund zu einem unklugen Protest. Doch ehe sie auch nur ein Wort gesagt hatte, sirrte ein Pfeil zwischen den Bäumen hindurch und traf den Rothirsch genau ins Auge. Das majestätische Tier blieb noch zwei oder drei Herzschläge lang stehen wie erstarrt, brach dann mit einem Laut, der wie ein Seufzer klang, in der Vorderhand ein, fiel auf die Seite und lag still.

Immed fuhr nach rechts herum, von wo der Pfeil gekommen war. »Was zum Teufel …«

Unter leisem Zweigeknacken kam eine Gruppe von vier Jägern in Sicht, die beinah in so viele Lagen Wolle gepackt zu sein schienen wie Uta.

»Großartiger Schuss, Wim«, rief Prinz Liudolfs Stimme.

»Ich bin allerdings nicht sicher, ob es förderlich für deine Zukunft ist, besser zu schießen als dein Prinz«, wandte Ida ein.

»Es war auch eine Portion Glück dabei«, beteuerte Graf Wilhelm von Weimar, den seine Freunde Wim nannten.

»Das hätte ich an deiner Stelle jetzt auch gesagt«, zog Liudolf ihn auf.

Der vierte der Jäger streifte mit einer ungeduldigen Geste die Kapuze zurück, und als Gaidemar den leuchtend roten Schopf sah, erkannte er Dedi von Wettin. »Schade, dass es nur ein verdammter Hirsch war und nicht …«

»Seht, da ist mein Vetter!«, fiel Liudolf ihm ins Wort und

winkte zu der zweiten Jägergruppe hinüber. »Ho, Gaidemar! Haben wir euch etwa den Hirsch abspenstig gemacht?«

Gaidemar hob die Linke zu einer beschwichtigenden Geste und setzte sich in Bewegung.

»Ich hätte zu gern gehört, wen Graf Dedi lieber tot gesehen hätte als den Hirsch«, raunte Immed an seiner Seite.

»Ein Wildschwein vielleicht?«, schlug Gaidemar vor. »Wir hatten heute Mittag schon Hirsch.«

»Ach, erzähl mir keine Märchen«, entgegnete sein Ziehbruder ungeduldig. »Wir wissen doch wohl alle, wessen Sturz Prinz Liudolf hier auf seinem Verrätergastmahl planen will, oder?«

»Immed!«, zischte Uta erschrocken. »So etwas darfst du nicht sagen, ganz gleich, ob es stimmt!«

»Es stimmt *nicht*«, sagte Gaidemar frostig. »Immed zieht wieder einmal die falschen Schlüsse, wie so oft.« Doch ihm war nicht entgangen, wie hastig Liudolf dem Grafen ins Wort gefallen war, nachdem er sie entdeckt hatte.

»Meine Schlüsse sind goldrichtig«, konterte Immed grimmig. »Da hast du dir ja wirklich feine Freunde ausgesucht, Gaidemar. Aber ich nehme an, wer so wenige Freunde hat wie du, muss die nehmen, die er kriegen kann.«

Magdeburg, April 952

»Wahrlich, wahrlich ich sage euch«, las der König auf Lateinisch vor. »Ihr werdet weinen und klagen, doch die Welt wird frohlocken. Ihr werdet trauern, doch euer Kummer soll in Freude verkehrt werden.« Er blickte von der Bibel auf, die in feinstem Leder gebunden und an den goldenen Schließen mit Edelsteinen verziert war. »Alles richtig? Oder schmunzelst du wieder hinterrücks über mich?«

Adelheid schaute von ihrem Stickrahmen auf und schüttelte den Kopf. »Fehlerfrei. Und mir würde niemals einfallen, über dich zu schmunzeln, mein Gemahl.«

»Ich bin nicht vollkommen sicher, ob ich das glauben soll«, bekannte er mit leiser Ironie und senkte den Blick wieder auf die Pergamentseite mit den zwei eng geschriebenen Spalten bräunlicher Tinte.

Es war eine kostbare Mußestunde, die sie sich am heutigen Gründonnerstag einfach gestohlen hatten. Während der ganze Hof in heller Aufregung war, Unterkämmerer, Diener, Köche und Mägde wie eine Schar aufgescheuchter Gänse von hier nach dort hasteten, weil zum Osterfest der gesamte Adel und hochrangige Klerus des Reiches erwartet wurden, hatte Otto sich in Adelheids Gemächer begeben und mit einer entschlossenen Geste die Tür vor dem geschäftigen Durcheinander verschlossen. Aber nicht, um seine Frau zu ihrem Bett zu führen, denn das war an Gründonnerstag verboten, sondern um ihr aus der Bibel vorzulesen.

Adelheid war noch nie einem Mann begegnet, der lesen konnte und kein Geistlicher war. Es war so außergewöhnlich, so absonderlich, dass es selbst für einen König Mut und Selbstvertrauen erforderte, kein Geheimnis daraus zu machen. Typisch für Otto, hatte sie inzwischen gelernt. Er war ein Mann mit ehernen Prinzipien – so ehern, dass es für normalsterbliche Sünder manchmal ein bisschen niederschmetternd sein konnte –, und wenn er etwas für richtig, nötig oder angemessen erachtete, dann tat er es, ganz gleich, was die Welt davon hielt. So eben auch mit dem Lesen. Der einzige Wermutstropfen an der Sache war, dass er diese Fertigkeit erlernt hatte, weil er es seiner ersten Gemahlin auf dem Sterbebett versprochen hatte. Editha. Adelheid hatte schon früher von ihr gehört, und sie hatte damit gerechnet, dass sie dem Schatten dieser Frau auf Schritt und Tritt begegnen würde, wenn sie ihren Witwer heiratete. Womit sie nicht gerechnet hatte, war, dass es ihr so zu schaffen machen würde.

»*Ein Weib, wenn sie gebiert, so hat sie Traurigkeit, denn ihre Stunde ist gekommen*«, las der König weiter. »*Wenn sie aber das Kind geboren hat, denkt sie nicht mehr an die Angst um der Freude willen, dass der Mensch zur Welt geboren ist.*« Er blickte auf. »Ich finde seit jeher, das ist ein bemerkenswertes Gleichnis. Beim letzten Abendmahl sprach der Herr zu seinen zwölf Auserwählten. Alles Männer. Das Gleichnis vom rechten Weinstock erscheint mir naheliegend, denn mit Wein kennen Männer sich aus. Aber dieses von den Geburtswehen ist irgendwie ...« Er brach ab, um zu überlegen.

»Anstößig?«, schlug Adelheid vor, den Blick auf die heilige Ursula gerichtet, deren Abbild sie gerade in den feinen Leinenstoff stickte.

Otto schnaubte leise. »Unsinn. Aber ... eher ungewöhnlich in dem Rahmen.«

»Und doch waren die Jünger Jesu normale Menschen, ehe sie auserwählt wurden. Sie hatten Familien. Frauen. Mütter. Schwestern. Vermutlich hörten sie aus den Hütten in ihren Dörfern genauso die Schreie der Wöchnerinnen wie du und ich, wenn wir zur Johanniskirche in die Stadt reiten.« *Oder das, was ihr hier* »Stadt« *nennt ...*

»Ja, du hast natürlich recht.«

Adelheid überlegte, ob dies der richtige Moment war, um es ihm zu sagen. Aber sie entschied sich dagegen. Es war eine wichtige Neuigkeit, und der Zeitpunkt, sie zu verkünden, wollte mit Klugheit und Bedacht gewählt sein, denn es würde ihre Position enorm stärken, wenn sie es richtig anstellte. Was sie keinesfalls wollte, war, dass Otto sie beim Hoftag seinen Grafen vorführte wie eine Zuchtstute: *Und hier, dies ist meine Gemahlin, Adelheid von Burgund, und so Gott will, vor Weihnachten Mutter eines Prinzen.*

Natürlich war genau dies die vornehmste Aufgabe einer Königin. Und Adelheid hatte überhaupt nichts dagegen, sie zu erfüllen, im Gegenteil. Doch widerstrebte es ihr, dem Adel des Reiches als angehende Mutter vorgestellt zu werden, als Bewahrerin des königlichen Geschlechts. Denn es war wichtig, dass die Fürsten erst einmal *sie* zur Kenntnis nahmen. Adelheid. Ihre Königin.

»Lies nur weiter, mein Gemahl«, ermunterte sie ihn. »Du hast mein Wort, ich werde dich verbessern, wenn du einen Fehler machst. Sanft. Und ohne zu schmunzeln.«

Otto lachte leise. »In Ordnung. Ich schätze, das kann ich verkraften.«

Doch er las ohne Missgeschicke und nahezu flüssig, und deshalb ertappte Adelheid sich bald dabei, dass ihre Gedanken abschweiften. Statt dem erschütternden Bericht von Jesu Gefangennahme und dem Verhör vor Hannas und Kaiphas zu folgen, vertiefte sie sich in die Betrachtung ihres Gemahls: volles Haar, dessen goldblonder Ton die vereinzelten grauen Fäden verheimlichte. Ein nobles Profil mit einem energischen Kinn. Es log nicht, dieses Profil – es zeigte einen starken, tatkräftigen Mann in den mittleren Jahren. Otto war beinah zwanzig Jahre älter als sie, und so sehr Adelheid ihren Lothar auch geliebt hatte, empfand sie es doch als Wohltat, dass ihr neuer Gemahl ein Mann war, kein Junge. Otto war ein erfahrener, großzügiger Liebhaber, was ihre gemeinsamen Nächte zu einer gänzlich unerwarteten Wonne machte. Er war humorvoll und lebensklug, sodass er nicht bei jedem Hindernis, jedem Ungemach verzagte, wie es bei Lothar so oft der Fall gewesen war. Otto war fromm, und er war förmlich durchdrungen von dem Streben, ein guter und gerechter König zu sein.

Also wie, *wie* war es nur möglich, dass er beim Blick auf seine Kinder ein solcher Narr war?

»... fürchte, dass du mir überhaupt nicht zuhörst, meine Königin.«

Adelheid biss sich auf die Unterlippe. »Vergib mir noch dies eine Mal.«

Er lächelte, aber ein kleines Stirnrunzeln zog seine Augenbrauen zusammen. »Bist du nicht wohl?«

»Doch«, versicherte sie. »Mir ist nur kalt, wie immer.« Seit sie kurz nach Weihnachten die Alpen überquert hatten, war noch kein Tag vergangen, da sie nicht befürchtet hatte, ihre Füße würden zu Eisklumpen gefrieren und dann einfach abfallen.

Der König erhob sich von der kleinen Bank unter dem Fenster. Dort zog es fürchterlich, und es war gewiss der eisigste Platz im ganzen Raum, aber Otto schien niemals Kälte zu spüren, und seine Hände waren immer warm. Er holte eine der wollenen Decken vom Bett. »Wir schicken nach einem Kohlebecken, wenn du möchtest.«

Sie hörte an seiner Stimme, dass er Kohlebecken zu Ostern für überflüssig, womöglich gar für sündig hielt, aber sie nickte. »Sei so gut.«

Er hängte ihr die Decke um die Schultern.

Adelheid legte einen Moment ihre Wange auf seine große Hand. »Danke, mein König.«

»Also? Was ist es, das dich so beschäftigt?«

Adelheid war sich nie ganz sicher, was er auf solche Fragen hören wollte. Die Wahrheit oder irgendeine Floskel? Mit Editha hatte er sich in Reichsangelegenheiten beraten, das wusste alle Welt. Aber Adelheid hatte den Verdacht, dass er sie eher als eine Art neues Spielzeug betrachtete denn als politische Ratgeberin. Das nahm sie ihm nicht übel, denn er kannte sie einfach noch nicht gut genug, um es besser zu wissen. Ihr politischer Instinkt warnte sie indessen, dass jetzt nicht der richtige Zeitpunkt war, noch einmal von ihrer Sorge wegen Liudolfs sonderbarem Gastmahl in Saalfeld anzufangen. Den König hatte es genug beunruhigt, um früher als geplant aus Italien heimzukehren und sogar seinen Besuch beim Heiligen Vater in Rom abzusagen. Doch als Adelheid einmal versucht hatte, ihn vor den möglichen Folgen zu warnen, hatte er ihre Verdächtigungen zurückgewiesen. Ziemlich kühl. Und sie dachte nicht daran, sich in die Rolle der bösen Stiefmutter drängen zu lassen, der niemand zuhörte, weil jeder glaubte, ihre Beweggründe zu kennen. Sie würde sich damit begnügen müssen, Otto ein in süße Worte verpacktes »Ich habe es dir doch gesagt« zu verabreichen, wenn Liudolf seine wahren Absichten offenbarte.

»Mir kam in den Sinn, dass wir heute Abend den Bettlern von Magdeburg die Füße waschen müssen, und davor graut mir ein wenig«, improvisierte sie und kräuselte die Nase, um ihm zu zeigen, dass sie sich selbst nicht ganz ernst nahm.

»So ist es Brauch, denn der Herr hat beim letzten Abendmahl seinen Jüngern auch die Füße gewaschen. Aber sei unbesorgt. Mein Kämmerer sorgt immer dafür, dass die ausgewählten Bettler vorher hinreichend gebadet und geschrubbt werden.« Der König legte ihr die Hand in den Nacken und blickte auf den großen Stickrahmen hinab. »Wie begabt du bist, Adelheid. Das wird ein herrlicher Wandteppich.«

»Falls er fertig wird, eh ich ins Grab sinke.«

»Willst du etwa alle Jungfrauen sticken, die mit der heiligen Ursula zusammen den Märtyrertod erleiden mussten? Wie viele waren es gleich wieder?«

»Zehntausend.«

»Grundgütiger. Die Hunnen von damals waren noch fürchterlicher als die Ungarn von heute, falls das möglich ist.«

»Hm. Nun, ich denke, ich beschränke mich auf zwanzig oder dreißig Jungfrauen. Für mehr reichen weder die Länge der Wand noch meine Geduld.«

»Wenn du es wünschst, stiften wir eine St.-Ursula-Kirche in den slawischen Missionsgebieten jenseits der Elbe, um deinem Werk einen würdigen Rahmen zu geben.«

Adelheid sah kurz auf und lächelte. »Wie großzügig von dir, mein Gemahl.«

Doch dieser Wandteppich, welcher kunstvoller werden würde als alles, was man nördlich der Alpen je gesehen hatte, sollte in keiner Kirche hängen. Ihr Plan war es, Edithas Gemächer nach und nach vollständig umzugestalten, bis der König hier nichts mehr vorfand, was ihn an seine erste Gemahlin erinnern konnte. Der neue Wandbehang war ein erster, zugegeben ziemlich monumentaler Schritt.

Sie steckte die Nadel neben der halbfertigen Heiligen in den Stoff, stand auf und legte ihrem Mann die Arme um den Hals. Sie musste sich zu dem Zweck ein wenig recken. Die Stirn an seine Schulter gelehnt, murmelte sie: »Was hast du dir nur dabei gedacht, ein Hüne von sechs Fuß zu werden, König Otto?«

Seine Hände strichen über ihren Rücken. »Karl der Große ist schuld. *Er* war sechs Fuß groß und ist seit jeher in allen Dingen mein Vorbild«, erklärte er.

In *allen* Dingen?, fragte sie sich. War das der wahre Grund, warum er sich Italien gesichert hatte und den Papst aufsuchen wollte? Liebäugelte er mit der Kaiserkrone?

Ein Schauer durchrieselte sie bei dem Gedanken. Bis vor wenigen Monaten hätte sie gesagt, König Otto sei zu klug, zu solide, vielleicht zu phantasielos für solch ein Abenteuer, aber je besser sie ihn kennenlernte, desto klarer erkannte sie, dass Otto mehr war, als man auf den ersten Blick sah. Ja, gut möglich, dass er die Kaiserwürde im Blick hatte. Denn er sah es als seine Aufgabe an, die christliche Welt unter seiner Herrschaft zu einen und mit all seiner Macht gegen die Heiden zu verteidigen – seien es Ungarn, Slawen oder Sarazenen. Nichts Geringeres, glaubte er, hatte Gott ihm auferlegt. Adelheid wusste, sie war die richtige Frau an seiner Seite, um solch ein ehrgeiziges Ziel zu erreichen. Doch zu der Erkenntnis musste er von sich aus gelangen.

Seine Hände glitten auf ihre Hüften und pressten sie an sich. Er war geradezu süchtig nach ihrem straffen, schlanken Mädchenleib, und das gefiel ihr. Aber trotzdem legte sie die Hände auf seine und schob sie sanft von sich. »Nicht heute, mein Liebster«, flüsterte sie. »Du hättest ein schlechtes Gewissen, und das würde die Freude verderben.«

»Du hast ja so recht«, stimmte er zu, seine Stimme ein wenig gepresst. »Ich sollte an meinen armen Bruder Henning denken, dessen ganzes Leben verpfuscht ist, weil er am Gründonnerstag in Sünde gezeugt wurde.«

Adelheid kannte dieses brisante Familiengeheimnis bereits von seinem Sohn Wilhelm, der ihr Verbündeter und ihre wertvollste Informationsquelle an diesem Hof war. Doch es erfüllte sie mit Zufriedenheit, dass Otto es ihr anvertraut hatte. »Na siehst du.« Sie nahm seine Rechte in beide Hände und drückte einen Kuss auf die Innenfläche.

»Ich muss gestehen, es ist mir nie schwerer gefallen als heute, die Buß- und Fastenregeln einzuhalten«, gestand er mit einem komischen kleinen Seufzer.

»Ich bin geschmeichelt«, erwiderte sie ernst, und es war die reine Wahrheit. *Sieh an, sieh an. Die unfehlbare Editha war eine fade Bettgenossin.* Adelheid lehnte den Kopf wieder an seine Schulter, um ihr boshaftes Lächeln zu verstecken. »Es gibt mehr als einen guten Grund, die Osternacht herbeizusehnen, nicht wahr?«

»Und dann hat Wichmann ihm die Klinge in den Wanst gestoßen, aber er war immer noch nicht tot«, erzählte Ekbert Billung, schnitt eine Grimasse, die umso grässlicher war, als er nur noch ein Auge besaß, und ruderte mit den Armen, um den Todeskampf des unglückseligen Gegners seines Bruders zu veranschaulichen. »Man weiß ja, dass die Friesen mit einem Messer im Rücken noch lange nicht nach Hause gehen, aber dieser Kerl war einfach nicht totzukriegen.«

Wim von Weimar und Dedi von Wettin lachten. »Vielleicht hätte Wichmann es nicht mit dem Holzschwert versuchen sollen«, frotzelte Ersterer.

Wichmann Billung warf ihm aus verengten Augen einen warnenden Blick zu, erwartungsgemäß eingeschnappt.

»Oh, es war eine scharfe Klinge, das glaubt mir nur«, versicherte Ekbert, der nicht so dünnhäutig war wie sein Bruder. »Scharf genug, um dem Friesen zu guter Letzt seinen verlausten Zottelkopf abzuschlagen. Da lag er dann endlich doch still.«

Sie durchquerten den weitläufigen Innenhof der Pfalz. Wie meistens zu Ostern war die Wiese schlammig und zertrampelt, und überall wimmelte es von Menschen: Die Mächtigen des Reiches fanden sich zum Hoftag ein, brachten ihre Weiber mit, ihre Söhne, um sie bei den Panzerreitern unterzubringen, ihre Töchter, um sie zu verheiraten, und jede Menge Gefolge. Das Durcheinander erinnerte an einen Ameisenhaufen, und Liudolf bewunderte den alten Kämmerer, der niemals die Fassung und den Überblick bei solchen Anlässen verlor.

»Nur der Kopf rollte fast eine halbe Meile den Hügel hinab«, setzte Wichmann den Bericht fort. »Ekbert ist ihm nachgelaufen, aber der Kopf war einfach schneller. Und dort unten standen die fünf übrigen Friesen und …«

Er brach ab, weil sich vor der Schmiede zur Linken ein ohrenbetäubendes Gebrüll erhob: Drudo, der keulenarmige Schmied, hatte seinen schmächtigen Gehilfen mit einem Fausthieb ins nasse Gras befördert, beschimpfte ihn lauthals, trat ihn in die Seite und vor die Arme, die der Unglücksrabe schützend um den Kopf gelegt hatte, ehe er den breiten Ledergürtel abschnallte, um richtig zur Sache zu kommen. Pfeifend landete der erste Hieb auf den mageren Schultern, und der Junge am Boden schrie auf.

»Ja, los, gib's ihm, Drudo«, feuerte Dedi den erzürnten Schmied an. »Ich bin sicher, er hat's verdient …«

Der Schmied schien ihn nicht gehört zu haben, nahm ohne Eile Maß und schlug zu, wieder und wieder, und die jammervollen Klagelaute seines Opfers schienen ihn nur noch zu größerem Eifer anzuspornen.

Liudolf hielt das nicht lange aus. Nach vielleicht einem Dutzend Hieben trat er hinzu und stellte sich unerschrocken zwischen Drudo und seinen Gehilfen. »Komm schon, Mann, das reicht, meinst du nicht?«

Der verdatterte Schmied ließ schleunigst den erhobenen Arm sinken. Er hatte einen Kopf wie ein Bulle, und sein Gesicht war eher violett als rot. »Dieser verdammte kleine Pisser hat am Blasebalg geschlafen, wie immer! Das Feuer war nicht heiß genug, und jetzt kann ich den Stahl in die Elbe schmeißen, mein Prinz!«

Liudolf nickte mitfühlend, wandte sich für einen Moment ab, um den heulenden Jungen auf die Füße zu ziehen und ihm zuzuraunen: »Mach dich rar«, ehe er dem Schmied wieder seine volle Aufmerksamkeit schenkte. »Wenn er so unbrauchbar ist, warum suchst du dir keinen anderen Lehrjungen?«

»Er ist kein Lehrjunge, sondern ein Sklave«, erklärte Drudo. »Ich hab ihn im Winter von einem fahrenden böhmischen Händler gekauft, aber der Bengel taugt nichts, versteht nicht, was man ihm sagt, ist faul und flennt immerzu. Pure Geldverschwendung.«

Liudolf hatte alles in allem mehr Mitgefühl mit dem Sklavenjungen als mit Drudo, doch das verbarg er, als er scheinbar zögernd fragte: »Was hat er dich denn gekostet?«

Hoffnung hellte Drudos Bullenvisage auf. »Neunzig Pfennige.«

Wichmann pfiff durch die Zähne. »Bald kann man sich nicht mal mehr slawische Sklavenbengel leisten …«

»Ich geb dir dein Geld zurück, wenn du mir versprichst, dir in der Stadt einen Lehrling zu suchen, statt einen neuen Sklaven zu kaufen.«

»Warum?«, fragte Drudo verdrossen. »Einen Lehrling muss ich besser füttern und kleiden als einen Sklaven, und wenn die

Lehrjahre um sind und er brauchbar ist, muss ich ihn gehen lassen.«

»Aber du musst ihn nicht kaufen, sondern bekommst im Gegenteil Lehrgeld von seinem Vater, richtig? Und ich will, dass du dein Wissen weitergibst. Du bist ein guter Schmied. Ein versoffener Sausack auch, das wollen wir nicht verhehlen, aber ein hervorragender Schmied. Dein Können darf nicht mit dir sterben. Also, was sagst du?«

Sichtlich geschmeichelt, willigte Drudo ein. »Wie Ihr wünscht, mein Prinz.« Und er zog mit einiger Verspätung die Kappe ab und verbeugte sich, als Liudolf die Börse zückte.

»Mir war bis heute nicht aufgefallen, dass du so ein weiches Herz hast«, spöttelte Gaidemar, der auf ihn gewartet hatte, während die übrigen Gefährten schon weitergingen.

Liudolf winkte ab und knotete den Geldbeutel zurück an den Gürtel. Erst als sie sich ein paar Schritte von der Schmiede entfernt hatten, bekannte er: »Ich hasse es, wenn slawische Sklaven geschunden werden.«

»Wie nobel«, gab Gaidemar ein wenig ratlos zurück. »Und warum genau?«

Liudolf betrachtete seinen Cousin einen Moment von der Seite und entdeckte nichts als aufrichtige Neugier in dessen Blick. Also antwortete er: »Wilhelms Mutter war eine slawische Prinzessin. Ihr Bruder, der Fürst der Heveller, war lange als Geisel hier bei uns. Er war des Königs Leibarzt. Großartiger Mann. Viele Slawen sind großartige Leute, Gaidemar.«

»Zweifellos. Aber auch den großartigsten Menschen passiert es, dass sie eine Schlacht verlieren oder ihre Stadt einer Belagerung nicht standhält, und dann geraten sie in Gefangenschaft und Sklaverei. So funktioniert die Welt nun einmal.«

»Ich weiß, ich weiß«, versicherte Liudolf spöttisch. »Und darum lassen sich echte Panzerreiter niemals gefangen nehmen, richtig?«

»Wenn es sich vermeiden lässt, nein, dann sterben sie lieber. Aber das hat man nicht immer selbst in der Hand.« Gaidemars Blick wurde vage, so als sei er nach innen gerichtet, und Liudolf ahnte, dass sein Vetter von Wehmut und Heimweh nach seiner Reiterlegion geplagt wurde.

»Es ist schon ziemlich wunderlich, dass du diesem Leben so nachtrauerst, weißt du«, zog Liudolf ihn auf. »Lagerfraß, ein feuchtes Zelt, ein Kriegszug nach dem anderen und ein schneller Tod der beste Ausgang, den du dir erhoffen kannst.«

»Es hat auch noch anderes zu bieten«, entgegnete Gaidemar, zuckte aber gleichzeitig die Achseln, als sei es nicht so wichtig.

Aber Liudolf war neugierig. »Was?«

»Echte Kameradschaft und Zusammenhalt. Lohnende Beute, wenn man die Schlacht gewinnt und ein wenig Glück hat. Und Ehre. Wenn man noch ein bisschen mehr Glück hat.«

Liudolf schnaubte. »Ehre macht einen Mann nicht satt.«

»Aber zufrieden vielleicht.«

»Hm.« Liudolf nickte versonnen, und dann kam ihm ein Gedanke. »Übrigens, ich schenke dir den Jungen, den ich dem Schmied abgekauft habe.«

»Danke, aber nein danke.«

»Komm schon. Es wird höchste Zeit, dass du einen eigenen Burschen bekommst, der deine Rüstung in Ordnung hält und so weiter.«

»Diesen Jammerlappen?«, fragte Gaidemar verächtlich. »Ich verzichte.«

»Gott, wie unbarmherzig du sein kannst. Der Bengel ist vielleicht zehn. Was erwartest du? Komm.« Er schlug ihm freundschaftlich auf die Schulter. »Lass uns mit den Freunden einen Becher trinken, während wir auf den König warten.«

In der Halle schien das Gewimmel aus Gesinde, Höflingen, Kindern und Hunden noch schlimmer als im Freien, aber vor der hohen Tafel lag eine kleine Insel der Ruhe. Liudolf befahl einem Diener, Wein zu bringen. Dann besann er sich. »Nein, halt, heute natürlich nur Fastenbier.« Er unterdrückte ein Schaudern. »Und trödel nicht, wir sind durstig.«

»Sofort, edler Prinz!« Der schlaksige Jüngling eilte zu der mit Brettern abgeteilten Kammer am hinteren Ende der Halle, wo die Krüge aufbewahrt und von einem der ungezählten Gehilfen des

Kämmerers bewacht wurden. Liudolf setzte sich auf seinen Sessel zur Linken des ausladenden, aber schlichten Throns und drehte träge den leeren Becher vor sich zwischen beiden Handflächen, während er seine Freunde beobachtete. Dedi, wie immer lebhaft und redselig, war in eine hitzige Debatte mit Wichmann und Ekbert über Falknerei vertieft. Wim saß auf der Bank in der Nähe und lauschte, ein kleines Spötterlächeln in den Mundwinkeln wie so oft, wenn Dedi aufschnitt. An seiner Seite saß Gaidemar, stumm und wachsam wie meistens, und kraulte einen jungen Hund hinter den Ohren, der genießerisch die Augen zukniff.

Allesamt gute Männer, dachte der Prinz mit Befriedigung. Genau wie die übrigen, die er zu Weihnachten nach Saalfeld geladen hatte. Männer seiner Generation, die ihm dereinst zur Seite stehen würden, wenn der Tag kam, da er dieses riesige Reich beherrschen und vor Feinden schützen sollte. Wie alle vermuteten, war Saalfeld keine zufällige Wahl gewesen, und sie hatte nicht das Geringste mit der Tatsache zu tun gehabt, dass Gaidemar dort aufgewachsen war. Aber es war kein Verrat, den sie dort geplant hatten. Schwurfreundschaften hatte er bei seinem Weihnachtsgastmahl geschlossen, unverbrüchliche Bündnisse, so wie auch sein Großvater, König Heinrich, es mit seinen Adligen getan hatte. Kurzum, Liudolf hatte genau das gemacht, was der König immer von ihm verlangte: Er hatte an die Zukunft gedacht und planvoll gehandelt. Natürlich war es eine Provokation, dass er das ausgerechnet in Saalfeld getan hatte. Trotzig und rebellisch mochte der König es nennen. Aber trotzig und rebellisch war Liudolf seit jeher gewesen, und es hatte ihr Verhältnis nie ernsthaft trüben können.

Dieser österliche Hoftag würde wohl zeigen, ob das immer noch galt, oder ob Adelheid Erfolg mit ihrer Hetzkampagne gegen den rechtmäßigen Thronfolger hatte …

»Mein Prinz«, raunte eine Stimme hinter seiner rechten Schulter. »Es gibt Neuigkeiten.«

Liudolf hob den Blick von seinem leeren Becher und fand sich Auge in Auge mit Friedrich, dem Erzbischof von Mainz, nervös und konspirativ wie üblich. Er war der mächtigste Kirchenfürst des Reiches – der Stellvertreter des Heiligen Vaters –, und sein Erscheinen in Saalfeld war Liudolfs größter Triumph gewesen, auch wenn der Erzbischof erst nach dem Dreikönigstag gekommen war, als beinah alle anderen schon wieder abgereist waren. Das spielte keine Rolle. Jeder Schritt, den Friedrich von Mainz in seinen albernen Goldschühchen tat, wurde im Reich und bei Hofe zur Kenntnis genommen.

»Was für Neuigkeiten?«, fragte Liudolf und lud ihn mit einer Geste ein, neben ihm Platz zu nehmen.

Friedrich glitt auf Hennings Sessel und neigte Liudolf den Kopf mit den Engelslöckchen zu. »Der Herzog von Lothringen ist aus Italien zurückgekehrt.«

»Konrad?« Liudolf lächelte erleichtert. Er hatte seinen Schwager vermisst. Seine Schwester erst recht. »Hat er Liudgard mitgebracht? Ich habe sie seit Monaten nicht gesehen und …«

»Ob die Herzogin nach Magdeburg gereist ist, entzieht sich meiner Kenntnis«, fiel Friedrich ihm ungeduldig ins Wort. »Aber Herzog Konrad hat jemand anderen mitgebracht, der Euch weit mehr interessieren dürfte.« Er legte eine Pause ein, um es spannend zu machen.

Liudolf sah ihm in die Augen und erwog für einen Moment, diesem unerträglichen Geck das Schwert an die Kehle zu setzen, um ihn zu ermuntern, mit seinen Neuigkeiten herauszurücken. Aber solch unkluge Flegeleien konnte er sich heutzutage ja leider nicht mehr leisten. »Nur heraus damit, ehrwürdiger Vater.«

Friedrich senkte die Stimme. »Berengar von Ivrea.«

»*Was?*« Liudolf sprang auf die Füße, und seine Freunde unterbrachen ihre Gespräche und schauten ihn an.

»Berengar hat San Marino verlassen und sich Eurem Schwager, Herzog Konrad, ergeben«, wisperte Friedrich. »Und der bringt ihn nun hierher zum Hoftag, um einen Frieden zwischen Berengar und dem König zu vermitteln.«

»Wo sind sie jetzt?«

»Noch etwa fünf Meilen vor der Stadt, berichtet mein Bote.«

»Dann sollten wir uns sputen. Dedi, würdest du nach meinen Waffen schicken? Und du, Gaidemar, sei so gut und lass für uns alle satteln.«

»Was habt Ihr vor?«, fragte Friedrich stirnrunzelnd.

»Was denkt Ihr wohl?«, gab Liudolf zurück und verscheuchte den Diener, der endlich den Bierkrug brachte. »Ich reite ihnen entgegen und heiße sie willkommen.«

»Glaubt Ihr wirklich, dass das eine kluge Idee ist?«

»Allerdings«, antwortete Liudolf unbekümmert und ließ den Erzbischof stehen. Er ging mit langen Schritten zum Tor in der westlichen Stirnwand der Halle und sagte über die Schulter: »Wer mich begleiten will, sollte nicht trödeln, Freunde.«

Ausnahmslos standen sie von den Bänken auf und folgten ihm.

»Der Erzbischof hat recht«, sagte Gaidemar, der neben Liudolf zwischen frisch gepflügten Feldern die Straße nach Süden entlangritt. »Das ist eine fürchterliche Idee.«

Statt zu antworten, galoppierte Liudolf an. Gaidemar konnte er nicht abhängen, aber im Galopp war es schwieriger, eine Unterhaltung zu führen.

»Ich habe deinen Bruder verständigt, ehe wir losgeritten sind!«, brüllte Gaidemar über das Donnern der Hufe hinweg.

Liudolf fluchte vor sich hin, wandte einen Moment den Kopf und warf ihm einen mörderischen Blick zu. »Du bist ein Verräter, Vetter.«

Der Beschuldigte schüttelte knapp den Kopf. »Er hat gesagt, ich soll ihm Nachricht schicken, wenn du eine Katastrophe anrichtest, und du hast gesagt, das sei ein guter Vorschlag.«

»Das hier ist keine Katastrophe.«

»Sondern was?«

»Politik.«

Der Apriltag war grau und böig geworden, aber bald wurde Rössern und Reitern warm von dem scharfen Tempo, sodass der Niesel, der zu fallen begann, nicht einmal unwillkommen war. Vielleicht eine Meile hinter dem Stadttor machte die von Bäumen gesäumte Straße eine langgezogene Linksbiegung, und als sie diese überwunden hatten, sahen sie den entgegenkommenden Reiterzug: Konrad, der löwenmähnige Herzog von Lothringen, und der breitschultrige, silberbärtige Berengar von Ivrea ritten

Seite an Seite an der Spitze, und auf Anhieb hätte Liudolf nicht sagen können, welcher von beiden kriegerischer und herrschaftlicher war. Sie ließen ihre Pferde im Schritt gehen, damit die prächtigen Brokatmäntel der Reiter nicht mit Schlamm bespritzt wurden. Jedem folgte ein Bannerträger, und dahinter ritten die geharnischten Männer der Eskorte, eine Reihe mit lothringischen, die andere mit lombardischen Helmen.

»Je zwei Dutzend«, sagte Dedi, so als sei er der Einzige, der zählen konnte.

»Genau die richtige Zahl«, befand Wichmann.

»Ja«, stimmte Wim zu. »Weniger, und Berengar käme daher wie ein Bittsteller, mehr, und der König hätte es als Affront auffassen können.«

In der Mitte der Eskorte – am sichersten Platz in einem Reiterzug – ritten zwei Damen mit ihrem kleinen Gefolge. »Schau nur, da ist deine Schwester, Prinz«, sagte Ekbert, und sein verbliebenes Auge leuchtete. Er hatte immer eine Schwäche für Liudgard gehabt, seit er und Wichmann als Knirpse an den Hof gekommen und mit Liudolf zusammen erzogen worden waren. »Die andere Dame dürfte dann wohl Berengars skandalumwitterte Gemahlin sein.«

»Was für ein Skandal?«, fragte Dedi hoffnungsvoll.

»Sie hatte einen Liebhaber«, wusste Ekbert zu berichten. »Er war ein kleiner Priester mit krummen Beinen und schwärzlichem Angesicht und Hörnern und was weiß ich, ihr dämonischer Kaplan. Als sie aufflogen, hat Berengar sie behalten und ihr verziehen, stellt euch das vor. Keine Moral, diese Italiener, kein Ehrgefühl.« Er schüttelte angewidert den Kopf.

»Der Priester wurde kastriert«, setzte sein Bruder die saftige Klatschgeschichte fort. »Und der Barbier, der das erledigte, sagte anschließend, man müsse es Gräfin Willa nachsehen, dass sie es sich von ihrem Kaplan habe besorgen lassen, denn der habe ein wahrhaft gewaltiges Gemächt gehabt.«

»Das hat Berengar sicher ganz besonders gern gehört«, mutmaßte Liudolf.

Es gab Gelächter, bis Gaidemar warnte: »Wir haben den Wind im Rücken, und Stimmen tragen weit in offenem Gelände.«

Liudolf wurde schlagartig ernst. »Hört auf die Stimme der Vernunft, Freunde.«

Dedi und Wichmann traktierten Gaidemar mit einem eisigen Blick adligen Hochmuts, sagten aber nichts mehr.

Fächerförmig hatten der Prinz und seine Eskorte aus jungen, aber hochrangigen Edelleuten sich links und rechts der Straße postiert, um die Ankömmlinge ehrenvoll zu begrüßen.

Als sie vielleicht noch zehn Längen entfernt waren, hob Liudolf langsam die beringte Rechte. »Willkommen, Markgraf Berengar! Willkommen, Schwager! Ihr erweist uns Ehre mit Eurem Besuch, und Magdeburg steht Euch offen!«

Er ritt ihnen entgegen, und auch Konrad und Berengar lösten sich von ihrem Gefolge und kamen auf ihn zu. Als sie sich auf der Mitte trafen, saßen alle drei ab, und es folgte ein etwas eigenartiger Moment der Starre, als warte ein jeder darauf, dass der andere den ersten Schritt tat.

Dann neigte Berengar den Kopf vor Liudolf. »Die Ehre ist die meine, edler Prinz. Ich bin gekommen, um meinen Frieden mit dem König zu machen.«

Aber nicht mit der Königin, schätze ich, fuhr es Liudolf durch den Kopf. *Das kann ich ja so gut verstehen ...* »Er wird hocherfreut sein, Graf«, versicherte er, wandte sich an seinen Schwager und schloss ihn kurz in die Arme. »Konrad!«

Der drosch ihm auf den Rücken, dass dem Prinzen fast die Luft wegblieb. »Liudolf! Gut, dich zu sehen.«

Mit einem Blick verständigten sie sich darauf, alles Weitere auf später zu vertagen.

Liudolf vollführte eine einladende Geste. »Gestattet mir, Euch mit den Grafen bekannt zu machen, Berengar ...«

Es wurde eine langwierige Angelegenheit, aber es war unverzichtbar, denn nur wenn Berengar Namen und Rang der Männer kannte, die ihn vor den Toren der Stadt willkommen hießen, konnte er ermessen, ob er geehrt oder beleidigt wurde.

Er wirkte indes hochzufrieden, als er sich wieder in den Sattel schwang. Sein Bart war grau, aber er saß auf wie ein Panzerreiter, fiel Liudolf auf: geschmeidig und blitzschnell.

Er und Konrad nahmen den mächtigen italienischen Grafen in die Mitte und bemühten sich, ihn von dem zunehmend ungemütlichen Regen abzulenken: Liudolf erkundigte sich nach ihrer Alpenüberquerung – immer ein dankbares Thema, denn jeder erlebte dabei Unerwartetes. Sie sprachen über den Zustand der Straßen und den zunehmenden Verfall des Silbergeldes, nur nicht über Berengars versuchte und gescheiterte Machtübernahme in Italien und die wahren Gründe für sein Erscheinen bei Hofe.

Sie waren bei Jagdanekdoten angekommen, als das imposante hölzerne Torhaus der Stadtbefestigung in Sicht kam, wo zwei Reiter sie erwarteten. Seinen Bruder Wilhelm erkannte Liudolf schon von Weitem, bei dem anderen musste er länger rätseln. Es war Kordt, der Schultheiß von Magdeburg, ging ihm schließlich auf, und er verspürte für einen Lidschlag ein unangenehmes Ziehen in der Magengegend.

Beide saßen ab, als der Reiterzug vor dem Tor haltmachte.

Kordt, der im Auftrag und Namen des Königs für Ordnung in der Stadt sorgte und in den unpassendsten Lebenslagen gern volle Rüstung trug, verneigte sich zackig und ein wenig zu knapp. Der Regen klimperte lustig auf seinem Spangenhelm.

»Kordt von Stade, der Schultheiß von Magdeburg, Vetter des Grafen im Heilangau. Und Vater Wilhelm, mein Bruder«, stellte Liudolf vor.

Letzterer trat einen Schritt vor und begrüßte den hohen Gast ebenso dürftig wie Kordt. »Im Namen des Königs heiße ich Euch in Magdeburg willkommen, Markgraf Berengar von Ivrea«, sagte er frostig, und es war Liudolf, den er dabei anschaute.

»Was fällt dir ein, Pfaffe«, knurrte Berengar. »Ich wechsele keine Worte mit königlichen Bastarden!«

Wilhelm ging mit einem äußerst sparsamen Lächeln über die Beleidigung hinweg. »Dennoch hat der König mir aufgetragen, Euch auszurichten, er werde Euch Nachricht senden, sobald er die Zeit finde, Euch zu empfangen. Bei einem österlichen Hoftag nehmen zeremonielle Pflichten und die Politik ihn sehr in Anspruch, wie Ihr Euch gewiss vorstellen könnt, darum bittet er Euch, einstweilen im Haus des Schultheißen Quartier zu nehmen.«

Berengar war bleich geworden, und in seiner rechten Schläfe pochte ein Äderchen. Er war ein Nachfahre Karls des Großen und der mächtigste Graf Oberitaliens, wollte dieses Äderchen ihnen wohl sagen, und es war eine unerträgliche Schmach, die ihm hier angetan wurde. Nicht umgehend vom König empfangen zu werden war schlimm genug. Aber eine Unterbringung im bescheidenen Stadthaus des Schultheißen? Es war eine schallende Ohrfeige …

Wutentbrannt fuhr Berengar zu Konrad herum: »Was hat das zu bedeuten? Habt Ihr mich hergelockt, um mich öffentlich zum Gespött zu machen?«

»Keineswegs«, entgegnete Liudolfs Schwager grimmig. »Ich bin so überrascht wie Ihr.«

»Nun, das mag sein, wie es will, aber ich lasse mir dergleichen nicht bieten. Ich werde auf der Stelle wieder abreisen …«

»Das dürft Ihr nicht tun, Berengar«, beschwor Liudolf ihn. »Ich verstehe Euren Zorn. Glaubt mir, seit mein Vater seine neue Königin geheiratet hat, haben wir hier alle reichlich Gelegenheit gefunden, uns in Demut zu üben, und seid versichert, ihr ist auch dies hier geschuldet. Aber Ihr habt die weite Reise über die Alpen gemacht, um Frieden mit König Otto zu schließen. Das ist gut für Euch, für das Reich und auch für Schwaben, das will ich nicht leugnen. Es gereicht allen zum Vorteil. Nur nicht Adelheid. Also … tappt nicht in ihre Falle, ich bitte Euch inständig.«

Berengar atmete hörbar ein und aus, wandte den Blick auf das wenig einladende braune und nassgeregnete Einerlei der leeren Felder und dachte nach.

Liudolf biss sich auf die Zunge, damit er nicht anfing zu schwafeln. Er wusste, er hatte die richtigen Worte gefunden. Jedes weitere wäre ein Fehler.

Schließlich sah Berengar ihn wieder an und nickte mürrisch. »Ihr habt recht, Prinz. Ich bleibe.« Er sah auf den Schultheiß hinab. »Habt Dank für Eure Gastfreundschaft, Kordt von Stade.«

Der Schultheiß war von der unverhofften Einquartierung genauso wenig begeistert wie sein Gast, aber auch er ergab sich mannhaft in das Unvermeidliche: »Wenn Ihr mir zu folgen beliebt, Graf …«

Liudolf war ganz flau vor Zorn, während er Berengars miss-glückten Einzug in Magdeburg beobachtete. Keine Trompeten er-schallten, keine Schaulustigen säumten die schlammige Straße. Nur wenige der fleißigen und viel beschäftigten Magdeburger Handwerker und Kaufleute hatten einen Blick für den begossenen Zug übrig, der dem Schultheiß Richtung Marktplatz folgte.

»Ich könnte ihr den Hals umdrehen«, knurrte der Prinz und schlug sich so hart mit der Faust aufs Bein, dass sein Pferd erschro-cken zusammenzuckte.

»Wenn du noch einmal so schlecht von ihr sprichst, sind wir geschiedene Leute.« Gaidemars Stimme klang so verändert, dass Liudolf sie im ersten Moment gar nicht erkannte. Dunkel und rau.

Verdattert wandte der Prinz den Kopf. »Oh, komm schon, du musst doch zugeben, dass sie ein gerissenes und intrigantes …«

»Liudolf«, ging sein Bruder dazwischen. Wie immer. Nur das eine Wort, aber scharf wie andalusischer Stahl.

»Was?«, fragte der Prinz und warf die Arme hoch. »Darf ich nicht mehr die Wahrheit sagen, nur weil unser Vetter eine be-fremdliche Schwäche für unsere liebreizende Stiefmutter hat? Wieso nicht? Weil es seine zarten Gefühle verletzt? Wer nimmt Rücksicht auf meine?«

»Weil du nicht willst, dass er dir den Rücken kehrt«, erklärte sein Bruder geduldig. »Und anders als du, meint er es ernst, wenn er dergleichen sagt.«

»Oh, Schande.« Liudolf stöhnte ungeduldig und fuhr sich kurz mit dem Handrücken über die Stirn. »Und kann mir irgendwer sa-gen, was zum Henker ich jetzt anfangen soll mit einem beleidigten Berengar und einem vermutlich entrüsteten König? Gott, am liebsten würde ich ihnen die Brocken vor die Füße schmeißen und mich den Rest meiner Tage der Pferdezucht widmen.«

»Damit würdest du Königin Adelheid vermutlich einen Wunschtraum erfüllen«, warf Konrad ein.

»Hm«, machte Liudolf gallig. »Auch wieder wahr. Also nicht … Aber ganz gleich, was ihr sagt, die königliche Predigt werde ich keinesfalls nüchtern über mich ergehen lassen.«

»Aber das solltest du unbedingt«, warnte seine Schwester

Liudgard, Konrads Frau, die unbemerkt zu ihnen aufgeschlossen hatte. Kerzengerade und anmutig saß sie im Sattel – das Ebenbild ihrer Mutter und genauso vornehm und besonnen wie diese es gewesen war. »Wenn du glaubst, es sei notwendig, wegen dieser Sache einen Machtkampf mit Adelheid auszutragen, wirst du deinen Verstand brauchen. Unvernebelt.«

»Und warum?«, fragte er herausfordernd.

Liudgard wechselte einen Blick mit Wilhelm, ehe sie antwortete: »Weil du immer mehr aufs Spiel setzt, als du dir leisten kannst, Bruder.«

Gaidemar war nervös und rastlos. So kannte er sich überhaupt nicht, im Gegenteil, er war immer stolz darauf gewesen, dass nichts ihn aus der Ruhe bringen konnte. Der Anblick einer erdrückenden feindlichen Übermacht flößte ihm Furcht ein. Beleidigungen, wie jeder Bastard sie ertragen musste, machten ihn wütend. Seine unglückliche Liebe quälte ihn schlimmer, als er für möglich gehalten hätte. Aber aus der Ruhe brachten all diese Dinge ihn nicht. Liudolf, Wilhelm und die undurchschaubaren Machtspiele und ständig wechselnden Allianzen bei Hofe waren nötig gewesen, um das zu bewerkstelligen. Er wusste, er gehörte überhaupt nicht hierher.

Nördlich der Stadt lagerte die zwölfte Reiterlegion in ihrem Hauptquartier, einer wohldurchdachten Anlage aus soliden Holzgebäuden unweit der Elbe. Die meisten Panzerreiter waren derzeit vermutlich über ganz Sachsen verstreut, um die Feiertage auf dem Stammsitz ihrer Familien zu verbringen. Doch diejenigen, deren Zuhause die Legion war, saßen jetzt beim Fastenmahl am prasselnden Langfeuer in der Halle mit den alten Waffen an den Wänden, ehe sie zur Messe in die große Kapelle gingen. *Dort* war sein Platz. Es war eine Welt, die ihm vertraut war und die er verstehen konnte, und dort wurde er geschätzt. Waffenkunst und Tapferkeit – das waren die Tugenden, um die er gerungen hatte, seit er denken konnte, und an denen ein Panzerreiter gemessen wurde. Hier verstand er nicht einmal die Regeln.

Trotzdem hatte Liudolf ihn mit zum Hoftag nach Magdeburg

geschleift, mit dem Erfolg, dass Gaidemar nun durch die Pfalz schlich wie ein Dieb. Der Prinz mochte darüber lachen, aber Tatsache blieb, dass der König Gaidemar von seinem Hof und aus seinem Reiterregiment verbannt hatte. Nun war er ungebeten zurückgekehrt, und auch deswegen war er nervös.

Wenigstens sein Quartier lag abseits des allgemeinen Rummels hinter dem Backhaus und der Schmiede in einem kleinen Grubenhaus am Ufer eines Fischteichs. Die Holzschindeln des Dachs waren undicht, der Boden feucht, aber mit einer dicken, frischen Strohschicht bedeckt, und Gaidemar war nicht anspruchsvoll. Er hatte eine gute Decke, sogar einen kleinen Tisch und einen Schemel – er hatte schon viel schlimmer genächtigt. Und er wusste es zu schätzen, dass er die schäbige Hütte für sich allein hatte, doch als er die drei hölzernen Stufen hinabstieg und mit eingezogenem Kopf durch die niedrige Tür trat, musste er feststellen, dass er Besuch hatte.

Wilhelm saß auf dem morschen Schemel, den Rücken an die Bretterwand gelehnt und die Beine übereinandergeschlagen, und sprach mit einem schmächtigen Jungen, der mit herabbaumelnden Armen vor ihm stand, den blonden Kopf gesenkt. Die Stimme des Priesters klang beschwichtigend, aber Gaidemar verstand kein Wort.

Slawisch, ging ihm auf, und im selben Moment erkannte er den Jungen wieder.

Wilhelm entdeckte ihn als Erster, brach mitten im Satz ab und hob grüßend die Hand. »Gaidemar. Ich wusste gar nicht, dass du einen mährischen Sklaven besitzt.«

»Denk nur, ich auch nicht«, gab Gaidemar zurück, schnallte das Schwertgehenk ab und lehnte es neben seiner Schlafstatt an die Wand. »Liudolf hat ihn aus den Klauen des Schmieds befreit und mir geschenkt, obwohl ich ihn nicht wollte.«

»Ja, das hat Mirogod mir erzählt.« Er wies kurz auf den Jungen. »So heißt er. Guter slawischer Name, voll alter Magie.«

Gaidemar brummte desinteressiert. »Ich bin nicht sicher, ob ein heiliger Mann wie du so etwas sagen sollte.«

»Ich auch nicht«, gestand Wilhelm mit diesem spitzbübischen

Lächeln, das man ihm auf den ersten Blick gar nicht zutraute. »Ich fürchte, Mirogods Deutsch ist noch ein wenig holprig.«

»Fabelhaft …« Gaidemar seufzte, betrachtete den blassen, mageren Jungen für einen Moment und verscheuchte das aufkeimende Mitgefühl. »Nimm ihn mit, Wilhelm. Im Ernst. Ich kann wirklich nichts mit dem Knäblein anfangen.«

»Nein, besser nicht. Ich bin ein Mann der Kirche und darf kein Eigentum besitzen, einen Sklaven erst recht nicht, denn die Kirche hat die Sklaverei geächtet, wie du sicher weißt.«

»Oh, natürlich. Und als Nächstes wirst du mir erzählen, dass die Klabautermänner mit Felsbrocken kegeln, wenn es donnert.«

»Ich kann den Jungen nicht nehmen, wenn Liudolf ihn dir geschenkt hat«, beharrte Wilhelm entschieden. »Behalt ihn nur. Er ist ein pfiffiger kleiner Kerl.«

»Er ist eine Memme.«

»Der Schmied hat ihm gleich in der ersten Woche die Nase und den Arm gebrochen und nie aufgehört, ihn zu prügeln, ehe Blut floss. Die böhmischen Sklavenhändler, die ihn letzten Herbst auf einem Jagdausflug mit seinem Vater einfach gestohlen haben, waren auch nicht besonders zartfühlend. Er hat keine Ahnung, wie alt er ist, aber er sagt, es ist drei Sommer her, dass sein Vater ihm zum ersten Mal das Haar geschnitten hat. Das bedeutet, er ist ungefähr zehn. Schlimme Erlebnisse für solch einen kleinen Kerl. Also sei nicht so ungnädig und hab ein bisschen Geduld mit ihm. Du und ich wissen doch schließlich, wie es ist, allein unter Fremden zu sein.«

»Ich habe mich schon gefragt, wann du das ins Feld führen würdest«, gab Gaidemar verdrossen zurück.

Wilhelm legte die Rechte um das edelsteinbesetzte Goldkreuz auf seiner Brust und sagte nichts mehr.

Mirogod stand zwischen ihm und der niedrigen Tür, den Blick auf seinen neuen Herrn gerichtet. Das spärliche Licht des verregneten Frühlingstages fiel zur Tür herein und erhellte sein schmales Gesicht. Die Augen waren grün, erkannte Gaidemar verblüfft. Er hatte noch niemals grüne Augen gesehen. Aber nicht sie gaben den Ausschlag, sondern die Anspannung in den Schultern, die starre Reglosigkeit. Wie ein gejagtes Tier, fluchtbereit.

»Also schön«, gab er unwillig nach. »Wir versuchen es ein paar Tage. Aber wenn er mir lästig wird, verkauf ich ihn, sag ihm das.«

»Ich denke nicht daran«, entgegnete Wilhelm liebenswürdig, nickte dem Jungen zu und sagte etwas in der fremdartigen, aber melodiösen Sprache.

Mirogod huschte zur Tür und verschwand.

Gaidemar verzichtete darauf, seinen Vetter zu fragen, wohin er ihn geschickt hatte. »Du sprichst Slawisch, obwohl du hier aufgewachsen bist?«

»Mein Onkel Tugomir hat es mich gelehrt. Die Sprache, die Traditionen und seine verblüffenden Heilkünste. Mir fehlt die heilerische Gabe, die er besitzt, aber seine Kräuterkunde hat sich schon gelegentlich als nützlich erwiesen.«

Gaidemar lehnte sich Wilhelm gegenüber an die Wand und kreuzte die Knöchel. »Was führt dich her?«

»Ich wollte mich entschuldigen.«

»Wofür?«

»Dass ich dir aufgebürdet habe, meines Bruders Hüter zu sein.«

Gaidemar lachte ungläubig. »Na und? Schön, er ist ein Hitzkopf und manchmal schwer zu ertragen, aber ein Mordskerl. Und er hat mich mit weitaus mehr Ehre und Freundlichkeit überhäuft, als mir zustehen. Also wofür genau entschuldigst du dich?«

Wilhelm stand abrupt auf. »Vermutlich für das, was als Nächstes geschieht.«

»Ich fürchte, ich kann nicht ganz folgen …«

»Nein. Vielleicht besser so. Komm mit.«

»Wohin?«, fragte Gaidemar argwöhnisch.

»Zu Adelheids Gemächern.«

Gaidemars Herz setzte einen Schlag aus und hämmerte dann, als wäre er ein paar Meilen gerannt. »Was in aller Welt soll ich dort?«

»Es ist das einzige Gebäude der ganzen Pfalz, das während eines Hoftags genug Platz und Abgeschiedenheit bietet, um einen Familienkrach auszutragen. Und den wird es geben.«

»Oh, da bin ich sicher. Aber das geht mich nichts an. Und nebenbei bemerkt, der König wird mir den Kopf abreißen, wenn er mich sieht.«

Wilhelm winkte ungeduldig ab. »Niemand wird dich sehen. Ich will nicht, dass Henning sich an dich erinnert. Du bist meine Geheimwaffe, und ich gedenke nicht, sie ihm vor der Zeit zu offenbaren.«

Gaidemar blieb stehen wie ein störrischer Esel. »Was fällt dir eigentlich ein? Ich habe kein Interesse daran, deine Geheimwaffe zu sein oder dein Mittel zum Zweck. Euer Familienkrach kümmert mich einen Dreck! Ich will zurück zu meiner Reiterlegion!«

Wilhelm verdrehte die Augen zur niedrigen Decke, als wolle er Gott fragen, warum ihm dies hier zugemutet werde. »Ich weiß, Vetter«, sagte er dann – tröstend, als habe er einen jammernden Schwachkopf vor sich. »Du sagst es schließlich oft genug, sodass niemand im Unklaren über deine Wünsche sein könnte ...«

»*Gut.*«

»... aber du solltest nicht vergessen, dass dies auch *deine* Familie ist.« Gaidemar schnaubte höhnisch, doch der junge Priester ließ sich nicht beirren. »Und sie ist im Begriff, sich zu zerfleischen. Henning wird erst zufrieden sein, wenn das Lebenswerk meines Vaters in Trümmern liegt und er den König, uns alle und sich selbst vernichtet hat.«

Obwohl er es doch eigentlich nicht hören wollte, kam Gaidemar nicht umhin zu fragen: »Henning? Wieso Henning?«

»Weil er hinter allem steckt, was hier gerade so monumental aus dem Ruder zu laufen droht. Unser Onkel Henning, Gaidemar, ist ein Meister der Zwietracht. Und wenn wir ihn nicht aufhalten, wird Liudolf ihm ins offene Messer laufen.«

Der Innenhof der Pfalz lag wie ausgestorben unter dem bleigrauen Aprilhimmel, weil Hof, Fürsten und Gesinde in der wundervollen Kirche des Mauritius-Klosters waren. Wilhelm hatte sich eilig verabschiedet, denn er sollte an diesem besonderen Feiertag gemeinsam mit dem ehrwürdigen Abt und dem Erzbischof von Mainz die heilige Messe zelebrieren, die Gaidemar versäumte.

In seinen dunklen Umhang gehüllt, die Kapuze tief ins Gesicht gezogen, glitt er von Hauswand zu Hauswand und kam sich mehr denn je vor wie ein unwillkommener Eindringling.

Die Gemächer der Königin lagen in einem langgezogenen Gebäude hinter der Halle, umgeben von einem gepflegten Garten, wo wahre Teppiche von Veilchen einen hübschen Kontrast zum schlammigen Einerlei der übrigen Pfalz boten. Ihr violettes Leuchten war so unerwartet und so verwegen, dass sogar Gaidemar es bemerkte.

Wie Wilhelm prophezeit hatte, war der Eingang unbewacht, und Gaidemar gelangte unbemerkt in die Kammer auf der Südseite des Gebäudes. Er glitt hinein und schloss lautlos die Tür, doch sein Eindringen blieb nicht unbemerkt.

»Gaidemar!«

Er wandte erschrocken den Kopf. »Nanu, Emma. Wieso seid ihr nicht in der Kirche?«

Adelheids Tochter kniete auf ihrem Bett, eine Decke um die Schultern und eine Holzpuppe im Schoß.

»Sie hat Fieber«, berichtete Anna, die neben der Kleinen auf der Bettkante saß. »Die Königin hat gesagt, wir sollen lieber hierbleiben. Doch was mag es nur sein, das *Ihr* hier sucht, Herr?«, fragte die Zofe neugierig.

»Ein Versteck.« Er wusste, Anna war zu gescheit, um ihm irgendeine Lügengeschichte abzukaufen, und ihm fiel auch keine ein. Er war einfach völlig unbrauchbar für die Aufgabe, in die Wilhelm ihn drängen wollte. »Ich hörte, diese Kammer sei der richtige Ort, um die Gespräche im Gemach der Königin zu belauschen.«

Anna wies auf einen großen, bunt gestreiften Wandteppich – nicht im Mindesten schockiert. »Ihr Wohngemach, nicht die Schlafkammer. Wenn Ihr den Teppich anhebt und das Ohr an den Spalt zwischen den Wandbrettern drückt, könnt Ihr hören, was sie reden. Wenn Ihr Euch den Hals verrenken wollt, könnt Ihr dabei auch durch ein Astloch spähen.«

»Ich merke, du sprichst aus Erfahrung. Bist du nicht auf die Idee gekommen, der Königin von diesem Lauerposten zu berichten, damit sie den Spalt und das Astloch verschließen lassen kann?«

Anna bedachte ihn mit einem höhnischen Blick. »Was war es gleich wieder, wozu Ihr hergekommen seid, nobler Gaidemar?«

Er hob die Hände, um seine Kapitulation zu bekunden. »Ich habe nur ihr Bestes im Sinn.«

»Und was genau denkt Ihr, wozu ich sie belausche?«

»Du hast recht. Vergib mir.«

Anna schenkte ihm ein zauberhaftes, keckes Lächeln.

»Freust du dich auch schon so auf den Butterkuchen, Gaidemar?«, wollte Emma wissen.

»Butterkuchen?«

»Zu Ostern«, erklärte sie ungnädig, als wolle sie sagen: Stell dich nicht so dumm an.

»So ist es Sitte in der Lombardei«, erklärte Anna.

»Oh, verstehe. Ja, darauf kannst du wetten, Prinzessin. Ich bin die Fastenzeit leid. Alles schmeckt gleich.«

Emma nickte. »Nach gar nichts.«

»Genau.«

Er ertappte sich dabei, dass er sich freute, Anna und das Kind wiederzusehen. Er dachte oft an ihre Flucht von Garda nach Canossa. Sie hatten gehungert, die Angst vor den Verfolgern im Nacken, und sie hatten Bruder Guido verloren. Schwierige, bittere Tage und Nächte. Aber Adelheid war da gewesen, und deswegen bewahrte er die Erinnerungen wie etwas Kostbares, aber Vergängliches, ein Tüchlein mit einem wundervollen Duft etwa, das man nur hin und wieder hervorholt, damit er sich nicht zu rasch verflüchtigt.

Gaidemar schlug den großen Wandbehang zurück und fand sich augenblicklich in eine beachtliche Staubwolke gehüllt. Hustend betrachtete er die deutlich helleren Bretter, entdeckte den Spalt und das Astloch und ging in Stellung.

Er musste sich nicht lange gedulden. Die Glocke der Klosterkirche läutete mahnend – um dann bis zum Freudengeläut in der Osternacht zu verstummen –, und wenig später hörte er das Knarren einer Tür und Wilhelms Stimme: »Ich denke, hier sind wir ungestört.«

Dieser durchtriebene Pfaffe …

»Hätte ich gewusst, dass ich Gastgeberin einer Familienzusammenkunft sein würde, hätte ich Erfrischungen vorbereiten lassen«, sagte Adelheid spitz, und beim Klang ihrer Stimme spürte Gaidemar ein Kribbeln in der Magengegend, das gleichzeitig herrlich und beängstigend war. Dann trat die Königin in den Ausschnitt ihres komfortablen Gemachs, den er sehen konnte, und breitete einladend die Hände aus. »Nehmt Platz, mein König. Ihr auch, lieber Schwager. Der Rest muss stehen, fürchte ich.«

»Nur zu, Henning«, sagte Brun, der jüngste Bruder und Kanzler des Königs. »Ich nehme an, sie meint dich Tattergreis.«

Leises Gelächter plätscherte, sogar der König schmunzelte. Obwohl Gaidemar nach all den Monaten mit Liudolf inzwischen eigentlich hätte wissen sollen, dass auch im Purpur geborene Prinzen Menschen waren, die frotzelten und fluchten und Dummheiten machten und einen Schnupfen bekamen, konnte es ihn doch immer noch überraschen. Und er verspürte einen gänzlich unerwarteten Stich der Eifersucht, weil er hier durch ein Astloch spionierte wie eine neugierige Dienstmagd, statt auf der anderen Seite der Bretterwand zu stehen und dazuzugehören.

»Da sag ich nicht nein«, gab der Herzog von Bayern zurück. »Während ich den halben Tag im Sattel verbracht habe, hast du vermutlich ein Schläfchen in der Kanzlei gehalten. Ihr Gottesmänner habt es ja gern bequem.«

Adelheid nahm in dem gepolsterten Sessel an Ottos Seite Platz, sodass sie wie ein thronendes Herrscherpaar aussahen. Die Königin war immer noch dünn wie ein Grashalm. Als hätte sie während ihrer Gefangenschaft und Flucht einfach so schlimm gehungert, dass das Fleisch für immer von ihren Rippen geschmolzen war. Viel zu mager und blass, raunten die Damen bei Hofe vermutlich hinter vorgehaltener Hand, die erste Schwangerschaft wird sie erledigen. Doch für Gaidemar war sie so wunderschön in ihrem honigfarbenen Kleid, dass er ganz flach atmen musste, bis er sich an den Anblick gewöhnt hatte.

Henning blieb nur ein Schemel zu ihrer Linken, der ihn kleiner machte, als er war. Brun stand einen halben Schritt hinter dem Sessel des Königs. Wilhelm, Liudolf und Ida, Konrad von Lothringen und dessen Gemahlin Liudgard erahnte Gaidemar rechts der Tür, außerhalb des spärlichen Lichtkleckses, der durchs Fenster fiel.

»Wir haben nicht viel Zeit«, mahnte der König. »In einer halben Stunde beginnt die Zeremonie in der Halle. Doch bevor wir uns den versammelten Grafen, Bischöfen und Äbten widmen, wünsche ich eine Erklärung.« Er sprach bedächtig wie meistens. Was immer er empfand, war seiner Stimme nicht anzuhören. Aber die Knöchel der Linken, die die Armlehne des Sessels umfasste, waren verdächtig weiß. »Was hast du dir dabei gedacht, Berengar von Ivrea nach Magdeburg zu führen, Konrad?«

»Offen gestanden ist mir nicht in den Sinn gekommen, dass irgendetwas dagegensprechen könnte«, erwiderte der Herzog ein wenig ratlos. »Er schickte mir aus San Marino einen Boten nach Pavia und bot Verhandlungen an. Ich wusste, dass eine friedliche Lösung in Eurem Sinne wäre. Also habe ich ihm freies Geleit für seine Rückkehr nach Pavia garantiert, und er kam nach kaum einer Woche.«

»Zugig in San Marino im Winter, wie?«, warf Henning ein.

»Vermutlich.« Konrad nickte, ohne Henning anzusehen. Die beiden Männer verabscheuten einander mit Hingabe, wusste Gaidemar. »Er kam und bot an, sich Euch zu unterwerfen, mein König. Ich war der Meinung, eine freiwillige Unterwerfung sei besser als eine erzwungene, denn sie spart Zeit und hält in der Regel länger. Also habe ich ihm vorgeschlagen, zum Hoftag nach Magdeburg zu kommen, um seinen Worten Taten folgen zu lassen und Euch zu huldigen.«

»Aber ich nehme an, seine Unterwerfung hat einen Preis«, mutmaßte Adelheid. Genau wie Otto verstand sie es, ihre Gefühle aus ihrer Stimme herauszuhalten. Sie wirkte völlig gelassen.

Gaidemar bewunderte ihre Selbstbeherrschung. Berengar hatte ihren Gemahl ermordet. Er hatte Adelheid mit ihrer kleinen Tochter vier Monate lang in ein schauerliches Verlies gesperrt. Er hatte sie gedemütigt, und Gaidemar hatte am Morgen nach ihrer Flucht den Bluterguss auf ihrem Jochbein gesehen. Und jetzt hatte dieser Kerl die Stirn, nach Magdeburg zu König Otto zu kommen und eine Unterwerfung anzubieten, obwohl er doch schon geschlagen war? Stellvertretend für Adelheid spürte Gaidemar, wie ihm die Galle überkochen wollte.

Es war einen Moment still in ihrem Gemach. Dann antwortete Konrad: »Er will die Herrschaft über Italien. Als Euer Vasall, versteht sich, mein König«, fügte er hastig hinzu.

Otto sah zu Liudolf. »Wusstest du das, als du ihm mit zwei Dutzend Großen des Reiches entgegengeritten bist, um ihn willkommen zu heißen?«

»Ich habe mir so etwas gedacht, ja«, räumte Liudolf ein.

»Wieso erweist du ihm dann Ehre, ohne zuvor mein Einverständnis einzuholen?«

»Mir war nicht klar, dass ich für solch eine Selbstverständlichkeit Euer Einverständnis einholen muss, mein König«, gab Liudolf zurück. Es klang gereizt. »Wenn ich pinkeln gehe, frage ich Euch ja auch nicht vorher um Erlaubnis … bitte um Entschuldigung, liebste Stiefmutter.«

Ida stieß ihm unsanft den Ellbogen in die Seite. »Reiß dich zusammen, Prinz Heißsporn«, knurrte sie.

»Das ist ein guter Rat«, stimmte der König frostig zu. »Und jetzt beantworte meine Frage, sei so gut.«

»Er ist ein italienischer Fürst und von vornehmerem Blut als wir, wenn wir mal ehrlich sind«, antwortete Liudolf ungeduldig. »Also gebührt ihm Ehre, oder nicht?«

»Und es war eine willkommene Gelegenheit, deiner Stiefmutter eins auszuwischen, nicht wahr?«, warf Henning verächtlich ein. »Mach uns doch nicht weis, es gäbe irgendeinen anderen Grund.«

»Was hätte ich davon?«, konterte Liudolf. Er wandte sich zu Adelheid um und vollführte eine Verbeugung, die eine Spur zu tief ausfiel. »Ich bedaure, wenn meine Schritte Euch gekränkt haben sollten, edle Königin, aber in der Politik können wir uns persönliche Gefühle nun einmal nicht leisten.«

»Und ich warte auf den Tag, da du genau das endlich lernst«, fuhr der König ihm über den Mund. Er hob die große Rechte und wies mit dem Finger erst auf Konrad, dann auf Liudolf. »Ihr habt eine völlig unnötige Krise heraufbeschworen. Berengar hat den Treueid gebrochen, den er mir vor zehn Jahren geschworen hat. Er hat meiner Gemahlin Schmach zugefügt. Also kann ich ihn nicht am österlichen Hof empfangen ...«

»Was?«, fragte Liudolf entsetzt.

»Das hätte euch klar sein müssen. Wäre er nicht hergekommen, hätten wir in ein paar Monaten in aller Diskretion Verhandlungen aufnehmen können. Aber nun habt ihr ein öffentliches Spektakel daraus gemacht, und mir bleibt nichts anderes übrig, als Berengar zu brüskieren.«

»Somit ist alles noch ein bisschen vertrackter als vorher«, fügte Henning grimmig hinzu. »Glückwunsch, Liudolf, mein Junge.«

Gaidemar fand seine Gönnerhaftigkeit reichlich durchschaubar, aber Liudolf fiel prompt darauf herein. »Spiel uns bloß nicht den weisen Herzog vor! Du reibst dir doch die Hände, wenn Berengar die Waffen gegen uns erhebt, weil du hoffst, der lachende Dritte zu sein, der die italienische Krone bekommt!«

»Welch ein interessanter Gedanke, darauf bin ich noch gar nicht gekommen«, behauptete Henning, scheinbar vergnügt.

Liudolf machte einen kleinen Schritt auf seinen Onkel zu. »Versuch nicht, mich für dumm zu verkaufen. Du ...«

»Das reicht«, sagte der König.

Alle verstummten. Liudolf trat wieder zu Konrad. Mit ihren beiden Frauen bildeten die jüngeren Herzöge beinah eine Front, und alle vier hatten die Augen auf Henning gerichtet. Er hätte ihre Blicke wie Dolchstöße spüren müssen, doch er gab vor, sie gar nicht wahrzunehmen, sondern polierte seinen Handschuh am linken Ärmel seines kostbaren Brokatgewandes und begutachtete das Ergebnis mit Interesse.

»Ihr habt recht, mein König«, sagte Brun in die bleierne Stille hinein. »Ihr könnt Berengar nicht zu Ostern empfangen. Aber womöglich danach. Das hätte eine ganz andere Botschaft.« Er schaute fragend zu Adelheid. »Wäre das zumutbar?«

Sie nickte. »Nicht mehr als das«, grollte sie. »Aber zumutbar.«

»Doch Liudolf und Konrad haben ebenso recht«, meldete Wilhelm sich zu Wort. »So unglücklich der Zeitpunkt auch sein mag, auf lange Sicht werden wir Italien nur *mit* Berengar sichern können, niemals gegen ihn.«

»Wir könnten ihn doch aufknüpfen«, schlug Henning vor. »Genug Gründe hat er allemal geliefert.«

»Ein hübscher Gedanke«, stimmte Adelheid mit einem Lächeln zu, von dem einem mulmig werden konnte. »Aber wir würden uns den halben italienischen Adel zu Feinden machen.« Sie wandte sich an den König. »Ich wünsche, dass Berengar von Ivrea für das zahlt, was er mir und meiner Tochter, vor allem meinem ersten Gemahl angetan hat, mein König. Aber was immer wir tun, darf uns nicht mehr schaden als ihm, denn dann wären wir Narren, nicht wahr?«

Otto wandte den Kopf und betrachtete seine blutjunge, wunderschöne Frau, als sehe er sie heute zum ersten Mal. Womöglich war ihm bislang noch nicht aufgefallen, dass ihr Kopf mehr konnte als einen duftigen Schleier tragen. Mit einem kleinen Lächeln ergriff er ihre Hand und führte sie kurz an die Lippen.

Dann beschied er: »Berengar von Ivrea bleibt im Haus des Schultheißen, bis es mir beliebt, nach ihm zu schicken. Das wird am Tag nach Ostern sein. Er wird Gelegenheit haben, sich vor der Königin niederzuwerfen – und zwar im Beisein der versammelten Reichsfürsten. Wenn er das tut, sehen wir weiter. Möglicherweise könnte ich mich entschließen, ihm Italien zu Lehen zu geben. Möglicherweise nehme ich auch den Zorn der italienischen Adligen in Kauf und knüpfe ihn auf, wie Henning vorschlägt. Es liegt ganz bei ihm. Sagt ihm, seine Reue sollte lieber aufrichtig sein.«

Henning wirkte so zufrieden wie ein Fuchs im Hühnerstall. Liudolf und Konrad standen mit versteinerten Mienen da, während ihre Frauen die Köpfe zusammensteckten und tonlos wisperten. Brun und Wilhelm tauschten rätselhafte, stumme Botschaften. Adelheid und Otto hatten sich erhoben, denn es war längst Zeit, sich in die große Halle zu begeben. Der König bot seiner Frau galant den Arm und führte sie hinaus, ohne auf den Rest der Familie zu warten.

Gaidemar verließ das schmucke Holzgebäude nur wenig später. Der April machte seinem Ruf Ehre: Aus dem nasskalten Nachmittag war ein klarer Abend geworden, und die leichte Brise trug den Geruch von feuchtem Gras und Flusswasser zur Pfalz herauf.

Er umrundete die große Halle und trat in den Schatten des Pferdestalls gleich gegenüber. Die Holzläden, die die Fenster der Halle im Winter verschlossen, waren entfernt worden, und das warme Licht des Feuers und unzähliger Öllampen flackerte in den kleinen Vierecken. Murmelndes Stimmengewirr war zu vernehmen, und noch während Gaidemar hinüberschaute, führte Hadald, der alte Kämmerer, eine ordentliche Zweierreihe zerlumpter Gestalten zum zweiflügeligen Tor.

Gaidemar wandte sich ab und betrat den Stall. Hier war es erwartungsgemäß überfüllt, mindestens zwei Pferde in jeder Box, und der beißende Geruch verriet, dass die Knechte mit dem Misten nicht nachkamen. Besorgt machte Gaidemar Amelung ausfindig, der sich sein Quartier mit Liudolfs Beli teilen musste, was beide Pferde ungnädig stimmte. Gaidemar brach das Haferplätzchen, das er mitgebracht hatte, in zwei möglichst gerechte Hälften und streckte die Hände mit seinen bescheidenen Gaben über die hüfthohe Boxenwand. Augenblicklich strichen zwei weiche Pferdemäuler über seine Handflächen, und er lachte in sich hinein, weil es so ein himmlisches, samtiges Gefühl war. Es war schon zu dunkel im Stall, um sehen zu können, ob das Strohbett der beiden Boxengenossen sauber war, oder um Abhilfe zu schaffen, falls nicht. Gaidemar ärgerte sich, dass er nicht eher Zeit gefunden hatte, sich darum zu kümmern. Amelung war nicht nur sein treuer Freund und Reisegefährte, er war auch kostbar, und wenn er krank wurde und starb, wäre Gaidemar auf Liudolfs Großzügigkeit angewiesen, um ihn zu ersetzen. Keine sonderlich erhebende Vorstellung …

Er blieb noch ein halbes Stündchen bei den Pferden, vergewisserte sich, dass wenigstens ihre Heunetze ausreichend gefüllt waren, und dann fiel ihm ein, dass es ja neuerdings noch jemanden gab, der für seine Mahlzeiten auf ihn angewiesen war. »Verflucht, der Slawenbengel«, murmelte er vor sich hin. »Ich habe ihn schon wieder vergessen. Und wie ich selber satt werden soll, hab ich mir auch noch nicht überlegt.«

»Zu dumm«, raunte eine Stimme aus der Dunkelheit, »denn jetzt dürfte es zu spät sein.«

Gaidemar wirbelte herum, während die Rechte zu seiner linken Seite fuhr, doch er ertastete nichts als Luft, denn sein Schwert lehnte in dem kleinen Grubenhaus an der Wand. »*Immed?*«

Sein Ziehbruder schenkte ihm dieses strahlende, scheinbar unbekümmerte Lächeln. »Überrascht?«

»Das kannst du wohl sagen. Was in aller Welt tust du hier?«

»Ich stehe im Dienst des Herzogs von Bayern«, verkündete Immed mit unüberhörbarem Stolz.

»Glückwunsch«, erwiderte Gaidemar bissig und dachte: Henning wird dir das letzte bisschen Anstand austreiben, das noch in dir steckt, und irgendwie ist es schade um dich … »Und was wünscht der Herzog von Bayern von mir?«

Immed vollführte eine einladende Geste. »Komm mit, dann wirst du's erfahren.«

Gaidemar verschränkte die Arme und lehnte sich an die Boxenwand. Etwas wie eine Sturmglocke schlug Alarm in seinem Kopf. »Nein, ich denke, lieber nicht. Sag ihm, du hast mich nicht gefunden, wie wär's?«

Immed seufzte und schüttelte den Kopf. »Zwing mich nicht, das Schwert gegen dich zu ziehen. Wär doch albern wegen so einer Lappalie, oder?«

»Hast du vergessen, was dein Vater uns gelehrt hat? ›Ziehe deine Klinge nur, wenn du auch bereit bist, dein Gegenüber zu töten.‹ Und das bist du nicht, Immed.«

»Vielleicht nicht«, räumte sein Ziehbruder ein und zog gemächlich das Schwert aus der Scheide. »Aber ich würde keinen Lidschlag zögern, dir die Hand abzuhacken. Und da du unvorsichtig genug warst, hier unbewaffnet herumzulaufen, könntest du mich nicht hindern. Also?« Er wies einladend mit seiner Waffe Richtung Stalltor. »Nach dir.«

Gaidemar stieß sich von der Boxenwand ab und sah mit grimmiger Belustigung, dass Immed einen Schritt zurückglitt und ihn nicht aus den Augen ließ. Gaidemar war immer der Bessere von ihnen beiden gewesen, schon seit sie zum ersten Mal mit kleinen Holzschwertern gegeneinander angetreten waren. Ihre ganze Kindheit hindurch hatte Immed keine Gelegenheit ausgelassen, seinem gleichaltrigen Ziehbruder diese Überlegenheit heimzuzahlen. Aber er hatte recht: Zumindest heute Abend hatte er die Oberhand, und Gaidemar war klug genug, seine Drohung ernst zu nehmen.

Er wandte sich zum Tor. »Wohin?«

»Zum Klostergarten. Da seid ihr ungestört. Und unbelauscht.«

Die Sturmglocke wurde schriller. Das Mauritius-Kloster, das der König gleich neben der Pfalz hatte erbauen lassen, war eine großzügige und weitläufige Anlage, und der Kräuter- und Gemüsegarten lag allen Gebäuden abgewandt an der Nordseite der Kirche. Die Mönche legten sich mit Einbruch der Dunkelheit schlafen und würden erst zur Mette um Mitternacht wieder aufstehen. Auf Anhieb fiel Gaidemar kein Ort ein, der abgelegener wäre. Doch er sagte nichts mehr, als sie ins Freie traten, brachte die Sturmglocke und das Rasen seiner Gedanken zur Ruhe und atmete in tiefen, gleichmäßigen Zügen, während er mit langen Schritten zum Haupttor der Pfalz ging, Immed eine Elle hinter ihm, die gezückte Waffe unter dem wallenden Mantel verborgen.

»Immed von Saalfeld«, schnauzte er die Torwache an.

Es wirkte. Der linke der beiden Wachsoldaten beeilte sich, ihnen die kleine Pforte im zweiflügeligen Tor zu öffnen, und sie traten hindurch.

Die Nacht war nicht dunkel, denn der erste Frühlingsvollmond lag erst zwei Tage zurück, und der Himmel war unverändert klar. Trotz des strahlenden Mondlichts entdeckte Gaidemar den Abendstern im Westen, und als er ihn ausgemacht hatte, sah er ungezählte weitere Sterne matt funkeln. Falls heute Abend das letzte Mal war, dass er den Himmel sah, hatte der sich wenigstens gebührend verabschiedet …

Der helle Sandstein der imposanten Klosterkirche schimmerte silbrig im Mondschein. Auf der Nordseite warf das Gotteshaus massige, pechschwarze Schatten, doch Prinz Henning erwartete sie knapp außerhalb davon an einem gemauerten Brunnen mit einem hölzernen Giebeldach.

Er saß mit verschränkten Armen seitlich auf der Brunneneinfassung und sah ihnen entgegen. Einen Schritt zur Rechten warteten zwei gerüstete Finstermänner, ein glimmendes Kohlebecken zwischen ihnen.

Es war nichts, was Gaidemar nicht erwartet hatte, aber es überlief ihn dennoch eiskalt. Er sah kurz über die Schulter. »Vielen Dank, Immed.«

Der zwinkerte ihm schelmisch zu. »Oh, keine Ursache, *Bruder*.«

Gaidemar trat vor den Herzog von Bayern und verneigte sich. »Prinz Henning. Welche Ehre.«

Henning entknotete seine Arme und führte den matt schimmernden Bronzebecher in der Linken an die Lippen. »Ich hätte dich für klüger gehalten, als dich in Magdeburg blicken zu lassen, so kurz nachdem du den Unwillen des Königs auf dich gezogen hast.«

»Dank Eurer Verleumdungen, nicht wahr?«, erinnerte Gaidemar ihn. »Ich bin auf Prinz Liudolfs Wunsch mit hergekommen, aber ich bin zuversichtlich, dass der König mich anhört, jetzt da sein Zorn sich gelegt hat.«

»Tja«, machte Henning seufzend. »Das wäre ihm glatt zuzutrauen.«

Es war einen Moment still, so als warteten alle darauf, dass irgendwer den nächsten Schritt machte.

»Und was genau ist es, das Ihr von mir wünscht, mein Prinz?«, fragte Gaidemar schließlich.

Henning schürzte die Lippen, so als sei er unschlüssig. Dann trank er noch einen Schluck und antwortete: »Was ich mir am innigsten von dir wünsche, wäre, dass du tot umfällst.«

Gaidemar nickte. Es war keine große Überraschung. Dennoch fragte er: »Und warum genau?«

»Du hast mir den Spaß mit der italienischen Kratzbürste verdorben, das ist eigentlich schon Grund genug. Obendrein ist deine schiere Existenz eine Beleidigung der königlichen Familie, und mir wird ganz flau, wenn ich dich sehe, weil du mich an deinen Vater erinnerst.« Er schnitt eine Grimasse, als habe er einen Geruch wahrgenommen, der seine Nase beleidigte, und trank noch einmal.

Gaidemar atmete tief durch und sagte nichts. Was hätte er schon sagen können?

Henning studierte sein Gesicht und lächelte matt. »Weißt du, ich verabscheue meine Brüder samt und sonders«, vertraute er ihm an. »Otto, weil er die Krone trägt, die mir gehören sollte, und Brun, weil er so ein unerträglicher Heuchler ist – wie alle Pfaffen. Aber mit meinem Bruder Thankmar war es eine völlig andere Geschichte. Ihn habe ich mit solcher Leidenschaft gehasst, dass ich es kaum ertragen konnte, die gleiche Luft zu atmen wie er; ich bekam Kopfschmerzen in seiner Gegenwart. Du kannst dir nicht vorstellen, welch ein Triumphgefühl ich empfunden habe, als er endlich tot war. Mir wurde ganz warm ums Herz von dem Gedanken, sein Gesicht nie wiedersehen zu müssen. Und auf einmal kommst du daher.«

»Ich bin untröstlich, mein Prinz«, knurrte Gaidemar. Es traf ihn unvorbereitet, dass er stellvertretend für seinen Vater solche Kränkung empfand. Er haderte eigentlich immer noch mit der Erkenntnis, dass er nicht König Ottos Bastard war, sondern der seines berüchtigten Halbbruders. Doch womöglich hatte Wilhelm ja recht gehabt mit seiner Meinung über Prinz Thankmar. Der konnte kein so übler Geselle gewesen sein, wenn er sich den Hass einer Natter wie Henning zugezogen hatte …

»Es ist ein Missstand, dem ich abzuhelfen gedenke, sei unbesorgt«, versprach dieser mit einem kleinen Lächeln. »Aber bevor ich dich zur Hölle schicke, hätte ich gerne gewusst, was Liudolf mit Berengar und Konrad ausheckt und was er mit seinen Verschwörerfreunden in Saalfeld verabredet hat, ganz besonders mit dem Erzbischof von Mainz. Ich ahne, dass du meine Neugier befriedigen könntest.«

»Ich muss Euch enttäuschen, Prinz«, entgegnete Gaidemar, während er Immed und die beiden Wachen gleichzeitig im Auge zu behalten versuchte. »Prinz Liudolf war so großzügig, mich in seinen Haushalt zu nehmen, als ich plötzlich auf der Straße stand, aber er spricht mit mir niemals über etwas anderes als Waffen und Pferde.«

»Das könnte ich beinah glauben, bedenkt man, was für ein Tor Liudolf ist. Aber ich bin überzeugt, sein Bruder Wilhelm vertraut dir die brisantesten Geheimnisse an. Und er will, dass du Liudolf für ihn im Auge behältst und in seinem Sinne lenkst. Also spar dir die Mühe, mir weismachen zu wollen, du seiest ahnungslos, denn ich werde es nicht glauben. Sag mir, was ich wissen muss, und du hast mein prinzliches Ehrenwort, dass du dein jämmerliches Leben fürs Erste behalten darfst.«

»Ein verlockendes Angebot, aber ich habe Euch dennoch nichts zu sagen.«

Henning schnalzte wie über einen Welpen, der unter den Tisch gepinkelt hat, und nickte seinen Finstermännern zu.

Gaidemar glitt im selben Moment zur Seite, um einen eiligen Rückzug anzutreten, aber sie waren zu schnell. Der Rechte – ein stämmiger Kerl in einem geschwärzten Schuppenpanzer – machte einen Satz und schnitt ihm den Weg ab, packte sein linkes Handgelenk und drehte ihm den Arm auf den Rücken, während der andere – ein junger Kerl mit einer Hasenscharte – seinen rechten Ellbogen umklammerte und ihm die Faust in den Magen rammte. Wie so oft waren Gaidemars Bauchmuskeln auf sonderbare Weise schneller als sein Verstand und spannten sich an, ehe die Faust landete, aber sie war mit Kraft und Sachverstand geführt, und er rang hustend um Atem.

»Da er nicht sagen will, was er gesehen hat, blendet ihn«, befahl Henning. »Und wenn er uns danach immer noch nichts mitzuteilen hat, braucht er seine Zunge auch nicht mehr.«

Gaidemar wandte den Kopf und sah seinem Ziehbruder in die Augen.

Immed zuckte die Schultern. »Du hast es dir nur selbst zuzuschreiben. Ein verfluchter Dickschädel warst du immer schon.« Aber irgendetwas flackerte in seinen Augen. Grauen oder Genugtuung – Gaidemar war sich nicht sicher.

Schuppenpanzer und Hasenscharte zerrten ihn zu ihrem

Kohlebecken hinüber, in welchem ein Schüreisen mit glühender Spitze bereitlag.

Die Sturmglocke schrillte wieder in Gaidemars Kopf, und all seine Sinne waren geschärft wie in der Schlacht. Er spürte die Furcht als schmerzhaften Knoten in seinen Eingeweiden, doch er ließ nicht zu, dass sie das Ruder übernahm.

Während Hasenscharte das Eisen an seinem Holzgriff aus der Glut holte und Gaidemar mit einem Spann Abstand vors Gesicht hielt, um ihn in Schach zu halten, wickelte Schuppenpanzer ihm eine dünne Schnur, vermutlich einen Lederriemen, um das Handgelenk des verdrehten Arms, ehe er auch seinen rechten Arm nach hinten zog, um ihm die Hände zu fesseln. Gaidemar ließ es geschehen, als habe er kapituliert, aber ehe der Riemen auch um das zweite Gelenk gewickelt war, ließ er sich auf die Knie fallen.

»Gott, seht euch das an, gleich bepisst er sich«, knurrte Schuppenpanzer angewidert. Er packte Gaidemar mit einer Hand am Oberarm, mit der anderen bei den Haaren und zerrte ihn auf die Füße.

»Gib acht!«, rief Immed, doch ehe klar wurde, wen er vor genau was warnen wollte, hatte Gaidemar sich aus dem Griff des Finstermannes gewunden, war hinter ihn geglitten und hatte ihm das Schwert aus der Scheide gestohlen. Mit einem Wutschrei wollte der Überrumpelte zu ihm herumfahren, doch Gaidemar hielt ihn von hinten gepackt und setzte ihm die Klinge an die Kehle.

Hasenscharte stieß ein angewidertes Schnaufen aus, hob das glühende Eisen wie ein Schwert und machte einen drohenden Schritt auf Gaidemar zu. Der ließ ihn kommen, zwei Schritte, drei, und als der Gegner ihn fast erreicht hatte, nahm er die Klinge vom Hals seines Gefangenen und stieß ihm das Knie in die Nieren. Schuppenpanzer taumelte vorwärts und schrie gellend, als die glühende Eisenspitze seine Wange durchbohrte.

Gaidemar blickte für einen Herzschlag um sich. Henning hatte sich von der Brunneneinfassung erhoben. »Teufel aber auch …«, murmelte er halb hochnäsig, halb anerkennend, und trank noch ein Schlückchen.

Hasenscharte war erschrocken zurückgezuckt, nachdem er versehentlich seinen Kameraden verstümmelt hatte, der wie ein Mädchen heulte. Gaidemar benutzte ihn als Schild, stieß ihn vorwärts auf seinen Gegner zu und schlug diesem mit der erbeuteten Klinge das Eisen aus der Hand. Am linken Rand seines Blickfelds sah er eine Bewegung und schleuderte seinen jammernden Schild herum. Das Heulen verstummte abrupt, als Immeds Klinge die Kehle oberhalb des Schuppenpanzers durchbohrte.

Gaidemar stieß den Sterbenden in Immeds Richtung, machte einen Ausfallschritt nach rechts, führte einen etwas unkontrollierten Streich, und ehe der Kerl mit der Hasenscharte seine Klinge auch nur zur Hälfte aus der Scheide gebracht hatte, durchtrennte er ihm die Schlagader am Oberschenkel. Während der Verwundete stöhnend ins Beet sank und die sprießenden Kohlpflänzchen mit seinem Lebenssaft tränkte, stellte Gaidemar sich seinem Ziehbruder zum Kampf. Er hob das mittelmäßige Schwert und bewegte sich im Halbkreis auf Immed zu. Der sah kurz über die rechte Schulter, um abzuschätzen, wie viel Platz bis zum schwarzen Schatten der Kirche blieb, dann ging er leicht in die Knie und wartete auf ihn, beide Hände am Heft.

Es war genau wie früher. Immed griff wie eh und je von links an, Gaidemar parierte, lenkte die Klinge des Gegners entlang der eigenen nach unten und vollführte dabei eine Vierteldrehung nach rechts. Er griff an, als sein Ziehbruder das Gewicht noch auf dem falschen Fuß hatte, und Immed taumelte rückwärts, fing sich aber sogleich wieder, täuschte einen Angriff auf Gaidemars obere Deckung vor, gefolgt von einem blitzschnellen Hieb von links, der Gaidemar den Unterarm aufschlitzte.

»Ich hab dir doch gesagt, ich hack dir die Hand ab«, keuchte Immed. Er war ein wenig außer Atem, aber er parierte Gaidemars nächsten Angriff mit unverminderter Kraft.

Er ist schneller geworden, musste Gaidemar erkennen. Ein kurzer Blick zur Seite bestätigte seinen Verdacht, dass Hasenscharte verblutete und Prinz Henning keine Lust verspürte, in den Kampf einzugreifen. Also blieb nur Immed.

Sie umtänzelten einander und lauerten auf die kleinste Schwäche in der Deckung des Gegners. Immed führte das Schwert wieder beidhändig und war auf dem Vormarsch. In immer schnelleren Abständen kreuzten die Klingen sich klirrend. Gaidemar legte die Linke über der Rechten ans Heft, weil die Wunde am Arm so munter sprudelte und seine Schwerthand an Kraft verlor. Gleichzeitig holten die Kontrahenten aus, und als die Klingen dieses Mal aufeinandertrafen, stoben Funken. Immed stemmte Gaidemar sein gesamtes Gewicht entgegen, und für ein paar Herzschläge rührten sie sich nicht, standen wie Findlinge.

»Du blutest aus, Gaidemar«, bemerkte Immed befriedigt. »Gib lieber auf.«

»Wozu?«, konterte Gaidemar und mobilisierte seine letzten Reserven. »Damit du mir den Gnadenstoß verpassen kannst? Ich verzichte.« Er wirbelte zur Seite und rammte Immed die Schulter vor den Schwertarm, dessen schwingender Hieb ins Leere ging. Doch Immed erlangte das Gleichgewicht sofort zurück und hob seine hervorragende Waffe zu einem neuen Angriff. Gaidemar duckte sich gerade noch rechtzeitig, hörte die Klinge pfeifend über sich hinwegsausen und spürte den Luftzug, und dann ließ er sich ins feuchte Gras fallen, verschränkte die Beine, nahm Immeds Knöchel in die Zange und brachte ihn zu Fall.

»Bastard«, knurrte sein Ziehbruder.

Gaidemar rollte zur Seite und wollte auf die Füße kommen, aber Immed war schneller, stürzte sich mit einem wütenden Knurren auf ihn und schloss die Faust um die klaffende Wunde.

Gaidemar biss sich auf die Zunge und stöhnte trotzdem, und dann hielt Immed ihm die kalte Klinge seines Dolches an die Kehle.

»Und was nun, Gaidemar?«, keuchte er.

Keine Ahnung, dachte Gaidemar, genauso außer Atem wie sein Ziehbruder. Halb lag, halb saß er auf der kalten Erde und fragte sich, ob heute vielleicht wirklich der Tag war, da er sterben würde. Blinzelnd schaute er an Immeds Schulter vorbei zum klaren Himmel auf, und sein Herz machte einen kleinen Satz. »Oh, Jesus Christus … Sieh doch, Immed!«

Der lächelte gönnerhaft. »Mit so einer alten List wirst du mich nicht …«

Er verstummte abrupt, als eine behandschuhte Faust von links in sein Blickfeld schnellte und ihm den Dolch aus der Hand schlug. »Ich fürchte, er hat recht. Heute Abend scheint ein ungünstiger Zeitpunkt, einen Mann zu töten.«

»Aber was …«, fragte Immed und schüttelte verwirrt den Kopf.

»Schau endlich hin, Trottel!«, fuhr Gaidemar ihn an, befreite sich von Immeds erschlafftem Klammergriff und kam ein wenig umständlich auf die Füße.

Auch sein Ziehbruder stand auf und wandte sich um. Er zog erschrocken die Luft ein. »Heiliger Mauritius, beschütze uns …« Er bekreuzigte sich hastig.

Und dann standen sie mit herabbaumelnden Armen nebeneinander, der Prinz einen Schritt zur Linken, der Kampf und ihr alter Groll ebenso vergessen wie die beiden Toten im Gemüsebeet, und hatten nur Augen für den Nachthimmel. Dieser war noch genauso klar und wolkenlos wie zuvor, doch kaum ein Stern war mehr zu sehen, denn sie wurden überstrahlt von dem gewaltigen Kometen, der auf einmal am Firmament loderte und mit majestätischer Langsamkeit einen Schweif hinter sich herzog wie aus geschmolzenem Gold.

Gaidemar hob die blutende Rechte und schlug das Kreuzzeichen wie Immed zuvor, aber die Geste erschien ihm lächerlich schwach und wirkungslos angesichts dieses furchtbaren Omens.

»Was … was hat das zu bedeuten?«, fragte Immed, und er hörte sich mit einem Mal eher wie der fünfjährige Knirps von einst an, der sich in Neumondnächten vor Drudenzauber fürchtete, nicht wie der hartgesottene Panzerreiter, der gerade im Begriff gewesen war, seinem Ziehbruder die Kehle durchzuschneiden.

»Weiß der Teufel …«, murmelte Prinz Henning, und sogar er klang kleinlaut. »Frag meinen heiligen Bruder Brun. Jede Wette, er hat eine von diesen mahnenden Pfaffenantworten auf Lager.«

»Was immer es ist, ein feuriger Stern am Himmel kann nichts Gutes verheißen«, befand Immed.

»Nein, vermutlich nicht. Vielleicht runzelt Gott die Stirn über Ottos bevorstehenden Friedensschluss mit Berengar? In dem Fall müssten wir glauben, die überaus fromme Adelheid hat den Kometen herbeigebetet.«

Immed schnaubte. Es sollte belustigt und abgeklärt klingen, aber seine Furcht war unübersehbar.

Gaidemar räusperte sich ironisch. »Wären wir dann für heute fertig, mein Prinz?«

Henning wandte ihm mit einem unwilligen Stirnrunzeln das Gesicht zu. »Verpiss dich.«

»Vielleicht erzählst du ja mal deinen Enkeln davon, wie Adelheids Komet dir das Leben gerettet hat«, höhnte Immed.

»Ja. Oder vielleicht kriegt er auch Wundbrand und krepiert«, schlug Henning vor. »Dann wird nichts aus den Enkeln.«

Gaidemar betrachtete ihn noch einen Augenblick und rätselte, was der wahre Grund für den unversöhnlichen Hass war, den der Prinz gegen ihn zu hegen schien. Alle, die Henning ihm genannt hatte, waren fadenscheinig. Aber jetzt war kaum der richtige Zeitpunkt, der Sache auf den Grund zu gehen, denn Immed hatte nicht unrecht gehabt: Wenn Gaidemar seine Wunde nicht bald versorgte, würde er sich heute Nacht noch zu Schuppenpanzer und Hasenscharte gesellen, die beide reglos im Dreck lagen, die Augen aufgerissen.

Er bückte sich und hob das erbeutete Schwert aus dem Gras auf. Es taugte nicht viel, aber er wollte verdammt sein, wenn er bei Hofe je wieder einen Schritt unbewaffnet tat. Dies hier war eine Schlangengrube, hatte er gelernt, und wer überleben wollte, musste gewappnet sein.

Er nickte seinem Ziehbruder zu. »Mehr Glück beim nächsten Mal, Immed.«

Der hörte ihn gar nicht, denn er hatte nur Augen für den feurigen Kometen.

So schnell er es vermochte, kehrte Gaidemar zur Pfalz zurück. Das war langsamer, als ihm lieb war, denn Schwäche kroch seine Beine hinauf und machte seinen Schritt unsicher. Als er den großen Platz vor der Halle passierte, hielt er sich im Schatten der Stallgebäude. Es war spät geworden, die meisten Gäste des Hoftages waren längst schlafen gegangen, aber eine Gruppe von vielleicht zwei Dutzend stand auf der zertrampelten Wiese und schaute schweigend zum Himmel empor. Gaidemar erkannte den König, die Königin, Ottos Bruder Brun und Wilhelm.

Unbemerkt mogelte er sich an ihnen vorbei, umrundete das Backhaus und die Schmiede und war erleichtert, als er das Grubenhaus am Ufer des Fischteichs erreichte.

Verblüfft stellte er fest, dass in seiner bescheidenen Unterkunft ein Binsenlicht brannte, und dann entdeckte er im Schatten hinter dem matten Lichtschein den kleinen Slawen. Gaidemar musste einen Augenblick überlegen. »Mirogod?«

Der Junge saß seltsam reglos mit dem Rücken an die Wand gelehnt und starrte ihm entgegen. »Stern mit langes Haar.«

»Ich hab's gesehen.« Ein wenig schneller als beabsichtigt sank Gaidemar auf seinem Strohlager auf die Knie. »Hast du irgendetwas gegessen?«

Mirogod schüttelte den Kopf.

»Tut mir leid. Morgen früh besorge ich dir etwas. Jetzt bin ich … zu erledigt.«

Mirogod wies auf seinen Arm. »Blut.«

»Ich weiß.«

Langsam kam der magere kleine Kerl auf die Füße und sah ihm einen Moment ins Gesicht. Dann überwand er seine Furcht und kam näher. »*Viel* Blut.«

»Hm.«

»Muss nähen.«

»Das könnte dir so passen …«

»Dann morgen tot«, prophezeite Mirogod achselzuckend.

»Du kennst dich aus, he?«, spottete Gaidemar.

»Bisschen. Vater Heiler. Viele Slawen gute Heiler«, erklärte er mit Stolz, und zum ersten Mal huschte so etwas wie ein Lächeln über sein Gesicht.

Gaidemar erinnerte sich, dass Wilhelm ihm etwas ganz Ähnliches erzählt hatte. Aber er schüttelte den Kopf und wies mit der unversehrten Linken auf sein Bündel, das auf dem wackligen Tisch lag. »Da drin sind irgendwo ein paar Lumpen.« Er benutzte sie normalerweise, um Waffen und Rüstung zu reinigen. »Such einen passenden heraus und verbinde die Wunde, wenn du mir helfen willst. Dann legen wir uns schlafen, und morgen früh wissen wir, wer von uns beiden recht hatte.«

Mirogod schnürte das Bündel auf und stöberte ein Weilchen darin herum. Mit einem halbwegs sauberen Tuch in der Hand kam er zurück und blieb unschlüssig vor Gaidemar stehen. »Besser tränken mit Wein.«

Der Verwundete seufzte. »Gott, du bist aber kompliziert, was? Na los, wickel es schön fest, das wird die Blutung schon eindämmen.«

Erstaunlich geschickt half Mirogod ihm aus dem zerfetzten Ärmel und verband die Wunde. »Ich weiß, wo Brot. Und vielleicht Wein. Darf noch mal weg?«

Gaidemar hatte sich ins Stroh gelegt. »Du kannst machen, was du willst, Bübchen«, murmelte er mit geschlossenen Augen. »Aber bleib lieber hier, es ist gefährlich, unter einem Kometen im Freien zu sein.«

»Warum?«, fragte der Junge unbekümmert. »Stern mit langes Haar gutes Omen.«

»Nein, er verheißt Böses, du kleiner Dummkopf.«

»Götter senden Wohlwollen«, widersprach Mirogod störrisch.

»Oh, glaub doch, was du willst«, brummte Gaidemar und verlor das Bewusstsein.

Lechfeld, August 952

»Ihr seht herrschaftlich aus, meine Königin«, befand Hulda von Lüneburg, den Kopf zur Seite geneigt. »Genau richtig für den Anlass.«

Adelheid blickte kritisch an sich hinab. »Ich würde sagen, ich sehe *schwanger* aus«, widersprach sie.

Sie erinnerte sich, dass sie den ganzen Winter und Frühling hindurch gefroren und sich nach der Wärme der Sonne gesehnt hatte. Jetzt war ihr Wunsch in Erfüllung gegangen. Vor zwei Monaten waren sie nach Bayern gekommen, und seither war der Himmel blau, höchstens hier und da von ein paar Schäfchenwolken betupft, die Wälder standen in sattem Grün, Bienen summten geschäftig zwischen der verschwenderischen Blütenpracht der Wiesen, und der Wind war ein sachtes Streicheln. Kurzum, es war Sommer, und Adelheid dankte Gott für das Ende des Regens. Aber die Hitze, die Schwangerschaft *und* die schweren Brokatroben waren des Guten ein bisschen zu viel.

»Nicht allen Frauen steht die Schwangerschaft gleich«, sagte Hulda und reichte ihr einen Becher mit herrlich kühlem Wasser aus einem nahen Bach. »Manche sehen angestrengt und jammervoll aus, so als sauge das Kind ihnen die Kraft aus. Bei anderen ist es genau umgekehrt, sie erblühen und wirken lebendiger, kraftvoller und schöner als ohne ein Kind unter dem Herzen. Dazu zählte ich – Gott sei gepriesen. Mein Gemahl konnte nie die Finger von mir lassen, wenn ich guter Hoffnung war. Eine privilegierte, klitzekleine dritte Gruppe schwangerer Frauen wirkt mit ihrem runden Bauch würdevoll und ein wenig furchteinflößend wie eine heidnische Fruchtbarkeitsgöttin. Jetzt ratet, zu welcher Gruppe Ihr zählt.« Sie lächelte, und wie so oft hatte ihr Lächeln etwas Verschmitztes, nicht gar Durchtriebenes.

Adelheid kam nie umhin, es zu erwidern. Und sie dankte Gott, dass er ihr die verwitwete Gräfin geschickt hatte, die ihr so nah und seelenverwandt war wie keine andere ihrer Damen, wenngleich alt genug, um ihre Mutter zu sein.

»Das sagt Ihr nur, um meine Laune zu bessern«, argwöhnte die junge Königin dennoch.

»Nein, die Gräfin hat recht«, befand Anna, die mit einem hölzernen Tablett das Zelt betreten hatte. »Nur die Haare muss ich Euch noch machen.«

»Ich habe Wido nach der Krone geschickt«, sagte Adelheid. »Warte mit dem Aufstecken, bis sie da ist.«

»Wido …«, brummte Anna, die für den stiernackigen Kommandanten der königlichen Wache nichts übrig hatte. »Ich wünschte, wir hätten unseren Gaidemar noch …«

»Er war nicht *unser* Gaidemar, Anna«, erklärte Adelheid ungehalten. In Wirklichkeit vermisste sie den stolzen Panzerreiter mit dem stacheligen Gebaren genauso, wie Anna es tat, und sein Verschwinden ohne ein Wort des Abschieds hatte sie enttäuscht. Womöglich gar gekränkt. Aber im Augenblick hatte sie ganz andere Sorgen.

Anna streckte ihr das Tablett entgegen. »Hier. Milchsuppe mit Brot.«

Der Geruch von gekochter Milch schnürte Adelheid die Kehle zu. »Bring es bloß schnell wieder weg.«

»Aber Ihr müsst etwas essen, bevor …«

»Nein.« Man konnte hören, dass es ihr letztes Wort war.

Anna sah hilfesuchend zu Hulda, aber die Gräfin winkte ab.

Die Königin setzte sich auf den Scherenstuhl am Tisch und trank einen Schluck Wasser. Der Morgen war fortgeschritten, und allmählich wurde es warm im Zelt. »Sind alle eingetroffen?«

Anna trat hinter sie, nahm die Haarbürste mit dem hübschen Elfenbeinrücken vom Tisch und begann, ihr mit geübten Strichen das lange braune Haar zu bürsten. »Ich denke schon. Die Herzöge Liudolf und Konrad kamen kurz nach Tagesanbruch mit ihren Gemahlinnen und Gefolge. Vermutlich haben sie in Augsburg übernachtet.«

Adelheid atmete auf.

Otto hatte die Reichsherzöge, Bischöfe, ein paar mächtige Grafen und Berengar von Ivrea zu einem Hoftag hierher bestellt, um die Zukunft Italiens ein für alle Mal zu regeln und somit den schwelenden Familienzwist beizulegen. Seit dem Osterfest in Magdeburg hatten Liudolf und Konrad sich in ihren Herzogtümern verdächtig still verhalten. Adelheid hatte befürchtet, dass sie irgendein Unheil aushecklen und die Ladung des Königs womöglich ignorieren würden.

»Ich bring Eure Krone, edle Königin«, erscholl Widos Stimme von draußen.

Hulda trat an den Zelteingang, schlug die Tuchbahn zurück, die als Tür diente, und nahm die Schatulle aus Zedernholz in Empfang. »Hab Dank.«

»Der König lässt ausrichten, er sei bereit, Herrin«, sagte Wido noch.

Hulda nickte unverbindlich. »Wir beeilen uns«, log sie.

Eine halbe Stunde später trat die Königin aus ihrem Zelt in das blendende Sonnenlicht des Augusttages. Der König erwartete sie vor seinem eigenen Zelt gleich gegenüber, und die staunende Bewunderung in seiner Miene war mehr als ausreichender Lohn für die lange Prozedur des Ankleidens. Adelheid trug eine prachtvolle Robe aus lapislazuliblauem Brokat. Ein dünner Schleier der gleichen Farbe bedeckte das geflochtene und im Nacken aufgesteckte Haar und wallte ihr bis zu den schmalen Hüften hinab, und auf dem Schleier saß die Krone mit den fünf blätterförmigen Zacken und dem juwelenbesetzten Kreuz über der Stirn.

Otto trat zu ihr und ergriff ihre Linke mit seiner rechten Hand. »Dein Anblick allein wird diesen Hoftag unvergesslich machen, meine Königin.« Er lächelte, und sie sah den warmen Schimmer in seinen Augen. Doch sie wusste, auch er war nervös.

Wilhelm, sein Bastard, und sein jüngster Bruder Brun bildeten seine Eskorte, und beide verneigten sich vor ihr.

»Selbst ein Gottesmann wie ich, der doch jeden weltlichen Pomp verachten sollte, ist gegen so viel Schönheit machtlos«, gestand Letzterer mit einem komischen kleinen Seufzer.

Der wortkarge Wilhelm beschränkte sich auf ein anerkennendes Lächeln, aber mehr war auch nicht nötig. Von den Kindern und Geschwistern des Königs stand er als Einziger ihr nah, und er hatte ihr vom ersten Tag an seine unaufdringliche und aufrichtige Freundschaft angeboten. Adelheid hatte gelernt, seine beredten Blicke zu deuten. Und seine Ratschläge zu schätzen.

Otto atmete tief durch. »Gehen wir.« Er reichte ihr den Arm.

Auf Bruns Zeichen traten die Trompeter vor das Königspaar, stimmten ihr ohrenbetäubendes, aber wenigstens melodisches Geschmetter an, und die kleine Prozession setzte sich in Bewegung.

Vor der ordentlichen Zeltstadt erstreckte sich die Weite des Lechfelds, einer grasbewachsenen Ebene unweit von Augsburg. Niemand vermochte zu sagen, warum hier keine Bäume wachsen wollten, doch seit alters her fanden hier Zusammenkünfte statt, die viel Platz erforderten – Heerschauen und Hoftage ebenso wie Schlachten. Was hier heute stattfindet, bleibt abzuwarten, fuhr es Adelheid durch den Sinn.

Unter einem schattenspendenden Baldachin waren zwei Thronsessel aufgestellt worden, und davor standen in einem unordentlichen Halbmond die Fürsten und Bischöfe in kleinen Gruppen beieinander, plauderten oder debattierten. Diener mit Bier- und Weinkrügen gingen umher und füllten die Trinkpokale auf, und sie hatten reichlich zu tun, denn die Hitze machte die versammelten Männer ebenso durstig wie streitlustig. Doch als der König und die Königin vor sie traten, kehrte Stille ein.

Otto geleitete Adelheid zu ihrem Thron, und genau wie er blieb sie einen Moment stehen, um den Blick über die Versammlung schweifen zu lassen. Sie erkannte Friedrich, den mächtigen Erzbischof von Mainz, seinen Kölner Amtsbruder Wichfried, der Ottos Vetter war, und die Äbte von Fulda und Corvey. Ein paar Schritte weiter rechts stand Prinz Henning mit seiner Gemahlin, Judith von Bayern, die ihren kleinen Stammhalter, den einjährigen Heinrich, auf dem Arm trug. Und so weit von Henning entfernt wie nur möglich Prinz Liudolf und Konrad von Lothringen mit ihren Frauen.

Und Berengar von Ivrea.

Natürlich hatte Adelheid gewusst, dass sie ihm hier wiederbegegnen würde. Genau das war ja der eigentliche Anlass dieses Hoftags. Am Tag nach Ostern in Magdeburg hatte Otto lediglich gestattet, dass Berengar vor dem Königspaar das Knie beugte, um sie seiner Treue und Ergebenheit zu versichern. Aber weder hatte er Berengars Huldigung empfangen, noch entschieden, wer in Zukunft über Italien herrschen sollte. Stattdessen hatte er den einst so mächtigen Markgrafen von Ivrea zu diesem Hoftag hier einbestellt – wie einen armen Sünder vor ein Strafgericht –, weil er hoffte, der schwelende Groll zwischen Henning und Liudolf werde sich in den Monaten bis dahin auflösen. Diese Hoffnung hatte sich freilich nicht erfüllt; im Gegenteil, die Fronten zwischen dem Bruder und dem Sohn des Königs hatten sich nur weiter verhärtet.

Adelheid sann auf einen Weg, um diesen gefährlichen Zwist zu entschärfen. Doch jetzt musste sie erst einmal diese Begegnung überstehen.

Berengars Kniefall in Magdeburg war nur eine steife Formalität gewesen. Der Tag der Abrechnung war heute. Und Adelheid hatte den Verdacht, dass die Mächtigen des Reiches, vor allem der Klerus, sie argwöhnisch beäugten und darauf lauerten, ob sie ihrem einstigen Peiniger verzieh, und zwar lächelnd und aus vollem Herzen, wie es von Frauen eben erwartet wurde. Ohne Ansehung der Umstände.

Gleichzeitig mit Otto setzte sie sich, den Blick auf die versammelten Reichsfürsten gerichtet.

»Habt Dank, dass Ihr alle den Weg zum Lechfeld auf Euch genommen habt«, begann Otto. »Wir haben uns versammelt, die ehrwürdigen Bischöfe haben uns die Messe gelesen und um Gottes Führung gebetet. Wir haben das Brot gebrochen und uns beraten. Und nun ist es an der Zeit, die Frage nach der Zukunft Italiens zu entscheiden, die uns während des vergangenen Jahres so viel Verdruss und Unfrieden beschert hat.« Er richtete den Blick der strahlend blauen Augen auf Berengar. »Wer ist es, der vor mich tritt?«

Ein geringerer Mann wäre angesichts der sturmumwölkten Miene und der strengen Richterpose vermutlich zu einem Häuflein Asche zerfallen. Nicht so Berengar. Erhobenen Hauptes trat er einen Schritt vor, und erst jetzt entdeckte Adelheid seinen Sohn Adalbert, der sich wie üblich hinter dem breiten Rücken seines Vaters versteckt hatte. Ohne hinzuschauen, packte Berengar ihn am Ärmel und zerrte ihn mit sich vor den Thron.

»Berengar, Markgraf von Ivrea«, antwortete er. »Der sich gemeinsam mit seinem Sohn Adalbert gegen Euch versündigt hat, indem sie sich zu Königen von Italien ausrufen ließen. Dafür erflehen wir Eure Vergebung.«

Und mit diesen Worten sank er auf die Knie und zog Adalbert mit sich hinab. Ungelenk und ein wenig abrupt landete auch der Junge auf den Knien.

Adelheid achtete darauf, dass das verhaltene kleine Lächeln auf ihren Lippen intakt war, ihr Gesicht ansonsten ausdruckslos blieb. Und Berengar, sah sie, tat genau das Gleiche. Seine Miene war wie ein Wachsabdruck. Ganz im Gegensatz zu Adalbert. So viel Blut war ihm in die fast noch bartlosen Wangen geschossen, dass sie sich dunkelrot verfärbt hatten, und der Schmerz dieser Demütigung trieb ihm Tränen in die Augen, gegen die er emsig anblinzelte.

Otto ermunterte den Markgrafen mit einer knappen Geste fortzufahren.

Berengar sah ihm für einen Lidschlag ins Gesicht, um zu ergründen, was der König denn noch hören wollte. Dann machte er auf den Knien rutschend eine Vierteldrehung nach rechts, sodass er Auge in Auge mit Adelheid war. »Auch gegen Euch haben wir uns versündigt, meine Königin, indem wir Euren Thron geraubt und versucht haben, Euch durch Zwang unserem Willen zu unterwerfen. Darum bitten wir auch Euch in aller Demut und Zerknirschung um Vergebung.«

Ein Äderchen pulsierte an seiner rechten Schläfe. Anscheinend fiel es ihm schwerer, sich vor ihr zu erniedrigen als vor Otto. Dabei machte er es sich leicht, fand Adelheid, indem er die halbe Schuld auf Adalbert abwälzte, der sicher nie nach seiner Meinung gefragt worden war. Doch Berengar versteckte sich feige hinter dem »Wir«. Und seine größte Freveltat, Lothars Ermordung, ließ er unerwähnt.

Noch ehe sie herausgefunden hatte, ob sie genug Selbstbeherrschung besaß, um zum Wohle des Reiches den Mund zu halten, sagte Otto an ihrer Seite streng: »Worte allein werden die Königin kaum von Eurer Zerknirschung überzeugen können, Graf Berengar.«

Berengar warf ihm wieder einen klitzekleinen Blick zu, beinah verstohlen dieses Mal, rieb mit den Händen über seine Oberschenkel und nickte. Dann beugte er den Oberkörper vor, umfasste Adelheids golddurchwirkten Seidenschuh und drückte die Lippen darauf.

Beinah wäre sie zurückgezuckt, aber sie schaffte es gerade noch, ganz still und reglos zu bleiben. Unter halb gesenkten Lidern blickte sie auf Berengar hinab, sah die beginnende Glatze an seinem Hinterkopf und die vollkommene Unterwerfung in seiner Pose. Es machte nichts ungeschehen, weder Lothars Tod noch Emmas Hunger und Furcht in dem dunklen Verlies, auch nicht ihre eigene Verzweiflung. Aber es entschädigte sie.

»Erhebt Euch, Markgraf«, sagte die Königin. »Euch ist vergeben.«

Berengar richtete sich auf und kam mühelos auf die Füße. Er brachte es nicht fertig, ihr ins Gesicht zu sehen, sondern schnauzte Adalbert an: »Worauf wartest du?«

Sein Sohn verzerrte das Gesicht wie ein Säugling, der jeden Moment zu schreien anfängt, aber auch er beugte sich über Adelheids Fuß und küsste ihn. »Vergebt mir, huldreiche Königin«, nuschelte er.

»Ich vergebe auch dir, Adalbert«, sagte sie mit feierlichem Ernst.

Adalbert sprang auf die Füße, sah unsicher zu seinem Vater und stellte sich wieder hinter dessen Schulter.

»Also hört, was ich entschieden habe, Graf«, begann Otto, und er ließ den Blick für einen Moment über die Versammlung schweifen. Doch er hätte sich nicht zu sorgen brauchen: Alle hingen an seinen Lippen. »Ich bin gewillt, Eure Huldigung zu empfangen und Euch das Königreich Italien zu Lehen zu geben, auf dass Ihr dort in meinem Namen walten möget. Wisset, dass diese Auszeichnung vornehmlich der Fürsprache durch Prinz Liudolf und Herzog Konrad geschuldet ist. Mein Vertrauen gilt ihnen, nicht Euch, denn das müsst Ihr Euch erst wieder verdienen.«

Berengar verneigte sich vor ihm. »Das werde ich, mein König«, gelobte er.

Auf Ottos Zeichen brachte sein Bruder Brun ihm ein goldenes Szepter und legte es in die ausgestreckte Hand des Königs. »Ich verleihe Euch das Königreich Italien mit diesem Herrscherstab, Berengar von Ivrea.« Der wollte danach greifen, aber Otto zog den goldenen Stab mit einem kleinen Kopfschütteln zurück. »Das Italien, welches Ihr bekommt, ist kleiner als das, welches Ihr Euch widerrechtlich aneignen wolltet. Die Grafschaften Friaul und Istrien sollen fortan zum Herzogtum Bayern gehören und das Bollwerk des Reiches gegen die Ungarn, die Feinde Gottes, sein.«

Berengar schluckte auch diese Kröte mit bewundernswerter Haltung. Er nickte – scheinbar einsichtig –, verneigte sich nochmals vor Otto und legte zum Zeichen seines Einverständnisses die ausgestreckte Rechte auf das Szepter.

»Der Herr sei gepriesen«, rief Friedrich von Mainz, dessen salbungsvolle Stimme und große Gesten Adelheid immer ein wenig albern vorkamen. »Der Frieden des Reiches ist wiederhergestellt.«

Die Königin wandte den Kopf, um zu sehen, was die beiden anderen Reichsherzöge davon hielten, dass ihrem verhassten Rivalen Henning halb Italien in den Schoß gefallen war.

Aber Liudolf und Konrad waren verschwunden.

Wir müssen Adalbert als Geisel behalten, schoss es Adelheid durch den Kopf. Der König nahm den Unmut seines Sohnes und Schwiegersohnes gegen seine politischen Entscheidungen nie so recht ernst, hatte sie beobachtet, aber nun würde ihr Zorn auf Henning sie und Berengar zu natürlichen Verbündeten machen. Und das war gefährlich.

Sie wandte sich zu Otto um, legte sich in fieberhafter Eile die Worte zurecht, die sie ihm zuraunen wollte, denn er musste diese zusätzliche Bedingung *jetzt* verkünden, bevor er Berengar den Eid abnahm, der ihre Übereinkunft besiegelte.

Doch ehe sie auch nur Ottos Aufmerksamkeit erlangen konnte, ertönte ein so gewaltiger Donnerschlag, dass alle auf dem Lechfeld Versammelten entsetzt zusammenzuckten und auch gestandene Feldherrn furchtsam die Hände über den Köpfen verschränkten.

Kaum war das rollende Dröhnen verklungen, kaum hatte der Schrecken sich gelegt, da folgte ein zweiter, womöglich lauterer Donnerschlag, und im nächsten Moment streckte Friedrich von Mainz den rechten Arm gen Himmel und rief: »Sehet das Zeichen Gottes!« Die Stimme überschlug sich.

Adelheid musste sich zwingen, zum Himmel zu schauen. Sie wusste, was sie dort sehen würde, und sie fürchtete sich davor.

Doch sie hatte gelernt, dass die Furcht, der man sich nicht stellt, nur immer größer und mächtiger wird. Also wandte sie den Blick zum Himmel und starrte stumm auf den gewaltigen Feuerball. Er war so groß, als sei eine zweite Sonne aufgegangen, doch anders als diese stand er nicht still, sondern zog mit majestätischer Langsamkeit seine feurige Bahn über den wolkenlosen Himmel.

Otto blickte für ein paar Atemzüge reglos auf das beunruhigende Schauspiel am Firmament, dann bekreuzigte er sich. »Gott steh uns bei. Erst zu Ostern, und jetzt schon wieder. Beide Male zum Hoftag.« Es klang eher grimmig als furchtsam.

Adelheid nickte. »Beide Mal an dem Tag, da Berengar von Ivrea an den Hof kam«, antwortete sie mit gesenkter Stimme.

Otto sah verblüfft von ihr zu Berengar, der wie alle anderen zum Himmel starrte, dann wieder zu seiner Frau. »Glaubst du wirklich, er sei so gefährlich, dass diese Omen eine Warnung gegen ihn sein sollen?«

Adelheid zog die Schultern hoch und dachte einen Moment nach. »Ich bin sicher, es würde ihm schmeicheln, wenn wir das glauben.«

»Ich weiß nicht, was Euch das bedeutet, aber Ihr habt heute auf einen Schlag viele Sympathien gewonnen«, eröffnete Wilhelm der Königin. »Manche der Grafen und Bischöfe haben wohl damit gerechnet, dass Ihr den Hoftag als Bühne benutzen würdet, um Rache zu fordern, Berengars Kopf auf einem Silbertablett oder Ähnliches.«

»Damit gerechnet oder darauf gehofft?«, spottete Adelheid und nahm die kostbaren Ringe ab. Ihre Finger waren von der Hitze und der Schwangerschaft geschwollen. Also besser, sie zog die herrlichen Schmuckstücke ab, ehe sie mit der Zange geöffnet werden mussten.

»Die einen so, die anderen so, schätze ich«, erwiderte Wilhelm mit einem kleinen Lächeln.

»Nun, wie dem auch sei, es bedeutet mir viel, die Anerkennung von Adel und Klerus zu gewinnen. Nur wenn sie mich schätzen, werden sie mir zuhören, obwohl ich jung und eine Frau bin. Nur wenn sie mir zuhören, kann ich sie beeinflussen. Das ist wichtig. Wichtiger als mein persönlicher Rachedurst, der, das muss ich zugeben, ungestillt ist.«

Er betrachtete sie, das Kinn in die Hand gestützt. »Ich frage mich, ob das etwas ist, das Frauen besser können als Männer: auf Genugtuung verzichten, um das Wesentliche nicht aus den Augen zu verlieren.«

»Hört, hört«, warf Hulda ein, die im Zelt umherging und Kleidungsstücke und sonstige Habseligkeiten einsammelte, um sie in die Reisetruhen zu packen. »Und das von dem Mann, der Frauen grundsätzlich jede Klugheit abspricht.«

Wilhelm ließ die Hand sinken und nickte. »Falls es so ist, werde ich vielleicht gerade eines Besseren belehrt, Gräfin …«

»Dann seid Ihr zumindest gescheiter als die meisten anderen Kerle, die gänzlich unbelehrbar sind, mein Junge.« Sie strich ihm über den Kopf und zerzauste ihm den schwarzen Schopf, so als wäre er fünf Jahre alt.

Wilhelm zuckte fast unmerklich zusammen, ertrug die unangemessene Vertraulichkeit der Gräfin aber stoisch.

Adelheid kam auf ihr eigentliches Thema zurück. »Die Frage ist, wie wir Berengar in Zukunft kontrollieren können. Es wäre ein Fehler zu glauben, dass er sich mit seinem Vasallentum von Ottos Gnaden und einem drastisch verkleinerten Italien auf Dauer zufriedengibt.«

»Ja, da habt Ihr zweifellos recht«, stimmte Wilhelm zu. »Das Wichtigste scheint mir jetzt, eine Gesandtschaft an den Papst zu schicken und ihm zu erklären, warum und zu welchen Bedingungen der König Berengar belehnt hat. Der Heilige Vater wird ein wachsames Auge auf ihn haben und uns warnen, sobald Berengar anfängt, sein eigenes Süppchen zu kochen.«

»Ein guter Plan«, befand Adelheid. Das Kind war aufgewacht und machte mit ein paar lebhaften Tritten auf sich aufmerksam. Sie war jedes Mal erleichtert, wenn sie es spürte, denn so viel hing davon ab, dass sie einen gesunden Prinzen, notfalls auch eine Prinzessin zur Welt brachte. Aber die Zeit wurde ihr lang. Noch drei Monate, schätzte die Hebamme …

»Ich spreche mit dem König«, stellte Wilhelm in Aussicht und erhob sich von dem wackligen Scherenstuhl. »Und wenn Ihr mich entschuldigt, lasse ich Euch nun allein. Ihr müsst erschöpft sein.«

Es beschämte Adelheid, dass er sie so mühelos durchschaut hatte. Sein Scharfblick war ihr schon bei früheren Gelegenheiten aufgefallen. Sie lächelte ein wenig zerknirscht. »Es stimmt, es war ein langer Tag, aber er ist noch nicht vorüber. Gute Nacht, Vater Wilhelm. Wenn der König auf mich hört, werdet Ihr es sein, der die Gesandtschaft nach Rom anführt.«

Er verneigte sich, verabschiedete sich mit ein paar leisen Worten von ihren Damen und ging hinaus. Draußen dämmerte es, und Anna rollte den Zelteingang auf, damit die angenehme Abendbrise ins Innere gelangen konnte.

Adelheid spürte den sachten Luftzug und atmete tief ein und aus. Sie war müde und aufgewühlt nach diesem schwierigen Tag. Und sie wünschte, Otto käme heute Abend zu ihr, denn sie wusste, in dieser Nacht würden die Träume von dem finsteren Verlies in Garda wiederkehren. Sie hatte keiner Menschenseele gestanden, dass sie gelegentlich von Albträumen geplagt wurde, aus denen sie keuchend und desorientiert erwachte, vor allem, seit sie schwanger war. Wie seit jeher zog sie es vor, allein mit ihren Dämonen zu ringen. Sie hatte kein Bedürfnis, sich jemandem anzuvertrauen, zumal es nichts nützte, denn mit seinen Träumen war jeder allein. Aber wenn Otto in ihrem Bett lag, den rechten Arm um sie geschlungen, um ihren Rücken an seine Brust zu pressen und gelegentlich im Schlaf seinem Kanzler unsinnige Dekrete diktierte, blieben die Schreckensvisionen fern. So als wagten sie nicht, sich in seiner königlichen Präsenz zu zeigen.

Hulda kam mit einem brennenden Kienspan an den Tisch, zündete die Kerze in dem filigranen Bronzeleuchter an und sammelte mit der freien Linken die Ringe ein. »Die Wache meldet, Eure Base, die Herzogin von Schwaben, warte draußen.«

Adelheid nickte. »Ich habe nach ihr geschickt. Seid so gut und bringt sie zu mir, Gräfin.«

Hulda schüttelte missbilligend den Kopf und sorgte dafür, dass die Königin es sah, denn sie vertrat die Auffassung, dass Schwangere viel Schlaf brauchten. Doch sie folgte der Bitte widerspruchslos.

Ida erschien in einem hellen, schlichten Leinenkleid vor der Königin, das nicht mit Goldbordüren, dafür hier und da mit Grasflecken verziert war. Das lodernd rote Haar hing ihr zu einem langen Zopf geflochten über den Rücken, von einem achtlos übergestülpten Schleier nur unzureichend bedeckt, und mit ihren derben Lederschuhen trug sie Strohhalme und vermutlich Pferdedreck in das Zelt der Königin.

Adelheid war nicht sicher, ob dieser unpassende Aufzug eine Beleidigung sein sollte oder nicht und ging kommentarlos darüber hinweg. »Ida. Wie gut von dir, dass du gekommen bist.«

Ihre etwa gleichaltrige Cousine sank in einen anmutigen Knicks. »Natürlich komme ich, wenn die Königin mich ruft.«

»Nimm Platz«, lud Adelheid sie ein und wies auf den Schemel, der eben noch Vater Wilhelm beherbergt hatte. »Viel Bequemlichkeit habe ich nicht zu bieten, fürchte ich.«

»Bequemlichkeit ist ohnehin nicht meine Sache«, versicherte Ida mit einem rätselhaften Lächeln.

»Nein, ich weiß. Ein Schluck Wein?«

»Gern.«

Eine der jüngeren Hofdamen schenkte ihnen ein, und die beiden Frauen schwiegen, bis das Mädchen sich in den hinteren Teil des Zeltes zurückgezogen hatte, der mit einem Vorhang vom Hauptraum abgetrennt war.

Ida setzte den Becher an und nahm einen ordentlichen Zug. Sie trank wie ein Mann. Adelheid erinnerte sich, was Otto ihr erzählt hatte: Seit frühester Kindheit hatte Ida versucht, ihrem Vater den Sohn zu ersetzen, der ihm nicht vergönnt gewesen war. Kein Wunder, dass die Wachen und Höflinge sie hinter vorgehaltener Hand ein Mannweib nannten …

»Ich komme ohne Umschweife zur Sache, Ida.«

»Das weiß ich zu schätzen. Der Abend vergeht, und wir haben morgen einen langen Ritt vor uns.«

Die zweite Unhöflichkeit. Adelheid hörte auf, an einen Zufall zu glauben.

»Ich weiß, dass dein Gemahl sich vom König übergangen und ungerecht behandelt fühlt. Und ich verstehe, wieso er so empfinden muss. Der König ist nicht immer besonders geschickt darin, seine Beweggründe zu erklären, erst recht nicht seinen Kindern gegenüber. Ein Fehler, den viele Väter begehen.«

»Und bereuen«, warf Ida liebenswürdig ein.

»Manchmal ganz gewiss. Ich habe dich hergebeten, um mit dir zusammen zu überlegen, was wir tun können, um die Missstimmigkeiten zwischen dem König und Prinz Liudolf auszuräumen.«

Ida schnaubte leise und stellte den Weinpokal auf das Tischchen. »Nun, dann überlegt, meine Königin. Und ich wünsche Euch viel Erfolg dabei.«

Adelheid sah ihr in die Augen. »Meine Geduld ist nicht grenzenlos.«

»Das erleichtert mich.«

»Ida …«, versuchte Adelheid es noch einmal beschwörend. »Mir ist bewusst, dass du die erste Dame des Reiches warst und ich dich aus dieser Rolle verdrängt habe, als der König mich geheiratet hat, aber ich bin *nicht* deine Feindin. Und Liudolfs ebenso wenig.«

Ida winkte mit einer ihrer großen Hände ab. »Oh, ich war heilfroh, die Rolle los zu sein, wenn Ihr die Wahrheit wissen wollt. Ich bin vollkommen ungeeignet als erste Dame von was auch immer.«

Adelheid war erleichtert über dieses aufrichtige Eingeständnis, aber das ließ sie sich nicht anmerken. »Also, was ist es dann, das dich so verbittert?«

»Das fragt Ihr mich im Ernst? Der König lässt keine Gelegenheit aus, Liudolf zu demütigen. Konrad behandelt er auch nicht besser, aber Konrad macht es nicht so viel aus, er ist eben nicht sein Sohn. Und hat vermutlich ein dickeres Fell. Aber Liudolf … wird mit jedem Tag wütender und verzweifelter, denn während sein Vater ihn behandelt wie einen unverständigen Bengel und ihn vor dem versammelten Hof zurechtstutzt, überhäuft er Henning mit Ehren und Auszeichnungen. Obwohl er ganz genau weiß, wie schlimm es zwischen Liudolf und Henning steht. Ich begreife das einfach nicht! Glaubt der König denn, Liudolf werde das immer weiter klaglos hinnehmen? Er ist ein *Prinz*, Herrgott noch mal, dazu erzogen, stolz und kühn zu sein!«

Adelheid war nicht sicher, ob Ida ihr drohen oder sie warnen wollte, jedenfalls bestätigte die Herzogin ihre schlimmsten Befürchtungen. »Ida, hör mir zu: Liudolf muss die Zähne zusammenbeißen und sich gedulden. Es wird nicht ewig dauern, bis Henning einen folgenschweren Fehler macht. Wir wissen doch, wie er ist.«

»Ja, Henning macht alle naselang Fehler«, konterte Ida. »Es ist ein Wunder, dass das Reich noch zusammenhält bei all den Katastrophen, die er schon angerichtet hat. Aber der König verzeiht ihm alles. Einfach alles.«

»Du solltest den König nicht unterschätzen. Er weiß, wie Henning ist. Er kennt ihn. So wie er auch Liudolf kennt. Und wenn Liudolf der Mann sein will, auf den der König sich stützt, wenn Henning ihn das nächste Mal enttäuscht, dann muss er anfangen, sich wie dieser Mann zu benehmen. Und zwar schnell.«

Ida lachte spöttisch auf und erhob sich – zu rastlos, um auf dem niedrigen Schemel hocken zu bleiben. »Ich kann mir sehr gut vorstellen, warum Ihr wollt, dass Liudolf mit einem duldsamen Lächeln hinnimmt, vollkommen leer auszugehen, während Henning halb Italien bekommt. Aber ich sage Euch, was geschieht, wenn der König eines Tages die Augen öffnet und die Wahrheit über Henning erkennt. Nicht Liudolf wird es sein, auf den er sich stützt, denn er hält ihn für ein Schilfrohr. Und ganz gleich, was Liudolf tut, er wird niemals in den Augen seines Vaters bestehen können. Stattdessen wird es Euer Balg sein, auf das der König seine Hoffnungen setzt.« Sie zeigte unfein mit dem Finger auf Adelheids gewölbten Leib, und ihre Hand bebte ein wenig. »Alles ist schlimmer geworden, seit er Euch geheiratet hat, denn auf einmal glaubt er, er kann auf Liudolf verzichten. Weil er andere Söhne bekommen wird.« Sie ließ den ausgestreckten Arm sinken, als sei plötzlich alle Kraft aus ihren Gliedern gewichen.

Adelheid stand auf und machte einen Schritt auf sie zu. »Du täuschst dich …«

»Nein«, fiel ihre Cousine ihr ins Wort und schüttelte langsam den Kopf. »Es ist so.« Ihre Stimme klang belegt, und Adelheid erkannte beklommen, dass Ida von Schwaben, das tollkühne und unbezähmbare Mannweib, den Kampf gegen die Tränen verlor. »Ich verfluche dich und deine Brut, Adelheid. Ich hasse mich dafür, aber ich kann nicht anders. Böse Omen und Himmelszeichen haben deine Schwangerschaft von Anbeginn begleitet. Mögen sie halten, was sie verheißen.«

Hohentwiel, März 953

»Liudolf, die Wache meldet Pfalzgraf Arnulf von Bayern!« Konrads Stimme drückte Befriedigung aus. »Er ist tatsächlich gekommen.«

Das ist es, dachte Liudolf und drosch triumphal mit der behandschuhten Faust gegen die Palisade.

Noch ein letztes Mal ließ er den Blick über die Brustwehr der Burg auf dem hohen Felsen ins weite Tal und auf den Bodensee hinabgleiten. Es war einer der atemberaubendsten Ausblicke in seinem ganzen Herzogtum, fand er, und es tat ihm immer wohl, hier oben zu stehen und so viel von seinem Herrschaftsgebiet sehen zu können.

Ida stand neben ihm, und der frische Frühlingswind wehte ihm allenthalben ein paar rote Strähnen ins Gesicht. Sie ergriff seine Hand und drückte sie verstohlen für die Dauer eines Herzschlages. Dann ließ sie ihn wieder los, und sie wandten sich im selben Moment zu Konrad um.

»Er muss losgeritten sein, sobald unsere Nachricht ihn erreicht hat«, sagte die Herzogin.

Liudolf nickte. »Offenbar kann er es nicht erwarten, Henning mit einem Arschtritt aus Bayern zu jagen.«

»Es sieht ganz danach aus«, stimmte Konrad zu und warf mit einem glücklichen Lächeln die zu lange Blondmähne zurück über die Schulter. »Aber lasst uns lieber vorsichtig sein und erst einmal anhören, was er zu sagen hat.«

Ida erreichte die Sprossenleiter zum Burghof als Erste und kletterte behände hinab. »Wie ist er?«, fragte sie neugierig.

»Eine männliche Ausgabe von Hennings Frau«, antwortete Konrad bereitwillig.

»Na ja, das ist kein Wunder – er ist ihr Bruder. Aber was für einen Eindruck macht er?«, wollte Liudolf wissen.

»Stell mir nicht solch schwierige Fragen«, knurrte sein Schwager. »Du weißt, ich bin nicht gut in so etwas.«

Liudolf nickte. Konrad war es eigentlich am liebsten, man drückte ihm ein Schwert in die Hand und sagte ihm, wen er erschlagen sollte. Er war indes kein Einfaltspinsel und wusste selbst, dass von einem Reichsherzog ein wenig mehr erwartet wurde als das. Doch er hatte kein großes Vertrauen zu seinen eigenen politischen Instinkten.

Liudolf folgte Ida die Leiter hinab, sprang die letzten drei oder vier Sprossen und landete federnd im Gras, das die paar Schafe, die hier oben gehalten wurden, immer schön kurz hielten. Am Eingangstor zum Hauptgebäude mit der großen, aber schlichten Halle hielt er eine Magd an, nahm den pelzgefütterten Mantel ab und drückte ihn ihr mitsamt Handschuhen in die Hände. »Wo sind Dedi und Wim?«, fragte er Konrad.

»Keine Ahnung.«

Liudolf wandte sich an eine der Wachen. »Mach die Grafen Wilhelm von Weimar und Dedi von Wettin ausfindig und bitte sie her.«

»Sofort, mein Prinz.« Der junge Wachsoldat verneigte sich zackig und eilte davon.

Liudolf führte seine Gemahlin und seinen Schwager in die Halle. Es war vielleicht eine Stunde nach Mittag und darum vergleichsweise ruhig hier. Ein paar dienstfreie Wachen saßen am unteren Ende eines der langen Tische und würfelten. Auf einer Bank unter dem Fenster lag Bruder Columba, der fette Kanzleischreiber, und schlief seinen Frühstücksrausch aus. Alle anderen Mitglieder des herzoglichen Haushaltes hatten bei dem herrlichen, wenn auch kalten Frühlingswetter offenbar eine Beschäftigung im Freien gefunden.

Am Feuer stand eine einsame, großgewachsene Gestalt in einem schweren Reisemantel und wärmte sich die Hände.

Liudolf trat hinzu. »Graf Arnulf. Willkommen in Schwaben und auf Burg Hohentwiel.« Er neigte höflich den Kopf.

Der Ankömmling wandte sich ohne Hast zu ihm um: ein dunkelhaariger Mann mit Stirnglatze und sorgfältig gestutztem Bart, ein paar Jahre älter als er selbst, von untersetzter, aber athletischer Statur. Das schmallippige Lächeln erreichte die wässrig blauen Augen nicht.

»Prinz Liudolf«, antwortete er mit einer sparsamen Verbeugung. »Ich war sehr überrascht, Eure Botschaft zu erhalten. Es ist vor allem meine Neugier, die mich herführt.«

Oh, gewiss doch, dachte Liudolf ungeduldig, *das würde ich an deiner Stelle jetzt auch sagen* ... Er wies zur hohen Tafel, die auf der anderen Seite des prasselnden Feuers an der Stirnseite der Halle stand. »Lasst uns einen Becher Wein trinken, einen Happen essen und schauen, ob wir Eure Neugier befriedigen können. Meine Gemahlin, Ida von Schwaben. Den Herzog von Lothringen kennt Ihr ja bereits.«

Ida und Konrad tauschten ein paar Artigkeiten mit dem Gast, während sie an der Tafel Platz nahmen.

»Ich fürchte, wegen der Fastenzeit können wir Euch nur verdünnten Wein anbieten, Graf«, entschuldigte sich die Dame der Halle.

Arnulf winkte ab. »Der berühmte Wein vom Bodensee schmeckt verdünnt immer noch hervorragend, da bin ich sicher.«

Während Ida einschenkte, winkte Liudolf eine Wache zu sich und sagte gedämpft: »Sorg dafür, dass wir ungestört und unbelauscht sind. Niemand wird zur hohen Tafel vorgelassen außer den Grafen Dedi und Wilhelm, verstanden?«

»Wie Ihr befehlt, Herr.«

Liudolf nahm zwischen Ida und seinem Gast Platz und hob seinen Pokal. »Auf Bayern und Schwaben. Mögen sie friedvolle Zeiten und gute Ernten erleben.«

»Auf Bayern und Schwaben«, wiederholte Arnulf und trank einen Schluck, ehe er den Becher abstellte und Liudolf das Gesicht zuwandte. »Euer Bote deutete an, dass Ihr nicht sehr zuversichtlich seid, was die friedlichen Zeiten in Bayern betrifft.«

»Nein«, räumte Liudolf ein. »Nicht solange Herzog Henning in Bayern herrscht.«

»Offene Worte«, bemerkte Arnulf überrascht. »Und doch ist Henning Euer Onkel. Also wieso sollte ich glauben, Euch könnte daran gelegen sein, ihn aus seinem Herzogtum zu jagen?«

»Hennings Frau ist Eure Schwester, und trotzdem würdet Ihr ihn am liebsten persönlich an den nächstbesten Baum hängen, oder nicht?«

»Behauptet wer?«, fragte Arnulf und hob seelenruhig den Becher an die Lippen.

»Ich«, sagte Ida und lehnte sich ein wenig vor, um Arnulf an Liudolf vorbei anschauen zu können. »Ich habe beim weihnachtlichen Hoffest ein Gespräch zwischen Eurer Schwester und Königin Adelheid belauscht. Judith hat sich bitterlich über Euch beklagt, weil Ihr Henning angeblich verleumdet und den bayrischen Adel gegen ihn aufhetzt.«

»Es ist nicht nötig, den Adel gegen ihn aufzuhetzen, dafür sorgt er schon selbst«, erwiderte Arnulf bitter. »So wie es unmöglich ist, ihn zu verleumden, denn es gibt keine Abscheulichkeit, die man ihm nachsagen könnte, die er nicht begangen hat.«

»Also dann«, sagte Konrad und stellte seinen Becher mit einem kleinen Ruck auf die Tafel. »Da wir alle eines Sinnes über Henning sind, sollten wir gemeinsam gegen ihn vorgehen.«

Arnulfs Kiefermuskeln spannten sich sichtbar an. »Ich verstehe immer noch nicht, welches Interesse Ihr daran haben könntet, ihn zu stürzen, Prinz. Er ist ein Bruder des Königs und genießt dessen Vertrauen. Ihr würdet Euch praktisch gegen Euren Vater erheben. *Warum?*«

»Wart Ihr nicht beim Hoftag auf dem Lechfeld?«, fragte Liudolf.

»Doch, natürlich.«

»Dann habt Ihr Eure Antwort, Graf Arnulf.« Sein Vater hatte Liudolf öffentlich gedemütigt – weiß Gott nicht zum ersten Mal –, indem er Henning für alle Welt sichtbar bevorzugte, und er hatte seinem Bruder mit Friaul und Istrien so viel Macht verliehen, dass Bayern nun beinah ein Königreich im Königreich war. »Der König stattet seinen Bruder mit immer größeren Ehren aus, ohne die berechtigten Ansprüche anderer zu berücksichtigen. Das muss ich Euch kaum erzählen, schließlich war Euer Vater Herzog von Bayern, doch jetzt hat Henning das Herzogtum, und Ihr seid mit der Pfalzgrafschaft abgespeist worden. Womöglich denkt der König darüber nach, Henning zu seinem Nachfolger zu ernennen. Womöglich sieht er in Henning auch die Schutzmacht für meinen kleinen Bruder, den Adelheid kurz vor Weihnachten zur Welt gebracht hat und den der König in die Nachfolge einsetzen will. Ich weiß es nicht. Was ich indessen weiß, ist dies.« Er lehnte sich ein wenig vor und verschränkte die Arme auf der Tischplatte. »*Ich* bin König Ottos ältester Sohn und Erbe. Daran würde ich ihn gern erinnern. Und noch lieber hätte ich, er würde mich zum Mitregenten krönen lassen, damit all diese Spekulationen über Henning und meinen Bruder ein Ende nehmen. Aber ich schätze, dazu muss ich ihn erst … überreden«, schloss er lächelnd.

»Grundgütiger«, murmelte Arnulf unbehaglich. »Ihr wollt mich in einen Aufstand gegen den unbesiegbaren König Otto hineinziehen. Ich denke, je eher ich abreise, umso gesünder für mich …«

Liudolf machte eine einladende Geste. »Das steht Euch natürlich frei. Aber unser Plan ist nicht so irrsinnig, wie Ihr vielleicht glaubt. Wir haben große Unterstützung beim sächsischen und fränkischen Adel. Ich bräuchte nur mit den Fingern zu schnipsen und hätte siebentausend Mann hinter mir. Aber dazu muss es gar nicht kommen. Wenn alles gut geht, ist Henning noch vor Ostern mein Gefangener.«

Arnulf horchte auf. »Und dann?«

Liudolf hob langsam die Schultern. Er wusste, es würde nicht reichen, Henning zu stürzen, wenn er die Krone dauerhaft für sich sichern wollte. Henning musste sterben, sobald er seine Rolle als Druckmittel gegen den König ausgespielt hatte. Doch die Vorstellung, seinen Onkel zu töten, war monströs. Liudolf schauderte bei dem Gedanken, und sein Instinkt warnte ihn, dass er es nicht aussprechen durfte, ehe er gelernt hatte, es ohne Gewissensbisse zu tun. »Dann können sehr schnell sehr viele Dinge passieren, Arnulf. Aber auf jeden Fall wird Bayern einen neuen Herzog brauchen. Denkt darüber nach.«

»Siehst du dort drüben?« Gaidemar wies mit dem ausgestreckten Arm nach Südosten, wo sich aus den sachten blauen Wellen des Bodensees eine Insel erhob. »Das ist die Reichenau. Dort steht ein großes und mächtiges Kloster.«

Mirogod spähte blinzelnd in die gewiesene Richtung, doch die Konturen der Reichenau verschwammen im Dunst, und man konnte keine Gebäude erkennen. »Warst du schon mal dort?«

Gaidemar nickte. »Der Herzog und die Herzogin besuchen das Kloster häufig, wenn sie in dieser Gegend sind, und ich habe sie einmal begleitet.«

»Hm. Sicher ist Abt böse, wenn sie nicht kommen«, mutmaßte der Knabe. »Und weil mächtig ist, besuchen sie lieber.«

Gaidemar biss sich auf die Unterlippe, um ernst zu bleiben, und bedachte den Jungen mit einem strengen Blick. »Erinnerst du dich, was ich dir über Respekt und Respektlosigkeit beizubringen versucht habe?«

»Ja, natürlich, Herr.« Mirogod senkte scheinbar demütig den Blick, aber nicht ehe Gaidemar das schelmische Funkeln in den grünen Augen gesehen hatte.

»Vermutlich hast du nicht einmal unrecht«, musste er einräumen. »Außerdem ist Idas Vater auf der Reichenau begraben, der berühmte Hermann von Schwaben. Sie besuchen sein Grab, wie es sich gehört.«

»Versteh schon. Damit Ahnengeister nicht heimsuchen.«

»Das ist abergläubischer und heidnischer Unsinn«, widersprach Gaidemar stirnrunzelnd.

Mirogod gluckste, als amüsiere er sich über die Unwissenheit seines Herrn.

»Also schön, Bübchen. Zurück zu deinen Reitkünsten. Oder deinen nicht vorhandenen Reitkünsten, besser gesagt. Schlag die Steigbügel über den Sattel, du reitest den Rest des Tages ohne. Ich schätze, das wird dich von deinem Übermut kurieren.«

»Oh … muss ich wirklich?«, fragte Mirogod unglücklich.

Gaidemar nickte gnadenlos. »Es ist der beste Weg, um einen vernünftigen Sitz zu lernen. Es sind deine Beinmuskeln, die dir Halt im Sattel geben, nicht die Steigbügel. Wann wirst du das endlich lernen?«

Mirogod zuckte langsam und ausgiebig die Schultern. »Weiß nicht. Muss noch ein paarmal runterfallen vermutlich.«

Gaidemar lachte.

Was immer er sich vorgestellt hatte, als er sich entschloss, den Jungen zu behalten, er hätte nie damit gerechnet, dass der kleine Kerl ihn so oft zum Lachen bringen würde. Mirogod war ein heller Kopf, und nachdem er seine Furcht überwunden und begriffen hatte, dass Gaidemar ihn nicht für jede noch so kleine Verfehlung windelweich prügelte, hatte er Zutrauen gefasst. Er war lernwillig, sowohl was seine neuen Pflichten als auch die fremde Sprache betraf, und bei der Erledigung seiner Aufgaben einigermaßen gewissenhaft. Aber er verzagte immer noch leicht, und es brauchte nicht viel, um ihn einzuschüchtern. Doch wer konnte schon wissen, was er alles erlebt und gesehen hatte? Und Gaidemar erinnerte sich – wenn auch ungern –, dass es nicht immer einfach war, der Welt die Stirn zu bieten, wenn man zehn Jahre alt und ein Waisenjunge war. Darum mahnte er sich jeden Tag aufs Neue zur Geduld.

Mit Märtyrermiene kreuzte Mirogod die Bügelriemen vor sich über dem Sattel, sah skeptisch ins nasse Waldgras hinab und klammerte verstohlen die Linke in die Mähne seines duldsamen kleinen Braunen.

Gaidemar schnalzte missfällig. »Nichts da. Du hältst dich mit den Knien fest und mit sonst nichts, klar?«

»Wird nicht klappen.«

»Wenn du so überzeugt von deinem eigenen Unvermögen bist, wirst du todsicher herunterpurzeln.«

Ein flehender Blick. »Ich hab nicht Beine aus Eisen wie du!«

»Nein, du hast eher Beine aus Haferbrei, und wenn du dich weiter so anstellst, werden sie das immer blieben.«

»Aber …«

Gaidemar hob die Linke. »Genug gejammert. Komm schon. Du könntest dir ruhig ein bisschen mehr zutrauen. Im Trab.«

Sie ritten zwei unfallfreie Runden über die Wiese am Ufer. Mirogod wurde ordentlich durchgerüttelt, aber er blieb im Sattel, ohne die Hände zu gebrauchen. Als Gaidemar in einen leichten Kanter wechselte, rutschte der kleine Reiter jedoch nach rechts weg und fiel. Noch ehe sein Herr die Pferde zum Stehen gebracht hatte, war er wieder aufgesprungen und kam herübergelaufen – unversehrt.

»Wie komm ich wieder rauf?«

Gaidemar seufzte verstohlen. »Du darfst die Steigbügel benutzen. Oder warte, wir machen es anders.« Er saß ab, packte den Jungen unter den Achseln und setzte ihn in den Sattel. Dann kramte er ein langes Seil aus seiner rechten Satteltasche und befestigte ein Ende am Zaumzeug des Braunen, der das geduldig über sich ergehen ließ.

Gaidemar ging rückwärts in die Mitte der Wiese, während er Seil ausgab. »Verschränk die Arme vor der Brust und konzentrier dich nur auf deine Beine. Nimm die Schultern zurück, ja, so ist es gut. Wenn du merkst, dass du wegrutschst, darfst du dich am Sattel festhalten, bis du wieder sicher sitzt. Dann versuchst du es weiter nur mit den Knien. Klar?«

Mirogod nickte.

Gaidemar schnalzte dem Braunen zu und ließ ihn im Kreis traben. Jetzt, da Mirogod sich nur auf seine Haltung und seine Beinmuskeln besinnen musste, klappte es besser. Er saß weniger verkrampft im Sattel, und wie von Zauberhand passten seine Bewegungen sich allmählich dem Rhythmus des Pferdes an und wurden geschmeidiger. Doch Gaidemar wollte nichts überstürzen. Er erinnerte sich an den alten Stallmeister in Saalfeld, der ihn und Immed zum ersten Mal auf ein Pferd gesetzt hatte, als sie vielleicht vier gewesen waren. Ein kleiner, krummbeiniger Greis war er gewesen, der einfach alles über Pferde wusste, und er hatte gesagt: *Rösser und Knäblein haben eins gemeinsam, sie sind Angsthasen und Dummköpfe. Darum muss man sie langsam aneinander gewöhnen …*

Die Frühlingssonne hatte noch nicht viel Kraft, aber schließlich riss die dünne weiße Schleierbewölkung auf und der Himmel wurde blau. Der Regen der vergangenen Nacht glitzerte auf dem dunklen, struppigen Gras, und zu Füßen der Bäume am Waldrand leuchteten die tiefblauen Veilchen und der gelbe Huflattich um die Wette. Star, Buchfink und Singdrossel jubilierten in den noch kahlen Zweigen, und der See, der mit sachtem Gurgeln ans grüne Ufer schwappte, nahm die Farbe eines Sommernachtshimmels an. Mit einem Mal war die Welt von solcher Schönheit, dass Gaidemar einen Moment unkomplizierter Lebensfreude empfand, an den er sich später voller Bitterkeit erinnern sollte.

»Ich denke, das reicht für heute«, beschied er nach einer guten halben Stunde.

»Och, schon?« Es klang enttäuscht, aber Mirogod nahm folgsam die Zügel auf und brachte seinen braven Wallach zum Stehen.

Gaidemar rollte sein Seil auf, während er zu ihnen trat. »Auf einmal kannst du nicht genug bekommen, hm?«

»Macht mehr Spaß, wenn man nicht fällt runter«, stimmte der Junge ernst zu.

»Ich weiß. Aber für heute ist es trotzdem genug. Morgen wirst du vermutlich einen mörderischen Muskelkater haben. Und um das gleich klarzustellen: Ich möchte dann kein Gejammer hören. Es bedeutet nur, dass dein Haferbrei sich allmählich in Eisen verwandelt.«

Einträchtig machten sie sich auf den Rückweg hinauf zur Burg, und unterwegs zeigte Mirogod seinem Herrn, welche der ersten zarten Pflänzchen, die vorsichtig die Köpfe aus dem nassen Laub des Vorjahres steckten, essbar waren, und im Gegenzug nannte Gaidemar ihm die Namen der Vögel, die sie hörten, und stieß auf ganz und gar ungewohntes Interesse.

Im Innenhof der Festung wimmelte es von fremden Reitern und Pferden.

»Ist Pfalzgraf Arnulf von Bayern gekommen?«, fragte Gaidemar den Stallknecht, dem sie ihre Pferde überreichten.

Der schlaksige Jüngling nickte aufgeregt. »Mit einer halben Armee.«

»Ich seh's.«

»Und seinen Gaul müsst Ihr Euch anschauen, Herr, ein Schimmel so schneeweiß, wie ich's noch nie gesehen habe, mit blauen Augen. Gruselig, sag ich Euch.«

Mirogod war Feuer und Flamme. »Wo steht er?«

Gaidemar war ebenso neugierig, und gemeinsam folgten sie dem Knecht in den langgezogenen Stall, vorbei an Amelungs und Belis Boxen zu der großen an der Stirnwand. Das breite Tor des Gebäudes war die einzige Lichtquelle, darum war es hier hinten dämmrig, aber das helle Fell des Tieres schimmerte so unirdisch wie Wiesennebel in einer mondhellen Nacht. Als der Schimmel die Schritte hörte, wandte er neugierig den Kopf, und es stimmte tatsächlich: Seine Augen waren blau.

Ehrfurchtsvoll blieben Mirogod und der Stallbursche an der brusthohen Boxentür stehen. Gaidemar fand sich magisch angezogen, trat ein und betrachtete das ungewöhnliche Tier aus der Nähe. Er strich mit der flachen Rechten über den Rumpf. Das Fell war glatt und fest, nicht anders als Amelungs und das der meisten anderen Pferde, die er kannte. Er schob die etwas längeren Haare an der Schulter mit Zeige- und Mittelfinger auseinander und fand die Haut darunter zartrosa wie die eines Säuglings. Die Mähne war so elfenbeinweiß wie das Fell, die Ohren schimmerten wie Perlmutt, aber die blassblauen Augen wirkten sonderbar leblos. Gruselig, wie der Junge gesagt hatte.

»Habt Ihr so etwas schon mal gesehen?«, fragte der Stallbursche.

Gaidemar trat kopfschüttelnd aus der Box. »Aber es ist nur ein Gaul, Frido«, zog er ihn auf. »Kein Grund zu schlottern.«

Der Bursche brummte skeptisch. »Wenn Ihr's sagt … Soll ich Eure Pferde absatteln, Herr?«

»Das kann Mirogod später erledigen.« Gaidemar legte dem Slawenjungen eine Hand auf die knochige Schulter und schob ihn vor sich her zum Ausgang. »Aber lass uns erst herausfinden, ob Prinz Liudolf heute noch mit seinem Gast zur Jagd reiten will.«

In der Halle fand er Herzog Konrad, dessen Gemahlin Liudgard und Herzogin Ida an der hohen Tafel mit rauchenden Köpfen beim Rätselraten, aber weder Liudolf noch der hohe Gast aus Bayern waren bei ihnen.

»Er hat den Pfalzgrafen in die Falknerei geschleppt«, eröffnete Ida ihm mit einem Lächeln, das ebenso spöttisch wie nachsichtig war. »Nachdem Liudolf seinen neuen Falken hier schon allen vom Kastellan bis zur Milchmagd vorgeführt hat, ist er dankbar für jeden neuen Bewunderer …«

Gaidemar verzog amüsiert einen Mundwinkel und wandte sich ab.

»Warte hier auf ihn und hilf mir beim Raten«, schlug Konrad hoffnungsvoll vor.

Aber Gaidemar schüttelte den Kopf. »Vielen Dank. Ich glaube nicht, dass ich schon wieder bereit dafür bin, mich von den beiden Damen zum Narren machen zu lassen …«

Liudgard und Ida lachten vergnügt.

Auf dem Weg nach draußen sah Gaidemar sich vergeblich nach Mirogod um, der eine große Gabe besaß, sich unsichtbar zu machen, wenn man ihn brauchte. Achselzuckend begab er sich zur Falknerei, einem hohen und luftigen Fachwerkgebäude auf der Westseite der Halle.

Wie erwartet, stand Liudolf mit Dedi, Wim und seinem bayrischen Besucher an der Jule seines neuen Falken gleich neben dem pergamentbespannten Fenster und fachsimpelte gestenreich. Er war gerade im Begriff, die Langfessel vom Eisenring zu lösen, als sein Blick auf Gaidemar fiel. »Ah, da bist du ja, Vetter!« Er winkte ihn näher. »Graf Arnulf, erlaubt mir, Euch meinen Cousin Gaidemar vorzustellen, der beste Pferdekenner, dem ich je begegnet bin. Gaidemar, Pfalzgraf Arnulf von Bayern.«

Gaidemar verneigte sich förmlich. »Eine Ehre.«

Arnulf von Bayern musterte ihn kurz und nickte mit einem leicht verwirrten Lächeln. »Meinerseits.« Eine Spur zu eilig wandte er sich wieder an Liudolf. »Nur zu gerne würde ich meinen Vogel gegen diesen Prachtburschen antreten lassen, mein Prinz.«

»Ihr habt Euren dabei?«, fragte Liudolf eifrig.

»Ich reise niemals ohne Falken und Hunde«, erklärte Arnulf. »Es ist zu verdrießlich, eine Gelegenheit zur Jagd zu versäumen.«

Liudolf lächelte selig. »Ich merke, auch darin sind wir eines Sinnes, Graf.«

Der trat einen Schritt zurück und verneigte sich höflich. »Wenn Ihr mich entschuldigen wollt, ich muss nach meinen Männern sehen und ein Wort mit meinem Falkner sprechen.«

Liudolf vollführte eine einladende Geste, die die gesamte Falknerei umschloss. »Wenn er irgendetwas braucht, soll er herkommen.«

Arnulf nickte.

Auf Liudolfs unauffälligen Wink trat Wim von Weimar zu dem hohen Gast. »Erlaubt mir, Euch zu Eurem Quartier zu geleiten, Graf ...«

Gaidemar sah ihnen einen Augenblick hinterher, ehe er Liudolf wieder anschaute. »Was geht hier vor?«

Liudolf machte große Unschuldsaugen. »Ich verstehe nicht, was du meinst. Du wusstest doch, dass ich ihn eingeladen hatte.«

»Um ihn als Verbündeten gegen Henning zu gewinnen, ja, ich weiß«, gab Gaidemar zurück. »Aber ich frage mich, warum du plötzlich so ein schlechtes Gewissen hast, dass du mir nicht in die Augen sehen kannst.«

Der Prinz stierte ihm regelrecht ins Gesicht. »Wie kommst du denn darauf?«

Gaidemars Hände waren mit einem Mal feucht. »Gott steh dir bei, Liudolf ...«

Sein Vetter warf ungeduldig die Arme hoch. »Ich habe keine Ahnung, wovon du sprichst! Ich reite nach Ingelheim, wo der König und sein innig geliebter Bruder Henning zusammen in tiefster Eintracht Ostern feiern wollen. Ich reite hin, obwohl ich nicht eingeladen bin, wohlgemerkt. Und ich gedenke, vor ihnen dort einzutreffen, Ingelheim zu besetzen und den König zu ... ermuntern, mir endlich klipp und klar zu sagen, wo wir stehen.«

Gaidemar spürte ein abscheuliches Durchsacken in der Magengegend. »Das ist Verrat.« Es war ein wenig tonlos geraten, darum räusperte er sich und wiederholte mit mehr Nachdruck: »Das ist Verrat, und du setzt dich ohne Not ins Unrecht.«

»*Ohne Not?*«, wiederholte der Prinz aufgebracht. Der Falke auf der Jule sträubte die Federn und trippelte nervös bis ans Ende der Sitzstange.

Liudolf machte einen Schritt auf Gaidemar zu, weg von seinem geliebten Vogel. »Doch, Gaidemar, ich bin in Nöten«, versicherte er. »Und ich werde nicht länger tatenlos zusehen, wie Henning mir mein Geburtsrecht stiehlt. Er allein ist es, gegen den ich mich mit Pfalzgraf Arnulf verbünden will, nicht der König, und darum bin ich auch kein Verräter.«

»Ihr wollt Henning gefangen nehmen?«, fragte Gaidemar fassungslos.

»Wenn er uns keine andere Wahl lässt …« Scheinbar gleichmütig zuckte der Prinz die Schultern.

»Aber …«

Liudolf hob beide Hände. »Ich kenne all deine Einwände. Oder genauer gesagt, sind es Wilhelms Einwände, nicht wahr? Du warst von Anfang an sein Wachhund in meinem Gefolge und plapperst nur nach, was er dir vorbetet.«

Gaidemar war es einen Moment, als sei er mit der Stirn vor einen massiven Eichenbalken gelaufen, so unerwartet traf ihn dieser Vorwurf. Dann wurde ihm plötzlich klar, was hier vorging, und er entgegnete wütend: »Wenn du meinst, du musst mich töten, weil du mir nicht mehr trauen kannst, dann suche die Schuld nicht bei mir. Das ist erbärmlich. Ich habe dich niemals für Wilhelm ausspioniert, und das weißt du ganz genau. Du willst einen Weg einschlagen, auf dem ich dir nicht folgen kann, und deswegen bin ich dir auf einmal unbequem.«

Das leugnete Liudolf nicht. »Weil meine Lage verzweifelt ist«, sagte er, mit einem Mal niedergeschlagen. »Und ich hätte mir so sehr gewünscht, dich auf meiner Seite zu wissen. Doch Königstreue zählt in deinen Augen mehr als unsere Freundschaft.«

Gaidemar schüttelte knapp den Kopf. Der König hatte seine Treue auf eine ziemlich harte Probe gestellt, und der einstige Panzerreiter war keineswegs sicher, ob er sich für ihn entschieden hätte, wenn er eine Wahl gehabt hätte. Mit der Königin lagen die Dinge freilich anders, aber nicht einmal sie war der wahre Grund.

»Ich habe dem König einen *Eid* geschworen, Liudolf. Wenn ich ihn breche, verliere ich meine Ehre. Und sie ist alles, was ich besitze.«

Liudolf lächelte traurig. »Ich weiß. Ich verstehe dich genau, Vetter. Und deswegen habe ich gewusst, wie du dich entscheiden würdest. Aber keine Angst. Es ist nicht meine Absicht, dich zu töten, das könnte ich niemals.«

»Wie tröstlich. Stattdessen willst du mich hier in irgendeinem Kellerloch verfaulen lassen, bis die Sache ausgestanden ist?«

Liudolf rang einen Moment mit sich, dann sah er ihn wieder an und zuckte die Achseln. »Es gibt keinen anderen Weg. Aber es wird nicht lange dauern, ich schwör es dir.«

Gaidemar nickte langsam. »Tja, Vetter, was kann ich sagen …« Ohne Hast wandte er sich zu Dedi um, hob mit einem ergebenen Lächeln die Hände, als wolle er sich in das Unvermeidliche fügen, und dann schmetterte er ihm ohne Vorwarnung die geballte Rechte mitten ins Gesicht.

Der Graf taumelte mit einem dumpfen Protestlaut zurück gegen die Bretterwand und schlug beide Hände vor die blutende Nase, ehe er sich besann und mit der Linken nach dem Schwert tastete. Doch er war viel zu langsam. Gaidemar trat ihm die Beine weg, und als Dedi am Boden lag, beugte er sich über ihn und schlug ihn zweimal mit der Faust gegen die Schläfe. Die weit aufgerissenen Augen verdrehten sich nach oben, und Dedis Körper erschlaffte.

»Das kannst du dir sparen, Gaidemar«, eröffnete Liudolf ihm seelenruhig. »Vor der Tür warten vier Wachen, um dich in dein neues Quartier zu geleiten. Wim hat sie geschickt.«

Gaidemar sah ihn an und verschränkte die Arme vor der Brust. »Ihr müsst mich ja für sehr gefährlich halten.«

»Du *bist* gefährlich«, entgegnete der Prinz mit einem matten Lächeln unfreiwilliger Bewunderung.

Gaidemar schnaubte angewidert, und als er hörte, dass in seinem Rücken die Tür aufgerissen wurde, stieß er Liudolf beiseite und sprang kopfüber aus dem pergamentbespannten Fenster.

Er drückte das Kinn auf die Brust, landete unbeschadet mit der Schulter auf der schlammigen Wiese, überschlug sich zweimal und sprang auf die Füße.

»Gaidemar ...«

Aus dem Augenwinkel erhaschte er einen Blick auf Liudolfs Gesicht inmitten der zerfetzten Pergamentbespannung, die verblüffte Schreckensmiene beinah komisch. Aber Gaidemar hielt nicht inne, um weiter zu reden. Es war ja wohl alles gesagt.

Er rannte auf die Rückseite des quadratischen Fachwerkbaus, die der Türwand gegenüberlag, dann weiter an der Palisade entlang Richtung Schmiede. Ein Blick über die Schulter. Noch keine Verfolger zu sehen, aber er hörte schwere Schritte und das Klirren von Waffen.

Er gab jede Hoffnung auf Deckung auf, ließ die Schmiede rechts liegen, sprang über den niedrigen Holzzaun, der den Gemüsegarten umfriedete, und rannte quer durch den Innenhof Richtung Tor.

»He, bleib stehen!«, rief eine raue Stimme in seinem Rücken, und da es nichts nützte: »Haltet den Kerl auf, er ist ein Verräter!«

Zwei Mägde sprangen geistesgegenwärtig aus dem Weg, als Gaidemar sie passierte, drei der fremden Wachen des bayrischen Grafen standen an der Zisterne und gafften, unschlüssig, ob sie sich einmischen sollten.

Aber das Tor war bewacht.

Gaidemar hielt trotzdem genau darauf zu, weil er nicht wusste, was er sonst tun sollte, zog seine Klinge und beschleunigte seinen Lauf noch ein wenig, als er eine helle Stimme hörte: »Hier rüber!«

Ohne jeden bewussten Entschluss gehorchte er und schlug einen Haken nach links. Auf der Rückseite des Stallgebäudes stand Mirogod mit Amelung am Zügel.

In fieberhafter Hast saß Gaidemar auf, packte den Jungen mit der freien Linken am Oberarm, zog ihn zu sich hoch und warf ihn vor sich über den Sattel. »Halt dich fest«, keuchte er.

»Wo?«, fragte Mirogod zweifelnd.

»Egal, irgendwo.« Gaidemar wendete Amelung mit den Knien und galoppierte an, noch während er die Zügel aufnahm.

Sein furchtloses und hervorragend geschultes Pferd lief genau aufs Torhaus zu, wo inzwischen drei Wachen Schulter an Schulter standen.

Gaidemar lehnte sich leicht vor und hob die Rechte mit dem Schwert. Er glaubte nicht wirklich, dass er mit der Klinge im fliehenden Galopp irgendetwas ausrichten konnte, aber er wusste, es sah gefährlich aus.

So unabwendbar wie eine Lawine bergab rauschte, hielt Amelung auf das Tor zu. Fast war es, als berührten seine Hufe die weiche, graswachsene Erde gar nicht.

Die Wachen sahen ihm grimmig entgegen. Als er näher kam, wechselten sie unsichere Blicke. Als er sie erreichte, stoben sie auseinander, gerade noch rechtzeitig. Einer versuchte, sich an den linken Steigbügel zu hängen, aber er war zu langsam und sprang ins Leere. Und dann hörte Gaidemar das dumpfe Trommeln von Hufen auf Holzbohlen, für einen Lidschlag umfing ihn die Dunkelheit im Innern des hölzernen Torhauses, und schon waren sie hindurch und galoppierten mit halsbrecherischem Tempo bergab.

»Ich kann nicht halten!«, brüllte Mirogod verzweifelt.

Gaidemar klammerte die Linke um den mageren Arm, verlangsamte das Tempo aber erst, als sie im Schutz der ersten Bäume angelangt waren. Dort wurde der Pfad schmal und noch steiler. Gaidemar ließ Amelung in Schritt fallen, und jetzt hörte er, dass sie alle drei ausgepumpt keuchten.

Er führte sein mächtiges Schwert umsichtig über den Jungen hinweg und steckte es in die Scheide. Dann packte er Mirogod an beiden Oberarmen, zog ihn hoch und half ihm, sich ordentlich vor ihm in den Sattel zu setzen.

Er legte ihm kurz die Hand auf die Schulter. »Du hast etwas bei mir gut.«

»Versteh ich nicht.« Es klang patzig, und er rieb sich die linke Seite, wo er sich vermutlich schmerzhaft die Rippen gestoßen hatte.

»Ich schulde dir einen Gefallen.«

»Ah. Gut.«

»Wie kam es, dass du mit Amelung hinter dem Stall standest? Wäret ihr nicht dort gewesen, hätte es ziemlich finster für mich ausgesehen.«

»Für uns«, verbesserte der Junge.

»Ja, vermutlich.« Obwohl er nicht glauben wollte, dass Liudolf dem slawischen Sklavenjungen irgendein Leid zugefügt hätte.

»Ich hab gehört, wie Graf Wim hat Wachen geschickt zu Falknerei. Ich hab nicht alles verstanden. Aber er hat gesagt: ›Bastard‹.«

»Verstehe. Und da hast du geahnt, dass die Rede von mir ist.«

»Warum beleidigt? Besser Bastard als tot, oder?«

»Du hast ja so recht. Und ich bin nicht beleidigt. Nicht wegen Graf Wims Wortwahl jedenfalls.«

»Aber von Prinz Liudolfs … wie sagt man … Listarg?«

Gaidemar biss sich auf die Unterlippe. »Arglist. Ja, das kannst du laut sagen.« Er war wütend. Vermutlich gekränkt, so suspekt ihm die Vorstellung auch sein mochte. Aber nicht überrascht, und die Erkenntnis erschütterte ihn mehr als alles andere.

»Und was machen wir jetzt?«, wollte Mirogod wissen.

Gaidemar nahm die Zügel in die Rechte, legte den linken Arm um die Brust des Jungen und schnalzte Amelung zu. »Jetzt laufen wir um unser Leben.«

Ingelheim, März 953

»Ich bin untröstlich, mein König!« Ansgar, der Kastellan der prächtigen Königspfalz, rang die alten, von blauen Adern überzogenen Hände. »Wir hatten keine Nachricht von Eurer Ankunft.« Er klang völlig verzweifelt.

Otto runzelte die Stirn. »Frigobert von Laubach hat Euch nicht aufgesucht?«

Ansgar schüttelte ratlos den weißen Zottelkopf. »Leider nein.«

Der König wechselte einen Blick mit Adelheid.

»Wie sonderbar«, murmelte sie.

Sie hatten die letzten zwei Monate im Elsass verbracht. Dort war das Klima milder als im ›eisigen Norden‹, hatte Otto ihr augenzwinkernd erklärt. Sie argwöhnte, dass er seit der Geburt ihres kleinen Heinrichs kurz vor Weihnachten besorgt um sie war, ganz gleich, wie oft sie ihm versicherte, es sei keine besonders schwierige Niederkunft gewesen und sie habe sich längst erholt. Er bestand darauf, sie für den Rest des Winters nach Süden zu bringen, und sie hatte sich nicht gesträubt, denn in den zugigen alten Pfalzen von Magdeburg oder Quedlinburg waren die Winter in der Tat schwer zu ertragen. So hatten sie ein paar herrliche und unbeschwerte Wochen als Gäste des Abts von Weißenburg verbracht, der eine hervorragende Tafel unterhielt und ein geistreicher Gesprächspartner war.

Adelheid hatte ihren Gemahl nie zuvor so gelöst erlebt. Sie hatten lange Tage am prasselnden Feuer verbracht, Heinrich in der Wiege, keine Armeslänge von ihr entfernt. Aber Otto hatte darauf geachtet, dass Emma sich nicht ausgeschlossen fühlte, hatte sie sogar dann und wann auf sein Knie gesetzt, und Adelheid hatte ihn dafür geliebt. Gemeinsam hatten sie die Klosterbibliothek unsicher gemacht, sich gegenseitig aus den kostbaren Büchern vorgelesen und die Ruhe und Beschaulichkeit des Klosterlebens in sich aufgesogen.

Doch als die Fastenzeit sich dem Ende zuneigte, hatte der König gesagt, es sei höchste Zeit, sich wieder seinem Reich zu widmen, denn war der Schnee erst geschmolzen, werde sich schon irgendein Graf oder Bischof, Slawenfürst oder westfränkischer Herzog finden, um ihm Verdruss zu bereiten.

Also hatten sie beschlossen, das Osterfest in Ingelheim zu begehen, und der König hatte Frigobert von Laubach, einen jungen fränkischen Edelmann seines Gefolges, vorausgeschickt, auf dass hier alles für ihre Ankunft hergerichtet werde.

»Nun, es ist nicht zu ändern«, befand Otto seufzend, schwang das rechte Bein über den Widerrist seines Pferdes und rutschte aus dem Sattel. Adelheid wurde es nie leid, ihn dabei zu beobachten. Niemand saß so ab wie er, und sie fand es ebenso erheiternd wie elegant. »Jetzt sind wir hier und müssen das Beste aus dieser Panne machen. Einstweilen genügt uns ein Becher heiße Milch, Ansgar.«

Der Kastellan verneigte sich. »Sofort, mein König.«

Hardwin von Wieda sprang ebenfalls aus dem Sattel und hielt Adelheid den Steigbügel. »Wenn es denn tatsächlich eine Panne ist ...«, raunte er vor sich hin.

Die Königin ergriff die Hand, die er ihr entgegenstreckte, und saß ab. »Wie darf ich das verstehen?«

»Ich habe Mühe zu glauben, dass ein gestandener Mann wie Frigobert von Laubach in Begleitung von sechs Wachen auf dem Weg von Weißenburg nach Ingelheim verloren gehen könnte.«

»Oh, nun kommt schon«, schalt Adelheid lachend. »Ihr misstraut ihm, weil er Franke ist und Ihr Sachse, gebt es zu.«

Er nickte knapp. »Ich wüsste keinen besseren Grund, edle Königin.«

Hardwin war einer der legendären Panzerreiter, die einst beim ›Wunder von Birten‹ mit zweihundert Kameraden eine zehnfache Übermacht lothringischer Söldner bezwungen hatten. Er zählte zu Ottos engsten Vertrauten, wusste sie, und der König schätzte seinen taktischen Verstand und seine Integrität. Gute Eigenschaften, musste Adelheid einräumen, aber Hardwins Neigung, die Welt in Gut und Böse, Schwarz und Weiß zu unterteilen, kam ihr manchmal ein wenig zu simpel vor.

Otto reichte ihr den Arm, und gemeinsam betraten sie die wundervolle Halle von Ingelheim, die in ihrer schlichten Erhabenheit an eine Klosterkirche erinnerte. Doch das Bodenstroh war alt und staubig, in der Feuerstelle lag nur kalte Asche, und die hohe Tafel war ungedeckt.

»Nur gut, dass wir vor meinen Brüdern hier eingetroffen sind«, spöttelte der König. »Henning wäre erbost über den unstandesgemäßen Empfang, und wir müssten stundenlang seine Tiraden erdulden.«

»Du hingegen trägst es mit Fassung, wie ich sehe«, gab Adelheid zurück und setzte sich auf den linken der gepolsterten Thronsessel.

Er gesellte sich zu ihr. »Ich verabscheue Respektlosigkeit, wie du weißt«, erwiderte er und hob die breiten Soldatenschultern. »Aber Irrtümer kommen vor, und Ansgar ist eine treue Seele. Wir wollen ein Auge zudrücken.«

Diener und Mägde kamen in die Halle geeilt, knicksten und verneigten sich scheu und ehrfurchtsvoll vor dem Königspaar, machten Feuer und zündeten Öllichter an. Auch die heiße Milch kam im Handumdrehen, und während das Königspaar sich stärkte, schickte Hardwin den stiernackigen Wido, um sich zu vergewissern, dass auch die Schlafkammern geheizt und die Betten hergerichtet wurden, vor allem die der Kinder, und das Gefolge angemessen untergebracht und beköstigt wurde.

Mit der Dämmerung kamen Brun und Wilhelm nach Ingelheim, amüsierten sich über das Fehlen jedweden königlichen Prunks und debattierten angeregt und geistreich über die Frage, ob diese Schlichtheit nicht vielleicht die gottgefälligere Weise sei, die Karwoche zu begehen, als das ganze Gepränge eines österlichen Hoffestes.

Während der unwirtliche Frühlingstag draußen zur Neige ging, wurde es in der Halle allmählich warm und behaglich. Die Handvoll Adliger und Priester, die Otto und Adelheid ins Elsass begleitet hatten, fanden sich an der hohen Tafel ein, die königlichen Wachen und die Bediensteten der Pfalz versammelten sich um einen der unteren Tische, und als Hering, Fastenbrot und verdünntes Bier aufgetragen wurden, kam es Adelheid vor wie ein Festmahl, denn genau wie der König legte sie die Fastenregeln sehr streng aus und nahm nur eine richtige Mahlzeit am Tag ein.

»Wie steht es mit unserem Cousin Wichfried?«, fragte der König seinen Bruder. »Hast du ihn besucht?«

Brun nickte. »Nicht gut. Es ist nicht allein die Gicht, die ihm zu schaffen macht, obwohl sie ihn schon genug quält. Es ist sein Herz, glaubt sein Leibarzt.«

Wichfried war der Erzbischof von Köln und damit einer der drei mächtigsten Kirchenfürsten des Reiches. Er hatte Otto als Erzkaplan und Erzkanzler gedient. Seine Mutter war eine Schwester König Heinrichs gewesen – Ottos und Bruns Vater. Wie alle klugen Herrscher setzte auch Otto auf Männer, die ihm verwandtschaftlich verbunden waren, wo immer es ging.

»Er wird uns fehlen, wenn er diese Welt verlassen muss, so viel ist sicher«, bemerkte Wilhelm bekümmert.

»Welch ein Glück, dass wir geistlichen Nachwuchs in der Familie haben, um ihn zu ersetzen, wenn der Tag kommt«, sagte Adelheid ohne besonderen Nachdruck und aß ein Stück Brot.

Brun und Wilhelm betrachteten sie verblüfft, womöglich gar befremdet. Aber der König nickte langsam, blickte mit halb gesenkten Lidern erst zu seinem Bruder, dann weiter zu seinem Sohn und wieder zurück.

»Kein Grund, mir Pietätlosigkeit zu unterstellen«, kam die Königin etwaigen Vorwürfen zuvor. »Der ehrwürdige Erzbischof wäre vermutlich der Erste, der mir zustimmt, hat er sich doch sein halbes Leben mit Friedrich von Mainz herumplagen müssen. Dessen Loyalität bekanntlich hin und wieder ins Wanken gerät, weil er eben *kein* Verwandter des Königs ist.«

»Ich glaube, Ihr tut Erzbischof Friedrich unrecht«, widersprach Wilhelm. »Vielleicht stellt er die Belange der Kirche gelegentlich über die der Krone, wenn er eine Wahl treffen muss.«

»Unter *Eurem* Vater?«, konterte Adelheid und zog die Brauen hoch. »Welchem König seit Karl dem Großen waren die Belange der Kirche je heiliger?«

Otto ergriff ihre Hand und führte sie lächelnd an die Lippen. »Hab Dank, meine Königin. Es kommt nicht alle Tage vor, dass ich so gelobt werde …«

Sein Bruder und sein Sohn lachten, aber Brun war nachdenklich, balancierte den leeren Becher auf der Tischkante aus und fing ihn auf, sobald er fiel. »Ich hoffe dennoch, dass Wichfried sich erholt, denn er muss …«

Er verstummte, als Wido an die hohe Tafel trat und sich verneigte – knapp und linkisch wie üblich. »Vergebt mir, mein König.« Er wandte sich an Wilhelm. »Jemand, der Euch zu sprechen wünscht, Vater.«

Der junge Priester hob den Kopf. »Wer?«

Statt zu antworten, streckte der königliche Leibwächter ihm

die flache Rechte entgegen. Auf der schwieligen, mäßig sauberen Innenfläche lag ein goldener Ring und schimmerte matt im Feuerschein.

Wilhelm nahm das Schmuckstück zwischen Daumen und Zeigefinger der Linken und zog eine der Öllampen näher. Dann stand er auf. »Wenn Ihr mich entschuldigen würdet …«

Ohne wirklich auf die königliche Erlaubnis zu warten, eilte er zum Ausgang.

Adelheid sah ihm nach, und sie verspürte ein unangenehmes Ziehen in der Magengegend. Unwillkürlich dachte sie an die unheilvollen Himmelszeichen zu Ostern letztes Jahr und auf dem Lechfeld im vergangenen Sommer. Für gewöhnlich ließ sie sich nicht von bösen Omen niederdrücken, denn sie hatte gelernt, dass die wirklichen Schicksalsschläge in aller Regel ohne vorherige himmlische Ankündigung eintrafen. Aber sie war nervös, stellte sie fest. Genau genommen war sie nervös, seit sie heute Nachmittag nach Ingelheim gekommen waren und es unvorbereitet vorgefunden hatten.

Sie hätte nicht zu sagen vermocht, womit sie gerechnet hatte, als Wilhelm wenig später in die Halle zurückkehrte, aber ganz sicher nicht mit dem Mann, der ihm unverkennbar unwillig zur hohen Tafel folgte.

»Gaidemar!«

Wortlos sank er vor ihr und Otto auf ein Knie nieder und verharrte mit gesenktem Kopf.

»Und ich war sicher, ich hätte dich aus meiner Gegenwart und der der Königin verbannt«, sagte der König frostig.

Adelheid war geneigt, ihren Ohren zu misstrauen. *Verbannt?* Warum? Und wieso hatte sie davon nichts erfahren?

Wilhelm trat neben Gaidemar und legte ihm die Hand auf die Schulter. »Zu Unrecht. Er war des Vergehens, für das Ihr ihn bestraft habt, nicht schuldig, und außerdem ist er Euer Neffe, mein König.«

»Neffe?«, wiederholte Adelheid verwirrt, aber niemand außer Gaidemar schenkte ihr die geringste Beachtung.

»Ihr müsst ihn anhören, ich bitte Euch inständig«, sagte Wilhelm beschwörend.

Er war wachsbleich, erkannte Adelheid mit zunehmendem Schrecken.

Otto rang noch ein paar Herzschläge mit sich, dann nickte er knapp. »Also meinetwegen. Steh auf, Gaidemar, und sag, was dich herführt.«

Gaidemar kam auf die Füße, schüttelte Wilhelms Hand dabei ab und knurrte in dessen Richtung. »Heißen Dank, Cousin. Du machst mich zum Verräter *und* zum Boten mit der schlechten Kunde.«

Wilhelm zog die Brauen hoch, hin und her gerissen zwischen Heiterkeit und Schrecken.

Gaidemar stand einen Moment schweigend vor der hohen Tafel und wirkte verzagt. Dann sah er zu Adelheid, und ihre Blicke trafen sich. Sie versuchte, ihm aufmunternd und beruhigend zugleich zuzunicken, doch sie war nicht sicher, wie gut es gelang.

Er atmete tief durch und wandte sich an Otto. »Mein König, Ihr müsst Ingelheim so schnell wie möglich verlassen. Am besten noch in dieser Stunde.«

Der König verschränkte die Hände auf der dunklen Tischplatte. »Warum?«

Gaidemar sah sich um, ließ den Blick über das an der hohen Tafel versammelte Gefolge schweifen. Allesamt Menschen, denen der König vertraute, aber vermutlich kannte er keinen einzigen davon.

»Seid so gut, liebe Freunde, lasst uns allein«, bat Adelheid. »Hardwin, sorgt dafür, dass die Halle geräumt wird.«

Alle folgten ihren Anweisungen, nicht ohne Gaidemar mit neugierigen, teils argwöhnischen Blicken zu traktieren.

Der wartete – unverkennbar angespannt –, bis allein die königliche Familie noch an der Tafel saß, ehe er Ottos Frage beantwortete: »Ein Komplott wurde geschmiedet, das sich vornehmlich gegen Euren Bruder, den Herzog von Bayern, richtet. Sobald er hier eintrifft, soll Ingelheim genommen und der Herzog verhaftet werden.«

Falls Otto erschrocken war, wusste er es gut zu verbergen. »Und wer steckt hinter diesem Komplott?«

Gaidemar antwortete nicht sogleich. Er ballte die Fäuste und starrte auf einen gezackten Riss in der steinernen Stufe zur Estrade. Dann gab er sich einen Ruck. »Die Herzöge von Lothringen und Schwaben.«

Langsam erhob der König sich aus seinem Thronsessel. »Konrad? Und *Liudolf*?« Er schnaubte angewidert. »Du kommst hierher und bezichtigst meinen Sohn des Hochverrats? Ausgerechnet den Mann, der dich aufgenommen hat, als du aus der Reiterlegion geworfen wurdest? Was für eine Kreatur bist du eigentlich, Gaidemar?«

»Er wurde aus seiner Legion geworfen?«, fragte Adelheid ungläubig. »Aber warum?«

Ehe der König antworten konnte, sagte Wilhelm: »Wie Ihr zweifellos seht, hat Gaidemar sich seine Entscheidung nicht leicht gemacht. Im Übrigen bezichtigt er Liudolf keineswegs des Verrats, denn Liudolfs Plan richtet sich gegen Henning, nicht gegen Euch. Und Ihr werdet zugeben, es ist keine große Überraschung, dass Liudolf zu dem Schluss gekommen ist, nur er selbst könne sein Geburtsrecht sichern, nicht wahr?« Es klang bitter.

»Sieh dich vor, Wilhelm«, warnte Brun liebenswürdig. »Es ist niemandem damit gedient, wenn du dich zwischen den Fronten postierst.«

»Was soll das heißen?«, fragte der König. »Wieso sollte Liudolf sein Geburtsrecht in Gefahr sehen?«

Wilhelm wechselte einen ungläubigen Blick mit Brun, ehe er antwortete: »Weil Ihr ihn öffentlich demütigt, wann immer sich eine Gelegenheit bietet. Und weil Eure Königin einen Prinzen geboren hat.«

»Augenblick mal …«, versuchte Adelheid dazwischenzugehen, aber sie wurde wiederum unterbrochen.

»Ich rate dringend dazu, die Debatte unterwegs fortzusetzen«, sagte Gaidemar. »Ich weiß nicht, wie dicht sie mir auf den Fersen sind, aber viel mehr als eine Stunde beträgt mein Vorsprung vermutlich nicht.«

»Wer ist dir auf den Fersen?«, fragte der König, als zweifle er, dass es stimmte.

»Dedi von Wettin, schätze ich. Mit einer kleinen Armee. Die nicht meinetwegen ausgerückt ist, sondern um Prinz Henning festzusetzen.«

»Aber was in Gottes Namen sollte Liudolf mit solch einem Aufstand bezwecken?«, fragte Brun zweifelnd.

»Oh, das ist nicht schwer zu erraten«, erwiderte Wilhelm. »Er will Henning gefangen nehmen und als Druckmittel gegen den König benutzen, um Straffreiheit für sich und seine Mitverschwörer und Zugeständnisse zu erpressen.«

»Wenn das wirklich stimmt, dann kann er sich die Krone aus dem Kopf schlagen«, grollte Otto.

»Mein König ...«, sagte Adelheid beschwörend.

»Unter Umständen ist auch Arnulf von Bayern an der Verschwörung beteiligt«, eröffnete Wilhelm ihnen und wies kurz auf Gaidemar. »Arnulf hat Liudolf auf Hohentwiel aufgesucht, Gaidemar hat es gesehen.«

»Aber ... aber Arnulf ist Hennings Schwager«, protestierte der König.

»Das hat nicht für jeden Mann solche Bedeutung wie für Euch«, gab sein Bruder zu bedenken.

Otto richtete den Blick wieder auf Gaidemar. »Nennt mir einen einzigen Grund, warum ich diesem Mann trauen sollte und nicht meinem Sohn und Schwiegersohn.«

Wilhelm stellte sich an Gaidemars Seite »Weil ...«

Adelheid erhob sich aus ihrem Sessel und stellte den Bronzepokal geräuschvoll auf den Tisch. »Wäret Ihr alle so gütig, mir für einen Augenblick zuzuhören?«

Die vier Männer verstummten und sahen sie an.

Schon besser, dachte sie.

»Ich schlage vor, wir brechen umgehend auf. Wenn Gaidemar die Wahrheit sagt – und ich weiß, das tut er –, bringen wir uns und unsere Kinder hier unnötig in Gefahr.«

»Wieso bist du so sicher, dass er die Wahrheit sagt?«, wollte der König wissen.

Weil Ida unseren kleinen Heinrich verflucht hat, noch ehe er auf der Welt war, lag ihr auf der Zunge. Seit jenem Tag hatte sie gewusst, was in Liudolf gärte, auch wenn sie niemals mit einer offenen Revolte gerechnet hätte. Aber sie sprach es nicht aus. Sie wusste, diesen Fluch hätte Otto seiner Schwiegertochter niemals verziehen, doch als Königin oblag es Adelheid, den Zwist innerhalb der Familie zu heilen – Gott helfe ihr. Darum beschränkte sie sich auf ihren zweiten Grund: »Wenn du mit Gaidemar erlebt hättest, was ich erlebt habe, mein König, würdest du ihm ebenso blind vertrauen.« Und ehe Otto darauf eine Antwort eingefallen war, fragte sie Gaidemar: »Frigobert von Laubach hat uns auch verraten, nehme ich an?«

Er hob kurz die Schultern. »Auf jeden Fall war er vorletzten Winter im Gefolge des Erzbischofs von Mainz beim Gastmahl in Saalfeld. Durchaus möglich, dass Liudolf ihn dort für seine Sache gewonnen hat.« Er sagte nicht, ›für seine *gerechte* Sache‹, aber man hörte es in seinem Tonfall.

Armer Gaidemar, dachte Adelheid, nichts kann einen Mann von Ehre so in Stücke reißen wie widerstreitende Loyalitäten. Sie wusste, er war hier, weil er Otto einen Treueid geschworen hatte. Aber sein Herz schlug für Liudolf.

»Wir alle müssen uns schnellstmöglich reisefertig machen«, drängte sie noch einmal. »Hardwin sollte deinem Bruder entgegenreiten und ihn warnen, mein König, und dann treffen wir uns alle in …« Sie brach ratlos ab.

»Mainz«, antworteten Otto und Brun im Chor.

»Ich möchte zu gerne hören, was Erzbischof Friedrich zu diesen Vorgängen zu sagen hat«, fügte der König hinzu. Zorn funkelte in seinen hellblauen Augen wie Wintersonne auf Eis, aber er war vollkommen ruhig. »Die Königin hat recht. Je eher wir aufbrechen, desto besser.«

Der alte Kastellan konnte einem fast leidtun: Kaum hatte er den Schreck des unerwarteten königlichen Besuchs überwunden, alle Schlafkammern herrichten und alle Pferde versorgen lassen, musste er erfahren, dass der König und sein Gefolge schon wieder fort wollten, und zwar so rasch wie möglich.

»Aber es ist Nacht!«, protestierte er.

Otto ignorierte ihn mit einem Hauch von königlicher Ungeduld, so wie er es immer tat, wenn jemand das Offensichtliche
konstatierte. Er ließ den händeringenden Ansgar einfach stehen
und trat zu Hardwin, der bereits im Sattel saß, um ein paar letzte
Befehle zu erteilen.

Adelheid sah Anna und die Amme mit den Kindern aus einem
der Nebengebäude kommen, begleitet von einer Magd mit einer
rußenden Fackel.

»Wenn Amelung heute Nacht noch eine Meile läuft, wird er
tot unter mir zusammenbrechen«, hörte sie Gaidemar ganz in ihrer Nähe wütend flüstern. »Er ist fünf Tage gelaufen.«

Die Königin wandte sich um und entdeckte ihn mit Wilhelm
und einem mageren Knaben am Eingang des Pferdestalls. Auch
hier erhellten Fackeln die Nacht – ein halbes Dutzend steckte in
einem unordentlichen Halbkreis in der Erde.

»Oh, Gaidemar, du Hornochse … Warum bei allen Heiligen
bist du nicht den Rhein hinuntergefahren?«, fragte der junge
Priester verständnislos.

»Weil man sich auf einem Fluss nicht gut vor Verfolgern verstecken kann«, bekam er zur Antwort.

»Verstehe.« Wilhelm nahm einem Stallknecht sein Pferd ab.
»Nun, es ist nicht zu ändern. Wenn du deinen Gaul nicht zurück-
lassen willst, wird er die zehn Meilen bis Mainz noch durchhalten
müssen.«

Adelheid trat zu ihnen und wies den Stallknecht an: »Sattle
eines der königlichen Rösser für diesen Mann. Beeil dich.« Ihr
Blick fiel auf den Jungen. »Zwei«, verbesserte sie sich. Und an Gaidemar gewandt: »Ihr könnt Eure Pferde am Zügel mitführen, aber
wenigstens brauchen sie für den Rest des Weges keine Last mehr
zu tragen.«

Er nickte knapp und schlug dem Knaben nicht gerade sanft auf
den Hinterkopf. »Das ist die Königin, Miro. Na los, verbeuge
dich.«

Der kleine Kerl bestaunte sie mit großen Augen und machte
dann einen sehr tiefen Diener.

Nur wenig später ritten König Otto und sein Gefolge aus dem Haupttor der Pfalz zu Ingelheim und wandten sich nach Osten. Je vier Wachen mit Fackeln bildeten die Spitze und den Abschluss der Kolonne. Otto ritt vorn zwischen seinem Bruder und seinem Sohn, und sie berieten sich mit gesenkten Stimmen. Adelheid folgte mit Anna und den Kindern. Bald hatten ihre Augen sich auf das schwache Licht eingestellt, und sie sah, dass Gaidemar sich unauffällig zurückfallen lassen wollte.

Stirnrunzelnd wandte sie den Kopf: »Mir wäre wohler, wenn Ihr mich eskortieren wolltet, Gaidemar.«

Er schloss zu ihr auf. »Wie Ihr wünscht.« Es klang wie: *Fahr zur Hölle.* »Bei der Nachhut wäre ich allerdings von größerem Nutzen.«

Adelheid schwieg, denn sie hatte die Erfahrung gemacht, dass das oft der beste Weg war, um einer Unhöflichkeit ihre Wirksamkeit zu nehmen.

Anna lehnte sich ein wenig zurück, die schlafende Emma vor sich im Sattel, um ihn an der Königin vorbei anschauen zu können. »Es ist so eine Freude, Euch wiederzusehen, Gaidemar. Aber Ihr bellt den falschen Baum an.«

Er lächelte zerknirscht. »Da könntest du recht haben ...«

»Was ist passiert?«, fragte Adelheid gedämpft. »Warum habe ich Euch seit dem Tag meiner Hochzeit nicht mehr gesehen?«

»Vielleicht solltet Ihr das lieber den König fragen«, schlug er vor.

»Vielleicht. Ich frage indessen Euch.« Es geriet schärfer als beabsichtigt.

Einen Moment schwieg er noch bockig, dann antwortete er: »Prinz Henning bezichtigte mich eines ... ziemlich üblen Verbrechens. Der König glaubte ihm und nicht mir, so wie wohl jeder Mann lieber seinem Bruder glauben würde als einem hergelaufenen Bastard ...«

»Das seid Ihr wohl kaum, wenn Ihr des Königs Neffe seid«, widersprach sie. »Ihr habt also herausgefunden, wer Euer Vater war?«

»Hm.« Es war ein höhnischer Laut. »Der missratene Prinz Thankmar. Keine große Überraschung vermutlich.«

Adelheid wiegte den Kopf hin und her. »Was immer seine Fehler gewesen sein mögen, es vergeht kein Tag, da der König ihn nicht vermisst«, vertraute sie ihm an. Es war die reine Wahrheit. Otto sprach oft von Thankmar. Gaidemar schwieg verdattert, und darum fügte sie hinzu: »Wir wissen wohl alle, welcher der Brüder des Königs der ›missratene‹ ist.«

»Dem die Haut zu retten heute mein Privileg war«, antwortete er bitter.

Es war eine Weile still. Adelheid hörte den kühlen Nachtwind in den Bäumen, die sie schemenhaft am Wegesrand erahnte, den dumpfen Schlag der Hufe auf dem schlammigen Pfad, das leise Knarren von Sätteln und das Klirren von Zaumzeugen. Schließlich sagte sie: »Ich hätte mir gewünscht, Ihr wäret zu mir gekommen, als der König Euch zu Unrecht verbannt hat.«

»Ins Brautgemach?«, konterte er, dann hob er die Linke und bat: »Vergebt mir, meine Königin. Ich bin … Ich weiß nicht, was in mich gefahren ist.«

Aber sie wusste es. »Schon gut. Ihr seid innerlich zerrissen und erschöpft nach Eurem Fünftagesritt vom Bodensee bis hierher.«

»Eine erbärmliche Ausrede«, entgegnete er verlegen, stierte einen Moment auf den Sattelknauf hinab und wandte ihr dann das Gesicht zu. »Es wäre mir eine Ehre gewesen, Eurer Leibwache anzugehören. Aber der König hat anders entschieden, und es steht mir nicht an, seinen Entschluss in Frage zu stellen.«

»Das klingt verdächtig demütig.«

Er schnaubte belustigt und antwortete: »Alles, was ich je wirklich wollte, war, zu den Panzerreitern zurückzukehren, wohin ich gehöre.«

»Oh, Vetter, nicht schon wieder«, kam Wilhelms Flehen aus der Dunkelheit. »Ernsthaft. Wenn ich einen Pfennig hätte für jedes Mal, da ich mir das anhören musste, wäre ich reicher als der Erzbischof von Mainz.«

Es war noch nicht sehr spät, als sie dessen blühende Residenzstadt nach gut zwei Stunden erreichten, aber die Stadttore waren bereits geschlossen, und die Wächter weigerten sich standhaft, sie hereinzulassen, ehe sie den Erzbischof nach seinen Wünschen befragen konnten.

»Das kann doch alles nicht wahr sein …«, schimpfte die Königin vor sich hin.

Brun war eine Länge vorgeritten und hatte den Kopf in den Nacken gelegt. »Seid ihr sicher, dass ihr euren König und eure Königin hier draußen in der Kälte stehen lassen wollt?«, rief er ungläubig zum Fenster des Torhauses hinauf.

»Wir haben nur Euer Wort, dass es wirklich der König ist«, konterte die schemenhafte Gestalt dort oben – gänzlich unbeeindruckt. »Und wir haben Befehl, vorsichtig zu sein in diesen Zeiten!«

»Was für Zeiten?«, wollte der junge Gottesmann wissen.

»Unruhige!« brüllte der Torwächter zurück.

»Frag nach seinem Namen«, riet Wilhelm. »Dann bekommt er kalte Füße und lässt uns ein.«

Brun lächelte freudlos und nickte, folgte dem Vorschlag jedoch nicht.

Also warteten sie in der nächtlichen Kälte vor dem Stadttor. Der König saß grimmig und reglos wie ein Marmorstandbild im Sattel, die behandschuhten Hände auf dem Sattelknauf verschränkt. Seine perfekte Haltung verriet, dass er sein halbes Leben im Sattel verbracht hatte, und er beherrschte sein mächtiges Ross mit leichter Hand.

Adelheid an seiner Seite wirkte nicht minder würdevoll, aber sie schaute allenthalben zu ihren beiden Kindern hinüber.

Gaidemar folgte ihrem Blick und sah Emma in Annas Armen frösteln. Gleich hinter der Zofe saß die Amme mit dem winzigen Prinzen Heinrich in den Armen auf einer stämmigen, sandfarbenen Stute und schlotterte ebenfalls. Gaidemar schaute die Kolonne entlang: Die Männer hielten die Blicke auf das verschlossene Tor gerichtet. Sie waren angespannt und wachsam, und keiner scherte sich um die frierenden Königskinder.

Warum immer ich?, fragte Gaidemar sich verständnislos, warf Mirogod seine Zügel zu und saß ab. Er trat zu Anna und Emma, nahm den Mantel ab und legte ihn um sie beide. Dann ging er zu der jungen Amme, nahm ihr wortlos den Säugling aus den Armen und brachte ihn Emma. »Hier, Prinzessin. Nimm dein Brüderchen mit unter meinen Mantel und halt es gut fest.«

Sie sah ihn an, die großen Augen voller Furcht. Dann nickte sie wortlos, legte beide Arme um den winzigen Heinrich und drückte ihn behutsam an sich, genau wie Anna es mit ihr tat.

Mit heißen Ohren kehrte Gaidemar zu seinem Pferd zurück, warf den Wachen finstere Blicke zu, die sie warnen sollten, ihn wegen dieser Sache besser nicht aufzuziehen, und schwang sich wieder in den Sattel.

»Danke«, sagte die Königin, streckte die Linke aus und legte sie für einen winzigen Moment auf seinen Arm.

Der König wandte den Kopf und betrachtete den Bastard seines Bruders. Lange. Aber sein Gesicht lag im Schatten, und so konnte Gaidemar seine Miene nicht deuten.

Endlich waren Stimmen und Schritte hinter dem Tor zu vernehmen. Mit dumpfem Poltern wurde der Sperrbalken gelöst, und dann schwangen die beiden Flügel nach außen. Sobald der Spalt breit genug war, kam der goldgelockte Erzbischof hindurch, gefolgt von zwei Wachen mit Fackeln, trat vor Otto und verneigte sich.

»Ich bitte demütig um Vergebung, mein König.«

Otto sagte weder Ja noch Nein. »Ein sonderbares Willkommen bereitet uns Eure Stadt«, bemerkte er.

Friedrich von Mainz hob reumütig die Hände. »Ich hoffe, Ihr könnt den Wachen verzeihen. Wenn wir geahnt hätten, dass Ihr uns beehren würdet ...«

Otto ritt an und ließ ihn stehen. Adelheid folgte seinem Beispiel und sagte über die Schulter: »Man sollte doch meinen, dass der König keinen Boten vorausschicken muss, um vom höchsten Kirchenfürst seines Reiches Gastfreundschaft zu erfahren.«

Friedrich lief händeringend hinter ihnen einher. »Ich weiß, ich weiß«, beteuerte er. »Ein wahrlich unglückseliges Missverständnis, edle Königin ...«

Der Rest seines Gejammers ging unter im Trommel herannahenden Hufschlags. Gaidemar zog das Schwert genau wie Wido und die übrigen Wachen, doch noch ehe sie sich formiert hatten, gab eine Stimme vom hinteren Ende des Reiterzuges Entwarnung: »Es ist Prinz Henning!«

Gaidemar steckte die Klinge wieder weg und fiel aus allen Wolken, als ausgerechnet Wido ihm zuraunte: »Lasst Euer Schwert lieber keinen Rost ansetzen, Herr. Ein königstreuer Henning ist immer noch gefährlicher als ein aufständischer Liudolf.«

Ein großes Durcheinander herrschte im Palast des ehrwürdigen Erzbischofs von Mainz, als der König, die Königin und der Herzog von Bayern sich dort mit ihrem Gefolge ohne Vorwarnung einquartierten. In großer Eile wurden in der Halle Fackeln und Kerzen entzündet und heißes Fastenbier aufgetragen. Gaidemar stand mit verschränkten Armen im Schatten am hinteren Ende unweit der Tür und sah zu, wie der Erzbischof in seiner überfüllten Halle umherlief wie ein kopfloses Huhn – in dem hoffnungslosen Bestreben, auf die Schnelle für alle Edelleute einen angemessenen Platz an der hohen Tafel oder doch wenigstens in der Nähe zu finden.

»Er könnte einem fast leidtun, wäre er kein so wankelmütiger Feigling«, raunte eine Stimme in sein Ohr.

Gaidemar wandte den Kopf, und als er Hardwin von Wieda erkannte, ließ er die Arme sinken und verneigte sich. »Ihr wollt sagen, Ihr misstraut dem ehrwürdigen Erzbischof?«

Hardwin nickte knapp und erwiderte: »Kein Grund für Förmlichkeiten. Wir haben zusammen an der Moldau gekämpft.«

Gaidemar war geschmeichelt, dass Hardwin sich erinnerte. Dieser Mann war eine Legende unter den Panzerreitern. »Ja, ich weiß.«

Hardwins Blick war auf die hohe Tafel gerichtet, seine Gedanken schienen indes noch bei der Schlacht gegen Boleslaw von Böhmen zu verweilen. »Ist nicht dein Bruder damals gefallen?«

»Ziehbruder«, verbesserte Gaidemar. »Und er hat überlebt. Seit Neuestem erfreut er sich der Gunst des Herzogs von Bayern.« Er zeigte diskret auf Immed, der hinter Hennings Sessel stand und sich herausfordernd umschaute.

»Dann hat die zwölfte Legion zwei ihrer Besten verloren«, befand Hardwin nüchtern.

Gaidemar erinnerte sich an Wilhelms Worte und verzichtete darauf, seine Verbannung von den Panzerreitern erneut zu beklagen. Stattdessen sah er Hardwin ins Gesicht und fragte mit einem unsicheren Lächeln:»Bist du im Begriff, mir eine unliebsame Aufgabe zu übertragen, oder warum seifst du mich ein, Hardwin von Wieda?«

Der schnaubte belustigt.»In einer vertrackten Lage wie dieser gibt es *nur* unliebsame Aufgaben. Ich suche Freiwillige für die Nachtwache.«

Gaidemar nickte.»Einen hast du gefunden.«

»Du fünf Nächte kaum schlafen«, zischte Mirogod, der wieder einmal halb hinter seinem Rücken versteckt stand.

»Halt die Klappe, Bübchen«, knurrte Gaidemar über die Schulter.

»Wen haben wir denn da?«, fragte Hardwin amüsiert.»Deinen Leibarzt?«

»Das bildet er sich jedenfalls ein. Mein mährischer Bursche. Mirogod.«

Hardwin nickte dem Jungen zu.»Ich fürchte, wir können keine Rücksicht auf die Nachtruhe deines Herrn nehmen, Mirogod, egal wie bitter nötig er sie haben mag.«

»Weiß schon.« Mirogod nickte abgeklärt.»Wenn Prinz macht Aufruhr gegen König, man braucht viele Wachen.«

»Ich versuche ihm beizubringen, wenigstens in vernünftigen Sätzen zu sprechen, wenn er schon vorlaut sein muss«, sagte Gaidemar mit einem finsteren Blick auf seinen Schützling.»Aber ich hatte bislang keinen großen Erfolg.«

»Jedenfalls hat er recht«, erwiderte Hardwin leise.»Der Erzbischof hat Boten ausgesandt, um Prinz Liudolf und Konrad von Lothringen zu Verhandlungen herzubitten. Vermutlich denkt er, der König werde seinen Sohn und Schwiegersohn am ehesten zur Räson bringen, wenn sie vor ihm stehen. Aber der König darf keinen Moment ungeschützt sein.«

»So wenig wie die Königin und der kleine Prinz.«

Hardwin brummte angewidert. »Ich kann nicht fassen, welche Abscheulichkeiten wir Liudolf auf einmal zutrauen.«

»Er würde seinem Bruder niemals ein Haar krümmen«, stellte Gaidemar klar. »Andere bei Hofe hätten diesbezüglich vielleicht weniger Skrupel.« Sein Blick glitt unwillkürlich zurück zu Henning und Immed. »Aber Liudolf hat nicht einen Funken Niedertracht in sich.«

»Und genau das ist das Problem. Weil er arglos ist, läuft er Henning wieder und wieder ins offene Messer.«

Gaidemar nickte beklommen und rieb sich kurz die brennenden Augen. »Sag mir, vor welche Tür ich mich stellen soll, Hardwin. Ich schätze, ich bin auch unausgeschlafen eine brauchbare Nachtwache, aber für politische Ränkespiele tauge ich nichts.«

»Für die Einsicht ist es zu spät, Gaidemar, du steckst schon viel zu tief im Sumpf. Und ich sage dir noch etwas«, fuhr Hardwin mit unterdrückter Heftigkeit fort. »Ich wäre zuversichtlicher, dass dieser Familienkrach ohne Blutvergießen beigelegt werden kann, wenn sich nicht ausgerechnet Friedrich von Mainz zum Friedensstifter aufspielen würde. Er ist immer für eine böse Überraschung gut.«

Gaidemar gähnte herzhaft.

Madgeburg, Juni 953

»Bitte, Herr ...«, stammelte der Delinquent. »Bitte nicht ...«
Er heulte, und weil er an einen Pfahl gefesselt war, konnte er sich den Rotz nicht abwischen, der ihm aus der Nase lief.

»Nimm dich zusammen«, schnauzte Immed, stellte sich hinter ihn und legte den Lederriemen über seine Stirn, um auch den Kopf am Pfahl zu fixieren. »Dein Gejammer rührt hier niemanden.«

»Das ist nicht ganz richtig«, bemerkte Wilhelm und sah zu Dedi von Wettin und Wim von Weimar, die in der ersten Reihe der Zuschauer standen, die Hände gebunden. Dedis Miene war reglos, die Kiefermuskeln wie versteinert. Sein Freund Wim hatte die Schultern hochgezogen; er wirkte wie vor Gram gebeugt.

»Hm«, machte Wichmann Billung zustimmend. »Der alte Wim blinzelt verdächtig oft.«

Der Verurteilte war Wims Kammerdiener, der einen tollkühnen, aber unüberlegten Versuch unternommen hatte, seinen Herrn aus der Gefangenschaft zu befreien.

Immed trat zurück und nickte einem von Hennings Männern zu. »Wir wären so weit, Volkmar.«

Wim von Weimar korrigierte seine Haltung und wandte sich an den Herzog von Bayern: »Ich bitte nochmals um Gnade für meinen Diener, Prinz Henning. Was er getan hat, geschah aus Treue zu mir.«

»Das ist mir sehr wohl bewusst«, antwortete Henning, und sein Lächeln wirkte so milde, dass man beinah hätte glauben können, er werde einlenken. »Aber Ihr seid ein Graf, darum kann ich Euch nicht das Augenlicht nehmen, also muss er den Preis für Euren Verrat bezahlen.« Er winkte seinen Männern aufmunternd zu. »Vollstrecken.«

Volkmar hob das Brandeisen aus dem Feuer und zeigte die glühende Spitze dem schluchzenden Kammerdiener, der vergeblich an seinen Fesseln zerrte und versuchte, seinen Körper wegzudrehen. In seinem Schritt bildete sich ein dunkler Fleck.

»Du bist ein richtiger Held, was, Söhnchen«, brummte Volkmar, führte das Eisen mit sicherer Hand und stach die glühende Spitze in das linke Auge. Das wütende Zischen des Eisens ging im markerschütternden Schrei des Verurteilten unter, der zu einem Stöhnen verebbte und wieder aufgellte, als Volkmar ihm auch das zweite Auge nahm. Man konnte sehen, dass er über einige Übung in dieser Kunst verfügte. Er führte das Eisen behutsam und mit kleinen, langsamen Bewegungen, um es nicht zu tief in den Schädel zu rammen, denn schließlich war dies ja kein Todesurteil.

Der Geblendete verstummte mitten im Schrei, weil er das Bewusstsein verloren hatte. Die Überreste seiner Augen liefen ihm wie blutige Tränenspuren über die Wangen.

Wichmann spuckte angewidert aus. »Ehrlich, ich bin froh, dass unsereinem das nicht passieren kann.«

»Ah ja?«, höhnte sein einäugiger Bruder Ekbert. »Sagt wer?«

»Oh komm schon, es ist etwas anderes, ein Auge in einem ehrenhaften Kampf zu verlieren«, protestierte Wichmann.

Gaidemar rätselte, wo der Unterschied liegen sollte – abgesehen von der nicht ganz unerheblichen Tatsache, dass Ekbert nicht blind war, weil ihm immerhin ein Auge geblieben war –, als die Stimme des Königs hinter ihnen sagte: »Böse Zungen könnten behaupten, dein Bruder habe sein Auge ebenso durch leichtfertiges Draufgängertum verloren wie dieser jämmerliche Tropf hier.«

Alle fuhren leicht zusammen, wandten sich um und verneigten sich.

»Ich würde hingegen sagen, durch bedingungslose Treue«, konterte Wichmann unerschrocken. »Der Tropf zu einem wertlosen Verräter, weil er es nicht besser wusste. Ekbert zu Euch, mein König.«

Otto nickte mit einem etwas abwesenden Lächeln. »Und Eure Treue ist ein wahrer Grund, Gott zu danken«, räumte er ein, sah noch einmal zu dem besinnungslosen Kammerdiener mit den schaurigen leeren Augenhöhlen und ging dann zu Henning, der mit seinem Gefolge zum Aufbruch rüstete.

»Nimm es ihm nicht übel, Ekbert«, bat Hardwin von Wieda.

»Ach wo«, der gutmütige Ekbert winkte ab. »Ich kann schon verstehen, warum es ihm die Laune verdorben hat.«

Hardwins Prophezeiung hatte sich erfüllt: Der Ausgleich, den der Erzbischof von Mainz angeblich zwischen dem König und den rebellierenden jungen Herzögen hatte herbeiführen wollen, hatte geradewegs in die Katastrophe geführt.

Noch vor Ostern waren Liudolf und Konrad in Mainz erschienen, um dem König ihre Klagen vorzutragen, die, so betonten sie wieder und wieder, sich nicht gegen Otto, sondern allein gegen Henning richteten. Mehr fassungslos als erzürnt über den Ungehorsam, den nicht nur die Herzöge ihrem König, sondern vor allem Sohn und Schwiegersohn dem Vater erwiesen, hatte der König alle Forderungen abgeschmettert. Bis ein Bote nach dem anderen gekommen war, um ihm voller Schrecken zu berichten, dass diese Stadt und jene Burg zu den Aufständischen übergelaufen waren. Die Schwurfreundschaften, die Liudolf bei seinem Gastmahl in Saalfeld geschlossen hatte, zeigten mit einem Mal Wirkung: Nicht nur Schwaben und Lothringen, auch Franken und sogar Teile seines sächsischen Stammlandes schienen sich gegen den König erhoben zu haben, der plötzlich in Mainz eingeschlossen war wie ein Gefangener auf einer Insel in stürmischer See. Auf das eindringliche Zureden des Erzbischofs hin hatte Otto schließlich einem Vertrag zugestimmt, der Liudolf und Konrad Straffreiheit garantierte und eine Verkleinerung Bayerns auf die alten Grenzen vor dem Hoftag auf dem Lechfeld und Beschränkung von Hennings Privilegien und Machtbefugnissen festlegte.

Kaum waren Liudolf und Konrad abgezogen und der Hof nach Sachsen zurückgekehrt, hatte der König den Vertrag für null und nichtig erklärt.

Und seither herrschte Krieg.

»Es ist nicht nur Liudolfs und Konrads Treuebruch, der den König so verbittert«, versuchte Brun zu erklären, der zu ihnen getreten war, während Wilhelm zu Dedi und Wim ging, um ihnen vor ihrem Weg in die Gefangenschaft ein wenig Mut zuzusprechen. Falls das möglich war, dachte Gaidemar skeptisch.

Liudolf und Konrad waren dem Hoftag wohlweislich ferngeblieben, den König Otto letzten Monat in Fritzlar einberufen hatte, um den Reichsfrieden wiederherzustellen. Dedi und Wim waren der Ladung hingegen gefolgt, und zum Lohn für ihren Gehorsam waren sie verhaftet und ausgerechnet Henning als Gefangene übergeben worden. Und Henning würde Mittel und Wege finden, ihnen die Hölle auf Erden zu bereiten, das wussten sie alle – auch der König.

»Was sonst sollte es sein, das ihn so erzürnt, ehrwürdiger Vater?«, wollte Wichmann wissen.

Brun sah von ihm zu Ekbert, weiter zu Hardwin und schließlich zu Gaidemar. »Würdet Ihr sagen, dass Otto ein König ist, der das Wohlergehen seiner Untertanen über sein persönliches Wohl stellt?«

»Ja«, antworteten alle vier im Chor – ohne das geringste Zögern. Jedes Kind wusste das.

Brun nickte. »König Otto hat alle gelehrten Schriften studiert, die erklären, was Gott von einem christlichen König erwartet. Und ich meine *alle*, wenn ich alle sage. Bevor er selbst lesen konnte, hat er mir oder seiner ersten Gemahlin oder jedem Bischof, der das Unglück hatte, gerade bei Hofe zu sein, ständig in den Ohren gelegen, ihm daraus vorzulesen. Sein Eifer konnte einen manchmal … einschüchtern. Es ist das, was ihn antreibt: Er will ein gottgefälliger König sein, der seinem Volk Frieden und Sicherheit gewährt. Das geht nur, wenn dieser König das Recht achtet. Und doch hat er den Vertrag gebrochen, den er in Mainz mit Liudolf und Konrad geschlossen hat.«

»Aber der Vertrag wurde ihm unter Zwang abgenötigt«, protestierte Ekbert.

»Sie haben ihm doch praktisch die Klinge an die Kehle gesetzt«, pflichtete sein Bruder ihm bei.

Brun neigte nachdenklich den Kopf zur Seite und nickte. »Ja, ja. Ihr habt vollkommen recht.«

»Er hat trotzdem das Gefühl, dass er seine Ehre verloren hat«, mutmaßte Hardwin. »Weil er höhere Ansprüche an sich stellt als an gewöhnliche Sterbliche.«

Der Bruder des Königs tippte ihm an die Brust. »Ganz genau so ist es.«

»Und vermutlich ist es ihm auch ein Dorn im Auge, dass er Henning gegen seinen Sohn und Schwiegersohn in Schutz nehmen musste«, fuhr Hardwin seufzend fort und sah zum Herzog von Bayern hinüber, der unbekümmert mit seinen Männern scherzte, während die Wachen den verstümmelten Kammerdiener vom Schandpfahl schnitten und wie einen Kornsack auf einen Ochsenkarren warfen. »Im Grunde weiß er doch ganz genau, wie Henning ist.«

»Warum tut er es dann?«, fragte Gaidemar verständnislos. »Wieso zieht er Henning seinem eigenen Sohn immer vor, obwohl Liudolf derjenige ist, der das Herz auf dem rechten Fleck hat? Vermutlich sogar mit seinen Forderungen im Recht ist? Während Henning …« Er winkte seufzend ab.

»Ich kann dir den Grund nicht nennen, Gaidemar«, antwortete Brun mit einem bedauernden Kopfschütteln. »Es muss dir genügen, dass es einen Grund *gibt*.«

»Einen guten, nehme ich an«, brummte Ekbert gallig.

»Einen guten«, stimmte der junge Abt zu.

Schweigend beobachteten sie, wie der König seinen Bruder verabschiedete. Die warme Maisonne, die am blassblauen Himmel strahlte, funkelte auf den Silberbeschlägen der Sättel und Zaumzeuge – Henning und sein Gefolge boten einen prachtvollen Anblick. Er sprach noch einen Moment mit seinem königlichen Bruder, dann schwang er sich in den Sattel und hob die behandschuhte Rechte zum Zeichen des Aufbruchs. Der Zug setzte sich behäbig in Bewegung, und ganz am Ende hinter den Falknern, Hundeführern und dem Gesinde reihten sich die Wachen mit den beiden Gefangenen ein, damit Dedi und Wim ihre Schmach nicht vergaßen und den meisten Staub abbekamen.

»Arme Schweine«, brummte Wichmann. »Sagt, was ihr wollt, aber das haben sie nicht verdient.«

Gaidemar teilte diese Ansicht, und er fragte sich, ob das glimmende Kohlestück, das sich seit seiner Flucht vom Hohentwiel in seinem Magen eingenistet zu haben schien, je wieder verschwinden würde.

Er und Mirogod hatten ihr Lager wieder in dem schäbigen Grubenhaus an der Wiese mit dem Fischteich aufgeschlagen, da niemand anderslautende Order erteilt hatte, und Gaidemar war auf dem Weg dorthin, um zu schauen, ob der Junge wie befohlen den Kettenpanzer seines Herrn polierte oder sich vielleicht doch lieber auf die faule Haut gelegt hatte. Noch vor der Schmiede fing ihn indes eine Wache ab und bestellte ihm, die Königin wünsche ihn zu sehen.

Also machte er kehrt und begab sich zu Adelheids Gemächern hinter der Halle, die er schon einmal – ganz und gar unbefugt – betreten hatte. Er ging hinein, nachdem die Wache ihn gemeldet hatte, und sank vor der Königin auf ein Knie nieder.

»Ah, da seid Ihr ja.« Ihr Lächeln wirkte angestrengt. Sie bedeutete ihm, sich zu erheben. »Kommt her, ich möchte Euch etwas zeigen.«

Neugierig trat er an den Tisch, wo ihre Vertraute, Gräfin Hulda von Lüneburg, und ein dunkelhaariger Mann in staubigen Kleidern und mit sonnengebräuntem Gesicht über zwei große Pergamentbogen gebeugt standen.

»Dies ist Meister Stefanus, der gestern aus Pavia eingetroffen ist, Gaidemar. Ich habe ihn auf des Königs Wunsch hin eingeladen, zu uns nach Magdeburg zu kommen und uns eine neue Pfalz zu bauen.«

Gaidemar dachte bei sich, dass sie derzeit wirklich andere Sorgen hatten, doch er begrüßte den lombardischen Baumeister höflich und gab zumindest vor, sich für dessen Zeichnungen zu interessieren.

»Die Königin wünscht ein zweigeschossiges Hauptgebäude aus Stein«, eröffnete Stefanus ihm und wies mit seinem Kohlestift auf das linke Pergament, welches die Seitenansicht eines imposanten Bauwerks zeigte. »Der Grundriss entspricht in etwa dem einer dreischiffigen Basilika, Herr.«

Gaidemar nickte, auch wenn er keine Ahnung hatte, was zum Henker eine dreischiffige Basilika war.

»Die eigentliche Halle wird das gesamte Erdgeschoss einnehmen«, fuhr der Baumeister fort. »Hier in der halbrunden Apsis soll der Königsthron stehen, die Halle selbst wird hundert Fuß lang sein und reichlich Platz für Hoftage bieten. Im Geschoss darüber werden Vorratskammern und die Küchen untergebracht, sodass die Speisen tatsächlich heiß an der hohen Tafel serviert werden können.«

»Hundert Fuß …«, wiederholte Gaidemar beeindruckt und schaute zu Adelheid. »Das ist … ehrgeizig.«

Sie nickte. »Es wird eine Halle, wie man sie diesseits der Alpen noch nie gesehen hat. Höchste Zeit, dass das Königtum hier ein Symbol erhält, welches jedem, der es sieht, die wahre Machtfülle des Königs vor Augen führt«, erklärte sie trotzig.

»Ja, das kann nicht schaden, so wie die Dinge stehen«, stimmte er zu. »Und wie spannt man eine Decke über hundert Fuß?«, fragte er Meister Stefanus.

»Höre ich Zweifel?«, erkundigte sich dieser, und die dunklen Augen funkelten belustigt.

»Unwissenheit«, räumte Gaidemar ein.

Stefanus nickte mitleidig. »Zwei Säulenreihen werden das linke und rechte Seitenschiff von der Halle abtrennen und das Gewicht der Deckengewölbe tragen.«

Das machte Gaidemar nicht viel klüger, doch als der Baumeister ihm den Grundriss auf der zweiten Zeichnung zeigte, bekam er allmählich eine Vorstellung davon, wie die neue Halle einmal aussehen würde, und es faszinierte ihn, dass man die bloße Idee eines Bauwerks mit Holzkohle auf Pergament bannen konnte.

»Bei einer steinernen Halle ist die Feuergefahr natürlich weitaus geringer als bei einem Holzgebäude«, führte Stefanus aus.

»Und besser zu verteidigen ist sie allemal«, fügte der einstige Panzerreiter versonnen hinzu.

»Wie bitte?«

»Na ja, eine Pfalz sollte dem König und seinem Hof nicht nur ein Dach über den Köpfen und einen Versammlungsort bieten, denke ich, sondern im Kriegsfalle auch einen sicheren Rückzugsort.«

»Man kann merken, dass Ihr Soldat seid«, warf Gräfin Hulda anerkennend ein. »Und natürlich habt Ihr recht.«

»Darum wäre es viel besser, die Halle ins Obergeschoss zu verlegen, die Küchen und so weiter nach unten.« Gaidemar wies auf die beiden Ecktürme des Grundrisses. »Wenn nur zwei Wendeltreppen nach oben führen, könnten vier Männer die Halle gegen eine hundertfache feindliche Übermacht verteidigen, und zwar tagelang, weil nie mehr als zwei Mann gleichzeitig eindringen.«

»Ich wusste doch, es war eine gute Idee, Euch dazuzuholen«, sagte Adelheid mit leisem Triumph und kam zu ihnen an den Tisch.

»Das würde mein Leben erleichtern, weil kein Obergeschoss auf der Hallendecke lastet«, räumte Stefanus ein.

»Wir könnten am Westende sogar einen Söller vorbauen«, schlug Adelheid vor, und ihr Enthusiasmus verlieh ihr etwas Kindliches, das Gaidemar hinreißend und beängstigend zugleich fand. »Man hätte einen herrlichen Blick über die Elbe.«

»Ein Söller?«, entgegnete Stefanus skeptisch. »Hier im Land des ewigen Regens?«

»Oh, so schlimm ist es auch wieder nicht«, widersprach Adelheid.

»Ich glaube, heute ist das erste Mal, dass ich Euch unser Wetter hier in Schutz nehmen höre«, neckte Hulda.

»Im Mai ist es leicht, den November zu vergessen«, stimmte Adelheid zu. »Zumal ich …« Sie brach ab und fuhr sich kurz mit den Fingerspitzen über die Stirn. »Zumal ich immer glaube …« Ohne jede Vorwarnung sackte sie in sich zusammen.

Weil Gaidemar gleich neben ihr stand und gute Reflexe besaß, fing er sie auf, ehe sie zu Boden ging.

»Adelheid!«, rief Hulda aus, und auch der lombardische Baumeister gab einen Laut des Schreckens von sich.

Behutsam hob Gaidemar die zierliche Königin hoch, schob den rechten Arm unter ihre Knie und trug sie zum Bett hinüber. Sie war bleich wie Elfenbein, die Lider mit den unverschämt langen, dunklen Wimpern flatterten wie Schmetterlingsflügel.

»Sie kommt gleich wieder zu sich«, prophezeite er, während Hulda das Laken zurückschlug und die Hand der Königin in ihre beiden nahm.

»Ich empfehle mich«, sagte Stefanus mit einer Verbeugung und trat den geordneten Rückzug an.

Gaidemar bemerkte es kaum. Er wusste nicht, wie er es fertigbringen sollte, Adelheid wieder loszulassen, jetzt da er sie einmal in den Armen hielt. Er kam nicht umhin, durch den Stoff ihrer Gewänder die Wärme ihrer Haut zu spüren und sich deren Geschmeidigkeit vorzustellen. Nie war ihr Gesicht dem seinen so nahe gewesen, und er entdeckte ein winzig kleines Muttermal gleich unterhalb des rechten Ohrläppchens, das er noch nicht kannte. Die sacht geschwungenen Brauen. Die zierliche Nase. Der üppige Mund. Das Kinn, rundlich und dennoch energisch. So sehr bannte ihn dieses Gesicht, dass er sich einen Moment nicht rühren konnte. Doch als sie sich in seinen Armen regte und mit einem Seufzen etwas Unverständliches murmelte, legte er sie so hastig aufs Bett, als sei sie ein glühendes Eisen. Der seidige Schleier verrutschte und gab den Blick auf das braune Haar in der Stirn frei.

Gaidemar wandte den Blick ab, denn er wusste genau, es wäre ihr nicht recht, dass er ihr Haar unbedeckt sah. »Was hat sie?«, fragte er, und er hörte selbst, wie belegt seine Stimme klang.

Hulda deckte Adelheid mit einem dünnen Laken zu und zupfte ihren Schleier zurecht. Als sie sich wieder aufrichtete, betrachtete sie Gaidemar mit einem eigentümlichen Lächeln. »Ich hatte ja keine Ahnung, wie schlimm es um Euch steht, mein Junge.«

»Ich habe keine Ahnung, wovon Ihr sprecht, Gräfin«, gab er brüsk zurück.

Ehe sie etwas erwidern konnte, warf Adelheid sich auf die Seite. »Ich … ich habe von dem Wein getrunken, den der Baumeister mitgebracht hat und …«

»Schsch«, machte die Gräfin beschwichtigend. »Ich habe ihn auch getrunken, und seht mich an, es ist alles in Ordnung.«

Adelheid schien sie nicht zu hören. Sie hatte die Augen zugekniffen und die freie Linke zur Faust geballt. »Ich werde meinem armen Lothar folgen. Ich … meine Kinder …« Sie brach ab. Ihr Atem ging stoßweise, und Schweiß perlte auf ihrer Stirn.

Gaidemar verstand nicht so recht, was für ein Albdruck es war, der sie zwischen Traum und Wirklichkeit gefangen hielt, aber er fand es schwer mitanzusehen. »Ich habe den Wein vorgekostet«, log er deswegen. »Alles ist gut.«

»Gaidemar …«, murmelte sie, und ihr Körper entspannte sich.

»Ja.« Er nickte der Gräfin zu und wandte sich ab. »Ich werde Euch allein lassen, bis Ihr Euch besser fühlt. Falls Ihr mich braucht, bin ich direkt vor der Tür.«

»Nein, wartet.« Adelheids Stimme klang kräftiger. Als er sich wieder umdrehte, sah er, dass ihre Augen geöffnet waren, der Blick klar. »Vergebt mir«, bat sie mit einem verlegenen kleinen Lächeln. »Schwächeanfälle gehören eigentlich nicht zu meinen Gewohnheiten. Ich weiß nicht, was mit mir los ist …«

»Wirklich nicht?«, verwunderte sich Hulda amüsiert. »Dann fragt Euch, wann es das letzte Mal passiert ist.«

»Aber wieso …« Die Königin brach ab und legte eine Hand vor den Mund. Die großen Augen strahlten. »Meint Ihr wirklich?«, kam es undeutlich hinter der Hand hervor.

Ihre plötzliche Glückseligkeit mitanzusehen, stürzte Gaidemar in einen Mahlstrom widerstreitender Empfindungen, aber noch ehe er entschieden hatte, ob er die Flucht ergreifen konnte, ohne als feige entlarvt zu werden, ertönte ein energisches Klopfen an der Tür, und auf Huldas Aufforderung trat Wilhelm ein.

»Gute Neuigkeiten, meine Königin … Ach du Schreck, was ist denn hier los?«

»Gute Neuigkeiten«, antwortete Adelheid übermütig. »Vermutlich jedenfalls. Aber Ihr zuerst.«

»Die lothringischen Grafen und Bischöfe haben sich unter dem Banner des Königs zusammengeschlossen und sich Konrads Truppen zur Schlacht gestellt, irgendwo an der Maas. Sie waren siegreich. Konrad hat Lothringen verloren.«

Mainz, September 953

Die beiden Mädchen, die sich im strömenden Regen auf der Straße prügelten, waren vielleicht zehn und elf. Die Größere hatte mehr Kraft, die Kleine war schneller und pfiffiger. Sie tauchte unter dem schwingenden Arm ihrer Kontrahentin hinweg und rammte ihr den Ellbogen ins Gesicht. Die Große wurde zurückgeschleudert, und ihr Kopf stieß gegen die Bretterwand der Beinschnitzerwerkstatt, hart genug, dass selbst hier oben das dumpfe »Plock« zu hören war. Die Kleinere nutzte die kurze Benommenheit ihrer Gegnerin, um ihr das halbe Brot aus der Linken zu reißen und dann mit fliegenden Zöpfen Reißaus zu nehmen, aber noch ehe sie aus Liudolfs Blickfeld verschwunden war, hatte die Große sie eingeholt, sprang sie von hinten an, und beide landeten im Morast. Das Brot rollte ein Stück die abschüssige Straße hinab und blieb in einer Pfütze liegen.

»Was gibt es da unten zu sehen?«, fragte Ida, die plötzlich an Liudolfs Seite stand.

»Hunger.« Er legte den Arm um ihre Schultern, ohne den Blick von dem traurigen Spektakel abzuwenden.

Seine Frau packte ihn beim Ohr und drehte sein Gesicht zu sich. »Ich hab dir gesagt, du sollst aufhören, dir Vorwürfe zu machen. Wir können uns jetzt keine Schwäche leisten, mein Prinz.«

»Ich weiß.« Er kehrte dem Fenster energisch den Rücken, zog Ida an sich und legte das Kinn auf ihren Scheitel. »Aber es wird Zeit, dass Bewegung in die Sache kommt. So kann es nicht weitergehen.«

»Nein«, stimmte Konrad zu, nahm den Helm ab und fuhr sich mit der Hand durch die ohnehin schon zerzauste Löwenmähne. »Nur werden wir heute nichts mehr ausrichten. Es wird bald dunkel.«

»Man kann merken, dass der Herbst naht«, sagte Ida.

Ein Grund mehr, warum die Zeit drängte, wusste Liudolf, denn sobald die Straßen unpassierbar wurden – spätestens mit Einsetzen der Schneefälle –, war die Kriegssaison vorüber. Aber die Situation war so festgefahren wie ein Ochsenkarren im Schlamm.

Nach Konrads Niederlage an der Maas hatten sie sich hier in Mainz verschanzt, denn wer Mainz hielt, hielt Franken. Ihre Position war stark, weil fast der gesamte fränkische Adel sie unterstützte, aber dann hatte der König etwas getan, womit sie nie gerechnet hätten: Er hatte seinen alten Freund und Kampfgefährten Hermann Billung zum Statthalter in Sachsen ernannt und war höchstselbst an der Spitze des sächsischen Heeres nach Mainz gezogen, um den abtrünnigen Sohn und Schwiegersohn zu belagern. Erzbischof Friedrich, dieses hasenherzige Goldlöckchen, hatte sich mit einem Mal an seine amtsbedingte Neutralitätspflicht erinnert und war nach Breisach entschwunden – auf die uneinnehmbare Festung im Rhein, bevorzugte Zuflucht aller Feiglinge. Aber Konrad, Liudolf und ihre Getreuen hatten sich der Belagerung gestellt.

Jeden Tag zogen sie zu den Toren der Stadt, um die Angriffe der Königstreuen zurückzuschlagen, oder sie standen an der Brustwehr entlang der Stadtbefestigung und befehligten die Bogenschützen, die Ottos Belagerungsmaschinen mit brennenden Pfeilen vernichten sollten. Für jede, die in Flammen aufging, bauten die königlichen Zimmerleute indes zwei neue. Die Mainzer Stadtbevölkerung hielt stand, weil sie sich vor Liudolf und Konrad fürchtete. Die Menschen im Umland der Stadt versorgten das königliche Belagerungsheer, weil sie sich vor Otto und Henning fürchteten.

Und so ging das jetzt seit zwei Monaten.

Konrad trat vor Liudolf und streckte wortlos die Arme über den Kopf. Liudolf zog seinem Schwager den Ringelpanzer aus, und Konrad erwiderte die Gefälligkeit. Erst als er von dem Gewicht befreit war, merkte Liudolf wirklich, welche Last er auf den Schultern getragen hatte. *Wie wunderbar symbolisch …*

Er schenkte Wein in drei Becher, streckte Ida und Konrad je einen entgegen und ergriff dann den dritten. »Auf den Sieg unserer gerechten Sache.«

Sie stießen an und tranken schweigend.

»Wo ist Liudgard?«, fragte Liudolf.

»Sie hat sich hingelegt«, antwortete Ida. »Sie ist ja immerzu erschöpft, die Ärmste, die Schwangerschaft strengt sie so an.«

Sie sagte es mitfühlend, aber Liudolf argwöhnte, er höre einen gönnerhaften Unterton.

Ida war selbst guter Hoffnung, und genau wie damals bei ihrer kleinen Mathildis machte es ihr überhaupt nicht zu schaffen. Sie merke gar nichts, sagte sie gern, außer dass die Kleider allmählich zu eng würden. Aber bei seiner Schwester war es anders, wusste Liudolf. So wie er wusste, dass Konrad sich um seine Frau sorgte und sich fragte, was in Gottes Namen sie tun sollten, wenn die Vorräte in der Stadt endgültig aufgezehrt waren und sie nicht einmal mehr für die schwangeren Frauen etwas zu essen hatten.

»Wir *müssen* einfach einen Weg finden, eine Entscheidung zu erzwingen«, sagte Konrad eindringlich. »Die Zeit arbeitet immer gegen die Belagerten und für die Belagerer, das wisst ihr ganz genau.«

Liudolf trank versonnen einen Schluck. Man mochte über Erzbischof Friedrich sagen, was man wollte, aber wenigstens unterhielt er in seinem Palast einen ordentlichen Weinkeller. »Wenn wir nur mehr Männer hätten ...«

»Ach, ich bin es satt, das zu hören, mein Gemahl«, schalt Ida ungeduldig. »Wir *haben* genügend Männer! Seit Wichmann Billung mit dem halben sächsischen Belagerungsheer zu uns übergelaufen ist, haben wir mehr Männer, als wir füttern können, aber sie nützen uns nichts.«

Konrad brummte zustimmend. »Wir brauchen Verbündete von außen.«

»Wir brauchen Arnulf von Bayern«, erwiderte Liudolf achselzuckend. »Aber der hat sich ja anscheinend besonnen und hält es nun doch lieber mit Onkel Henning ...«

»Und dabei war ich so sicher, dass wir auf ihn zählen können«, sagte Ida angewidert. »Er schien so entschlossen, als er uns auf Hohentwiel besucht hat.«

Liudolf nickte trübsinnig. *Wenigstens hat er mir sein schneeweißes, blauäugiges Ross verkauft,* fuhr es ihm durch den Sinn, aber das erwähnte er nicht. Ida und Konrad hätten ihm vorgeworfen, er nehme die ganze Misere zu sehr auf die leichte Schulter. Dabei war das Gegenteil der Fall. Sein Grauen brachte ihn nachts um den Schlaf. Aber es hätte die Dinge nur verschlimmert, sich das anmerken zu lassen. Liudolf wusste, dies hier war *seine* Revolte. Ida, Konrad, Wichmann und all die Grafen und Edelleute, die sich ihnen angeschlossen hatten, folgten ihm, weil sie gute Gründe für ihren Groll gegen den König, vor allem gegen Henning hatten. Aber wenn er – Liudolf – das geringste Anzeichen von Zweifeln zeigte, würden sie kalte Füße bekommen. Selbst sein wunderbares furchtloses Mannweib und sein scheinbar unerschütterlicher Schwager.

»Es hilft alles nichts, wir müssen einen Ausfall planen«, sagte er schließlich. »Wenn es uns gelingt, wenigstens die bayrischen Truppen zur Schlacht zu stellen ...«

Er unterbrach sich, als es an der Türe klopfte. Keinen Herzschlag später trat Wichmann in das einstige Privatgemach des Erzbischofs, das Liudolf und Ida jetzt bewohnten und für vertrauliche Beratungen nutzten.

»Mein Prinz.« Wichmann verneigte sich.

»Setz dich zu uns, Vetter.« Liudolf wies einladend auf den letzten Schemel am Tisch. »Du bringst Neuigkeiten?«

Er hoffte, ihm war nicht anzusehen, wie wenig erpicht er auf Wichmanns Neuigkeiten war. Irgendwie brachte dieser Mann immer nur Hiobsbotschaften. So etwa auch die, dass Adelheid schon wieder guter Hoffnung war. Das war das Erste gewesen, was er Liudolf und den Seinen offenbart hatte, als er nach seinem Seitenwechsel im Sommer vor sie getreten war, und Liudolf hatte plötzlich verstanden, warum mancher Bote für seine Nachrichten den Kopf verlor. Er fand es fürchterlich, die kleinen Geschwister zu hassen, die die zweite Gemahlin seines Vaters anscheinend mit der schönen Regelmäßigkeit einer Zuchtstute zu gebären gedachte. Er verabscheute sich dafür. Aber er konnte nicht anders. Denn der kleine Heinrich und die Brüderchen, die ihm noch folgen mochten, bedrohten Liudolfs Geburtsrecht.

Ein wenig schwerfällig ließ Wichmann sich nieder, und der Schemel ächzte warnend. Wichmann Billung war Anfang zwanzig, genau wie Liudolf, aber er ging schon ziemlich in die Breite, und seine wuchtige, edelsteinbesetzte Gürtelschnalle prangte genau auf der Kuppe seiner kugelförmigen Wampe. »Der König hat Hardwin von Wieda mit einem Verhandlungsangebot vors Tor geschickt«, berichtete er.

»Wie originell«, spottete Konrad. »Der König ist jederzeit hier in der Stadt zu Verhandlungen willkommen.«

Wichmann lächelte freudlos und schüttelte den Kopf. »Er fordert Euch auf, Unterhändler zu ihm zu schicken, und sichert freies Geleit zu.«

»Nein«, beschied Ida kategorisch. »Er hat den letzten Vertrag gebrochen, den wir hier mit ihm geschlossen haben. Wieso glaubt er, wir würden seinen Zusicherungen je wieder trauen?«

»Das glaubt er nicht«, widersprach Wichmann. »Er ist gewillt, eine Geisel in die Stadt zu schicken, bis Eure Männer unversehrt von den Verhandlungen zurückkehren.«

Damit hatte Liudolf nicht gerechnet. »Wen?«

Wichmann Billung zeigte ein ganz und gar humorloses Lächeln. »Meinen Bruder Ekbert. Vielleicht denkt der König, wenn die Sache schiefgeht, kann er auf einen einäugigen Grafen besser verzichten als auf einen unversehrten.«

Hätte ein anderer Mann das gesagt, wäre Liudolf vielleicht amüsiert gewesen. Doch alles, was Wichmann über die Lippen kam, troff von Gift. Liudolf ertappte sich bei der Erkenntnis, dass er keine großen Sympathien mehr für Wichmann hegte, seit der zu ihnen übergelaufen war. Das war ebenso irrsinnig wie undankbar, denn ohne Wichmann und seine Verstärkung wären sie hier längst am Ende gewesen. Und Wichmann hatte gute Gründe für seinen Seitenwechsel gehabt: Sein Onkel Hermann, den der König zum Statthalter in Sachsen berufen hatte, war Wichmanns Feind und hatte ihm und seinem Bruder einen Teil ihres Erbes gestohlen. Diese öffentliche Auszeichnung für Hermann musste Wichmann als Schmach empfinden, wie eine Ohrfeige vor versammeltem Hof. Der König hätte kaum deutlicher zeigen können, auf wessen Seite er in der Frage der strittigen Erbgüter stand. Und trotzdem …

»Es muss dem König ernst sein mit seiner Verhandlungsbereitschaft, wenn er eine so kostbare Geisel zu schicken bereit ist«, sagte Konrad bedächtig. »Vielleicht steht es schlechter um die Moral der königlichen Truppen, als wir dachten.«

»Vielleicht. Vielleicht ist es auch, wie Wichmann sagt, und der König wäre bereit, Ekbert zu opfern, wenn wir dafür in die Falle tappen«, warnte Ida.

Doch Liudolf schüttelte den Kopf. »Du kannst meinem Vater vieles vorwerfen, aber hinterhältig ist er nicht.«

»Nein?«, konterte sie. »Und wie würdest du seinen Vertragsbruch nennen?«

Verzweifelt, dachte Liudolf, doch was er sagte, war: »Ekbert ist sein Cousin, vergiss das nicht. Er wird ihn nicht opfern.«

Sie machte große Augen. »Weil die Familie ihm über alles geht, mein Gemahl? So wie sein Sohn und sein Schwiegersohn?«

Liudolf hätte sie um ein Haar angefahren, doch im letzten Moment sah er das unwillige Stirnrunzeln, mit dem Wichmann Idas

Einmischung bedachte, und darum nahm er sich zusammen. Er legte die Hände auf die Tischplatte und stand auf, um anzuzeigen, dass die Debatte vorüber war. So machte sein Vater es immer, und es funktionierte auch heute: Konrad, Ida und Wichmann erhoben sich ohne weitere Einwände und leerten ihre Becher im Stehen.

»Ich will eine Nacht darüber schlafen«, sagte der Prinz. »Wir entscheiden morgen früh, Konrad?«

Sein Schwager nickte und ging zusammen mit Wichmann hinaus.

Schweigend trug Ida das Öllicht zum Bett hinüber. Es war eine herrlich gearbeitete Lampe aus ziselierter Bronze mit einem Griff aus poliertem Kirschholz, damit der Träger sich am heißen Metall nicht die Finger verbrannte. Das Bett selbst war verdächtig breit für die Bedürfnisse eines keuschen Gottesmannes, mit fetten Daunenkissen und Laken aus byzantinischer Seide. Liudolf war ein Königssohn, doch er hatte nie zuvor in solch einem luxuriösen Bett geschlafen. Seine frommen Eltern hatten übermäßigen Pomp und Prunk immer abgelehnt. Eitelkeit sei die Sünde der Könige, hatte seine Mutter gern gesagt und ihre Neigung zu Schlichtheit und Sparsamkeit an Liudolf und Liudgard weitergegeben.

Der Prinz sank auf die Bettkante und schlug mit der knochigen Faust in eines der brokatbezogenen Kissen. »Gott, wie ich diesen ganzen weibischen Tand *hasse* ...«

»Ich weiß, Liebster.« Ida setzte sich neben ihn. »Aber wenn du morgen das Richtige tust, können wir Erzbischof Friedrichs niedliches Schatzkästchen bald verlassen.«

Liudolf ließ sich mit einem Seufzer zurückfallen und breitete die Arme aus wie ein Gekreuzigter. »Keine Ratschläge mehr, sei so gut.« Vor dem Fenster war es finster geworden. »Mir scheint, wir haben irgendwie das Abendessen vergessen.«

»Soll ich nach Brot und Käse schicken?«

Ida wollte aufspringen, aber er hielt sie zurück. »Vielleicht später. Komm her und bring mich auf andere Gedanken, meine schöne Herzogin.«

Mit einem herrlich unanständigen Lachen kniete Ida sich aufs Bett, beugte sich über ihn und legte die schmalen Hände auf seine Brust, als es polternd klopfte. Sie konnten sich kaum schnell genug aufsetzen, ehe die Tür aufgerissen wurde und Konrad hereinstürzte.

»Ida, komm schnell. Es ist Liudgard. Sie blutet.«

Liudgard saß in der behaglichen Gästekammer am Boden, zusammengekrümmt, die angewinkelten Knie nach links gekippt und die Unterarme vor den Leib gepresst. Der Rock ihres lindgrünen Kleides und das Bodenstroh um sie herum waren dunkelrot verfärbt und glänzten vor Nässe. Als das Licht der Lampe in Idas Hand auf sie fiel, hob sie den Kopf.

»Ich wollte die guten Laken nicht verderben«, erklärte sie. Es klang verwaschen, beinah so, als wäre sie betrunken. Schweiß perlte auf ihrer Stirn, und das unbedeckte blonde Haar klebte in feuchten Strähnen auf Kopf und Wangen.

Mit zwei Schritten hatte Liudolf sie erreicht, hockte sich vor sie und ergriff ihre Hand: feucht und eiskalt.

Er sah zu Konrad und Ida, die wie angenagelt in der Raummitte standen und mit Schreckensmienen auf das Geschwisterpaar hinabstarrten.

»Was stehst du da und glotzt, Konrad, schaff eine Hebamme her!«, fuhr Liudolf ihn an.

Konrad nickte wie ein Schlafwandler. Dann nahm er sich zusammen. »Du hast recht. Ich beeile mich.« Er ging mit langen Schritten zur Tür. Erleichtert, einen triftigen Fluchtgrund zu haben, dachte Liudolf gehässig.

Ida sah sich suchend um und entdeckte eine Waschschüssel auf der Kommode neben dem Fenster. Sie stellte das Licht auf dem Tisch ab, brachte die Schüssel zu ihnen herüber und kniete sich knapp außerhalb des Blutsees in die Binsen. »Besser, du legst dich hin, Liudgard, und zur Hölle mit den erzbischöflichen Laken.« Sie fischte das Tuch aus der Schüssel, wrang es aus und tupfte ihrer Schwägerin die Stirn ab.

Liudgard wandte den Kopf ab. »Lass mich«, murmelte sie. »Geh weg …«

Ida blickte fragend zu Liudolf – weder ängstlich noch gekränkt.

Er nickte ihr zu. »Sei so gut und besorge einen Becher heißen Wein.« Er hatte keine Ahnung, was das nützen sollte, aber Wein, fand er, war in einer Krise immer ein guter Anfang.

Ida drückte ihm kommentarlos das feuchte Tuch in die Hand, kam auf die Füße und ging hinaus.

»Sie trägt und gebiert eure Kinder so mühelos wie eine Sau«, sagte Liudgard. »Das macht mich ... ganz verrückt.«

Er verzichtete darauf, seine Schwester daran zu erinnern, dass es erst ihr zweites Kind war, das Ida trug, denn Liudgard krümmte sich plötzlich und stöhnte. Er legte seiner Schwester einen Arm um die Schultern. »Was ist passiert?«

Sie ließ den Kopf an seine Schulter sinken. »Nichts. Ich wurde wach, weil ich furchtbare Krämpfe hatte. Und dann kam all das Blut ... Liudolf, ich ... ich habe mein Kind verloren.«

Er nickte. »Es tut mir so leid, Schwester.« Er sparte sich die üblichen Floskeln von den vielen gesunden Kindern, die sie noch bekommen würde. Ihre Schultern unter seinem Arm bebten. Zuerst glaubte er, sie weinte, aber dann ging ihm auf, dass sie schlotterte. »Ist dir kalt?« Ohne eine Antwort abzuwarten, angelte er eine der wollenen Decken vom Bett und hüllte sie darin ein. »Besser?«

Sie belohnte ihn mit einem gänzlich verunglückten Lächeln und nickte.

»Mein armer Konrad. Es wird ihn ... hart treffen. Er ... er fürchtet insgeheim, dass er mit seiner Rebellion gegen den König Gottes Zorn auf sich herabbeschwören wird, und das hier ...« Sie wies auf ihren blutigen Rock. »Viel deutlicher kann Gott seinen Tadel kaum ausdrücken.«

Liudolf spürte einen Moment würgender Panik. Er hatte nicht geahnt, dass Konrad an der Rechtmäßigkeit ihres Aufstandes zweifelte. Wie typisch für seinen Schwager, seine Bedenken mit sich allein auszumachen – oder genauer gesagt, nur mit seiner Frau zu teilen. Liudolf gegenüber hatte er nie etwas anderes als grimmige Entschlossenheit gezeigt. Aber was würde werden, wenn Konrads schlechtes Gewissen die Oberhand gewann? Liudolf schob den Gedanken schleunigst beiseite.

»Das ist doch dummes Zeug«, sagte er beschwichtigend. »Wenn Gott zornig ist, warum sollte er dann ausgerechnet dich bestrafen? Die Einzige, die sich immer gegen einen bewaffneten Aufstand ausgesprochen hat?«

»Weil Frauen und Kinder für die Sünden der Männer büßen müssen«, antwortete sie müde. »So ist Gottes Ordnung der Welt.«

»Dann ist es ja gut, dass wir gar keine Sünde begehen«, erwiderte er mit unterdrückter Heftigkeit. »Denn es ist nicht der König, gegen den wir zu den Waffen gegriffen haben, sondern nur Henning.«

Liudgard schloss die Lider. »Ich bin keiner von deinen Schwurfreunden, Bruder. Mir brauchst du nichts vorzulügen.«

»Aber …«

»Stimmt es, dass Vater euch neue Verhandlungen angeboten hat?«

»Ja«, räumte er nach einem winzigen Zögern ein. »Er will Ekbert Billung als Geisel stellen. Also ist es ihm offenbar ernst. Wir scheinen ihm schwerer zuzusetzen, als wir ahnten.«

»Dann geh und mach deinen Frieden mit ihm, Liudolf«, drängte sie. »Schicke keinen Unterhändler. Geh selbst und beweise ihm, dass es dir ernst ist mit … mit deinem Friedenswunsch. Bevor Dinge passieren, mit denen du nicht leben kannst. Versprich es mir.«

»Liudgard …«

»Versprich es mir!« Ihre kalte Hand umklammerte die seine mit erstaunlicher Kraft.

»Na schön.« Liudolf stieß hörbar die Luft aus, es klang wie ein Seufzen. »Ich verspreche, dass ich es versuchen werde.« *Und Gott helfe mir, wenn er uns wieder hereinlegt …*

Seine Schwester entspannte sich ein wenig. »Erzähl mir etwas«, bat sie. »Irgendwas Schönes. Von früher.«

Er musste nicht lange überlegen. Sie hatten in der Obhut ihrer Mutter eine unbeschwerte Kindheit verlebt, behüteter und sicherer als die meisten anderen Königskinder, weil ihr Vater es verstanden hatte, seine Macht zu sichern und zu behalten. »Erinnerst du dich an das Osterfest in Magdeburg, als Fürst Tugomir mit uns zum Werder hinübergerudert ist und uns die Fuchsfamilie mit den vier Welpen gezeigt hat?«

Liudgard nickte. »Sie waren … sie waren so putzig. Du wolltest unbedingt eins mitnehmen und als Jagdhund aufziehen.«

»Ach ja«, Liudolf lächelte wehmütig. »Das hatte ich vergessen. Und Tugomir ist den ganzen Nachmittag mit uns auf der Insel geblieben und hat uns gezeigt, wie man ohne Flint ein Feuer macht und welche Pflanzen man essen kann.« Ein herrlicher Tag voller Abenteuer und ungewohnter Freiheit war es gewesen.

»Und als wir zurückkamen, hat Mutter ihn gescholten, weil wir die Vesper versäumt haben«, erinnerte Liudgard sich. »Und Onkel Thankmar stand hinter ihrer Schulter und hat Grimassen geschnitten, sodass wir lachen mussten und … und dann …« Sie geriet ins Stocken, und Liudolf spürte, wie ihr ganzer Körper sich anspannte, als eine neue Welle von Krämpfen sie heimsuchte.

Die Blutlache breitete sich weiter aus und durchnässte Liudolfs Hosenbein, während er seine Schwester im Arm hielt und sich fürchtete und so tat, als sehe er gar nicht, dass sie weinte.

Es wurde eine lange und bittere Nacht. Liudgard war mit dem Kopf an der Schulter ihres Bruders eingeschlummert, als Konrad endlich mit der Hebamme kam, einer zahnlosen Gevatterin mit einem Gesicht so runzelig wie eine Dörrpflaume. Das alte Weib baute sich mit verschränkten Armen vor Liudolf auf, soweit der krumme Rücken es zuließ, und verkündete: »Ich rühre keinen Finger für sie, wenn Ihr mir nicht schwört, mir bis zum Ende der Belagerung jeden Tag ein Pfund Brot zu geben. Meine Enkel hungern, Prinz.«

»Was fällt dir ein, du alte Hexe«, knurrte Ida und legte die Hand an den Dolch in ihrem Gürtel.

»Nein, schon gut«, ging Liudolf hastig dazwischen, kam auf die Füße und wäre um ein Haar wieder umgefallen, weil seine Beine eingeschlafen waren. »Du bekommst dein Brot, Mütterchen.« Und er warf Ida einen warnenden Blick zu.

Konrad hob seine Frau vom Boden auf und legte sie aufs Bett. »Sie ist besinnungslos.«

Die Hebamme stieß ihn rüde beiseite, fühlte Liudgards Stirn und schob ihr dann ohne viel Feingefühl die alte, knorrige Hand unter die Röcke. Liudolf unterdrückte ein Schaudern, protestierte aber nicht.

»Ich brauche heißes Wasser«, beschied die Alte schließlich. »Wir müssen einen Sud kochen und ihr Umschläge machen.« Sie wandte sich um, sah ohne jedes Anzeichen von Mitgefühl von Liudolf zu Konrad und wieder zurück. »Wenn die Blutung bis Sonnenaufgang nachlässt, kommt sie vermutlich durch.«

Ida ging zur Tür und befahl der Wache draußen, ein Kohlebecken, einen Kessel und frisches Wasser herbeizuschaffen, »und zwar *jetzt gleich*, wenn ihr eure Hohlköpfe auf den Schultern behalten wollt!«

Die Hebamme schnaubte belustigt.

»Und was geschieht, wenn die Blutung bis Sonnenaufgang nicht nachlässt?«, fragte Konrad. Sein Adamsapfel glitt sichtlich auf und ab, als er zu schlucken versuchte.

Die alte Frau hob die Schultern. Ohne den Blick von Liudgard abzuwenden, antwortete sie: »Ich nehme an, dann verhungern meine Enkel.«

»Prinz Liudolf und Konrad von Lothringen, mein König«, hörten sie Hardwin im Innern des Zeltes melden.

Einen Moment herrschte Stille jenseits der Leinwand. Vielleicht war der König verblüfft. Dann antwortete er: »Lass sie eintreten, Hardwin.«

Liudolf ging auf, dass er diese Stimme seit mehr als vier Monaten nicht gehört hatte, und er war wieder aufs Neue fasziniert von ihrem Ausdruck. So milde. Geradezu heiter. Und doch schwang eine Strenge darin, eine Autorität, der sich zu widersetzen schier unmöglich schien. Liudolf fragte sich ratlos, ob es einer Königskrönung bedurfte, um solch eine Stimme zu bekommen.

Er wechselte einen Blick mit Konrad und sah seine eigenen Bedenken in den Augen seines Schwagers widergespiegelt. Ida war strikt dagegen gewesen, dass sie persönlich vor den König traten.

Nichts habe sich seit dem Frühling geändert, also wozu wieder verhandeln? Nichts Gutes könne dabei herauskommen, wenn er sich so leichtfertig in Gefahr begebe, hatte sie ihm vor Augen gehalten.

Aber Liudgard hatte ihn beschworen, es noch ein letztes Mal zu versuchen. Wachsbleich und furchtbar geschwächt hatte sie dagelegen. Sie wirkte krank, auch wenn die Blutung lange vor Sonnenaufgang versiegt war. Die Hebamme war schroff zu den besorgten Männern gewesen, die ihr im Weg herumstanden, und wenig mitfühlend zu Liudgard, aber ihre erfahrenen Hände taten das Richtige. Als die Glocke der erzbischöflichen St. Martinskirche auf der Nordseite des Palastes zur Prim schlug, hatte sie ihre Kräutersäckchen und die erste der versprochenen Brotrationen in ihre Weidenkiepe gepackt und war verschwunden, und im perlgrauen Licht des anbrechenden Tages hatte Liudolf seiner Schwester versprochen, zum König zu gehen. Um ihr ein wenig Hoffnung zu geben, so trügerisch sie auch sein mochte. Aber ebenso, weil er seine Truppen nicht mehr lange ernähren konnte. Irgendeine Art von Entscheidung *musste* her – ihm war fast schon gleich, welche. Und hier waren sie also.

Hardwin schlug den Zelteingang zurück und hielt ihn einladend geöffnet. »Der König lässt bitten, mein Prinz.« Er sah auf einen Punkt irgendwo zwischen Liudolf und Konrad, und seine Miene war ausdruckslos. Er verachtete sie, ahnte Liudolf, denn er war ein Panzerreiter. Das hieß, nach seinen Regeln war Königsverlassung das abscheulichste aller Verbrechen. Und nicht zum ersten Mal fragte sich Liudolf, was sein Cousin Gaidemar heute wohl von ihm dachte, den er vermisste und dessen Freundschaft ihm kostbar gewesen war.

Aber nichts von alldem durfte jetzt und hier eine Rolle spielen, denn dies hier war die Stunde der Entscheidung.

Liudolf schaute noch einmal zu Konrad, und sie nickten einander zu, um sich Mut zu machen. Dann traten sie Schulter an Schulter in das königliche Zelt und sanken auf die Knie, noch ehe sie so recht begriffen hatten, dass König Otto gar nicht allein war.

»Sieh an, sieh an«, spöttelte Hennings Stimme aus dem Schatten jenseits der dreiflammigen Öllampe. »Der Prinz und der Herzog persönlich. Welch ungewohnte Anwandlung von Mut.«

Liudolf zuckte zusammen und biss sich gerade noch rechtzeitig auf die Zunge, sodass der König Gelegenheit hatte zu sagen: »Henning, vergiss nicht, worum ich dich gebeten habe.« Dann richtete er den Blick auf Sohn und Schwiegersohn. »Sollte es eine Unterwerfung sein, die ich hier sehe?«, fragte er.

»Unterwerfung, ja«, antwortete Liudolf. »Bedingungslos, nein.«

Otto nickte langsam. »Also schön. Steh auf, mein Sohn. Du auch, Konrad. Ich jedenfalls weiß es zu schätzen, dass ihr selbst gekommen seid.«

Das dick aufgeschüttete Bodenstroh raschelte, als sie sich erhoben, und das Geräusch betonte die bleierne Stille im Zelt. Ein paar Herzschläge lang schien niemand geneigt, den nächsten Schritt zu tun, bis die beiden Brüder des Königs aus dem hinteren Teil des Zeltes traten und sich links und rechts von Otto postierten.

Brun schlug das Kreuzzeichen. »Möge der Herr diesen Tag segnen und eure Herzen mit Frieden erfüllen.«

»Amen«, antwortete Liudolf unwillkürlich und starrte verwirrt auf die Bischofsgewänder seines jüngsten Onkels.

»Ihr habt es nicht gehört?«, fragte Brun. »Erzbischof Wichfried ist im Juli gestorben.«

»Brun ist sein Nachfolger«, fügte der König überflüssigerweise und mit entwaffnendem brüderlichem Stolz hinzu.

»Damit ist Gott wohl gedient, ehrwürdiger Vater.« Konrad verneigte sich höflich vor Brun, aber seine Worte waren nichts als eine Floskel und klangen obendrein steif. Da ihre Herrschaftsgebiete sich überschnitten, waren der Erzbischof von Köln und der Herzog von Lothringen von Natur aus Konkurrenten. Bruns Wahl musste Konrad wie eine Kampfansage erscheinen.

»Wenn ihr in ernsthafter Friedensabsicht hergekommen seid, dann sprecht«, forderte der König sie auf und setzte sich auf den mit einer Felldecke gepolsterten Scherenstuhl.

»Wir sind in ernsthafter Friedensabsicht hier«, antwortete

Konrad mit Nachdruck. »Und es sei noch einmal gesagt, dass nicht Ihr es seid, gegen den wir und unsere Verbündeten aufbegehren, mein König.« Er sah vielsagend zu Henning.

»Und doch verwehrt ihr mir und meinen Truppen den Eintritt in die Stadt«, gab Otto zurück. »Also wie könnte ich glauben, was du sagst?«

»Wir haben uns in Mainz verschanzt, weil wir böswillig und durch üble Nachrede des Verrats bezichtigt wurden und befürchten mussten, dass uns keine königliche Gerechtigkeit zuteil wird.«

»Ihr solltet mehr Vertrauen in die Gerechtigkeit eures Königs haben«, widersprach Brun, aber es klang versöhnlich. »Wann hätte er euch je Anlass gegeben, daran zu zweifeln?«

»Als er die Vereinbarung missachtet hat, die Konrad mit Berengar von Ivrea ausgehandelt hatte«, antwortete Liudolf und bemühte sich nach Kräften, den gleichen sachlichen Ton anzuschlagen wie Brun. »Als wir in Magdeburg gedemütigt wurden, nachdem wir Berengar dort willkommen geheißen haben. Und nicht zu vergessen, als der König den Vertrag gebrochen hat, den wir hier im Frühjahr ausgehandelt haben.«

»Ein erzwungener Vertrag ist nicht bindend«, erinnerte Brun ihn.

»Wer sind wir, dass wir die Macht hätten, den König zu irgendetwas zu zwingen?«, konterte Liudolf.

»Oh, spiel uns nicht den Demütigen vor, Liudolf«, sagte Henning verächtlich. »Ihr hattet ihn in Mainz in eurer Gewalt und völlig isoliert.«

Liudolf wollte auffahren, aber Konrad legte ihm eine warnende Hand auf den Arm.

Der Prinz atmete tief durch und wandte sich schließlich direkt an seinen Vater. »Ich frage mich manchmal, was Ihr seht, wenn Ihr mich anschaut, mein König.«

»Meinen innig geliebten Sohn«, antwortete Otto prompt. »Der die Großzügigkeit und Herzensgüte seiner Mutter geerbt hat, aber leider nicht ihre Besonnenheit. Ich weiß, dass du deinem Naturell nach weder ein Aufrührer noch ein Verräter bist, Liudolf, aber du bist ein Heißsporn.«

»Verstehe.« Liudolf schlug einen Moment den Blick nieder, dann sah er seinem Vater wieder in die Augen. »Das klingt nicht, als sei es Euer Erbe und Nachfolger, den Ihr in mir seht.«

»Ich bete und hoffe, dass diese Frage noch keine Dringlichkeit hat«, entgegnete der König mit einem Lächeln.

»Was heißt, sie ist noch nicht entschieden.«

Otto stützte die Ellbogen auf die Knie und lehnte sich ein wenig vor. »Du erwartest nicht im Ernst, dass ich dir die Krone verspreche, während du dich in offener Rebellion gegen mich befindest, oder?«

Ein Windstoß fand seinen Weg ins Zelt und ließ die Öllichter flackern und fauchen, und Regentropfen begannen, zaghaft aufs Dach zu trommeln.

»Einer von euch wird den Schritt wagen müssen, dem anderen als Erster zu vertrauen, sonst sitzen wir Weihnachten noch hier«, bemerkte Brun und nickte seinem Neffen zu. »Und da du der abtrünnige Sohn, Prinz und Herzog bist, fürchte ich, ist es an dir, den nötigen Mut aufzubringen und es zu tun. Du bist hier, um dich zu unterwerfen, sagst du. Also tu es.«

Liudolf rang noch einen Moment mit sich, aber die Güte und das Mitgefühl in der Miene seines jungen Onkels machten es beinah leicht, dessen Rat zu befolgen. Er sank wieder vor dem König auf die Knie, beugte sich über dessen Schuh – der glücklicherweise frisch gebürstet und frei von Schlamm und Lagerdreck war – und drückte die Lippen darauf. »Ich bitte um Vergebung für meine Rebellion und um Wiederaufnahme in Eure königliche Gnade.«

Er richtete sich auf, blieb aber auf den Knien.

Konrad folgte seinem Beispiel, küsste ebenfalls den Fuß des Königs und sagte: »Auch ich erflehe Eure Vergebung und königliche Gnade.« Es geriet ziemlich grantig. Liudolf wusste, Konrad fiel es schwerer als ihm, seinen Stolz herunterzuschlucken, und vermutlich kochte er immer noch wegen Bruns Erhebung zum Erzbischof. Aber er hatte sich überwunden und der Form Genüge getan – nur das war im Moment wichtig.

»Ich bin bereit, Eure Bitte zu gewähren, wenn Ihr mir noch heute die Stadttore öffnet«, antwortete Otto.

»Einverstanden«, sagten die Schwäger wie aus einem Munde.

»Ihr werdet Eure Unterwerfung auf dem Hoftag zu Weihnachten öffentlich wiederholen und mir einen neuen Lehnseid schwören.«

Sie nickten beklommen. Es war nicht gerade eine erhebende Aussicht.

»Ihr werdet eure Truppen einen Eid auf den König schwören lassen und dann nach Hause schicken.«

Liudolf sah prüfend zu Konrad, und als der ein ergebenes Schulterzucken andeutete, antwortete er: »Wie Ihr wünscht, mein König.«

»Und Ihr werdet mir die Rädelsführer ausliefern, die Euch zu diesem Aufstand angestiftet oder bestärkt haben. Brun hat eine Liste und wird euch ihre Namen vorlesen. Der erste ist Wichman Billung.«

»Nein«, sagte Liudolf kategorisch.

»Liudolf, lass uns die Namen anhören und überlegen, ob …«, begann Konrad.

»Nach dem, was Dedi und Wim passiert ist?«, unterbrach der Prinz bitter. »Kommt nicht infrage!« Er wollte auf die Füße springen.

»Wage es nicht, dich zu erheben, ehe ich es gestatte«, warnte der König, die Stimme plötzlich schneidend.

Also blieb Liudolf, wo er war, sah seinem Vater in die Augen und schüttelte den Kopf. »Das kann ich nicht tun. Ich bin bereit, in Festungshaft zu gehen und jede Buße zu erfüllen, die Ihr mir auferlegt, um meine Friedensabsicht zu beweisen, mein König, aber die Straffreiheit unserer Verbündeten ist die einzige Bedingung unserer Unterwerfung.«

»Sie ist nicht akzeptabel«, erklärte Otto.

»Aber ich kann die Männer nicht verraten, die mir Treue geschworen haben«, protestierte Liudolf.

»Warum denn nicht?«, fragte Henning. »Es scheint dir nicht den Schlaf zu rauben, den König zu verraten, dem du Treue geschworen hast.«

Liudolf ignorierte ihn. »Ich habe Euch nie verraten, und ich bin kein Eidbrecher«, sagte er zu seinem Vater. »Ich bitte Euch inständig, verlangt nicht von mir, einer zu werden. Ich habe Schwurfreundschaften mit diesen Männern geschlossen …«

»Unklug«, unterbrach der König. »Ich weiß schon, warum ich sie meide.«

»Euer Vater hingegen glaubte fest an ihren Wert. Und ihre Unverbrüchlichkeit.«

Otto hob abwehrend die Linke. »Liudolf. Du verlangst, ich solle glauben, deine Revolte richte sich nicht gegen mich. Oder zumindest soll ich vorgeben, es zu glauben. Das kann ich indessen nur, wenn ich deine Getreuen als Anstifter, als die wahren Schuldigen zur Rechenschaft ziehe. Nur so kann ich dein Ansehen retten und meine Stellung wahren.« Er sah von ihm zu Konrad und wieder zurück. »So sind die Regeln, und das weißt du sehr wohl.«

»Ich bedaure«, erwiderte Liudolf förmlich. »Das kann ich nicht.«

»Und schon stehen wir wieder am Anfang«, grollte Henning. »Warum nur wundert es mich nicht, dass eure Unterwerfung einen Dreck wert ist?«

»Henning, iss eine Pflaume«, bat Brun seufzend und reichte ihm die bronzene Obstschale, die auf dem Tisch gestanden hatte. »Beschäftige dein Mundwerk, tu uns den Gefallen …«

Henning ignorierte ihn und machte einen drohenden Schritt auf Liudolf zu: »Ich habe allmählich genug gehört. Du behauptest in einem fort, du habest dich nicht gegen den König erhoben, sondern ich sei derjenige, gegen den deine Rebellion sich richtet. Dabei hat inzwischen der dümmste Bauer im Reich begriffen, dass du die Hand nach der Krone ausstreckst.«

»Ah ja?« Liudolf hielt es nicht länger auf den Knien. »Wie kommt es dann, dass du derjenige bist, der sein Herrschaftsgebiet um jeden Preis auf Italien ausweiten wollte? Wer ist hier derjenige, der sich mehr Macht anmaßt, als ihm zusteht?«

»Das ist es doch in Wahrheit, nicht wahr?«, entgegnete Henning. »Du bist wie ein gefräßiger Bengel, der sich beklagt, weil er nicht genug vom Kuchen abbekommen hat. Aber wenn du mir die Schuld an allem gibst, warum führst du deine feinen Schwur-freunde und deine Truppen dann nicht gegen mich?«

»Nur Geduld, Onkel«, knurrte Liudolf.

Henning lachte in sich hinein, beugte sich vor, hob mit der ge-sunden Linken einen Halm vom Bodenstroh auf und streckte ihn Liudolf entgegen. »Nicht so viel wirst du von meinem Herzogtum bekommen, Bübchen, und wenn du es versuchst, wirst du die Prü-gel beziehen, die du verdienst. Was bist du nur für ein Sohn? Wie kannst du deinen Vater und König nur so kränken mit diesem ab-scheulichen Ungehorsam …«

»Du hast es nötig«, versetzte Konrad angewidert, der ebenfalls auf die Füße gekommen war. »Wie oft hast du versucht, den König vom Thron zu stoßen, Henning? Hilf mir auf die Sprünge, es wa-ren mehr Aufstände, als ich mitzählen konnte.«

»Oh, du jämmerlicher Tropf, Konrad, wenn du …«

»Schluss!«, donnerte der König.

Alle verstummten verdattert. Es kam so selten vor, dass Otto die Stimme erhob, aber wenn es geschah, blieb niemand unbeein-druckt.

Er erhob sich und trat einen Schritt auf Liudolf und Konrad zu. »Überlegt genau, was ihr tut. Es muss einen Grund geben, wa-rum ihr zu mir gekommen seid. Ich nehme an, ihr seid so gut wie ausgehungert. Nun, wir hingegen können diese Belagerung noch monatelang fortführen. Dies hier sind die letzten Verhand-lungen.«

»Wir verhandeln doch gar nicht«, entgegnete Liudolf bitter. »Ihr seid nach wie vor nicht gewillt, unsere Sicht der Dinge zuzu-lassen oder unsere Klagen gegen Euren Bruder wenigstens zu prü-fen. Wir dürfen uns nur vor Euch in den Staub werfen. Das ist alles.«

Sein Vater sah ihm in die Augen und nickte knapp. »Das ist al-les, Liudolf. Ihr dürft euch in den Staub werfen und weiterleben. Mehr habe ich euch nicht anzubieten.«

»Dann wollen wir Eure kostbare Zeit nicht länger in Anspruch nehmen«, sagte Konrad förmlich und verneigte sich vor Otto.

Liudolf suchte im Gesicht seines Vaters nach irgendeiner Regung – Bedauern, Zorn, Furcht, ganz egal, irgendetwas –, aber er suchte vergeblich. Mit Mühe unterdrückte er ein Schaudern, kehrte dem König grußlos den Rücken und trat hinaus in den Regen.

»Erst baut er uns eine Brücke, und dann brennt er sie selbst nieder«, sagte er bitter, als sie sich in die durchnässten Sättel schwangen.

»Du hast genauso gezündelt wie er, Liudolf«, erwiderte Konrad. Es klang resigniert.

Eine Stunde vor Mittag kehrten sie in die Stadt zurück. Es nieselte, und Schlamm spritzte auf, als sie die Straße zum Bischofspalast hinaufpreschten. Die Stadt wirkte wie ausgestorben, schien sich unter dem bleigrauen Himmel zu ducken. Die verängstigten, hungernden Menschen suchten Schutz in ihren Häusern so wie ein gejagter Hase sich in seinem Bau verbarg.

Im Innenhof des Palastes war hingegen allerhand Betrieb. Soldaten und Wachen standen unter den überhängenden Dächern der hölzernen Gebäude um ein paar rauchende Feuer herum, wärmten sich die Hände und redeten. Vor der Schmiede beschlug der Schmied einen von Wichmanns übellaunigen Gäulen, der bei jeder Gelegenheit nach hinten ausschlug. Regen tröpfelte von den Helmen und Pieken der Torwachen, und die einst so makellosen Rasenflächen waren von den vielen Stiefeln und Hufen zu einer schlammigen Wüstenei zertrampelt.

Liudolf und Konrad überließen ihre Pferde zwei herbeigeeilten Knechten und gingen zur großen Halle auf der Ostseite der beinah quadratischen Anlage.

Ida saß mit Wichmann Billung, Konrads Cousin Udo von Heimbach und einem Dutzend weiterer vertrauter Freunde an der hohen Tafel. Am linken Ende des langen Tisches und ein gutes Stück von den anderen entfernt hockte Ekbert, den der König als Geisel gesandt hatte, mit hochgezogenen Schultern. Sein eines Auge stierte missmutig in seinen Becher. Offiziere und einige von Liudolfs Panzerreitern bevölkerten die Seitentische. Ein munteres Feuer prasselte in der Mitte des Hufeisens, das die Tische bildeten, und erfüllte die feuchte Luft mehr mit beizendem Rauch als mit Wärme.

Als Liudolf und Konrad eintraten, verstummten die Gespräche nach und nach, und alle Blicke verfolgten verstohlen ihren Weg zur Estrade.

»Wie geht es Liudgard?«, fragte Konrad seine Schwägerin, während sie sich auf ihre Plätze setzten.

»Warum gehst du nicht und siehst selbst«, gab Ida zurück. »Sie ist schließlich deine Frau, nicht meine.«

»Ida«, mahnte Liudolf.

Sie betrachtete ihn einen Moment forschend, dann antwortete sie Konrad: »Sie hat kein Fieber, und sie hat ein paar Schlucke Hühnerbrühe getrunken. Beides gute Zeichen, schätze ich. Und jetzt lasst uns nicht länger zappeln. Man sieht unschwer an euren Gesichtern, dass ihr keine Freudenbotschaft bringt.«

»Nein.« Liudolf sah sich an der Tafel um, schaute in die Gesichter der Männer, die sich ihm und Konrad angeschlossen hatten. Weil sie dem König grollten oder Henning, weil sie sich Landgewinn oder Macht davon versprachen, weil sie jung waren und lieber Männern ihrer eigenen Generation folgten als alten Autoritäten. Was immer ihre Beweggründe waren, sie hatten sich ihm eidlich verbunden – komme, was wolle. Wie *konnte* sein Vater nur von ihm verlangen, diesen heiligen Eid zu brechen?

»Die Verhandlungen sind gescheitert.« Er rang um einen nüchternen Tonfall, während er ihnen von ihrer Begegnung mit dem König und dessen Brüdern berichtete. »Es tut mir leid, Freunde«, schloss er und hob ratlos die breiten Schultern. »Ich wünschte, ich hätte es geschickter angestellt, aber die Bedingungen des Königs waren unannehmbar.«

Ein paar Atemzüge lang herrschte Stille, während ein jeder sich klarmachte, was dieser Ausgang bedeutete. Schließlich beugte Wichmann sich ein wenig vor, um Liudolf ins Gesicht schauen zu können, und sagte: »Ich kenne dich, seit wir zusammen bei Hofe aufwuchsen, mein Prinz, und darum sollte ich vermutlich nicht so überrascht sein. Aber dass du die angebotene Vergebung des Königs ausschlägst, nur um deine Freunde nicht ausliefern zu müssen, beweist Ehre und Größe.«

»Was heißt ›nur‹?«, entgegnete Liudolf verständnislos. »Wie

soll die Welt weiter funktionieren, wenn jeder seine Eide bricht, wie es ihm gerade passt?«

»Trotzdem hat Wichmann recht«, befand Anselm von Weimar, Wims jüngerer Bruder. »Das hätte längst nicht jeder getan, und es zeigt mir, dass ich auf der richtigen Seite stehe.«

Die übrigen Männer klopften mit den Bechern auf die Tafel, um ihre Zustimmung zu signalisieren.

Liudolf rang sich ein Lächeln ab. »Trotzdem bleibt die Tatsache, dass ich unseren Karren in den Dreck gefahren habe«, sagte er. »Und es wird Zeit, dass wir eine Entscheidung fällen, was nun zu tun ist. Aber vorher ...« Er wandte sich an die Geisel. »Du kannst gehen, Ekbert. Die Wache bringt dich bis ans Tor, und natürlich bekommst du freies Geleit.«

Ekbert Billung stand ohne Eile von der Tafel auf und nickte unglücklich. »Ich wünschte, es wäre alles nie so weit gekommen. Und mir ist unbegreiflich, wie es passieren konnte, denn der König und du, ihr seid einander so ähnlich.«

»Frag Henning, wie es so weit kommen konnte«, erwiderte Liudolf kühl. »Und deine Klagen in allen Ehren, aber sie bringen uns keinen Schritt weiter. Also wenn du jetzt die Güte hättest, uns unseren Beratungen zu überlassen?«

»Liudolf ...«, begann Ekbert noch einmal, und es klang beschwörend.

Liudolf schloss einen Moment die Lider und mahnte sich zur Besonnenheit. Er hatte vergangene Nacht nicht geschlafen, und er wusste, das machte ihn unleidlich. »Ich will nichts mehr hören. Geh mit Gott, Vetter.«

»Nein, ich denke nicht«, gab Ekbert zurück. Sein Auge blinzelte verdächtig, und er stand stockstill da wie ein Ochse in der Sonne.

»Ist das zu fassen?«, knurrte Liudolf vor sich hin. »Müssen wir wirklich die Wache ...«

»Warte.« Wichmann legte ihm die Hand auf den Unterarm, den Blick unverwandt auf seinen Bruder gerichtet. »Gib ihm noch einen Moment.«

Ekbert schluckte sichtlich, dann hob er den Kopf und sah Liudolf ins Gesicht. »Ich werde nicht gehen, mein Prinz. Deine Erlaubnis vorausgesetzt, würde ich mich euch gern anschließen. Es erschüttert mich, meinen König im Stich zu lassen …« Wieder musste er eisern um Haltung ringen. Dann fuhr er fort: »Aber die Treue, die du deinen Freunden beweist, imponiert mir. Und was immer es ist, das euch zusammenhält, ich will dazugehören, nicht dagegen kämpfen müssen.«

Etwas Wohliges, Warmes durchrieselte Liudolf, ein gänzlich unangebrachter Funke Hoffnung. Er stand auf und trat zu Ekbert. »Dann sei uns willkommen, Vetter. Aber ich muss dich warnen. Unsere verschworene Gemeinschaft hat keine besonders rosige Zukunft.«

»Ich weiß«, erwiderte Ekbert grimmig und sank auf ein Knie nieder. »Ich würde dir mein Schwert anbieten, Prinz Liudolf, aber es ist draußen bei der Wache.«

Liudolf zog ihn auf die Füße und schloss ihn kurz in die Arme. »Wir lassen es holen, damit es im Regen keinen Rost ansetzt.«

»Vermutlich wirst du es heute noch brauchen«, bemerkte Konrad beiläufig, setzte seinen Becher an und nahm einen tiefen Zug.

Alle an der Tafel sahen ihn an.

»Du denkst, wir sollten einen Ausfall wagen?«, fragte Wichmann.

Konrad nickte.

»Und zwar mit allem, was wir haben«, erklärte Liudolf, kehrte an seinen Platz zurück, blieb hinter dem Sessel stehen und legte die Hände auf die fein geschnitzte Rückenlehne. »Wir sind beinah ausgehungert und dürfen nicht warten, bis unsere Männer schwach und krank werden, das Vertrauen verlieren und nachts über die Mauer ins königliche Lager desertieren.«

»Aber zusammen mit den bayrischen Truppen hat der König mindestens doppelt so viele Männer wie wir«, warf der junge Anselm ein und bemühte sich nach Kräften, keine Furcht zu zeigen.

»Das stimmt«, bekannte Konrad. »Trotzdem müssen wir sie zur Schlacht stellen. Wenn wir es noch heute tun, haben wir wenigstens die Überraschung auf unserer Seite.«

Liudolf sah auf Idas versteinerte Miene hinab. Sie wusste ganz genau, was Konrad eigentlich sagen wollte, und er erkannte, dass irgendwer es laut aussprechen musste. »Also, Freunde. Wir haben nicht den Hauch einer Chance, in Mainz zu überwintern. Wir haben auch keine Chance, den König heute auf dem Feld zu schlagen. Aber lieber ehrenhaft fallen, als elend zu verhungern, meine ich. Oder – noch schlimmer – irgendwann schwach zu werden und auf den Knien zum König zu rutschen. Bedingungslos. Darum sage ich: Gehen wir und rüsten uns und verteidigen unsere Ehre mit dem Schwert.«

Er nahm seinen Becher und sah abwartend in die Runde, scheinbar seelenruhig. Dabei waren ihm in Wahrheit die Knie butterweich vor Furcht. Aber gleichzeitig berauschte ihn seine eigene Verwegenheit, und er konnte nur hoffen, dass sie ihn nicht verlassen würde, wenn er sie am dringendsten brauchte.

Konrad erhob sich ebenfalls. Wichmann war der Nächste, und es dauerte nicht lange, bis alle an der hohen Tafel Versammelten mit erhobenen Bechern dastanden, auch Ida.

»Auf die Schwurfreundschaft«, sagte Liudolf, überraschte sich selbst mit einem Lächeln, setzte den Becher an die Lippen und trank.

Unter vernehmlichem Rumpeln öffnete sich das mächtige Stadttor. An der Spitze ihrer rund tausend Männer ritten Liudolf und Konrad hinaus auf die braunen Stoppelfelder vor der Stadt. Der Wind wehte ihnen den eisigen Nieselregen waagerecht in die Augen und zerrte an den Bannern ihrer Standartenträger. Hinter ihnen folgten die Panzerreiter – knapp die Hälfte ihrer Armee – und formierten sich zu einer langgezogenen Schlachtreihe. Die Fußsoldaten bildeten die Nachhut.

Als Liudolf die Hand hob, rückten sie vor, alle zugleich, so als lenke sie ein einziger Wille. Zu ihrer Linken lag der Rhein wie ein Strom aus geschmolzenem Zinn, rechts die Wälder der erzbischöflichen Jagd, in ihrem Rücken die Stadt. Vor ihnen erstreckte sich das offene Gelände in einem sanft ansteigenden Hügel, und kaum hatten sie ihn zur Hälfte erklommen, tauchten über die Kuppe die Banner der königlichen Truppen auf.

»So viel zu unserem Überraschungsvorteil«, sagte Wichmann bitter, der gleich hinter Konrad ritt.

»Gott verflucht!«, schimpfte der Herzog von Lothringen.

»Der König hat sich gefragt, was er an unserer Stelle täte«, mutmaßte Liudolf. »Und genau die richtigen Schlüsse gezogen. Sie sagen nicht umsonst, er sei unbesiegbar.«

»Oh, heißen Dank, Prinz, das war genau, was ich hören wollte«, höhnte Anselm in seinem Rücken, aber es klang eher spöttisch als verzagt.

Liudolf wandte den Kopf und befahl den Panzerreitern: »Keilformation bilden!«

Er zog das Schwert, blinzelte den Regen aus den Augen und blickte zu Konrad: »Viel Glück, Schwager.«

»Dir auch.« Konrad hielt ebenfalls die Klinge in der Rechten und beförderte mit einem geübten Schwung den Schild vom Rücken nach vorn. »Gott sei mit uns allen.«

Die vorderste Linie der königlichen Panzerreiter kam in Sicht. Liudolf fragte sich für einen Moment, ob Gaidemar unter ihnen war, und dann schob er den Gedanken entschlossen fort. Freunde und Cousins standen dutzendweise auf der anderen Seite, um sich ihm entgegenzuwerfen, ihn zu töten, wenn sie konnten. Nicht zuletzt sein Vater. Es konnte ihn nur schwächen, jetzt an sie zu denken.

Er reckte das Schwert in die Höhe, und in genau diesem Moment tat sich vor ihnen eine Lücke in der bleigrauen Wolkendecke auf und gewährte ihnen einen Blick auf die fahle Sonne, die das trostlose Stoppelfeld für ein paar Herzschläge mit silbrigem Licht überzog.

»Sehet das Zeichen Gottes!«, brüllte Konrad, heiser vor Aufregung und Kampfeswut. »Seid frohen Mutes, Freunde, denn der Herr ist mit uns!«

Und ohne auf irgendwen zu warten, ohne auch nur einen Blick über die Schulter zu werfen, stieß er seinem Pferd die silberglänzenden Sporen in die Seiten und galoppierte König Ottos haushoch überlegener Armee entgegen.

Liudolf war nie imstande gewesen, in einem Sonnenstrahl ein

Zeichen göttlichen Wohlwollens zu erkennen, aber er ließ die Verzweiflung von seinem Herzen abperlen wie den Regen von seinem Helm und legte sein Schicksal in Gottes Hand. Im gestreckten Galopp holte er Konrad ein, hörte hinter sich den donnernden Hufschlag und das Gebrüll seiner Panzerreiter, von dem einem wahrlich das Blut in den Adern gefrieren konnte, richtete den Blick auf das königliche Banner und ritt in die Schlacht.

Wie zwei entgegengesetzte Brandungswellen trafen die beiden Armeen aufeinander, und augenblicklich war die Luft erfüllt vom Splittern der Lanzen, dem Wiehern der stürzenden Pferde und den ersten Schreien verwundeter und sterbender Männer. Liudolf fand sich zwei geharnischten Panzerreitern gegenüber, die ihn unfein gleichzeitig angriffen. Er erledigte den linken mit der Wurflanze, wendete sein perfekt geschultes Ross mit den Knien und riss das Schwert gerade noch rechtzeitig hoch, um zu verhindern, dass der zweite Widersacher ihm den Kopf abschlug. Sie lieferten sich einen rasanten Schwertkampf, ihre Pferde kamen sich näher und näher, bis die Dampfwolken, die sie ausstießen, sich vermischten, und endlich fand Liudolf eine Lücke in der Deckung seines Gegners, sodass er ihn mit einem kräftigen Tritt aus dem Sattel befördern konnte. Mit einem dumpfen Aufprall und klirrendem Kettenpanzer landete der Mann im zertrampelten Morast, doch ehe er sich aufrappeln konnte, sprangen zwei von Liudolfs Fußsoldaten herbei, johlend und mit gehobenen Streitäxten, und sie hackten auf ihn ein, als wäre er ein Baumstamm. Der Gestürzte fing an zu schreien.

Liudolf wendete sein Pferd und beugte sich gefährlich weit nach links, um seine Lanze mit einem kleinen Ruck aus der Kehle seines toten Kontrahenten zu befreien. Er ritt ein paar Längen nach rechts, wo ein bisschen Platz im Getümmel war, und ließ das mächtige Schlachtross einmal um die eigene Achse kreisen, um sich einen raschen Überblick zu verschaffen. Ihre Linie hielt auf Konrads und Wichmanns Seite, obwohl die Zahl der herandrängenden Bayern immer noch anschwoll. Hennings Panzerreiter schienen in ihrer Blutgier den Kopf zu verlieren und sich gegenseitig ins Gehege zu kommen, doch kaum waren die ersten beiden zusammengeprallt und ihre Pferde schlitternd zu Boden gegangen, kaum hatte Liudolf Hoffnung geschöpft, preschte ihr Kommandant herbei und sorgte mit ein paar präzisen Befehlen für Ordnung. Fahr zur Hölle, Pfalzgraf Arnulf, du wankelmütiger Feigling, dachte Liudolf wütend und galoppierte zur flussseitigen Flanke, wo der König selbst seine Reiter befehligte und Liudolfs Männer in arge Bedrängnis brachte. Tote Soldaten und Pferde türmten sich schon in schaurigen Hügeln.

»Formiert euch, Anselm, unsere Linie *muss* halten«, rief Liudolf beschwörend und wünschte, Anselms Bruder Wim wäre hier, um seine Soldaten zu führen. »Nicht weichen, Männer!«

Er hob die Lanze und schleuderte sie dem Anführer der königlichen Reiter entgegen. Der hatte den Kopf abgewandt und zahlte den Moment der Unaufmerksamkeit mit dem Leben. Als er vom Pferd stürzte, erkannte Liudolf Konrad von Minden, dessen Taten ihn selbst unter den gerühmten Panzerreitern zu einer Legende gemacht hatten und der den kleinen Prinz Liudolf einst auf seinen Schultern hatte reiten lassen.

Wir sind alle verdammt, erkannte Liudolf, und in seinem Innern breitete sich eine kalte Taubheit aus, als er den König auf seinem gewaltigen slawischen Streitross auf sich zu preschen sah. *Was wird es sein? Erschlägt der Vater den Sohn oder der Sohn den Vater?* Er konnte sich auf Anhieb nicht entscheiden, was grauenvoller wäre, aber er wendete sein Pferd und galoppierte dem König entgegen, das Schwert in der rechten Faust. Als sie einander nah genug waren, um sich in die Augen zu schauen, wurde Liudolf plötzlich auf beiden Seiten von Dutzenden bayrischer Panzerreiter überholt, die ihn erst behinderten und dann abdrängten.

Überrannt, dachte Liudolf kalt und rechnete jeden Moment mit einem tödlichen Lanzenstoß im Rücken, doch die Bayern schienen sich überhaupt nicht für ihn zu interessieren. Hoffnungslos verwirrt erkannte er, dass es der König war, dem sie sich entgegenwarfen. Wie ein befreiter Strom nach einem Dammbruch ergossen sie sich ins Schlachtgetümmel. Liudolf richtete sich in den Steigbügeln auf und wurde Zeuge, wie der König sein Pferd Richtung Fluss herumriss und dem unerwarteten bayrischen Ansturm auswich. Seine Panzerreiter folgten ihm in der makellosen Formation eines Vogelschwarms.

»Was zum Henker ist hier los?«, brüllte Liudolf, und er hörte selbst, wie verwirrt es klang.

»Die Bayern sind los«, sagte eine Stimme lachend zu seiner Linken.

Liudolfs Kopf fuhr herum, und fassungslos erkannte er den kostbar gepanzerten Reiter. »Arnulf?«

Der nahm den Helm vom Kopf und fuhr sich mit dem Panzerhandschuh über die Stirnglatze. Die Geste wirkte verlegen. »Tja, Prinz Liudolf. Es hat ein Weilchen gedauert, bis ich meine Entscheidung gefällt habe. Aber hier bin ich nun – an Eurer Seite. Ich hoffe, nicht zu spät.«

Liudolf fasste sich. Arnulfs Unbehagen machte es ihm eigentümlich leicht, sich zusammenzunehmen, und konzentriert ließ er den Blick über die Schlacht schweifen, sah seinen Vater, geschützt in einem Ring berittener Leibwächter, den geordneten Rückzug antreten, sah zu seinem Entzücken Henning das Schwert wegwerfen und sein Heil in der Flucht suchen, Konrad und eine Handvoll Getreuer dicht auf den Fersen.

Mit einem triumphalen Lachen nahm auch Liudolf den Helm ab. Der Regen und der kalte Wind waren eine Wohltat.

Magdeburg, November 953

»Und wenn Ihr mir noch eine Bemerkung erlauben wollt, edle Königin«, sagte Hadald. »Ich fürchte, der Verbrauch an Feuerholz …«

Adelheid schenkte ihm ein mildes Lächeln. »Ja?«

»Ähm …« Der Kämmerer räusperte sich pikiert. Er diente dem König schon so lange, dass er offenbar erwartete, ein jeder müsse seine Halbsätze verstehen. Und natürlich wusste Adelheid ganz genau, was er meinte, aber sie gedachte nicht, es ihm leicht zu machen.

246

Hadald verneigte sich so tief vor ihr, dass die wenigen verbliebenen Haarsträhnen, die er immer sorgfältig von links nach rechts über die Glatze drapiert trug, ihre angestammte Position verließen und durchs Bodenstroh fegten. Während er sich aufrichtete, kämmte er sie mit der linken Hand geübt wieder in Stellung. »Es wird nicht über den Winter reichen«, erklärte er.

Adelheid griff zur Feder, um ihm anzudeuten, dass sie Wichtigeres zu tun hatte, als sich mit seiner Knauserigkeit zu befassen. »Dann lasst zusätzliches Holz schlagen«, riet sie. »Wenn es in diesem Land eins im Überfluss gibt, dann ist es Wald.«

»Aber der König hat niemals zuvor ...«, entgegnete er.

Adelheid richtete sich kerzengerade auf und lehnte sich dabei verstohlen an die hohe Rückenlehne ihres Sessels. Das Kind, das sie mit Gottes Hilfe in wenigen Wochen gebären würde, schien in voller Rüstung zur Welt kommen zu wollen. Jedenfalls nahm sie das an, so schwer, wie sie an ihm zu tragen hatte. Es gab keinen Augenblick, weder Tag noch Nacht, da sie keine Rückenschmerzen litt. Aber sie gedachte nicht, sich davon reizbar stimmen zu lassen und ins Unrecht zu setzen.

Sie sah zum Koch und zum Mundschenk, die mit dem Kämmerer zur täglichen Erörterung der Haushaltsangelegenheiten vor ihr erschienen waren. »Gutfried, Sighelm, habt Dank. Ihr könnt gehen.«

Sie verneigten sich in echter Ehrerbietung vor ihr. Adelheid wusste Gutfried und Sighelm auf ihrer Seite in diesem albernen unerklärten Krieg. Sie waren jung genau wie sie, und sie waren hingerissen von den exotischen Speisen und Weinen, die ihre Königin aus Burgund und Italien kommen ließ. Adelheid wartete, bis sie mit Hadald allein war.

»Ich hoffe, Ihr haltet mich nicht für ungebührlich, weil ich ...«, kam er ihr zuvor.

Die Königin legte die Feder wieder beiseite, stützte die Hände auf die Armlehnen und betrachtete den Kämmerer einen Moment geruhsam. »Wisst Ihr, als ich einwilligte, den König zu heiraten, habe ich damit gerechnet, dass mir hier eine Welle von Misstrauen und Feindseligkeit entgegenschlagen würde, weil ich so anders bin als ihr«, bekannte sie dann. »Doch als ich Euch sah, war ich beruhigt, denn ich dachte: ›Dieser weise alte Kämmerer liebt seinen König über alles und wird wissen, dass er ihm dient, wenn er dafür sorgt, dass mir bei Hofe niemand Steine in den Weg legt, auf dass ich meinen Pflichten als Ottos Königin nachkommen kann.‹ Und was geschieht stattdessen? Alle hier haben mich mit Freundlichkeit aufgenommen – mit mehr Warmherzigkeit, als ich euch ruppigen Sachsen je zugetraut hätte, um ehrlich zu sein –, nur Ihr seid der Narr, der seine alte Königin nicht vergessen kann und mich mit seiner Impertinenz zu treffen versucht.«

»Aber meine Königin, ich würde doch niemals …« Er klang tief getroffen.

»Oh doch, das tut Ihr«, entgegnete sie leichthin. »Und ich kann Euch nur raten, schleunigst damit aufzuhören. Die Zeiten sind bitter für den König. Ich würde ihn bei seiner Heimkehr nur ungern darum bitten müssen, Euch aus seinen Diensten zu entlassen. Aber ich werde es tun, wenn Ihr mir keine Wahl lasst.«

Hadald starrte sie mit verengten Augen an, seine Miene ausdruckslos, aber er verriet sich mit einem winzigen amüsierten Zucken in den Mundwinkeln.

»Ihr glaubt, er würde es nicht tun?«, fragte Adelheid interessiert.

»Ich kann es mir nicht vorstellen, edle Königin. Denn ich war schon hier und habe seinen Hof geführt, ehe er Königin Editha, Gott hab sie selig …«

»Ja, ja, ich weiß all das.« Sie winkte ab, scheinbar gelangweilt. »Aber weder der König noch Editha Gotthabsieselig wussten je von Eurem pikanten Geheimnis, nicht wahr? Was würde er wohl sagen, wenn er erführe, dass Ihr nachts kleine Sklavenmädchen in Euer Quartier kommen lasst, je flachbrüstiger und unbehaarter, umso lieber?«

Hadald lief so purpurrot an, dass sie einen Moment glaubte, der Schlag werde ihn treffen und sie ein für alle Mal von seiner Hinterlist und Geringschätzung erlösen. Doch nur ein paar Herzschläge darauf wich alle Farbe aus seinem Gesicht, sodass es grau wirkte. Er öffnete den Mund, um etwas zu sagen, klappte ihn zu, öffnete ihn wieder. »Aber … aber …«

»Wagt nicht, es zu leugnen«, drohte Adelheid beinah tonlos. Dann wandte sie sich ihrem Brief zu. Ohne aufzuschauen, sagte sie: »Ich schlage vor, Ihr ordert für diesen Winter die doppelte Menge an Feuerholz wie früher, Hadald, denn ich friere leicht, und vor allem wünsche ich gut geheizte Kammern für meine Kinder. Darüber hinaus werdet Ihr von Stund an meinen lombardischen Baumeister unterstützen, statt ihn zu bekriegen. Er und seine Männer bekommen ordentliche Quartiere und die gleiche Verpflegung wie die Wachmannschaft, und wenn das nächste Mal ein Schiff mit Mauersteinen die Elbe heraufkommt, werdet Ihr nicht behaupten, es gäbe in der Pfalz keinen Platz, um das Baumaterial zu lagern.«

Wieder strich die abgestürzte Haarpracht durchs Bodenstroh. »Wie meine Königin befiehlt.« Es klang hölzern.

»Ihr dürft gehen«, teilte sie ihm frostig mit, und als er die Tür fast erreicht hatte, fügte sie hinzu: »Ach ja, eine Sache noch, Hadald: Mir ist gleich, mit wem Ihr in die Kissen sinkt, aber wenn ich je wieder höre, dass Ihr Euch an Kindern vergeht, sorge ich dafür, dass der König Euch nicht entlässt, sondern aufknüpft.«

Sie wartete, bis sie das Schließen der Tür hörte, ehe sie die Feder achtlos auf den halb beschriebenen Pergamentbogen fallen und sich mit einem Stoßseufzer zurücksinken ließ. Das Herz schlug ihr bis zum Hals. Sie wusste, es war ein Wagnis, sich mit dem mächtigen Kämmerer anzulegen. Und sie konnte nur hoffen, dass die Vorsichtsmaßnahmen, die sie ergriffen hatte, ausreichten.

Eine der »Maßnahmen« kam schwungvoll durch die Tür. »Sieh an, sieh an«, bemerkte Hulda von Lüneburg spöttisch. »Auf einmal wird der allmächtige Hadald ganz zahm und folgsam.«

»Ihr habt alles gehört?«, fragte die Königin ihre Vertraute.

»Jedes Wort. Dieser Lauerposten in der Nebenkammer lässt keine Wünsche offen.«

Die Königin nickte zufrieden. Seit Gaidemar ihr von dem Astloch in der Wand erzählt hatte, ließ Adelheid entweder ihn, ihre

Zofe oder Hulda dort lauschen, wenn sie ein heikles Gespräch unter vier Augen führte, für den Fall, dass sich später ein Zeuge als nützlich erweisen sollte. Dies ebenso wie ihr exzellentes Spionagenetz an diesem Hof, das sie mit Wilhelms Hilfe aufgebaut hatte, nannte Hulda Adelheids »italienische Schläue«. Sie sagte es voller Bewunderung, aber Adelheid argwöhnte, die meisten Sachsen hätten ihre Methoden für verschlagen, unehrenhaft und fragwürdig gehalten. Nun, ihr war es gleich. Sie hatte einen Gemahl durch eine feige Intrige verloren und hatte sich geschworen, dergleichen nie wieder zu erleben, sondern die hinterlistige Welt fortan mit ihren eigenen Waffen zu schlagen. Vielleicht waren ein paar slawische Sklavenmädchen ja nicht so besonders wichtig, aber ihr Leben würde durch Adelheids fragwürdige Erpressung ganz gewiss erträglicher.

»Wem schreibt Ihr da?« Die Hofdame zeigte auf den begonnenen Brief.

»Meinem Bruder Konrad.«

Er war der König von Burgund, doch er hatte seinen Thron nur mit Ottos Hilfe halten können. Adelheid kannte ihren Bruder kaum, denn sie war in Pavia aufgewachsen, er hier an Ottos Hof. Burgund war indes der südliche Nachbar des Herzogtums Schwaben, und sie hoffte inständig, ihr Bruder werde sich bereitfinden, Liudolf in den Rücken zu fallen.

»Er schuldet dem König einen Gefallen, und ich dachte, jetzt sei ein guter Zeitpunkt, ihn einzufordern.«

»Falls er kann«, bemerkte Hulda. »Es heißt, die Sarazenen sind wieder in Burgund eingefallen.«

»Ja, ich weiß. Und um sie zu bezwingen, braucht Konrad den Aargau, den Liudolf jedoch für sich beansprucht und besetzt hält. Wir werden sehen.«

Ehe Hulda antworten konnte, klopfte es an der Tür, und auf Adelheids Aufforderung trat Gaidemar ein. »Die Herzogin von Bayern ist eingetroffen und wünscht Euch zu sprechen«, meldete er.

»Judith?«, fragte Adelheid verwundert. »Was mag das zu bedeuten haben?«

»Nichts Gutes, fürchte ich«, antwortete er. »Sie hat ihre Kinder mitgebracht, und sie sehen allesamt nassgeregnet und durchfroren und verzweifelt aus.«

»Jesus, was nun schon wieder?«, murmelte Adelheid beklommen und bat: »Führt sie her, Gaidemar.«

Er nickte, öffnete die Tür und hielt sie einladend auf. »Die Königin lässt bitten, Herrin.«

Es klang frostig. Adelheid schloss, dass er die scharfe Zunge zu spüren bekommen hatte, für die Judith von Bayern berüchtigt war.

Im tropfnassen Mantel kam sie hereingefegt, ihren zweijährigen Stammhalter in den Armen. Ungeschickt, weil das strampelnde Kind sie behinderte, sank sie vor Adelheid auf die Knie, und die beiden spindeldürren Töchter, die ihr wie Schatten folgten, taten es ihr gleich.

»Wir entbieten Euch ehrerbietige Grüße, edle Königin.« Judith strich ihrem quengelnden Sohn über den nassen Blondschopf und sah dann auf. Der von einem goldbestickten Stirnband gehaltene grüne Seidenschleier wies einen langen Riss auf. Ihr Gesicht war fahl vor Erschöpfung, unter den Augen lagen bleifarbene Schatten. Eine Träne rann über ihre Wange, aber ansonsten bewahrte sie Haltung. »Wir sind aus Regensburg vertrieben worden und erflehen Obdach und Schutz.«

»Erhebt Euch, Schwägerin«, lud Adelheid sie förmlich ein. Bei den Hoftagen, anlässlich derer sie sich in der Vergangenheit begegnet waren, war Judith ihr höflich, aber distanziert begegnet. Im Grunde kannte Adelheid sie überhaupt nicht, und sie war vorsichtig. »Hulda, seid so gut, bringt die Kinder zu Anna. Sie soll dafür sorgen, dass sie trockene Kleidung, heißes Bier und etwas zu essen bekommen. Und lasst das Gästehaus herrichten.«

»Gewiss.«

Als Hulda der erschöpften Herzogin ihren Sohn aus den Armen nahm, fing der kleine Junge an zu treten und zu heulen und streckte die Arme nach seiner Mutter aus. Die ältere seiner Schwestern trat hinzu, nahm ihn Hulda ab und wiegte ihn. »Schsch, alles ist gut, mein süßer kleiner Heinrich«, murmelte sie. Man konnte sehen, dass sie über einige Übung in der schwierigen Kunst verfügte, ihren Bruder zu besänftigen. Ihre Bemühungen zeigten allerdings keinen nennenswerten Erfolg. Doch als Hulda die Kinder hinausführte, war sein Geschrei nur noch gedämpft zu hören und entfernte sich schließlich.

Adelheid wies einladend auf den Sessel, der ihr auf der anderen Seite des polierten Ebenholztisches gegenüberstand. »Nehmt Platz und berichtet mir, was geschehen ist.«

Judith nahm den tröpfelnden Mantel ab, drückte ihn Gaidemar in die Finger und sank müde in den Sessel. Gaidemar faltete das kostbare, pelzgefütterte Kleidungsstück der Länge nach, drapierte es zum Trocknen über einen mannshohen, leeren Fackelhalter neben dem Stickrahmen und stellte ein Dreibein mit einem kleinen Kessel über das Kohlebecken, um Wein zu erhitzen. Judiths Augen folgten ihm, aber ihre Gedanken weilten anderswo. Als Gaidemar schließlich einen dampfenden Becher vor sie stellte, nickte sie. »Hab Dank. Und nun geh. Ich wünsche die Königin unter vier Augen zu sprechen.«

Adelheid lächelte unverbindlich und schüttelte den Kopf. »Habt keine Scheu. Vor Gaidemar könnt Ihr offen reden.«

Judiths Mundwinkel verzogen sich für einen Moment nach unten, und es ließ sie verbittert wirken. »Er sieht seinem Vater so ähnlich, dass mir die Galle überkocht, wenn ich ihn nur ansehen muss.« Sie hielt die Stimme gesenkt, und trotzdem klang es wie das Zischen einer wütenden Natter. »Aber dies ist Euer Hof, meine Königin, und ich komme als Bittstellerin zu Euch, darum wird der Anblick von Prinz Thankmars Bastard wohl zu den Unbilden gehören, an die ich mich fortan gewöhnen muss.«

Adelheid fing Gaidemars fragenden Blick auf, doch sie deutete ein Kopfschütteln an. Sie wollte Judith nicht demütigen, aber sie ahnte, dass es ihrer Schwägerin gegenüber besonders wichtig war, ihre Stellung zu wahren. Besser, sie stellte von vornherein klar, wer hier die Regeln bestimmte.

Gaidemar verdrehte flegelhaft die Augen zur Decke, sodass sie um ein Haar hätte lachen müssen, brachte auch ihr einen Becher heißen Wein, kostete davon und stellte ihn vor ihr auf den Tisch. Dann ging er zurück zur Tür und nahm daneben Aufstellung – außerhalb von Judiths Blickfeld, sodass sie ihn vergessen konnte, wenn sie sich dazu entschloss. Adelheid dachte nicht zum ersten Mal, dass Gaidemar viele Dinge verstand, die man anderen Männern erst umständlich erklären musste. Das erschien ihr bemerkenswert, zumal er doch eigentlich so ein Raubein war.

»Ich nehme an, Ihr wisst, dass mein Bruder Arnulf bei der Belagerung von Mainz zu Liudolf und Konrad übergelaufen ist?«, begann Judith.

»Mit dem gesamten bayrischen Heer, wurde mir berichtet«, erwiderte die Königin.

Judith nickte. »Mehr oder weniger. Gott *verdamme* seine verfluchte Verräterseele. Er verdankt Henning alles, was er hat.«

»Doch wäre Henning nicht Herzog geworden, hätte Arnulf den Titel geerbt, nicht wahr?«

»Vielleicht. Aber er hätte nie das Zeug dazu gehabt, und das weiß er ganz genau.«

Nach Adelheids Erfahrung waren Männer, die ihre eigenen Grenzen erkannten, so selten wie Einhörner, aber das sagte sie nicht.

»Arnulf hat sich von Liudolfs Versprechungen verführen lassen«, fuhr Judith voller Zorn fort. »Gemeinsam schlugen sie den König und meinen Gemahl vor den Toren von Mainz in die Flucht, zogen anschließend nach Bayern und besetzten Regensburg. *Regensburg*, ist das zu fassen? Sie sind einfach so in die Residenzstadt des Herzogs von Bayern eingefallen!« Hektische rote Flecken brannten auf ihren Wangen, und Adelheid konnte ihr Entsetzen verstehen. Der Fall von Regensburg war ein erschütternder Beweis dafür, wie viel Macht Liudolf und Konrad mit ihrer Revolte errungen hatten.

»Ja, es ist bitter«, räumte Adelheid ein.

»Ihr sagt das mit großer Gelassenheit, meine Königin, aber wenn Liudolf sich in Bayern hält, kommt Sachsen als Nächstes an die Reihe. Ich möchte sehen, ob ihr auch noch so ruhig und beherrscht seid, wenn Liudolf in Magdeburg einmarschiert und Euch mitsamt Euren Kindern auf die Straße setzt!«

»Sie war jedenfalls ziemlich ruhig und beherrscht, als sie sich aus Berengars Verlies gegraben hatte und allein mit ihrer Tochter die Reise ins Ungewisse antreten musste«, sagte Gaidemar von der Tür.

Judith sah stirnrunzelnd über die Schulter, schaute dann wieder zu Adelheid und räumte unwillig ein: »Ich nehme an, da hat er recht. Vergebt mir. Ich hatte es vergessen.«

Adelheid winkte ab. »Erzählt mir, was passiert ist.«

Judith biss sichtlich die Zähne zusammen. Dann atmete sie tief durch und berichtete: »Sie haben sich in unserer Burg eingenistet und natürlich Hennings Schatullen geplündert. Ich musste mit ansehen, wie Liudolf unser Gold und Silber an die bayrischen Adligen verteilte, die seit jeher Hennings Feinde sind. Aber anfangs war er wenigstens höflich zu mir und meinen Kindern. Dann … starb seine Schwester.«

Der Königin fuhr der Schreck in die Glieder, und sie hob langsam die Rechte und legte sie über den Mund. »Liudgard?«

Judith senkte den Blick und nickte. »Sie hat während der Belagerung von Mainz ein Kind verloren und sich anscheinend nie richtig davon erholt.«

Gott, was tust du mit meinem armen König?, dachte Adelheid. War es nicht Prüfung genug, dass sein Sohn sich gegen ihn erhebt? Musste auch noch seine Tochter sterben?

»Vermutlich hat ihr der Zug von Mainz nach Regensburg im eisigen Dauerregen den Rest gegeben«, fuhr Judith fort. »Jedenfalls hat ihr Tod Liudolf weitaus mehr erschüttert als ihren Gemahl. Oder vielleicht besitzt Konrad auch nur mehr Beherrschung. Liudolf war vollkommen außer sich, und als ich gesagt habe, jetzt sehe er, was Gott von seiner Rebellion hält, hat er … er hat das Schwert gezogen, und ich dachte, er erschlägt mich da und dort. Das hätte er auch, ich bin sicher. Aber Konrad ging dazwischen. Konrad, nicht mein Bruder Arnulf, dieser *Jammerlappen*. Und Liudolf befahl, meine Kinder und ich müssten Regensburg vor Sonnenaufgang verlassen. Er hat uns in einer bitterkalten Novembernacht davongejagt wie Bettler.«

Impulsiv streckte Adelheid die Hand aus und legte sie auf den

Arm ihrer Schwägerin. »Wie tapfer, ihm so unumwunden zu sagen, was Ihr dachtet.«

»Tapfer? Oder töricht?« Die verjagte Herzogin hob müde die Schultern.

Vermutlich beides, dachte Adelheid. Sie fand es schwierig, Sympathie für Judith aufzubringen, aber sie empfand Mitgefühl für sie und ihre Kinder. Und Bewunderung für ihren Mut, Liudolf die Stirn zu bieten, als sie ihm schutzlos und mutterseelenallein gegenüberstand. Und sie schuldete ihr Loyalität. Der König hatte in diesem Zwist kompromisslos Stellung *für* Henning und *gegen* Liudolf bezogen. Seine Beweggründe waren ihr nie so recht klar geworden, und die Tatsache, dass die Bayern fast über die eigenen Füße gestolpert waren in ihrem Eifer, von Henning abzufallen, schien ihren Argwohn gegen Ottos Bruder zu bestätigen. Aber der König hatte seine Entscheidung getroffen, und ihr blieb nur, sie mit ihm zu tragen.

»Ich danke Gott, dass Ihr sicher und unversehrt in Magdeburg angekommen seid, Judith. Und so furchtbar die Umstände auch sind, heiße ich Euch dennoch herzlich willkommen. Gaidemar wird Euch zum Gästehaus führen, wo Ihr ausruhen und Euch frisch machen könnt. Habt Ihr Dienerschaft mitgebracht?«

Judith schüttelte den Kopf. »Nur eine kleine Eskorte. Das war alles, was er uns zugestanden hat.«

Adelheid schnalzte missbilligend und blickte zu Gaidemar. »Kümmert Euch darum, dass auch die Eskorte der Herzogin versorgt wird.«

»Natürlich.«

»Ich schicke Euch Mägde, warme Kleider für Euch und die Kinder und alles, was Ihr sonst noch braucht, Judith. Und heute Abend speisen wir zusammen und machen Pläne.«

Unerwartet ergriff Judith Adelheids Rechte mit beiden Händen und ließ sie sofort wieder los. »Habt Dank für Eure Güte, meine Königin. Aber seid nicht so nett zu mir, sonst fang ich an zu heulen, und das könnte ich Euch niemals verzeihen.«

Adelheid verschränkte die Finger auf ihrem Kugelbauch. »Dann dürft Ihr Euch nun entfernen«, gestattete sie förmlich.

Judith leerte ihren Becher mit einem beachtlichen Zug und stand auf.

Gaidemar hielt ihr höflich die Tür auf. Ehe er ihr auf den zugigen Korridor hinaus folgte, sah er zur Königin und fragte: »Wer sagt es Wilhelm?«

Adelheids Herz wurde bleischwer. Inmitten all der Schreckensnachrichten hatte sie noch gar nicht daran gedacht, dass nicht nur Prinz Liudolf, sondern auch der junge Hofkaplan eine Schwester verloren hatte. Einen Moment rang sie mit sich, und dann bat sie: »Wartet eine halbe Stunde. Ich brauche … eine kleine Atempause. Dann schickt ihn her.«

Er musterte sie auf diese eigentümliche Weise, die Anna »Gaidemars Lanzenblick« nannte, weil er jeden Panzer zu durchdringen schien. Er war regelrecht unverschämt, dieser Blick, und Adelheid wusste, eigentlich hätte sie das keinem Mann durchgehen lassen dürfen, der nicht ihr Gemahl war. Aber mit Gaidemar war eben alles ein bisschen anders, und die allgemein gültigen Regeln schienen auf ihn nie so recht zu passen.

Dann brach er den Blickkontakt, schlug die Augen nieder und nickte. »Was immer Ihr wünscht.«

Wilhelm kniete in der wundervollen Kirche des Mauritiusklosters vor dem Altar, den Kopf über die gefalteten Hände gesenkt. Er verharrte so still wie die steinernen Heiligenfiguren in den Nischen des Chors, aber Gaidemar sah trotzdem, dass die Schreckensnachricht seinen Cousin schneller gefunden hatte als er.

Auf leisen Sohlen durchschritt Gaidemar das herrliche Kirchenschiff, blieb aber stehen, als ihn noch zehn Schritte von Wilhelm trennten. Er blickte zum Altar und bekreuzigte sich, ehe er sich an eine der dicken Säulen lehnte und wartete. Es störte ihn nicht, sich in Geduld fassen zu müssen. Er liebte diese Kirche. Jetzt in der kalten Jahreszeit roch sie nach nassem Stein, und sein Atem bildete beachtliche Dampfwolken. Aber die geheiligte Stille, das goldene Licht der Wachskerzen im Altarraum und die schlichte Schönheit des hellen Sandsteins machten es ihm immer leicht, an die Gnade Gottes zu glauben – wenigstens für den Augenblick.

Das dunkle Priestergewand raschelte, als Wilhelm ohne erkennbare Mühe auf die Füße kam. Er wandte sich um und schien nicht überrascht, Gaidemar zu sehen. »Die Kirche erwartet von den Ihren, zu frohlocken, wenn ein geliebter Mensch stirbt«, bemerkte er, die Stimme tief und heiser. »Liudgard ist im Paradies – jedenfalls wüsste ich keinen Grund, warum sie dort keinen Einlass gefunden haben sollte – und darf Christus in seiner Herrlichkeit schauen.«

Gaidemar nickte. »Aber du wirst sie trotzdem vermissen.«

»Fürchterlich.« Wilhelm trat zu ihm und schaute wie er zum Altar.

»Wie hast du es erfahren?«

»Der Anführer von Judiths Eskorte brachte mir einen Brief«, antwortete der Geistliche.

»Von wem?«, fragte Gaidemar erstaunt. Er wusste, dass Liudolf und Konrad seit der Belagerung von Mainz den Kontakt zu Wilhelm abgebrochen hatten.

»Von Bruder Victor. Wir waren zusammen auf der Domschule in Utrecht. Er ist Diakon des Bischofs von Regensburg und hat Liudgard in den letzten Stunden beigestanden.« Er ließ den Kopf gegen den kalten Stein zurücksinken und blickte ins Deckengewölbe hinauf. »Victor von Metz ist ein ehrgeiziger Ränkeschmied, der schon mit acht Jahren verkündet hat, er wolle einmal Papst werden. Aber es hat den Anschein, als sei ein guter Seelsorger aus ihm geworden. Sein Brief war jedenfalls voller Mitgefühl und Bewunderung für meine arme Schwester.« Er verzog schmerzlich das Gesicht. »Gott, wie ich wünschte, *ich* hätte bei ihr sein können.«

Gaidemar nickte. Man hatte ihm beigebracht, dass es unmännlich sei, Trauer oder allzu große Anteilnahme zu zeigen. Doch er ertappte sich in letzter Zeit immer häufiger dabei, dass er die Regeln anzweifelte, die sein Ziehvater ihm stets im Brustton der Überzeugung vorgebetet hatte. Die Welt, hatte Gaidemar zu seiner Verblüffung einsehen müssen, war ein wenig komplizierter als Arnold von Saalfeld oder die zwölfte Reiterlegion ihn gelehrt hatten. Wilhelm war weder unmännlich noch schwach, aber er zeigte seine Trauer ohne Scham, und das beeindruckte Gaidemar. Es war etwas, das er noch nicht kannte.

Er musste sich einen kleinen Ruck geben und fragte dann: »Habt ihr einander sehr nahegestanden?«

Wilhelm dachte einen Moment nach. »Vermutlich, ja. Als Kinder kannten wir uns kaum. Sie muss ungefähr vier gewesen sein, als ich nach Utrecht geschickt wurde. Als ich an den Hof zurückkehrte, kam sie etwa zur gleichen Zeit aus dem Kanonissenstift zurück, um Konrad zu heiraten. Wir waren beide ein paar Jahre fort gewesen, in der Abgeschiedenheit einer klösterlichen Umgebung erzogen worden, und der Hof erschien uns fremd, zu laut und weltlich und … na ja.« Er hob die Schultern. »Wir hatten auf einmal viel gemeinsam und steckten ständig zusammen. Damals war sie mir näher als mein Bruder. Sie war … eine wundervolle Frau.«

»Es tut mir leid, Vetter«, sagte Gaidemar ein wenig unbeholfen.

Der Priester nickte, atmete tief durch und räusperte sich entschlossen. »Ich fürchte, wir werden alle noch reichlich Anlass haben, Liudgards Tod zu beklagen, denn sie war die Stimme der Vernunft im Lager der Aufrührer. Und sie hatte Einfluss auf Konrad *und* auf Liudolf. Jetzt ist niemand mehr da, der sie zum Einlenken bewegen könnte.«

»Nur du«, entgegnete Gaidemar.

Doch Wilhelm schüttelte den Kopf und wandte sich zum Westportal.

Sie verließen die Kirche schweigend, überquerten den weitläufigen Innenhof des Klosters mit seinen Stallungen und Wirtschaftsgebäuden und gelangten schließlich zur Baustelle der neuen Pfalz, die nur einen Steinwurf nördlich der alten errichtet wurde. Die Fundamente der großen Halle waren gelegt, aber mehr war noch nicht geschehen. Gaidemar wusste nicht, ob es der nasse Herbst oder der Krieg war, der für den schleppenden Fortgang verantwortlich war.

Durch das Tor in der Palisade kehrten sie in die Pfalz zurück, und erst als sie in Gaidemars Quartier angelangt waren, nahm der junge Priester den Gesprächsfaden wieder auf.

»Ich fürchte, du täuschst dich. Konrad würde vielleicht auf mich hören. Aber nicht mein Bruder.«

Da Mirogod wieder einmal mit unbekanntem Ziel verschwunden war, schenkte Gaidemar selbst zwei Zinnbecher Wein ein und stellte einen vor seinem Cousin auf den wackligen Tisch. »Warum nicht?«

Wilhelm drehte den Becher einen Moment nervös zwischen den Händen, dann hob er ihn und trank. »Seit ich Liudolf vor einer Vermittlung durch Friedrich von Mainz gewarnt habe, hat er jeden meiner Briefe mit intaktem Siegel zurückgeschickt und mir ausrichten lassen, er sei an keinen weiteren brüderlichen Ermahnungen interessiert.«

Gaidemar schnaubte. »Du warst nicht der Einzige, der dem Erzbischof argwöhnisch gegenüberstand, und obendrein hattest du recht. Er hat den Karren in den Dreck gefahren und sich dann nach Breisach verdrückt.«

»Tja. Vielleicht ist es das, was Liudolf mir nicht verzeihen kann: dass ich recht hatte.«

»Ach komm.« Gaidemar trank einen Schluck und setzte sich ihm gegenüber. »Er mag ein Hitzkopf sein, aber *so* kindisch ist er nun auch wieder nicht.«

Wilhelm machte eine wiegende Geste mit der Linken. »Vielleicht nicht, vielleicht doch. Entweder er ist kindisch oder ein Tor, und ich will lieber Ersteres glauben, denn ich habe keine Geduld mit Toren.«

»Er steht mit dem Rücken zur Wand, Wilhelm, und deswegen glaubt er, wer nicht für ihn ist, ist gegen ihn. Du hast dich nicht von eurem Vater losgesagt …«

»So wenig wie du. Obwohl der König dich regelrecht dazu einlädt, so abscheulich, wie er dich behandelt hat.«

Gaidemar winkte ab. »Deswegen betrachtet Liudolf dich und mich als seine Feinde.«

»Also doch ein Tor«, knurrte Wilhelm. »Aber er steht nicht mit dem Rücken zur Wand, Gaidemar. Er sitzt warm und sicher inmitten der Scharen seiner Verbündeten in Regensburg und erfreut sich an Hennings Weinkeller. Wenn irgendwer mit dem Rücken zur Wand steht, dann ist es der König. Nicht Liudolfs Lage ist verzweifelt, sondern er selbst. Und er beißt in die Hand, die ich ihm hilfreich entgegenstrecke, damit er wenigstens den Trost der Gewissheit hat, dass ich genauso unglücklich bin wie er. So ist mein Bruder«, schloss er mit einem resignierten Achselzucken.

Schon möglich, dachte Gaidemar und trank versonnen einen kleinen Schluck.

Wilhelm lehnte den Rücken an die feuchtkalte Wand des Grubenhauses und tat es ihm gleich. Dann beklagte er mit einer Grimasse: »Dieser Wein ist schauderhaft.«

Gaidemar nickte ungerührt.

»Und dieses feuchte Loch ist eine Katastrophe«, fügte sein Cousin hinzu und schaute sich um, als sehe er das fensterlose Grubenhaus heute zum ersten Mal.

Der einstige Panzerreiter hob gleichmütig die breiten Schultern. »Es ist in Ordnung. Meine Ansprüche sind glücklicherweise bescheiden.«

»Warum ziehst du nicht wenigstens drüben in das Haus meines Onkels?«

»Welcher Onkel?«, fragte Gaidemar verwirrt.

Wilhelm zeigte auf die Ostwand. »Der Fürst der Heveller, mein Onkel Tugomir. Er war des Königs Leibarzt, als er hier lebte, und hat sich dort drüben ein großes Haus bauen lassen. Es steht seit Jahren leer, aber ich bin sicher, es ist komfortabler als diese Bruchbude hier.«

»Ach das.« Gaidemar schüttelte den Kopf. »Meister Stefanus ist dort eingezogen. Er lässt im Frühling seine Familie aus Pavia nachkommen, hat er gesagt, denn der Bau der neuen Pfalz wird ein paar Jahre dauern.« Und die Maurer, Steinmetze und Zimmerleute, die er angeheuert hatte, bevölkerten die übrigen Grubenhäuser auf der Wiese am Fischteich. Gaidemar war es gleich. Er hatte nichts gegen Nachbarn.

»Trotzdem. Du zählst zu den engsten Vertrauten der Königin und haust hier wie der geringste ihrer Sklaven. Ziemlich wunderlich, meinst du nicht?«

»Er hat kein Geld«, erklärte Mirogod bereitwillig von der Tür.

»Halt die Klappe, Bengel!«, schnauzte Gaidemar ihn erschrocken an.

Unbeeindruckt kam der Junge durch die niedrige Türöffnung und die drei hölzernen Stufen herab und erklärte Wilhelm: »Er muss Mantel für mich gekauft, Stiefel für sich, Zeugzaum für Amelung, aber wovon alles bezahlen?«

»Oh, Miro, du ahnst ja nicht, in was für Schwierigkeiten du dich gerade bringst …«, drohte Gaidemar leise.

Wilhelm brachte ihn mit einer Geste zum Schweigen. »Aber du befehligst Adelheids Leibwache«, wandte er verständnislos ein. »Wieso bekommst du keinen Sold?«

»Gerhard von Hochfeld befehligt die Leibwache der Königin«, widersprach sein Vetter.

»Offiziell vielleicht, aber er steht mit dem König im Feld. Du bist hier.«

»Ich brauche keinen *Sold*«, knurrte Gaidemar, unendlich verlegen. »Wir haben ein Dach über dem Kopf und bekommen zwei anständige Mahlzeiten am Tag, der Gaul eingeschlossen. Was wollen wir mehr?«

Tatsächlich waren die Instandhaltung seiner Rüstung und Waffen und das notwendige Mindestmaß an Kleidung – vor allem für den pausenlos wachsenden Jungen – ein größeres Problem, als Gaidemar kalkuliert hatte, und das Geld, welches Liudolf ihm in den sonnigen Tagen ihrer Freundschaft für Amelungs Dienste als Deckhengst in seinem Gestüt gezahlt hatte, war längst aufgebraucht.

»Vorgestern wir haben kein Geld für Hufschmied«, erinnerte Mirogod ihn.

Gaidemar verpasste ihm eine Ohrfeige. »Bist du taub? Ich hab gesagt, du sollst die Klappe halten. Vielleicht sollte ich dich verkaufen, dann wäre ich um neunzig Pfennige reicher und hätte obendrein meine Ruhe.«

Mirogod warf ihm einen vernichtenden Blick zu und wollte hinausgehen, aber Wilhelm erwischte ihn am Ärmel und sagte irgendetwas in der Muttersprache des Jungen.

Der schüttelte den gesenkten Kopf, riss sich los und rannte ins Freie.

»Verfluchter Bengel«, knurrte Gaidemar ihm hinterher. Dann wandte er sich an seinen Vetter und hob kurz beide Hände. »Entschuldige, dass er dich behelligt hat. Du hast ganz andere Sorgen.«

Der Priester winkte ab. »Er ist ein pfiffiger Kerl. Und du solltest ihn für seine Loyalität nicht maßregeln.«

Gaidemar nickte unverbindlich. »Mit Verlaub, das geht dich nichts an.«

»Nein, das ist wahr«, räumte Wilhelm ein. »Doch es zählt zu den zahlreichen Privilegien des Priesterstandes, dass man sich ungefragt in anderer Leute Angelegenheiten einmischen darf.«

»Was hast du zu ihm gesagt?«, fragte Gaidemar neugierig.

»Dass du die Drohung nicht ernst meinst. Ich hoffe, das war keine Lüge?«

»Natürlich nicht. Allmählich wird er ganz brauchbar, und sollte ich eines Tages doch wieder Soldat werden, wird er mir nützlich sein.« Tatsächlich hatte er den aufgeweckten Jungen ins Herz geschlossen, der ihn so oft zum Lachen brachte oder ihm manchmal Fragen stellte, die so verblüffend waren, dass sie ihn auf völlig neue Gedanken brachten. Aber er hätte sich eher die Zunge abgebissen, als das einzugestehen.

»Nun, dann bin ich beruhigt.«

Sie schwiegen einen Moment und lauschten dem prasselnden Regen auf den Strohschindeln und dem heulenden Wind, der mit dem Nahen der frühen Dämmerung stürmisch geworden war.

»Ich kann nicht fassen, dass Liudolf Judith und ihre Kinder in dieses Wetter hinausgejagt hat«, bemerkte Wilhelm bedrückt. »Sie mag eine Zunge wie eine Ochsenpeitsche haben, aber das sieht ihm trotzdem nicht ähnlich.«

»Nein«, stimmte Gaidemar zu. »Aber wenn du einen Krieg anfängst, musst du lernen, erbarmungslos zu sein, sonst verlierst du.«

»Hm. Und genau das ist es, was mir den Schlaf raubt: Je länger dieser Zwist dauert, desto erbarmungsloser werden sowohl Liudolf als auch der König. Vor allem jetzt, da Liudgard gestorben ist. Das werden sie sich gegenseitig vorwerfen. Mit jedem Tag, der vergeht, wird es schwieriger, eine Versöhnung zu erreichen. Offen gestanden, Gaidemar: Ich frage mich allmählich, ob es überhaupt noch eine Chance gibt, dass mein Bruder *und* mein Vater lebend aus dieser Sache herauskommen.«

Doch ganz gleich, wie verbittert König Otto sein mochte, er brachte es immer noch fertig, Freund und Feind mit einem unerwarteten Zug zu überraschen. Er ernannte seinen Bruder Brun, den Erzbischof von Köln, zum Erzherzog von Lothringen, und die lothringischen Grafen und Bischöfe, die sich Konrad immer nur unwillig untergeordnet hatten, scharten sich um den charismatischen jungen Kirchenfürsten. Als Konrad aus Regensburg abzog, in Metz einfiel und Köln bedrohte, holte er sich eine so blutige Nase, dass er schleunigst und unter hohen Verlusten wieder aus Lothringen verschwand.

Trotzdem musste König Otto die Belagerung von Regensburg unverrichteter Dinge abbrechen, als mit dem Advent auch die Schneefälle begannen. Kurz vor Weihnachten kam das Heer zurück nach Sachsen, und alle Männer vom König bis hinab zum geringsten Pferdeknecht waren abgemagert und erschöpft. Adelheid entdeckte neue Silberfäden im Bart- und Haupthaar ihres Gemahls, als sie ihn in der Halle seiner Pfalz zu Magdeburg begrüßte.

Mit beiden Händen streckte sie ihm den edelsteinbesetzten Goldpokal entgegen: »Willkommen in Magdeburg, mein König«, sagte sie. Sie konnte nur hoffen, dass das strahlende Lächeln, welches sie für den versammelten Hof zur Schau trug, intakt blieb. In Wahrheit war sie bestürzt über Ottos Anblick. Der König war einundvierzig Jahre alt, und noch im Frühjahr hätte man ihn für zehn Jahre jünger halten können. Aber die Trauer über den Treuebruch seines Sohnes und vor allem über den Tod seiner Tochter hatte Spuren hinterlassen. »Gott hat meine Gebete erhört und dich unversehrt zu mir zurückgeführt.«

Er nahm den Becher mit der Linken, legte die Rechte an ihre Wange und küsste seine Gemahlin auf die Stirn. »Hab Dank, Adelheid.« Seine Miene war ernst, aber ein warmer Schimmer lag in den blauen Augen, als er sie betrachtete und den Blick über ihren gewölbten Leib gleiten ließ. »Du bist ein wahrhaft erquicklicher Anblick.«

Es erschien ihr ein wenig unschicklich, dass er ihre Schwangerschaft in der Öffentlichkeit zur Sprache brachte – sie hatte sich immer noch nicht an alle Sitten in diesem Land gewöhnt und zweifelte allmählich, ob ihr das je gelingen würde –, aber sie verstand, dass die Hoffnung auf einen weiteren Prinzen oder eine Prinzessin ihm Trost spendete.

Sie begrüßte seinen Bruder Henning, der so mager war wie Otto, dunkle Schatten unter den Augen und einen bitteren Zug um den schönen, aber grausamen Mund aufwies. Auch er warf einen unverhohlenen Blick auf ihren Bauch, seine Miene verschlossen. Aber Adelheid brauchte nicht zu rätseln, was er dachte. Mit jedem gesunden Kind, das sie gebar, rückte die Krone für Henning in weitere Ferne, und er war sich dessen ebenso bewusst wie sie.

»Ich hoffe, Ihr habt meine Nachricht erhalten, Schwager? Eure Gemahlin und Eure Kinder sind wohlbehalten hier eingetroffen. Ah, und da sind sie schon.«

Henning fuhr auf dem Absatz herum, ließ die Königin kurzerhand stehen, eilte Judith entgegen und schloss sie stürmisch in die Arme. Adelheid fand auch seinen Mangel an Etikette ein wenig befremdlich, aber sie verzieh ihm auf der Stelle. Falls es irgendetwas gab, das Hennings Seele retten konnte, dann war es die Liebe zu seiner Frau, glaubte sie, schien er ansonsten doch keiner anderen Empfindung als Zorn, Verachtung und Missgunst fähig.

Ihr jüngster Schwager trat vor sie und verneigte sich. »Seid gegrüßt, edle Königin.«

»Brun! Das ist eine beängstigende Schramme, die Ihr da auf der Stirn tragt. Eine sonderbare Zierde für einen Erzbischof der Heiligen Mutter Kirche«, zog sie ihn auf.

Er nickte mit einer seiner ausdrucksvollen und komischen Grimassen. »Nicht hingegen für einen Erzherzog. Wenn ich eine Kirche betrete, um die Messe zu lesen, lege ich zuvor das Schwert ab und setze meine Bischofsmütze auf, in der Hoffnung, dass Gott die Schramme nicht sieht.«

Sie lachten, blickten sich einen Moment in die Augen und verständigten sich darauf, weiter unbeschwert zu tun, bis der öffentliche Teil dieser Begrüßung vorüber war.

Brun schlug das Kreuzeichen über ihr und ging dann weiter zu Wilhelm.

Der König sprach mit Hermann Billung, dem Markgrafen, den er aus dem Slawenland zurückgerufen hatte, um Sachsen in seiner Abwesenheit zu hüten.

»… alles ruhig geblieben«, hörte Adelheid Hermann sagen, als sie sich ihnen anschloss. »Eins sollte Euch klar sein, mein König: Je länger diese Revolte dauert, desto mehr der jungen Heißsporne, die sich Liudolf angeschlossen haben, werden reumütig zu Euch zurückkehren, weil sie reichlich Zeit hatten, über die möglichen Folgen ihres Treuebruchs nachzudenken.«

»Das gilt nicht für diejenigen, die mit Liudolf nach Bayern gezogen sind«, widersprach Otto.

»Ihr meint meine Neffen, Wichmann und Ekbert«, mutmaßte Hermann und strich sich über den gewaltigen Rauschebart. Es war eine nervöse Geste. »Ich kann nicht fassen, dass sie zu Liudolf übergelaufen sind. Sie sind Eure Vettern, verdammt noch mal! Aber wartet nur ab, früher oder später zwingen wir sie in die Knie, und wenn ich meine Neffen in die Finger bekomme, dann gnade ihnen Gott.«

»Wenn wir sie in die Knie zwingen wollen, müssen wir es bald tun, Hermann«, erwiderte der König gedämpft.

Der bärenhafte Haudegen war Feuer und Flamme. »Dann lasst uns losziehen, sobald der Schnee geschmolzen ist, und es tun!« Klatschend schlug er sich mit der linken Faust in die rechte Handfläche.

»Mir ist überhaupt nicht wohl bei dem Gedanken, wie lange du deine Markgrafschaft vernachlässigen musstest, um hier für mich nach dem Rechten zu sehen«, gestand Otto. »Das Letzte, was uns fehlt, ist ein Aufstand der Slawen.«

»Damit muss man immer rechnen, denn sie sind nun mal ein kriegerisches und freiheitsdurstiges Volk«, räumte Hermann ein, und er machte aus seiner Bewunderung für seine aufsässigen Untertanen keinen Hehl. »Aber ich kehre noch vor Weihnachten zurück über die Elbe.«

»Gut.« Der König legte ihm für einen Moment die Hand auf die Schulter. »Sei gepriesen für deine Treue, Hermann.«

»Sie ist nichts weiter als meine Pflicht und Schuldigkeit, und sie gehört Euch allein, mein König«, erwiderte Hermann prompt.

Adelheid wusste, dass es die Wahrheit war. Hermann Billung zählte zu Ottos ältesten und verlässlichsten Freunden. Sie hatte ihn im Verlauf der letzten Monate schärfer beobachtet, als er ahnte, und festgestellt, dass er ein kompetenter und zuverlässiger Statthalter war. Sie wünschte nur, nicht alle Getreuen des Königs bekämen allmählich graue Schläfen. Doch Otto fiel es schwer, die Grafensöhne an sich zu binden und mehr als pflichtschuldigen Gehorsam in ihnen zu wecken. Liudolf war es, der diese jungen Männer inspirierte, ihre Leidenschaft und ihren Kampfeswillen wecken konnte, und darum überwinterten nicht wenige von ihnen jetzt mit Liudolf in Regensburg.

»Ihre Versorgungslage ist offenbar immer noch gut«, berichtete der König seufzend. »Sie halten ihr Vieh auf einer Insel in der Donau, an die wir nicht herankommen. Aber nach dem Winter wird es Engpässe geben. Jedenfalls hoffe ich das. Denn Henning hat seine Stadt so brillant befestigt, dass uns letztlich nichts übrig bleiben wird, als Liudolf auszuhungern.«

»Ich hätte mir nie träumen lassen, dass ich mich einmal aus meiner Residenzstadt ausgesperrt finden würde«, erklärte sein Bruder bitter, der zu ihnen getreten war, einen Weinbecher in der gesunden linken Hand, die behandschuhte Rechte um die schmalen Schultern seiner Frau gelegt. »Sonst hätte ich einen Geheimgang unter meiner Stadtmauer hindurch graben lassen, sodass wir Liudolf einen kleinen Überraschungsbesuch abstatten könnten.«

Der König schüttelte kurz den Kopf. »Es wird auch so gelingen, Henning. Es dauert nur ein wenig länger.«

»Das Schlimme ist die Sympathie, die Liudolf in Schwaben und Bayern genießt«, warf Judith ein. »Auf unserer Flucht haben wir kaum eine Burg gefunden, wo man bereit war, uns aufzunehmen, weil der bayrische Adel es mit Liudolf hält.«

»Wohl eher mit Eurem Bruder Arnulf«, widersprach Hermann Billung.

Doch Judith schüttelte nachdrücklich den Kopf, und es war Otto, den sie anschaute. »Ich hoffe, Ihr vergebt ein offenes Wort, mein König. Wenn Ihr die Macht Eures abtrünnigen Sohnes im Süden brechen wollt, müsst Ihr einen Weg finden, die Treue seiner Anhänger zu brechen.«

Henning wandte abrupt den Kopf, um sie anzusehen.

»Was ist?«, fragte Judith verwirrt.

»Hm? Oh, gar nichts.« Henning nahm einen Schluck und ließ ihn versonnen über die Zunge rollen, ehe er schluckte. »Nur ein Gedanke.«

»Dann lass uns teilhaben«, forderte Otto ihn lächelnd auf. »Ich bin für jede Idee dankbar, glaub mir.«

»Wenn ich ein wenig darüber nachgedacht habe, vielleicht«, stellte sein Bruder vage in Aussicht. Es klang, als sei es von keinerlei Bedeutung, aber das diebische Vergnügen, das in seinen blauen Augen funkelte, sagte etwas ganz anderes.

Adelheid wollte nachhaken, als mit einem Mal ein Schmerz in ihrem Rücken aufflammte, als habe jemand einen Dolch hineingestoßen. Sie fuhr leicht zusammen und spürte Schweiß auf Brust und Rücken.

»Alles in Ordnung?«, fragte der König leise.

Adelheid wünschte, er wäre nicht immer so aufmerksam. Sie strich ihm unauffällig über den Unterarm. »Alles, wie es sein sollte, mein Gemahl. Aber ich muss dich bitten, mich beim Essen zu entschuldigen.«

»Aber was … Oh, ich verstehe.« Ein ganz und gar unkompliziertes Lächeln breitete sich auf seinem Gesicht aus, tilgte auf einen Schlag die Enttäuschungen und Entbehrungen der letzten Monate und ließ ihn um Jahre jünger wirken. »Ich begleite dich in deine Gemächer.«

»Wenn Ihr erlaubt, werde ich das tun«, widersprach Judith energisch. »Das ist allein Frauensache, und selbst einen König können wir dabei nicht gebrauchen.« Besitzergreifend nahm sie Adelheids freien Arm.

Otto trat einen kleinen Schritt zurück. »Dann bleibt mir wohl nichts, als mich zu fügen.«

Judith nickte. »Wenn Ihr Euch nützlich machen wollt, lasst nach der Hebamme schicken.«

Der bohrende Schmerz im Rücken kam zurück. Dieses Mal war es, als werde der Dolch emsig hin und her gedreht. Adelheid blieb die Luft weg, und dankbar stützte sie sich auf den Arm ihrer Schwägerin, die sie ohne übertriebene Fürsorge zur Tür geleitete.

»Wann hat es angefangen?«, fragte sie, als sie in das lustlose Schneetreiben des Dezembernachmittags hinaustraten.

»Gerade eben«, antwortete die Königin, dankbar für den eisigen Wind, der ihr die Stirn kühlte.

»Ach, dann wird es noch ewig dauern«, prophezeite Judith.

»Ja, bestimmt.« Selbst wenn es sich nicht so anfühlte.

»Aber wer will schon einen Blasensprung vor versammeltem Hof.«

»Niemand«, pflichtete Adelheid ihr bei, blieb mitten im Hof stehen und krallte sich mit beiden Händen an Judiths Arm, denn die neue Wehe war so heftig, dass ihr die Knie butterweich davon wurden. »Und niemand will eine Geburt zwischen Pferdestall und Haupttor«, fuhr sie keuchend fort. »Darum lass uns einen Schritt zulegen. Dieses Kind … hat es eilig.«

Es ging so rasant schnell, dass Adelheid sich verdattert und dümmlich vorkam und sich auf höchst sonderbare Weise betrogen fühlte. Ihr blieb keine Zeit, das Herannahen dieses Wunders zu spüren wie bei Emma und bei Heinrich, sich zu stählen und dem Schmerz zu stellen wie einem geharnischten Feind, zu kämpfen, sich nach ihrer Mutter zu sehnen und den Kindsvater zu verfluchen. Ein kurzer Rausch aus Schmerz und Kontraktion, das war alles, und das Kind kam lange vor der Hebamme.

»Sturzgeburt«, hörte die Königin Judith oder Hulda murmeln, und sie konnte nicht entscheiden, ob es ehrfürchtig oder besorgt klang. Sie hatte das Wort nie zuvor gehört.

Anna kam mit Tüchern und heißem Wasser, und als sie sah, dass es für solche Feinheiten längst zu spät war, stellte sie ihre

Last achtlos auf dem Tisch ab und schlug lachend die Hände zusammen. »Heilige Muttergottes, was für ein ungeduldiges Königskind!«

Adelheid hob den Kopf. »Ist es gesund?«

Hulda nahm das Neugeborene behutsam auf, vergewisserte sich, dass die Nabelschnur nicht um seinen Hals gewickelt war und legte es seiner Mutter auf den Bauch. »Alles dran, was ein kleiner Prinz braucht«, versicherte sie.

»Der zweite in Folge«, sagte Judith anerkennend, setzte sich auf die Bettkante und nahm Adelheids eiskalte Hand. »Ich gestehe, als ich Euch zum ersten Mal sah, hätte ich Euch das nie zugetraut, Schilfhalm, der Ihr seid. Glückwunsch und Gottes Segen, meine Königin. Soll ich gehen und es dem König sagen?«

»Nein, nicht bevor mein Sohn und ich präsentabel sind.« Adelheid ertastete den winzigen Körper auf ihrer Brust und spürte, dass die Arme sich bewegten. »Warum schreit er nicht?«

»Wahrscheinlich ist er genauso erschrocken wie Ihr«, mutmaßte Hulda.

»Lasst uns … einfach auf die Hebamme warten«, entschied Adelheid, die immer noch Mühe hatte zu begreifen, dass ihr Kind geboren war. »Sie soll ihn abnabeln und sich vergewissern, dass alles in Ordnung ist mit ihm.«

Ihre vertraute Hofdame drückte kurz ihre Hand. »Ein guter Plan.«

»Was bedeutet Sturzgeburt?«, fragte die Königin.

Einen Moment lang antwortete niemand. Dann erwiderte Judith: »Nun, genau das, was Ihr glaubt.« Es klang eigentümlich schroff. »Das Kind kommt zu schnell …«

»*Zu* schnell?«

»… überstürzt, könnte man wohl sagen. Manche Neugeborene fallen dabei auf den Boden, weil ihre Mütter es nicht rechtzeitig schaffen, sich niederzulegen, vielleicht kommt das Wort auch daher, ich bin nicht sicher …«

»Aber das ist Euch ja nicht passiert«, beeilte Hulda sich zu sagen. »Also macht Euch keine Gedanken, meine Königin. Der Prinz ist hier und lebendig und …«

Adelheid richtete sich auf die Ellbogen auf. »Ihr werdet mir auf der Stelle sagen, was euch beunruhigt. Los, raus damit.«

»Es ist nichts«, entgegnete Hulda beschwichtigend.

»Nur ein dummer Aberglaube«, sagte Judith abfällig, aber sie sah ihr nicht in die Augen.

»Was für ein Aberglaube?«, fragte Adelheid hartnäckig.

Hulda und Judith wechselten einen Blick. Dann erklärte Erstere: »Es ist etwas, das die alten Weiber murmeln: *Wird das Kind im Sturz geboren, ist der Vater bald verloren.* Aber Ihr solltet nichts darauf geben. Denn der König ...«

Sie brach ab, weil das Neugeborene plötzlich zu schreien begann.

Adelheid strich ihm über den Kopf, erleichtert über dieses Anzeichen von Normalität. Ganz plötzlich fühlte sie sich zutiefst erschöpft. Sie ließ sich zurücksinken und schloss die brennenden Augen.

Wird das Kind im Sturz geboren, ist der Vater bald verloren ...

Zum ersten Mal, seit Gaidemar in jener Nacht nach Ingelheim gekommen war, um sie vor Liudolfs Falle zu warnen, fürchtete sie sich wirklich.

Schwandorf, Februar 954

»Gibt mehr Schnee später«, prophezeite Mirogod und sah stirnrunzelnd zum Himmel auf, der von einer geschlossenen grauen Wolkendecke überzogen war. Der Tag war dämmrig, die Welt still.

»Ja, vermutlich«, stimmte Gaidemar zu.

Eisschollen trieben auf dem eiligen Fluss, dem sie am östlichen Ufer stromaufwärts folgten. Der Pfad war gerade breit genug, dass sie nebeneinander reiten konnten. Die dünne Schneeschicht war pulvrig und trocken, sodass sie gut vorankamen.

»Du wissen ... weißt, wo wir sind?«, vergewisserte sich der Junge.

»So ungefähr.« Gaidemar wies auf den Fluss. »Das ist die Naab.« Jedenfalls hoffte er das. »Sie führt nach Norden, also in unsere Richtung, und wenn wir nicht trödeln, erreichen wir ein Kloster unweit ihrer Quelle, bevor es dunkel wird.«

Das hatte man ihm in Sankt Emmeram erklärt, wo sie die letzte Nacht verbracht hatten. Da sie im Auftrag des Erzbischofs von Köln unterwegs waren, übernachteten sie in Klöstern. Zu Beginn ihrer Reise war das eine völlig neue Erfahrung für Gaidemar gewesen: Sie klopften an eine Klosterpforte, zeigten dem Bruder Pförtner das Pergament mit Bruns beeindruckendem Siegel, wurden eingelassen, in ein komfortables Gästehaus geführt und bekamen irgendetwas Heißes. Der Bruder Cellarius, der Prior oder sogar der Abt schaute vorbei, um sich nach ihrer Reise und dem Befinden des ehrwürdigen Erzbischofs zu erkundigen und sich zu vergewissern, dass sie alles hatten, was sie brauchten. All die Aufmerksamkeit und der ungewohnte Luxus hatten Gaidemar anfangs immer aufs Neue erstaunt und in Verlegenheit gebracht. Aber nun waren sie nach mehr als zwei Wochen auf dem Rückweg nach Sachsen, und er hatte sich daran gewöhnt.

»Viele Fährten hier im Wald«, bemerkte Mirogod und wies auf die Spuren, die vom Fluss weg zwischen die Bäume führten.

»Was hat diese da gemacht?«, fragte Gaidemar und zeigte mit dem Finger.

»Hase«, antwortete der Junge prompt.

Sein Herr nickte. »Und die da vorn?«

»Fuchs.«

»Marder«, widersprach Gaidemar.

Mirogod schüttelte den Kopf. »Fuchs. Marder hat Zehen mehr … nebeneinander.«

»Meinetwegen«, gab Gaidemar mit einem unfreiwilligen Grinsen nach.

Sein Ziehvater hatte ihn das Jagen ebenso gelehrt wie das Waffenhandwerk, aber Gaidemar hatte längst erkannt, dass er dem Jungen in dieser Disziplin nicht das Wasser reichen konnte.

»Pferd«, fuhr Mirogod unaufgefordert fort und wies auf eine Spur rechts des Weges. »Und noch eins.«

»Hm, wir sind sicher nicht die einzigen Reiter auf diesem Pfad.«

»Mönche reisen viel«, sagte Mirogod.

Das stimmte. Sie brachten Bücher von einer Bibliothek zur anderen, um sie dort abschreiben zu lassen, übermittelten Nachrichten ihrer Äbte, die oft ebenso mächtig waren wie die Grafen und Bischöfe, oder sie transportierten den Überschuss ihrer Viehzucht zum nächsten Markt.

»Ja, das Leben hinter Klostermauern ist weit weniger abgeschieden, als ich immer dachte«, stimmte Gaidemar zu.

»Hast du Brief von Bischof Ulrich noch?«, fragte der Junge.

Unwillkürlich schob Gaidemar die Hand unter seinen dicken Lammfellmantel und ertastete die versiegelte Schriftrolle, die er zwischen Hemd und Tunika an einer Schnur befestigt um den Hals trug. »Da ist er. Und ich wäre dankbar, wenn du mich das nicht alle zwei Meilen fragst. Mir bleibt jedes Mal das Herz stehen.«

Mirogod lachte vergnügt, aber die Behauptung war Gaidemar beinah ernst. Schon in der guten alten Zeit als Panzerreiter hatte der Kommandant der zwölften Legion ihn dann und wann mit Botenritten betraut, weil er es schätzte, wie schnell Gaidemar sie erledigte. Aber dies hier war das erste Mal, dass ihm das Schicksal des Reiches anvertraut worden war. Jedenfalls hatte Brun – der zu großen Worten neigte – etwas in der Art angedeutet. Er hatte Gaidemar ein versiegeltes Schreiben an Ulrich von Dillingen, den Bischof von Augsburg, überreicht.

»Er ist ein grandioser alter Haudegen und kämpft seit Beginn der Belagerung vor den Toren von Regensburg für den König«, hatte er ihm erklärt. »Aber er ist gleichzeitig der mächtigste Bischof in Schwaben und war Liudolf immer ein väterlicher Freund. Wir hoffen, ihn für eine Vermittlung zu gewinnen. Wenn irgendwer einen Waffenstillstand aushandeln kann, dann Ulrich. Bring uns seine Antwort so rasch wie möglich, Gaidemar, aber mach dich unterwegs unsichtbar, meide die königlichen Hauptstraßen und vor allem Regensburg. Weder Henning noch Liudolf darf von deiner Mission erfahren.« Er hatte ihm die Hand auf den Kopf gelegt, um ihn zu segnen. »Geh mit Gott.«

Zwei Stunden später war Gaidemar nur in Mirogods Begleitung aufgebrochen. Trotz des teilweise abscheulichen Wetters hatten sie Augsburg nach nur zehn Tagen erreicht, Bischof Ulrich hatte den Boten umgehend empfangen und am nächsten Morgen mit seiner versiegelten Antwort zurückgeschickt. Und wann immer Gaidemar nach dem Schriftstück auf seiner Brust tastete, rätselte er, was wohl darinstehen mochte.

»Glaubst du, Bischof wird machen Frieden zwischen König und Prinz?«, fragte Mirogod nach einer Weile.

»Ich will es hoffen«, gab Gaidemar zurück. »Ich kann mir zwar nicht vorstellen, wie, aber mit Gottes Beistand ist vermutlich alles möglich.«

Der Junge sah ihn an und wich gleichzeitig einem tiefhängenden Zweig aus. »Du kannst Bischof nicht leiden?«

Gaidemar fiel aus allen Wolken. »Wie kommst du darauf?«

»Ich sehe an deiner Miene.«

»Nein, du täuschst dich.« Bischof Ulrich hatte ihn beeindruckt: ein Greis von über sechzig Jahren, besaß er doch die Haltung und Geschmeidigkeit eines lebenslangen Fechters. Sein Schritt war leicht, die Stimme befehlsgewohnt und streng, der Blick scharf. »Aber der Bischof hat sofort gesehen, wer mein Vater war, und das hat ihn nicht sonderlich für mich eingenommen.«

»Oh.« Es klang beklommen.

Gaidemar wandte den Kopf und sah dem Jungen ins Gesicht. »Es spielt keine Rolle, Miro. Solange er tut, was Brun von ihm wünscht, darf Bischof Ulrich von mir denken, was ihm Spaß macht.«

»Aber du kannst nichts dafür, wer dein Vater war und was gemacht hat.«

»Nein.« Er unterdrückte ein Seufzen. »Es ist eben eine hässliche, ungerechte Welt. Das kann dir kaum neu sein.«

»Da hast du recht.« Mirogod nickte, senkte einen Moment den Kopf, hob ihn gleich wieder und rang sich ein Lächeln ab.

Gaidemar fragte sich nicht zum ersten Mal, wie Mirogods Leben wohl ausgesehen hatte, ehe die böhmischen Sklavenhändler gekommen waren. Doch der Junge sprach nicht gerne darüber, wurde einsilbig und bockig, wenn man versuchte, ihm etwas zu entlocken. Darum ließ Gaidemar ihn damit zufrieden und fuhr ihm stattdessen über den Schopf – ein bisschen ruppiger als beabsichtigt. »Du hast dich gut gemacht. Zwei Wochen im Sattel bei Kälte und Schneetreiben, und nicht ein einziges Wort der Klage habe ich von dir gehört. Ich bin stolz auf dich.«

Die rundlichen Kinderwangen, ohnehin schon apfelrot von der schneidenden Winterluft, verfärbten sich noch ein wenig tiefer, und die grünen Augen strahlten. Zur Abwechslung fiel ihm einmal nichts zu sagen ein, bis er den Blick auf die Erde richtete. »Noch mehr Pferdespuren.«

»Ich hab's gesehen.« Gaidemar überlegte, ob sie sich lieber zwischen die Bäume zurückziehen sollten. Doch das winterlich kahle Gehölz bot wenig Deckung, gleichzeitig machte die Schneedecke den Untergrund abseits des Pfades tückisch. Ein Pferd konnte in einen verschneiten Dachsbau geraten und sich die Knochen brechen. Und was dann?

In dem Moment, als er die blutigen Schlieren im Schnee sah, roch er auch das Feuer, und er hielt an.

»Absitzen«, flüsterte er. »Ganz leise und langsam. Schlag die Steigübel über den Sattel, nichts darf klirren. Führ deinen Darko am kurzen Zügel, aber mach ihn nicht nervös, er darf nicht schnauben.«

Mirogod gehorchte, und Gaidemar führte ihn in das Wäldchen rechts des Pfades, bis er auf eine Gruppe junger Hainbuchen stieß, die ihr braunes Laub noch hatten und guten Sichtschutz boten.

»Du bleibst hier«, befahl Gaidemar, und er flüsterte immer noch.

»Aber was …«, begann der Junge ängstlich.

»Schsch. Hüte die Gäule und rühr dich nicht vom Fleck.«

Er wandte sich ab.

»Was ich machen, wenn du nicht wiederkommst?«, wisperte Mirogod in seinem Rücken.

Ohne sich umzuschauen, antwortete Gaidemar: »Du reitest zurück nach Sankt Emmeram.«

Er blieb zwischen den Bäumen, solange es ging, und bewegte sich parallel zum Flusslauf in nördlicher Richtung. Nach vielleicht einer halben Meile blieb der Wald zurück und machte einem verschneiten Acker Platz. Winterweizen mochte dort gesät sein oder Hafer, aber was immer es war, niemand würde es mehr ernten. Der Weiler, der jenseits des Feldes in einer sanften Mulde am Ufer der Naab lag, war ein Raub der Flammen geworden. Die Hütten der Bauern waren zu schwarzen Gerippen verbrannt, hier und da ragte nur noch ein einzelner Pfosten in den grauen Himmel auf wie ein drohender Zeigefinger. Aus vier der Ruinen stieg Rauch auf. Was immer hier geschehen war – lange war es noch nicht her.

Gaidemar blieb im Schutz der Bäume stehen und beobachtete das Dorf. Er nahm sich Zeit und ließ den Blick systematisch von Ost nach West wandern. Nichts rührte sich; kein Lebenszeichen von Mensch oder Tier.

Schließlich setzte er sich wieder in Bewegung und überquerte den Acker mit langen Schritten. Das Fehlen jedweder Deckung verursachte ihm ein unangenehmes Kribbeln im Nacken. Er sah wieder Hufspuren im Schnee, viele dieses Mal. Eine ganze Schar von Reitern hatte dieses Feld in westlicher Richtung überquert. Unmöglich zu sagen, wie viele es gewesen waren, denn sie waren in enger Formation geritten, zwei Reihen nebeneinander. Auf kleinen, mit schmalen Eisen beschlagenen Pferden.

Zu dem Kribbeln im Nacken gesellte sich ein heißer Druck auf dem Magen. *Das* kann *einfach nicht sein*, dachte er verwirrt. *Davon hätten wir gehört.*

Er entdeckte den ersten Leichnam, als noch zehn Schritte ihn von der vordersten Ruine trennten: Ein vielleicht sechzehnjähriger Junge lag mit ausgestreckten Armen auf dem Rücken, einen Dreschflegel in der Rechten, und die toten Augen starrten in den grauen Schneehimmel. Eine klaffende Wunde unterhalb des Halses hatte ihm die Schlagader geöffnet und den linken Arm beinah abgetrennt. Sein Kittel aus ungefärbter Wolle und der Schnee unter ihm waren leuchtend rot. Ein paar Schritte weiter war sein Hund gestorben, ein zotteliger Geselle mit langen Schlappohren.

Ein schwarzgefiederter Pfeil ragte aus seiner Seite und hatte vermutlich sein Herz durchbohrt.

Gaidemar zog das Schwert und ging langsam weiter, folgte einer blutigen Spur von Tod und Verwüstung. Die Erde war aufgewühlt von den vielen Hufen, zertrampeltes Federvieh war in den Morast gestampft. Männer und Frauen, Greise und Kinder – alle lagen tot auf der kalten Erde, von Pfeilen getroffen, von Säbelhieben verstümmelt, von Wurfspießen durchbohrt oder die Schädel von Streitäxten gespalten. Die meisten Frauenleichen waren nackt, die weiße Haut mit Schlamm und Blut besudelt. Eine lag gleich neben dem Brunnen, der Unterleib entblößt, der verschlissene Rock über den Kopf gezogen, als stecke sie halb in einem Sack. Gaidemar schloss für einen Herzschlag die Augen. Dieses war nicht das erste Todesdorf, das er sah. Er war auch nicht sonderlich leicht zu erschüttern, denn er war Soldat, und deshalb kannte er den Tod in seiner ganzen grausigen Vielfalt. Die Bestie, die in jedem Menschen steckte, machte einfach vor gar nichts Halt, wenn sie einmal entfesselt war, hatte er gelernt. Doch er ahnte, dass der obszöne Anblick dieser gesichtslosen geschändeten Frau sich zu den Schreckensbildern gesellen würde, die ihn gelegentlich in seinen Träumen heimsuchten. Er beugte sich über sie, schlug den Rock zurück und bedeckte ihre Blöße. Er verhöhnte sich selbst, während er es tat, schimpfte sich albern und weichlich, aber er tat es trotzdem. Es kam ihm irgendwie wichtig vor.

Dann richtete er sich wieder auf, wappnete sich mit einem tiefen Atemzug und ging zum Kirchlein des Weilers, wo die Barbarei erfahrungsgemäß am schlimmsten war. Menschen in Angst und Not flohen in die Kirche, und ihre Mörder mussten ihnen nur dorthin folgen, um sie in aller Ruhe abschlachten zu können.

Das kleine Gotteshaus hatte nur lustlos gebrannt. Die nassen Strohschindeln waren geschwärzt und schwelten hier und da, aber die vier Bretterwände standen noch, auch wenn die Pforte aus den Angeln gerissen und im Gemüsebeet des Pfarrers gelandet war.

Gaidemar musste den Kopf einziehen, um nicht an den niedrigen Sturz zu stoßen. Er trat über die Schwelle und verharrte einen Moment, bis seine Augen sich auf das Halbdunkel eingestellt hatten. Vor dem Altar lagen sieben oder acht Leichen, teilweise halb übereinander, wie unordentlich gestapeltes Feuerholz. Doch hier hatten die Bauern auch Widerstand geleistet und drei ihrer Angreifer getötet. Einer lag gleich neben dem schlichten Taufbecken an diesem Ende der Kirche, und Gaidemar starrte voller Schrecken auf die reglose Gestalt: ein Krieger von eher schmächtiger Statur, ein festes Lederwams über dem knielangen, rotbraunen Gewand, wadenhohe Stiefel und ein hölzerner Rundschild auf dem Rücken. Er hielt einen gekrümmten Säbel in der Rechten. Der spitze Helm war ihm vom Kopf gefallen und hatte einen kurzen Schopf glänzend schwarzer Haare enthüllt. Ein junges Gesicht mit Ziegenbart und ebenmäßigen Zügen. Die dunklen Augen starrten ins strohgedeckte Dach hinauf, blicklos, und doch schien es Gaidemar, als erkenne er ein verschlagenes Funkeln darin. Der Krieger war so tot wie die Bauern am Altar, und trotzdem musste Gaidemar sich zusammenreißen, um nicht furchtsam zurückzuweichen: Es war ein Ungar.

Gaidemar bekreuzigte sich und spuckte neben dem Toten auf die feuchte Erde, um seinen bösen Geist fernzuhalten. Dann kehrte er ihm entschlossen den Rücken. Ein zweiter Ungar lag mit eingeschlagenem Schädel ein paar Schritte zur Rechten, der dritte in der Mitte des kahlen Raums zusammengekrümmt auf der Seite, und eine kurze Wurflanze ragte aus seiner linken Brust.

Gaidemar beachtete sie nicht weiter, sondern trat zu dem schaurigen Menschenknäuel vor dem Altar, um nachzuschauen, ob wider alle Wahrscheinlichkeit einer überlebt hatte. Aber es war, wie er befürchtet hatte: Die Greise, Kinder und Frauen, die es hierher geschafft hatten, waren ebenso wenig verschont geblieben wie ihre Nachbarn draußen. Dem Dorfpfarrer hatten die Ungarn das Gesicht und die Füße verbrannt, ehe sie ihn töteten. Vermutlich, um ihm seine nicht vorhandenen Schätze zu entlocken. Natürlich konnte jeder Trottel sehen, dass dieses Kirchlein genauso bettelarm war wie das ganze Dorf, aber bei den Ungarn kursierten die unglaublichsten Gerüchte über die Reichtümer der Kirchen. Jedenfalls hatte der Priester Entsetzliches durchlitten, ehe er gestorben war.

»Ein Märtyrer, dem niemals irgendwer einen Schrein errichten wird«, murmelte Gaidemar, und das erschien ihm ungerecht. Er strich dem Toten mit der flachen Hand über das entstellte Gesicht, um die Augen zu schließen, und bekreuzigte sich noch einmal. Er tat sich immer schwer damit, das Wort an Gott zu richten. Er ging in die Kirche wie jeder andere auch, sprach das *Credo* und das *Paternoster* an den richtigen Stellen, und seine Ziehmutter hatte ihm beigebracht, dass die Heilige Mutter Kirche der sichere Hafen für ihre Gläubigen sei, wo sie Zuflucht vor der Tücke Satans fänden, und dass alle guten Christenmenschen Gottes Kinder seien und dereinst erlöst würden, *sogar du, Gaidemar, obwohl du in Sünde gezeugt und geboren wurdest.*

Als Junge hatte er Trost in diesen Worten gefunden und sich doch gleichzeitig geschämt für seinen schrecklichen Makel. Jedenfalls hatte er nie das Gefühl gehabt, er sei in der geeigneten Position, Gott um etwas zu bitten, aber jetzt gab er sich einen Ruck, räusperte sich entschlossen und murmelte: »Niemand außer mir ist hier, um für die Seelen der Verstorbenen zu beten, darum muss ich es tun: *Requiem aeternam dona eis, Domine, et lux perpetua luceat eis.*« Das sagten die Feldgeistlichen immer an den Gräbern der gefallenen Panzerreiter, und Gaidemar wusste, was es hieß: *Gib ihnen die ewige Ruhe, Herr, und das ewige Licht leuchte ihnen.* »Ich schätze, sie hatten ein hartes, entbehrungsreiches Leben, und jetzt sind sie abgeschlachtet worden wie Vieh. Also erbarme dich …« – *gefälligst* schluckte er gerade noch rechtzeitig herunter. »Sei ihnen gnädig, Herr, und schenke ihnen den Lohn im Jenseits, auf den sie sicher all ihre Hoffnungen gesetzt haben. Amen. Im Namen des Vaters …«

Statt das Kreuzzeichen zu beenden, riss er mit der Linken das Messer aus der Scheide am Gürtel und wirbelte herum, denn er hatte ein verstohlenes Rascheln gehört. Nur einen Schritt vor ihm stand Mirogod mit einer blutigen Klinge in der Faust, und Gaidemar wich mit einem kleinen Laut des Schreckens zurück, ehe er begriff, dass der totgeglaubte Ungar mit dem Spieß in der Brust anders lag als eben.

Mirogod wies mit der freien Hand auf ihn. »Er zu dir gekrochen. Ohne ein Laut. Ich bin … ich hab …« Er ließ die erbeutete Klinge fallen, als sei sie ein Diebesgut, mit dem er erwischt worden war, kreuzte die Arme und legte die Hände auf die Schultern. »Er wollte dich töten.«

Gaidemar stieß die Luft aus. »Und du bist ihm zuvorgekommen.« Er legte ihm einen Moment die Hand auf die Schulter. »Danke, Miro.«

Der Ungar regte sich keuchend und murmelte irgendetwas. Sie schauten beide auf ihn hinab. Mirogod hatte ihm mit dem erbeuteten Säbel eine hässliche Wunde am Hals zugefügt, aus der es munter sprudelte. Aber der Reiterkrieger schien weder sie noch den Spieß in der Brust zu spüren, denn er zeigte erschreckende Anzeichen von Lebendigkeit, faselte vor sich hin und begann, auf sie zuzukriechen.

»Er sucht sein Pferd«, flüsterte Mirogod, die Augen weit aufgerissen und starr.

Gaidemar sah ihn ungläubig an. »Du kannst ihn verstehen?« Der Junge nickte.

»Dann frag ihn, was er und seine Kameraden hier wollen.«

Mirogod machte einen Schritt nach hinten und schüttelte wild den Kopf. »Lass lieber gehen. Er ist gruselig.«

Sein Herr sah mit leicht zur Seite geneigtem Kopf auf den Ungarn hinab und trat ihn dann mit Macht in die Rippen, sodass der Verwundete auf den Rücken geschleudert wurde, wo er stöhnend liegen blieb. »Vor ihm brauchst du dich nicht zu fürchten, Miro, er röchelt nur noch ein bisschen.« Gaidemar trat noch einmal zu. »Wo kommst du her, he? Was wollt ihr hier? Außer Frauen schänden und Kinder abschlachten, meine ich. Los, antworte, du *Drecksack*.«

Sein eisiger Zorn steigerte die Furcht des verstörten Jungen, der sich keinen anderen Rat wusste, als die Fragen leise ins Ungarische zu übersetzen. Es klang stockend und unsicher.

Doch der Verletzte verstand ihn offenbar problemlos, denn er verzog das Gesicht zu einem schaurigen Lächeln. Als er den Mund öffnete, quoll ein kleiner Blutschwall heraus, zusammen mit einem wahrlich schaurigen Lachen, und er sagte irgendetwas. Dann keuchte er – vielleicht war es auch ein neuerliches Lachen –, schauderte und starb.

Mirogod hatte den Kopf abgewandt und die Augen zugekniffen. Er war bleich, und sein Atem hatte sich beschleunigt.

Gaidemar betrachtete ihn kopfschüttelnd, ermahnte sich aber, nicht zu vergessen, wie jung Mirogod noch war. Er nahm ihn bei der Schulter. »Schon gut. Er ist tot. Wenn du kannst, schau hin. Dann wirst du sehen, dass er dir nichts mehr tun kann.«

Mirogod brauchte noch einen Moment. Dann öffnete er die Augen und blickte auf den Toten hinab. Der bot einen ziemlich schaurigen Anblick mit all dem Blut im Gesicht, aber der Junge hatte sich gefangen. Nach einer Weile sagte er: »Er ... er hatte gar keine Angst.«

»Nein. Sie sind kaltblütig und vollkommen unerschrocken, diese Hurensöhne. Das ist ja das Schlimme an ihnen. Was hat er gesagt?«

Mirogod sah zu ihm hoch. »Wir sind gekommen, weil euer Prinz uns hat gerufen.«

»Was?«

»Hat gesagt!«, verteidigte Mirogod sich mit einem trotzigen Achselzucken. »Wir sind gekommen, weil euer Prinz uns hat gerufen.«

»Bist du vollkommen sicher, dass du es nicht falsch verstanden hast?«

Mirogod schnaubte höhnisch. »Oh ja, ich bin sicher. Magyar ... Ungarn, wie ihr sagt, haben mährisches Volk überfallen und Krieg gemacht, wieder und wieder und wieder. Sind Nachbarn. Wir kennen Sprache, glaub mir.«

Gaidemar steckte sein mörderisch scharfes Messer weg und raufte sich die Haare. »Gott steh dir bei, Liudolf«, murmelte er beklommen. »Wie konntest du nur?«

Zu Mirogods offensichtlicher Erleichterung führte er den Jungen aus der Kirche, vorbei an den Leichen auf dem kleinen Vorplatz, die allmählich vom sacht rieselnden Schnee zugedeckt wurden, und über den Acker zurück zum Waldrand.

»Müssen wir Leute nicht verbrennen?«, fragte Mirogod zaghaft. »Oder vergraben, wie man bei euch macht? Wenn Tiere kommen …« Er brach ab und zog die Schultern hoch.

Gaidemar schüttelte den Kopf. »Das können du und ich nicht allein, und nach dem, was hier geschehen ist, müssen wir uns mehr denn je beeilen, nach Magdeburg zurückzukehren. Aber wir erzählen es den Mönchen, wenn wir heute Abend zum Kloster kommen. Ich schätze, sie werden es tun.«

»Oh. Gut.« Mirogod schwieg, bis sie zu den Pferden zurückkamen, die er sorgsam an eine der Buchen gebunden hatte.

Reichlich verspätet schalt Gaidemar: »Ich hatte gesagt, du solltest hier warten, richtig?«

Mirogod nickte zerknirscht, den Blick gesenkt. »Ich so große Angst so ganz allein hier.«

Gaidemar seufzte vernehmlich, aber da Mirogod ihm in der Kirche vermutlich das Leben gerettet hatte, konnte er ihn nun wohl kaum einen Feigling schimpfen.

»Wenn du nicht bald lernst, mir zu gehorchen, wird es ein schlimmes Ende mit dir nehmen, Bübchen«, drohte er vage.

»Ja, Herr«, antwortete der Junge abwesend, stellte einen Fuß in den Steigbügel und zögerte dann. »Kann ich dich was fragen?«

»Wenn's sein muss.«

»Wieso Liudolf?«

»Wovon redest du?«

»Du gesagt: *Gott steh dir bei, Liudolf.* Aber Henning ist auch Prinz, oder?«

Fünf Tage später erreichten sie Magdeburg, und sowohl Reiter als auch Pferde waren vollkommen erschöpft. Gaidemar hatte sie gnadenlos angetrieben, denn er wusste, die Nachricht vom Einfall der Ungarn musste den König so schnell wie möglich erreichen.

Doch als er die Torwache der Pfalz fragte, wo der König zu finden sei, erntete er nur Kopfschütteln.

»Der ist längst wieder bei den Belagerungstruppen vor Regensburg«, erklärte ihm Wido mit einem Hauch von Schadenfreude. »Da hättet Ihr schon ein bisschen schneller reiten müssen, Herr.«

Gaidemar erwog, endlich zu tun, worauf Stiernacken es seit ihrer allerersten Begegnung in Pavia anlegte, und ihm die Nase einzuschlagen, aber er musste feststellen, dass er zu erledigt dafür war. »Und wie steht es mit Erzbischof Brun?«

»Ja, der ist noch hier. Kehrt morgen zurück nach Lothringen, hab ich gehört.«

Gaidemar nickte ihm frostig zu, führte Amelung zum Pferdestall hinüber und drückte die Zügel dem erstbesten Knecht in die Finger. »Hier. Kümmere dich darum, dass er gut versorgt wird. Der Braune auch.« Er zeigte auf Mirogods wackeren Darko. »Reib sie trocken, klar?«

Der Junge nickte ohne viel Enthusiasmus, klopfte Amelung aber bewundernd den Hals.

»Ich kann versorgen Pferde«, sagte Mirogod gedämpft, als Gaidemar sich abwandte.

Doch sein Herr schüttelte den Kopf und nahm ihn beim Arm. »Du musst mitkommen. Sie werden aus deinem Mund hören wollen, was der Ungar gesagt hat.«

Mirogod zog scharf die Luft ein und versuchte vergeblich, sich loszureißen. »Ich will nicht sprechen vor Erzbischof Königsbruder. Er mich töten für schlechte Kunde und …«

»Oh, jetzt sei keine solche Memme, Miro, und hör auf zu jammern. Keiner wird dir etwas tun.«

Mirogod schnaubte höhnisch und trottete unwillig neben ihm einher.

In der Halle wurden die Vorbereitungen für das Nachtmahl getroffen – die Hauptmahlzeit des Tages, die am späten Nachmittag von allen Bewohnern der Pfalz hier eingenommen wurde. Küchenjungen schleppten Körbe mit Brotlaiben herein, Mägde trugen windschiefe Türme hölzerner Eintopfschalen vor sich her und verteilten sie an den langen Tafeln.

Sehnsüchtig schaute Mirogod hinüber, aber die Wache berichtete Gaidemar, Erzbischof Brun sei in den Gemächern der Königin. Also umrundeten sie die Haupthalle, stapften über die verschneite Wiese auf der Südseite und gelangten zu dem etwas abgelegenen Fachwerkbau, wo die Wache sie anstandslos passieren ließ.

»Gaidemar!« Die Königin hatte die Ankömmlinge an der Tür ihrer behaglichen kleinen Halle als Erste entdeckt. »Der Herr sei gepriesen, dass er Euch wohlbehalten zu uns zurückgeführt hat.«

Sein Herzschlag beschleunigte sich ein wenig, und sein Mund war mit einem Mal staubtrocken. Mit der vertrauten, beinah schon liebgewordenen Hoffnungslosigkeit fragte er sich, ob es je aufhören würde, ob er sie eines Tages würde anschauen können, ohne in diesen jammervollen Zustand zu geraten. Er blieb im Halbdunkel nahe der Tür stehen und verneigte sich, um sich einen Moment Zeit zu geben, seine Züge unter Kontrolle zu bringen.

Adelheid saß in ihrem brokatgepolsterten Sessel, das unvermeidliche Kohlebecken so nah, dass sie achtgeben musste, sich nicht den Saum ihres elfenbeinfarbenen Kleides zu versengen. Der lindgrüne Schleier, der das dunkle Haar bedeckte, war durchschimmernd und spinnwebenfein wie üblich, aber um die Schultern trug sie ein schweres wollenes Tuch. »Schaut nicht so genau hin«, bat sie mit einer hinreißenden kleinen Grimasse des Missfallens. »Ich habe mich fürchterlich erkältet, genau wie meine armen Kinder. Alle drei.«

»Nichts Ernstes, hoffe ich?«, fragte er, während er näher trat und sich auch zur anderen Seite des Tisches verneigte, wo Gräfin Hulda, Wilhelm und der Erzbischof saßen.

Die Königin winkte beruhigend ab. »Sie haben nur einen Schupfen. Heinrich hat Fieber, aber das ist ganz normal bei kleinen Kindern.«

Eigentlich war es Adelheids Befinden, um das er besorgt war, aber er nickte lediglich, zog den versiegelten Brief des Bischofs von Augsburg aus dem Ausschnitt und legte ihn in Bruns ausgestreckte Rechte.

»Bringst du ein Ja oder ein Nein?«, fragte Wilhelm gespannt und reichte ihm seinen dampfenden Becher.

»Ich weiß es nicht«, gestand Gaidemar kopfschüttelnd. »Bischof Ulrich hat mir nicht zu erkennen gegeben, was er vom Ansinnen des Erzbischofs hielt.«

»Warum schaust du dann so grimmig drein? Von Mirogod ganz zu schweigen.«

Der Junge warf Gaidemar einen flehenden Blick zu und schien zu erwägen, sich hinter seinem Rücken zu verstecken. Gaidemar nahm einen ordentlichen Zug aus dem Becher, statt zu antworten. Es war heißer Wein mit irgendwelchen fremdländischen Gewürzen darin. Gaidemar hätte ihn pur vorgezogen, aber er musste zugeben, dass es ihn angenehm durchrieselte und das Gebräu einem im Handumdrehen die Kälte aus den Gliedern trieb. Er gab den Becher dem Jungen, der argwöhnisch ein Schlückchen trank, offenbar nur aus Höflichkeit, und den Pokal dann Wilhelm zurückbrachte. Der Priester fragte ihn leise etwas in seiner Muttersprache. Mirogod schüttelte den Kopf und kehrte an Gaidemars Seite zurück.

Brun blickte von dem Pergament in seinem Schoß auf. »Bischof Ulrich wird nach Regensburg reiten, sobald das Wetter es zulässt, um mit Liudolf zu verhandeln«, sagte er mit offenkundiger Erleichterung. »Und bei ihm können wir sicher sein, dass er sich an den Verhandlungsspielraum hält, den wir vorgegeben haben, und keine eigenmächtigen Zugeständnisse macht.«

»So wie Friedrich von Mainz es so gern tut«, warf Adelheid ein.

Brun nickte. »Gut gemacht, Gaidemar. Ich kann nicht fassen, wie schnell du diesen Botenritt erledigt hast, der wahrhaftig höllisch gewesen sein muss. Jedenfalls war er die Mühe wert.«

»Die Frage ist nur, ob Bischof Ulrich noch bereit ist, mit Liudolf zu verhandeln, wenn er die schlechten Nachrichten hört, die wir mitbringen«, gab der Bote zurück.

»Was für Nachrichten?«, fragte Adelheid.

Gaidemar biss einen Moment die Zähne zusammen. Dann blickte er ihr ins Gesicht. »Die Ungarn sind in Bayern eingefallen.«

Er sah in ihren geweiteten Augen seinen eigenen Schrecken widergespiegelt. Auch die beiden Gottesmänner waren bleich geworden, und die sonst so unerschütterliche Hulda hatte die Hände vor Mund und Nase gelegt, und in ihren Augen stand Grauen.

Es gab einfach keine Heimsuchung, die solches Entsetzen auslöste wie die Ungarn, egal ob bei Bauern oder Königen. Dabei waren auch die Slawen, die Dänen und die Westfranken erbarmungslose Krieger. Gaidemar wusste das, denn er hatte ihnen allen gegenübergestanden. Doch die Ungarn waren ein Schrecken, der nicht von dieser Welt zu sein schien. Sie kamen aus dem Nichts, wüteten, mordeten und raubten, und wenn sie weiterzogen, hinterließen sie eine blutige Spur der Verwüstung. Sie bildeten keine Armeen, die man zur Schlacht stellen konnte, sondern durchstreiften das Land in kleinen Reiterverbänden. Sie waren so schnell, dass man sie nie zu fassen bekam, egal wie rasch man die Verfolgung aufnahm. Die Feinde Gottes wurden sie genannt, weil sie heidnische Barbaren waren und gute Christenmenschen abschlachteten, aber manche glaubten auch, sie seien mit dem Teufel im Bunde, und nannten sie die Höllenreiter.

»Woher weißt du das?«, fragte Wilhelm in die bleierne Stille. »Ich meine, ist es sicher?«

»Oh ja, es ist sicher«, antwortete Gaidemar grimmig und berichtete, was er in dem überfallenen Dorf an der Naab vorgefunden hatte.

»Wenn sie schon fort waren, als ihr zu diesem Dorf kamt, heißt das, du weißt nicht, wie viele es waren?«, vergewisserte sich Erzbischof Brun.

Gaidemar schüttelte den Kopf. »Die Spuren ließen keine Schlüsse zu. Die Ungarn ritten wie üblich in Zweierreihen, um ihre Zahl zu verschleiern.«

»Dann wäre es aber immerhin möglich, dass es nur eine kleine Horde ist, die sich so weit nach Westen gewagt hat«, sagte Brun.

Ehe Gaidemar entschieden hatte, wie er fortfahren sollte, sagte die Königin: »Das ist noch nicht alles.« Sie ließ ihn nicht aus den Augen. »Ihr habt noch mehr gehört oder gesehen, nicht wahr?«

Gaidemar schlug einen Moment den Blick nieder und nickte.

»Dann raus damit«, befahl sie. »Spannt uns nicht auf die Folter.«

»Einer der Ungarn lebte noch …«, begann er stockend und beschrieb die Szene in der Kirche. Er bemühte sich, auf die schaurigen Details zu verzichten, soweit es ging. »Er kam von hinten an mich herangekrochen und hätte mich vermutlich erledigt, aber Mirogod war zur Stelle.« Mit einem matten Lächeln legte er seinem mährischen Burschen die Hand auf die Schulter und schob ihn vor sich. »Ehe der Ungar starb, sagte er etwas, und der Junge konnte ihn verstehen, weil sein Volk das Unglück hat, in unmittelbarer Nachbarschaft der ungarischen Steppen zu leben. Und was dieser Ungar gesagt hat, war: Wir sind gekommen, weil euer Prinz uns gerufen hat.«

Hulda zog erschrocken die Luft ein. Adelheid nahm langsam die Hände von den Armlehnen, legte sie in den Schoß und verschränkte die Finger ineinander, den Blick unverändert auf sein Gesicht gerichtet.

»Ihr könnt sagen, was ihr wollt, aber das werde ich niemals von meinem Bruder glauben«, grollte Wilhelm leise.

»Deine Loyalität zu Liudolf in allen Ehren, Wilhelm, aber du musst zugeben …«, begann der Erzbischof bedächtig.

»Auf keinen Fall«, fiel Wilhelm ihm ins Wort, erhob sich und machte einen Schritt auf Mirogod zu. Er fragte ihn etwas auf Slawisch, und es klang nicht so wohlwollend wie sonst.

Der Junge wich zurück, bis er gegen Gaidemar stieß, der ihm auch noch die andere Hand auf die Schulter legte. »Er ist nur der Bote, Wilhelm«, erinnerte er seinen Cousin scharf.

Der stieß einen Laut des Unwillens aus und wandte sich abrupt ab. »Du hast recht … Entschuldige. Aber ich *kann* das einfach nicht glauben.«

»Nein. Ich auch nicht«, gestand Gaidemar. Obwohl Liudolf ihm so übel mitgespielt und ihn verraten hatte, sah er sich außerstande, ihm solche Niedertracht zuzutrauen. Aber er wagte nicht, zu wiederholen, was Mirogod im Wald an der Naab zu ihm gesagt hatte, denn wenn Henning je erführe, dass sie den Verdacht auf ihn gelenkt hatten, würde nichts und niemand sie vor seiner Rache retten können.

Die Königin erlöste ihn aus seiner Unschlüssigkeit. »Wiederhole noch einmal genau, was der Ungar gesagt hat, Mirogod«, forderte sie den Jungen auf.

»*Wir sind gekommen, weil euer Prinz uns gerufen hat*«, sagte Mirogod geduldig.

»Sonst nichts?«, vergewisserte sie sich.

»Nein, sonst nichts. Er … keine Zeit mehr.«

Adelheid sah zu Wilhelm. »Was immer es zu bedeuten hat, wir sollten nicht vergessen, dass Liudolf nicht der einzige Prinz im Reich ist.«

»Oh Jesus, erbarme dich«, murmelte Hulda. »*Henning?*«

Brun sprang auf. »Das ist ausgeschlossen!«

»Ah ja?«, fragte Wilhelm. »Meinem Bruder dürfen wir solch eine Abscheulichkeit zutrauen, aber deinem nicht?«

»Er ist der Herzog von Bayern, Wilhelm, und würde schwerlich die Feinde Gottes herbeirufen, um sein eigenes Herzogtum zu verwüsten, oder?«

»Ich möchte lieber nicht darüber spekulieren, was Henning zu tun bereit und in der Lage ist, wenn es seinen Absichten dient«, konterte sein Neffe hitzig.

»Aber du …«

»Augenblick«, unterbrach die Königin. Sie sprach nicht besonders laut, aber der Erzbischof und Wilhelm verstummten und sahen sie abwartend an.

Die Königin hatte sich in ihrem Sessel zurückgelehnt, das Kinn auf die rechte Faust gestützt und strich sich versonnen mit dem Daumen über den Mundwinkel. Schließlich sagte sie: »Im Grunde ist die Frage bedeutungslos, wer die Ungarn herbeigerufen hat. Es ist ebenso gut möglich, dass der Sterbende gelogen hat, um im Tod noch ein wenig mehr Unheil zu stiften. Denn gewiss haben die Ungarn doch vom Unfrieden im Reich gehört und könnten von ganz allein auf die Idee gekommen sein, dies sei ein günstiger Zeitpunkt, es zu überfallen. Aber wie dem auch sei. Zwei Dinge müssen wir jetzt tun: Erstens muss der König umgehend vom Eindringen der Ungarn erfahren, damit sie ihm vor Regenburg nicht unverhofft in den Rücken fallen.«

»Und zweitens?«, fragte der Erzbischof, weil sie nicht gleich fortfuhr.

Sie dachte noch einen Moment nach. Dann antwortete sie: »Zweitens müssen wir die Welt glauben lassen, Liudolf habe sie gerufen. Das Gerücht wird sich ohnehin wie ein Lauffeuer verbreiten, wenn die Ungarn selbst es streuen.«

»Aber, meine Königin …«, begann Wilhelm beschwörend.

Doch Adelheid hob die Hand zu einer Geste der Unerbittlichkeit. »Es tut mir leid, Wilhelm, und ich bete, dass mich dies nicht Eure Freundschaft kosten wird, denn sie ist mir teuer. Aber Euer Bruder hat sich an seinem Vater und am ganzen Reich versündigt, indem er rebelliert und Unfrieden gestiftet hat. Wenn die Menschen ihn also einen Verräter nennen, wird es die Wahrheit sein. Oder nicht?«

Wilhelm rang noch einen Moment mit sich. Dann nickte er wortlos.

»Wenn sie glauben, sein Verrat gehe gar so weit, dass er die Feinde Gottes gegen den König zu Hilfe geholt hat, werden sie sich schaudernd von ihm abwenden. Auch seine Vasallen und Schwurfreunde. Und nur wenn das geschieht, nur wenn Liudolf eines Morgens aufwacht und feststellt, dass er mutterseelenallein und verlassen dasteht, wird es Frieden geben.«

Sie sah sie der Reihe nach an und las in ihren Mienen die Mischung aus Beklommenheit und Hochachtung, die auch Gaidemar empfand.

»Was schaut Ihr mich denn so an?«, fragte die Königin ungeduldig.

»Vergebt mir«, bat Brun mit einem zerknirschten kleinen Lächeln. »Aber einen so perfiden Plan hätte ich einer Frau einfach nicht zugetraut.«

»Nein?« Adelheid zog die exquisit geschwungenen Brauen hoch. »Nun, dann lasst Euch gesagt sein, ehrwürdiger Bischof: Ich wäre noch zu ganz anderen Dingen imstande, um die Krone meines Gemahls und die Zukunft meiner Söhne zu schützen.«

Magdeburg, März 954

»Es ist so eine Ehre, dass Ihr uns zu Ostern in Magdeburg besucht.« Adelheid ließ sich nicht anmerken, wie schwer es ihr fiel, vor der Königinmutter Mathildis den Kopf zu neigen.

»Gelegentlich müssen auch Kanonissen der frommen Abgeschiedenheit entsagen, wenn das Reich in Not ist«, belehrte ihre Schwiegermutter sie mit einem trügerisch milden Lächeln.

Deine Hilfe ist das Letzte, was uns gefehlt hat, dachte Adelheid, doch sie antwortete: »Wie gütig von Euch.« Dann wies sie einladend zur hohen Tafel. »Nehmt Platz und erfrischt Euch. Ihr müsst erschöpft sein von Eurer Reise.«

Es waren nur gut dreißig Meilen von Quedlinburg, wo Ottos Vater begraben lag und seine Mutter ein Kanonissenstift gegründet hatte, um sein Andenken zu pflegen. Aber Mathildis war eine alte Frau von beinah sechzig Jahren und das Reisen gewiss beschwerlich.

»Ich hoffe, Ihr macht nicht den gleichen Fehler wie meine Söhne und unterschätzt mich nur aufgrund meines biblischen Alters, edle Königin«, spöttelte Mathildis.

Adelheid geleitete sie zur festlich gerichteten Tafel. Drei herrliche byzantinische Kerzenleuchter aus kunstvoll ziseliertem Gold und Türkis bildeten das allseits bestaunte Zentrum des Tafelschmucks, und genau wie die große Osterkerze in der Klosterkirche waren die drei mit Weihrauch parfümierten Kerzen hier in der Halle um Mitternacht entzündet worden.

»Ich glaube nicht, dass ich irgendwen je aufgrund der vorgefassten Meinungen anderer unterschätze«, erwiderte Adelheid.

Die Königinmutter lachte in sich hinein. »Sehr klug geantwortet. Es ist beglückend zu sehen, dass wieder eine Frau mit Verstand in dieser Halle herrscht.«

Adelheid zwinkerte ihr zu, und während sie einen Diener anwies, Mathildis Wein und Butterkuchen aufzutragen, fragte sie sich, was diese kleine Spitze gegen Ottos erste Gemahlin wohl bezwecken sollte.

Sie kannte ihre Schwiegermutter kaum, denn sie sahen sich nicht oft. Der König hatte kein besonders inniges Verhältnis zu seiner Mutter. In den ersten, schwierigen Jahren seiner Herrschaft hatte sie nichts unversucht gelassen, Otto vom Thron zu stoßen und durch ihren kleinen Liebling Henning zu ersetzen. Heute besuchte der König das Grab seines Vaters in der Stiftskirche zu

Quedlinburg regelmäßig, aber die Begegnungen mit seiner Mutter waren immer förmlich, kühl und vor allem kurz. Wollte sie die Kluft überbrücken und schmeichelte Adelheid, um sie als Verbündete zu gewinnen? Oder hatte sie ein Anliegen, für welches sie Unterstützung suchte?

Adelheid war auf der Hut und nahm sich vor, Wilhelm um Rat zu fragen, denn der junge Geistliche war im Gegensatz zu seinem Vater eng vertraut mit seiner Großmutter. Kaum hatte sie den Gedanken gefasst, traten die nächsten Gäste vor sie.

»Markgraf Gero, mit seinen Söhnen Siegfried und Gero«, flüsterte der alte Kämmerer Adelheid ins Ohr.

Ah, dachte Adelheit, Gero, der Slawenschlächter. Der seinen Ältesten mit einer Schwester der abtrünnigen Billunger Wichmann und Ekbert verheiratet hat.

»Lieber Markgraf. Ich bin so erfreut, Euch endlich persönlich zu begegnen.«

Gero verneigte sich. »Meine Söhne und ich sind sehr geehrt, edle Königin.« Der Blick der gruseligen Raubvogelaugen ruhte einen Moment länger auf ihr, als die Höflichkeit eigentlich gestattete.

»Der König ist gespannt auf Eure Neuigkeiten aus dem Osten.«

Gero sah sich ein wenig verwirrt in der Halle um.

»Er bittet, ihn noch ein halbes Stündchen zu entschuldigen«, erklärte Adelheid. »Heute nach der Frühmesse kam ein Bote aus Bayern, und deswegen hat er sich mit seinen Ratgebern zurückgezogen.« *Zu denen du nicht mehr gehörst*, sagte sie nicht, aber er verstand es trotzdem, wie sie an seinen zusammengepressten Lippen erkannte. *Gut so*, dachte Adelheid. Gero hatte gegen Henning Stellung bezogen, als Liudolf seinen Aufstand begann, und sogar eine Abordnung zu dessen Verschwörergastmahl nach Saalfeld geschickt. Sein heutiges Erscheinen bedeutete vermutlich, dass er sich besonnen hatte. Aber er würde ein wenig mehr tun müssen, um Ottos Vertrauen zurückzugewinnen.

»Oh, und da kommt der ehrwürdige Bischof von Augsburg, welch eine Freude!«

290

Mit einem schroffen Wink bedeutete Gero seinen Söhnen, ihm zu folgen, und sie machten Platz vor der Estrade, damit Adelheid die nächsten Ankömmlinge begrüßen konnte.

Dieses österliche Hoffest war das prunkvollste, das sie je ausgerichtet hatte. Die Speisen, die Weine, die goldenen Platten und juwelenbesetzten Becher – alles war eine Spur feiner geworden. Gleiches galt für die Wandbehänge. Adelheid wusste, solange die neue Pfalz nicht fertig war, würde der Hof zu Magdeburg nie die Eleganz und Vornehmheit ausstrahlen, die sie anstrebte. Doch die ankommenden Gäste blickten sich ehrfurchtsvoll um, mit wohlwollendem Nicken.

Und seit sie vor zweieinhalb Jahren Ottos Frau geworden war, hatte sich kein Hoffest eines solchen Besucherandrangs erfreut. Das war kein Zufall. Adelheids Strategie hatte sich bewährt: Im ganzen Reich hatte sich die Nachricht verbreitet, Liudolf habe die Ungarn im Kampf gegen den König zu Hilfe gerufen, und das hatte den aufständischen Prinzen viel Unterstützung gekostet. Viele der Großen des Reiches hatten sein Lager verlassen und nutzten diesen Hoftag, um demonstrativ und für alle Welt sichtbar auf die Seite des Königs zurückzukehren.

Sie fuhr fort, die Grafen, Bischöfe und Äbte zu begrüßen, und Hadald, der hinter ihrer linken Schulter stand, half ihr zuverlässig mit den Namen aus, die sie nicht kannte. Hadald war überhaupt sehr zahm und nützlich geworden. Nachdem sie ihm angedeutet hatte, dass sie sein brisantes Geheimnis kannte, war er anfangs unterkühlt und ausgesprochen förmlich gewesen, so als werde er zu Unrecht schlecht behandelt. Doch über den Winter hatte sein Verhalten sich gewandelt, und heute brachte er Adelheid die gleiche Ergebenheit und Ehrerbietung entgegen wie dem König. Ob er seine Meinung über sie tatsächlich geändert hatte oder sein Mäntelchen nur nach dem Winde hängte, wusste sie nicht. Auf jeden Fall machte er ihr keine Scherereien mehr, und dafür war sie dankbar, denn die Dinge waren auch so schon vertrackt genug.

Die ganze Zeit behielt Adelheid die Tür zur Halle im Auge, bis Wido eintrat und ihr konspirativ zunickte. Die Königin gab den Trompetern einen diskreten Wink. Die vier Musiker setzten ihre silbernen Instrumente an die Lippen, und das allgemeine Stimmengewirr ertrank in ihrem wohlklingenden, aber ohrenbetäubenden Geschmetter. Als alle Blicke gespannt auf den Eingang gerichtet waren, erschien der König.

Gemessenen Schrittes betrat er seine Halle, und er wirkte noch größer als sonst in seinem blauen Brokatmantel und mit der wundervollen Krone auf dem Haupt. Adelheid verspürte Stolz und Zärtlichkeit, als sie ihn sah. Otto war so unbedarft in manchen Dingen und war anfangs skeptisch gewesen, als sie ihm erklärte, ein König müsse seine Demut vor Gott nicht beweisen, indem er sich in schlichten Kleidern vor seinem Hof zeigte. Im Gegenteil, das dürfe er nicht, denn es beschädige seine königliche Würde. Er glaubte das bis heute nicht so recht, aber er war ihrem Rat gefolgt und hatte die Auswahl seiner Gewänder ihr überlassen. Und als sie die sprachlose Bewunderung beobachtete, mit welcher Adel und Klerus den Einzug ihres Königs verfolgten, empfand sie Zufriedenheit. Gefolgt von seinen Brüdern Brun und Henning, von Wilhelm und Hardwin und einem halben Dutzend weiterer enger Vertrauter trat er zu ihr, nahm ihre Hand und drehte sich mit seiner Königin zum versammelten Hof um.

»Seid willkommen und habt Dank dafür, dass Ihr von nah und von fern nach Magdeburg gereist seid, um die Auferstehung unseres Herrn Jesu Christi mit uns zu feiern«, sagte er mit seiner warmen Stimme, die die Halle mühelos füllte. »Am heutigen Tag beginnt ein neues Kirchenjahr. Eine gute Gelegenheit, um Bilanz zu ziehen und gute Vorsätze für die kommenden Monate zu fassen. Erschütternde Nachrichten haben mich heute aus dem Süden erreicht. Nicht nur hat Prinz Liudolf die ungarischen Horden, die ins Reich eingefallen sind, mit Führern und mit Geld ausgestattet.«

Ein Raunen der Entrüstung erhob sich an den langen Tafeln.

»Sollte einer unter Euch noch Zweifel daran gehegt haben, wer die Feinde Gottes ins Land gerufen hat, sind diese Zweifel nun wohl ein für alle Mal beseitigt.« Der Druck seiner Hand verstärkte sich für einen Moment, als seien die Glieder plötzlich verkrampft. Adelheid wusste, wie niederschmetternd diese Nachricht für ihren

Gemahl war, und sie erwiderte den Druck, um ihm ihre Unterstützung zu zeigen.

»Nun haben wir erfahren, dass mein Schwiegersohn Konrad, der Herzog von Lothringen, die Ungarn in Worms heute vor einer Woche, am heiligen Palmsonntag, mit einem festlichen Gastmahl geehrt hat.«

Dieses Mal war es ein Aufschrei, der durch die Halle ging. Viele der Gäste sprangen von den Bänken auf und teilten einander gestenreich ihre Erbitterung ob dieses neuerlichen Frevels mit. Und Adelheid konnte sie gut verstehen. Die Ungarn hatten in Bayern furchtbar gewütet, schlimmer als je zuvor, berichteten die Kundschafter, die der König ausgesandt hatte. Wie Heuschrecken fielen sie über die Dörfer her und ließen die wenigen Überlebenden mit nichts als Verzweiflung zurück. Falls es stimmte, dass Liudolf sie selbst herbeigerufen hatte, nahm Adelheid an, dass er ihnen Führer und Geld gegeben hatte, um sie wieder loszuwerden. Und vermutlich hatte Konrad sie aus dem gleichen Grund mit seinem Gastmahl bestochen. Die Rechnung schien auch aufzugehen, denn die Ungarn waren ins Westfrankenreich weitergezogen. Das änderte indessen nichts am Zorn des versammelten Hofs.

Doch als der König die Hand hob, kehrte augenblicklich wieder Ruhe ein.

»Es trifft sich gut, dass Ihr alle zum Osterfest hergekommen seid, damit wir beraten können, wie diesem unseligen Treiben ein Ende zu machen ist. Lasst uns gemeinsam das Brot brechen, und nach der Vesper wird jeder von Euch Gelegenheit haben, mir persönlich seine Vorschläge zu unterbreiten und mir zu sagen, wie viele Männer Ihr mir für die endgültige Niederschlagung dieses Aufstandes schicken werdet.«

Er blickte mit diesem wohlwollenden Unschuldslächeln in die Runde, so als wisse er nicht, welch böse Überraschung diese letzte Bemerkung für manche der versammelten Fürsten war. Dann führte er seine Königin an die Mitte der hohen Tafel, und das Festmahl begann.

Nach zwei Stunden bescherte die schwere Krone Adelheid Kopfschmerzen, aber sie achtete darauf, dass ihre Haltung und ihr mildes Königinnenlächeln intakt blieben, denn natürlich waren alle Blicke auf sie und den König gerichtet. *Wir sind wie Gaukler*, fuhr es ihr durch den Kopf. *Wir müssen unsere Untertanen mit unserem Mummenschanz blenden, damit sie nicht merken, dass das Reich auseinanderfällt.*

Ganze Ochsen und Lämmer, die über den Feuergruben hinter dem Küchenhaus an gigantischen Spießen gebraten worden waren, frisches Brot und sämige Saucen mit Safran und Pfeffer, Mandelpasteten und feine Suppen wurden aufgetragen und dazu Met und Bier und die edelsten Weine. Adelheid aß wie immer maßvoll. Wenn sie nicht gerade schwanger war, hatte sie nie großen Appetit, und dafür war sie dankbar. Auch wenn Otto sie gelegentlich schalt, weil sie zu dünn sei, wusste sie doch, dass er ihren schlanken, immer noch mädchenhaften Leib in Wahrheit vergötterte. Und sie gedachte dafür zu sorgen, dass es möglichst lange so blieb. So ließ sie sich von allen Speisen, die an der hohen Tafel aufgetragen wurden, immer nur einen Löffel voll auffüllen und knabberte eine halbe Stunde lang an demselben Stück Brot, während sie sich scheinbar mühelos mit dem Erzbischof von Trier an ihrer rechten Seite über die Klosterreform unterhielt, die im burgundischen Cluny ihren Ausgang genommen hatte, und gleichzeitig an Otto vorbei mit ihrer Schwiegermutter über die Kunst der Buchmalerei sprach, damit niemand das eisige Schweigen zwischen dem König und seiner Mutter bemerkte. So verging das Ostermahl nicht gerade im Handumdrehen, aber mit routinierter Mühelosigkeit. Adelheid war dennoch erleichtert, als die Glocke der nahen Klosterkirche zur Vesper schlug.

Am Tag nach Ostern fand in Magdeburg stets ein großer Jahrmarkt statt, zu dem fahrende Händler, Gaukler und auch Besucher aus dem ganzen Umland anreisten. Sogar slawische Fisch- und Pelzhändler kamen mit ihren begehrten Waren über die Elbe. Eine der beliebtesten Attraktionen war ein kreisrunder, mit kunterbunten Kordeln abgetrennter Kampfplatz, wo die Wagemutigen von nah und fern mit langen Stöcken oder Fäusten aufeinander losgingen und unbescheidene Mengen Blut vergossen – sehr zum Ergötzen der Zuschauer, die den Platz immer scharenweise umstanden. Im vergangenen Jahr hatte Gaidemar mehr als fünfzig Pfennige verdient, indem er bei den verbotenen Wetten rund um die Arena nur auf sich selbst gesetzt hatte, bis sich niemand mehr fand, der gegen ihn antreten wollte.

Heute waren er und Mirogod unten in der Stadt auf dem Marktplatz vor der Johanniskirche gewesen, um sich zu vergewissern, dass der pockennarbige Glatzkopf, der die Kämpfe ausrichtete, auch dieses Jahr nach Magdeburg gereist war und sein kreisrundes Schlachtfeld für den morgigen Jahrmarktstag abgesteckt hatte. Der pfiffige Kerl hatte Gaidemar sofort wiedererkannt und ihm ein Startgeld von zwölf Pfennigen geboten, damit der einstige Panzerreiter nicht zu seinem Konkurrenten am Ufer der Elbe ging. Zufrieden hörte Gaidemar das Klimpern der Silbermünzen in der Börse am Gürtel und überlegte, ob er die blonde Gunda mit den wundervollen Titten oder die schwarzhaarige Brana mit dem feurigen Temperament vorziehen sollte, wenn er heute nach Einbruch der Dunkelheit endlich, *endlich* wieder einmal das Hurenhaus am Fluss besuchen würde.

Die Sonne stand schon im Westen am blassblauen Frühlingshimmel, und der Wind hatte merklich aufgefrischt, als sie aus der Stadt in die Pfalz zurückkehrten. Zu den letzten Glockenschlägen der Klosterkirche kam die große Hofgesellschaft aus der Halle, um die österliche Vesper zu besuchen. Der König und die Königin führten die prunkvolle Prozession an, gefolgt von Henning, der seine Gemahlin am linken und seine Mutter am rechten Arm untergehakt hatte und ausgelassen mit beiden scherzte.

Gaidemar packte Mirogod und glitt mit ihm in den Schatten zwischen Haupttor und Wachhaus.

»Warum du eigentlich immer verstecken vor König?«, fragte der Junge ungnädig.

»Versuch's noch mal«, riet sein Herr.

Mirogod überlegte einen Moment. »Warum versteckst du dich immer vor dem König?«, verbesserte er sich dann.

»Weil er keine großen Stücke auf mich hält. Es ist gesünder für mich, ihm nicht unter die Augen zu treten.«

Der Junge sah kopfschüttelnd zu ihm auf. »Ich versteh das nicht. Du bist Leibwächter und Vertrauter der Königin, wenn er nicht da ist, und unsichtbar wie ein Dieb, sobald er kommt.«

»Nenn mich niemals ›Vertrauter der Königin‹, wenn du nicht willst, dass ich am Galgen ende«, warnte Gaidemar. »Es ist gar zu … missverständlich.«

»Versteh ich nicht.«

»Nein.« Gaidemar seufzte leise. »Dafür bist du noch zu grün. Trotzdem hast du wieder mal den Nagel auf den Kopf getroffen.«

»Also? Erklärst du's mir? Warum ist der König böse mit dir?«

Gaidemar biss sich ob der drolligen Formulierung auf die Lippen. »Ich bin nicht sicher«, gestand er. »Ich bin nicht einmal sicher, *ob* er mir irgendetwas verübelt. Aber auf jeden Fall ist er glücklicher, wenn er mich nicht sehen muss. Ich schätze, es liegt daran, dass ich Ähnlichkeit mit seinem Halbbruder habe, der mein Vater war. Ich glaube, er wird nicht gerne an ihn erinnert. Also tu ich ihm den Gefallen und mach mich unsichtbar. Und wenn er ins Feld zurückkehrt, machen wir alle weiter wie vorher.«

»Hm.« Es klang unzufrieden.

»Ein Bastard ist wie ein Rauchschwaden, Miro«, versuchte Gaidemar zu erklären. »Du hast keine Wurzeln, und darum kann es dich überallhin verschlagen, von heute auf morgen. Du hast keinen Namen, der dir Bedeutung verleiht, keinen Stand, der dir einen Platz in der Welt gibt, keinen Herrn, dem du dienst und der dich schützt. Du bist … nichts«, schloss er mit einem hilflosen Achselzucken. »Aber ich verrate dir etwas: Heute ist ein guter Tag, denn es ist Frühling, wir sind am Leben und nicht so abgebrannt wie sonst.« Und damit brach er das Stück Butterkuchen, das er in der Stadt erstanden hatte, in zwei Hälften und gab dem Jungen eine davon. »Siehst du?«

Mirogod strahlte und biss herzhaft von seinem Kuchen ab.

Sie schauten nach Amelung und Darko, wie es ihre Gewohnheit war, fachsimpelten ein Weilchen mit den beiden Stallknechten, die hier heute trotz des hohen Feiertages Dienst tun mussten, und machten sich schließlich auf den Weg zu der Wiese mit dem Fischteich, wo ihr Grubenhaus stand.

Der einst so abgelegene und ruhige Ort war dieser Tage meistens lebhaft, weil Meister Stefanus, seine Steinmetze, Zimmerleute und so weiter hier eingezogen waren. Manche hatten Frau und Kinder mitgebracht. Die verstreuten Grubenhäuser auf der Wiese hatten bald nicht mehr ausgereicht, um sie alle zu beherbergen, und am Ufer des Teichs waren ein paar Holzhütten entstanden – weitaus sorgfältiger gezimmert als üblich. Abends und an Sonntagen versammelten die jungen Handwerksgesellen sich auf einen Becher Bier im Freien zum Hufeisenwerfen oder zum Ringkampf, und sie wurden es nie müde, Gaidemar einzuladen, sich ihnen anzuschließen, wenngleich er fast immer ablehnte. Sie waren freundliche, wenn auch manchmal lautstarke Nachbarn. Doch am heutigen Osterfest waren sie geschlossen zum Werder in der Elbe hinübergerudert, um dort ein Osterfeuer zu entzünden und eine Strohpuppe zu verbrennen, die den Verräter Judas Ischariot darstellte.

So herrschte hier heute ausnahmsweise einmal feierliche Sonntagsruhe. Dagegen hatte Gaidemar ganz und gar nichts, doch als er zu seinem Grubenhaus kam, stellte er fest, dass die Wiese offenbar doch nicht gänzlich verlassen war, denn er hörte ein ersticktes Schluchzen.

Er tauschte einen Blick mit Mirogod, und dann umrundeten sie die gedrungene Hütte und fanden auf der Nordseite eine zusammengesunkene Frauengestalt, die im feuchten Gras kniete, eine Schulter an die Bretterwand gelehnt.

Gaidemar trat hinzu und hockte sich vor sie. »Kann ich Euch helfen?«

Ihr Kopf ruckte hoch. »Gaidemar … Die Jungfrau sei gepriesen.«

»Uta?« Er sah sie fassungslos an, und der Schreck verursachte ein Kribbeln in den Handflächen und einen metallischen Geschmack in seinem Mund, so als hätte er die sachte Liebkosung eines Pfeils gespürt, der ihn um Haaresbreite verfehlte. »Was ist passiert?«

Seine Ziehschwester sah aus, als wäre sie einer Horde Ungarn unter die Hufe geraten: Ihr rechtes Auge war zugeschwollen und von einem schwärzlichen Bluterguss umgeben. Die Lippen waren an mehreren Stellen aufgeplatzt, die blutigen Schlieren auf Kinn und Wangen getrocknet. Das feine butterfarbene Festtagskleid wies einen langen Riss auf. Der Schleier war ihr in den Nacken gerutscht, der widerspenstige Blondschopf entblößt. Auch im Haar entdeckte er getrocknetes Blut. Und die Art, wie sie den linken Unterarm vor den Bauch hielt und schützend den Oberkörper darüber beugte, verhieß nichts Gutes.

Für ein paar Herzschläge war er so erschüttert, dass er nichts tun konnte als stockstill vor ihr zu hocken und sie anzustarren. Aber ein Gefühl warnte ihn, dass er Uta seinen Schrecken nicht merken lassen durfte, und darum nahm er sich zusammen. Er zwang ein Lächeln auf seine Lippen, hob die Linke und steckte ihr einen der blonden Haarkringel hinters Ohr, genau wie früher.

Uta blinzelte, aber sie zuckte nicht zurück.

»Irgendwas gebrochen außer dem Arm?«, fragte er.

»Ich glaub nicht.« Es klang atemlos, und erst jetzt sah er, dass sie am ganzen Leib zitterte. Es war verdammt frisch hier im Schatten, ging ihm auf, und vermutlich stand sie unter Schock.

»Ich werd dich tragen. Beiß vorsichtshalber die Zähne zusammen.«

Er hob sie so behutsam auf, wie er konnte. Trotzdem entschlüpfte ihr ein kleines Wimmern. Sofort verstummte sie wieder, schloss auch das unverletzte Auge und vergrub das Gesicht an der Brust ihres Ziehbruders.

Gaidemar kam auf die Füße. »Miro, geh vor und halt mir die Tür auf.«

Der Junge nickte beklommen.

Sie umrundeten das Grubenhäuschen. Gaidemar ging die drei morschen Stufen seitwärts hinab und sah sich vor, damit die verletzte junge Frau in der engen Türöffnung nirgendwo anstieß. Zum ersten Mal, seit er dieses Quartier bewohnte, wünschte er sich, er hätte sich eine komfortablere Schlafstätte besorgt als einen Strohsack am Boden und zwei Wolldecken, aber jetzt musste es eben so gehen.

Mirogod schlug die Decken zurück und trat beiseite, während Gaidemar Uta vorsichtig auf seinem Bett absetzte. Er hielt den unverletzten Arm, um ihr zu helfen, sich hinzulegen, dann deckte er sie zu. »Miro, besorg eine Kohlepfanne und einen Krug Wein. Hier, warte.« Er schnürte die ungewohnt pralle Börse am Gürtel auf und fischte einen Pfennig heraus, den er dem Jungen in die Finger drückte. »Damit wird es schneller gehen.«

»Ja, Herr. Ich beeil mich«, versprach der Junge mit einem letzten Blick auf Uta, dann huschte er hinaus.

»Wer … ist das?«, fragte Uta. Es klang undeutlich, und Gaidemar hörte, dass ihre Zähne klapperten.

»Mein mährischer Bursche, Mirogod. Er würde dir gefallen. Seit ich nicht mehr unter einem Dach mit dir lebe, ist er dafür zuständig, mich zum Lachen zu bringen.«

Ein mattes Lächeln flackerte über ihr zerschundenes Gesicht, und von dem Anblick wurde Gaidemar so elend zumute, dass er die Zähne zusammenbeißen musste, um nicht die Fäuste in die Bretterwand zu schmettern. Er kniete sich auf den feuchten Lehmboden. »Was ist passiert?«

Uta drehte den Kopf und sah ihm direkt ins Gesicht. »Es war nicht das erste Mal, dass er das getan hat. Aber noch nie … so.«

»Dein Gemahl?«, tippte er. »Sigismund von Westergau?«

Ihr Mund zuckte bei dem Namen. Dann nickte sie, und zwei Tränen rannen aus ihren Augenwinkeln und versickerten im Haaransatz an den Schläfen. »Sigismund von Westergau, ganz recht. Der vornehme Edelmann, an den mein Bruder mich verschachert hat.«

»Verschachert?«, wiederholte Gaidemar verwirrt.

»Oh, du weißt doch, wie das vonstattengeht«, gab sie zurück und versuchte ungeschickt, sich die Decken über die Schultern zu ziehen.

Gaidemar half ihr und wartete.

»Eine Verbindung zum mächtigen Grafengeschlecht von Westergau für Immed und … und ein Beutel voll Silber für Sigismund als Mitgift.«

Gaidemar gab frisches Brunnenwasser aus dem Eimer an der

Tür in eine irdene Schüssel, kramte einen seiner Verbandslumpen hervor und tauchte ihn ein. Damit tupfte er Uta zaghaft das Blut vom Gesicht. Verwundete Frauen war er nicht gewöhnt, und er kam sich ungeschickt vor.

»Das klingt verdächtig preiswert für einen Grafen«, bemerkte er.

»Hm.« Sie zuckte zusammen, als er ihre geschwollene Lippe berührte, aber als er die Hand zurückzog, murmelte sie: »Nein, mach weiter, es tut gut. Verdächtig preiswert, wie du sagst. Aber Immed hat natürlich keine Fragen gestellt.«

»Wieso eigentlich Immed? Hat nicht dein Vater dich verheiratet?«

Ein winziges Kopfschütteln. »Er war einverstanden. Aber Immed hat alles ausgehandelt. Und irgendwie vergessen zu erwähnen, dass Sigismund bereits eine Gemahlin begraben hat. Die Ärmste ist vom Heuboden gefallen, stell dir das vor.«

Gaidemar konnte kaum aushalten, dass es seine kleine Ziehschwester war, die mit solch bitterem Hohn sprach. Er trauerte um den barfüßigen Wildfang mit dem hoffnungslos zerzausten Blondschopf, der sie einst gewesen war. Um die arglose junge Frau, die ihm so voller Stolz und Zuversicht von ihrem vornehmen Bräutigam erzählt hatte, als er vor zweieinhalb Jahren zu Liudolfs Gastmahl nach Saalfeld gekommen war. Und er wollte Immed die Eingeweide aus dem Leib reißen und ihn daran aufhängen, weil er ihrer Schwester keinen besseren Gemahl ausgesucht hatte.

Er ließ sie mit seinen vielen Fragen in Ruhe, während er ihr das Blut vom Gesicht wusch. Das Zittern ließ nach, weil ihr allmählich warm wurde, aber er sah, dass sie Schmerzen litt.

»Ich schiene dir den Arm, wenn du einen Becher Wein getrunken hast«, versprach er. »Der Junge kommt sicher gleich zurück.«

Uta nickte, die Augen geschlossen. Nach einer Weile sagte sie: »Es war das erste Mal, dass er mich mit zum Hoftag genommen hat. Ich hab mich … so gefreut. Aber nach dem Hochamt befand mein Gemahl, ich hätte dem Grafen von Maifeld zu vertraulich zugelächelt. Das … reichte heute schon.« Ihr Gesicht arbeitete, aber sie schaffte es, Haltung zu bewahren. »Du denkst vermutlich insgeheim, dass ich zu viele Widerworte gebe so wie früher und selbst schuld bin, wenn mein Gemahl im Zorn über mich kommt.«

»Nein, Uta. Ich denke insgeheim, dass ich deinem famosen Gemahl gern das abschneiden würde, was man auch Hengsten abschneidet, auf dass ein zahmer Wallach aus ihm wird.«

Sie verblüffte ihn mit einem scheinbar unbeschwerten und reichlich undamenhaften Kichern, aber es währte nur ganz kurz, denn das Lachen verursachte ihr Schmerzen. Dann tastete sie mit der gesunden Rechten nach seiner Hand und drückte sie.

»Wie hast du mich gefunden?«, fragte er schließlich.

»Es war ganz leicht«, antwortete Uta schläfrig. »Jeder in der Pfalz kennt dich. Sie nennen dich den Schatten der Königin, wusstest du das?«

Mirogod kam schließlich mit einem unbescheidenen Weinkrug und einem bestochenen Stallknecht, der ein Kohlebecken vor der Tür abstellte und wieder verschwand, ohne das Häuschen zu betreten. Und offenbar hatte der Junge nicht aufgeschnitten, als er behauptete, sein Vater habe ihn ein wenig von seinen Heilkünsten gelehrt. Umsichtig und mit sicheren Handgriffen schiente er Uta den gebrochenen linken Unterarm und riet ihr, eine Kompresse mit abgekühltem Ringelblumensud auf das geschwollene Auge zu legen, ehe er sich an der entlegenen Wand der dämmrigen Hütte in seine Ecke zurückzog und vorgab, er sei gar nicht da.

Lass dich in Gold aufwiegen, Bengel, dachte Gaidemar dankbar.

Im schwachen, rötlichen Schimmer des Kohlebeckens saß er neben Uta auf der Erde, die Hände um ein angezogenes Knie verschränkt und beobachtete, wie ihre Züge sich allmählich entspannten und sie einschlief. Als die Bauarbeiter von ihrem feuchtfröhlichen Osterfest zurückkehrten, schreckte sie auf, und das Grauen in ihren Augen gab ihm eine Ahnung davon, was Uta von Saalfeld in den letzten zwei Jahren an der Seite ihres Grafen ausgestanden hatte. Aber Gaidemar flößte ihr nur ein paar Schlucke warmen Wein ein und versicherte ihr, alles sei in Ordnung, obwohl er nicht glaubte, dass es stimmte. Sie tastete nach seiner Hand, und als er die Finger um ihre schloss, schlief sie wieder ein.

Sein Mund wurde ganz trocken von so viel unverdientem Vertrauen.

Als es auf Mitternacht ging, weckte er den Jungen und trug ihm auf: »Lauf hinüber zur Halle und stell fest, ob dort alles still und das Bankett vorüber ist.«

»Sicher längst.«

»Sieh nach«, beharrte Gaidemar. »Dann gehst du zu den Gemächern der Königin und fragst die Wache, ob der König dort ist. Sag, der Kämmerer schickt dich.«

»Was?«

»Tu's einfach, Miro«, flüsterte Gaidemar eindringlich. »Sollte irgendwer dir seltsame Fragen stellen, nimm die Beine in die Hand und lauf. Aber ich muss wenigstens versuchen, sie heute Nacht noch zur Königin zu schaffen. Wenn das Mädchen erst vermisst wird, dauert es nicht lange, bis sie auf mich kommen.«

Mirogod schlug die Decke zurück und stand auf, fragte aber argwöhnisch: »Warum auf dich? Hast du ihr etwa Hof gemacht?« Es klang halb spöttisch, halb ärgerlich.

Unsanft schob Gaidemar ihn zur Tür. »Beeil dich.«

Mirogod brauchte nicht lange und kam mit guten Nachrichten: Die Pfalz war still und die Luft rein.

»Gut.« Gaidemar beugte sich über seine schlafende Ziehschwester und strich ihr zaghaft über den Kopf. »Uta, wach auf. Es wird Zeit, dass ich dich von hier fortschaffe.«

»Warum?«, fragte sie – ängstlich und schlaftrunken.

»Weil es nicht schicklich ist, dass du die Nacht in meinem Haus verbringst, egal, wie die Umstände sind. Nicht gut für deinen Ruf. Hab keine Angst. Ich bringe dich in Sicherheit.«

Sie nickte nur, ohne Fragen zu stellen. Das sah ihr nicht ähnlich, und er schloss, dass er ihr zu viel Wein gegeben und sie betrunken gemacht hatte. Aber das war jetzt egal. Es machte die Dinge einfacher.

Er half ihr auf die Füße und legte ihr seinen Mantel um die Schultern, denn die Märznacht war kalt. »Kannst du laufen?«

»Natürlich.« Es klang brüsk, aber sie wirkte winzig und zerbrechlich in seinem schweren, viel zu großen Umhang, und er sah sie leicht schwanken.

Kommentarlos führte er sie ins Freie. Dünne Schleierwolken, wie Fischgräten geformt, bedeckten den Himmel. Der abnehmende Mond beleuchtete sie von oben und verlieh ihnen einen matten Perlmuttschimmer. Die Nacht war heller, als Gaidemar lieb war.

So geräuschlos wie möglich bewegten sie sich vom Ufer des Fischteichs weg, glitten von einem Schatten zum nächsten. Sie hatten die Schmiede fast erreicht, als sie eine Stimme hörten: »Hier irgendwo muss es sein.«

Immed, erkannte Gaidemar.

Er hob Uta wieder hoch und hastete mit ihr hinter das Häuschen eines jungen flämischen Zimmermanns, gerade als an der Schmiede mehrere Lichtpunkte auftauchten.

»Verteilt euch und sucht sie«, befahl eine zweite Stimme, rauer als Immeds, älter. Gaidemar spürte Uta zusammenzucken und schloss, dass es sich um ihren Gemahl handelte.

Die Lichtpunkte schwärmten aus.

Gaidemar stand an die Bretterwand des Häuschens gepresst, Mirogod gleich neben ihm. »Sie werden uns erwischen«, wisperte der Junge.

Ich weiß, dachte Gaidemar. Er hörte ein gedämpftes Klopfen an der Nachbartür, die sich kurz darauf quietschend öffnete. Stimmen murmelten in der Nacht.

»Verschwinde, Miro«, befahl Gaidemar tonlos. »Mach dich unsichtbar.« Es war schließlich nicht nötig, dass der Junge in diese Sache hineingezogen wurde.

Doch der zischte: »Ich bin doch nicht verrückt. Wenn ich falle Immed in die Hände allein … nein, danke.«

Die Nachbartür wurde wieder geschlossen, Schritte raschelten im Gras, und ein Lichtschimmer näherte sich, noch abgeschnitten von der Hausecke.

Gaidemar unterdrückte einen Fluch und wollte Uta auf die Füße stellen, um seine Klinge zu ziehen, als sich nur eine Handbreit neben ihm ein Fensterladen öffnete, den er überhaupt nicht gesehen hatte.

»Rasch«, raunte Jan, der Zimmermann, von drinnen. »Kommt durchs Fenster, beeilt euch.«

Gaidemar zögerte nicht. Er reichte Uta durch die großzügige Öffnung in Jans ausgestreckte, starke Arme, hob Mirogod hoch und warf ihn mit wesentlich weniger Feingefühl hinterher, ehe er selbst durchs Fenster kletterte. Während er den Laden zuzog, klopfte es polternd an der Tür in der gegenüberliegenden Wand.

In der Hütte war es wesentlich dunkler als draußen, aber Gaidemars Augen stellten sich schnell darauf ein. Er schob Mirogod und Uta zum Tisch vor dem Herd und bedeutete ihnen, sich darunter zu verstecken, während er selbst sich mit gezogener Klinge an die Wand presste, wo die geöffnete Tür ihn verdecken würde. Jan legte einen Finger an die Lippen. »Was gibt's denn?«, fragte er durch die Holzbohlen der Tür, und es klang überzeugend schlaftrunken.

»Vergib die Störung«, bat Immeds Stimme – honigsüß und höflich. »Wir sind auf der Suche nach einem Halunken, der eine junge Dame entführt hat.«

Jan streifte Gaidemar mit einem Blick, den dieser nicht zu deuten wusste, dann öffnete er die Tür und trat einen halben Schritt nach draußen. »Das ist ja furchtbar, Herr. Und habt Ihr schon eine Spur?«

»Wir glauben, dass er sie in einer der Hütten hier gefangen hält, guter Mann.« Immed sprach langsam und viel zu laut, so als hätte er einen schwerhörigen Schwachkopf vor sich. Dabei klang Jans Deutsch nicht fremdländischer als das von Immeds bayrischen Wachen.

»Habt Ihr schon dort hinten am Nordufer des Teichs nachgesehen? Da sind zwei oder drei Grubenhäuser, die leerstehen, weil sie zu nasse Böden haben.«

»Hab Dank, wir werden gleich nachschauen. Du hast nichts Verdächtiges beobachtet?«

»Ich hab geschlafen, Herr«, gab Jan bedauernd zurück und unterdrückte ein Gähnen.

»Verstehe. Also dann, gute Nacht.« Das Licht entfernte sich, als Immed sich abwandte.

»Ich hoffe, Ihr erwischt den Sauhund. Gute Nacht, Herr.« Jan schloss die Tür, legte wieder einen Finger an die Lippen und presste das Ohr an die Bretterwand. So verharrte er ein paar Herzschläge lang.

Furchtsam kamen Uta und der mährische Junge unter dem Tisch hervorgekrochen.

»Hab Dank, Jan.« Gaidemar streckte die Hand aus.

Der Zimmermann schlug ein und zermalmte ihm beinah die Finger. »Du hast sie nicht entführt, oder?«, vergewisserte er sich und nickte auf Uta hinab, die mit gesenktem Kopf am Boden saß, den Rücken an die Wand gelehnt.

Gaidemar grinste über den unbehaglichen Tonfall. »Nein. Aber umso anständiger, dass du uns gedeckt hast, wenn du Zweifel hattest.«

Jan zuckte die Achseln. »Dafür hat man Nachbarn.«

»Woher wusstest du, dass wir hinter deinem Haus standen?«

»Der Laden knarrt, wenn man sich an die Wand lehnt«, erklärte Jan verdrossen, offenbar unzufrieden mit seiner Schreinerkunst. »Und ich habe die Soldaten gehört. Irgendwie dachte ich … na ja, egal.« Er wirkte immer noch unsicher.

Gaidemar wies kurz Richtung Tür. »Er ist ein Schuft und hat nichts Gutes mit der Dame im Sinn«, erklärte er. Es war nichts als die Wahrheit, und wenn Jan die falschen Schlüsse zog, umso besser. »Sie ist meine Schwester.« Jedenfalls beinah.

»Verstehe.« Jan drosch ihm kurz auf die Schulter. »Was kann ich tun? Brauchst du Hilfe?«

Gaidemar schüttelte den Kopf. »Wenn wir hier bleiben können, bis die Strolche die Hütten am Nordufer erreicht haben, hast du genug für uns getan.«

Jan ließ es sich nicht nehmen, sie zu begleiten. Einen beängstigenden, sechs Fuß langen Eichenprügel in der Linken, bildete er die

Nachhut, und während Immed, Sigismund und ihre Männer vergeblich die kleine Siedlung am Fischteich durchkämmten, gelangten die vier schattenhaften Gestalten unbehelligt zu den Gemächern der Königin.

Gaidemar atmete verstohlen auf. »Frumold, Landulf«, grüßte er die Wachen. »Ich weiß, wie das aussieht und wie spät es ist, aber seid so gut und lasst uns rein.«

»Sicher, Herr.« Sie traten ohne das geringste Zögern beiseite. Auch wenn Gaidemar nicht offiziell ihr Kommandant war, wussten sie doch, wie sehr die Königin ihn schätzte, und sie waren es gewohnt, zu tun, was er sagte.

Gaidemar wandte sich zu Jan um. »Ich schulde dir einen Gefallen.«

»Ah ja?« Der junge Flame lachte verschmitzt. »Das ist gut zu wissen.« Und damit wandte er sich ab und war nach wenigen Schritten mit der Dunkelheit verschmolzen.

»Alle hier sind dir zugetan und haben Respekt vor dir«, bemerkte Uta stolz, als sie leise in die kleine Vorhalle traten.

»›Alle‹ ist ein bisschen übertrieben«, gab er trocken zurück und führte sie zu der Holzbank mit den zahllosen bestickten Kissen an der rechten Wand, wo tagsüber Gesandte und Bittsteller saßen, bis die Königin sie empfing. »Warte hier.«

Uta sank müde auf die Bank und wickelte seinen Mantel fester um sich. Sie wirkte verzagt und niedergedrückt, und Gaidemar verspürte einen so gewaltigen Zorn auf Immed und auf Sigismund von Westergau, dass er den Kopf abwenden und einen Moment die Augen zukneifen musste, um sich zu beherrschen.

Er ging zu Annas Kammer, und sein verhaltenes Klopfen weckte die junge Zofe umgehend. Sie kam an die Tür, hörte ihn zwei Sätze lang an und schob ihn dann beiseite, um die Königin zu wecken.

In bemerkenswert kurzer Zeit trat Adelheid in die Vorhalle – sorgfältig und makellos gekleidet wie üblich –, Anna mit einem Binsenlicht in der Hand an ihrer Seite.

»Was geht hier vor?«, fragte die Königin.

Uta schreckte aus dem Halbschlaf hoch, kam auf die Füße und

wäre um ein Haar über den Saum des viel zu langen Mantels gestolpert, als sie vor ihr knickste.

»Ich hoffe, Ihr könnt mir vergeben, dass ich Euch zu dieser Stunde behellige, meine Königin.« Gaidemar verneigte sich und las in Adelheids Gesicht, dass sie nicht sonderlich nachsichtiger Stimmung war. Trotzdem fuhr er fort: »Ich erbitte Euren Schutz und Eure Hilfe für Uta von Saalfeld, meine Ziehschwester.«

Adelheid sah ihm einen Moment in die Augen. Dann trat sie zu Uta und hob sie auf. Als sie das zerschundene Gesicht des jungen Mädchens sah, verengten sich ihre Augen für einen Herzschlag, aber das war alles. Ihre Miene zeigte weiterhin nichts als höfliche Distanz. »Mirogod.«

Er trat vor sie, wie üblich sprachlos vor Ehrfurcht und Hingabe, und verneigte sich so tief, wie es sonst nur Hadald, der Kämmerer, tat.

»Am Ende des Korridors ist eine unbewohnte Kammer. Geleite Uta von Saalfeld dorthin und vergewissere dich, dass sie alles hat, was sie braucht. Anna schickt eine Magd mit einem Kohlebecken und so weiter.«

»Wie Ihr wünscht«, brachte der Junge ein wenig krächzend zustande und winkte Uta, ihm zu folgen. Sie sah unsicher zu Gaidemar, und erst auf sein Nicken ging sie mit Mirogod hinaus.

Adelheid wartete, bis ihre Schritte verklungen waren, ehe sie fragte: »Ihr Gemahl?«

Gaidemar nickte.

»Warum?«

»Ich glaube nicht, dass er einen Grund braucht. Seine erste Gemahlin hat er totgeschlagen und dann behauptet, sie sei vom Heuboden gefallen.«

Ihre Miene zeigte keine Regung. »Und wer ist er?«

»Sigismund von Westergau.«

Adelheid zog hörbar die Luft ein. »Oh, das ist großartig, Gaidemar. Ihr kommt bei Nacht und Nebel mit der Gemahlin eines der mächtigsten thüringischen Grafen an meine Tür und verlangt, dass ich sie unter meinen Schutz stelle und ihm vorenthalte? Seid Ihr noch zu retten?«

Sein Herz sank. »Mir steht es nicht an, irgendetwas von Euch zu verlangen«, entgegnete er frostig.

»Oh, seid nicht so demütig!«, fuhr sie ihn an.

Es war einen Moment still. Anna stellte das Licht auf der Bank ab, und es knisterte in der Zugluft.

»Ich weiß nicht, was ich tun soll«, gestand Gaidemar schließlich, und er stellte erschrocken fest, dass seine Stimme zu versagen drohte. Er räusperte sich entschlossen. »Sie ist zu mir gekommen, weil sie Hilfe braucht. Aber ich habe keine Macht, sie zu beschützen. Und das ist …« Er brach ab und biss die Zähne zusammen. *Unerträglich* war das Wort, das sich aufdrängte, aber er sprach es lieber nicht aus.

»Gaidemar, Gaidemar«, sagte die Königin halb amüsiert, halb verwundert. »Es gibt also doch eine Schwachstelle in Eurem Panzer. Haftete ein Eichenblatt an Eurem Rücken, als Ihr im Drachenblut gebadet habt?«

»Was?«, fragte er, zu verdattert, um die Gebote der Höflichkeit zu beachten.

Sie winkte ab, setzte sich auf die Bank und lud ihn mit einer Geste ein, ihrem Beispiel zu folgen.

»Hättet Ihr sie gern selbst geheiratet?«

Er überlegte einen Moment. »Nein. Ich glaube nicht. Der Gedanke ist mir jedenfalls nie gekommen. Sie ist … meine Schwester«, schloss er hilflos.

»Und doch ist sie Euch so teuer, dass Ihr mich um ihretwillen in diese unmögliche Lage bringt.«

Er senkte beschämt den Blick und nickte.

Er war acht gewesen, als Uta geboren wurde, und aufgrund des Unterschieds in Alter und Geschlecht waren sie natürlich nicht wirklich zusammen aufgewachsen. Doch während Arnold von Saalfeld und seine restliche Familie nie mehr als pflichtschuldige Zuwendung für das Kuckuckskind in ihrer Mitte aufgebracht hatten, war Uta ihm auf Schritt und Tritt gefolgt und hatte ihn mit größter Selbstverständlichkeit als ihren großen Bruder vergöttert und geliebt. Ebenso natürlich war es ihm erschienen, die Beschützerrolle zu übernehmen, und es quälte ihn, dass er Uta jetzt nicht retten konnte, da sie ihn am dringendsten brauchte. Aber er hätte sich eher in sein Schwert gestürzt, als der Königin diese Dinge zu offenbaren. Also saß er da mit gesenktem Kopf, die Hände auf den Knien, und wartete.

Schließlich regte Adelheid sich und atmete tief durch, es klang fast wie ein Seufzen. »Ihr wart mir immer ein guter Freund, Gaidemar. Ihr habt vermutlich mein Leben gerettet, ganz gewiss das meiner Tochter, weil Ihr auf unserer Flucht gehungert habt, damit sie noch etwas zu essen bekam.«

»Ihr schuldet mir trotzdem nichts«, stellte er klar, es klang beinah schroff. »Ich habe einen Auftrag erfüllt, der mir auferlegt wurde, weiter nichts.«

»Ich bin anderer Ansicht. Ihr habt mehr getan als Eure Pflicht, und seit ich die Königin dieses Landes geworden bin, wart Ihr für mich da, wann immer ich Euch brauchte. Ihr habt mir treue Dienste erwiesen und habt daher Anrecht auf meine Loyalität. Also werde ich für Eure Ziehschwester tun, was immer ich kann.«

Eine Last glitt von seinen Schultern, so als hätte er einen Bleipanzer getragen.

Doch Adelheid hob warnend die Hand. »Ich werde tun, was ich kann, aber nicht mehr. Die Belange des Königs und des Reiches stehen für mich an erster Stelle.«

Gaidemar nickte. »Ich weiß.«

»Dieser Osterhof hat gezeigt, dass er die Treue vieler Grafen und Bischöfe zurückgewonnen hat, aber Liudolf und Konrad sitzen unverändert in Regensburg und warten mit offenen Armen auf jeden, der einen Groll gegen den König hegt. Was wir uns deshalb ganz sicher nicht leisten können, ist eine Revolte eines empörten thüringischen Grafen. Also: Ich werde Uta von Saalfeld als Hofdame zu mir nehmen, und ihr Gemahl soll sich gefälligst geehrt fühlen. Doch wenn er sie zurückfordert, muss ich sie zu ihm schicken, denn es ist sein Recht, versteht Ihr? Auch der König und die Königin dürfen das Recht nicht brechen. Jedenfalls nicht, solange die Macht des Königs brüchig ist.«

»Dieser Hof war ein großer Erfolg.« Wilhelm machte aus seiner Zufriedenheit keinen Hehl. »Ein Triumph, um genau zu sein. Und zwar Eurer.«

Adelheid hob lachend beide Hände. »Untersteht Euch, mich verlegen zu machen.«

Sie saßen in dem verwunschenen kleinen Garten, der an ihre Gemächer grenzte, denn der April gab sich eine gute Woche nach Ostern von seiner sommerlichen Seite: Der Himmel war so blau wie die Vergissmeinnicht im Gras und die Luft so warm, dass sie mehr nach heißem Staub roch als nach linden Frühlingsdüften. Die Mägde und Knechte stöhnten über die vorzeitige Hitzewelle, doch die königliche Familie genoss die herrlichen Tage mit kühlem Wein und seligem Nichtstun. Das haben wir auch verdient, dachte Adelheid, den Blick auf den leuchtenden Löwenzahn zu ihren Füßen gerichtet, denn dieser Hoftag war eine wahre Schinderei.

»Die ehrwürdige Äbtissin von Quedlinburg, die Königinmutter Mathildis, hat mehrfach meine Nähe gesucht«, berichtete sie dem jungen Geistlichen.

Wilhelm trank versonnen einen Schluck Wein. »Sie musste sich vermutlich erst an den Gedanken gewöhnen, dass der König und Henning auf derselben Seite stehen. Aber sie will, dass ihr kleiner Liebling sein Herzogtum zurückbekommt. Seine Residenzstadt vor allem. Und sie hat viel Einfluss bei der hohen Geistlichkeit.«

»Dann fühlt ihr auf den Zahn und findet heraus, welche Gegenleistung sie für ihre Unterstützung will.«

Ehe Wilhelm antworten konnte, kam die junge Uta von Saalfeld mit einem Teller in den Garten. Sie knickste vor Adelheid. »Mandelkuchen, edle Königin«, erklärte sie überflüssigerweise. »Und überaus köstlich.«

Adelheid hob abwehrend die Rechte. »Danke, Uta. Bei der Hitze bekomme ich keinen Bissen herunter.«

Uta streckte ihr die guten Gaben unbeirrt entgegen. »Gräfin

Hulda hat gesagt, ich dürfe Euch keine Ruhe lassen, bevor Ihr nicht wenigstens ein kleines Stück genommen habt.«

Seufzend griff Adelheid zu und begann lustlos zu knabbern. Uta offerierte auch Wilhelm den Teller, der sich nicht lange bitten ließ und herzhaft von seinem Stück abbiss. »Hm. Großartig«, schwärmte er und lächelte vage in Utas Richtung.

Doch nachdem sie gegangen war, fragte er neugierig: »Wer ist das, und was in aller Welt ist mit ihrem Gesicht passiert?«

Adelheid sah kurz zum Haus hinüber und vergewisserte sich, dass das Mädchen außer Hörweite war. »Gaidemars Ziehschwester. Ihr Mann hat sie so zugerichtet. Ihr hättet sie vor einer Woche sehen sollen, es war wirklich schlimm. Gaidemar hat sie zu mir gebracht und sich damit den heiligen Zorn seines Ziehbruders zugezogen.«

»Immed von Saalfeld? Ich glaube, sie waren schon vorher nicht gerade innig verbunden.«

»Nein. Graf Sigismund von Westergau, ihr Gemahl, fühlte sich hingegen geehrt, dass ich sie zu mir genommen habe, und erhebt derzeit keinen Anspruch auf sie. Aber was aus ihr werden soll ...« Sie hob ratlos die schmalen Schultern.

»Sie ist hinreißend«, bemerkte Wilhelm.

Adelheid fiel aus allen Wolken. »Und ich war sicher, Ihr seiet so von Frömmigkeit durchdrungen, dass sie Euch blind für weibliche Reize mache.«

Er lächelte geheimnisvoll in seinen Silberpokal. »Ich bin nicht blind, sondern diskret.«

»Sehr weise.«

»Immed von Saalfeld steht in Hennings Diensten. Henning braucht Otto, um sein Herzogtum zurückzubekommen. Wenn Euch das Wohlergehen des Mädchens am Herzen liegt, reicht ein Wort in das Ohr des Königs und er wird eine schützende Hand über sie halten.«

Adelheid nickte, ging aber nicht weiter darauf ein. Sie wollte, dass Wilhelm Uta von Saalfeld schnellstmöglich wieder vergaß. Hulda, in deren großzügigem Mutterherz viel Platz war, hatte das Mädchen unter ihre Fittiche genommen, und allmählich schien

Uta die Schrecken ihrer albtraumhaften Ehe zu überwinden, und was sie vor allem brauchte, waren Ruhe und Frieden. Je weniger Aufmerksamkeit sie erregte, desto besser, fand Adelheid, und kam auf ihr ursprüngliches Thema zurück. »Also? Die Königinmutter?«

Wilhelm nickte bereitwillig. »Ich werde ohnehin mit Brun zusammen nach Köln reisen, und sicher lässt er sich überreden, eine Nacht in Quedlinburg zu bleiben.«

Adelheid runzelte die Stirn. »Was in aller Welt wollt Ihr in Köln?« Sie ließ Wilhelm nicht gerne ziehen. Niemand verstand es wie er, die Befindlichkeiten und heimlichen Absichten von Adel und Klerus zu durchschauen und ihr zu erklären.

»Ein Legat seiner Heiligkeit Papst Agapets wartet dort«, antwortete er. »Was immer seine Neuigkeiten sein mögen, Brun wünscht, dass ich sie höre.«

»Das klingt sehr geheimnisvoll.«

Er hob die Schultern. »Lasst uns hoffen, dass nicht Berengar dahintersteckt, dieser Schuft.«

Adelheid merkte sehr wohl, dass er ihr auswich, schluckte seinen Köder aber dennoch. »Berengar? Was heckt er nun schon wieder aus?«

»Mir wäre wohler, wenn ich es wüsste. Er hat die Wirren im Reich natürlich für seine Zwecke genutzt und seine gierigen Finger wieder Richtung Friaul und Istrien ausgestreckt.« Er hob die Hände zu einer Geste der Resignation. »Jetzt, da Henning seine Macht in Bayern faktisch verloren hat, können wir nicht viel dagegen tun. Aber ich bete, dass Berengar sich nicht die Rückendeckung des Papstes ergaunert hat.«

»Ich wünschte, die Erde täte sich auf, um ihn zu verschlingen«, sagte die Königin seufzend.

»Dann wären wir um eine Sorge ärmer«, stimmte Wilhelm zu.

Sie tauschten ein kleines Verschwörerlächeln.

»Es wird Zeit, den Unfrieden im Reich zu beenden«, bemerkte sie dann. »Liudolf und Konrad haben so viel Rückhalt verloren wegen der Ungarn, es muss doch möglich sein, sie aus Regensburg zu vertreiben.«

»Das glaubt der König auch.« Er blickte in seinen Becher. »Brun denkt, jetzt, da es eng wird für die Aufständischen, sollten wir einen Keil zwischen Liudolf und Konrad treiben und sie entzweien. Auch deswegen kehrt er nach Lothringen zurück. Um Konrad aus Regensburg herauszulocken und eine Entscheidung zu erzwingen.«

Sie betrachtete einen Moment den gesenkten Kopf mit dem rabenflügelschwarzen Haar. »Und Ihr fragt Euch, was aus Liudolf wird, wenn er allein dasteht?«

Wilhelm hob verlegen die Schultern. »Er ist mein Bruder.«

»Und Ihr liebt ihn sehr, ich weiß.«

»Ihr habt recht. Aber das macht mich nicht blind für die Tatsache, dass er sich gegen seinen Gott, seinen König und seinen Vater versündigt hat und zur Räson gebracht werden muss.«

Adelheid nickte. In politischen Fragen war Wilhelm ein Realist, nüchtern und schonungslos in seinem Urteil. Genau wie sie. Womöglich verstanden sie sich deswegen so gut.

»Wichmann und Ekbert haben Liudolfs Reihen übrigens auch verlassen«, wusste er zu berichten. »Sie haben die Elbe überquert und suchen Verbündete unter den slawischen Stämmen, um Krieg gegen ihren Onkel Hermann Billung zu führen.«

»Verräter geben eben nie zuverlässige Verbündete ab«, erwiderte sie achselzuckend.

»Wohl wahr. Und das bedeutet vermutlich …«

Wilhelm brach ab, und Adelheid wandte den Kopf, als sie rennende Schritte hörte. Anna kam in den Garten gelaufen, und Adelheids Herz stolperte, als sie das Grauen in den Augen ihrer Zofe sah.

Sie erhob sich aus ihrem Sessel, und es kam ihr vor, als dauerte es eine Ewigkeit, bis sie endlich stand. »Was ist passiert?«

»Kommt schnell«, drängte Anna. Sie war atemlos und packte Adelheids Arm. Nie zuvor hatte Anna gewagt, sie unaufgefordert anzufassen.

Adelheid riss sich los, starrte der Magd ins Gesicht und wich kopfschüttelnd einen Schritt zurück.

»Oh, ich bitte Euch, Herrin, kommt schnell. Es … es ist der

kleine Prinz Heinrich …« Ihre dunklen Augen strahlten unnatürlich, und dann rannen Tränen über ihr Gesicht.

Adelheid raffte die Röcke und rannte. Das Gebäude, das ihre Gemächer und die Kinderstuben beherbergte, lag gleich neben dem Garten, doch Adelheid kam sich vor wie in einem Albtraum: Sie rannte, so schnell sie konnte, wenngleich sie die grasbewachsene Erde unter den Füßen nicht spürte, aber der Eingang schien nie näher zu kommen.

Dann war sie hindurch, lief den dämmrigen Korridor entlang, sah die getrockneten Kamilleblüten im Bodenstroh mit unnatürlicher Klarheit, so als wiesen sie ihr den Weg.

Der helle Sonnenschein flutete durch das Fenster der Kinderstube, ließ die tanzenden Staubteilchen wie Goldflitter funkeln und tauchte das Bett in gleißendes Licht. Birga, die Amme, saß weinend auf der Bettkante, die Hand auf dem Rücken des reglosen Kindes, das dort lag.

Heinrich. Mein Sohn. Es ist mein Heinrich, der dort liegt und sich nicht rührt.

Schwankend, als habe sie die Fähigkeit des Laufens verloren, die der kleine Heinrich gerade zu meistern begonnen hatte, legte Adelheid die letzten Schritte zurück. Birga machte ihr mit einem halb unterdrückten Schluchzen Platz. »Ich schwöre bei der Jungfrau und allen Heiligen, er war gesund und munter, als ich ihn hingelegt habe, meine Königin, und …«

»Still.« Adelheid scheuchte sie weg, ohne sie anzusehen. Vage nahm sie wahr, dass Emma verstört und mit weit aufgerissenen Augen an der Wiege stand, in der der kleine Brun lag und leise Gurrlaute von sich gab. Doch Adelheid hatte nur Augen für Heinrich.

Der fünfzehn Monate alte Prinz lag auf dem Bauch, so wie er am liebsten einschlief, den Kopf mit den daunenweichen blonden Kinderlocken zur Seite gedreht, die Ärmchen an den Körper angelegt, Handflächen nach oben. Die bläulich durchschimmernden Lider mit den langen Wimpern waren geschlossen. Adelheid setzte sich auf die Bettkante und hob ihn behutsam auf. Er war ja schon so groß. Zu groß, um noch ganz auf ihren Schoß zu passen. Die speckigen Beinchen mit den winzigen nackten Füßen hingen über, aber sie baumelten nicht. Der kleine Körper schmiegte sich nicht an sie. Und er war auch nicht bettwarm. Die vollen Lippen nicht feucht. Die Bäckchen nicht vom Schlaf gerötet. Adelheid schloss die Lider, damit sie nicht sehen musste, dass ihr Kind tot war, drückte es vorsichtig an ihre Brust und hüllte sich in seinen einzigartigen Duft nach Milch und Mandelöl.

»Lasst uns hinausgehen«, hörte sie eine Männerstimme sagen. »Emma, sei ein gutes Kind und geh mit der Amme.«

Wilhelm, registrierte Adelheid und dachte: Komm nicht her, um mir priesterlichen Trost zu spenden. Komm nicht her.

Komm nicht her.

Womöglich hatte sie es auch laut ausgesprochen. Die Tür schloss sich beinah geräuschlos, und sie war allein.

»Adelheid.«

Sie kehrte zurück von einem kalten, fremden, lichtlosen Ort. Ihre Augen brannten, und sie spürte das klebrige Gefühl getrockneter Tränen auf den Wangen. Sie lag mit dem toten Kind in den Armen seitlich auf dem Bett, die Füße auf dem Boden, und sie rührte sich nicht. »Otto.«

»Ja.«

Sie fühlte ihn näher kommen, aber sie ließ die Lider geschlossen. Sie sah sich außerstande, Heinrichs Vater in die Augen zu sehen.

Er setzte sich zu ihr – sie spürte sein Gewicht neben sich auf der strohgefüllten Matratze, dann seine Hand auf der Schulter. Groß und warm. Nicht winzig und kalt.

»Ich würde unseren Sohn auch gern noch einmal im Arm halten. Wenn du so weit bist, dass du ihn hergeben kannst. Lass dir Zeit.« Er klang ruhig und bedächtig und als hätte er einen Schnupfen. *Er weint*, meldete ihr Verstand, der so langsam geworden war wie ein Pferd in Treibsand. *Er weint um euer Kind genau wie du.*

Adelheid setzte sich auf. Es dauerte ewig, weil ihr rechter Arm eingeschlafen war und weil sie sich so gänzlich kraftlos fühlte. Und doch kam ihr der Ausdruck *Rückgrat zeigen* in den Sinn. War sie eben noch so schlaff wie ein entgräteter Fisch gewesen, hatte Ottos Schmerz ihr ein Mindestmaß an Antrieb zurückgebracht. Sie hielt den Kopf gesenkt und öffnete endlich die Augen. Natürlich war das wächserne Gesichtchen das Erste, was sie erblickte, und ein Schrei formte sich in ihrer Brust. Aber sie ließ ihn nicht heraus. Nichts wurde besser, wenn man sich gehen ließ, das hatte sie schon vor langer Zeit gelernt.

Ihr Blick wanderte verstohlen nach links, und sie sah Ottos Oberschenkel in den feinen, taubenblauen Hosen, die langfingrige Hand auf dem Knie. Sie bebte ein wenig, diese Hand. Adelheid nahm die Linke von Heinrichs Rücken und bedeckte damit die zitternden Finger.

Ottos Hand griff nach der ihren wie ein Ertrinkender nach einer Planke, doch er sagte: »Ich bin eigentlich gekommen, um Trost zu *geben*.«

»Warum? Du hast ihn so nötig wie ich.« Und dann hob sie endlich den Kopf und sah ihn an. Es war genau, wie sie geahnt hatte: Der Schmerz in seinen Augen machte Heinrichs Tod zu einer unumstößlichen Tatsache. Es war kein böser Traum. Kein Irrtum.

»Editha hatte zwei Fehlgeburten«, sagte Otto. »Und ich habe Liudgard verloren letztes Jahr. Aber … aber es wird nicht leichter mit der Übung.«

»Für manche gewiss«, erwiderte Adelheid. »Aber nicht für dich, weil du dein Herz nicht verhärten kannst. Und dafür liebe ich dich.«

Beinah feierlich legte sie Heinrich in die Arme seines Vaters. Otto drückte den kleinen Körper behutsam mit dem linken Arm an sich und legte den rechten seiner Frau um die Schultern. Sie presste das Gesicht neben dem des Kindes an Ottos Brust – die ja zum Glück breit war –, und so verharrten sie eine lange Zeit, eng miteinander verwoben: Vater, Mutter, totes Kind.

Es war der König, der schließlich das Schweigen brach. »Draußen warten Brun und Wilhelm.«

»Und der Rest der Welt.« Das kratzige Gefühl seines Obergewandes unter ihrer Wange hatte etwas Intimes, Sicheres. Doch jetzt richtete sie sich auf. »Die alle sehen wollen, ob wir noch bei Verstand sind. Ob du noch handlungsfähig bist und ob ich nicht vielleicht schon wieder schwanger ...«

»Schsch«, machte Otto. Er legte Heinrich neben sich auf der kunterbunten, aus allen möglichen Garnen gewobenen Kinder-bettdecke ab, wandte sich Adelheid ganz zu und ergriff ihre Hände. »Sei nicht bitter. Es war Gottes Wille, Adelheid. Und so schwer der Abschied auch ist, unser Heinrich ist mit den Seelen der unschul-digen Kindlein im Paradies. Wir müssen versuchen, Trost in dem Gedanken zu finden.«

Sie sah ihm in die Augen und schüttelte den Kopf. »Das ist nicht genug, Otto. Ich weiß, dass es Sünde ist, doch ich kann mich einfach nicht damit begnügen.«

»Aber was sonst bleibt uns?«

»Vergeltung. Ida von Schwaben hat meine Kinder verflucht.«

»Ida?«, fragte er fassungslos. »Ich kann das kaum glauben. Nicht dieses gutartige, lebenslustige Mädchen.«

Doch er glaubte ihr. Adelheid las es in seinem Gesicht, das mit einem Mal fern und ausdruckslos wie das einer Marmorstatue wurde.

»An jenem Tag auf dem Lechfeld, als der Stern vom Himmel fiel«, sagte sie.

»Das hast du mir nie erzählt«, verwunderte sich der König.

»Nein. Weil es meine Aufgabe ist, den Frieden wiederherzu-stellen, nicht die Fronten zu verhärten. Aber jetzt ist mein Sohn tot. Und sie soll dafür büßen.«

Illertissen, September 954

 »Frigobert von Laubach wünscht Euch zu sprechen, mein Prinz«, meldete die Wache.

»Da geht der Nächste«, höhnte Ida, den Kopf über ihre Näh-arbeit gesenkt. Es war ein sonderbarer Anblick von hohem Selten-heitswert. Ida von Schwaben hatte normalerweise nicht viel mit damenhaftem Zeitvertreib wie Handarbeiten im Sinn. Aber das hier war ja auch gar kein Zeitvertreib. Ida nähte aus einem alten Kleid dringend benötigte Hemdchen für die Kinder, weil sie kein anderes Tuch hatten. Es gab so unendlich viele Dinge, die sie nicht hatten. Es mangelte ihnen an allem, vor allem an Proviant und Decken.

»Lass ihn eintreten, Hatto.«

Der Wachsoldat verneigte sich schweigend und wollte sich abwenden, aber Liudolf hielt ihn zurück. »Was ist mit deiner Hand passiert?«

Hatto sah kurz auf seine blutigen Knöchel hinab. »Kleine Meinungsverschiedenheit unter Kameraden.«

»Ihr habt euch ums Essen geprügelt?«

»Welches Essen?«, konterte Hatto.

Liudolf verschränkte die Arme und musterte ihn kühl. »Ich weiß, die Versorgungslage ist schwierig. Aber ich dulde keine Schlägereien unter meinen Truppen. Die Nächsten, die ich erwische, werden ausgepeitscht, ist das klar?«

»Ja, Herr.« Hatto verneigte sich wieder. Es wirkte rebellisch.

»Wenn wir keine Disziplin halten, sind wir verloren«, führte Liudolf ihm vor Augen. »Sag den Männern, es kann jetzt nicht mehr lange dauern. Und morgen schlachten wir ein paar Pferde.« Ihm graute bei dem Gedanken, aber es ging nicht anders.

Hattos Miene hellte sich auf. Jedenfalls kam es Liudolf so vor.

Dann schlug der Wachsoldat den Zelteingang zurück und Frigobert kam herein. Sein Hinken, das von einem Jagdunfall in der Kindheit rührte, war heute ausgeprägter als sonst. Ob es an der feuchten Herbstluft, den mageren Rationen oder an Frigoberts offenkundiger Nervosität lag, konnte Liudolf nicht entscheiden.

Der fränkische Graf verneigte sich. »Mein Prinz. Herrin. Ich bedaure zutiefst, aber ich muss Euch bitten, mich aus Euren Diensten zu entlassen.«

Liudolf biss die Zähne zusammen, damit man ihm nicht ansah, was er empfand. Und er war dankbar, dass er wenigstens das gelernt hatte. Denn was er empfand, war ein zunehmendes Entsetzen. »Frigobert ... Warum?«

318

»Weil er ein treuloser Feigling ist, *darum*«, warf Ida ein, ihre Stimme scharf wie eine Damaszenerklinge.

Der Bezichtigte war erwartungsgemäß beleidigt. Er straffte die Schultern und sah kopfschüttelnd in ihre Richtung. »Ich glaube nicht, dass ich das verdient habe.«

»Nein.« Liudolf legte ihm kurz die Hand auf die Schulter. »Das habt Ihr nicht, und das weiß meine Gemahlin so gut wie ich.« Er schenkte Wein ein – das Einzige, was sie noch im Überfluss hatten, und darum eine ständige Gefahr und Versuchung – und reichte Frigobert einen der schlichten Holzbecher. »Ihr wart einer der Ersten, die sich uns angeschlossen haben. Und Ihr habt nie gewankt. Also, was hat sich geändert? Glaubt Ihr, unsere Sache sei aussichtslos, weil mein Schwager Konrad sich von mir losgesagt hat?«

Liudolf war stolz auf sich, dass er es mit solcher Gelassenheit aussprechen konnte: *Konrad hat sich losgesagt.* So als wäre es ein kleines Missgeschick.

Konrad war im Frühjahr mit seinen Truppen bei Rimlingen auf Brun und dessen Armee gestoßen, aber es war kein einziger Streich gefallen. Brun, diese glattzüngige *Viper*, hatte Konrad überzeugt, er führe seine Truppen im Namen des Königs und Konrad würde sich deshalb endgültig zum Verräter machen, wenn er ihn zur Schlacht zwinge. Ausgebrannt nach einem Jahr Krieg und dem Verlust seiner Frau, war Konrad eingeknickt. Er hatte sich dem König unterworfen und obendrein beteuert, es sei Liudolf gewesen, der die Ungarn ins Land geholt habe. Erzbischof Friedrich von Mainz, von Anfang an ein wankelmütiger Verbündeter, hatte ebenfalls seinen Frieden mit dem König gemacht, und ein Gerücht besagte, er sei schwer erkrankt. Als wäre ein Damm gebrochen, waren Liudolfs Getreue daraufhin entschwunden, manche bei Nacht und Nebel über die Mauern des belagerten und schwer bedrängten Regensburg. Diejenigen, die den Mut hatten, Liudolf ins Gesicht zu sagen, dass sie gingen, führten als Grund an, er habe die Ungarn ins Land geholt. Der Vorwurf klebte an ihm wie Pech, und ganz gleich, wie oft er schwor, es sei eine Lüge, es wollte ihm einfach niemand glauben – zumal diese gottverfluchten Ungarn auf ihrem Weg nach Lothringen und ins Westfrankenreich ausgerechnet Schwaben – sein Herzogtum – verschont hatten.

Dann hatte er zu allem Überfluss vor sechs Wochen Regensburg verloren, weil Henning ihnen die Stadt über den Köpfen angezündet hatte. Seine eigene Residenz. Mit dem Mut der Verzweiflung hatten Liudolf und Arnulf von Bayern einen Ausfall aus der brennenden Stadt unternommen, nur um Markgraf Gero, dem berüchtigten »Slawenschlächter«, in die Arme zu laufen, und Arnulf war gefallen, von mehr Pfeilen durchbohrt als der heilige Sebastian.

Seither waren sie auf dem Rückzug, und die königlichen Truppen folgten ihnen wie Schatten, ohne sich je zur Schlacht zu stellen. Tiefer und tiefer trieben sie sie nach Schwaben hinein, wo Liudolf immer noch viel Rückhalt hatte. Doch der Schwund seiner Armee setzte sich Nacht für Nacht fort.

Und nun also Frigobert.

»Ich gehe nicht, weil ich denke, dass Eure Sache aussichtslos ist, mein Prinz«, antwortete dieser nüchtern. »Ihr führt immer noch zweitausend Mann an, gut ausgebildet und Euch bis auf den letzten Blutstropfen ergeben.«

»Warum dann?«

»Der Sohn meines Kastellans brachte mir heute früh eine Nachricht.« Frigobert griff in seinen Handschuh, zog einen fleckigen Fetzen Pergament heraus und reichte ihn Liudolf. »Euer Kaplan hat sie mir vorgelesen. Sie kommt von meinem alten Freund und Kampfgefährten Immed von Saalfeld.« Er verzog einen Mundwinkel zu einem bitteren Lächeln. »Prinz Henning hat meine Frau und meine beiden Söhne als Geiseln genommen. Ich habe bis Sonnenuntergang Zeit, Euer Lager mit meinen Männern zu verlassen und mich ihm zu ergeben. Danach verliert einer meiner Söhne jede Stunde einen Finger, morgen früh den Kopf. Die Nachricht ist in Blut geschrieben. Wessen Blut, frage ich mich?« Der große Adamsapfel in seinem mageren Hals arbeitete.

Ida warf ihr Machwerk auf den wackligen Tisch, stand auf und trat zu ihm. »Vergebt mir, Frigobert. Natürlich müsst Ihr gehen.«

Er nickte dankbar, seine Haltung entspannte sich ein wenig,

und er nahm einen tiefen Zug aus seinem Becher. »Ich hätte niemals im Leben geglaubt, dass der König dergleichen zulässt«, bekannte er.

»Wahrscheinlich weiß er gar nichts davon«, vermutete Ida. »Das sind Hennings Methoden, nicht Ottos.«

»Ja, Ihr habt gewiss recht.«

Aber Liudolf war nicht so sicher.

Er wusste, die Dinge hatten sich geändert seit dem Krippentod seines kleinen Bruders im Frühling. *Krippentod.* Schon das Wort reichte, um ihm einen eisigen Schauer über den Rücken zu jagen, und unwillkürlich wanderte sein Blick zu dem verbeulten Weidenkörbchen neben dem Kohlebecken, wo ihr kleiner Otto schlummerte, der auf den Tag genau einen Monat vor Heinrichs Tod zur Welt gekommen war. Er war kerngesund und drall, genau wie ein Säugling sein sollte, aber Liudolf war trotzdem in ständiger Sorge um ihn. Er hätte nicht erklären können, wieso, aber er hatte irgendwie das Gefühl, als schulde er dem König das Leben seines Sohnes. Das war vollkommen irrsinnig. Und obendrein natürlich abergläubischer Unsinn. Er war ja nicht verantwortlich für den Tod seines Bruders. Vielleicht war es dem König sogar ein Trost, dass Ida ihm einen Enkel geboren hatte.

Und dennoch.

Seit der König im Frühling ins Feld zurückgekehrt war, führte er den Krieg gegen seinen Sohn mit einer Erbarmungslosigkeit, die Liudolf nicht an ihm kannte. Die königlichen Truppen hatten Burgen und Städte eingenommen, die Liudolf die Treue hielten, und dort so entsetzlich gewütet, dass die nächsten die Tore öffneten und um Gnade flehten, sobald sie die ersten Staubwolken am Horizont sahen. Als Otto zu den Belagerungstruppen vor den Toren von Regenburg gestoßen war, hatten sie keine Gefangenen mehr gemacht. Wer ihnen bei einem Ausfall in die Hände fiel oder lebend von der Stadtmauer geschossen wurde, der verlor den Kopf, egal ob Bauer oder Edelmann, und die verstümmelten Leichen und Köpfe lagen in Sichtweite der Stadt zu schaurigen Hügeln aufgehäuft und zogen riesige Schwärme von Krähen an. Und Liudolf wusste irgendwo tief in seinem Herzen, dass er selbst die Verantwortung für dieses barbarische Treiben trug. Weil sein Vater ihm den Krippentod des kleinen Heinrich anlastete.

Der Prinz schloss Frigobert in die Arme, kurz und brüsk. »Geht mit Gott, mein Freund. Habt Dank für Eure Treue.«

Frigobert nickte unglücklich, verneigte sich ein letztes Mal in Idas Richtung und hinkte hinaus.

Es war einen Moment still in dem dämmrigen, feuchten Zelt. Ida setzte sich wieder an den Tisch, nahm die Näharbeit aber nicht auf. Wie magisch angezogen trat Liudolf zu dem Weidenkörbchen. Otto schlief unverändert, die roten Lippen leicht geöffnet, und während sein Vater auf ihn hinabschaute, kräuselte sich die niedliche Knopfnase, wovon Liudolf immer das Gefühl bekam, als drücke ihm jemand mit einem Panzerhandschuh das Herz zusammen. Das Gesichtchen verzog sich zu einer drolligen Grimasse, und Otto nieste.

»Oh, Jesus«, murmelte Liudolf. »Er hat sich erkältet.«

Ida stand auf und trat zu ihm. »Das ist kein Wunder bei der klammen Kälte.« Sie sah auf ihren Sohn hinab und legte Liudolf einen Arm um die Taille. »Nun mach dir nicht solche Sorgen, Liebster. Kinder erkälten sich, das ist ganz normal. Aber unser Otto ist robust, wie sein Vater und seine Mutter.«

Er nickte. Sie hatte ja recht. »Trotzdem. Ein Herbstlager ist kein Ort für so ein winziges Kerlchen. Morgen beim ersten Tageslicht ziehen wir weiter. Es sind höchstens noch siebzig Meilen bis zum Hohentwiel.«

»Wo keinerlei Vorräte für eine Winterbelagerung angelegt sind«, erinnerte Ida ihn.

»Ich weiß, wir müssen die Truppen entlassen. Aber wenn wir die Festung erreichen, sind wir erst einmal sicher und können neue Pläne machen.«

»Hm.« Es klang ironisch. »Aber das weiß der König auch.«

Draußen schmetterte ein Horn.

Sie sahen sich an. »Und da kommt er«, sagten sie wie aus einem Munde.

»Es sind ungefähr dreitausend, mein Prinz«, berichtete Anselm von Weimar. »Eine Reiterlegion und zweitausend Fußtruppen, und der König selbst führt sie an. Sie stehen am Ufer des Flusses, haben aber kein Lager aufgeschlagen, sagt der Späher.«

Er verstummte und wartete auf Liudolfs Befehle.

»Reiter?« Liudolf schnaubte. »Die werden ihre liebe Müh in diesem Gelände haben.«

Mit einem Mal war er die Ruhe selbst. Der Tag war gekommen: Das Katz-und-Maus-Spiel hatte ein Ende. Liudolf fühlte sich erlöst.

»Ja, ganz gewiss«, stimmte Anselm zu. Er klang gelassen, aber seine Wangen waren fahl.

»Seid guten Mutes, ihre zahlenmäßige Überlegenheit wird ihnen nichts nützen.« Liudolf legte Anselm die Hand auf die Schulter, drehte ihn um und wies mit dem ausgestreckten Arm auf das umliegende Gelände. »Schaut hin, wir haben alle Vorteile auf unserer Seite.«

Sie lagerten auf einem windigen Hochmoor am Ufer eines Sees. Der übellaunige, böige Wind kräuselte das Wasser, das ebenso grau war wie der Himmel. Ein unwirtlicher Ort, aber der See schützte sie ebenso gut wie eine Mauer im Rücken. Gleiches galt für die dichten Gehölze links und rechts. Nur nach Westen war das Gelände offen, und dort erhob sich ein langgezogener Hügel, der den Blick auf die Iller versperrte.

»Wir beziehen dort oben Stellung«, erklärte Liudolf. »Fünfzehnhundert Mann über die gesamte Länge der Hügelkuppe. Dann müssen die Truppen des Königs bergan kämpfen, und unsere Bogenschützen können die Reiter aus den Sätteln schießen, während sie sich den steilen Hang hinaufarbeiten. Der Ansturm wird im Zentrum am heftigsten sein, dort führe ich das Kommando. Ihr befehligt die rechte Flanke, Anselm. Frigobert … ach nein. Dann eben Udo von Heimbach.« Udo war bei ihm geblieben, obgleich er Konrads Vetter war. »Er führt die linke Flanke. Fünfhundert Mann bleiben als Reserve. Euer Vetter Heribert von Schwarzburg hat das Kommando.«

Anselm verneigte sich. »Wie Ihr befehlt, mein Prinz.«

Liudolf ging zurück in sein Zelt, wo Fulk, sein Bursche, schon mit seiner Rüstung wartete. Mit geübten Handgriffen half er Liudolf in das dicke Wams und den Kettenpanzer, brachte ihm den Spangenhelm, den Rundschild und das Schwert.

Liudolf nahm ihm das Gehenk ab. »Geh und hol Albus«, trug er dem Jungen auf.

»Eure Lanze, Herr«, erinnerte Fulk ihn.

»Ja, ja, das mach ich selbst. Jetzt beeil dich.« Und als Fulk das Zelt verlassen hatte, erklärte er Ida: »Wir müssen auf dem Hügel Stellung bezogen haben, ehe der König es tut.«

Sie nickte, trat lächelnd auf ihn zu und band einen grünen Stoffstreifen um sein linkes Handgelenk, wie sie es immer getan hatte, wenn er in die Schlacht ritt. Es war irgendein heidnischer Zauber. Aber Liudolf protestierte nicht, denn bislang war er immer lebendig zurückgekommen. Nicht unbedingt heil, aber lebendig.

Sie stellte sich auf die Zehenspitzen und küsste ihn. »Geh und zeig dem König, was für ein Krieger du bist.«

Liudolfs Truppen waren hungrig, aber hartgesotten und gut ausgebildet. Die Befehle des Prinzen wurden präzise und vor allem schnell ausgeführt. Als sie entlang der Hügelkuppe Stellung bezogen, sahen sie die königliche Armee, die vielleicht eine halbe Meile entfernt unten am Flussufer ebenfalls ihre Schlachtaufstellung einnahm und sich zu drei ordentlichen Rechtecken formierte. Die Banner flatterten im böigen Wind, und noch während Liudolf blinzelnd das des Königs zu erkennen versuchte, fing es an zu regnen.

Anselm sah missmutig zur tiefhängenden Wolkendecke auf, deren bleigraue Farbe etwas Bedrohliches hatte. »Es wird ein schlammiges Gemetzel«, prophezeite er.

»Und wenn schon«, gab Liudolf ungeduldig zurück. Ein Blitz flammte auf, und sein wundervolles weißes Ross schnaubte und rollte mit den blauen Augen. »Ho«, machte der Prinz beschwichtigend und klopfte ihm den Hals. »Alles in Ordnung, Albus, du Hasenfuß.«

Udo von Heimbach wies zum Flussufer hinab. »Das sind mehr als tausend Reiter.«

Liudolf nickte. »Aber es werden keine tausend mehr sein, wenn sie hier oben ankommen. Geht in Stellung, und was immer geschieht: Unsere Schlachtreihe *muss* halten. Gott schütze Euch.«

Udo und Anselm erwiderten die Segenswünsche, stülpten die Helme über und preschten in entgegengesetzte Richtungen davon.

Liudolf blickte wieder ins Tal hinab. Was er sah, machte ihm keine Angst. Für gewöhnlich war er vor einer Schlacht nervös und rastlos wie ein junges Pferd, aber heute fand er sich von einer Gelassenheit erfüllt, die er nicht an sich kannte. Vielleicht, weil die Zeit reif war für eine Entscheidung. Was immer heute geschah, diese Sache *musste* ein Ende nehmen, und ihm war beinah gleich, welches.

Unten am Fluss war ein Reiter mit seinem Bannerträger zwei Längen vorgeritten. Sein Vater, vermutete Liudolf. Doch es sah nicht so aus, als halte der König eine Ansprache an seine Truppen. Er schien zu warten, und noch während Liudolf rätselte, auf was oder wen, kam ein weiterer Reiter durch die königlichen Linien und schloss zu Otto auf.

Der König besprach sich kurz mit dem Neuankömmling, der sich schließlich abwandte und im Kanter hügelan geritten kam.

»Wer in aller Welt mag das sein?«, fragte der junge Thiadrich von Straßburg an Liudolfs linker Seite.

Der Reiter hatte den mühelos eleganten Sitz und die Geschmeidigkeit eines jungen Mannes, aber das wellige Haar war weiß. Breite Soldatenschultern in einem verschrammten Ringelpanzer, doch das Banner, das er trug, zeigte ein Kreuz und einen Fisch.

»Ein heiliger Krieger«, antwortete Liudolf und spürte sein Herz bleischwer werden. »Oder ein kriegerischer Heiliger, ganz, wie du willst. Es ist Bischof Ulrich von Augsburg.«

Die Männer in seiner Nähe tauschten beunruhigte Blicke, manch einer zog erschrocken die Luft ein, und Thiadrich bekreuzigte sich.

Donner grollte in der Ferne, und wieder wollte Albus Reißaus nehmen. Liudolf zügelte sein nervöses Pferd und sah dem Bischof unverwandt entgegen, der zielsicher auf ihn zuhielt.

Zwei von Liudolfs Reitern zogen eine Länge vor, um sich schützend vor ihrem Prinzen zu postieren, doch der winkte ab. »Nein, lasst ihn nur passieren. Ich glaube nicht, dass er mit dem Schwert auf mich losgehen wird.« Das ist auch nicht nötig, seine Zunge ist scharf genug, fügte er in Gedanken hinzu.

Ulrich von Augsburg ließ sein Pferd in Schritt fallen. Totenstille herrschte auf dem windigen Hügel, sodass der leise Hufschlag im struppigen Gras unnatürlich laut wirkte. Genau vor Liudolf brachte der Bischof sein Pferd zum Stehen.

Der Prinz neigte höflich den Kopf. »Ehrwürdiger Vater.«

Die scharfen blauen Augen stierten regelrecht in seine, und das kantige, gefurchte Gesicht war ohne Regung. Dann wies Ulrich mit einer dieser zackigen Bewegungen, die so typisch für ihn waren, auf Albus und bemerkte im Plauderton: »Wundervolles Tier.«

»Danke.«

»Arnulf von Bayern hatte einmal einen blauäugigen Schimmel.«

»Er hat ihn mir verkauft.«

»Dacht ich's mir. So wie seine Seele.«

»Seid Ihr gekommen, um zu verhandeln? Oder um mich zu beleidigen?«

»Beides«, räumte der streitbare Bischof unverblümt ein.

»Dann habt die Güte und folgt mir zu meinem Zelt. Der Regen wird immer schlimmer, und ein Tattergreis wie Ihr holt sich leicht den Tod in solch einem Wetter.«

Ein paar seiner Panzerreiter zuckten sichtlich zusammen.

Der Bischof hingegen lachte. Es war ein tiefes, volltönendes Lachen, wie das eines gütigen Großvaters. Es hätte kaum irreführender sein können. »Davon träumt Ihr höchstens, mein törichter Prinz.«

Liudolf schluckte die hitzige Erwiderung herunter, die ihm auf der Zunge lag, wendete Albus und ritt durch die sich öffnenden Reihen seiner Soldaten zurück zum Lager. Er sah sich nicht um, so als wäre es ihm gleich, ob Ulrich folgte.

Sie kannten sich, seit Liudolf als Knirps erstmals nach Schwaben gekommen war. Ulrich von Augsburg war schon damals der mächtigste Bischof des Herzogtums gewesen, dessen Rat sowohl Idas Vater, der damalige Herzog, als auch der König hoch schätzten. Als Liudolf Schwaben erbte, hatte Ulrich zu seinen wichtigsten Verbündeten gezählt, und dass der schwäbische Adel nicht gegen den Sachsen rebelliert hatte, den Fremdling, den man ihnen als Herzog vor die Nase setzte, war nicht zuletzt dem Bischof zu verdanken. Ulrich war ein Mann der Widersprüche: ein erbarmungsloser Krieger und doch ein mildtätiger Beschützer der Armen und Schwachen. Ein gerissener Politiker und gleichzeitig ein Gottesmann. Ein derber Saufkumpan und ein feingeistiger Gelehrter.

Fulk kam herbeigelaufen und nahm ihnen die Pferde ab.

»Bring uns heißen Wein«, trug der Prinz ihm auf und knurrte über die Schulter: »Das ist alles, was ich Euch anbieten kann, denn unser Proviant ist erschöpft.«

»Oh, ich weiß«, versicherte Ulrich mit diebischem Frohlocken in der Stimme.

Liudolf führte ihn in das dämmrige Zelt, wo Ida auf ihrem Schemel am Tisch saß und den kleinen Otto angelegt hatte.

»Ich hoffe, Ihr könnt mir vergeben, ehrwürdiger Vater«, grüßte sie. »Die Amme ist uns schon vor Wochen davongelaufen.«

»Ida.« Ulrich lächelte auf sie hinab, nicht im Mindesten verlegen. »Welch einen erquicklichen Anblick Ihr bietet, Mutter und Sohn. Ein strammer Bursche. Der Euch beiden womöglich die Haut retten wird, wenn Ihr ausnahmsweise einmal Verstand beweist.«

Liudolf stellte sich neben seine Frau und verschränkte die Arme. »Der König schickt Euch mit einem Angebot? Dann lasst es uns hören. Und erspart uns Eure Überheblichkeit.«

Ulrich sah von ihm zu Ida und wieder zurück. »Es ist ganz einfach: Ihr entlasst Eure Truppen und erklärt öffentlich die Unrechtmäßigkeit Eures Aufstandes. Dafür behaltet Ihr Euer Leben und genug von Euren Eigengütern, um ein angenehmes Leben in Wohlstand und Bequemlichkeit zu führen. Ohne Herzogtum, versteht sich.«

Liudolf lachte leise. »Wie überaus großzügig. Sagt meinem königlichen Vater meinen ergebenen Dank, aber ich kann sein Angebot leider nicht annehmen.«

»Denkt noch mal nach«, riet Ulrich.

»Wozu?«, konterte Liudolf aufgebracht.

»Es ist grundsätzlich ratsam, in allen Lebenslagen.«

»Aber ich habe gute Chancen, ihn hier und heute in der Schlacht zu besiegen! Unsere Truppen sind etwa gleich stark, und er muss hügelan ...«

»Er hat tausend Mann mehr als Ihr und eine Meile flussaufwärts zweitausend weitere in Reserve, von denen ich Euch eigentlich gar nichts erzählen dürfte, weil sie als böse Überraschung gedacht waren.«

Liudolf betrachtete ihn kopfschüttelnd, beinah amüsiert. »Ich hätte nicht gedacht, dass ein ehrwürdiger Bischof gegen das achte Gebot verstößt und die Unwahrheit sagt. Hätte der König zweitausend Mann Reserve, hätte mein Späher sie gesehen.«

»Euer Späher wurde umgedreht«, eröffnete Ulrich ihm ungerührt.

»Oh, natürlich.«

»Prinz Liudolf, nehmt Vernunft an«, mahnte Ulrich, halb beschwörend, halb befehlend. »Der König hat noch niemals eine Schlacht verloren.«

Ida gluckste. »Weil er sich nur stellt, wenn er weiß, dass nichts schiefgehen kann.«

»Das ist Unsinn, mein Kind«, belehrte der Bischof sie mit gütiger Herablassung.

»Nun, wie dem auch sei. Jedenfalls hat er uns zweimal erfolglos belagert«, beharrte Ida trotzig.

Fulk kam mit dem Wein, und sie schwiegen, bis sie jeder einen dampfenden Becher in der Hand hielten und der Junge wieder hinausgegangen war. Der Moment, da der Zelteingang geöffnet war, zeigte Liudolf, dass es inzwischen wie aus Kübeln schüttete.

Der Bischof nahm einen Schluck und schien nicht zu spüren, dass das Gebräu eigentlich noch zu heiß war. Dann stellte er den Becher bedächtig auf dem kleinen Tisch ab, sah Liudolf ins Gesicht und fragte: »Als Ihr Eure Revolte begonnen habt, was war der Grund?«

»Henning«, antwortete Liudolf und fügte achselzuckend hinzu. »Das wisst Ihr doch, wir haben oft genug darüber gestritten.«

»Und ich sage Euch heute so wie vor einem Jahr: Es ist eines Prinzen unwürdig, sich nur aus Eifersucht gegen seinen Vater und König zu erheben. Und es ist kindisch. Henning ist ein ehrloser Lump, nicht wert, Euch die Schuhe zu binden, aber Ihr macht ihn größer und Euch selbst klitzeklein mit dieser dummen, aussichtslosen Rebellion! Und ich muss Euch ehrlich sagen, mein Sohn, das schmerzt und ärgert mich über die Maßen.«

Liudolf verschränkte die Arme, die Glieder seines Kettenpanzers klirrten dezent. »War's das? Können wir dann jetzt gehen und diese Schlacht schlagen, ehe die Sintflut uns alle hinfortspült?«

Der streitbare Bischof kam einen Schritt näher und baute sich bedrohlich vor ihm auf. »Es ist der Tod in der Schlacht, den Ihr sucht, ich weiß. Ihr habt ihn schon vor Mainz gesucht und bei Eurem tollkühnen, aber aussichtslosen Ausfall vor Regensburg. Doch es waren immer andere, die gestorben sind, nicht Ihr. Was, denkt Ihr, will Gott Euch damit sagen, mein Prinz?«

»Dass ich keinen leichten Ausweg verdient habe?«, spöttelte Liudolf.

Ulrich tippte ihm mit einem breiten, schwieligen Finger an die Brust. »Dass er noch Pläne mit Euch hat. Und darum frage ich Euch noch einmal: Was wolltet Ihr mit Eurem Aufstand gegen den König erreichen?«

Liudolf trank einen Schluck, um Zeit zu gewinnen. Dann antwortete er aufrichtig: »Dass der König die Augen öffnet und mich *sieht*.«

»Das dürfte Euch gelungen sein.«

»Und dass er mich zum Mitregenten und Thronfolger erklärt.«

»Das dürfte Euch nicht gelungen sein, und dieses Ziel war nie ferner als heute«, sagte der Bischof unverblümt. »Doch ganz gleich, wie viele Menschen Ihr für Eure Eitelkeit noch sterben lasst, nichts wird daran etwas ändern.«

»Für meine *Eitelkeit*?«, wiederholte Liudolf scharf. »Es ist mein Recht!«

»Es gibt kein Erstgeburtsrecht im Reich, mein Prinz, wie Ihr sehr wohl wisst. Die karolingischen Herrscher haben Ihre Reiche unter ihren Söhnen aufgeteilt – mit verheerenden Folgen. Euer Großvater war klüger und hat es dem Sohn gegeben, der am besten für die Krone befähigt war, Eurem Vater. Wenn Ihr der Sohn sein wollt, dem der König wiederum seine Krone hinterlässt, wird es höchste Zeit, dass ihr Euch so benehmt, als seiet Ihr für das schwere Amt befähigt.«

Liudolf lachte in sich hinein. »Ich frage mich, für wie einfältig Ihr mich eigentlich haltet. Er wird mir niemals vergeben und nie wieder trauen.«

»Wenn Ihr das glaubt, kennt Ihr Euren Vater schlecht. Er wird Euch vergeben, wenn Ihr ihm nur die geringste Chance dazu gebt, denn das ist eben seine Natur. Ob er Euch je wieder traut, liegt bei Euch. Aber Ihr werdet weder Eure Krone noch die Anerkennung des Königs auf dem Schlachtfeld erringen, weder heute noch morgen. Also, wie lange soll dieses gottlose und sinnlose Blutvergießen noch weitergehen?«

Liudolf schwieg. Er spürte seine Entschlossenheit wanken und kämpfte wütend dagegen an.

Ida stand von ihrem Schemel auf, trug Otto zurück zu seinem Weidenkörbchen und richtete ihr Kleid, ehe sie sich zu Prinz und Bischof umwandte. »Lass dich nicht einwickeln, mein Gemahl. Du kannst deine Krone nur auf dem Schlachtfeld gewinnen, denn ganz gleich, was der ehrwürdige Bischof glaubt, der König wird uns nie vergeben. Dir vielleicht. Aber mir nicht.«

»Ich verstehe nicht, was du meinst.«

Ida steckte sich eine rote Strähne hinters Ohr und kam noch einen Schritt näher auf ihn zu. »Ich habe Adelheids Kinder verflucht, und du kannst wetten, dass sie ihm das gesagt hat. Spätestens, als dein Bruder gestorben ist.«

»Du hast ... *was*?« Liudolf hörte selbst, wie dünn und hoffnungslos es klang, und für einen Herzschlag graute ihm vor seiner Frau. Doch sofort nahm er sich zusammen und schlug ihr mit dem

Handrücken ins Gesicht. »Du verfluchte Hexe, hast du den Verstand verloren?«

Ida schlug zurück, so hart und schnell, dass er nicht sicher war, ob er hätte ausweichen können, selbst wenn er gewollt hätte. »Was geschehen ist, ist geschehen, heul nicht wie ein Bengel über verschüttete Milch!«, fuhr sie ihn an.

Liudolfs Fingerkuppen kribbelten, so sehr verlangte ihn danach, nochmals die Hand gegen sie zu erheben. Es geschah nicht selten, dass sie sich schlugen. Sie hatten als Kinder damit angefangen zu raufen und irgendwie nie gelernt, damit aufzuhören. Üblicherweise endeten ihre Scharmützel im Bett – stürmisch und wenig zimperlich. Aber das hier war anders. Nicht nur, weil gerade zufällig ein Bischof zugegen war. Liudolf war entsetzt über das, was Ida getan hatte, und ihm graute bei der Erkenntnis, dass er sie, den vertrautesten Menschen in seinem Leben, im Grunde überhaupt nicht kannte.

»Die Herzogin hat recht«, befand Bischof Ulrich, offenbar nicht im Mindesten konsterniert ob des ehelichen Schlagabtausches. »Der König hat bei der Unterwerfung Eurer Verbündeten und vor den Toren Regensburgs bittere Rache genommen für diesen Fluch, und niemand kann die Toten wieder zu irdischem Leben erwecken. Ihr solltet indessen nicht gar zu schockiert sein. Ein Fluch ist natürlich verwerflich, aber im Krieg ist der Anstand immer das erste Opfer.«

Liudolf sah ihn fassungslos an. »Habe ich das geträumt, oder habt Ihr das gerade wirklich gesagt? Ihr, der ehrwürdige Bischof Ulrich von Augsburg, den manche einen Heiligen nennen?«

Der vorgebliche Heilige lächelte mokant in seinen Weinbecher, leerte ihn mit einem kräftigen Zug und erwiderte achselzuckend: »Was ich meinte, war, dass Eure Gegner auch nicht nur mit ehrbaren Mitteln kämpfen. Habt Ihr Euch nie gefragt, warum niemand Euch glaubt, wenn Ihr schwört, Ihr hättet die Ungarn nicht herbeigerufen?«

»Doch«, räumte Liudolf ein. Diese Frage füllte die meisten Stunden seiner schlaflosen Nächte. »Aber Ihr wollt nicht im Ernst behaupten, der König würde mich in so übler Weise verleumden?«

»Nein.«

»Adelheid«, presste Ida hervor, und vor Zorn wich ihr die Farbe aus dem Gesicht, sodass die Sommersprossen regelrecht leuchteten. »Dieses verdammte *Miststück* ...«

Der Bischof hob vielsagend die massigen Schultern. »Sie kämpft mit allen Mitteln, die ihr zur Verfügung stehen, mein Kind. Das ist Euch doch nicht fremd, oder?«

Liudolf sank auf einen Schemel nieder und raufte sich die Haare. »Jesus Christus ... wie sind wir nur hierher geraten?«

»Liudolf, du musst ...«, begann Ida.

»Halt die Klappe«, fuhr er ihr über den Mund. »Du hast meinen *Bruder* auf dem Gewissen, Herrgott noch mal ...«

Plötzlich lag die beringte Hand des Bischofs auf seiner Schulter. »Euer Bruder war und ist in Gottes Hand wie wir alle, mein Prinz. Aber wenn sein tragischer Tod Euch zur Besinnung bringen könnte, dann wäre er nicht so vollkommen sinnlos und umsonst gestorben.«

Liudolf fegte die Hand von seiner Schulter, stützte die Ellbogen auf die Knie und die Stirn auf die Fäuste. »Wenn Ihr wüsstet, wie satt ich all dies habe. Das Blutvergießen, die Belagerungen, die abscheulichen Verleumdungen. Ich ... ich vermisse Konrad. Die Freundschaft, die wir hatten. Genau wie meinen Vetter Gaidemar. Ich vermisse Liudgard, die ein Opfer dieses Krieges war genau wie all die gefallenen Gefährten. Aber der König wird verlangen, dass ich die Handvoll Freunde, die mir geblieben sind, an ihn ausliefere, und das kann ich heute so wenig wie vor einem Jahr.« Er ließ die Fäuste sinken und sah zu Ulrich auf. »Also schätze ich, wir müssen gehen und die nächste sinnlose Schlacht schlagen.«

Ulrich sah kopfschüttelnd auf ihn hinab. »Das ist die eine Bedingung, die der König nicht mehr stellt, mein Prinz. Er hat begriffen, dass er Eure Unterwerfung und Euren Gehorsam verlangen kann, aber nicht Eure Ehre. Zumindest in diesem Punkt gehört der Sieg Euch.«

»Oh, das ist ... fabelhaft, ehrwürdiger Vater. Welch ein lächerlicher, bedeutungsloser Sieg.«

»Was er Euch einbringt, muss die Zukunft zeigen. Für heute gilt: Entlasst Eure Truppen, dann wird der König nach Sachsen zurückkehren und das Gleiche tun. Ihr könnt diesen Krieg beenden, hier und jetzt. Wenn Ihr den Mut habt.«

Saufeld, Oktober 954

»Ich weiß ja nicht, ob es wirklich schicklich ist, wenn Damen auf eine Jagd reiten, die keine Falkenjagd ist«, sagte Hulda von Lüneburg. »Aber ich hätte diesen Anblick um nichts in der Welt missen wollen.«

Der Thüringer Wald leuchtete in herbstlicher Pracht, während die Sonne die Nebelbänke allmählich auffraß, die sich über Nacht in den Tälern zwischen Saale und Schwarza gesammelt hatten. Es versprach ein herrlicher Altweibersommertag zu werden. Zur Linken war das schrille Trällern einer Singdrossel zu hören, in der bunt belaubten Buche ein Stück weiter sang ein Rotkehlchen, und als Gaidemar mit den Augen dem rasanten Klopfen über ihren Köpfen folgte, entdeckte er einen Buntspecht in der gewaltigen Eiche, unter der sie angehalten hatten.

»Oh, seid unbesorgt, Gräfin«, antwortete Adelheid. »Die Töchter Karls des Großen sind zur Treibjagd geritten, heißt es.«

»Na dann. Was fein genug für sie war, ist wohl auch fein genug für uns«, räumte Hulda ein.

»Jedenfalls hat der König Glück mit dem Wetter für seine Jagd«, bemerkte Wilhelm.

»Wie üblich«, erwiderte Adelheid.

»Das scheint ein königliches Privileg zu sein«, mutmaßte Judith von Bayern.

»Wirklich? Von solch einem Privileg haben wir in Italien nie gehört«, sagte die Königin.

»Dort habt Ihr es nicht nötig, weil es nicht so oft regnet wie hier«, erklärte die Herzogin.

Adelheid lachte vergnügt.

Sie ist unbeschwert, fuhr es Gaidemar durch den Kopf. *Wer weiß, vielleicht ist sie sogar glücklich.*

Prinz Heinrichs Tod lag ein halbes Jahr zurück. Den ganzen Sommer über war die Königin in sich gekehrt und melancholisch gewesen, aber nachdem die Neuigkeit von Liudolfs und Ottos Waffenstillstand nach Sachsen gelangt und der König heimgekehrt war, hatte sie ihren Lebensmut wiedergefunden. Oder es lag daran, dass sie wieder schwanger und der kleine Prinz Brun so lebhaft und kerngesund war. Vielleicht war sie auch einfach eines Morgens aufgewacht und hatte eingesehen, dass es unwürdig für eine Königin und Gott nicht gefällig war, sich zu lange in Trauer zu ergehen. Gaidemar wusste es nicht. Doch er war froh, dass sie die Düsternis hinter sich gelassen hatte, selbst wenn er insgeheim dachte, dass es zu früh sei, um an ein Ende des Krieges zu glauben. Denn seit Illertissen war Liudolf spurlos verschwunden, und nicht einmal Wilhelm schien zu wissen, wo sein Bruder steckte.

Die Jagdgesellschaft, die der König zu ein paar unbeschwerten Tagen auf das abgelegene Gut südlich von Weimar geladen hatte, umfasste rund zwei Dutzend Menschen: Otto und Adelheid, Henning und Judith, die seit ihrer Vertreibung aus Regensburg eine enge Freundschaft mit der Königin verband, ein paar vertraute Adlige und Wachen.

Gaidemar wäre viel lieber in Magdeburg geblieben, denn er fühlte sich immer unerwünscht in der Nähe des Königs – von Henning ganz zu schweigen. Doch Adelheid hatte es als Selbstverständlichkeit angesehen, dass er sie als persönlicher Leibwächter begleiten würde, und als er versucht hatte, sich herauszureden, war sie gekränkt gewesen. Reden war eben überhaupt nicht seine Stärke, hatte er wieder einmal erkennen müssen.

Und so war ihm nichts anderes übrig geblieben, als dem Wunsch der Königin zu folgen, und der König gab vor, ihn überhaupt nicht zu bemerken. Mit Henning verhielt es sich freilich anders. Dann und wann spürte Gaidemar dessen Blick wie eine Dolchspitze im Nacken, und wenn er den Kopf wandte, ertappte er Henning bei einem boshaften Lächeln. Das machte ihn ziemlich nervös.

Heute noch, redete er sich gut zu. *Heute ist der letzte Tag der Jagd. Morgen kehren wir nach Magdeburg zurück, Henning und die Seinen nach Bayern, und wenn ich Glück habe, fällt er auf der Heimreise unter die Wölfe ...*

»Da, hört ihr das?« Adelheids Augen leuchteten.

Im Wald zu ihrer Linken erklang Hundegebell, und es kam näher.

Der König war ein paar Längen vorgeritten bis ans Ufer eines eiligen Flüsschens. Er wendete sein Pferd, sodass er dem undurchdringlichen Gehölz zugewandt stand, nahm den Bogen von der Schulter und legte einen Pfeil an die Sehne. Ohne ihn zu spannen wartete er – regungslos und konzentriert – auf die Beute, die die Hunde ihm entgegentrieben.

Alle hatten die Blicke auf den Wald gerichtet, als Gaidemar aus dem rechten Augenwinkel eine Bewegung wahrnahm. Er wandte den Kopf und entdeckte am anderen Ufer des Baches eine verwilderte, bärtige Gestalt in einem schmuddeligen, knielangen Hemd. Sie war barfüßig und zottelig wie ein Waldschrat, watete in den Fluss, ohne der eisigen Kälte des Wassers die geringste Beachtung zu schenken, und hielt geradewegs auf den König zu.

Otto saß mit dem Rücken zu der furchteinflößenden Erscheinung im Sattel.

»Was zum Henker«, stieß Hardwin gedämpft hervor, riss die Wurflanze aus der Halterung am Sattel und hob sie an die Schulter.

»Warte!« Gaidemar fiel ihm in den Arm, während Hardwin seine Waffe schon schleuderte, und die Lanze verfehlte ihr Ziel um mindestens fünf Klafter.

»Bist du von Sinnen, Gaidemar, was fällt dir ...«

»Mach die Augen auf, Hardwin«, unterbrach Wilhelm, anscheinend die Ruhe selbst, den Blick auf den Waldschrat gerichtet. »Und lass das Schwert stecken. Es ist Liudolf.«

Die sonderbare Erscheinung hatte den König erreicht, berührte seinen linken Steigbügel und sank auf die Knie.

Ein Hirsch kam aus dem Dickicht auf die kleine Lichtung am

Ufer, ein prachtvoller Zwölfender, dicht gefolgt von einem halben Dutzend kläffender Hunde.

»Vergebt mir, Vater.«

Der fliehende Hirsch galoppierte in zwei Schritten Entfernung am Ross des Königs vorbei, und das Wasser schäumte und spritzte, als er den Bach durchquerte, die Meute auf den Fersen.

Aber Otto nahm ihn überhaupt nicht wahr. Stumm blickte er auf seinen verlorenen Sohn hinab, seine einzige Regung die winzige Drehung des linken Fußes im Steigbügel, mit der er sich der Berührung durch Liudolfs Hand entzog. »Was willst du?«

Liudolfs Hand rutschte vom Steigbügel, und der Prinz senkte den Kopf.

Die Hunde hatten den Hirsch am anderen Ufer gestellt, umsprangen ihn unter frenetischem Gebell und bissen und schnappten nach seinen Läufen.

Stirnrunzelnd sah der König kurz über die Schulter. »Henning, Wilhelm.«

Sein Bruder und sein Sohn zogen die Schwerter, ritten durch den klaren Bach ans andere Ufer und stießen dem blutenden Hirsch die Klingen in die Kehle. Gaidemar sah nicht, wie er fiel. Er nahm auch nur vage zur Kenntnis, dass die Hundeführer aus dem Wald gestürmt kamen und die Meute mit ihren kurzen Peitschen zur Räson brachten und anleinten.

Gaidemar hatte nur Augen für Liudolf.

Der Prinz sah aus, als hätte er die vergangenen Wochen im Wald gelebt. Er war abgemagert, und seine nackten Waden waren voll blutiger Kratzer, wie man sie sich zuzog, wenn man in ein Brombeergebüsch geriet. Zuerst glaubte Gaidemar, Liudolfs Haar sei ergraut, bis ihm aufging, dass der Prinz Asche auf sein Haupt gestreut hatte, ehe er vor den König trat. Als Hardwins Pferd schnaubte, wandte er für einen Moment den Kopf, und Gaidemar erkannte den gehetzten Blick in den hellblauen Augen, die einst vor Übermut und Lebenslust gefunkelt hatten und der Welt so vertrauensvoll entgegenblickten, als sei er von ihrer Güte und seiner eigenen Unsterblichkeit unerschütterlich überzeugt. Auch der Hals war dürr geworden, sodass der Adamsapfel riesig wirkte.

Falls der Prinz die vielen Zeugen überhaupt wahrnahm, schien ihre Anwesenheit ihn doch nicht zu kümmern. Er blickte ins Gras zwischen seinen Knien. »Ich … komme zu Euch, um mich Euch bedingungslos und vollkommen zu unterwerfen.« Fahrig, als sei er blind, tastete seine Hand wieder nach dem Steigbügel und klammerte sich daran fest.

Otto sah unbewegt auf seinen Sohn hinab. »Das hast du in der Vergangenheit auch gelegentlich behauptet, doch war dein Hochmut ungebrochen, deine Unterwerfung keineswegs bedingungslos und darum ohne Wert.«

»Ja.« Es missglückte zu einem tonlosen Krächzen, und Liudolf räusperte sich. »Ich weiß. Jetzt ist es anders.«

»Inwiefern?«

»Weil ich keinen Hochmut und keine Bedingungen mehr habe. Ich habe gar nichts mehr.« Er zog für einen Moment die Schultern hoch. »Alles, was je von Wert war, habe ich weggeworfen oder verloren. Auch meine Frau und meine Kinder. Ich habe keine Ahnung, wo sie sind. Ich … In meiner Ratlosigkeit bin ich in die Wildnis gegangen, um wenigstens Gott wiederzufinden, und siehe da, der Herr schickte mir meinen Bruder.« Sein Blick flackerte für einen Herzschlag in Wilhelms Richtung. »Und er riet mir, mich Eurem Urteil zu unterwerfen und Eurer Gnade anzuempfehlen, die groß und königlich ist. Ich bereue meine Rebellion und meinen Ungehorsam. Ich bereue die vielen Toten, und nichts bereue ich mehr als den Tod meines kleinen Bruders.« Endlich hob er den Blick und sah seinem Vater in die Augen. »Ich würde den Platz mit ihm tauschen, wenn ich könnte, das ist die reine Wahrheit.«

Der König schaute unverwandt auf ihn hinab, und seine Wangenmuskeln wirkten auf einmal wie versteinert. »Ja. Das sehe ich.« Auch seine Stimme klang nicht so fest wie sonst.

»Euer Sohn und dennoch ohne Eure Gnade zu sein, ist, als wäre man an einem öden, kargen Ort, wo ewige Finsternis herrscht. Ich flehe Euch an, erlaubt mir, in das Licht Eurer Gnade zurückzukehren. Vergebt mir, Vater. Danach schlagt mir meinetwegen den Kopf ab, ich hätte keine Einwände. Nur vergebt mir.« Er umklammerte den Stiefel des Königs mit beiden Händen und presste die Lippen darauf.

Otto wartete geduldig, bis sein Sohn die demütige Unterwerfungsgeste vollendet hatte und die Hände sinken ließ. Dann stieg er aus dem Sattel.

Liudolf wollte sich auch über seinen rechten Stiefel beugen, doch der König schüttelte den Kopf und legte ihm die Hand auf die Schulter. »Nein, es ist genug, Liudolf.« Er legte die freie Linke auf den gesenkten Zottelkopf. »Ich vergebe dir und nehme dich in Gnaden wieder auf. Und wie glücklich bin ich, dass mein verirrter Sohn den Weg zurück ins Licht gefunden hat.« Eine einzelne Träne lief über seine Wange und verschwand im graumelierten Bart.

Hinter sich hörte Gaidemar ein halb unterdrücktes Schluchzen. Hulda, nahm er an. Und auf seiner rechten Seite raunte Henning: »Oh, natürlich. Das war ja zu erwarten. Und denkt nur, hätte der tapfere Bastard hier Hardwin nicht gehindert, den Jammerlappen zu töten, hätten wir dieses Rührstück versäumt.« Scheinbar leutselig legte er Gaidemar die behandschuhte Rechte auf den Unterarm. »Ich werde mich bei Gelegenheit erkenntlich zeigen.«

Gaidemar befreite seinen Arm mit einem kleinen Ruck. »Ich brenne darauf.«

Wilhelm saß ab, trat zu seinem Vater und Bruder, nahm den feinen Mantel ab und legte ihn Liudolf um die Schultern, der gleich viel prinzlicher aussah und nicht mehr wie ein demütiger Büßer.

Gaidemar atmete verstohlen auf, und Adelheid murmelte: »Gott segne dich, Wilhelm. Das wurde selbst mir zu viel.«

Die Sonne stand schon tief im Westen am wolkenlosen Himmel, der Sichelmond im Osten, als sie zum Gutshaus zurückkehrten.

Die Treiber hatten den Hirsch und die anderen Beutetiere ausgeweidet und trugen sie, mit den Läufen an starke Äste gebunden, zum Küchenhaus hinüber. Der König hatte jedem seiner Söhne einen Arm um die Schultern gelegt und führte sie zur bescheidenen Halle. Er sagte irgendetwas zu Wilhelm und lachte. Er schien wie trunken vor Glückseligkeit über Liudolfs Rückkehr.

Gaidemar brachte Amelung zu dem Zelt am Rand des Gemüse-
gartens, das er mit Mirogod teilte, und pflockte ihn mit Darko zusammen im abgeernteten Kohlbeet an, denn im Stall war kein
Platz mehr.

Mirogod stand an einem rauchenden Feuer neben dem Zelt
und rührte in dem kleinen Kessel, der an einem Dreibein darüber-
hing. »Ich hab Suppe gekocht«, verkündete er stolz.

»Großartig. Aber vielleicht versuchst du es beim nächsten Mal
mit trockenem Holz.«

Der Junge schnitt eine freche Grimasse. »Konnte keins finden.«

Gaidemar nahm den Löffel vom Gürtel, tauchte ihn in das blub-
bernde Gebräu, das eine wenig vielversprechende, graue Farbe aufwies, und kostete todesmutig, auf das Schlimmste gefasst. Doch die
Suppe schmeckte hervorragend. »Hm. Du bist doch wirklich zu gebrauchen, Junge. Das ist gut!«

Die grünen Augen strahlten. »Pastinaken. Hab ich hier im Garten gefunden. Und Kräuter. Wir haben auch noch Brot. Und Bier.«

»Will ich wissen, woher?«

»Nein, ich glaub nicht«, gestand der Junge mit einem breiten
Lausebengelgrinsen.

»Dacht ich's mir. Aber egal. Dein Festschmaus kommt gerade
recht nach diesem Tag.«

Mirogod nahm den kleinen Kessel mit einem ledernen Lappen
vom Feuer und schüttete Suppe in zwei Holzschalen. »Wie war
Jagd?«, fragte er neugierig.

»Noch mal.«

»*Die* Jagd.«

Gaidemar nickte, rührte in der Suppe, um sie abzukühlen, und
antwortete: »Einträglich. Wir haben einen ganz unerwarteten Fang
gemacht.«

Und während die Dämmerung um sie herum allmählich in
Dunkelheit überging, erzählte er dem Jungen, was geschehen
war. Mirogod saß im Schneidersitz neben ihm, fütterte sein
qualmendes Feuerchen dann und wann mit Zweigen und nahm
lebhaften Anteil an der überraschenden Versöhnung zwischen
König und Prinz. Gaidemar dachte nicht zum ersten Mal, wie

gutartig dieser Junge war. Warmherziger, als vermutlich gut für ihn war. Aber heute Abend brachte er es nicht fertig, ihn zu verhöhnen, um ihn zu stählen. Heute war er selber ein wenig rührselig, argwöhnte er.

Bis ein großer Schatten auf ihn fiel und Immeds Stimme verlangte: »Gib meine Schwester heraus, du verfluchter *Bastard*.«

Gaidemar stellte den halb geleerten Bierbecher ins Gras und kam ohne Eile auf die Füße. »Hier ist sie nicht. Du kannst gern mein Zelt durchsuchen.«

»Ich verzichte.« Es klang wie ausgespien. Immed war wütend, kein Zweifel. »Sag mir, wo sie ist. Ich mein's ernst. Ihr Mann will sie zurück, und du hast überhaupt kein Recht, sie ihm vorzuenthalten.«

»Das tu ich doch überhaupt nicht«, wandte Gaidemar ein und bemühte sich, vernünftig und begütigend zu klingen. »Die Königin hat Gefallen an Uta gefunden und sie in ihren Haushalt genommen. Wenn Graf Sigismund seine Gemahlin zurückwill, muss er das mit ihr ausmachen. Aber ich könnte mir vorstellen, dass Adelheid ihn ermahnen wird, in Zukunft ein wenig pfleglicher mit seiner Frau umzugehen ...«

Immed lachte leise und kam zwei Schritte näher geschlendert. »Bildest du dir im Ernst ein, deine angebetete Adelheid werde Uta dir zuliebe ihrem rechtmäßigen Herrn und Meister vorenthalten? Dann wach auf, Bruderherz. Sigismund hat ihr einen Boten geschickt, und sie hat gesagt, er könne sie selbstverständlich mit zurücknehmen. Also? Rück sie heraus.« Mit einer dieser blitzschnellen Bewegungen, die so typisch für Immed waren und die ihn so gefährlich machten, packte er Mirogod bei den Haaren, zerrte ihn auf die Füße und setzte ihm den Dolch an die Kehle. »*Jetzt gleich*, Gaidemar!«

Ihm blieb keine Wahl. Er wusste, Immed würde keinen Lidschlag zögern, einem slawischen Sklavenjungen die Kehle durchzuschneiden. »Sie ist in Magdeburg geblieben und hilft der Amme, Prinzessin Emma und Prinz Brun zu hüten«, sagte er wahrheitsgemäß.

Und während er fieberhaft überlegte, wie er es anstellen sollte, vor Immed oder Graf Sigismunds Boten nach Magdeburg zu gelangen, warf Immed Mirogod mit einem tückischen Stoß zwischen die Schultern ins Feuer. »Besten Dank.«

Der Junge schrie auf, rollte blitzschnell aus der Glut ins Gras, sprang auf die Füße und klopfte mit beiden Händen auf ein paar schwelende Stellen an seinem formlosen Kittel. »Alles in Ordnung«, murmelte er in Gaidemars Richtung, aber es klang ein wenig zittrig.

»Lass dir ja nicht einfallen, sie noch mal vor mir zu verstecken«, drohte Immed und steckte sein Messer weg. »Komm mir nicht in die Quere, Gaidemar, ich warne dich. Prinz Henning dürstet wieder mal nach deinem Blut. Ein Wort von ihm in das Ohr des Königs, und du bist endgültig erledigt. Du weißt doch sicher, zwischen den König und seine Brüder passt kein Birkenblatt. Und Otto hält ohnehin keine großen Stücke auf dich, es wird nicht so besonders schwierig zu sein, seinen Argwohn zu wecken, wenn Henning ihm andeutet, dass du auch gern des Nachts ›der Schatten der Königin‹ warst, während er sich an den Mauern von Regensburg den Schädel eingerannt hat.« Er machte auf dem Absatz kehrt. »Leb wohl, mein Bester. Und denk gut nach, was du tun willst.«

Gaidemar befolgte den Rat, den sein Ziehbruder ihm zum Abschied gegeben hatte. Er dachte gründlich nach. Etwa zehn Herzschläge lang, bis Immeds Schritte im Gras verklungen waren. Dann holte er seinen Sattel aus dem Zelt, legte ihn Amelung auf den Rücken und sagte: »Pack dein Zeug zusammen, Miro. Wir verschwinden.«

»Was, jetzt?«, fragte der Junge erschrocken.

»Jetzt.«

»Aber …«

Gaidemar drehte ihn unsanft um und stieß ihn Richtung Zelt. »Halt keine Reden. Tu lieber, was ich sage, und zwar ein bisschen plötzlich.«

Gekränkt und verwirrt verschwand Mirogod in ihrem bescheidenen Zelt, wo es lauter als nötig raschelte und schepperte, während er seine Habseligkeiten zusammenklaubte.

Gaidemar konnte ihm das gut nachfühlen. Er hätte selbst gerne irgendetwas mit möglichst großem Getöse zertrümmert, zerhackt, in tausend kleine Stücke zerrissen. Er war vollkommen außer sich.

Drei Jahre seines Lebens hatte er verschwendet, hatte Adelheid aus Berengars Klauen befreit und ihr die Wünsche von den Augen abgelesen. Ganz zu schweigen von seinem Herz, das er ihr zu Füßen gelegt hatte. Zum Dank hatte er den einen oder anderen Tritt kassiert, gelegentlich auch sein Blut vergossen, aber erst heute erkannte er, was für ein Narr er gewesen war, zu glauben, sie könnte einem unbedeutenden Bastard wie ihm auch nur die geringste Wertschätzung entgegenbringen.

Er sattelte erst Amelung und dann Darko in beinah völliger Dunkelheit, verschnürte seine Rüstung und sein übriges Zeug auf dem Rücken des stämmigen Packpferds und wartete ungeduldig, bis der Junge aus dem Zelt kam.

»Los, komm, aufsitzen.« Er packte ihn unter den Achseln und beförderte ihn in den Sattel.

»Ich kann das selbst!«, bekam er zur Antwort.

»Ich weiß.« Gaidemar schwang sich auf Amelungs Rücken, wickelte den langen Zügel des Packpferds um den Sattelknauf und schnalzte seinem treuen Rappen zu. »Auf geht's, Kumpel.«

Kaum waren sie angeritten, fragte eine scheinbar körperlose Stimme aus der Dunkelheit: »Wohin soll denn die Reise gehen zu so später Stunde?«

»Ich habe keine Ahnung, Wilhelm«, gestand Gaidemar, ohne anzuhalten. »Erst einmal nur weg von hier.«

Der junge Priester war mit einem Mal neben ihm, legte die Rechte um Amelungs Zügel gleich oberhalb der Trense und die Linke auf seine Nüstern. Amelung blieb stehen.

»Wenn du gehen willst, werde ich dich nicht aufhalten. Ich bitte dich lediglich um ein paar wenige Augenblicke deiner kostbaren Zeit, um mich anzuhören.«

»Immer, wenn du das sagst, meinst du, du hast schon gewonnen.« Gaidemar starrte auf Amelungs Widerrist hinab. »Aber dieses Mal nicht, Vetter. Mir reicht's. Ehrlich.«

»Das wundert mich nicht. Im Gegenteil. Ich an deiner Stelle wäre gewiss schon viel eher gegangen. Man kann dir nur gratulieren zu deiner Beharrlichkeit.«

»Wirklich? Zu meiner grenzenlosen Torheit auch? Lass den Gaul los, Wilhelm, ich hab's eilig.«

Der Bastard des Königs tat nichts dergleichen. »Warum, wenn du nicht einmal weißt, wohin du willst?«

Gaidemar sagte das Erste, was ihm in den Sinn kam. »Vielleicht geh ich über die Elbe zu Hermann Billung. Er ist ein Raufbold nach meinem Geschmack und kann sicher jedes Schwert gebrauchen, um seine Mark gegen die kriegslustigen Slawen zu verteidigen.«

Mirogod knurrte wie ein Welpe, dem man einen zerkauten Schuh wegnahm. Offenbar fand die Unterwerfung der Slawen durch den König und die Markgrafen nicht seine Zustimmung.

»Das ist gar kein übler Plan«, befand Wilhelm. »Aber ich denke, ich habe eine bessere Idee. Hast du gehört, dass der Erzbischof von Mainz gestorben ist?«

Gaidemar bekreuzigte sich. Friedrich von Mainz mochte ein wankelmütiger Feigling gewesen sein, aber der Tod eines so mächtigen Kirchenfürsten war trotzdem eine erschütternde Nachricht. »Möge er in Frieden ruhen.«

»Amen«, antwortete Wilhelm, und ausnahmsweise spottete er nicht. »Sein Hinscheiden wird viele Dinge ändern.«

»Aber nicht für mich. Ich mein's ernst, Wilhelm, ich bin fertig mit deiner Familie und den Machtkämpfen im Reich, und ich will ...«

»Es ist auch *deine* Familie.«

»Ja, das betonst du immer wieder gern. Doch es stimmt nicht. Seit ich in ihre Nähe gekommen bin, passieren mir ständig irgendwelche grässlichen Dinge. Der König hat mich für ein Vergehen verurteilt, das ich nicht begangen habe. Liudolf hat mich verraten. Und Henning ...« Er winkte ungeduldig ab. »Es ist sinnlos, darüber zu reden. Keiner von ihnen sieht in mir ein Mitglied dieser Familie, und das habe ich auch nie erwartet. Aber ein jeder von euch hat auf seine Weise Ansprüche auf meine Loyalität erhoben und mich ausgenutzt. Schamlos. Und damit ist jetzt Schluss. Leb wohl,

Vetter. Und lass meinen Gaul los, wenn du nicht willst, dass ich dich umreiße.«

Wilhelm ließ den Zügel los, ohne beiseitezutreten, und verschränkte die Arme. »Ich glaube nicht, dass ich deine Freundschaft und Loyalität je ausgenutzt habe.«

»Nein.« Gaidemar seufzte verstohlen. »Du bist die Ausnahme. Aber Henning trachtet mir nach dem Leben, die Königin will meine Ziehschwester wieder dem Ungeheuer ausliefern, mit dem sie verheiratet wurde, nur weil es politisch bequem ist, und jetzt, da Liudolf die Huld des Königs wiedererlangt hat, wird es nicht lange dauern, bis er mich wieder in eine seiner Katastrophen hineinzieht. Und mit Verlaub, Vetter, du hast nicht die Macht, irgendetwas davon zu verhindern.«

»Bis gestern nicht«, räumte Wilhelm ein. »Seit heute schon.« Er sah lächelnd zu Gaidemar auf. »*Ich* werde der neue Erzbischof von Mainz, Gaidemar. Das bedeutet, ich werde mächtiger sein als alle übrigen Bischöfe, Herzöge oder Grafen, denn der Metropolit von Mainz ist der höchste Kirchenfürst des Reiches. Ich habe mich noch nicht so ganz an den Gedanken gewöhnt, aber es ist eine Tatsache: Ab heute geschieht, was ich wünsche, und was ich nicht wünsche, geschieht auch nicht. Mein erster Wunsch war übrigens, die hinreißende Uta von Saalfeld ins Kanonissenstift nach Quedlinburg bringen zu lassen, wo sie sich schätzungsweise seit den frühen Abendstunden in der Obhut der Äbtissin, meiner Großmutter, befindet. Dort kann sie bleiben, solange sie es wünscht. Jede Dame hat das Recht, den Schleier zu nehmen, wenn sie sich berufen fühlt, und kein Ehemann der Welt kann sie hindern. Wenn Gras über die Sache gewachsen ist und alle deine Ziehschwester vergessen haben, kann sie entscheiden, was aus ihr werden soll. Das alles war übrigens Adelheids Idee.«

Gaidemar verspürte ein schwindelartiges, himmlisches Gefühl völliger Leichtigkeit. Er ließ die Zügel los, glitt aus dem Sattel und schloss den mächtigsten Kirchenfürsten des Reiches sprachlos in die Arme.

Sogleich ließ er ihn wieder los, trat zurück und räusperte sich verlegen. »Danke, Wil… Euer Gnaden.«

»Keine Ursache.«

»Wenn Ihr erlaubt, werde ich nun trotzdem aufbrechen.«

»Sei nicht so förmlich zu mir, davon wird mir mulmig. Im Übrigen kann ich meine Erlaubnis leider nicht erteilen.«

»Warum nicht?«

»Weil ich wünsche, dass du mich nach Mainz begleitest. Ich weiß nicht, wer von den erzbischöflichen Panzerreitern noch übrig ist, womöglich muss ich die Legion neu aufbauen. Ich möchte, dass du das übernimmst. Und das Kommando natürlich auch.«

ZWEITER TEIL
955–957

Mainz, Mai 955

»Du musst ein bisschen schneller werden, Raban«, sagte Gaidemar, packte den jungen Mann am gepanzerten Oberarm und zog ihn auf die Füße. »Das war das dritte Mal heute Morgen, dass du dich von Sigurd hast ins Gras legen lassen.«

Der Grafensohn nickte zerknirscht. Er hatte den Kopf gesenkt, aber man konnte sehen, dass seine Wangen brannten.

Gaidemar hob sein Schwert auf und reichte es ihm, Heft voraus. »Es gibt alte Panzerreiter und langsame Panzerreiter ...«, begann er.

»... aber keine alten, langsamen Panzerreiter«, vollendeten die rund vier Dutzend Rekruten den Lehrsatz im Chor.

Gaidemar musste sich ein Grinsen verbeißen. »Wann werdet ihr euch das endlich hinter die Ohren schreiben? Also, die Damen, noch einmal von vorn.«

Hier und da gab es gedämpfte Protestlaute ob dieser schlimmsten aller Beleidigungen, aber die jungen Männer wandten sich wieder ihrem jeweiligen Übungsgegner zu und gingen in die Grundstellung.

Nur Volkmar von Limburg fragte: »Wieso trainieren wir zu Fuß, wenn wir doch Reitersoldaten sind?«

»Das seid ihr noch lange nicht«, klärte Gaidemar ihn auf. »Und der Schwertkampf zu Pferd ist eine schwierige Kunst. Ihr werdet ihn nicht meistern, ehe ihr die Schritte, die Attacken und Paraden am Boden im Schlaf beherrscht. Sie müssen euch so selbstverständlich werden wie das Atmen. Und bis es so weit ist ...«

»Was soll so schwierig daran sein, einem ungepanzerten Bauern im Vorbeiritt den Kopf abzuschlagen?«, entgegnete Volkmar verständnislos.

»Wenn du mir noch einmal ins Wort fällst, kannst du eine Woche im Küchenhaus Dienst tun«, stellte Gaidemar in Aussicht. Er sagte es weder besonders laut noch drohend, doch er verschränkte die Arme und sah dem Heißsporn unverwandt in die Augen.

Volkmar von Limburg entstammte einem vornehmen fränkischen Adelsgeschlecht und tat sich schwer damit, Befehle von einem Bastard entgegenzunehmen, wusste Gaidemar. Dabei war Volkmar eigentlich kein übler Kerl. Nur jung – gerade sechzehn geworden –, und er tat und dachte das, was sein Vater ihn gelehrt hatte. Dagegen hatte Gaidemar keine Einwände. Aber Disziplin war das Rückgrat einer jeden Armee, und darum war es wichtig, dass er seine Autorität wahrte.

»Vergebt mir«, knurrte Volkmar verdrossen. »Aber wenn Ihr so gütig sein wollt, hätte ich gern eine Antwort auf meine Frage.«

»Einem ungerüsteten Fußsoldaten aus dem Sattel den Kopf abzuschlagen ist schwieriger, als es sich anhört. Und nicht ungerüstete Bauern werden deine Gegner sein, sondern Reiter, denen du nur mit überlegener Schnelligkeit beikommen kannst.«

Volkmar nickte bockig, wandte sich ab und grummelte irgendetwas vor sich hin.

»Wie war das?«, erkundigte Gaidemar sich liebenswürdig.

»Ich *bin* schnell«, wiederholte Volkmar über die Schulter.

»Wirklich? Also schön.« Gaidemar scheuchte seine übrigen Rekruten mit beiden Händen zurück. »Macht ein wenig Platz, Männer. Komm her, Volkmar. Lass mich sehen, was du schon alles gelernt hast.«

Volkmar zögerte nicht. Obgleich seine Miene verriet, dass ihm mulmig zumute wurde, kam er zurückgestapft und zog die Klinge. Kein Feigling, dachte Gaidemar anerkennend.

Die angehenden Panzerreiter gingen auf sicheren Abstand und bildeten einen ordentlichen Kreis um ihren hitzköpfigen Kameraden und ihren Hauptmann.

Gaidemar stellte sich mit einer Schwertlänge Abstand vor Volkmar. »Greif an.«

»Ihr seid unbewaffnet«, entgegnete der Rekrut verwirrt und zeigte mit dem Finger auf Gaidemars linke Seite, wo die Klinge in der Scheide steckte.

»Mach dir um mich keine Sorgen, konzentrier dich auf deine Technik, und vergiss nicht, die Füße zu bewegen. Na los.«

Volkmar zuckte unbehaglich die Achseln, dann hob er die Klinge, machte einen Ausfallschritt und führte einen geraden Stoß. Gaidemar bog den Oberkörper nach rechts, und der Hieb ging ins Leere. Dem nächsten wich er mit der gleichen gemächlichen Mühelosigkeit aus. Volkmar wurde wütend, legte die Linke ans Heft und führte einen Angriff von oben auf Gaidemars untere Blöße, doch der Kommandant glitt nach links aus der Gefahrenzone. Volkmar wirbelte herum und führte einen gefährlichen beidhändigen Stoß auf den ungeschützten Oberkörper. Dieses Mal wich Gaidemar nicht aus, sondern duckte sich unter der Klinge weg, schloss die Lücke zwischen ihnen, klemmte mit dem rechten Fuß Volkmars linken ein, packte sein Handgelenk und drückte es abwärts, sodass die Schwertspitze ins Gras eindrang und das Heft Volkmars Griff entglitt, während Gaidemar ihm den linken Ellbogen vor den Kehlkopf rammte.

Volkmar brach in die Knie, krallte die Hand um die eigene Kehle und rang japsend nach Luft.

Hier und da wurde gekichert, und die Rekruten applaudierten gutgelaunt.

Gaidemar schüttelte den Kopf und hob abwehrend die Linke. »Hier ging es nicht um eine Vorführung, und du solltest lieber aufhören zu grinsen, Benno, wenn du es nicht als Nächster versuchen willst.« Er zog Volkmar auf die Füße und klopfte ihm kurz die Schulter. »Das war gar nicht schlecht. Deine Taktik war durchdacht, und du hast gut reagiert.«

Er hob das verlorene Schwert aus dem Gras auf und gab es seinem kleinlauten Schüler zurück.

»Warum bin ich dann im Dreck gelandet?«

»Sag du es mir.«

»Ich war zu langsam.«

»Richtig, aber vor allem hast du deine Deckung vernachlässigt, weil du dachtest, ich sei harmlos. Vergesst niemals eure Deckung. Selbst ein barfüßiger Bauer mit einem Stock in der Hand ist in der Schlacht ein gefährlicher Gegner, denn er will euch töten, statt selber zu sterben. Einen Feind nur aufgrund des Augenscheins zu unterschätzen ist eine Dummheit. Und wisst ihr, es gibt alte Panzerreiter und dumme Panzerreiter, aber …«

Die jungen Männer lachten, und auch Volkmar stimmte mit ein. Sein Lachen geriet etwas gequält, aber Gaidemar rechnete es ihm hoch an. Er erinnerte sich gut daran, wie die Wut im Bauch brodelte, wenn ein scheinbar unüberwindlicher Ausbilder einen zum Narren gemacht hatte.

»Also, zurück zu den langweiligen Grundschritten, Männer.«

Niemand murrte.

Das Übungsgelände lag südlich der Stadtmauer auf einer sacht ansteigenden Wiese zwischen dem Rheinufer und dem St.-Albans-Kloster. Schafherden hielten das Gras kurz, trotzdem leuchteten hier und da Löwenzahn und Glockenblumen in der Frühlingssonne.

Einen Bogenschuss entfernt befand sich das Hauptquartier der ersten Mainzer Reiterlegion, die auf Wunsch des Erzbischofs ebenfalls nach dem berühmten Märtyrer St. Alban benannt worden war. Ihr Feldzeichen zeigte den streitbaren Heiligen mit dem erhobenen Schwert in der einen und dem eigenen, von den Vandalen abgeschlagenen Kopf in der anderen Hand, und die Rekruten hatten begeistert ihren Eid auf das schauerliche Bildnis geschworen. Weit weniger angetan waren die verwöhnten Freibauern- und Grafensöhnchen, sobald sie ihre bescheidenen Quartiere sahen und Bekanntschaft mit der schlichten Kost machten, die in der Halle aufgetischt wurde. Trotzdem waren junge Männer aus ganz Franken herbeigeströmt, um in die neue Reiterlegion einzutreten. Bislang hatten indes nur rund dreihundert Aufnahme in die handverlesene Truppe gefunden, denn Gaidemar war wählerisch.

Als er kurz vor Mittag in die Stadt zurückkam, warteten im Innenhof zwischen dem altehrwürdigen Martinsdom und dem Bischofspalast schon wieder zwei Kandidaten auf ihn. Erst als er vor ihnen anhielt, erkannte er sie.

»Hatto und Hugo von Saalfeld?«, fragte er ungläubig.

Seine jungen Ziehbrüder verneigten sich vor ihm.

»Du meine Güte … ihr seid richtige Kerle geworden«, murmelte Gaidemar fassungslos. Und kein Wunder, ging ihm auf, die Zwillinge waren inzwischen neunzehn.

»Gott zum Gruße, Gaidemar«, sagte Hatto, und sein Lächeln wirkte unsicher und scheu. »Wir hörten, du suchst Panzerreiter?«

»Das hat sich bis nach Thüringen herumgesprochen?«, fragte Gaidemar neugierig.

»Ein fahrender Spielmann aus Worms kam in die Pfalz und erzählte Vater, der neue Erzbischof stelle eine Reiterlegion auf«, antwortete Hugo, wie eh und je selbstbewusster als sein Bruder.

Gaidemar saß ab, übergab Amelung einem herbeigeeilten Stallknecht und musterte die beiden jungen Männer kritisch. »Und seid ihr das? Panzerreiter, meine ich?«

»Keine Ahnung«, gestand Hatto ein wenig unbehaglich. »Aber wir haben jeder zwei Pferde mitgebracht, und wir haben Rüstung, Schwert und Lanze.«

»Warum geht ihr dann nicht nach Magdeburg und tretet in die zwölfte ein?«, fragte Gaidemar. »Wäre das nicht das Nächstliegende?«

»Schon möglich. Aber wir wollen nicht bei allem, was wir tun, in Immeds Fußstapfen treten«, gab Hatto beinah trotzig zurück.

»Oder in deine«, fügte Hugo hinzu. »Vater hat uns übrigens zwanzig Schillinge in Silber als Spende für den heiligen Martin mitgegeben.«

Das war ein kleines Vermögen, aber Gaidemar entgegnete unbeeindruckt: »Das wird den Almosener des ehrwürdigen Erzbischofs über die Maßen erfreuen. Ihr findet ihn dort drüben in dem Haus mit der grünen Tür, das ist die Kanzlei.«

»Aber, Gaidemar, du verstehst nicht, Vater hat es uns mitgegeben …«

»Ich verstehe dich tadellos, Hugo, doch eine Aufnahme in die St.-Albans-Legion ist nicht käuflich.« Erst recht nicht für euch, fügte er in Gedanken hinzu. »Findet euch eine Stunde nach der Vesper im Hauptquartier draußen vor der Stadt ein, und dann werden wir sehen, was ihr taugt.«

Sie tauschten ungläubige Blicke.

Gaidemar ließ sie mit einem unverbindlichen Nicken stehen. Er umrundete das imposante Hauptgebäude der Residenz, dessen Untergeschoss mit der vornehmen Halle aus akkurat behauenen Steinen im Fischgrätmuster gemauert war. Im Fachwerkgeschoss darüber lagen die Gemächer und die private Kapelle des Erzbischofs. Eine Gruppe sorgfältig gezimmerter Häuser auf der Südseite der Halle beherbergte seine engsten Ratgeber und Prälaten. Gaidemar zählte nicht zu diesem erlauchten Kreis, aber Wilhelm hatte dennoch darauf bestanden, dass er innerhalb der Palastanlage Quartier bezog.

»Du bist mein Cousin und mein militärischer Berater«, hatte er Gaidemars Protesten entgegengehalten. »Das heißt, du hast eine Stellung zu wahren. Also hör auf, dich zu zieren.«

Und das ist das Ende der Debatte, sagte sein Tonfall.

Wilhelm hatte schnell in seine neue Rolle als höchster Kirchenfürst des Reiches gefunden. Hatte er es als königlicher Bastard vorgezogen, sich im Hintergrund zu halten und in aller Diskretion zu beobachten, zu raten und gelegentlich zu lenken, so trug er seine neue Würde und das päpstliche Pallium, welches sie symbolisierte, mit solcher Selbstverständlichkeit, als habe er immer gewusst, dass sie ihm vorherbestimmt waren.

Gaidemar betrat sein Quartier und fand Mirogod mit einer Bürste in der Hand am Tisch, auf dem Gaidemars dunkelgrüner Mantel ausgebreitet lag. Als der Junge die Tür hörte, sah er auf. »Ah. Genug blaue Flecken verteilt für heute?«, fragte er grinsend.

»Von wegen«, entgegnete sein Herr. »Heute Nachmittag kommst du an die Reihe. Einzelunterricht.«

»Oh, gut!« Die grünen Augen leuchteten.

Mirogod legte die Bürste beiseite und trat zu Gaidemar, um ihm das Schwertgehenk abzunehmen. Seine Handgriffe waren routiniert, und er brachte die kostbare Waffe in der verschrammten Scheide an ihren Platz gleich neben Gaidemars Bett. Dann gab er frisches Brunnenwasser aus dem Eimer unter dem Fenster in eine flache Tonschale und stellte sie auf den Tisch, damit Gaidemar sich Gesicht und Hände waschen konnte.

Mirogod war ein aufmerksamer und umsichtiger Bursche geworden. Er hielt Gaidemars Waffen und Rüstung ebenso in Ordnung wie das Quartier, das sie teilten, versorgte die Pferde, wenn sie unterwegs waren, und tat meistens unaufgefordert, was zu erledigen war. Gaidemars neue Würde als offizieller Amtsträger am erzbischöflichen Hof erfüllte ihn mit einem unbändigen Stolz, der Gaidemar ebenso belustigte wie rührte, und mit dem Aufstieg seines Herrn hatte der Junge an Selbstvertrauen gewonnen.

»Den Fleck im Mantel krieg ich nicht raus«, berichtete er.

»Dann sollen die Wäscherinnen ihr Glück damit versuchen. Weißt du, wo du sie findest?«

Der Junge nickte. »Nur noch fränkische Mägde jetzt«, bemerkte er.

»Hm?«

»Die Wäscherinnen. Früher waren es slawische Sklavinnen, genau wie in Sachsen. Aber sie sind alle weg.«

Gaidemar setzte sich auf den Schemel und wies seinem Burschen den Platz gegenüber. »Der Erzbischof hat sie freigelassen. Die Kirche verurteilt die Sklaverei als gottlos. Sie verbietet ihren Gläubigen, Menschen zu verkaufen und zu kaufen, weil sie doch alle Geschöpfe Gottes sind und eine unsterbliche Seele haben.«

Mirogod schnaubte höhnisch. »Das hat der ehrwürdige Abt von Magdeburg wohl noch nicht gehört. Im Kloster dort wimmelt es von Sklaven.«

Gaidemar nickte. »Ich würde auch nicht darauf wetten, dass viele Bischöfe sich daran halten, denn sie machen ein gutes Geschäft damit, ihre Kriegsgefangenen zu verscherbeln, genau wie die Edelleute. Aber Wilhelm ist eben anders.«

Der Junge hielt den Blick gesenkt und nickte. »Ja, das merkt man.«

Gaidemar legte den Kopf schräg und betrachtete ihn. »Wieso beschäftigt dich das so? Bist du unzufrieden als mein Sklave? Wünschst du dir, dass ich dich freigebe?«

Mirogod hob erschrocken beide Hände. »Bloß nicht!«

Die Antwort erleichterte Gaidemar, doch er erwiderte nüchtern: »Du wirst anders darüber denken, wenn du älter bist.«

»Keine Ahnung, kann sein«, gab Mirogod wegwerfend zurück. »Ich frag mich nur, was aus all den slawischen Wäscherinnen und Dienstmägden geworden ist, wenn der Kämmerer sie eines Morgens einfach vor die Tür gesetzt hat. Es ist weit von hier bis ins Slawenland. Und wer weiß, ob sie sie zu Hause überhaupt zurückhaben wollen, denn die meisten sind doch getauft.«

»Da hast du recht«, musste Gaidemar einräumen. »Lass uns hoffen, dass sie an Wilhelms Barmherzigkeit nicht alle zugrunde gegangen sind.«

»Sind sie nicht«, sagte die Stimme des Erzbischofs von der Tür. »Aber es spricht für euch, dass ihr an sie denkt.«

Gaidemar und Mirogod standen auf und verneigten sich. »Euer Gnaden«, grüßten sie im Chor.

Wilhelm trat über die Schwelle und schloss die Tür. Beinah ein halbes Jahr lag seine Bischofsweihe nun zurück, und sie alle hatten sich an die Ehrenbezeugungen gewöhnt. Die Verlegenheit der ersten Wochen war verflogen. Im Vorbeigehen legte er Mirogod die beringte Rechte auf die Schulter. »Lauf hinüber in die Küche und hol uns Brot und Wein und möglichst viel von dem Wildschwein, das ich gestern geschossen habe. Und sorge dafür, dass wir nicht gestört werden, ich habe mit Gaidemar zu reden.«

»Natürlich, ehrwürdiger Herr.«

Gaidemar wartete, bis der Junge hinausgeschlüpft war, ehe er fragte: »Hab ich was ausgefressen?«

»Nicht, dass ich wüsste«, entgegnete der Erzbischof mit einem mokanten Lächeln und ließ sich auf Mirogods Schemel unter dem Fenster nieder. »Aber es spricht Bände, dass die Frage die erste ist, die dir in den Sinn kommt.«

Auf seine einladende Geste setzte Gaidemar sich ihm gegenüber. »Ihr schaut so grimmig drein«, erklärte er.

Wilhelm sah einen Moment aus dem kleinen Fenster. Der Ausblick war wenig spektakulär: Mirogods kleiner Heilkräutergarten, ein Stück zertrampelter Wiese, die Bretterwand der nächsten Hütte. »Wie geht es mit meinen Panzerreitern voran?«

»Langsam«, bekannte Gaidemar. »Wir haben etwa ein Drittel der Legion beisammen, wovon die Hälfte aber kaum weiß, an welchem Ende man Schwert und Lanze anfasst. Ich tue, was ich kann, aber wie jedes Handwerk kann man auch dieses nicht über Nacht lernen, sondern nur mit gewissenhafter Anleitung und viel Übung.«

»Ich weiß.« Wilhelm sah ihn wieder an. »Und Karl von Rappenau sagt, er könne kaum fassen, wie schnell du aus grünen Bengeln Soldaten machst.«

Gaidemar war geneigt, seinen Ohren zu misstrauen. Karl von Rappenau war der Kommandant der bischöflichen Wache und hätte Gaidemars Aufgaben nur zu gern selbst übernommen. Bislang war er ihm nie anders als herablassend und feindselig begegnet, und Gaidemar hätte niemals gedacht, dass er in Karls Augen irgendetwas richtig machen könne.

Während er noch verdattert und sprachlos dahockte, kam Mirogod mit einem schweren Tablett zurück, bediente erst den Erzbischof, dann Gaidemar, trat einen Schritt vom Tisch zurück und verneigte sich.

»Danke, Miro. Warte vor der Tür«, befahl Gaidemar.

Wilhelm nahm das Speisemesser mit dem fein ziselierten Silbergriff vom Gürtel und schnitt sich ein Stück Wildschweinbraten ab, während Gaidemar ihm einen Becher seines bevorzugten Rheinweins einschenkte.

»Zwei meiner Ziehbrüder haben sich heute um Aufnahme in die St.-Albans-Legion beworben«, berichtete er dem Erzbischof. »Wir könnten sie gut gebrauchen, denn Arnold von Saalfeld hat seine Söhne vernünftig ausgebildet.«

»Aber?«, hakte sein Cousin nach.

Gaidemar hob kurz beide Hände. »Gut möglich, dass Immed sie geschickt hat, um uns für Henning auszuspionieren.«

»Ja, denkbar«, räumte Wilhelm ein und drehte versonnen den Becher zwischen den Fingern der schmalen, feingliedrigen Rechten. »Aber ebenso gut möglich, dass sie sich irgendwo ihre

Sporen verdienen wollen, wo man den Namen von Saalfeld nicht kennt.«

»So etwas Ähnliches haben sie mir auch gesagt. Und es ist nicht von der Hand zu weisen, dass der Name in Sachsen eine Bürde ist, denn alle verbinden Saalfeld mit Verrat, wenngleich mein Ziehvater keine Schuld daran trägt, dass die Pfalz zweimal zum Schauplatz von Verschwörertreffen wurde.«

»Und es ist nicht nur das.«

»Was meint Ihr?«

Wilhelm atmete tief durch, setzte den Becher an die Lippen und nahm einen ordentlichen Zug. »Vielleicht sollten wir lieber essen, ehe ich dir berichte, was ich erfahren habe, denn es wird dir vermutlich ebenso den Appetit verderben wie mir.«

»*Nichts* kann mir den Appetit verderben«, klärte Gaidemar ihn auf.

»Sei nicht so sicher.«

»Jetzt spannt Ihr mich auf die Folter. Ist es Liudolf?«

Doch Wilhelm schüttelte den Kopf. »Liudolf ist nach wie vor in St. Gallen im Kloster und verrichtet seine Buße mit Fasten und Schweigen.«

Vermutlich das Beste, was er machen kann, um wieder auf die Füße zu kommen, dachte Gaidemar. »Also?«

Er hatte eine ganze Scheibe des saftigen Bratens und ein Stück frisches Brot vertilgt, ehe der Erzbischof endlich antwortete: »Es gibt Nachrichten aus Bayern. Henning hat bei Mühldorf eine Schlacht geschlagen. Es war ein großer Sieg. Die letzten der aufständischen bayrischen Grafen sind gefallen oder gefangen. Damit ist Bayern befriedet und das Herzogtum wieder königstreu.«

Gaidemar nickte anerkennend. »Das war's«, bemerkte er achselzuckend. »Adelheids Onkel Burchard ist der neue Herzog von Schwaben, und er frisst der Königin aus der Hand. Brun hält Lothringen, Ihr Franken, und nun hat Henning Bayern gesichert. Der Aufstand ist vorüber.«

»Du hast recht.«

»Und wo ist der Haken?«

Wilhelm lehnte den Rücken gegen die weiß getünchte Wand,

schlug die Beine übereinander und ließ Gaidemar nicht aus den Augen. »Zu den Gefangenen, die Henning in der Schlacht bei Mühldorf gemacht hat, zählte auch Herold, der Erzbischof von Salzburg. Henning warf ihm vor, mit den Ungarn gemeinsame Sache gemacht zu haben, und ließ ihn blenden.«

»*Was?*« Gaidemar fiel die Bratenscheibe aus der Hand. »Er hat einen *Erzbischof* blenden lassen?«

Wilhelm nickte.

Es war ein entsetzlicher Frevel. Nur ein kirchliches Gericht konnte einen Gottesmann verurteilen. Kein Laie, nicht einmal der König, hatte das Recht, Hand an einen Mönch oder Priester zu legen. »Mich wundert, dass er jemanden gefunden hat, der gewillt war, sein Urteil zu vollstrecken«, murmelte Gaidemar beklommen.

»Du darfst dreimal raten.«

»Immed?«

»Natürlich.«

Gaidemar schauderte bei der Erkenntnis, dass seinem Ziehbruder ein Platz in der Hölle sicher war.

»Niemand sonst wollte es tun, alle fürchteten sich«, berichtete der Erzbischof. »Da nahm Immed von Saalfeld vor dem versammelten bayrischen Heer das Eisen aus dem Feuer und stach dem Erzbischof die Augen aus, woraufhin Henning ihn zum Grafen im Ammergau erhoben hat.«

»Glückwunsch«, knurrte Gaidemar, der sich lieber nicht vorstellen wollte, wie viel schlimmer Macht und Reichtum eines Grafentitels Immed machen würden.

»Und das ist noch nicht alles«, fuhr Wilhelm fort. »Henning hat auch das Friaul und Istrien zurückerobert, und er nahm den Patriarchen von Aquileja gefangen, weil der sich mit Berengar verbündet hatte.«

»Oh Schande …« Gaidemar fuhr sich mit der Hand über den kurzen, dunklen Bart. »Haben sie ihn auch geblendet?«

»Kastriert.«

Gaidemar musste die Zähne zusammenbeißen und starrte mit verengten Augen auf seine angebissene Bratenscheibe hinab. Er hatte sich getäuscht, stellte er fest. Anscheinend gab es doch Dinge, die ihm den Appetit verderben konnten.

»Du siehst also, es mag sich als Segen für Hatto und Hugo von Saalfeld erweisen, in Franken einen Neuanfang zu machen, wo nicht jeder weiß, dass sie die Brüder eines Verdammten sind«, schloss Wilhelm.

»Woher kennt Ihr ihre Namen?«, fragte Gaidemar neugierig.

»Hm? Oh, ich habe ein paar Erkundigungen über die Familie eingezogen, in der du aufgewachsen bist, ehe ich dich damals nach Garda schickte«, gab Wilhelm mit einem geheimnisvollen kleinen Lächeln zurück.

»Ja, das sieht Euch ähnlich.« Gaidemar dachte einen Moment nach. »Wann habt Ihr davon erfahren? Von der Sache mit dem Erzbischof und dem Patriarchen, meine ich?«

»Heute Vormittag. Ulrich von Augsburg schickte mir einen Boten. Noch ist es ein Geheimnis.«

»Aber es wird nicht lange dauern, bis es die Runde macht. Das tun Schauergeschichten immer.«

»Ganz gewiss«, stimmte der Erzbischof zu. »Und ich möchte nicht in Hennings Haut stecken, wenn der König von diesem Frevel erfährt. Ich bete, dass es nicht zu einem neuen Zerwürfnis innerhalb der Familie kommt.«

»Bestimmt nicht.« Gaidemar trank einen ordentlichen Schluck. »Der König verzeiht Henning doch alles.«

»In diesem Fall bin ich mir nicht so sicher. Engelfried von Aquileja war einer von Adelheids treuesten Freunden und Ratgebern. Dieser Affront gilt ihr vermutlich ebenso wie dem bedauernswerten Patriarchen selbst.«

»Aber was könnte Henning damit bezwecken, die Königin gegen sich aufzubringen?«

Wilhelm hob ratlos die Schultern. »Gar nichts. Es ist der Hader selbst, den er bezweckt, Gaidemar. Unser Onkel Henning wurde bei seiner Geburt zu ewiger Zwietracht verflucht. Man ist gut beraten, das niemals zu vergessen.«

Der Maihimmel hatte sich zugezogen, und ein ungemütlicher, böiger Wind wehte vom Fluss herüber, als Gaidemar zum Quartier der St.-Albans-Legion kam. Die strohgedeckte Halle in der Mitte beherrschte die Anlage und war von den kleineren Hütten umgeben, in denen jeweils acht der Panzerreiter mit ihren Burschen untergebracht waren. Die Legion wuchs schneller als ihre Unterkünfte, weswegen die Holzgebäude sich mit Zelten unterschiedlichster Farbe und Größe abwechselten. Von der Feuergrube neben dem Küchenhaus stieg Rauch auf, und überall wimmelte es von Soldaten und vor allem von Pferden.

»Die Zwillinge von Saalfeld?«, fragte Gaidemar die beiden Rekruten, die am Tor der ebenfalls noch unvollständigen Palisade auf Wache standen.

»Sie haben sich irgendwo dort drüben ein Zelt aufschlagen lassen.« Walo von Fulda zeigte vage Richtung Halle.

Gaidemar ritt in die gewiesene Richtung und fand seine beiden Ziehbrüder auf der kleinen Freifläche hinter der Halle in der Mitte eines Zuschauerrings, wo sie sich mit sechs Fuß langen Schlagstöcken einen rasanten Schaukampf lieferten.

Gaidemar saß ab und band Amelung an einen der vielen Eisenringe in der Bretterwand der Halle, ehe er sich diskret nach vorn in die zweite Reihe der Zuschauer schob.

Hatto und Hugo kämpften mit bloßem Oberkörper und schenkten sich nichts. Ersterer hatte eine sprudelnde Platzwunde an der Stirn, Letzterer über dem Ohr, aber beide standen noch sicher, umkreisten einander und maßen sich mit finsteren Blicken wie Todfeinde.

Dann griff Hugo an, führte einen tückischen Hieb mit dem unteren Ende seines Stocks auf Hattos Schienbein, doch sein Zwillingsbruder blockte mit seinem eigenen Stock und konterte sofort. Mit zunehmender Schnelligkeit war das helle »Klock, klock« der aufeinandertreffenden Eschenprügel zu hören, unterbrochen von dem dumpferen Laut, mit dem Holz auf Körper traf.

»Seht Euch das an, Hauptmann, wie *schnell* sie sind«, raunte Sigurd von Hersfeld ihm zu, heiser vor Aufregung.

Gaidemar nickte. Das waren sie in der Tat. Schnell, findig und vor allem furchtlos. Dann traf Hatto den Stock seines Bruders genau in der Mitte, der daraufhin zersplitterte, und ohne einen Lidschlag zu zögern warfen beide Brüder ihre Waffen beiseite, zogen in exakt demselben Moment jeder einen Dolch aus dem Hosenbund, wo offenbar eine Scheide verborgen war, und gingen mit leicht gespreizten Beinen in Kampfposition, beide Hände erhoben, die eine mit der Klinge zum Stoß, die andere zur Verteidigung.

Gaidemar schob die Rekruten in der ersten Zuschauerreihe auseinander und trat vor. »Das ist genug.«

Die Zwillinge sahen für einen Lidschlag in seine Richtung, ehe sie einander wieder ins Auge fassten.

Gaidemar schüttelte grinsend den Kopf. Er wusste so genau, wie sie sich fühlten, wie das Kampfesfieber einen übermannen konnte, die metallische Geruchsmischung aus Schweiß und Blut und das bewundernde Raunen der Zuschauer einen berauschten. »Hatto, Hugo, Schluss jetzt«, befahl er daher streng.

Blinzelnd kehrten die Zwillinge ins Hier und Jetzt zurück und ließen die mörderischen Klingen sinken.

»Tut mir leid, Gaidemar«, murmelte Hatto mit einem verlegenen Lächeln.

»*Hauptmann*«, verbesserte Sigurd wispernd.

Hatto schien einen Moment erstaunt, dann nickte er. »Gewiss.« Es klang eine Spur belustigt, aber er verneigte sich vor seinem Ziehbruder. »Ich hoffe, wir haben nicht unrecht getan.«

»Im Gegenteil«, erwiderte Gaidemar. »Freiwillige Übungs- und Schaukämpfe sind hier immer erlaubt. Aber niemals ungerüstet mit scharfen Waffen. Ich habe nicht genug von euch, um so verschwenderisch mit eurem Leben umzugehen. Klar?«

»Oh, komm, wir hätten uns schon nicht abgestochen«, widersprach Hugo abschätzig.

Die jungen Rekruten wechselten besorgte Blicke.

Gaidemar überlegte einen Moment, ob er diese Sache öffentlich oder allein mit den Zwillingen austragen sollte. Doch er kam zu dem Schluss, es sei besser für die Moral und den Zusammenhalt, wenn die Männer sich nicht ausgeschlossen fühlten. Darum ging er scheinbar über Hugos Respektlosigkeit hinweg und wies auf einen zweirädrigen Karren neben dem Küchenhaus, der hoch mit prall gefüllten Säcken beladen war. »Da ihr beide an überschüssiger Kraft zu leiden scheint, könnt ihr die Mehlvorräte ins Speicherhaus bringen.«

»Was?«, fragte Hatto ungläubig.

»Und zwar bevor es regnet. Na los.«

Hugo stemmte die Hände in die Seiten und machte einen Schritt auf ihn zu. »Das ist eine Aufgabe für Knechte!«

»Aber jetzt ist es deine, Hugo. Weil ich es sage. Ihr habt uns bewiesen, dass ihr hervorragende Kämpfer seid, und ich weiß, dass ihr reiten und ein Schwert führen könnt. Darum würde ich euch gern nehmen. Aber das kann ich nur, wenn ihr gewillt seid, euch wie Ehrenmänner zu verhalten. Ich bin Gaidemar, der Bastard, und war der Geringste an der Tafel eures Vaters, das ist wahr. Doch nun bin ich Kommandant dieser Legion, weil ich die nötige Erfahrung besitze und jeden von euch Grünschnäbeln mit verbundenen Augen töten könnte. Wenn du ein trotziger Bengel bist und das nicht hinnehmen willst, verschwinde. Wenn du ein Mann bist und dich mir unterordnen kannst, bring die verdammten Mehlsäcke ins Speicherhaus.«

Gaidemar verschränkte die Arme und sah von Hugo zu Hatto und wieder zurück. Er konnte kaum fassen, dass er so viele Sätze auf einmal gesagt hatte, und sein Herz schlug bis in die Kehle. Er wusste, welche Bedeutung dieser Moment hatte, dass es hier um mehr als nur um Hattos und Hugos Respekt ging. Aber seine Miene blieb ausdruckslos, so als sei die Entscheidung der Brüder nur von geringem Interesse für ihn.

Schließlich stieß Hugo hörbar die Luft aus und ging zu dem Karren hinüber, wo sein Bruder schon auf ihn wartete. Jeder packte einen Sack am zugeschnürten Ende, lud ihn sich auf den Rücken und trug ihn in leicht geduckter Haltung zum Vorratshaus hinüber.

Es war so still auf der kleinen Wiese, dass man das Klopfen der ersten zaghaften Regentropfen auf dem Strohdach der Halle hörte. Die Zwillinge neigten die Köpfe vor Gaidemar, ehe sie sich die nächsten Säcke aufluden. Knapp und ein bisschen unwillig, aber immerhin.

Er nickte mit einem flüchtigen Lächeln. »Willkommen in der Reiterlegion des heiligen Alban. Morgen früh nach der Messe könnt ihr euren Eid leisten.«

Sigurd wies auf den Karren. »Dürfen wir helfen, Hauptmann?«

Gaidemar löste Amelungs Zügel vom Eisenring, schlang ihn über den edlen Pferdekopf und saß auf. »Ich an eurer Stelle würde es tun«, antwortete er. »Denn es ist eure Mehlration für einen Monat und darum auch euer Problem, wenn sie verschimmelt.«

Mit großem Eifer drängten sich die angehenden Panzerreiter um den Karren.

St. Gallen, Juni 955

»Lex Domini immaculata convertens animas«, hallte es zweistimmig vom Deckengewölbe der Klosterkirche zurück. »Testimonium Domini fidele sapientiam praestans parvulis, iustitiae Domini rectae laetificantes corda, praeceptum Domini lucidum inluminans oculos ...«

Liudolf verstand keine Silbe dessen, was die Mönche da sangen, obgleich der Klang der Worte ihm inzwischen vertraut war. Es war die Sext – das Mittagsgebet –, und der Prinz wusste, dass es irgendein Psalm war. Die Brüder wurden es niemals müde, die Psalmen und das Lob des Herrn zu singen. Sie taten es achtmal am Tag, unterbrachen zweimal ihre Nachtruhe dafür. *Wie kann man nur so viel beten?*, fragte Liudolf sich. Auch nach all den Wochen hier machte ihn das immer noch ratlos.

Er stand allein an einer der Säulen im südlichen Seitenschiff der Klosterkirche, während die Brüder sich im Chorraum hinter dem Altar versammelt hatten. Manchmal ging es hier im mächtigen und reichen Kloster St. Gallen lebhafter zu als in einem Taubenschlag, aber heute war Liudolf der einzige Gast, und während die Mönche ihr Stundengebet sangen, vertiefte er sich in die Malerei an der Kirchenwand zu seiner Rechten, die die wundersame Brotvermehrung zeigte. Nur ungefähr ein Dutzend schemenhafter Figuren stellte die hungrige Menschenmenge am Ufer des Sees Genezareth dar, aber der Erlöser im Vordergrund war mit Kunstfertigkeit und viel Liebe zum Detail gemalt. Er hielt einen Brotlaib in den Händen und schien im Begriff, ihn in der Mitte durchzubrechen. Sein Blick wirkte entrückt, so als sei er mit den Gedanken schon bei seinem nächsten Wunder, und das knöchellange Gewand war strahlend weiß. Liudolf überlegte, ob man wirklich ein so makellos weißes Gewand haben konnte, wenn man als Wanderprediger zu Fuß durchs Land zog, aber er nahm an, wer mit fünf Broten und zwei Fischen fünftausend Menschen zu speisen vermochte, konnte auch den Staub bezwingen …

Das Rascheln vieler Kutten und das Schlurfen von Sandalen kündigten das Ende der Sext an, und Liudolf wartete, bis die Brüder die Kirche verlassen hatten, ehe er ihnen zu der kleinen Pforte in der Südmauer folgte, die in den Kreuzgang führte.

Blinzelnd trat er hinaus in den hellen Sonnenschein und schickte sich an, zum Gästehaus zurückzukehren, als ein Novize zu ihm kam, die Hände in den Ärmeln seines Habits versteckt. »Der Bruder Hospitarius wünscht Euch zu sprechen, edler Prinz.«

»Danke, Lambert. Hast du Neuigkeiten von deinem Vater gehört?«

Der halbwüchsige Knabe nickte mit gesenktem Kopf. »Wir müssen mit dem Schlimmsten rechnen, hat Mutter ausrichten lassen. Er … er hustet Blut.«

Liudolf legte ihm die Hand auf die Schulter und überlegte, wer Graf im Duriagau werden sollte, wenn Lamberts Vater das Zeitliche segnete, bis ihm wieder einfiel, dass ihn diese Frage nichts mehr anging. Die Erkenntnis war wie üblich von einem heißen Stich in der Magengegend begleitet. *Du bist nicht mehr Herzog von Schwaben. Und Thronfolger bist du auch nicht mehr …*

»Ich werde für deinen Vater beten«, versprach er.

»Das ist gut von Euch, Prinz«, antwortete Lambert höflich. Und Liudolf argwöhnte, dass er in Gedanken hinzufügte: *Aber die Gebete einer so traurigen Gestalt haben wir nicht nötig.* Ständig malte er sich solche Dinge aus. Er stellte sich vor, was die Menschen wohl wirklich über ihn dachten, die ihm so zuvorkommend und devot begegneten. Nicht, dass er besonders viele Menschen traf, seit er hier gestrandet war. Er mied die anderen Gäste, die auf der Durchreise nach St. Gallen kamen oder um von den gelehrten Brüdern einen Rat zu erbitten. Meist waren es nur die Mönche, mit denen Liudolf hin und wieder ein paar Worte wechselte, aber da dies das mächtigste Kloster in Schwaben war, waren die Brüder fast ausnahmslos adliger Herkunft.

Das galt auch für den Gästemeister Bruder Notker, den manche den heimlichen Abt des Klosters nannten und der mit unnachgiebiger Strenge auf die Einhaltung der Benediktinerregel pochte – was ihm den Spitznamen »Pfefferkorn« eingetragen hatte.

Liudolf fand ihn in der Kanzlei des Klosters, einer dämmrigen Kammer voll dicker Folianten und Schriftrollen.

»Ihr habt nach mir geschickt, Bruder Hospitarius?«

Notker saß hinter einem ausladenden, klobigen Tisch auf einem Schemel und studierte im dämmrigen Schimmer eines rußenden Talglichts ein Schriftstück. Seine Tonsur war nur noch von einem dünnen, weißen Haarkranz umgeben, und die alten Augen blinzelten kurzsichtig beim Lesen, aber seine Haltung war so gerade wie eine Lanze, und die knochigen Hände wirkten stark. Er ließ das Pergament sinken und winkte Liudolf mit der Linken näher. »Nehmt Platz, mein Prinz.«

Während Liudolf sich mit der Fußspitze einen zweiten Schemel heranzog, schenkte der Mönch Brunnenwasser in zwei Tonbecher. Er trank niemals etwas anderes, hieß es. Er stellte eins der Gefäße vor Liudolf und bemerkte: »Euer Bruder ist ein begabter Briefschreiber. Sehr eloquent.«

Liudolf wusste nicht, was das Wort bedeutete, und es war ihm auch gleich. So wie eigentlich alles. Trotzdem raffte er sich auf, wenigstens ein bisschen guten Willen zu zeigen, und fragte: »Wilhelm hat Euch geschrieben?«

»Er erbittet eins unserer kostbarsten Bücher als Leihgabe, um es kopieren zu lassen. Aber was er natürlich eigentlich will, ist, dass Ihr es ihm bringt und damit in die Welt zurückkehrt.«

Liudolf nickte kommentarlos und trank einen Schluck Wasser. Es war kühl und süß, und es tat ihm wohl. Er hatte gar nicht gemerkt, wie durstig er war. »Habt Ihr das Wandbild von der wundersamen Brotvermehrung gemalt?«, fragte er.

Der Gästemeister faltete die großen Hände auf dem Pergamentbogen und sah ihn neugierig an. »Allerdings. Warum fragt Ihr?«

»Es ist so ... kraftvoll. Mit ... ich weiß nicht so recht ... mit glühender Hingabe gemalt. So kam es mir vor.«

»Ihr habt recht, das schiere Ausmaß der Aufgabe erfüllte mich mit Hingabe. Und mit Ehrgeiz, Gott vergebe mir. Damals nach dem Brand musste unsere neue Kirche vollständig ausgemalt werden. Manchmal sehne ich mich nach jener Zeit zurück, wenn Ihr die Wahrheit wissen wollt. Wir hatten scheinbar unbegrenzt Platz, um das Wort des Herrn in Bilder zu fassen, und konnten unserer Phantasie freien Lauf lassen.« Sein Lächeln war eine Spur wehmütig.

»Reißt die Kirche ab und fangt noch einmal von vorne an«, schlug Liudolf vor. »Niemand könnte es Euch verwehren.«

»Ich fürchte doch, mein Sohn«, entgegnete Notker. »Gott verbietet es, denn es wäre Frevel.«

»Schade.«

Der alte Mann hob gleichmütig die Schultern. »*Das Gesetz des Herrn ist vollkommen und erquicket die Seele. Die Gebote des Herrn sind lauter und erleuchten die Augen.*« Und als er Liudolfs verständnisloses Stirnrunzeln sah, fügte er hinzu: »Der 19. Psalm. Wir haben ihn eben in der Sext gesungen. Und es stimmt, wisst Ihr. Die Gebote des Herrn zu befolgen, Christus zu dienen und sein Wort zu leben ist das größte Glück, das uns Menschen in dieser unvollkommenen Welt zuteilwerden kann.«

Liudolf stellte den Schemel gefährlich weit auf die Hinterbeine und lehnte den Rücken an die Wand. »Wird dies das Gespräch, auf das ich seit Wochen warte? Wollt Ihr mich für ein Leben hinter Klostermauern gewinnen?«

»Nein«, antwortete Notker unverblümt. »Ich denke nicht, dass das Eure Bestimmung ist. Wenngleich es gerade für einen Suchenden und Zweifelnden wie Euch eine Erlösung sein könnte.«

Der Prinz nickte. »Es vergeht kein Tag, da ich Euch und die Brüder nicht beneide.«

»Um was genau?«

Liudolf überlegte. Schließlich sagte er: »Eure Gewissheiten. Die Bibel und die Regel des heiligen Benedikt sagen Euch genau, was Ihr zu tun und wie Ihr zu leben habt. Und wer es schafft, sich dem ganz und gar hinzugeben – so wie Ihr, Bruder Notker –, der hat seinen Weg klar vorgezeichnet und … kann nicht verloren gehen.«

Notker strich abwesend mit den Fingern der Linken über Wilhelms Siegel und entgegnete schließlich: »Gewissheit ist eine Gnade, die nur wenigen Auserwählten bestimmt ist. Das Klosterleben ist hart und entbehrungsreich, wir verzichten auf die Freuden der Ehe und der Vaterschaft. Es muss so sein, damit wir all unsere Liebe allein Gott schenken können, nur bei ihm Geborgenheit suchen. Aber glaubt nicht, wir wären frei von Zweifeln. Kein Mensch ist das, auch kein Mönch.«

Diese Eröffnung faszinierte Liudolf. Und sie tröstete ihn.

»Umgekehrt gilt, das Wort des Herrn weist nicht nur Gottesmännern den Weg, sondern jedem Christenmenschen. Auch Euch, mein Sohn.« Er legte die Hände flach auf den Tisch und beugte sich leicht vor. »*Das Gesetz des Herrn ist vollkommen und erquicket die Seele.*«

Meine nicht, dachte Liudolf. Dabei hatte er wirklich alles versucht. Er war hierher gekommen, um irgendetwas zu finden, womit er weitermachen konnte, und bei seiner Suche hatte er einen Ernst und eine Beharrlichkeit an den Tag gelegt, die er sich selbst nie zugetraut hätte. Er hatte gebetet, gebeichtet und gefastet. Er hatte sich sogar gegeißelt, denn Bruder Notker, der ihn auf dieser spirituellen Irrfahrt begleitet hatte, hieß auch deswegen Pfefferkorn, weil er so große Stücke auf die Läuterung der Seele durch die Kasteiung des Fleisches hielt.

Nichts hatte geholfen.

»Aber ich habe Gottes Gesetz doch befolgt, oder nicht? Ich habe meine Sünden bereut, mich meinem Vater unterworfen, Buße getan. Was ist es denn, das Gott noch von mir will?«

Der Mönch verschränkte lose die Hände vor dem flachen Bauch. »Vergebung, mein Sohn. Das ist womöglich die schwierigste Prüfung von allen, aber der Herr sagt, wir sollen jenen vergeben, die uns Unrecht getan haben. Das heißt, Gott will, dass Ihr dem König vergebt, Eurem Schwager Konrad und vor allem Euch selbst.«

Zu seinem grenzenlosen Schrecken fühlte Liudolf Tränen in den Augen brennen, und darum schnaubte er höhnisch und fragte: »Und meinem geliebten Onkel Henning auch, nehme ich an, der einem Erzbischof die Augen ausgestochen und dem nächsten die Eier abgeschnitten … Vergebt mir, Bruder.« Die Anwandlung rührseligen Selbstmitleids war verflogen – und er dankte Gott für diese kleine Gnade –, aber dafür glühten jetzt seine Wangen.

Doch Notker erteilte seinen Dispens mit einer nachlässigen Geste und antwortete: »Hennings Taten sind jenseits menschlicher Vergebung. Er kann nur noch auf die unendliche Gnade Jesu Christi hoffen. Er ist krank, mein Prinz.«

»Krank? Etwas Ernstes, hoffe ich?«

Statt ihn ob dieser unchristlichen Flegelei zu rügen, lachte der Hospitarius brummelig in sich hinein. Liudolf nahm an, so ähnlich müsse es klingen, wenn eine Hummel lachte.

Notker wurde wieder ernst. »Offen gestanden, ich weiß es nicht. Er hat mir eine Nachricht geschickt und bittet mich zu sich.« Bruder Notker war nicht nur als herausragender Maler berühmt, sondern ebenso als Arzt.

»Und? Werdet Ihr hinreiten?«

»Hm.« Es war ein unentschlossener Laut, ganz und gar untypisch für diesen Mann. »Ich schätze, mir bleibt nichts anderes übrig, und sei es nur aus Verbundenheit zu Eurem Vater.«

Notker Pfefferkorn und der König waren uralte Freunde, und wann immer Otto St. Gallen besuchte oder sie sich bei einem Hoftag trafen, zogen sie sich zu stundenlangen vertraulichen Gesprächen zurück. Deswegen hatte Liudolf gezögert, ausgerechnet in diesem Kloster unterzukriechen, doch als er sich endlich dazu durchgerungen hatte, war er verblüfft gewesen, wie unvoreingenommen der Hospitarius seiner Sicht der Dinge gelauscht hatte.

Liudolf ließ den Schemel wieder nach vorn kippen und zeigte

auf Wilhelms Brief. »Also? Wünscht Ihr, dass ich meinem Bruder Euer Buch bringe und damit in die Welt zurückkehre, wie Ihr es ausdrückt? Habt Ihr nach mir geschickt, um mir mitzuteilen, dass Ihr mich vor die Tür setzt?«

Notker schüttelte den Kopf. »Ihr mögt indessen bald feststellen, dass die Welt da draußen auf Euch wartet und allmählich ungeduldig wird.« Er bedachte ihn mit einem rätselhaften Lächeln und zog Wilhelms Brief ein Stückchen näher heran, als wolle er Liudolf durch die Blume zu verstehen geben, dass ein Hospitarius noch andere Pflichten habe, als mit seinen Gästen zu plaudern.

Aber du hast nach mir geschickt, dachte der Prinz. Ein wenig ratlos erhob er sich und leerte seinen Becher im Stehen. »Habt Dank, Bruder. Würdet Ihr mich entschuldigen?«

»Geht mit Gott, mein Sohn«, erwiderte Notker Pfefferkorn zerstreut, den Blick auf das eng beschriebene Pergament gerichtet.

Liudolf machte sich auf den Rückweg zum Gästehaus, das unweit des Haupttors am Westrand der Anlage lag. Der Pfad führte durch den weitläufigen Klostergarten, wo die Brüder Heilkräuter für die Apotheke ebenso anbauten wie Gemüse und Obst für ihren täglichen Bedarf. In vielen anderen Klöstern versahen Laienbrüder oder Bedienstete die Feld- und Gartenarbeit, aber hier waren es die hochwohlgeborenen Mönche selbst, die mit krummem Rücken die hart gebackene Erde harkten und umgruben. Liudolf blieb im Schatten eines Birnbaums einen Moment stehen, um das schöne Bild frommer Betriebsamkeit in sich aufzusaugen. Die Brüder arbeiteten gemächlich und schweigend, nur bei den Beerensträuchern weiter hinten lärmte und lachte eine Schar Novizen bei der Ernte.

Liudolf beugte sich vor und pflückte einen Halm mit fünf oder sechs gelben Blüten aus der Wiese. *Schlüsselblume*, teilte sein Gedächtnis ihm mit. Er hatte während der Monate hier in St. Gallen die sonderbarsten Dinge gelernt. Vermutlich sollte er den Rat des Gästemeisters befolgen und lieber von hier verschwinden, eh er auch noch Latein und Lesen lernte wie sein wunderlicher Vater …

Den Halm in der Linken, setzte er seinen Weg ohne Eile fort. Das große Gästehaus, wo arme Wanderer und Kranke für ein, zwei Nächte Obdach und Speise finden konnten, war ein langgezogener, niedriger Bau, der an einen Pferdestall erinnerte. Rechts davon lag eine Gruppe kleinerer Häuser für hohen – nicht selten königlichen – Besuch und dessen mitreisendes Gefolge. Liudolf bewohnte das vornehmste dieser Quartiere, ein komfortables Haus mit pergamentbespannten Fenstern hinter einem hüfthohen Zaun aus geflochtenen Zweigen. Als er näher kam, stellte er verwundert fest, dass die Tür weit offen stand.

»Hallo?« Er legte die Rechte um den Türpfosten, seltsam zögerlich, das Haus zu betreten. »Ist jemand hier?«

Er bekam keine Antwort.

Es war ruhig auf der Wiese zwischen den Gästehäusern. Bienen summten geschäftig zwischen den wilden Blumen, und irgendwo in der Nähe war das schläfrige Gurren einer Taube zu hören. Das war alles. Und doch spürte Liudolf eine seltsame Spannung in der Stille, so als hätten hier eben noch Trubel und Lärm geherrscht. Er schüttelte den Kopf, um den törichten Gedanken zu vertreiben, setzte erst den einen Fuß über die Schwelle, dann den anderen und war irgendwie nicht im Mindesten überrascht, als die Tür hinter ihm krachend zuschlug.

Er wirbelte herum, während die Rechte ganz von selbst an seine linke Seite glitt, wo natürlich kein Schwert hing. Als er erkannte, wer ihn hier aufgespürt hatte, verlernte er schlagartig das Atmen.

»Ida.« Es geriet tonlos.

Sie stand mit dem Rücken an die Tür gelehnt und sah ihn unverwandt an. Der etwas zu breite Mund war von Natur aus zu einem kleinen Lächeln geformt, aber die blauen Augen waren ernst und dunkel, voller Unruhe. Die hohen Wangenknochen drückten Hochmut aus, forderten ihn heraus wie eh und je und schienen im Widerspruch zu den lustigen Sommersprossen links und rechts der schmalen Nase zu stehen. Das leuchtend rote Haar wallte ihr unbedeckt bis auf die Hüften herab; sie hielt den blassblauen Schleier lose in der Linken.

»Komm zurück zu mir«, sagte sie.

Er blieb stumm.

»Ohne dich bin ich wie ein Vogel in einer Holzkiste«, fuhr sie nüchtern fort. »Ich kann den Himmel nicht sehen. Ich bin hungrig und durstig und voller Furcht. Ich flattere umher, aber ich komme nirgendwo hin.«

»Ja.« Er musste sich räuspern, um mit festerer Stimme fortzufahren: »Das Gefühl kenne ich.«

»Komm zurück zu mir, Liudolf.«

»Hör auf zu betteln!«

»Ich bettele nicht. Ich befehle es dir.«

»Ah ja?«

»Du bist mein Mann. Ich bin deine Frau. Du hast kein Recht …«

»Ich habe jedes Recht«, fiel er ihr schneidend ins Wort und machte einen Schritt auf sie zu, obwohl er das gar nicht wollte. Er spürte einen dumpfen, bohrenden Schmerz in seiner Körpermitte, wie Hunger. Aber er war unstillbar. Er rührte von der Leere, der Ödnis, die sich dort ausgebreitet hatte, wo einmal all das gewesen war, was sein Leben ausgemacht hatte. »Du hast meinen Bruder auf dem Gewissen, und ich schulde dir gar nichts.«

»Ich habe mit meinen Mitteln gekämpft, du mit den deinen«, konterte sie. »Was denkst du, wie viele Kinder sind in Regensburg gestorben, als die Menschen während der Belagerung nichts mehr zu essen hatten und krank wurden oder als Henning die Stadt angezündet hat? Lasten sie auf deinem Gewissen, diese toten Kinder? Nein. Es war Krieg, und du musstest Regensburg besetzen. Das ist alles. Im Krieg sterben Menschen. Nur weil wir ihn verloren haben, dürfen wir unsere Entscheidungen nicht in Zweifel ziehen. Wir haben gekämpft, du und ich. Für dieselbe Sache. Für unsere Zukunft und die unserer Kinder. Und das war *richtig*.«

Er glaubte ihr kein Wort, doch er fragte lediglich: »Sind sie gesund?«

Ida nickte. »Sie vermissen dich.«

»Das würde mich wundern. Otto ist zu klein, um irgendwen außer der Milchamme zu vermissen, und Mathildis hat mich in ihren sechs Lebensjahren zusammengenommen vielleicht drei Monate gesehen.« Seine schlaflosen Nächte und die ereignisarmen Tage im Kloster hatten ihm reichlich Muße geboten, um das auszurechnen.

Ida löste sich von der Tür und kam auf ihn zu. Mit dem Finger wies sie auf seine Linke. »Was ist das?«

»Eine Schlüsselblume.« Er überreichte sie ihr mit einem spöttischen kleinen Diener.

Ida griff danach, aber statt die Blume zu nehmen, umschloss sie seine Hand mit der ihren und legte sie auf ihre linke Brust. »Da, spürst du das? Es schlägt noch.« Sie platzierte ihre eigene Hand über seinem Herzen. »Und deines auch. Wir *leben* noch. Wie kann es sein, dass du unser Leben so gering schätzt und es einfach wegwerfen willst?«

Ihr Herz schlug rasch. Das Pochen erinnerte tatsächlich an den panischen Flügelschlag eines gefangenen Vogels. Ida gab seine Hand frei. Er ließ sie ein wenig abwärts gleiten, und die Blume trudelte zu Boden. Liudolf erkundete die nachgiebige und doch feste Rundung unter dem Kleid, fand die Spitze ohne die geringste Mühe und strich mit dem Daumen darüber, bis sie sich sichtbar unter dem Stoff abmalte.

Ida ließ ihn nicht aus den Augen, während sie mit geschickten Fingern seine Hosen aufschnürte und das pralle Glied befreite, das förmlich in ihre Hände sprang, ungeduldig und begierig.

»Zumindest ein Teil von dir will mich offenbar noch«, neckte sie.

»Sei still«, befahl er schroff. Er wollte ihre Stimme nicht hören. Und eigentlich wollte er sie auch nicht sehen. Doch er ließ seine Wut an ihren Kleidern aus, nicht an ihr, riss Kotte, Unterkleid und Hemd in Fetzen, die er achtlos ins Bodenstroh fallen ließ, und als Ida nackt vor ihm stand, schob er sie die zwei Schritte nach hinten, die sie von seinem Bett trennten.

Während er sich die eigenen Kleider abstreifte, fahrig und zittrig in seiner Hast, ließ Ida sich auf die raue Wolldecke sinken, und die stolze, katzenhafte Grazie, mit der sie sich bewegte, hatte nichts von ihrer Wirkung auf ihn verloren. Liudolf glitt zwischen ihre muskulösen, alabasterweißen Schenkel, und als er eindrang, kniff er die Augen zu.

Ida vergrub die Finger in seinen Haaren so wie früher, doch sie versuchte nicht, ihn zu küssen. Sie warf den Kopf zurück und erwiderte Liudolfs Stöße, ließ die Hände zu seinen Schultern gleiten und krallte sie einen Moment in die ausgeprägten Muskeln dort, die sie seit jeher so entzückten. Dann tanzten ihre Finger weiter seinen Rücken hinab. Sie gab keinen Laut von sich. Hatte sie ihm früher ihre ausgefallenen Wünsche zugeflüstert und dabei lachend ins Ohrläppchen gebissen, war ihre Leidenschaft heute stumm. Sie machte ihm ein Angebot, wusste er, wollte ihren Bund aufs Neue besiegeln, zu seinen Bedingungen.

Liudolf tat, als merke er davon nichts, pflügte hart und schnell in sie hinein, um möglichst bald Erleichterung zu finden, und als er sich schließlich in sie ergoss, wusste er nicht einmal, ob sie gekommen war oder nicht.

Er stemmte sich hoch, löste sich von ihr und streckte sich neben ihr auf dem Rücken aus, so weit weg von ihr, wie das schmale Bett erlaubte. Und dann lagen sie Seite an Seite da, ihr rauer Atem und der schwere Geruch von Körpersäften in der kleinen, sommerwarmen Kammer die einzigen Zeugnisse dessen, was sich gerade abgespielt hatte, dieses sonderbaren Aktes aus Intimität und Reserviertheit.

»Bruder Notker hat mir geraten, dich hier zu überraschen«, bekannte sie schließlich.

»Dieser durchtriebene Pfaffe …«, knurrte er. »Ich schätze, er will mich endlich loswerden, und du solltest mir vor Augen führen, welch weltliche Freuden ich versäume, wenn ich mich länger hier vergrabe?«

Ida stützte sich auf die Ellbogen, wandte den Kopf und sah ihm ins Gesicht. »Er meint es nur gut mit dir. Genau wie ich.«

»Ja, ja«, gab Liudolf verdrossen zurück, setzte sich auf und schwang die Beine aus dem Bett. »Ich wünschte, ihr alle würdet mich verschonen mit eurer Güte.« Er stand auf und stieg in seine Hosen.

»Ich bin übrigens nicht allein nach St. Gallen gekommen«, eröffnete sie ihm, setzte sich auf und wickelte sich in die Decke. Und weil er sich bockig weigerte, die offensichtliche Frage nach ihrer Begleitung zu stellen, fügte sie hinzu: »Dedi und Wim sitzen im Haus des Vogts und trinken seine Weinfässer leer, während sie auf dich warten.«

»Dedi und Wim?«, wiederholte er verständnislos. »Aber sie sind Hennings Gefangene und …«

»Schon lange nicht mehr«, unterbrach sie kopfschüttelnd, fasste ihr Haar mit einer Hand im Nacken zusammen, zerteilte es mit der anderen und begann, es zu flechten. »Der König hat Henning … nun, sagen wir, er hat ihn *ersucht*, sie freizulassen. Und er hat ihnen ihre Titel und Ländereien zurückgegeben.«

»Wirklich?« Liudolf streifte den linken Schuh über und stellte den Fuß auf die Bettkante, um die Bänder zu schnüren. »Dann hatten sie mehr Glück als ich.«

Ida seufzte ungeduldig, den Kopf schräg gelegt, um ihren entstehenden Zopf sehen zu können. »Denkst du, du wirst irgendwann auch mal wieder aufhören zu jammern?«

Gott, sie hat recht, fuhr es ihm durch den Kopf. *Ich höre mich schon an wie Henning mit seinen ewigen Klagen.* Was er indessen antwortete, war: »Wenn dir nicht passt, was ich sage, warum verschwindest du nicht einfach wieder? Ich habe dich nicht hergebeten.«

»Nein, das ist wahr«, räumte sie ein. Er hörte, dass sie sich selbst zur Ruhe mahnte, und er bewunderte ihre Beherrschung. Umso mehr, als er wusste, dass das nicht ihre starke Seite war. »Der König hat Dedi und Wim vergeben, um dir eine Botschaft zu schicken, das weißt du doch, oder?«

»Vielleicht.« Achselzuckend schnürte er auch den zweiten Schuh. »Aber sie sind mächtige und einflussreiche Grafen. Womöglich fand er es einfach ratsam, sie zurück auf seine Seite zu ziehen.«

»Es gibt keine gegnerischen Seiten mehr«, erinnerte Ida ihn.

»Ach richtig. Wir haben unseren Krieg ja verloren.«

Sie nickte. »Und nun haben Dedi und Wim mich herbegleitet, um dir einen Vorschlag zu machen. Sie ziehen mit Hermann Billung über die Elbe. Gegen die Obodriten, die sich wieder einmal erhoben haben, vor allem aber gegen Wichmann und seinen einäugigen Bruder Ekbert, die sich mit den aufständischen Slawen verbündet haben, um ihrem verhassten Onkel Hermann das Leben schwer zu machen.«

»Und dem König«, bemerkte Liudolf.

»Und dem König.«

Sie sahen sich an.

Das hatten sie sich ja alle fein ausgedacht, befand Liudolf missmutig: Der König hielt ihm Dedi und Wim und den Zug gegen die Slawen hin wie einem Hund den Knochen. »Ich soll also anbeißen und schwanzwedelnd gegen Wichmann und Ekbert ins Feld ziehen – die genauso zu meinen Verbündeten gezählt haben wie Dedi und Wim –, um zu beweisen, dass ich fortan ein braver und perfekt abgerichteter Prinz sein will?«

»Wichmann und Ekbert haben dich im Stich gelassen, lange bevor unsere Sache aussichtslos war«, erinnerte sie ihn.

»Kann schon sein …«

»Verflucht, Liudolf!« Wütend warf sie den üppigen roten Zopf zurück über die Schulter. »Der König eröffnet dir eine Chance, verstehst du das denn nicht? Beweise ihm und dem Rest der Welt, dass du loyal bist und bereit, das Reich mit dem Schwert zu verteidigen, und dann haben wir womöglich doch noch eine Zukunft. Du, ich *und* unser Sohn.«

Er dachte ohne jeden Elan an endlose Tage im Sattel, ungenießbaren Lagerfraß und Dauerregen in den unwirtlichen Wäldern jenseits der Elbe. »Was ist, wenn ich keine Lust habe?«

»Was hast du denn stattdessen vor?«, wollte sie wissen. »Schlüsselblumen züchten?« Sie beugte sich vor und hob das inzwischen schon etwas welke Exemplar aus den Binsen auf. »Liudolf, wenn du nicht bald irgendetwas unternimmst, gehst du vor die Hunde. Ich kenne dich. Ich weiß ganz genau, warum du dich hier vergraben hast. Aber du hast deine Ehre nicht verloren, mein Gemahl. Du hast sie nur … verlegt. Geh da raus und finde sie wieder. Nicht für unsere Kinder oder für mich, sondern für dich selbst.«

Liudolf hob abwehrend eine Hand und schüttelte den Kopf. Er

fühlte sich bedrängt und unter Druck gesetzt, und das ging ihm auf die Nerven. »Spar dir die Mühe, Ida. Ich bin nicht interessiert. Weder an dieser angeblichen Chance noch an dir, wenn du meine Offenheit vergeben willst. Also sei so gut und verschwinde einfach wieder.«

Sie ließ sich gegen die Wand sinken und hob seufzend die Schultern. »Tut mir leid.« Sie wies auf die Stofffetzen am Boden. »Das war das einzige Kleid, das ich dabeihabe.«

Magdeburg, Juli 955

»Hier, Emma, nimm deine Schwester und leg sie zurück in die Wiege«, bat die Königin ihre Älteste. »Versuch, sie nicht aufzuwecken.«

Umsichtig nahm die Siebenjährige ihr die winzige Mathilda aus den Armen. »Sie kommt mir größer und schwerer vor als Brun mit sechs Monaten«, bemerkte sie. »Kann das sein? Wo im Tierreich doch die Männchen meist größer und schwerer sind als die Weibchen?«

Gott sei gepriesen für den Verstand dieses Kindes, dachte Adelheid mit sorgsam verborgenem Mutterstolz. »Brun kam einen Monat zu früh zur Welt«, erklärte sie. »Darum hinkt er immer einen Monat hinterher.«

»Ah, verstehe.« Emma trug ihre Schwester zu der Wiege mit den etwas kruden Schnitzereien, in der schon der König geschlummert hatte, und bettete Mathilda fachmännisch hinein.

Adelheid lehnte den Kopf gegen die hohe Rückenlehne und streckte verstohlen das Kreuz durch.

Hulda von Lüneburg kam ihr dennoch auf die Schliche. »Lasst mich Euren Rücken mit Tannennadelsud einreiben, das wirkt Wunder, meine Königin.«

Adelheid zog die exquisiten Brauen hoch. »Damit die Gesandten beim Essen darüber tuscheln, dass König Ottos Gemahlin sich mit Tannenduft parfümiert? Ich denke, lieber nicht, Hulda.

Schlimm genug, dass ich schon wieder schwanger bin. Das liefert wohl genug Stoff für den Hofklatsch.«

»Eine fruchtbare Königin ist ein Segen für ein großes Reich«, widersprach die Gräfin mit Nachdruck. »Und ein Anzeichen göttlichen Wohlwollens für die Herrschaft des Königs. Er ist Euch dankbar dafür, wie Ihr sehr wohl wisst, und wenn die fremdländischen Gesandten tuscheln, dann aus Neid.«

Adelheid musste über Huldas leidenschaftliche Loyalität lächeln. »Was mich umbringt, sind nicht Rückenschmerzen, sondern meine Füße.«

Die Schwangerschaft und die schwüle Julihitze hatten sich verbündet und offenbar verabredet, ihre Füße auf Trollgröße anschwellen zu lassen.

Anna setzte sich vor ihr auf einen niedrigen Schemel, legte Adelheids linken Fuß in ihren Schoß, löste den eleganten Seidenschuh und begann zu massieren.

Die Königin schloss für ein paar Atemzüge genießerisch die Lider. Als sie merkte, dass sie einzuschlafen drohte, riss sie die Augen wieder auf und schaute aus dem Fenster in ihren verwunschenen kleinen Garten hinaus, wo das Gras zu ockerfarbenem Heu vertrocknet war. Der Anblick erinnerte sie an die Sommer in Pavia. Wobei sie sich nicht entsinnen konnte, dass es dort je so drückend gewesen war wie diesen Juli in Sachsen. Es war noch zwei Stunden vor Mittag, aber die reglose Luft draußen waberte schon vor Hitze.

»Lies uns noch ein paar Verse vor, Emma«, bat sie ihre Tochter.

Emma streckte sich bäuchlings auf der farbenfrohen Wolldecke am Boden aus, wo das alte Buch mit den vergilbten Pergamentseiten und dem verschrammten Ledereinband aufgeschlagen lag. Das Mädchen suchte mit dem Finger die richtige Zeile und begann: »*Dieses Schwert, von Wieland geschmiedet und im Blut vieler Schlachten gehärtet, hat schon manch tapferem Feind Einhalt geboten, sprach Hiltigunt. Darum lasse den Mut nicht sinken, Alfheres Sohn, denn der Tag ist gekommen, da du eines von zwei Dingen tun musst: Gib dein Leben hin oder erringe immerwährenden Ruhm unter den Menschen …*«

Emma war eine begabte Vorleserin, und Adelheid lauschte gebannt, wie das Schicksal von Hagano, Waltharius und der furchtlosen Hiltigunt seinen Lauf nahm. Wie sehr die Geschichten der alten Heldenlieder einander doch glichen, fuhr es ihr durch den Sinn. Und wie wenig sich änderte. Fünfhundert Jahre war es her, dass ihre Ahnin Hiltigunt mit ihrem geliebten aquitanischen Prinzen aus der Geiselhaft am Hofe Attilas geflohen war, aber noch heute zogen einst vertraute Freunde gegeneinander in die Schlacht, weil sie überzeugt waren, die Gebote der Ehre ließen ihnen keine andere Wahl. Adelheid hatte nicht verhindern können, dass Liudolf und Otto in diese Falle tappten. Und auch wenn dieser Zwist ausgestanden schien, lastete er nach wie vor auf ihr. Sie blickte zu Brun hinüber, der an der Hand der Amme neben dem Bett auf und ab stapfte und kleine glucksende Laute der Seligkeit von sich gab, wenn er eine Etappe geschafft hatte, ohne umzufallen. Die Königin sah weiter zu Mathilda, die der König der Kirche versprochen hatte. Zu Emma, die so ganz und gar in ihr Heldengedicht vertieft war und noch nicht ahnte, dass sie Ottos Neffen, den jungen König des Westfrankenreiches, heiraten sollte. Schließlich sah Adelheid an sich hinab und strich mit beiden Händen über ihren gewölbten Leib. Und du, mein ungeborenes Kind? Was mag das Schicksal für dich bereithalten?

Sie schloss die Augen wieder und bat die Heilige Jungfrau und den heiligen Mauritius um Schutz und Beistand für ihre Kinder, so wie sie es immer tat. Während Anna auch ihren rechten Fuß massierte, verschwamm Emmas Stimme zu einem gleichförmigen Plätschern, Adelheid sah vor ihrem geistigen Auge wirre Bilder von der Flucht des jungen Paares die Donau hinauf, und als jemand polternd an die Tür klopfte, fuhr sie schuldbewusst aus dem Schlaf auf.

Sie wartete, bis Anna ihr die Schuhe wieder zugeschnürt hatte, ehe sie rief: »Herein!«

Gerhard von Hochfeld, der Kommandant ihrer Leibwache, trat ein und verneigte sich vor ihr. »Die Gesandtschaft des Kalifen von Cordoba ist eingetroffen, edle Königin.«

»Ach du Schreck, eine ganze Stunde zu früh.« Adelheid erhob sich und achtete darauf, dass es nicht schwerfällig wirkte.

»Ich fürchte.«

Wie üblich sprach er, als sehe er sie heute zum ersten Mal, und er schaute ihr niemals in die Augen. Gerhard war gewissenhaft und stets korrekt, und Adelheid wusste, im Notfall hätte er ihr Leben mit dem seinen verteidigt. Aber bei Gott, wie sie Gaidemar vermisste …

»Habt Dank. Seid so gut und wartet draußen, ich komme.« Sobald die Tür sich geschlossen hatte, sagte sie zu ihrer Ältesten: »Emma, steh auf und lies die Strohhalme von deinem Kleid.«

»Ich darf mit zum Empfang der Gesandtschaft?«, fragte sie ungläubig.

Ihre Mutter nickte. »Ich denke, es wird Zeit, dass du lernst, auch dann noch huldvoll zu lächeln, wenn du dich schon seit einer Stunde langweilst. Heute könnte eine gute Gelegenheit sein, das zu üben.«

Aber Emma ließ sich nicht abschrecken. Ihre Augen leuchteten. »Der letzte Gesandte des Kalifen von Cordoba hat ein Kamel mitgebracht …«

Viele fremde Herrscher schickten Botschafter an Ottos Hof, um Bündnisse zu schmieden oder Geheimnisse auszuspionieren oder beides. Seit Otto zum mächtigsten König des Abendlandes aufgestiegen war und seit seiner Vermählung mit der Königin von Italien hatten Häufigkeit und Gewicht dieser Gesandtschaften spürbar zugenommen. Letzte Woche war sogar ein Abgesandter des Großfürsten Fajsz der Ungarn in Magdeburg eingetroffen und hatte dem König Geschenke aus Gold und Edelsteinen zu Füßen gelegt. *Protzig*, hatte Otto die Gaben genannt, als er sie allein mit seiner Gemahlin abends in seinen Gemächern in Augenschein nahm, *und gewiss haben sie dafür das Gold eingeschmolzen, das sie aus unseren Kirchen und Klöstern geraubt haben.* Er hatte vermutlich recht, und der ganze Hof rätselte, was der Zweck der ungarischen Gesandtschaft war, doch Adelheid glaubte, es sei auf jeden Fall besser, miteinander zu reden, als immer gleich die Waffen sprechen zu lassen.

Mit dem Kalifen von Cordoba waren die Dinge indessen noch

heikler, falls das möglich war. König Otto verhandelte seit zwei Jahren mit dem Herrscher der Sarazenen, weil diese von ihrer starken Basis in Fraxinetum aus Italien, Burgund und die Alpenpässe bedrohten. Otto wollte Sicherheit und Frieden an der südwestlichen Flanke seines Reiches. Der Kalif seinerseits wollte verhindern, dass der mächtige Otto sich mit dem Kaiser von Byzanz gegen ihn verbündete. Und beide wollten ihre Handelsbeziehungen verbessern.

»Mächtiger König der ruhmreichen Franken«, grüßte der Gesandte würdevoll. Er trug weit fallende, bodenlange Seidengewänder und einen sonderbaren Kopfputz, der aus einem weißen Tuch gewickelt zu sein schien. »Mein geliebter und gnädiger Herr Abd ar-Rahman – Allah möge sein Antlitz erleuchten – sendet Euch Grüße und Segenswünsche.« Und damit warf er sich Otto zu Füßen und blieb mit dem Gesicht im Bodenstroh liegen, als hätte ihn ein Blitz erschlagen.

Unter den Höflingen, die in kleinen Gruppen in der Halle zusammenstanden und den Einzug des Gesandten gespannt verfolgt hatten, war hier und da unzureichend unterdrücktes Gekicher zu vernehmen. Aber Emma verzog keine Miene, stellte Adelheid zufrieden fest.

»Erhebt Euch, Ibrahim ibn Hischam, und seid willkommen am Hof König Ottos in Magdeburg«, erwiderte Brun – feierlich und freundlich zugleich –, der in seiner Eigenschaft als Erzkanzler nicht nur das Begrüßungszeremoniell leitete, sondern auch die überaus schwierigen Verhandlungen im Vorfeld geführt hatte. Während der Gesandte auf die Füße kam, fügte Brun hinzu: »Wir sind Euch dankbar, dass Ihr die weite Reise auf Euch genommen habt, und voller Bewunderung für Eure Kenntnisse unserer Sprache.«

Ibrahim ibn Hischam neigte ein klein wenig das Haupt – womöglich war es ein Dank. Das Gesicht mit dem kurzen schwarzen Bart war scharf geschnitten, voller Kühnheit und adligem Hochmut. Ibrahim war ein Cousin oder Neffe des Kalifen, wusste Adelheid, und vermutlich war es ein hoffnungsvolles Zeichen, dass der Herrscher von Cordoba einen Verwandten für diese Gesandtschaft ausgewählt hatte. Der Blick der dunklen Augen war schwer zu deuten. Eine Mischung aus Neugier und Argwohn vielleicht. Sie konnte ihm das gut nachfühlen. So ähnlich hatte sie auch empfunden, als sie zum ersten Mal nach Sachsen gekommen war …

»Cordoba verfügt über eine Bibliothek mit mehr als fünfhundert mal tausend Büchern, ehrwürdiger Bischof. So ist es uns möglich, fremde Sprachen und Gebräuche zu studieren.«

Zum ersten Mal ergriff der König das Wort. »Dann ist es gewiss dieser reiche Schatz an Wissen, der unseren Gesandten seit zwei Jahren in Cordoba festhält?«

Ein kleines Lächeln malte sich im dunklen Bart ab. »Johannes von Gorze ist in der Tat ein sehr wissbegieriger Mann. Bei meiner Abreise erfreute er sich bester Gesundheit, und ich bin überzeugt, nach meiner Rückkehr wird er sich bald auf die Heimreise begeben.«

Otto nickte. Offenbar fand er es akzeptabel, dass der Kalif eine Geisel wollte, bis sein Verwandter heil zurückgekehrt war. Die Verhandlungen zwischen Otto und Abd ar-Rahman waren auch deshalb riskant, weil jede Seite dazu neigte, in den Sendschreiben der anderen eine Beleidigung ihres Glaubens zu entdecken. Gewiss hatte niemand in dieser Halle vergessen, dass der letzte Gesandte des Kalifen deswegen drei Jahre hier festgesessen und um sein Leben gebangt hatte.

»Zum Zeichen seiner Freundschaft und Friedensabsicht hat mein Herr mir Geschenke mitgegeben, edler König.« Und auf Bruns diskretes Nicken klatschte Ibrahim zweimal in die Hände. Die Doppeltür der Halle schwang auf, und ein rundes Dutzend Sklaven in weinroten Hosen mit nackten Oberkörpern und Füßen schleppte polierte, intarsienverzierte Holzkisten und Tuchballen herein. Sie kamen bis an die Estrade, wo sie ihre Gaben abstellten. Ibrahim öffnete eine der Truhen, und im matten Licht der Halle sah Adelheid Gold und Silber funkeln. Als Nächstes rollte der Gesandte einen der Tuchballen aus, und die Königin erkannte mit sorgsam verhohlenem Entzücken, dass es ein byzantinischer Seidenteppich war, wie sie die Wände ihres Palastes in Pavia geziert hatten.

Zoltán, der ungarische Gesandte, der ein Stück zur Rechten allein stand, verschränkte die Arme vor der Brust und machte ein finsteres Gesicht. Anscheinend gefiel es ihm nicht sonderlich, dass der Kalif von Cordoba seinen Großfürsten mit der Pracht seiner Geschenke ausgestochen hatte.

Der letzte Sklave war ein Knabe von vielleicht zehn Jahren. Er trug seine große Kiste ohne Mühe, stellte sie vor Otto ab, und als er den Deckel öffnete, fielen die Seitenwände lautlos auseinander und enthüllten eine zusammengekauerte Kreatur, die Adelheid einen abscheulichen Moment lang für ein ausgemergeltes Kind hielt. Dann erkannte sie ihren Irrtum.

Emma, die an ihrer Seite stand, zog hörbar die Luft ein. »Was ist das?«, wisperte sie.

»Ein Affe«, gab die Königin ebenso leise zurück.

Das putzige Tier trug ein Westchen aus grünem Tuch. Der Sklavenjunge nahm die Leine gleicher Farbe auf, die es um den Hals hatte, und kniete neben Ibrahim nieder.

»Er ist zahm und dressiert«, erklärte der Gesandte. »Vielleicht ein Spielgefährte für die Prinzen und Prinzessinnen?«

»Darf ich?«, fragte Emma und schaute hoffnungsvoll zu ihrer Mutter auf.

Aus dem Augenwinkel sah Adelheid Ottos Nicken, und mit einem Lächeln schob sie Emma einen Schritt nach vorn.

Ohne Scheu trat die Prinzessin zu dem knienden Sklaven, nahm ihm die Leine ab und streckte dem Affen die freie Linke entgegen. Augenblicklich ergriff er sie mit einer seiner kleinen Pfoten, sprang an Emma hoch und kletterte behände auf ihre Schulter.

Die Prinzessin lachte hingerissen. »Oh, er ist zu goldig!«

Die Erwachsenen schmunzelten über ihre große Freude und den schelmischen Gesichtsausdruck des Äffchens, und das Eis war gebrochen.

Brun wies einladend zur hohen Tafel. »Nehmt Platz und speist mit uns, Ibrahim ibn Hischam.«

Adelheid hatte den Köchen erklärt, dass der Gesandte des Kalifen kein Schweinefleisch essen und keinen Wein trinken konnte, und so war sie einigermaßen zuversichtlich, dass es beim Essen keine peinlichen Zwischenfälle geben würde.

»Gib deinen neuen Freund seinem Hüter zurück, Emma, und komm an die Tafel.«

Schweren Herzens, aber ohne zu zögern gehorchte das Mädchen, denn sie platzte beinah vor Stolz, weil sie heute zum ersten Mal bei einem festlichen Gastmahl in der Halle dabei sein durfte.

»Den Sklaven könnt Ihr behalten, Prinzessin«, erklärte Ibrahim.

Emma knickste scheu vor ihm. »Habt Dank, Herr.«

»Er kennt sich aus mit der Aufzucht und Pflege von Tieren. Kastriert ist er natürlich auch«, fügte er an Adelheid gewandt hinzu. »Sonst würde ich ihn der Prinzessin nicht anbieten, edle Königin.«

»Sehr rücksichtsvoll und großzügig von Euch«, gab sie zurück, ohne mit der Wimper zu zucken. Auch in Italien wusste man den Wert eines Kastraten zu schätzen. Otto und Brun ertappte sie hingegen bei einem verstohlenen Blick des Widerwillens, und der hochehrwürdige Erzbischof von Köln schnitt eine seiner berühmten Grimassen. *Sie sind und bleiben eben Barbaren*, dachte Adelheid und unterdrückte ein Seufzen.

Das Festmahl wurde ein voller Erfolg. Ibrahim ibn Hischam entpuppte sich als geistreicher Gesprächspartner, und nachdem er festgestellt hatte, dass ihm hier niemand bei lebendigem Leib die Haut abziehen oder Schweinefüße vorsetzen wollte, zeigte er sogar Anzeichen von Humor. Adelheid beobachtete fasziniert, dass er zum Essen nur die rechte Hand benutzte und vor jedem neuen Gang etwas in seiner Sprache murmelte, das sich wie ein Gebet anhörte. Er war kein Aufschneider, doch er ließ erkennen, dass er hoch in der Gunst des Kalifen stand und dessen Pläne und Absichten kannte, was ihn für Otto zu einem umso wertvolleren Verhandlungspartner machte. Sie stellten bald fest, dass sie die Leidenschaft für die Falkenjagd gemeinsam hatten, und erleichtert lud Otto den heidnischen Prinzen für den nächsten Tag zur Beiz.

»Leider muss ich Magdeburg in wenigen Tagen verlassen, um meine Truppen über die Elbe in den Krieg gegen die aufständischen

Slawen zu führen«, erklärte der König seinem Gast. »Aber der Erzbischof wird Euch gewiss gern zur Jagd begleiten. Er kennt die Wälder um Magdeburg genauso gut wie ich.«

»Wenn nicht besser«, warf Brun liebenswürdig ein und hielt seinem Bruder einladend den Brotkorb hin.

Otto brach sich ein Stück Brot ab und erklärte seinem Gast augenzwinkernd: »Nicht alle Gottesmänner schätzen die Tugend der Bescheidenheit so hoch, wie sie sollten.«

»Das ist bei uns nicht anders«, eröffnete Ibrahim ihm unverblümt. »Ihr habt die slawischen Völker im Osten also unterworfen?«

Otto nickte und hob gleichzeitig die Schultern. »Manche von ihnen vergessen es nur gelegentlich. Dann müssen wir sie heimsuchen und sie daran erinnern.«

»Aber welches Interesse habt Ihr an ihnen? Bringen sie reichen Tribut?«

Der König antwortete nicht sofort, denn er konnte Ibrahim schwerlich gestehen, dass sein oberstes Ziel bei der Unterwerfung der Slawen ihre Bekehrung zum wahren Glauben war. »Sie zahlen Tribut in Pelzen, etwas Silber und vor allem in Pferden«, entschloss er sich schließlich zu sagen. »Letztere sind für uns von großem Nutzen zur Ausrüstung meiner Reiterlegionen. Außerdem sind die Slawen kriegslustig und unerschrocken, darum sind sie nur dann friedliche Nachbarn, wenn sie unseren Stiefel im Nacken spüren. Also müssen wir sie unterwerfen, damit sie es nicht mit uns versuchen.«

Ibrahim nickte bedächtig. Seine Miene blieb ernst, aber Kränze von Lachfalten zeigten sich um seine Augen, als er erwiderte: »Das Gleiche sagt der Kalif von den Burgundern.«

Adelheid hätte sich um ein Haar verschluckt. Sie stellte den schweren Weinpokal abrupt zurück auf die Tafel, aber noch ehe sie entschieden hatte, was sie sagen wollte, flog die schwere Doppeltür mit solchem Getöse auf, dass das Gemurmel an den langen Tischen verstummte.

Ein einzelner Mann kam im Laufschritt in die Halle und riss sich auf dem Weg zur hohen Tafel den Helm vom Kopf. Hardwin von Wieda und Manfried von Minden erhoben sich hastig und postierten sich Schulter an Schulter vor der Estrade, doch der König sagte: »Schon gut. Es ist einer von Hennings Männern.«

Sie machten Platz, und als der Bote vor der hohen Tafel auf ein Knie sank, hörten sie sein ausgepumptes Keuchen.

»Euer Bruder, der Herzog von Bayern, sendet Euch ergebene Grüße, mein König«, stieß er abgehackt hervor.

Otto nickte mit einer auffordernden Geste. »Erst die Nachricht, dann die Artigkeiten, Drutmund. Steh auf.«

Drutmund kam auf die Füße, und er brauchte einen Moment, ehe er dem König ins Gesicht sehen konnte. »Es sind die Ungarn.«

Otto erhob sich langsam. »Sie sind in Bayern eingefallen?«

Der Bote nickte. »Der Herzog bittet Euch inständig um Beistand. Er ist …«

»Wie viele, und wo sind sie?«, unterbrach Otto barsch.

Drutmund schluckte trocken und atmete tief durch. »Überall. Das Land ist schwarz von Kriegern und Pferden. Es sind mehr, als irgendwer zählen kann. Hunderttausend, schätzt der Bischof von Regensburg.«

»Hundert…*tausend*?«, wiederholte Brun fassungslos. Von solch einer Truppenstärke hatte die Welt nie zuvor gehört.

Für ein paar Herzschläge herrschte vollkommene Stille in der Halle, so als hätte das Entsetzen alle zu Salzsäulen erstarren lassen.

Dann rührten sich Hardwin und Manfried, stürzten sich auf den Gesandten des ungarischen Großfürsten und zerrten ihn rüde über die Tafel. Becher gingen scheppernd zu Boden, tönerne Schalen zerbarsten unter dumpfem Klirren. Die beiden Grafen packten den Ungarn an den Armen, brachten ihn vor die hohe Tafel und stießen ihn zu Boden.

Zoltán wollte wieder auf die Füße springen, aber Hardwin trat ihm in die Nieren, packte ihn dann beim glänzend schwarzen Schopf und hielt ihn auf den Knien.

Der König trat vor den ungarischen Gesandten und zog das mächtige Schwert aus der Scheide. In der atemlosen Stille war das schleifende Geräusch verblüffend laut.

Otto stellte die Spitze seiner Waffe ins Bodenstroh, verschränkte die Hände lose auf dem Heft und sah dem ungarischen Gesandten ins Gesicht. »Hat dein Großfürst wirklich geglaubt, er könnte mich mit einer Kiste voller Geschmeide in Sicherheit wiegen, während seine Horden in mein Reich einfallen?«

Zoltáns fahle Blässe sprach eher dafür, dass die Horden seines Großfürsten ein wenig eher gekommen waren als geplant. Aber seine Miene blieb unbewegt, und er schwieg trotzig.

»Was ist ihr Ziel? Du kannst jetzt antworten oder später, aber glaub mir, du *wirst* antworten.«

Zoltán hob den Kopf und sah zu Otto auf. »Dein ganzes Land ist ihr Ziel, König Otto. Dieses Mal sind wir nicht gekommen, um zu plündern, sondern um zu erobern. Und so groß ist unsere Zahl, dass niemand uns besiegen kann, es sei denn, die Erde verschlingt uns oder der Himmel stürzt ein.«

Otto nickte bedächtig, hob das Schwert mit beiden Händen, holte aus und schlug Zoltán mit einem gewaltigen Streich den Kopf ab.

Der Kopf mit dem lang herabhängenden Schnurrbart, der dem Gesicht im Leben wie im Tode einen mürrischen Ausdruck verlieh, rollte bis an die hölzerne Stufe zur Estrade. Der kniende Leib sackte zur Seite. Das Blut, das aus der Wunde schoss, durchtränkte Drutmunds staubiges Lederwams, und einige rote Sprenkel spritzten bis auf Emmas neues himmelblaues Festtagskleid.

Die Königin legte ihrer Tochter die Hand auf die Schulter und sah auf sie hinab. Emma war bleich, und ihre Augen blinzelten, als sei sie verwirrt, aber sie blieb an ihrem Platz und bewahrte Haltung. Adelheid war stolz auf sie.

Otto hatte das blutbesudelte Schwert wieder vor sich gestellt. »Manfried, Ihr führt die sächsischen Reiterlegionen über die Elbe. Womöglich haben die Ungarn und die Obodriten sich abgesprochen, und wir dürfen Hermann Billung jetzt nicht im Stich lassen. Hardwin, wir rücken morgen früh aus. Sammelt an Freiwilligen, was sich auf die Schnelle finden lässt. Brun, sende Boten aus. Dieser Bedrohung können wir nur begegnen, wenn das ganze Reich zusammensteht.« Er schloss die Fäuste um das Heft seines

Schwertes, senkte den Kopf und flehte: »Gott, lass sie zusammenstehen, die Schwaben und Bayern, die Sachsen und Franken und
all meine übrigen halsstarrigen Untertanen, und sei es nur *dies
eine Mal* ...«

Frankfurt, August 955

»Vergebt mir, Euer Gnaden, aber die Nachricht duldet keinen Aufschub und ...« Der Rest des Satzes blieb ihm einfach im Halse stecken.

»Gaidemar, sieh an.« Der Erzbischof lächelte gefährlich. »Was
ist aus der hübschen Sitte des Anklopfens geworden?«

Gaidemar stand starr wie ein Findling da mit der Hand am Türriegel und konnte einfach nicht fassen, was er sah: Der ehrwürdige
Erzbischof von Mainz saß mit einer Dame auf seinem Bett, die nur
mit einem Hemd bekleidet war. Sie zog erschrocken die Luft ein,
schlug die Hände vor Mund und Nase und wandte das Gesicht ab,
als erwarte sie einen Schlag.

Aber Gaidemar hatte sie längst erkannt.

»Uta ...«, sagte er dümmlich.

Wilhelm griff nach einem der feinen Laken auf dem zerwühl-
ten Bett und legte es ihr um die Schultern. »Warte nebenan, Uta,
wenn du so gut sein willst«, bat er und nickte zur Tür in der gegenüberliegenden Wand, hinter der seine Kapelle lag.

Uta wickelte das Laken fester um sich und hob das Kinn. »Warum? Was soll ich nicht hören? Dass mein Ziehbruder mich laster-
haft und unkeusch nennt? Ich bin Schlimmeres gewohnt.«

Das lange goldblonde Haar war unbedeckt und aufgelöst, sodass Uta ihn mehr denn je an den kleinen Wildfang mit den ewig
aufgeschlagenen Knien von früher erinnerte, und irgendetwas an
der Erinnerung schnürte Gaidemar die Kehle zu.

Aber er nahm sich zusammen, trat ganz in den Raum hinein
und schloss die Tür. »Ich kann mich nicht entsinnen, je etwas
Hässlicheres zu dir gesagt zu haben als ›Windsbraut‹.«

»Nein.« Ihre Schultern sackten herab. »Dich meinte ich eigentlich auch nicht.« Es klang verzagt.

Der Erzbischof stand auf und machte einen Schritt auf seinen Cousin zu. »Ich verstehe, dass du schockiert bist. Und was immer du mir jetzt in deiner Entrüstung entgegenschleudern wirst, habe ich verdient.«

»Oh, keine Bange, Euer Gnaden«, entgegnete Gaidemar bitter. »Bedauerlicherweise bin ich auf meine Stellung als Kommandant Eurer Reiterlegion angewiesen, also werde ich mich in Zurückhaltung üben müssen.«

»Wie erleichternd.«

»Ich finde es indessen schwer zu begreifen, dass ein Mann wie Ihr, der am eigenen Leib erfahren hat, was es bedeutet, ein Bastard zu sein, riskiert, selber welche in die Welt zu setzen.«

»Was sonst soll ich denn tun?«, fragte Wilhelm verwundert und breitete kurz die Arme aus. »Es war nicht meine Wahl, mein Leben der Kirche zu weihen, weißt du. Die Stellung bringt unbestreitbar viele Vorzüge mit sich, aber ich tauge nicht für ein Leben in Enthaltsamkeit.«

Gaidemar hatte eine hitzige Erwiderung auf der Zunge, aber er würgte sie hinunter – wie angekündigt.

»Im Übrigen können wir uns um die Bastarde immer noch grämen, wenn sie kommen«, warf Uta ein. »Ich bin bislang nie schwanger geworden. Wer weiß, vielleicht bin ich unfruchtbar.«

Gaidemar schnaubte, aber er behielt seine Bedenken für sich, weil er zu verlegen war, um mit seiner Schwester über etwas so Intimes wie Fruchtbarkeit und Empfängnis zu sprechen.

In das unangenehme Schweigen hinein sagte sie: »Es ist einfach passiert, Gaidemar. Er kam nach Quedlinburg, um seine Großmutter, die ehrwürdige Äbtissin, zu besuchen, und dort sind wir uns wiederbegegnet. Ich hatte nicht vor, die Sicherheit des Stifts je wieder zu verlassen, aber irgendwie …« Ihre ratlose Miene hatte beinah etwas Komisches.

Gaidemar wusste indessen, dass Wilhelm schon ein Auge auf Uta geworfen hatte, als Gaidemar sie damals zur Königin gebracht hatte, und deswegen hatte er Mühe zu glauben, dass ihr Wiedersehen in Quedlinburg solch ein Zufall gewesen war. Doch als er den Blick sah, mit dem Wilhelm Uta betrachtete, verrauchte sein Zorn. Es hatte den ehrwürdigen Erzbischof ganz ordentlich erwischt, erkannte er.

Resigniert hob er die Rechte. »Ihr müsst selber wissen, was ihr tut. Aber wenn Sigismund von Westergau oder Immed auch nur ein Flüstern über diese Angelegenheit hören, werdet ihr in Teufels Küche kommen, und zwar alle beide, Erzbischof hin oder her.«

»Ich weiß«, sagte das ungleiche Liebespaar im Chor.

Gaidemar stieß ungeduldig die Luft aus. »Seid wenigstens vorsichtiger und verriegelt die Tür.«

Sie nickten zerknirscht.

Gaidemar hätte zu gerne gewusst, wie das alles überhaupt vonstattengegangen war, wie Wilhelm seine Geliebte zum Beispiel nach Mainz schmuggeln konnte, ohne dass es auch nur das leiseste Gerücht gegeben hatte. Denn davon hätte Gaidemar erfahren. Er machte es sich zur Aufgabe, alles zu wissen und zu hören, was im erzbischöflichen Palast gemunkelt wurde, so wie er es einst an Adelheids Hof getan hatte. Er war zwar nicht für Wilhelms persönliche Sicherheit zuständig, aber alte Gewohnheiten waren eben zählebig. Wo verbrachte Uta die Zeit, die sie nicht in Wilhelms Gesellschaft war? Wer versorgte und bediente sie und hatte das kostbare blaue Kleid geschneidert, das achtlos abgestreift in den Binsen lag? Wer war eingeweiht?

Doch als der Erzbischof spitz anmerkte: »Normalerweise wagt sich niemand unaufgefordert in meine Gemächer«, fiel Gaidemar mit einem sengenden Stich im Magen wieder ein, was ihn eigentlich hergeführt hatte.

»Wie gesagt, meine Nachrichten dulden keinen Aufschub, Euer Gnaden: Die Ungarn sind in Bayern eingefallen, und zwar in unermesslichen Scharen.«

»Oh, Jesus Christus, nicht schon wieder«, stieß Uta hervor und bekreuzigte sich.

Wilhelm war sehr bleich geworden, seine Miene wie versteinert. Das hat er von seinem Vater, ging es Gaidemar durch den

Sinn. Die Augen, die ihn unverwandt anschauten, wirkten mit einem Mal ausdruckslos wie schwarze Kiesel.

»Wann?«

»Vor ungefähr zehn Tagen. Jetzt überziehen sie das ganze Herzogtum mit Blut und Tod. Es heißt, sie sind auch nach Schwaben vorgedrungen, bis an den Schwarzen Wald.«

Unaufhaltsam, hatte der Bote mit angstvoll aufgerissenen Augen gesagt und beschwörend Gaidemars Arm umklammert.

»Der König ersucht Euch, jeden bewaffneten Mann, den Ihr habt, Henning zu Hilfe zu schicken, Euer Gnaden.« Und er musste sich zusammenreißen, um nicht ungeduldig von einem Fuß auf den anderen zu treten. Er hatte hundert verschiedene Dinge zu tun. Er musste seine Reiter alarmieren, Proviant und Ausrüstung ordern, und jede Stunde zählte.

Doch Wilhelm schien die Zeit nicht zu drängen. Er schenkte sich einen Becher aus dem vergoldeten Krug auf dem Tisch ein und trat damit ans Fenster. »Sieh an, sieh an«, murmelte er, den Rücken zum Raum. »Der König ersucht also um Hilfe für Henning. Offenbar ist Henning wieder einmal verziehen worden. Selbst die Verstümmelung eines Erzbischofs und eines Patriarchen. Wieso verwundert mich das nicht ...«

»Dein Zorn in allen Ehren, Wilhelm, aber es ist nicht Henning, den die Ungarn schänden und niedermetzeln, es sind die Frauen und Männer in Bayern und Schwaben«, gab Uta zu bedenken. »Die sich ihren Herzog nicht aussuchen konnten.«

Gaidemar starrte seine Ziehschwester an, fassungslos, dass sie es wagte, dem mächtigen Erzbischof politische Ratschläge zu erteilen. Und anscheinend heute nicht zum ersten Mal, denn Wilhelm nickte lediglich, ohne sich umzuwenden. Weder fuhr er ihr über den Mund, noch verhöhnte er sie. *Wie Otto und Adelheid,* dachte Gaidemar unwillkürlich.

»Uta hat recht«, sagte er brüsk. »Und die Nachricht des Königs geht noch weiter: *Dies ist die Stunde der Not, da das Reich zusammenstehen muss. Denn dieses Mal sind die Feinde Gottes eingefallen, um uns zu erobern und zu unterwerfen. Auf dem Weg hierher hat der Bote erfahren, dass sie Augsburg belagern.«

Wilhelm wirbelte herum. »Augsburg? Aber sie greifen niemals befestigte Städte an.«

Gaidemar hob die Schultern. »Wie gesagt. Dieses Mal ist alles anders. Selbst wenn Henning Eure Hilfe nicht verdient, Bischof Ulrich tut es gewiss. Und ich schätze, er hat sie bitter nötig.«

Wilhelm streifte die Unschlüssigkeit ab wie einen zu warmen Mantel. »Schick nach Karl von Rappenau, wir müssen Boten aussenden«, sagte er und stellte den Becher achtlos auf den Tisch. »Ich nehme an, der König führt die sächsischen Truppen nach Süden?«

Gaidemar schüttelte den Kopf. »Das ist ja das Schlimme: Er kann die Ostgrenze nicht entblößen, weil die Obodriten sich erhoben haben. Die sächsische Hauptstreitmacht hat letzte Woche die Elbe überschritten, um Liudolf und Hermann Billung gegen die Slawen beizustehen. Der König hat nur rund tausend Freiwillige um sich scharen können, ehe er aufbrach.«

Wenn diese Nachricht Wilhelm mit genauso bösen Vorahnungen erfüllte wie Gaidemar, ließ der Erzbischof es sich ebenso wenig anmerken. »Nicht zu ändern.« Er dachte einen Moment nach. »Wie viele kampftaugliche Männer hat die St.-Albans-Legion?«

»Vierhundertzweiundfünfzig.« Und wie ›kampftauglich‹ seine unerfahrenen Reiter tatsächlich waren, blieb noch abzuwarten.

Der Erzbischof nickte. »Mach sie marschbereit, zieht dem König entgegen, und vereint euch mit seinen Streitkräften. Die fränkischen Grafen werden ihre Truppen dem Befehl meines Schwagers Konrad unterstellen, ich bin sicher. Er war in Franken immer höher angesehen als in Lothringen, und er ist ein hervorragender Soldat. Aber ich will, dass meine Truppen Seite an Seite mit meinem Vater, dem König, stehen.«

»Wie Ihr wünscht.«

»Uta, ich fürchte, du musst dich unsichtbar machen.« Er legte die Hand an ihre Wange und küsste sie auf die Lippen – ganz und gar ungeniert.

»Natürlich, Liebster.« Sie hob im Vorbeigehen die himmelblaue Kotte und das verschwenderisch bestickte Oberkleid vom Boden auf, machte noch einmal kehrt, stellte sich vor Gaidemar auf die Zehenspitzen und drückte einen Kuss auf seine bärtige

Wange. »Hab Dank, dass du dich nicht von mir abwendest, Bruder. Gott behüte dich.«

Damit verschwand sie durch die Tür zur Kapelle.

»Eine geheime Treppe unter dem Altar führt in ein Gemach hinter der Halle, von dem kaum jemand weiß«, beantwortete Wilhelm Gaidemars unausgesprochene Frage.

Sein Cousin nickte stumm.

Wilhelm trat zu ihm und schloss ihn kurz in die Arme. »Geh mit Gott. Möge der heilige Alban seine schützende Hand über dich und deine Männer halten.«

»Danke.« Er hörte selbst, wie frostig es klang.

Wilhelm trat einen Schritt zurück und schüttelte mit einem kleinen Lächeln den Kopf. »Eh du Steine wirfst, beantworte mir eine Frage, Cousin: Wenn Adelheid dich in ihr Bett gelassen hätte, wie lange hättest du widerstanden?«

Gaidemar wandte hastig den Blick ab, legte die rechte Faust auf die linke Brust und verneigte sich. Ohne ein Wort ging er hinaus.

Die Reiterlegion des heiligen Alban brauchte drei Tage vom Main bis an die Donau. Der Zahl nach war es eigentlich nur eine halbe Legion, aber Gaidemar stellte auf dem Gewaltritt nach Süden fest, dass es die richtige Entscheidung gewesen war, die neuen Rekruten zurückzulassen und nur diejenigen mitzunehmen, deren Ausbildung fortgeschritten war. Grün und unerfahren waren sie allesamt, und die meisten hatten ihre Bluttaufe noch vor sich. Doch sie bewältigten die fünfzig Meilen am Tag bei sengender Hitze ohne Klagen oder größere Missgeschicke, und Gaidemar war insgeheim erleichtert.

Im Grunde war er ja genauso ein blutiger Anfänger wie seine Reitersoldaten – nicht im Kriegshandwerk, aber als Kommandant. Darum war er längst nicht bei allen Entscheidungen sicher, ob er das Richtige tat, auch wenn er jeden Befehl im Brustton der Überzeugung aussprechen musste.

Sie waren dem Lauf des Neckar stromaufwärts bis zu einem betriebsamen Uferstädtchen namens Heilbronn gefolgt. Von dort wandten sie sich nach Südosten und ritten meist durch bewaldetes

Hügelland. Kaum begegneten sie Spuren menschlicher Besiedlung, aber irgendwer hielt die Straße offen, die dank des Sommerwetters trocken und so staubig war, dass Pferde und Reiter sich von einer bräunlichen Schicht überzogen fanden, wenn sie abends anhielten.

»Ich komme mir vor, als hätte mich jemand in Mehl gewälzt und gebacken«, klagte Mirogod und versuchte ohne erkennbaren Erfolg, sich die mit Schweiß vermischte Staubschicht von der Stirn zu wischen.

»So ähnlich siehst du auch aus«, erwiderte Gaidemar abwesend, den Blick mit verengten Augen auf den Horizont gerichtet. Vor ungefähr einer Viertelstunde waren sie aus dem Wald gekommen. Braun verbrannte Wiesen bedeckten jetzt die Hügel links und rechts der Straße, und am Horizont erahnte Gaidemar Dunst.

»Es könnte die Donau sein«, mutmaßte Sigurd von Hersfeld, der an seiner linken Seite ritt.

Seine Mutter stamme aus Schwaben, hatte er dem Hauptmann bei ihrem Abmarsch offenbart, und er sei als Knabe gelegentlich zu den Großeltern gereist, die ein Gut unweit von Ulm besaßen.

Gaidemar hatte ihn sofort zum Führer und Pfadfinder ihrer Legion bestimmt, denn Ulm lag nicht weit von Augsburg entfernt.

»Glaubst du das wirklich, oder hoffst du es nur?«, vergewisserte sich der Kommandant.

Ein Grinsen huschte über das junge Gesicht und grub einen Kranz von Falten in die Staubschicht um die Augen. »Beides«, gestand Sigurd. »Aber die Entfernung kommt ungefähr hin.«

»Na schön.« Gaidemar wandte den Kopf und pfiff leise durch die Zähne. »Raban.«

Der Reiter rückte zu ihm auf. »Hauptmann?«

»Wir nähern uns dem Ziel. Das heißt, wir nähern uns vermutlich auch dem Feind. Such dir einen Kameraden und reite mit ihm als Späher voraus. In einer Stunde seid ihr zurück. Und vier Mann sollen hundert Schritte links und rechts des Zuges auf und ab reiten, um uns zu sichern.«

»Wird gemacht.«

Raban wollte wenden, als Mirogod die Hand nach Süden ausstreckte. »Da kommt ein Reiter.«

»Augenblick noch«, wies Gaidemar seinen Späher an und zog die Klinge.

»Zwei Reiter«, verbesserte sein Bursche sich.

Gaidemar nickte. Er sah sie auch: zwei schemenhafte, in dichte Staubfahnen gehüllte Gestalten näherten sich im Galopp. Man konnte weder Kleidung noch Rüstung erkennen, und sie trugen kein Banner mit sich, doch als sie vielleicht noch fünfzig Längen entfernt waren, sagte Gaidemar gedämpft: »Größer als die Pferde der Ungarn.«

Mirogod entließ hörbar einen zu lang angehaltenen Atem, aber die Panzerreiter blieben wachsam und angespannt.

Schlitternd kamen die beiden Reiter vor ihnen zum Stehen. Der rechte nahm den Helm ab und enthüllte ein bartloses Jungengesicht. »Chlodwig von Hattorf«, stellte er sich vor. Er war außer Atem. »Der König hat uns ausgesandt, um nach den fränkischen Truppen Ausschau zu halten.« Man konnte hören, wie stolz er war, mit einem so wichtigen Auftrag betraut worden zu sein.

Gott, hab Erbarmen und schicke auch ein paar Männer in diesen Krieg, nicht nur Knäblein, betete Gaidemar, ehe er antwortete: »Mein Name ist Gaidemar, ich führe die Panzerreiter der St.-Albans-Legion des Erzbischofs von Mainz an.«

»Gaidemar, der Bastard?«, fragte Chlodwig erstaunt.

Gaidemar biss die Zähne zusammen und nickte knapp.

Aber der junge sächsische Edelmann wandte nicht mit einer angewiderten Grimasse das Gesicht ab, um in den Staub zu spucken, sondern rief erfreut aus: »Oh, das ist großartig! Mein Bruder Hartwig hat mit Euch gegen Hugo von Franzien gekämpft und so viel von Euch erzählt!« Sein Enthusiasmus hatte etwas Welpenhaftes. »Wie viele Männer bringt Ihr?«

»Knapp fünfhundert.« Und als Gaidemar die Enttäuschung sah, die Chlodwig von Hattorf nicht verbergen konnte, fügte er hinzu: »Wir sind sofort aufgebrochen, als wir die Nachrichten hörten, aber der Erzbischof schickt weitere Truppen aus Franken.«

Chlodwigs Miene hellte sich wieder auf. »Der Herr sei gepriesen. Der König hat selbst auch nur knapp tausend Mann nach Süden führen können, weil …«

»Das haben wir gehört«, fiel Gaidemar ihm ins Wort, der nicht wollte, dass seine Panzerreiter allzu viel über die geringe Truppenstärke des Königs und die erdrückende Überzahl der Ungarn nachdachten. »Ich wäre dankbar, wenn Ihr uns den Weg zum königlichen Lager weisen könntet, Chlodwig von Hattorf. Wir sind seit drei Tagen unterwegs und allmählich ziemlich durstig.«

Chlodwig nickte und setzte den Spangenhelm wieder auf. »Folgt uns, Hauptmann. Es ist nicht mehr weit.«

Die Sonne stand schon tief im Westen, und in den verdorrten Wiesen zirpten die Grillen, als sie die Donau unweit von Augsburg an einer Furt überquerten und kurz darauf eine uralte und halb verfallene Festung erreichten, wo der König sein Lager errichtet hatte und auf Verstärkung wartete.

Im Innern der Befestigung wimmelte es von Männern und Zelten, und der Rauch vieler kleiner Kochfeuer verschlimmerte die Gluthitze, die trotz der fortgeschrittenen Stunde unverändert herrschte. Die Pferde standen außerhalb der Palisade auf Koppeln, die von den Trosswagen umringt waren, sodass die Tiere nicht davonspazieren konnten. Alles wirkte wohlgeordnet, aber Gaidemars geschultes Auge sah, dass hier allenfalls fünftausend Mann lagerten.

Er betraute Sigurd und Volkmar mit der Aufsicht über die Errichtung des Zeltlagers und die Versorgung von Pferden und Reitern, ließ sich von Mirogod einen Helm voll Wasser bringen und wusch sich Gesicht und Hände, so gut es ging, ehe er Chlodwig zum windschiefen Hauptgebäude der Burg folgte.

Die Halle war schmucklos und dämmrig, die Feuerstelle kalt und die Luft erfüllt vom Geruch nach staubigem, heißem Stroh. Der König stand mit drei gerüsteten Männern vor dem Fenster in der Ostwand, und sie berieten mit gedämpften Stimmen, jeder einen Zinnbecher in der Hand.

Gaidemar durchmaß den leeren Saal und blieb fünf Schritte vor der kleinen Gruppe stehen.

Otto wandte den Kopf und überraschte den Ankömmling mit einem strahlenden Lächeln unkomplizierter Freude, ehe er sich besann und seine distanzierte, ehrfurchtgebietende Herrschermiene zeigte.

Für einen Augenblick hat er geglaubt, ich sei mein Vater, ging Gaidemar auf.

Er sank vor Otto auf ein Knie nieder. »Der ehrwürdige Erzbischof von Mainz schickt mich mit fünfhundert Reitern, mein König.«

Otto vollführte eine auffordernde Geste. »Sei willkommen. Und erhebe dich.« Er klang neutral, aber immerhin nicht feindselig. Gaidemar rätselte, ob der König wohl seinen Namen vergessen hatte, als der einem Diener befahl: »Wein für Hauptmann Gaidemar.«

Dankbar nahm der seinen Becher in Empfang und trank. Als der erste Schluck des fruchtigen Rotweins seine ausgedörrte Kehle hinabbrann, musste er sich zusammenreißen, um den Becher nicht in einem Zug zu leeren.

»Gaidemar, Hauptmann der Reiterlegion des Erzbischofs von Mainz«, stellte Otto ihn vor. »Gaidemar, dies ist Burchard, der Herzog von Schwaben, der zweitausend Mann ins Feld führt.«

»Eine Ehre.« Gaidemar verneigte sich vor Burchard, einem athletischen Mann um die fünfzig, der jetzt über das Herzogtum herrschte, welches Liudolf mit seinem Aufstand verspielt hatte. Burchard war Adelheids Cousin und hatte obendrein im vergangenen Sommer Hennings blutjunge Tochter Hadwig geheiratet, um das Band zur königlichen Familie zu festigen. Das gebräunte Gesicht war gefurcht, Haar und Bart eisgrau, aber den flinken dunklen Augen entging nicht viel, und Burchards Körperhaltung verriet die Agilität eines lebenslangen Schwertkämpfers.

»Du kennst Hardwin von Wieda, wenn ich mich recht entsinne?«, fuhr Otto fort.

Gaidemar und sein einstiger Kampfgefährte umfassten einander kurz an den Unterarmen.

»Hardwin.«

»Gut, dich zu sehen, Mann.«

»Und dies ist Dobromir von Prag«, stellte der König vor. Als er Gaidemars verwunderten Blick auffing, zeigte er ein kleines, triumphales Lächeln. »Fürst Boleslaw von Böhmen hat uns zweitausend Männer geschickt.«

Nicht alle unterworfenen slawischen Völker lehnen sich gegen uns auf wie die Obodriten, sagte er nicht, aber Gaidemar las den Gedanken in den blauen Augen.

Gaidemar und Dobromir tauschten eine kühle, aber höfliche Verbeugung.

»Drei bayrische Legionen sind in Marsch gesetzt«, fuhr der König fort. »Doch Henning kann sie nicht selbst anführen, denn er liegt krank in Regensburg.« Es war unmöglich zu erraten, was er davon hielt, ob er besorgt um seinen Bruder war oder dessen Entschuldigung misstraute.

»Was ist mit Lothringen?«, fragte Herzog Burchard.

Doch Otto schüttelte den Kopf. »Ich habe Brun angewiesen, die lothringischen Truppen in Bereitschaft zu versetzen und die Rheinübergänge zu sichern.«

Alle nickten. In der Vergangenheit waren die Ungarn fast immer von Bayern weiter nach Lothringen gezogen, um dann in einem weiten südöstlichen Bogen über Burgund und Italien in ihre Heimat zurückzukehren.

»Das heißt, die lothringischen Truppen am Rhein sind das Bollwerk, das die vernichtende ungarische Flut aufhalten soll, wenn wir die Schlacht verlieren?«, hakte Burchard nach.

»*Falls* wir die Schlacht verlieren«, verbesserte der König. »Ich weiß, Ihr denkt, dass unsere Zahl zu gering ist, um der feindlichen Horden Herr zu werden, aber morgen früh müssen wir ausrücken und sie stellen, sonst wird Augsburg fallen.«

»Ich kann kaum glauben, dass die Ungarn es belagern. Sie haben noch niemals etwas so Großes angegriffen«, warf Hardwin ein.

Weil sie noch nie in solcher Zahl über das Reich hereingebrochen sind, fuhr es Gaidemar durch den Kopf, aber er behielt seine Gedanken für sich.

Otto nickte. »Der Herr hat ein Wunder gewirkt und bislang

seine schützende Hand über Augsburg gehalten, weil Bischof Ulrich seine Stadt mit dem Schwert und seinem unerschütterlichen Glauben verteidigt. In der Nacht nach dem ersten Ansturm hat er die Stadtmauern verstärken lassen, statt seine Truppen ausruhen zu lassen, und die frommen Nonnen aus dem Kloster der Stadt zu einer Bittprozession mit Fackeln durch die Straßen ziehen lassen, berichtet mir sein Bote. Gestern Morgen kamen die Ungarn dann mit schwerem Gerät, aber die Anführer mussten ihre Soldaten mit Peitschen vor die Mauern treiben, so sehr fürchteten sie die Verteidiger. Trotzdem: Wir müssen Bischof Ulrich zu Hilfe eilen. Morgen rücken wir aus, und dann werden wir ja sehen ...«

Seine Worte ertranken in einem ohrenbetäubenden Geschmetter von wenigstens einem halben Dutzend Trompeten. Vor der Halle waren rufende Stimmen, Reiter und rennende Schritte zu vernehmen. Dann flog die zweiflügelige Tür auf, und der stiernackige Wido von der königlichen Wache kam im Laufschritt in die Halle.

»Es ist Euer Schwiegersohn, mein König!«, berichtete er, seine Stimme heiser vor Aufregung. »Er bringt eine Reiterlegion aus Franken und führt die bayrischen Truppen an. Es müssen an die fünftausend Schwerter sein!«

Der König atmete verstohlen auf. »Der Herr sei gepriesen.«

Sie mussten nicht lange warten, bis Konrad in die Halle gestapft kam. Mit langen, schweren Schritten und unter leisem Scheppern seiner Rüstung trat er vor Otto und sank auf ein Knie nieder, den Kopf mit der zu langen Blondmähne gesenkt. »Hier bin ich, mein König, und mit Gottes Hilfe werde ich nun endlich Gelegenheit bekommen, im Kampf gegen die Feinde Gottes wiedergutzumachen, was ich Euch angetan habe.«

Otto beugte sich ein wenig hinab, nahm ihn bei den Schultern und hob ihn auf. »Davon wollen wir nicht mehr sprechen, mein Sohn, und wir werden auch nicht mehr daran denken. Lasst im Heer verkünden: Es ist mein Wunsch, dass alle Männer einander Frieden und Treue und die Vergebung vergangenen Unrechts schwören. Denn wir sind wahre Christen, keine Feinde Gottes und der Menschen. Und darum wollen wir selbst mit gutem Beispiel vorangehen.« Er schloss seinen verdatterten Schwiegersohn in die Arme, der ob der unerwarteten Vertraulichkeit ein klein wenig zusammenzuckte.

Fast schüchtern wandte er sich an Gaidemar. »Auch an dir habe ich mich versündigt damals auf dem Hohentwiel, Vetter. Ich hoffe, du kannst mir vergeben.«

Nicht, dass du anfängst zu heulen, dachte Gaidemar und legte die Linke auf das Heft seines Schwertes, wie immer, wenn ihm unbehaglich zumute wurde. Aber dann gab er sich einen Ruck, neigte ein wenig den Kopf und erwiderte: »Was immer zwischen uns war, wird morgen reingewaschen.«

Konrad nickte grimmig. »Mit heidnischem Blut.«

Lechfeld, August 955

Der Tag des heiligen Laurentius brach drückend und wolkenlos an. Die Luft war über Nacht kaum abgekühlt, und sobald die Sonne über den Horizont kletterte, fing sie schon an zu brennen.

»Hier, Herr«, Mirogod streckte Gaidemar eine bräunliche Knolle mit feinem Wurzelhaar hin. »Steck dir das an den Gürtel.«

»Was hast du hier noch verloren?«, schalt Gaidemar. »Ich habe dir gesagt, du sollst nach hinten zum Tross reiten.«

»Ich verschwinde gleich. Aber erst nimm das.«

»Was ist es?«, fragte Gaidemar, nahm die Knolle in die behandschuhte Linke und schnupperte argwöhnisch daran. Der Geruch war scharf, aber nicht unangenehm.

»Allermannsharnisch«, belehrte sein Bursche ihn. »Er schützt einen Krieger besser als jeder Kettenpanzer.«

»Behauptet wer?«

»Ich«, antwortete der Junge selbstbewusst. »Es ist eine berühmte Zauberpflanze, jeder Slawe kennt sie.«

»Ah ja? Wie kommt es dann, dass die Slawen ihre Schlachten gegen uns andauernd verlieren?«

»Weil Allermannsharnisch schwer zu kriegen ist, nehm ich an. Er wächst in den Bergen.«

Gaidemar ging ein Licht auf. »Und die bayrischen Soldaten aus den Bergen haben zufällig einen Vorrat davon mitgebracht und betreiben schwunghaften Handel damit?«

Der Junge zuckte die mageren Schultern. »Natürlich.«

Gaidemar brummte missfällig. »Hoffentlich haben sie das gestern Abend bei der Beichte nicht vergessen.« Aber er steckte die haarige Knolle unter seinen Schwertgürtel, weil er sah, dass dem Jungen wirklich daran lag. Dann scheuchte er ihn weg. »Und jetzt ab mit dir, Bengel.«

»Hast du auch alles? Ich könnte noch schnell …«

Gaidemar hob abwehrend die Hand. »Es ist alles bereit, du hast nichts vergessen. Nun geh mit Gott, Miro.«

Der Junge senkte den Kopf, bohrte verlegen die Schuhspitze in die staubige Erde und nickte. Zu Ostern hatte er die Taufe empfangen, und Gaidemar ertappte sich dabei, dass der Gedanke ihn beruhigte, denn auch die Knaben, Priester, Marketender und Huren im Tross waren nicht sicher, wenn die Schlacht verloren ging.

Doch er war skeptisch, ob der wahre Glaube wirklich in Mirogods Herz verwurzelt war, und als wolle der Junge seinen Argwohn bestätigen, murmelte er: »Mögen Jesus Christus und alle alten Götter mit dir sein und dich behüten.« Damit wandte er sich ab, sprang behände in Darkos Sattel und galoppierte ans hintere Ende der königlichen Armee.

Der Tross war verhüllt vom unvermeidlichen Staub, der im Licht der aufgehenden Sonne blutrot schimmerte.

Die königlichen Legionen brachten es auf ungefähr neuntausend Mann, hatte Hardwin Gaidemar in der Nacht zuvor anvertraut, als sie sich nach der Beichte und der allgemeinen Friedenszeremonie auf einen Becher in Hardwins Zelt getroffen hatten. Niemand wusste genau, wie viele der grausamen Reiter das feindliche Heer zählte, aber ihre Scharen waren schier unermesslich, hatten die königlichen Späher bestätigt, die im Schutz der Dunkelheit das ungarische Feldlager südlich von Augsburg ausgekundschaftet hatten. Kurz vor Tagesanbruch war Dietpald von Dillingen, Bischof Ulrichs Bruder, mit ein paar hundert Männern aus der Stadt zu den königlichen Truppen gestoßen und hatte berichtet, dass die Ungarn ihr Lager verlassen hatten und zum Lechfeld ritten.

Dorthin hatte auch König Otto seine Armee in Marsch gesetzt. Die aufgehende Sonne im Gesicht, zogen sie durch schwieriges und unwegsames Gelände, auf beiden Seiten von Gebüsch und Baumgruppen geschützt.

»Warum marschieren wir so weit auseinandergezogen?«, fragte Volkmar von Limburg, den Gaidemar für die Ehre ausgewählt hatte, das Banner des streitbaren Heiligen zu tragen.

»Schsch!«, kam es von Raban und den Zwillingen Hatto und Hugo gleich hinter ihnen.

»Der König hat es befohlen, um den feindlichen Kundschaftern unsere Truppenstärke nicht zu verraten«, antwortete Gaidemar gedämpft.

»Verstehe«, wisperte Volkmar zurück und stieß hörbar die Luft aus. Er war nervös, wusste Gaidemar. Das waren sie alle. Es war völlig normal, und er selbst war es auch. Aber falls Volkmar sich fürchtete, verstand er es, ein Geheimnis daraus zu machen.

Es wurde heller. Ein Chor von Vogelstimmen hatte sich in den Bäumen links und rechts des Pfades erhoben, um den neuen Sommertag jubilierend zu begrüßen. Gaidemar hörte Amseln, Grasmücken, Stare und Finken, doch er lauschte ihnen nicht so andächtig wie sonst. Zum einen war er damit beschäftigt, das Temperament seines neuen Schlachtrosses Aspar zu zügeln, zum anderen verspürte er ein unangenehmes Kribbeln im Nacken, weil das dichte Unterholz, das sie vor den unfreundlichen Blicken der feindlichen Späher schützen sollte, genauso in umgekehrter Richtung funktionierte. Niemand konnte wissen, wer oder was nur einen Steinwurf vom Pfad entfernt durchs Gebüsch pirschte.

»Es ist noch ungefähr eine Meile bis zum Lechfeld«, raunte er über die Schulter. »Das bedeutet ...«

»Woher wisst Ihr das?«, fragte Volkmar erstaunt.

»Du sollst mich nicht unterbrechen, Flegel, das habe ich dir schon hundertmal gesagt.«

»Vergebt mir noch ein letztes Mal, Hauptmann ...«

»Ich weiß es, weil ich schon einmal dort war.«

Und Gaidemar hatte keine guten Erinnerungen daran: Vor genau drei Jahren war er in Liudolfs Gefolge zum Hoftag auf das Lechfeld gekommen, wo der Aufstand des Prinzen seinen Anfang genommen hatte und die Sterne vom Himmel gefallen waren.

»Es bedeutet, dass die bayrischen Verbände vermutlich schon im offenen Gelände sind und Stellung beziehen. Ihr müsst versuchen, es euch bildlich vorzustellen, damit ihr wisst, was uns erwartet und wo unsere Position ist: Drei bayrische Legionen werden in drei Blöcken vor uns stehen. Dann folgen wir mit den übrigen Franken unter dem Befehl des einstigen Herzogs Konrad. Das ist der Hüne mit der Löwenmähne, König Ottos Schwiegersohn. Die königlichen Sachsen stehen gleich hinter uns, und die beiden schwäbischen Legionen folgen ihnen. Die Böhmen bilden die Nachhut und sichern den Tross. Klar?«

»Klar«, murmelten die jungen Panzerreiter, und er hörte, dass Hatto und Hugo seine Worte leise nach hinten weitergaben. Sie hatten sich gut gemacht, seine beiden jungen Ziehbrüder, gehörten zu den Besten unter seinen unerfahrenen Rekruten, ohne damit aufzuschneiden – oder jedenfalls ohne in unerträglicher Weise aufzuschneiden –, und Gaidemar hätte sich schlechtere Rückendeckung vorstellen können.

Als sie das offene Gelände erreichten, hatten die Bayern schon Stellung bezogen. Konrad postierte die fränkischen Reiterverbände in einer langgezogenen Linie hinter ihnen. Alles ging diszipliniert und schnell vonstatten – die St.-Albans-Legion genau wie die übrigen fränkischen Reiter hatten nicht umsonst so lange und hart trainiert. Und dann blickten sie alle nach Osten, wo der

Lech und das schwer geprüfte Augsburg lagen, und von wo der Feind kommen musste.

Eine gespannte Stille breitete sich über dem Lechfeld aus. Kein Windhauch bewegte die Banner der Standarten. Die Sonne brannte auf die behelmten Köpfe hinab, und nur hier und da erklang das dumpfe Klimpern eines Zaumzeugs oder das Schnauben eines nervösen Pferdes.

Dann endlich vernahm Gaidemar ein diffuses Rauschen, wie es aus der Ferne heranpreschende Krieger verursachten, und er klopfte Aspar beruhigend den muskulösen, dunklen Hals, nahm die Zügel kürzer und spähte blinzelnd nach vorn. Doch der aufbrandende Schlachtenlärm, den sie mit einem Mal hörten, kam von hinten.

Voller Schrecken wandten die Reiter sich in den Sätteln um und erahnten im aufgewühlten Staub die Nachhut mit dem Tross, die von zwei Seiten angegriffen wurde: Wie Wasserfälle ergossen sich ungarische Reiter aus dem Schutz des Waldes, schnitten die Böhmen vom königlichen Heer ab und nahmen sie in die Zange.

Gaidemars Herz setzte einen Schlag aus. »Mirogod«, flüsterte er tonlos. »Oh, Jesus Christus, bitte nicht.« Dann wendete er Aspar nach rechts, galoppierte an und brüllte: »Reiter des heiligen Alban, folgt mir!«

Er schlug einen Haken nach Süden, und seine Legion folgte ihm in perfekter Formation wie ein Vogelschwarm. Gaidemar riskierte einen Blick über die Schulter und erkannte, dass auch Konrad mit seinen Franken zurück nach Westen ritt, um den Überfall auf die Nachhut abzuwehren.

Und nicht nur die Nachhut war in Gefahr, erkannte Gaidemar voller Schrecken. Die Schwaben, die ebenfalls kehrtgemacht hatten, standen schon unter Beschuss. Nicht hunderte, sondern tausende ungarischer Reiter fielen mit einem Kriegsgeheul über sie her, von dem einem das Blut in den Adern gefrieren konnte: Unvergleichliche Reiter, die mit ihren wendigen kleinen Pferden verschmolzen zu sein schienen, die Gesichter hinter schwarzen Bärten und tief sitzenden, spitzen Helmen nur zu erahnen, sodass man zweifeln konnte, ob es wirklich menschliche Wesen oder nicht doch vielleicht Dämonen der Hölle waren, brachen über sie herein und setzten ihnen mit der tödlichsten aller Waffen zu – ihren berüchtigten Bögen, die sie im vollen Galopp aus dem Sattel mit entsetzlicher Treffsicherheit abschossen.

Hörner erschollen, und Burchard von Schwaben versuchte, seine Männer zu Keilen zu formieren, doch jedes Mal, wenn sich eine Spitze bildete, zerbröckelte sie im ungarischen Pfeilhagel. Die ersten schwäbischen Soldaten wandten sich zur Flucht.

Gaidemar hob die Klinge und führte seine Reiter frontal zwischen die ungarische Linie, um die Nachhut und den Tross zu erreichen. Ein wahrer Schwarm von Pfeilen flog ihnen entgegen wie ein aufgescheuchtes Nest wütender Wespen, und die St.-Albans-Reiter hoben die Rundschilde. Ein Pfeil fand dennoch einen Weg zwischen Gaidemars Wade und Beinschiene, wo er stecken blieb, ohne Schaden anzurichten, und während der Hauptmann sich nach rechts herabbeugte, um ihn herauszuziehen, sausten drei weitere Pfeile über seinen Kopf hinweg. Doch der todbringende Hagel ebbte ab, als die tollkühnen fränkischen Reiter die Kampflinie der Feinde an etlichen Stellen durchbrachen und die Ungarn in Zweikämpfe verwickelten. Bald war Gaidemars Kettenpanzer von einem halben Dutzend Pfeilen gespickt. Ein frontaler Schuss konnte den Harnisch durchdringen, denn die ungarischen Bögen hatten eine enorme Schlagkraft, doch gegen die Salven von schräg oben boten die Ringelpanzer guten Schutz. Viele der Geschosse fanden indessen ein Ziel: Links und rechts sah Gaidemar aus dem Augenwinkel Männer und Pferde im vollen Galopp zu Boden stürzen.

Die Ungarn hatten einen Ring um den bereits eroberten Tross gebildet, zwei oder gar drei Reiter tief.

»Wir müssen durchbrechen!«, brüllte Konrad. »Gaidemar, wenn wir sie nicht zurückschlagen, rollen diese verfluchten Barbaren uns von hinten auf!«

Und dann ist die Schlacht verloren, wusste Gaidemar. Er tippte sich kurz an den Helm, um Konrad zu bedeuten, dass er verstanden hatte. »Keilformation!«, befahl er und drang mit seinen tapferen jungen Reitern in den feindlichen Wall wie ein ungarischer Pfeil.

Sofort griffen zwei Krieger auf ihren wendigen kleinen Pferden ihn an, der linke mit dem Krummsäbel, der rechte mit einer Streitaxt. Gaidemar lenkte Aspar mit den Knien, und der furchtlose Hengst pflügte regelrecht in den Reiter mit dem Säbel und brachte dessen Ross zu Fall, während Gaidemar dem anderen mit einem beidhändigen Hieb den Kopf abschlug.

Ein Stück zur Linken sah er Hatto und Hugo, die ihre Klingen blitzschnell und sparsam und vor allem effektiv führten und mit einem perfekt koordinierten Angriff drei Feinde töteten. Aber zwei Längen weiter links stürzte Raban aus dem Sattel, während sein Pferd panisch wiehernd Reißaus nahm, und kroch mit einem offenbar gebrochenen Bein ein paar Fuß. Ehe Gaidemar oder Volkmar ihn erreichen konnten, war einer der ungarischen Krieger aus dem Sattel gesprungen, hatte Raban den Helm vom Kopf gerissen und die Kehle durchgeschnitten. Volkmar stieß einen markerschütternden Schrei aus, der Schmerz und Wut zu gleichen Teilen ausdrückte, und durchbohrte die ungepanzerte Brust des Ungarn mit der Lanze.

Drei Ungarn preschten von der anderen Seite auf Gaidemar zu, und er wendete Aspar, um sich zu stellen, doch zwei stürzten tödlich getroffen aus den Sätteln, bevor sie ihn erreichten, und während Gaidemar den letzten erledigte, galoppierte Konrad mit zwei seiner Männer durch sein Blickfeld und reckte für einen Herzschlag die Faust in die Luft.

Gaidemar hatte keine Zeit, sich zu fragen, was das bedeuten sollte. »Volkmar, hör auf zu flennen und komm her mit dem Banner, damit die Männer wissen, wo sie sich sammeln müssen. Na los, komm schon!«

Der junge Soldat richtete die Standarte wieder auf und reihte sich neben ihm ein.

»Hierher, St.-Albans-Reiter!«

»Sie ziehen sich zurück, Hauptmann«, sagte Volkmar an seiner Seite. Es klang ungläubig. »Seht doch nur, sie lassen die Beute liegen und verschwinden!«

Er hatte recht, erkannte Gaidemar, nahm mit verengten Augen Maß und erledigte einen der Ungarn mit der Lanze. »Nur zu,

Männer, keine Scheu, man kann ihre Herzen auch von hinten durchbohren!«

Und die Lanzen der St.-Albans-Reiter folgten den zurückgeschlagenen Feinden mit unheilvollem Surren.

»Konrad?« Gaidemar schaute sich suchend um.

Hatto, der mit seinem Bruder zu ihm aufgeschlossen hatte, ruckte den Daumen über die Schulter. »Er hat die Seinen zurückgeführt, um den Böhmen zu Hilfe zu eilen. Die kriegen ganz schön was ab, fürchte ich.«

»Wir folgen ihm, aber zuerst sichern wir den Tross. Nehmt fünfzig Mann, stellt die Wagen zu einer Burg auf und bewacht sie.«

»Von Eurem Schuh tropft Blut, Hauptmann«, teilte Volkmar ihm höflich mit.

»Nur ein Kratzer.« Der Pfeil in der Beinschiene hatte ihm die Wade aufgeschlitzt, hatte er inzwischen gemerkt. »Aber da fällt mir ein: Wenn ihr Mirogod lebend findet, sagt ihm, er soll zu den Feldschern gehen. Wir werden jeden brauchen, der eine Wunde verbinden kann, eh dieser Tag zu Ende geht, denn die eigentliche Schlacht steht uns noch bevor.«

Der Vormittag war fortgeschritten, als sie zum Hauptheer zurückkehrten. Die Hitze war mörderisch, und Gaidemar kam es vor, als werde er in seinem Helm und dem schweren Kettenpanzer gesotten.

Seite an Seite mit Konrad ritt er zur vordersten Linie der Truppen zurück, wo jetzt der König mit seinen tausend Sachsen unter dem Banner des heiligen Michael stand.

»Der Tross ist gesichert, mein König«, berichtete Konrad mit einer linkischen Verbeugung aus dem Sattel. »Ungefähr die Hälfte der Böhmen sind gefallen, aber diejenigen, die in Gefangenschaft geraten waren, konnten wir befreien.«

»Gott segne euch und eure Männer für eure Tapferkeit. Das werde ich nicht vergessen«, erwiderte Otto. »Und die Schwaben?«

»Haben gewankt und stehen jetzt wieder.«

Der König nickte, nahm die behandschuhte Rechte vom Zügel

seines herrlichen slawischen Schlachtrosses und wies nach Osten. »Das trifft sich gut.«

Alle blickten in die gewiesene Richtung: Auf der gegenüberliegenden Seite des Lechfelds kam die ungarische Hauptstreitmacht in Sicht. Ihre drei Anführer ritten mit den Standartenträgern fünf Pferdelängen voraus, und das Heer rückte in einer geschlossenen Linie nach, die sich über die gesamte Breite des offenen Feldes erstreckte. Reihe folgte auf Reihe, Pferd an Pferd, Helm an Helm, langsam und unaufhaltsam krochen sie auf die königlichen Truppen zu wie ein schwarzer Bodennebel.

»Oh, Jesus Christus und alle Heiligen mögen uns gnädig sein«, stieß einer von Konrads jungen Reitern hervor. »Sie sind zehnmal so viele wie wir ...«

»Unsinn«, fuhr Konrad ihm über den Mund, den Blick unverwandt auf den Feind gerichtet.

»Schaut doch hin, Herr, sie werden uns zermalmen, und keiner von uns wird diesen Tag überdauern! Wir ...«

»Noch ein Wort, und du wirst sterben, ehe die Ungarn auch nur in Schussweite sind, du feiges Waschweib, und ...«

»Nein, Konrad, schon gut«, unterbrach der König, wandte den Kopf und sah dem verängstigten Panzerreiter ins Gesicht. »Wie ist dein Name?«

»Ingo von Girod, mein König.«

»Sei frohen Mutes, Ingo von Girod, und fürchte nicht die Scharen der Heiden.«

Der junge Soldat senkte beschämt den Blick.

Otto ritt ein paar Längen vor und wendete sein Pferd. Er schien die Hitze nicht zu spüren, die die Luft um ihn herum wabern ließ, die sich näher wälzende schwarze Woge der Feinde nicht zu sehen. Gelassen, geradezu heiter wirkten die hellblauen Augen, die er über seine Truppen schweifen ließ, und er rief mit seiner volltönenden, tragenden Stimme: »Heute ist der Tag, da wir unseren Mut und unsere Kühnheit beweisen können! Mit starken Armen und scharfen Schwertern habt ihr in der Vergangenheit für mich gekämpft: jenseits der Elbe, im Westfrankenreich, in Italien und gegen die Friesen. Darum bin ich gewiss, dass ihr bei der Verteidigung unserer eigenen Heimat nicht wanken und weichen werdet. Die Übermacht der Feinde ist unüberwindlich, mag mancher von euch denken. Doch ihr täuscht euch. Ihre Zahl ist gewaltig, aber wie ihr alle wisst, sind sie ungerüstet. Und viel wichtiger: Ihre *Seelen* sind ungerüstet! Sie sind die Feinde Gottes und der Menschen, ihre Verwegenheit ist nur Barbarei, und die ewige Verdammnis ist ihnen gewiss. Ihr aber steht unter dem Schutz des allmächtigen Gottes. Lieber wollen wir auf dem Lechfeld ruhmvoll sterben, als uns den Reitern der Hölle zu ergeben, und diejenigen von uns, die heute ihr Leben lassen, werden Jesus in seiner Herrlichkeit schauen!« Er reckte seine Waffe in die Höhe. »Sehet die Heilige Lanze! Sie hat meinem Vater bei Riade zum Sieg über die Ungarn verholfen und für mich bei Birten ein Wunder bewirkt. Habt Mut! Gott ist mit uns, und *Sein* Wille geschieht!«

Die Reiter seines Gefolges hoben ebenfalls die Waffen und jubelten, und ihr Jubel breitete sich über das ganze königliche Heer aus wie ein Feuer in einem Stoppelfeld: Nicht nur Ottos Sachsen, sondern ebenso die freiheitsdurstigen Bayern, die hartgesottenen Franken und die schwer entflammbaren Schwaben riefen seinen Namen, trommelten mit den Schwertern auf die Schilde und brüllten den Ungarn ihre trotzige Verachtung entgegen.

»Die Heilige Lanze!«

»Für Gott, Sankt Michael und König Otto!«

Die verwegenen ›Feinde Gottes und der Menschen‹ aus den östlichen Steppen blieben davon freilich gänzlich unbeeindruckt. Auf ein geheimes Zeichen fielen sie alle gleichzeitig in Galopp, und die schwarze Nebelwalze wurde schneller.

König Otto riss sein Streitross herum, dass es wiehernd stieg, reckte die Heilige Lanze in die Höhe und galoppierte den Feinden entgegen, als wolle er all die Tausende und Abertausende von Ungarn mit seiner kostbaren Reliquie eigenhändig niedermachen.

Seine Truppen folgten ihm und formierten sich hinter dem König zu einem breiten Keil, der sich der feindlichen Übermacht entgegenwarf und tief in ihre Flanke bohrte.

Gaidemar konnte nur beten, dass irgendwer einen Überblick über den Schlachtverlauf behielt, denn er hatte gewiss keinen. Um ihn herum herrschten Tod, Gestank, Hitze und Geschrei.

Er war Konrad mit seinen Reitern in die vorderste Schlachtreihe gefolgt, und als sie und die Ungarn gegeneinander brandeten, hatte er mit der Lanze einen der feindlichen Anführer niedergestreckt. Doch er vermochte nicht zu sagen, ob das unter den Feinden Unordnung und Verwirrung gestiftet hatte, denn die ganze Welt bestand nur noch aus Unordnung und Verwirrung. Mühsam und quälend langsam kämpften er und seine Reiter sich durch die feindlichen Horden, Mann gegen Mann.

Gaidemar hielt das Schwert in der Rechten, den gehobenen Schild in der Linken, der inzwischen wie das Nadelkissen seiner Ziehmutter aussah, hieb auf ungarische Arme, Oberschenkel, Leiber und Pferdehälse ein, was das Zeug hielt, und schien doch nie einen Schritt weiter nach vorn zu kommen.

Während die glühende Sonne ihre Bahn zog, dünnte der unaufhörliche Pfeilhagel die Reiterlegion des heiligen Alban allmählich aus.

Gaidemar war indes wie durch ein Wunder immer noch unverletzt, nur sein unerschrockener Aspar lahmte, seit einer der schwarzgefiederten Pfeile ihn an der linken Hinterhand erwischt hatte. Noch trug er seinen Reiter jedoch und war immer noch wendig, als der die Klingen mit einem Graubart kreuzte, dessen scharf geschnittenes Gesicht von Narben übersät und dessen schwarze Augen voller Kühnheit und Kampfesmut waren. Sie führten einen rasanten Zweikampf – Krummsäbel gegen Schwert. Der Ungar ließ den Säbel mit solcher Wucht niedersausen, dass Gaidemar den Schild beinah nicht mehr rechtzeitig in Position bekommen hätte, und er spürte den Aufprall bis in die Schulter. Er versuchte, seinen Feind zu umrunden, auf dessen verwundbare linke Seite zu kommen, aber der ungarische Krieger war ihm immer einen Schritt voraus, schien seinen hübschen Braunen mit dem geflochtenen Schweif mit seinen Gedanken zu lenken und hatte den kleinen Rundschild immer im entscheidenden Moment in Stellung. Gaidemar fluchte und betete abwechselnd, hämmerte erbarmungslos mit der Klinge auf den Schild seines Widersachers und spürte dessen Säbel in der Seite. Sein Kettenpanzer knirschte, aber die Ringe hielten. Trotzdem war er in Bedrängnis. Ein Pfeil sauste durch sein Blickfeld und traf das Pferd des Reiters neben ihm in die Brust. Das getroffene Tier ging mit einem schrillen Wiehern zu Boden.

Gaidemars Kontrahent wandte für einen Lidschlag den Blick in die Richtung, und der Moment war genug. Gaidemar brach ihm mit einem mörderischen Tritt das Schienbein, und als der Fuß daraufhin aus dem Steigbügel rutschte, konnte Gaidemar den Ungarn mit einem gewaltigen Stoß seines Schildes aus dem Sattel befördern, riss mit einem Ruck eine Lanze aus dem nächstbesten Pferdekadaver und stieß sie dem Krieger, der gekrümmt auf der Erde lag, in die Seite.

Bei der Gelegenheit erkannte er, dass das ausgedörrte, sonnenverbrannte Lechfeld sich in rotbraunen Morast verwandelt hatte.

Wieder schwirrte eine Salve dieser verdammten ungarischen Pfeile heran. Gaidemar und seine Männer hoben die Schilde gegen den todbringenden Hagel, doch der pfiffige, stets fröhliche Berthold von Fritzlar war zu langsam, bekam einen Pfeil ins Auge und stürzte schreiend vom Pferd.

Gaidemar stellte verwundert fest, dass er ein wenig Platz um sich herum hatte, und mit einem Mal fand er Konrad an seiner Seite.

»Sie weichen zurück, Gaidemar!«, rief er, und seine Stimme war rau, weil er seit Stunden Befehle brüllte.

»Wovon träumst du nachts«, entgegnete Gaidemar verdrossen, zog die erbeutete Lanze aus dem toten Ungarn und schleuderte sie auf einen pummeligen Reiter mit blutrotem Helm, der sich johlend auf seinen Ziehbruder Hugo stürzte. Das Johlen verstummte wie abgeschnitten, und Rothelm landete im Dreck.

»Schau doch hin«, beharrte Konrad. Er hob das Schwert und wies mit der Spitze nach Süden, wo tatsächlich ein halbes Dutzend Ungarn im gestreckten Galopp das Schlachtfeld verließen. »Sie gehörten zu deinem Graubart, schätze ich.« Er nickte auf den Toten hinab.

Konrad hatte sich nicht getäuscht: Das Fehlen ihres Anführers machte die ungarische Abteilung so kopflos, dass sie sich zurückzog.

»Sie kommen wieder«, prophezeite Gaidemar grimmig.

»Ja, todsicher«, stimmte Konrad zu, löste den Kinnriemen und zog sich den Helm vom Kopf.

»Bist du zu retten, Mann«, protestierte Gaidemar erschrocken.

Konrad fuhr sich mit der blutverschmierten Linken kurz durch die verschwitzte Löwenmähne. »Nur einen Augenblick«, versprach er. »Aber ich brauch einen Moment Luft, sonst wird es die Hitze sein, die mich umbringt, nicht die verfluchten …« Ein Pfeil traf ihn von rechts in den Hals, trat links wieder aus und blieb in seiner Kehle stecken wie ein obszönes Schmuckstück.

Verwirrt legte Konrad die Hand auf den Pfeil, spürte das heiße Blut, das aus den beiden Wunden sprudelte, wollte sich räuspern und röchelte stattdessen. Ganz plötzlich sackte er zur Seite und fiel vom Pferd.

Gaidemar sah sich blitzschnell um, erkannte, dass seine Männer ihn deckten und sprang aus dem Sattel. Er kniete sich neben Konrad in den zertrampelten, blutigen Schlamm und umschloss die Hand des Sterbenden mit der behandschuhten Rechten. Konrad starrte fassungslos zu ihm empor, wollte noch etwas sagen, doch er bekam nur ein schauerliches Gurgeln heraus, ehe sein Blick brach.

Gaidemar befreite seine Hand und strich über die toten Augen, um die Lider zu schließen.

»Hatto, Hugo, bringt ihn nach hinten zum Tross.«

»Aber Hauptmann«, protestierte Hugo, der vor Kampfesfieber und Erregung in den Stimmbruch zurückverfallen zu sein schien. Er hatte sich auf die Ungarn gestürzt, als sei er unsterblich, genau wie sein Bruder – tollkühn und ganz und gar furchtlos. Gaidemar war stolz auf sie beide, aber er wusste auch, dass es immer die tollkühnen Helden waren, die in größter Zahl fielen.

»Tut, was ich sage«, herrschte er sie an. »Er ist des Königs Schwiegersohn, wir können ihn schwerlich hier liegen lassen. Bergt seinen Leichnam und kehrt anschließend meinethalben in die Schlacht zurück. Na los, beeilt euch, die Ungarn kommen zurück.« Er wies nach rechts, wo zwei Dutzend Feinde sich um einen neuen Anführer geschart hatten, der sie mit gebrüllten Befehlen zum Angriff formierte.

Die Zwillinge duckten sich unter dem nächsten Pfeilhagel genau wie Gaidemar. Sein Blick fiel auf Konrads Helm, der nutzlos im Dreck lag, und als ihm klar wurde, dass sich kein Sonnenlicht mehr auf dem blank polierten Stahl brach, hörte er das erste unheilvolle Grummeln. Gaidemar wandte den Blick nach Osten: Über dem Lech türmten sich dunkle Wolken, in denen Wetterleuchten zuckte. Der Himmel hatte eine schwärzlich gelbe Farbe angenommen, als hätte Gott beschlossen, dass am Tag der großen Schlacht auf dem Lechfeld die Welt untergehen sollte.

Gaidemar führte die verbliebenen Franken ins Zentrum der Schlacht, wo König Otto mit dem Schwert durch die Scharen seiner Feinde mähte wie ein Kriegsgott aus alten Sagen. Er hatte die sächsische Legion, die ebenfalls empfindlich ausgedünnt war, im Kreis formiert, und sie glichen einer schwindenden Insel in der ansteigenden Flut von Feinden.

»Gaidemar!«, rief Otto, als er ihn kommen sah, aber der Rest seines Befehls ging in einem krachenden Donnerschlag unter.

»Rückzug oder Tod, mein König!«, brüllte Burchard von Schwaben, der ebenfalls zu Otto gestoßen war. »Entscheiden müsst Ihr Euch *jetzt*.«

Otto schüttelte ungeduldig den Kopf. Er sah ein wenig gespenstisch aus, denn seine linke Gesichtshälfte war blutüberströmt. »Zieht Eure Männer enger zusammen, Burchard, und vereint euch mit den Bayern!« Mit erschütternder Plötzlichkeit öffnete der Himmel seine Schleusen, und der Tag wurde so finster, als bräche die Nacht schon herein. »Gaidemar!«

»Mein König?«

»Wo ist Konrad?«

Gaidemar sah ihm in die Augen und schüttelte den Kopf.

Otto bekreuzigte sich, das blutbesudelte Schwert in der Hand. Regen rann über die Klinge und tropfte rot eingefärbt von der

Spitze. Dann stierte der König mit verengten Augen in die Trauben herandrängender Feinde, hob die Klinge und stürzte sich wieder in die Schlacht.

Seine Sachsen, Gaidemar und die St.-Albans-Reiter folgten ihm wie Schatten, und der Vormarsch der Ungarn geriet auf ihrer Seite ins Stocken. Ein gleißender Blitz flammte auf. Fast gleichzeitig dröhnte der Donnerschlag über das weite Lechfeld. Der ungarische Reiter, der genau auf Gaidemar zu galoppierte, schien das Tosen der Elemente überhaupt nicht zu bemerken. Er hielt auf den Hauptmann der St.-Albans-Legion zu und sah ihm dabei in die Augen – ernst, konzentriert, ohne Regung. Er spannte seinen Bogen und nahm Maß. Gaidemar erwiderte den Blick und erkannte mit einer Klarheit, die so grell und schmerzhaft war wie die aufflammenden Blitze, dass er sterben würde. Er starrte auf die bleigraue Pfeilspitze und riss den Schild hoch, wenngleich er genau wusste, dass es ihn nicht retten würde. Der Ungar spannte die letzten zwei, drei Zoll vor dem Schuss, kniff ein Auge zu, um besser zielen zu können, und dann zerbarst der zweifach geschwungene Bogen in seinen Händen. Der Teil, der noch mit der Sehne verbunden war, schnellte zurück und zertrümmerte dem Reiter das Gesicht. Schreiend rutschte er aus dem Sattel und wurde von den Pferden seiner nachdrängenden Kameraden zertrampelt.

Gaidemar starrte ihm ungläubig hinterher, lachte mit einer Mischung aus Erleichterung und bitterer Schadenfreude, fand wieder eine Lanze in einem Pferdekadaver und schleuderte sie auf einen ungarischen Anführer, der den Angriff auf den König befehligte. Er trug einen Kettenpanzer, und der Stirnreif seines Helms schien gar mit Edelsteinen besetzt. Der Schildbuckel war vergoldet, das Zaumzeug seines Pferdes silberbeschlagen – es musste ein mächtiger Fürst sein. Doch entweder war er zu schnell oder der strömende Regen behinderte Gaidemars Sicht, jedenfalls verfehlte die Lanze ihr Ziel. Fluchend kreuzte er wieder die Klingen mit einem der Feinde und sah gleichzeitig in rund zehn Schritten Entfernung, wie zwei ungarische Schützen ihre Bögen fortwarfen, die sich ebenfalls in ihre Einzelteile aufgelöst hatten.

Gaidemar trieb seinem Gegner die Schwertspitze in die ungepanzerte Brust, schaute nach rechts, um zu sehen, was der König machte, und sah wieder einen Ungarn seinen unbrauchbaren Bogen fallen lassen. Er blickte zum dräuenden schwarzgelben Himmel auf, aus dem es unverändert schüttete, und rief sich ins Gedächtnis, was er über ungarische Bögen wusste.

Dann wendete er Aspar nach rechts, hieb mit Schwert und Schild zu beiden Seiten, trat zwei Ungarn aus den Sätteln und erreichte schließlich den König.

»Ihre Bögen lösen sich auf!«, brüllte er ihm zu.

Otto hieb seinem Zweikampfgegner mit traumwandlerischer Mühelosigkeit den Kopf ab. »Was sagst du?«, brüllte er zurück.

»Die Bögen der Ungarn versagen! Sie sind aus Holzschichten und Hornplatten zusammengeleimt! Der Regen löst den Leim.« Er wies auf eine feindliche Reiterschar weiter rechts, die zaudernd zurückfiel, die nutzlosen Bögen gesenkt.

Otto folgte seinem Blick und verstand sofort. Ein Strahlen trat in die hellblauen Augen, und dann richtete er sich in den Steigbügeln auf. »Seht, Männer! Gott hat uns ein Gewitter geschickt, und die Feinde verlieren ihre Bögen!«

Die Schwaben, Bayern, Franken und Sachsen, die übrig waren und eben noch die schwindende Insel im schwarzen Meer der Feinde gebildet hatten, fassten neuen Mut, als sie erkannten, dass Gott in der Tat auf ihrer Seite kämpfte und die heidnischen Ungarn ihrer gefährlichsten Waffe beraubte. So tapfer die feindlichen Krieger auch waren, ungerüstet und mit ihren kurzen Säbeln hatten sie keine Chance gegen die Panzerreiter mit ihren Lanzen und Schwertern.

Gaidemar formierte, was von seiner Legion noch übrig und beritten war, reihte sie neben dem König und seinen Sachsen ein und folgte jedem von Ottos Richtungswechseln wie ein Schatten. Hagel mischte sich in den prasselnden Regen und landete klimpernd auf den Helmen der königlichen Reiter, die nun mit jedem neuen Angriff an Boden gewannen. Grimmig und schweigend rückten die Reiter des heiligen Alban nach Osten vor, Pferdelänge um Pferdelänge, und mähten die jetzt unterlegenen ungarischen Krieger nieder.

Gaidemar wandte Aspar nach links, um Volkmar zu Hilfe zu eilen, der sich mit zwei Ungarn schlug, doch ehe er sie erreichte, wendeten die beiden Feinde mit einem Mal ihre Pferde und galoppierten davon. Verwirrt und enttäuscht sah Gaidemar sich nach einem anderen lohnenden Ziel um, und erst jetzt erkannte er, dass die ganze Schar des kostbar gerüsteten ungarischen Anführers zurückwich.

»Oh, Jesus … Kann das sein?« Volkmar starrte Gaidemar an, und seine Fassungslosigkeit hätte etwas Komisches gehabt, wäre sein Gesicht nicht so blutbespritzt gewesen.

Gaidemar nickte knapp. »Es sieht so aus, als zögen sie sich zurück.«

»Gebt acht, Männer, es könnte eine Finte sein!«, rief der König. »Folgt ihnen, aber bleibt wachsam!«

Es war keine Finte.

Immer mehr Ungarn kehrten der Schlacht den Rücken. Entsetzt, dass der scheinbar sichere Sieg ihnen durch die Finger rann, warfen sie ihre Waffen weg und galoppierten davon, und als diejenigen, die noch kämpften, feststellten, dass ihre Kameraden flohen, taten sie es ihnen gleich. Sie wendeten ihre ausdauernden kleinen Pferde und ritten zurück Richtung Fluss.

Erst einzeln.

Dann in kleinen Gruppen.

Schließlich in Scharen, und als hätte die Flut ihren Kenterpunkt erreicht, ebbte auf einmal das ganze feindliche Heer zurück.

Die Kampfhandlungen wurden sporadisch und versiegten dann. Auf dem Lechfeld, wo eben noch Bewegung, Waffenklirren, Chaos und Tod geherrscht hatten, wurde es so ruhig, dass man das Stöhnen und Schreien einzelner Verwundeter, sogar das Trommeln der Hagelkörner auf der zertrampelten, blutgetränkten Erde hören konnte.

Und dann brach der Jubel los.

Die siegreichen deutschen Reiter, die bei Sonnenaufgang geglaubt hatten, sie seien alle dem Tode geweiht, brüllten ihren Trotz, ihre Erleichterung und ihren Stolz zum dräuenden Himmel hinauf. Sie schlugen mit den Schwertern auf die Schilde und ließen ihren König hochleben.

»König Otto, Bezwinger der Heiden!«

»Vater des Vaterlandes!«

Otto ritt ein paar Längen vor und wandte sich dann wieder seinem Heer zu. Er reckte die Heilige Lanze in die Höhe.

Gaidemar hätte nicht gedacht, dass der Jubel noch lauter werden könnte, aber das Geschrei schwoll an, und er spürte, wie auch er auf der Welle des Triumphs davongetragen wurde, und schloss sich dem einen Ruf an, der sich allmählich aus dem allgemeinen Getöse herausbildete, bis er klang, als käme er aus einer einzigen, gewaltigen Kehle: »Kai-ser Ot-to! Im-pe-ra-tor! Kai-ser Ot-to! Im-pe-ra-tor!«

»Durch eure Tapferkeit und Gottes Beistand haben wir unsere Feinde bezwungen!«, rief der König. »Der Sieg gehört euch, aber Lob und Preis gehören Gott!«

Doch seine Panzerreiter waren anderer Meinung, und die Überlebenden seiner sächsischen Legion stürmten auf ihn zu und umringten ihn. Sie ignorierten seine Proteste, baten ihn ebenso höflich wie nachdrücklich, abzusitzen, und dann nahmen sie ihren König auf die Schultern und trugen ihn in die sich öffnenden Reihen seiner jubelnden Truppen.

Die Schlacht auf dem Lechfeld hatte bis zum Nachmittag gewährt. Das Gewitter hatte sich ausgetobt, und die finsteren Wolken waren nach Westen abgezogen.

Herzog Burchard und die schwäbischen und bayrischen Reiter waren ausgerückt, um dies- und jenseits des Lechs – auf schwäbischem und bayrischem Gebiet – Jagd auf die fliehenden Ungarn zu machen und sie für den Überfall auf ihre Heimat büßen zu lassen.

Gaidemar hatte sich unterdessen um die schwerstverwundeten seiner Männer gekümmert und war bei dem fünfzehnjährigen Siegfried von Dornburg geblieben, der nur eine kleine Bauchwunde hatte, dessen Gesichtsfarbe aber so grau wie ein Novemberhimmel geworden war, weil er nach innen verblutete. Gaidemar hielt seine klamme Hand, während Siegfried das Verlöschen seines jungen Lebens bitterlich beweinte, bis sein letzter Kampf ausgestanden war.

Derweil hatten Sigurd, Volkmar, Hatto und Hugo, die alle mit ein paar Kratzern davongekommen waren, begonnen, die Toten der St.-Albans-Legion zu bergen und zu zählen und dafür zu sorgen, dass die Verwundeten versorgt wurden. Sigurd hatte sogar Gaidemars Wurflanze auf dem Schlachtfeld gefunden, und da jeder St.-Albans-Reiter wusste, dass ihr Hauptmann die schlichte, aber perfekt ausbalancierte Waffe in Ehren hielt, weil sie ein Geschenk des Königs war, hatte er sie Gaidemar zurückgebracht.

Als sie schließlich ins Lager kamen, stand die Sonne wie eine frisch geschlagene Goldmünze tief im Westen. Das Gewitter hatte die Schwüle vertrieben – die Abendluft war warm und sommermild, aber nicht mehr drückend.

Gaidemar fand sein Zelt verwaist. Im Innern war es dämmrig, und die heiße Luft hatte sich gestaut. Die schlichte Schlafstatt – zwei raue Decken auf einer dünnen Strohschicht am Boden – übte eine magische Anziehungskraft aus, denn er war bis in die Knochen erschöpft nach diesem blutigen Tagewerk. Doch er kehrte seinem Bett entschlossen den Rücken und war im Begriff, sich auf den Weg zum Lazarettzelt zu machen, um Mirogod zu suchen, als der Zelteingang zurückgeschlagen wurde und der Junge hereinkam.

Gaidemar trat lächelnd auf ihn zu und legte ihm die Hände auf die Schultern. »Gott sei gepriesen. Ich war in Sorge um dich, als die Ungarn den Tross überfielen.«

Mirogod sah zu ihm auf. Er war sehr blass, die grünen Augen kummervoll. »Ich war auch in Sorge um dich«, bekannte er leise, schlang plötzlich die Arme um Gaidemars Hüften und drückte das Gesicht an seine Brust.

Wie groß er geworden ist, erkannte Gaidemar erstaunt, während er sich brüsk befreite. »Komm schon, Miro, nimm dich zusammen. Wir leben und sind unversehrt. Wir hatten mehr Glück als viele andere.«

Er wollte nicht, aber er musste an Siegfried von Dornburg denken, der nur ein Jahr älter gewesen war als Mirogod.

»Unversehrt?«, wiederholte der Junge stirnrunzelnd und wies auf Gaidemars blutdurchtränkten, staubigen Schuh.

»Das ist nichts«, versicherte sein Herr und drückte ihm den Helm in die Finger. »Na los, hilf mir aus der verdammten Rüstung und erzähl mir, wie es dir ergangen ist.«

Er streckte die Arme hoch, und Mirogod zog ihm mit geübten Handgriffen den Ringelpanzer über den Kopf.

»Da, setz dich hin«, riet der Junge und zeigte auf den einsamen Schemel, der das gesamte Mobiliar ihres Zeltes darstellte. Aus der Ecke, wo die Ladung des Packpferdes in einem unordentlichen Haufen aufgestapelt lag, kramte er einen Weinschlauch und Becher hervor, schenkte Gaidemar ein und brachte ihm den Becher, ehe er sich vor ihn kniete und die Beinschienen löste.

»Sie brachen mit lautem Geschrei über den Tross herein und töteten die Wachen mit Pfeilen«, berichtete er. »Es ging alles blitzschnell. Die Böhmen haben so tapfer gekämpft, Herr«, versicherte er mit Nachdruck, als fürchte er, Gaidemar könne den Mut der slawischen Legion im königlichen Heer in Zweifel ziehen.

»Ich hab's gesehen«, versicherte dieser.

»Aber es kamen mehr und immer noch mehr Ungarn. Sie nahmen die Böhmen gefangen oder machten sie nieder. Genau wie alle anderen. Ich habe mich unter einem Proviantwagen versteckt und gesehen, wie sie Vater Ludowig und Bruder Isembart die Köpfe abschlugen. Und die Frauen schrien. Eltberga ... sie war nicht viel älter als ich, weißt du. Sie ist mit dem schwäbischen Heer gekommen. Ich habe sie gefunden, und sie war ...« Er verstummte abrupt.

Gaidemar legte einen Finger unter sein Kinn und hob seinen gesenkten Kopf. »Ja, ich bin sicher, es war abscheulich. So ist der Krieg, Miro.«

Der Junge befreite seinen Kopf und kam auf die Füße. »Ich weiß.« Er wandte sich ab und machte sich an Gaidemars Rüstung zu schaffen. »Und dann kamt ihr und habt die Ungarn weggejagt, und es wurde ganz still im Tross, und wir haben gewartet und gebetet.«

Gaidemar nickte und trank einen Schluck. Von einem Herzschlag zum nächsten war er ausgehungert. »Haben wir Brot oder irgendetwas anderes?«

»Ich gehe zum Proviantmeister und hole etwas«, erbot sich Mirogod.

»Sei so gut. Aber vorher beschaff mir einen Eimer Wasser.« Er wusste, er würde keinen Bissen herunterbringen, ehe er den Blutgeruch abgewaschen hatte, der an ihm zu kleben schien.

Schweigend und bedrückt befolgte Mirogod seine Anweisungen, und als er die staubige und blutverschmierte Rüstung hinausgetragen hatte, um sie zu säubern, zog Gaidemar sich aus, begutachtete und verband die lange, aber oberflächliche Pfeilwunde am rechten Unterschenkel und wusch sich. Das kühle Wasser erfrischte ihn, nahm aber bald eine unappetitliche, rot-graue Farbe an.

Er war gerade wieder in die Beinlinge gestiegen und kippte die Brühe vor dem Zelt aus, als Hardwin von Wieda auf ihn zukam.

»Eine schöne Narbensammlung hast du da«, lobte er und wies grinsend auf Gaidemars Brust.

»Hm.« Er hielt einladend den Zelteingang auf, trat hinter Hardwin ein und antwortete: »Erinnerungsstücke an die Zeiten, als die Böhmen noch unsere erbitterten Feinde waren.«

»Tja. Manchmal ist es verwirrend, wie die Dinge sich ändern. Man fragt sich, wozu man all die Böhmen erschlagen hat. Und ob wir in fünf Jahren mit den Ungarn verbündet sein werden.«

Gaidemar schnaubte. »Nicht, solange noch ein Funke Leben in König Otto steckt.«

»Nein, du hast recht. Er schickt mich übrigens, um dich in einer Stunde in die Halle zu bitten.«

Gaidemar unterdrückte einen Fluch und nickte knapp. Das hatte ihm so gerade noch gefehlt. Er wollte einen Happen essen, nach seinen Männern sehen und dann schlafen. Ein, zwei Wochen lang. Doch was er sagte, war lediglich: »Ich bin geehrt.«

»Und überrascht?«, erkundigte Hardwin sich mit einem wissenden Lächeln.

»Schon möglich.« Gaidemar streifte Hemd und Obergewand über und kämmte sich mit den Fingern durch die dunklen Haare.

»Ich hatte bislang nie den Eindruck, dass er besonders erpicht auf meine Gesellschaft ist.«

Der ältere Panzerreiter nahm mit einem dankbaren Nicken den Becher, den Gaidemar ihm einschenkte, trank nachdenklich einen Schluck und antwortete dann: »Ich könnte mir vorstellen, dass jeder, der heute mit ihm auf dem Lechfeld gekämpft hat, fortan einen besonderen Platz im Herzen des Königs haben wird.«

Vermutlich jeder außer mir, dachte Gaidemar und schalt sich einen Jämmerling, weil die Vorstellung ihn kränkte.

»Hast du hohe Verluste?«, wollte Hardwin wissen.

»Dreiundneunzig. Und zwei oder drei werden noch sterben. Ein knappes Viertel insgesamt, schätze ich.«

»Bitter, he?«

Gaidemar nickte, und er musste einen Moment die Zähne zusammenbeißen, ehe er trinken konnte. Und wenn du weitertrinkst, ohne etwas zu essen, wirst du sternhagelvoll vor deinen siegreichen König treten, fuhr es ihm durch den Kopf.

Der Gedanke war nicht ohne Reiz.

Als er indessen eine Stunde später Seite an Seite mit Hardwin die Halle der verfallenen Burganlage betrat, war er dankbar, dass er sich zurückgehalten hatte, denn nicht nur der König und der Bischof von Augsburg warteten vor der hohen Tafel auf der Estrade und sahen ihnen entgegen. Die Königin stand mit einem juwelenbesetzten Stirnreif und in einem Kleid aus goldbestickter elfenbeinfarbener Seide an Ottos Seite wie eine Erscheinung. Das Kleid fiel weit in perfekten, wellengleichen Falten, aber Gaidemar sah trotzdem, dass sie schwanger war. Ihr Blick war unverwandt auf ihn gerichtet, ihre Miene ernst und würdevoll, wie es dem Anlass angemessen war.

Doch als er vor ihr auf ein Knie niedersank, lächelte Adelheid. »Ich bin froh, Euch unversehrt zu sehen, lieber Freund. Und ich habe gehört, welch große Taten Ihr heute auf dem Lechfeld in der Schlacht gegen die Feinde Gottes vollbracht habt, und dafür möchte ich Euch danken.«

Gaidemar spürte sein Herz bis in die Kehle pochen, und er argwöhnte, wenn er jetzt aufstünde, würden seine butterweichen Knie gleich wieder einknicken. Es machte ihn wütend, dass Adelheids Anblick ihn in einen erbarmungswürdigeren Zustand versetzte, als das ganze ungarische Reiterheer es vermocht hatte. Er senkte den Blick – scheinbar demütig, in Wahrheit jedoch, damit sie nicht erriet, wie es in ihm aussah – und erwiderte: »Ich habe nur den Eid erfüllt, den ich dem König vor zehn Jahren geschworen habe, meine Königin.«

»Du bist gar zu bescheiden«, widersprach Otto, machte einen Schritt auf ihn zu und hob ihn auf. »Du hast heute weit mehr als deine Pflicht getan, und ich weiß, was ich dir schuldig bin.«

Gaidemar verneigte sich erst vor ihm, dann vor dem Bischof von Augsburg. »Ehrwürdiger Vater. Ich bedaure Euren Verlust.«

Der »heilige Krieger«, wie viele ihn nannten, der mit Heldenmut und schierer Glaubenskraft seine Stadt vor den Ungarn bewahrt hatte, wirkte heute Abend seltsam matt, beinah geschwunden, und in den scharfen Augen stand Trauer um seinen gefallenen Bruder. »Habt Dank, mein Sohn«, antwortete er. »Ich muss mich damit trösten, dass Dietpald in eine bessere Welt vorausgegangen ist, wo wir uns dereinst wiedersehen, so Gott will.«

Gaidemar nickte.

»Kommt und speist mit uns«, forderte der König sie mit einer einladenden Geste Richtung Tafel auf.

Gaidemar wäre beinah erstarrt vor Schreck, denn er war nie zuvor an Ottos Tafel gebeten worden. Doch der König tat, als sei dies die normalste Sache der Welt, wandte sich an Hardwin und legte ihm für einen Augenblick die Hand auf den Arm. »Bischof Ulrich berichtet, dass zahllose der Ungarn, die vom Schlachtfeld flohen, im Lech ertrunken sind. Hunderte. Vielleicht auch Tausende. Sie haben versucht, den Fluss zu durchschwimmen, aber am Steilufer auf der anderen Seite konnten sie nicht wieder herausklettern.«

»Und die restlichen lassen wir auch nicht entkommen«, erklärte Bischof Ulrich grimmig. »Burchard wird dafür sorgen.«

Gaidemar fand sich auf einem Sessel neben Adelheid wieder. Sie verströmte einen himmlischen Duft, der ihm blumig erschien, vielleicht nach Rosen – er hatte keine Ahnung. Jedenfalls atmete er verstohlen tief durch die Nase ein, um möglichst viel davon in sich aufzunehmen.

»Ich wusste nicht, dass Ihr mit dem König nach Süden gekommen seid«, sagte er.

Adelheid zog die exquisiten Brauen hoch. »Das glaubt Ihr doch wohl selber nicht. Er hätte mich niemals zu einem Feldzug mit so ungewissem Ausgang mitgenommen. Ich habe nach seinem Aufbruch einen Tag abgewartet, dann habe ich meine Kinder eingesammelt und bin ihm gefolgt.«

»Oh.«

Sie lachte über seine Schreckensmiene. »Ich hoffe, Ihr erspart mir Vorhaltungen, dass ich mich und meine Kinder in Gefahr gebracht habe. Seid versichert, jeden Vorwurf, den man einer Königin im Rahmen der Gebote der Höflichkeit machen kann, hat der treue Hadald bereits ausgesprochen.«

Ausnahmsweise war Gaidemar einmal eines Sinnes mit dem verknöcherten, alten Kämmerer, doch er sagte: »Ich bin überzeugt, Ihr habt genau gewusst, was Ihr tatet.«

»Wie beglückend, dass irgendwer mir das zugesteht«, spöttelte sie.

»Ich habe gedacht, mich trifft der Schlag, als sie plötzlich vor mir stand«, vertraute Otto ihm im Verschwörerton an. »Aber sie sagt: In Zeiten höchster Not gehört die Königin an die Seite des Königs.«

»Sie hat recht«, hörte Gaidemar sich antworten. »Doch es war eine weite und gefährliche Reise«, fügte er an die Königin gewandt hinzu.

»Mit drei Kindern allemal«, räumte sie ein, sah kurz an sich hinab und verbesserte sich: »Dreieinhalb. Aber wir hatten natürlich eine starke Eskorte, und Emma ist inzwischen so groß und vernünftig, dass sie mir unterwegs eine echte Hilfe war. Wir haben in Klöstern übernachtet, und wir hatten trockenes Wetter und darum gute Straßen.« Sie machte eine wedelnde Handbewegung, als wolle sie das unerhebliche Thema ihrer Reise verscheuchen. »Um Euch die Wahrheit zu sagen: Ich hätte es nicht ausgehalten, untätig in Sachsen zu sitzen und auf Nachrichten zu warten. Meine Mutter hat immer gesagt: Wenn der König in den Krieg zieht, steht die Königin jeden Tag auf den Zinnen und hält Ausschau, aber sie weiß nie, ob nach ihm, seiner Totenbahre oder dem anrückenden Feind. Meine Mutter konnte das. Warten, beten, hoffen, warten.« Sie lächelte. »Aber was immer man dazu braucht, habe ich nicht.«

Die kleine, schmucklose Halle hatte sich mit den vornehmeren der Panzerreiter und ihren Kommandanten gefüllt. Obwohl es ein warmer Abend war, prasselte ein Feuer in der Mitte, um mit seiner tröstlichen Behaglichkeit die Schatten der blutreichen Schlacht aus den Gemütern zu vertreiben, und Fackeln in mannshohen Ständern entlang der Wände spendeten warmes Licht. Platten mit Fleisch und Brot wurden aufgetragen, und der Wein an der hohen Tafel stammte aus Adelheids Heimat: ein vollmundiger Burgunder. Doch dies war kein Festmahl. Der frenetische Jubel, der nach dem unverhofften Sieg auf dem Lechfeld geherrscht hatte, war verklungen. Die Stimmung in der Halle war erleichtert, aber gedämpft. Viele der Männer an den Seitentafeln trugen Verbände oder einen Arm in der Schlinge, und man sah ihnen an, dass sie alle so erschöpft waren wie Gaidemar selbst.

Nachdem das schlichte Mahl vertilgt war, standen Otto und Adelheid auf und hoben die vergoldeten Pokale. Es wurde still in der Halle.

»Lasst uns auf diejenigen trinken, die unseren Sieg mit ihrem Leben erkauft haben«, sagte die Königin. »Wir werden ihre Namen auf immerdar in unseren Herzen tragen.«

»Ich gedenke all der Toten, die heute treu und unerschrocken an meiner Seite gekämpft haben«, fügte der König hinzu. »Auch meines Schwiegersohnes Konrad, den sie den Roten nannten. Du hast deine Ehre wiederhergestellt. Ruhe in Frieden.«

Bischof Ulrich an seiner Seite stand ebenfalls auf und ergriff seinen Becher. »Ich gedenke meines Bruders Dietpald von Dillingen. Gott sei deiner Seele gnädig.«

Gaidemar war als Nächster an der Reihe. Er stand auf, schloss die Faust um den feinen Silberpokal und hob ihn hoch. »Ich gedenke der dreiundneunzig toten Reiter des heiligen Alban, die unerfahren im Kampf waren und heute wahren Heldenmut bewiesen haben. Gib ihnen die ewige Ruhe, Herr, und das ewige Licht leuchte ihnen.«

Einer nach dem anderen erhob sich von seinem Platz und erinnerte an die Gefallenen oder an einen einzelnen, der seinem Herzen besonders nahe gewesen war. Es war ein würdevolles Gedenken, und mancher fand Trost in der schlichten Zeremonie. Erst als alle standen, führten sie die Becher an die Lippen, tranken und verharrten noch einen Moment schweigend.

Schließlich nahmen Otto und Adelheid wieder Platz, und gerade als die Königin dem Mundschenk bedeutete, die Becher an der hohen Tafel wieder aufzufüllen, erklangen schwere Schritte und gedämpfte, aber erregte Stimmen am Eingang. Dann schwangen die Türflügel auf, und Burchard, der Herzog von Schwaben, trat über die Schwelle, gefolgt von zwei Wachen, die einen gefesselten Ungarn flankierten. Gaidemar erkannte ihn sofort wieder: Es war der Fürst in der kostbaren Rüstung, den er mit der Lanze verfehlt hatte.

Die Ketten klirrten leise, während die Wachen den Gefangenen vor den König führten, und als sie die Estrade erreicht hatten, stießen sie ihn auf die Knie hinab.

Der Ungar, dessen Gesicht gefurcht und dessen langer Schnurrbart grau war, leistete keinen Widerstand, aber in seinen Augen stand nicht der leiseste Hauch von Furcht. Er hob den jetzt unbehelmten Kopf, und seine Miene war unbewegt.

»Wer bist du?«, fragte Otto in die Stille hinein.

Der Gefangene antwortete – jedenfalls nahm Gaidemar das an –, doch er sprach irgendein unverständliches Kauderwelsch.

Zu seinem Erstaunen sagte die Königin: »Sein Name ist Bulcsú, und er ist *Horca* und *Gyula* des ungarischen Volkes, das bedeutet oberster Richter und Kriegsherr.«

»Du kannst ihn verstehen?«, fragte Otto, ebenso ungläubig wie Gaidemar.

Adelheid nickte. »Weil er Griechisch spricht.«

»Radebrecht trifft es eher«, warf der Bischof verdrossen ein.

»Wein für den Herzog!«, befahl Otto, stieg die einzelne Stufe hinab, trat vor den Gefangenen und sah ihm einen Moment ins Gesicht. Dann wandte er sich an Burchard von Schwaben und schloss ihn kurz in die Arme. »Was für ein Fang, Vetter.«

Ein dienstbarer Geist eilte mit einem kostbaren Pokal herbei. Burchard trank durstig, setzte mit einem Seufzer des Wohlbehagens ab und wischte sich mit dem Handrücken über den eisgrauen Bart. »Wir haben noch zwei weitere Anführer erwischt, mein König. Was soll mit ihnen geschehen?«

»Wir bringen sie Henning«, antwortete Otto ohne das geringste Zögern. »Die Ungarn sind in *sein* Herzogtum eingefallen. Es war gewiss bitter für meinen Bruder, dass er nicht mit in die Schlacht ziehen konnte, weil er ans Krankenbett gefesselt ist, aber seine Bayern haben heute das größte Truppenkontingent gestellt. Die gefangenen Anführer gehören ihm.«

Die Schwaben hatten ebenso unter dem Einfall der Ungarn gelitten, und ihr Herzog hätte einwenden können, er habe mindestens ebensolch ein Anrecht auf die Anführer, die er ja immerhin eingefangen hatte. Doch er verneigte sich lediglich vor Otto und sagte: »Wie Ihr befehlt, mein König.«

Gaidemar tauschte einen Blick mit der Königin und sah, dass sie das Gleiche dachte wie er: Noch vor einem Monat hätte Burchard vielleicht protestiert. Doch die Dinge hatten sich geändert. Niemand kam auch nur im Traum auf die Idee, diesem König zu widersprechen, der sie alle am heutigen Tag des heiligen Laurentius mit seinem Mut, seinem Gottvertrauen und seiner Entschlossenheit zum Sieg geführt hatte: der Bezwinger der Heiden, der Vater des Vaterlandes, den seine Truppen auf dem Lechfeld zum Kaiser ausgerufen hatten.

»Hängt sie auf«, befahl Henning. »Aber schön langsam.«
Es klang missmutig.

Er sah fürchterlich aus: Sein einst so schönes Gesicht zeigte
eine fahle Blässe, und unter seinen Augen lagen Schatten wie
mit Holzkohle aufgemalt. Das blonde Haar war stumpf und schütter geworden. Er war bis auf die Knochen abgemagert, und in seinen hellblauen Augen glomm Fieberglanz. Henning war sechsunddreißig Jahre alt, aber er wirkte greisenhaft, und seit Adelheid
ihn bei ihrer Ankunft am Abend zuvor wiedergesehen hatte,
wusste sie: Die Frage war nicht, *ob* Henning starb, sondern *wann*.

Doch er strahlte immer noch herrschaftliche Strenge aus, wie
er da im Innenhof seiner vornehmen Herzogsresidenz auf seinem
thronartigen Sessel saß. Wegen der anhaltenden Hitze hatte der
Kämmerer einen breiten Baldachin aus rotem Tuch errichten lassen, unter welchem der König, die Königin und Henning mit Judith Platz genommen hatten.

Die drei ungarischen Kommandanten – der graubärtige Oberbefehlshaber Bulcsú und seine beiden jüngeren Vettern Lehel und
Súr – standen ein paar Schritte vor ihnen von Wachen flankiert in
der sengenden Augustsonne, barhäuptig und natürlich unbewaffnet, die Hände zusammengebunden, und alle drei blickten den
kranken Herzog unverwandt an. Kein Hauch von Furcht in den
schwarzen Augen. Eher gönnerhafte Herablassung, argwöhnte
Adelheid. Oder gar abschätziges Mitleid, sie war nicht sicher.

Aber Henning sah es offenbar auch, denn er stützte die mageren Hände auf die Armlehnen, richtete sich mit einiger Mühe auf
und sagte: »Euer Hochmut blendet niemanden. Eure Niederlage
ist vollkommen. Es ist ein Wunder, dass ihr nicht längst an eurer
Schande krepiert seid, aber wir helfen gerne nach.« Er sah kurz zu
Mirogod. »Na los, sag es ihnen.«

Der Junge war fast so bleich wie der kranke Herzog, und man
konnte sehen, dass er die Übersetzerrolle hasste, die ihm hier zugefallen war, und sich vor Henning fürchtete. Bulcsú sprach ein
wenig Griechisch, aber seine Vettern nicht, und als der König nach

einem Übersetzer für die Befragung der ungarischen Gefangenen suchte, hatte Gaidemar seinen Burschen angeboten – vermutlich ohne ihn nach seiner Meinung zu fragen.

»Wird's bald«, knurrte Immed von Saalfeld, der einen Schritt hinter dem Herzog stand.

Mirogod sah gehetzt von ihm zu den Ungarn, räusperte sich und übersetzte die Worte des Herzogs. Es klang unsicher und stockend.

Bulcsú und Sûr stierten geradeaus und verzogen keine Miene, aber Lehel, der jüngste der ungarischen Befehlshaber, lachte und sagte etwas.

»Die Fluten des Himmels haben uns besiegt, nicht König Ottos Heer«, übersetzte Mirogod ausdruckslos, den Blick auf einen Punkt zwischen Ottos und Hennings Schultern gerichtet.

»Wenn es so war, hat der allmächtige Gott der Christen die Fluten geschickt, um euch verfluchte Heiden vom Angesicht der Erde zu tilgen und geradewegs in die Hölle zu schicken«, entgegnete Henning wütend.

Lehel verzog spöttisch die vollen Lippen, als er die Übersetzung hörte, und antwortete mit Mirogods Hilfe: »Wo wir uns wiedertreffen werden, nach allem, was man über dich hört, Herzog Henning. Du siehst nicht so aus, als würdest du uns dort noch lange warten lassen.« Ehe irgendwer ihn hindern konnte, riss er mit den gefesselten Händen das Horn vom Gürtel, mit dem er seine glücklosen Truppen befehligt hatte, und warf es in Hennings Richtung. Die Bewegung wirkte spielerisch und hatte keinen großen Schwung, aber Henning war zu langsam, um dem unerwarteten Wurfgeschoss auszuweichen, und das gewundene, silberbeschlagene Horn traf ihn am Kopf, ehe es auf die steinernen Bodenfliesen fiel und zerschellte. »Siehst du?«, höhnte Lehel. »Dich könnte ein Säugling mit einem Strohhalm erschlagen.«

Der kranke Herzog war zur Seite gesackt, richtete sich aber sogleich wieder auf. Ein dünner Blutfaden rann von seiner Schläfe und versickerte im blonden Bart. Henning gab vor, ihn gar nicht zu bemerken, aber Judith starrte einen Moment darauf und hatte mit einem Mal sichtlich Mühe, Haltung zu bewahren.

Immed hatte sich mit einem wütenden Fluch auf den Übeltäter gestürzt, ihm zweimal die Faust ins Gesicht geschmettert, und als Lehel am Boden lag, trat er ihn ungehemmt vor die Brust und ins Gesicht.

Der König wartete ein paar Herzschläge, ehe er Immed Einhalt gebot. »Ich denke, das reicht. Und es ist wohl mehr als genug gesagt.« Er klang ruhig, aber sehr grimmig. »Vollstreckt das Urteil des Herzogs. Ich bin zuversichtlich, das wird die ungarische Geschwätzigkeit eindämmen.«

Immed ließ von Lehel ab, wandte sich zu Otto um und verneigte sich. »Wie Ihr wünscht, mein König.«

Auf seinen Befehl lasen die Wachen den blutenden Lehel vom Boden auf und führten die Ungarn unter den Galgen, der in der Mitte des Innenhofs errichtet worden war. Drei Schlingen warteten dort und baumelten sacht in einer Sommerbrise, die man auf der Haut nicht spürte. Die Soldaten legten den Verurteilten die dicken Stricke um den Hals, schulterten die losen Enden und sahen abwartend zu Henning. Auf sein Nicken setzten sie sich in Bewegung und stapften vorwärts, bis die über den Querbalken geschlungenen Seile sich spannten. Als die staubigen Stiefel der drei Ungarn den Bodenkontakt verloren, erhob sich wütender Jubel unter den rund zweihundert Kriegern, die zur Belohnung für besondere Tapferkeit während der Schlacht auf dem Lechfeld der Hinrichtung beiwohnen durften, und sie gaben den drei Gehenkten wenig barmherzige Wünsche mit auf die Reise.

»Fahrt zur Hölle, ihr Hurensöhne!«

»Auf euch können sie zu Hause lange warten!«

»Grüßt mir den Satan …«

Als das Johlen erstarb, hörte man das entsetzliche Röcheln aus drei zugeschnürten Kehlen. Die Füße der Gehenkten strampelten sinnlos, sodass die Körper zu pendeln begannen, Lehel drehte sich gar ein paarmal um die eigene Achse – erst links herum, dann rechts –, was Henning ein boshaftes Lachen entlockte.

Adelheid betrachtete nacheinander die drei Gesichter, die eine purpurne Färbung angenommen hatten, und musste wieder einmal feststellen, dass es ihr überhaupt nichts ausmachte, einen Menschen sterben zu sehen, wenn er ihr Feind gewesen war. Sie wusste, von Frauen wurde christliches Mitgefühl erwartet. Von Königinnen erst recht. Sie waren gehalten, selbst für ihre Feinde zu beten, weil sich das eben so gehörte. Aber damit konnte Adelheid nicht dienen. Das ungarische Heer hatte entsetzliches Leid über die Menschen in Bayern und Schwaben gebracht, die ihrer und Ottos Fürsorge anvertraut waren. Auf der Reise von Magdeburg nach Augsburg hatten Schreckensvisionen von verlorenen Schlachten und Ottos verstümmeltem Leichnam sie nachts um den bitter nötigen Schlaf gebracht. Und wenn sie endlich eingeschlummert war, träumte sie von ihrem Verlies in Garda und Berengars dräuendem Schatten im flackernden Fackelschein, weil die Ungewissheit und die Furcht diese alten Erinnerungen geweckt hatten. Für all das hatten die Ungarn den Tod verdient und mussten auf ihre Gebete verzichten.

Dennoch war Adelheid alles in allem erleichtert, dass der König seinem Bruder ausgeredet hatte, die drei feindlichen Heerführer langsam und qualvoll in Stücke zu hacken oder anderweitig zu Tode zu quälen. Dies hier war Strafe genug, denn ein Mann von Stand konnte eigentlich erwarten, durch eine rasche Enthauptung hingerichtet zu werden. Der Tod durch den Strang war nicht nur langsam und qualvoll, er war eine furchtbare Schmach.

Bulcsú, Sûr und Lehel ließen sich reichlich Zeit, die Welt zu verlassen. Als endlich das letzte Röcheln verstummt war und die Körper stillhingen, befahl Immed: »Lasst sie noch bis heute Mittag hängen, sicher ist sicher. Dann schlagt ihnen die Köpfe ab und pflanzt sie über dem Stadttor auf. Falls ein versprengter Ungar vorbeikommt, kann er ihnen Lebwohl sagen.«

Die Männer lachten, und alle bis auf die Wachen wandten sich zum Haupttor, schlenderten zu zweit oder in kleinen Gruppen hinaus in die Stadt, um den herrlichen Sommertag vielleicht am Ufer der Donau zu verbringen. Viele warteten ungeduldig darauf, dass die Herzöge endlich ihre Truppen entließen, wusste Adelheid, denn sie fehlten zu Hause bei der Ernte. Aber die Schlacht war geschlagen, der Feind aufgerieben, die Stadt voller Weinfässer und Huren – heute hatten die Männer es nicht eilig, den Heimweg anzutreten …

»Woran denkst du?«, fragte der König an ihrer Seite leise.

»Hm?«

Er stand auf und reichte ihr den Arm. »Du hast ein höchst merkwürdiges Gesicht gemacht.«

Adelheid erhob sich ebenfalls. Mit einem verlegenen kleinen Lächeln legte sie die Hand auf seinen Ellbogen. »Ich dachte daran, dass ich deine Soldaten beneide, mein König.«

Otto war nicht überrascht. »Ja, für sie ist mit dem Sieg auf dem Lechfeld die Welt wieder im Lot. Mir scheint, unsere Untertanen, die so gern über die Herrschenden schimpfen, wissen die Privilegien ihrer Stellung nicht ausreichend zu schätzen.«

Adelheid verzog amüsiert einen Mundwinkel. Langsam folgten sie Henning und Judith ins vergleichsweise kühle Innere der Halle.

»Nun, in einem Punkt haben deine Soldaten recht: Die Ungarn werden sich so bald nicht wieder in dein Reich wagen.«

»Nein. Ich glaube nicht, dass sie daheim noch viele kampffähige Männer haben.«

Es gab immer noch keine zuverlässigen Zahlen über die Größe der feindlichen Heerscharen. Fünfzigtausend, sagten die einen, andere sprachen gar von doppelt so vielen Reiterkriegern. Was auch immer stimmen mochte, kaum einer von ihnen war übrig. Alle, die nicht auf dem Lechfeld gefallen oder im Lech ertrunken waren, hatten die Bewohner der Dörfer und Burgen niedergemacht, die die Ungarn auf ihrem kopflosen Rückzug passierten. Außer den Anführern waren nur sieben Gefangene vor den König geführt worden. Es waren sehr junge Männer, fast noch Knaben. Otto hatte ihnen durch Mirogod auftragen lassen, ihrem Großfürsten zu berichten, was seinem Heer auf dem Lechfeld widerfahren war, auf dass er es sich in Zukunft zweimal überlege, ob er König Otto je wieder herausfordern wolle. Danach ließ er ihnen die Ohren abschneiden und sie zurück nach Osten schicken.

Die Schlacht auf dem Lechfeld war die größte, die jemals geschlagen worden war, darüber waren sich auch die gelehrten Bischöfe einig. Doch dem König blieb keine Zeit, die Früchte seines Sieges zu genießen, denn die Nachrichten aus dem Osten waren besorgniserregend. Obwohl Otto die sächsischen Legionen doch über die Elbe geschickt hatte, statt sie nach Süden zu führen, war der Aufstand der Obodriten noch nicht niedergeschlagen.

»Womöglich ergeben sich die Obodriten, sobald sie die Nachricht von deinem Sieg über die Ungarn erreicht«, sagte Adelheid, als sie allein in ihrem großzügigen Gemach über der Halle waren.

Doch Otto schüttelte den Kopf. »Nicht, ehe ich selbst gegen sie ins Feld ziehe.« Er sagte es gleichmütig, aber sie wusste, er war erschöpft und sehnte sich nach einer Atempause. Auch der König war nur ein Mann. Man neigte manchmal dazu, diese schlichte Tatsache zu vergessen.

Otto trat ans Fenster, verschränkte die Hände auf dem Rücken und sah auf die belebte Stadt hinab. Die Pfalz lag an ihrem Nordrand, und die dichtgedrängten Häuser und vielen Kirchen versperrten den Blick auf die Donau.

Adelheid nahm den Schleier mit dem goldenen Stirnreif ab, warf ihn achtlos aufs Bett und setzte sich auf die Kante. »Sie müssen große Krieger sein, diese aufständischen Slawen, wenn es nicht einmal Herrmann und Gero gemeinsam gelingt, sie zu besiegen.«

»Ja, sie sind große Krieger«, räumte Otto vorbehaltlos ein. »Darüber hinaus haben Hermann und Gero noch niemals irgendetwas gemeinsam vollbracht, weil sie sich nicht ausstehen können. Ich hatte gehofft, Liudolf könne eine Art Bindeglied zwischen ihnen bilden.«

»Ich bin sicher, dass er es versucht. Liudolf würde praktisch alles tun, um deine Liebe und Anerkennung zurückzugewinnen.«

Otto wandte sich zu ihr um und kam langsam zum Bett herüber. »Dabei hat er sie nie verloren.«

»Das wollen wir ihm aber lieber nicht sagen«, riet sie trocken. »Es kann nicht schaden, wenn Liudolf sich zur Abwechslung einmal anstrengt.«

Otto lächelte auf sie hinab. »Da hast du recht.«

Ihr Herz stolperte einmal kurz. Das geschah manchmal, wenn er sie so ansah wie gerade jetzt, gänzlich unmaskiert. *Ich kenne dich mit all deinen Licht- und Schattenseiten*, sagte dieser Blick, *und ich liebe dich genau so, wie du bist. Ich wollte dich nicht anders. Und ganz egal, was passiert, daran wird sich nichts ändern, solange unsere beiden Herzen schlagen.* Sie machte kein großes Gewese, diese Liebe, aber sie war so unverrückbar und beständig wie ein Fels. Otto war kein Mann, der seinen Gefühlen gern mit Worten Ausdruck verlieh. Aber wenn er sie so anschaute, trat ein warmer Schimmer in die hellblauen Augen, sodass sie an die Flügel eines Bläulings im Licht eines Sommertages erinnerten.

Adelheid fühlte sich beschenkt, wenn sie diesen Blick sah. Das Leben an Ottos Seite war oft alles andere als einfach, und es gab Tage, da sie ihn mitsamt seiner Sturheit und seiner Blindheit für die Unzulänglichkeiten seiner Brüder und sonstigen Sippschaft verwünschte, aber das änderte nichts daran, dass sie das Gleiche empfand wie er. Und sie wusste, welch ein Geschenk das war, wie selten Gott eine politische Ehe mit solch einer Liebe segnete.

Adelheid ergriff Ottos Hand, drückte die Lippen auf die schwielige Handfläche und zog ihn dann neben sich auf die Bettkante hinab.

»Im Moment mache ich mir mehr Sorgen um Henning als um Liudolf oder die Obodriten«, gestand er.

»Ich weiß.« Adelheid nahm seine Hand zwischen ihre beiden und sah ihm ins Gesicht. »Wir müssen uns darauf gefasst machen, dass er diese Welt bald verlässt.«

Otto nickte. Sie konnte sehen, wie seine Kiefermuskeln sich anspannten, als er die Zähne zusammenbiss. »Weißt du, was ihm fehlt?«

»Es ist eine Art schleichender Vergiftung, die von seinem verkrüppelten Arm ausgeht, sagt Judith.«

»Aber die Verletzung liegt mehr als fünfzehn Jahre zurück!«, protestierte der König.

Adelheid hob kurz die Schultern. »Es ist das, was Notker Pfefferkorn glaubt, und du weißt, es gibt keinen Heiler, der sich mit ihm messen könnte.« Jedenfalls nördlich der Alpen, schränkte sie in Gedanken ein. »Henning hat die Verkrüppelung des Arms davongetragen und die Finger verloren, weil er gegen dich rebelliert hat, schrieb Notker an Judith, und weil die Sünde so schwer wiegt, kann die Wunde auch nach Jahren noch schwären.«

»Henning hat seine Revolte bereut, und ich habe ihm vergeben. Wenn seine Krankheit bedeutet, dass Gott ihm nicht vergeben hat, muss ich dann glauben, dass mein armer Bruder tatsächlich zur Hölle fährt, wenn er stirbt?«

Adelheid hätte aus dem Stegreif zwei Dutzend guter Gründe anführen können, warum Henning die Hölle verdiente, doch sie erwiderte: »Sprich mit deinem Bruder Brun, mit Wilhelm oder Bischof Ulrich. Sie sind alle drei höchst gelehrte Kirchenmänner. Vielleicht kann einer von ihnen uns sagen, was wir für Hennings Seele tun können. Und derweil, mein König, müssen wir auch an die Zukunft im Diesseits denken und überlegen, was aus Bayern werden soll, wenn Henning stirbt.«

Otto atmete tief durch und fuhr sich mit der freien Hand über Hals und Nacken. »Sein Sohn ist erst vier Jahre alt. Aber es gibt keinen einzigen Mann in Judiths Familie, dem wir trauen können. Erst letzte Woche bei der Belagerung von Augsburg hat Arnulfs Sohn gemeinsame Sache mit den Ungarn gemacht, wusstest du das?«

Die Königin nickte. Bischof Ulrich hatte es ihr erzählt. »Aber auf Judith ist Verlass.«

»Bist du sicher? Als Henning noch auf meine Krone aus war, hat sie eine List nach der anderen ersonnen, um sie ihm zu beschaffen.«

»Sie ist eine loyale Ehefrau«, gab Adelheid zurück. »Ich würde für dich genau das Gleiche tun. Aber seit Jahren ist Henning dir treu ergeben, und darum ist Judith es auch. Außerdem würde sie niemals irgendetwas tun, das die Zukunft ihres Sohnes gefährdet.«

»Also? Was rätst du mir?«

»Ernenne deinen vierjährigen Neffen zum Nachfolger seines Vaters und überlasse die Regierung des Herzogtums Judith, bis der kleine Heinrich erwachsen wird.«

»Ich merke, du hast schon ausgiebig darüber nachgedacht«,

spöttelte er matt. Sie sah, wie schwer die Krankheit seines Bruders ihm zu schaffen machte.

»Das habe ich, mein König«, erwiderte sie mit Nachdruck. »Ich denke, wir sollten einen Plan haben, wenn der Tag kommt, da Bayern einen neuen Herzog braucht. Lass es dir durch den Kopf gehen. Sprich mit Judith. Dann entscheide.«

Er nickte, befreite seine Hand aus ihren beiden und legte sie für einen Moment an ihre Wange. »Du siehst erschöpft aus, Adelheid. Warum legst du dich nicht eine Stunde hin, es ist noch reichlich Zeit bis zum Festmahl.«

»Nach dem uns beiden so gar nicht der Sinn steht«, gab sie seufzend zurück, aber dann schüttelte sie den Kopf. »Sei unbesorgt. *Du* hast die ungarischen Horden auf dem Lechfeld besiegt. *Ich* bin nur schwanger. Das ist kein Vergnügen bei dieser Hitze, aber es geht mir tadellos.«

Trotzdem schien das Bett mit den kühlen Laken eine magische Anziehungskraft auf sie auszuüben, als Otto sich schließlich verabschiedet hatte, um die mehr oder minder aufrichtigen Glückwunschbotschaften von seiner Mutter, dem König der Westfranken und ein paar anderen zu empfangen.

Adelheid überlegte, wie viel von ihrer Frisur sie wohl retten könnte, wenn sie sich auf dem Rücken ausstreckte und vor dem Einschlummern strikt untersagte, sich im Schlaf auf die Seite zu drehen, als ein Klopfen an der Tür den schönen Plan zunichtemachte.

»Was gibt es denn, Hulda?«, rief sie ein wenig unwirsch.

Zaghaft wurde die Tür geöffnet, und nicht Hulda von Lüneburg steckte den Kopf hindurch, sondern Mirogod.

»Nanu?«

»Vergebt die Störung, edle Königin«, bat der Junge leise.

»Wie in aller Welt bist du hier hereingekommen?«, fragte die Königin erstaunt.

»Ich hab der Wache gesagt, mein Herr schickt mich«, bekannte er.

»Was nicht stimmt«, tippte sie.

»Was nicht stimmt.« Er nahm die Unterlippe zwischen die Zähne.

»Was ist passiert? Ist Gaidemar krank? Oder verwundet?«

Sie hatte ihn nach der Schlacht gesehen, und er schien unversehrt, aber selbst der kleinste Kratzer konnte sich entzünden und einen Menschen in Lebensgefahr bringen.

Doch Mirogod beruhigte sie sogleich: »Er ist gesund.«

»Gott sei gepriesen. Er scheint immer ein Auge auf deinen Herrn zu haben, nicht wahr?«

Der Knabe neigte den Kopf zur Seite, es wirkte nervös. »Ich habe ihm Allermannsharnisch gegeben, um ihn zu beschützen. Und er hat gute Rüstung. *Eine* gute Rüstung«, verbesserte er sich bedächtig. »Aber kein Mann hat immer Glück in der Schlacht, denke ich.«

Adelheid trat stirnrunzelnd auf ihn zu und stemmte die Hände in die Hüften. »Also? Da du schon hier bist und meine kostbare Mußestunde störst, wünsche ich, dass du mir auf der Stelle sagst, was dich so niederdrückt, mein Junge.«

»Das bin ich nicht, edle Königin.« Er schüttelte den gesenkten Kopf, und sie sah eine Träne fallen und einen dunklen Punkt auf seiner Schuhspitze hinterlassen.

»Du bist was nicht?«, fragte sie verständnislos.

»Ein Junge.« Es klang erstickt.

»Aber was …« Adelheid verstummte, als ihr aufging, was es bedeutete, und sie legte für einen Moment die Hand vor den Mund. »Oh, Heilige Jungfrau, voll der Gnaden«, murmelte sie betroffen. Dann nahm sie sich zusammen, ließ die Hand sinken und befahl. »Schau mich an, Mirogod … Aber so heißt du vermutlich gar nicht, oder?«

»Mira«, kam die geflüsterte Antwort, und als das Mädchen endlich aufblickte, schaute Adelheid in die mandelförmigen grünen Augen mit den langen Wimpern, sah die zarte Wölbung der Wangen und fragte sich verständnislos, wie sie die Wahrheit so lange hatte vor Augen haben können, ohne sie zu sehen.

»Es ist gewiss unverzeihlich, Euch zu behelligen, aber ich wusste einfach nicht, zu wem ich sonst gehen sollte. Ich … ich …

habe so furchtbare Angst, dass er mich davonjagt, wenn er es herausfindet«, brach es hervor. Aber statt ernsthaft anzufangen zu heulen, nahm sie sich zusammen, fuhr sich mit dem Ärmel über die Augen und atmete tief durch.

Er hat ganz recht … *Sie* hat recht, verbesserte Adelheid sich, immer noch konsterniert und verwirrt. Es war eine Unverfrorenheit für ein slawisches Sklavenmädchen, sich mit ihren Kümmernissen an die Königin zu wenden, selbst wenn ihre vertrackte Lage nicht so anstößig gewesen wäre. Aber Adelheid hatte Gaidemars »Burschen« immer gemocht, und sie hatte auch nicht vergessen, dass dieses Mädchen in einem verschneiten bayrischen Todesdorf einen Ungarn getötet hatte, um ihrem Herrn das Leben zu retten. Die Königin hatte in ihrer Jugend selbst oft die Initiative ergreifen und die Entscheidungen treffen müssen, als ihr sanftmütiger, weltfremder Lothar sich in Berengars Schatten zusammenkauerte und sich zu guter Letzt von ihm vergiften ließ. Adelheid wusste, wie einsam es sich anfühlte, wenn eine Frau ihren Mann stehen musste, und sie empfand Mitgefühl für dieses unmögliche Mädchen in Männerkleidern.

»Hat er Verdacht geschöpft?«

»Noch nicht. Aber …« Mira biss sich auf die Unterlippe und wandte verlegen das Gesicht ab. »Letzten Monat habe ich zum ersten Mal geblutet. Nur ein klein bisschen. Heute … hat es wieder angefangen. Und es ist viel stärker. Ich habe versucht, mit Birkenblättern …« Sie wusste nicht weiter.

Adelheid schloss die Lücke zwischen ihnen und überraschte sich selbst, als sie dem Mädchen die Hand auf den Arm legte. »Es ist nichts, wofür du dich schämen müsstest, Mira. Hat deine Mutter dir erklärt, warum Frauen einmal im Monat bluten?«

»Nein. Aber ich habe gehört, was die Männer darüber reden.«

Die Königin seufzte. Sie konnte sich vorstellen, was das arme Kind gehört hatte. »Hast du Krämpfe?«

Mira nickte. »Und meine Beinlinge sind … voller But. Das hier ist mein gutes Paar. Aber wenn sie auch noch schmutzig werden …«

»Warte hier.« Adelheid öffnete die Tür zur Nachbarkammer, die ihre Zofe, die Kinder und die Amme beherbergte. »Gisla, geh mit den Kindern hinaus, die schlimmste Tageshitze ist vorüber. Anna, lass ein Bad herrichten und such ein paar Monatslumpen aus dem Gepäck.«

»Aber, edle Königin«, begann ihre Zofe erschrocken. »Wieso …«

»Nicht für mich. Tu ausnahmsweise einfach einmal, was ich sage«, befahl Adelheid ungeduldig. Dann kehrte sie in ihr Gemach zurück und schloss die Tür. »Setz dich hin, Miro… ra.« Sie wies auf einen der Schemel am Tisch.

Das Mädchen blickte unentschlossen zu dem schlichten Sitzmöbel hinüber. Sie wusste vermutlich, dass sie nicht sitzen durfte, solange die Königin stand, aber ihre gekrümmte Haltung und der vor den Unterleib gepresste linke Arm verrieten, wie schlimm es mit den Krämpfen war.

»Nur zu«, drängte Adelheid. Sie ließ sich auf der Bettkante nieder und wartete, bis Mira auf den Schemel gesunken war. Dann sagte sie: »Meine Zofe wird sich deiner annehmen. Du kennst doch Anna, nicht wahr?«

Der gesenkte blonde Kopf nickte.

»Du brauchst keine Scheu vor ihr zu haben. Sie wird dir sagen, was du tun musst, wenn deine Monatsblutung kommt, und dir alles erklären, was du wissen musst. Sie beschafft dir auch neue Kleider.«

»Bitte, *bitte* keine Weiberkleider …«

Adelheid betrachtete sie ein wenig ratlos. Sie versuchte sich vorzustellen, wie es sein mochte, sich als Junge zu verkleiden und unter Soldaten zu leben, aber ihre sonst so lebhafte Vorstellungsgabe versagte. »Warum, Mira? Wie ist es dazu gekommen?«

»Ich war immer schon ein Junge«, kam die beinah tonlose Antwort.

»Wie bitte?«

»Nun ja …« Sie kaute einen Moment auf ihrer Unterlippe. Dann sah sie der Königin ins Gesicht. »Es kam alles, weil mein Vater keine Söhne hatte«, erklärte sie. »Ich war das mittlere von fünf Mädchen, und Mutter starb ein paar Tage nach der Geburt meiner jüngsten Schwester. Vater … wollte nicht wieder heiraten, er zu alt. Er *war* zu alt. Also wurde ich als Junge erzogen.«

»Er hat dich als Knaben ausgegeben? Einfach so seine Verwandten und Nachbarn belogen? Was hat er sich vorgestellt, wohin das führen sollte?«

»Nein, nein. Alle *wussten*, was ich bin. Aber es ist üblich bei meinem Volk, wenn ein Vater keine Söhne bekommt, dass er eine seiner Töchter erzieht als Sohn. Damit nach seinem Tod ein Mann im Haus ist, der die schwere Arbeit tut und zur Jagd geht und die anderen Töchter verheiratet. Die Familie versorgt«, schloss sie und zuckte die mageren Schultern.

»Verstehe.« Das war eine Lüge, aber Adelheid wollte die Verlegenheit des armen Mädchens nicht verschlimmern.

»Ich trug Jungensachen und lernte Jagen und hab mich mit den anderen Jungen aus dem Dorf am Fluss rumgetrieben und geprügelt. Ich durfte auch mit in den Tempel, was Frauen verboten ist. Als ich ungefähr sieben war, schnitt Vater mir das Haar. Damit wird ein Sohn bei uns in die Gemeinschaft der Männer aufgenommen.«

Adelheid lauschte fasziniert. »Also dein Volk glaubt, ein Vater kann bestimmen, ob sein Kind Sohn oder Tochter ist, egal, als was es zur Welt kommt?«, fragte sie ungläubig.

Mira nickte zögernd. »Eigentlich entscheidet die Mannfrau selbst, wenn sie den Schwur leistet, niemals zu heiraten und Kinder zu bekommen und immer zu bleiben Jungfrau. Und manchmal wird dann aus der Verstellung beinah Wahrheit. Manche wie ich werden nie richtige Frauen, bluten nicht und kriegen keinen Busen.« Sie straffte unglücklich das formlose Obergewand über der Brust, und Adelheid erkannte, dass Mira nicht zu diesen sonderbaren Exemplaren zählte, bei denen die körperliche Entwicklung sich der Täuschung anpasste. »Sie haben Muskeln wie Männer«, fuhr Mira fort. »Manche kriegen sogar Bart, wenn sie älter werden.«

Die Königin unterdrückte mit Mühe ein Kichern.

»Für meine Familie und mein Dorf war ich Miro. Und als die Sklavenhändler uns bei der Jagd im Wald aufgelauert haben, hatte Vater gerade noch Zeit, mir zuzuflüstern: *Du musst weiter Miro bleiben.*«

»Das war sehr geistesgegenwärtig von ihm«, befand Adelheid. Das Los von Sklaven war schon bitter genug, doch das von Skla-*vinnen* war meist unerträglich. »Aber was war mit dir? Hast du dich nicht … wie ein Fremder im eigenen Körper gefühlt? Wärst du nicht gern ein Mädchen gewesen?«

Mira sah sie ungläubig an. »Will irgendwer, der bei Verstand ist, lieber eine Frau als ein Mann sein?«

Nun, da hat sie recht, musste Adelheid eingestehen, doch sie entgegnete: »Die Entscheidung darüber liegt indessen nicht bei uns, sondern bei Gott.«

»Ich weiß. Aber wenn Gott alles weiß und alles lenkt, wie Vater Gereon mich vor meiner Taufe gelehrt hat, dann war es auch Gott, der meinem Volk seine Traditionen gegeben hat.«

Die Königin lächelte anerkennend. »Das war eine wirklich kluge Antwort. Und *hast* du diesen Schwur der ewigen Jungfräulichkeit geleistet?«

Mira schüttelte unglücklich den Kopf. »Dazu kam es nicht mehr, denn man schwört erst, wenn man ungefähr so alt ist wie ich jetzt.«

»Verstehe.«

Anna kam durch die Verbindungstür zur Nachbarkammer und knickste. »Das Bad wäre dann so weit, meine Königin.«

Adelheid erhob sich und trat zu Mira, die ebenfalls auf die Füße gesprungen war. Die Königin legte ihr die Hand auf die Schulter. »Geh mit Anna. Ich muss ein wenig nachdenken, ehe wir entscheiden, wie es nun weitergeht.«

»Ein Edelmann, der Euch zu sprechen wünscht, Hauptmann«, meldete Volkmar von Limburg.

Gaidemar hielt vor dem geräumigen Zelt, das er neuerdings bewohnte, saß ab und drückte Volkmar die Zügel in die Hand. »Wo ist er?«

»Er wartet drinnen auf Euch.«

»Bring Amelung auf die Koppel und sorg dafür, dass er Wasser bekommt. Die Pferde dürsten bei der Hitze. Wenn die Knechte sie nicht ausreichend tränken, müsst ihr ihnen Beine machen, Volkmar, denn wir brauchen unsere Gäule gesund und kräftig.«

»Wie Ihr befehlt, Hauptmann.«

Gaidemar betrat sein Zelt. Im Innern war es dämmrig, aber nicht so heiß, wie er befürchtet hatte. Die St.-Albans-Legion lagerte im Schatten der Stadtmauer am Ufer der Donau, und Mirogod hatte umsichtig zwei gegenüberliegende Zeltbahnen geöffnet, damit die sachte Brise vom Fluss durchs Zelt wehen konnte.

Sein Gast fühlte sich offenbar schon ganz zu Hause, stellte Gaidemar fest. Er saß auf dem einzig bequemen Scherenstuhl, hatte die Füße auf einer nahen Gepäcktruhe gekreuzt und trank aus Gaidemars Bronzebecher.

»Die Wache sagt, Ihr wünscht mich zu sprechen?«

Ohne Eile wandte der Besucher den Kopf. »Ihr habt es weit gebracht, Gaidemar. Für einen Bastard, meine ich.«

»Sieh an. Graf Dedi von Wettin. Ich hätte Euch beinah nicht wiedererkannt. Eure Nase sieht verändert aus, scheint mir.«

Dedi zeigte ein gänzlich humorloses Lächeln. »Weil Ihr sie gebrochen habt.«

»Ach, richtig. Als Ihr mich auf dem Hohentwiel in irgendein Kellerloch sperren wolltet, damit ich Eure famose Verschwörung nicht durchkreuzen konnte.«

Liudolfs Revolte hatte Dedi von Wettin ein paar Jahre in Hennings Gefangenschaft eingebracht, und seiner Miene war anzusehen, dass diese Zeit nicht zu seinen erbaulichsten Erinnerungen gehörte. Doch er nahm sich zusammen und sagte: »Vielleicht sollten wir vergangenes Unrecht begraben und noch einmal ganz von vorn beginnen, Ihr und ich.«

Ah ja?, dachte Gaidemar ungläubig. Und was mag es sein, das du von mir willst? Oder vermutlich eher von Erzbischof Wilhelm? Ohne Hast trat er auf seinen unwillkommenen Gast zu und nahm ihm rüde den schweren Bronzepokal aus der Hand. »Ihr könntet Eure ernsthaften Friedensabsichten beweisen, indem Ihr die Finger von meinem Weinschlauch lasst.«

»Hervorragender Tropfen«, lobte Dedi ungerührt.

Gaidemar stellte den Becher auf dem Tisch ab – außerhalb von Dedis Reichweite – und verschränkte die Arme. »Was wollt Ihr?«

»Ich bringe Euch eine Nachricht Eures Vetters, des Erzbischofs«, antwortete der Graf. »Eigentlich bin ich hier, um den König zu sprechen, doch als ich halt in Mainz machte, bat der ehrwürdige Erzbischof mich, Euch etwas auszurichten.«

»Und zwar?«

»Er wünscht, dass Ihr seine Reiterlegion über die Elbe führt – oder das, was die Ungarn von seiner Reiterlegion übrig gelassen haben –, und Liudolf im Kampf gegen die Obodriten zu Hilfe kommt.«

Gaidemar war nicht überrascht. Er wusste, es stand nicht gut jenseits der Elbe. Er hätte seine jungen Panzerreiter lieber zurück nach Mainz geführt, damit sie ausruhten und ihre Ausbildung vervollständigten und er neue Rekruten anwerben konnte, aber der Krieg fragte selten an, ob er zur rechten Zeit kam oder lieber ein andermal vorbeischauen sollte.

Dennoch konterte Gaidemar: »Woher weiß ich, dass Ihr tatsächlich für den Erzbischof sprecht? Ich hoffe, Ihr erwartet nicht, dass Euer Ehrenwort mir genügt, Graf.«

»Ihr legt es darauf an, dass ich die Klinge gegen Euch ziehe, was?«, knurrte Dedi.

Gaidemar zuckte gleichmütig die Schultern. »Wenn Ihr denkt, dass das klug ist …«

Mit einem missfälligen Brummen stand Dedi auf, ließ das Schwert aber in der Scheide. Und das war kein Wunder. Er war ein wenig in die Breite gegangen, und der flammend rote Schopf war dünn geworden. Was immer der sächsische Graf in bayrischer Gefangenschaft erlitten hatte, es hatte ihn altern lassen. Er steckte Zeige- und Mittelfinger der Linken in den Beutel am Gürtel und zog sie mit einer etwas abgebröckelten Wachsscheibe wieder hervor, die er ihm zur Begutachtung hinhielt.

Gaidemar erkannte Wilhelms Siegel auf einen Blick. Er nickte. »Also schön. Natürlich werden wir über die Elbe ziehen, wenn der Erzbischof es wünscht. Habt Dank für Eure Botendienste.«

Dedi warf ihm das Siegel vor die Füße und klopfte ihm im Vorbeigehen kumpelhaft die Schulter. »Ich hoffe, ich bin dabei, wenn die Obodriten Euch die Eier abschneiden.«

»Zumindest könnte ich mich anschließend damit brüsten, welche gehabt zu haben«, antwortete Gaidemar liebenswürdig.

Wütend rauschte Dedi von Wettin hinaus.

Gaidemar lächelte zufrieden, setzte sich seinerseits in den Scherenstuhl und beschloss, den guten Burgunder in seinem Becher nicht zu verschwenden. Genau wie vorhin Dedi legte er die Füße auf die Truhe und nahm einen genießerischen Schluck, als eine Stimme von draußen rief: »Seid Ihr dort drin, Hauptmann?«

»Nein.«

Grinsend steckte Hatto den Kopf durch den Zelteingang. »Die Königin wünscht Euch zu sehen.«

»Herrgott noch mal … Ist einem Mann an einem warmen Sommerabend denn kein Moment Ruhe vergönnt?«

»Einem so wichtigen Mann wie Euch offenbar nicht.«

»Komm her und hol dir ein paar Ohrfeigen ab, Flegel.«

Sein Ziehbruder zog lachend den Kopf aus dem Tuchspalt und verschwand.

»Ich schlage vor, Ihr setzt Euch hin, lieber Freund«, riet die Königin und wies einladend auf den Sessel am Fenster.

Sie hatte die Pergamentbespannung entfernen lassen, und da die Gästequartiere im Obergeschoss der prachtvollen Herzogsresidenz lagen, bot sich dem Betrachter ein herrlicher Blick auf die Bischofskirche St. Peter und die Insel im Fluss.

»Sehe ich so angeschlagen aus?«, fragte Gaidemar argwöhnisch.

»Noch nicht«, lautete die wenig beruhigende Antwort.

Er sah die Königin prüfend an, aber ihre Miene gab absolut nichts preis. Also setzte er sich ihr gegenüber in den angewiesenen Sessel und schlug die Beine übereinander.

Auf Adelheids Nicken öffnete Gräfin Hulda die Tür zur benachbarten Kammer. »Nur herein, mein Kind«, sagte sie energisch. »Die Stunde der Wahrheit ist gekommen.«

Langsam und unverkennbar unwillig trat ein junges Mädchen über die Schwelle, den Kopf schüchtern gesenkt. Sie wirkte mager, und das schlichte, lindgrüne Kleid war ihr an Schultern und Taille zu weit. Das unbedeckte blonde Haar war zu kurz für eine Frau, so als habe sie es irgendwann durch ein Fieber verloren oder als habe man ihr zur Strafe für irgendeine schmachvolle Sünde den Kopf geschoren. Die feuchten Kringel reichten bis auf die Schultern und verdeckten einen Gutteil des Gesichts. Bis sie den Kopf hob und ihn aus strahlend grünen Augen anschaute.

Hoffnungslos verwirrt blickte Gaidemar zu Adelheid. »Wie kommt Miros Schwester hierher?«

»Sie ist nicht seine Schwester«, antwortete die Königin.

»Aber ...« Er schaute noch einmal zu dem zierlichen Mädchen, das ihn so unverwandt anstarrte, dass einem gruslig davon werden konnte, und dann sprang er mit einem Laut des Schreckens auf die Füße. »Oh Jesus ... Das kann nicht sein!«

»Hör mich an, Herr, bitte«, flehte das Mädchen mit Mirogods Stimme.

Er machte einen langen Schritt auf sie zu, packte sie beim Oberarm, zog sie mit einem Ruck zu sich heran und hob die Rechte. »Wie kannst du es wagen, du durchtriebenes ...«

Was? Er wusste nicht einmal, wie er sie beschimpfen sollte. Aber statt zuzuschlagen, stieß er sie von sich – rüde genug, dass sie rückwärtstaumelte und um ein Haar gestürzt wäre.

»Ich habe noch nie im Leben eine Frau geschlagen, und ich werde heute nicht damit anfangen, auch wenn du es verdient hättest, bei *Gott*.«

»Es war nicht ihre Wahl ...«, begann die Königin.

»Nein? Wer hat sie gezwungen, mich drei Jahre lang an der Nase herumzuführen und anzulügen?«

»Ihr wollt mich gütigst nicht unterbrechen, Hauptmann«, fuhr sie ihn an.

Er stieß einen wütenden Hohnlaut aus, hob kurz beide Hände und wandte sich zur Tür.

»Ebenso wenig werdet Ihr Euch ohne meine Erlaubnis entfernen«, fügte Adelheid barsch hinzu. »Was ist nur aus Euren Manieren geworden?«

Gaidemar fuhr zu ihr herum. »*Manieren?*«

»Seid so gut und setzt Euch wieder hin, Gaidemar. Diese Sache ist kompliziert, aber Ihr seid glücklicherweise kein solcher Holzklotz wie die meisten anderen Männer. Darum hatte ich die Hoffnung, Ihr wäret womöglich in der Lage, Mira einen Augenblick zuzuhören.«

»Mira, soso«, murmelte er bitter, ohne der Aufforderung nachzukommen.

Gedanken wirbelten in seinem Kopf durcheinander wie Herbstblätter im Sturm. Auf einmal verstand er so viele Dinge über seinen »Burschen«. Nicht zuletzt dessen Schamhaftigkeit, die ihm manchmal den Spott der anderen Jungen eingetragen hatte, genau wie die Gewohnheit, sich zur Verrichtung seiner Notdurft hinter irgendein Gebüsch zurückzuziehen. Gaidemar hatte sich natürlich nie etwas dabei gedacht. Manche Kerle gingen im Rudel pinkeln, andere gingen lieber allein, das war alles. Jetzt wurde ihm auch klar, warum Miro so gut kochen konnte. Warum er seinen Herrn niemals gefragt hatte, wann sein Bartwuchs beginnen würde oder wie man mit einer Hure handelseinig wurde oder die ungezählten anderen Dinge, die heranwachsende Knaben wissen wollten. *Drei Jahre.* Drei ganze Jahre lang hatte dieses durchtriebene Früchtchen ihn getäuscht und es vermieden, sich ohne Hosen vor ihrem Herrn zu zeigen. Was keineswegs umgekehrt galt, denn wenn sie an einen Bach oder Tümpel gekommen waren und es nicht zu kalt war, hatte Gaidemar hin und wieder gern ein Bad genommen – vor den Augen seines Burschen natürlich –, was ihm jetzt zu all seinem gerechten Zorn auch noch elende Scham bescherte.

»Warum hast du mir nicht die Wahrheit gesagt?«, verlangte er zu wissen.

»Weil ich Angst hatte, du schickst mich fort«, antwortete sie hilflos und presste einen Moment den Handrücken vor den Mund, um ein Schluchzen zu unterdrücken.

Jetzt, da er sie in Frauenkleidern sah, konnte Gaidemar nicht begreifen, wie er so blind hatte sein können. Sie war noch keine richtige Frau, aber er erkannte, dass ihr Mädchenkörper sich an genau den richtigen Stellen zu runden begann. Wie hatte er das nur übersehen können? Und prompt fiel ihm ein, dass sie immer klaglos seine alten Gewänder aufgetragen hatte, die ihr viel zu groß waren, mit der Ausrede, sie habe gern Bewegungsfreiheit, das sei besser für die Waffenübungen. Und ihr Gesicht? Wie hatte er in dieses Gesicht mit der zarten Haut und den großen Mandelaugen schauen können, ohne zu wissen, was er vor sich hatte?

Er kam sich so unendlich töricht vor, und das milderte seinen Zorn nicht gerade. »Das ist eine jämmerliche Ausrede. Du weißt ganz genau, dass ich dich nicht davongejagt hätte, ohne für dich zu sorgen. Aber ich tu es jetzt.«

Sie begann zu schluchzen, doch er sprach unbeirrt weiter.

»Du hast mein Brot gegessen und unter meinem Dach geschlafen – so löchrig es auch meist war –, und die ganze Zeit hast du mich hintergangen und belogen. Also spar dir deine Tränen, sie rühren mich nicht.« Er wandte den Kopf und nickte der Königin knapp zu. »Es wäre besser, Ihr ließet mich gehen, ehe ich der kleinen Natter den Hals umdrehe.«

Adelheid schüttelte den Kopf wie über einen unbelehrbaren Narren. »Sie hat Euch treu gedient, Eure Sachen in Ordnung gehalten, Euer Essen gekocht, das Blut von Eurer Rüstung gekratzt und Euch das Leben gerettet – diese Kleinigkeit wollen wir ja nicht vergessen. Und dabei hat sie eine Maskerade aufrechterhalten, die nie ihre eigene Wahl war. Ist das wirklich so unverzeihlich?«

Er stand mit gesenktem Kopf vor ihr, die Hände zu losen Fäusten geballt, um sie daran zu hindern, irgendetwas oder irgendwen in Stücke zu reißen. »Ja.«

»Nun, dann geht.« Es klang ziemlich frostig und war von einem schroffen Wink begleitet. »Kommt zurück, wenn Eure unerträgliche moralische Entrüstung verflogen ist.«

Kutin, Oktober 955

Der Regen prasselte auf das strohgedeckte Dach der Halle. Man konnte ihm anhören, dass er um jeden Preis hereinwollte, und Liudolf sah ohne Überraschung, dass es ihm an mindestens drei Stellen bereits gelungen war: Jenseits der Tafel neben

446

der runden Feuerstelle, zwei Schritte weiter links und drüben an der Südwand tröpfelte es stetig vom offenen Dachstuhl in den Sand am Boden, wo sich kleine Seen gebildet hatten. Und dabei war diese slawische Festung, die Markgraf Gero vor ein paar Monaten erobert hatte, so schäbig und heruntergekommen, dass sie schon bei strahlendem Sonnenschein deprimierend wirkte.

Liudolf seufzte, griff nach dem Weinbecher, erinnerte sich an Bruder Notkers Warnungen und stellte den Pokal wieder beiseite. »Dedi, schlaf nicht ein, du bist an der Reihe.«

Sein Freund nahm den Würfelbecher, schüttelte ihn emsig und ließ ihn dann krachend mit der Öffnung nach unten auf die Tischplatte niedersausen. »Ach, *Mist* ...«

Die beiden Würfel waren auf der Fünf und der Zwei gelandet, und sie spielten »Sieben verliert«.

Wim strich mit einem zufriedenen Lächeln die drei Pfennige ein, die in der Tischmitte lagen, denn er hatte Liudolf übertrumpft.

Er schob dem Prinzen den Becher hin.

Liudolf griff ohne jeden Enthusiasmus danach. Er hatte überhaupt keine Lust zum Würfeln. Aber das war vermutlich immer noch besser, als hier zu hocken und ins Feuer zu starren und darauf zu warten, dass endlich irgendetwas passierte. »Ich kann nicht fassen, dass wir uns hier seit drei Wochen den Hintern plattsitzen ...«

Dedi nickte trübsinnig. »Vielleicht wäre es besser gewesen, Hermann Billung wäre hiergeblieben, statt nach Sachsen zurückzukehren. Er hält das Nichtstun so wenig aus wie du und hätte schon ein paar Obodriten gefunden, mit denen wir uns schlagen könnten.«

»Oder Wilzen oder Zirzipanen oder wie die Barbarenvölker auch alle heißen mögen, die sich dieses Mal gegen uns verschworen haben«, fügte Wim hinzu.

Liudolf brummte zustimmend, aber er wusste, Hermann Billung hatte das Richtige getan. Seine beiden Neffen – Liudolfs einstige Verbündete Wichmann und der einäugige Ekbert – waren mit obodritischen Truppen in Sachsen eingefallen, während der König auf dem Lechfeld kämpfte, und natürlich hatte irgendwer ihnen Einhalt gebieten müssen. Aber was Hermann ausgerichtet hatte und wie es in Sachsen stand, wussten sie nicht.

Er ließ den Becher rasseln und würfelte eine Elf.

»Oh, gut!«, lobte Wim und zog sich den Becher heran. »Wo ist denn Gero überhaupt?«

»Er verhört einen Gefangenen, den der Provianttrupp bei der Jagd im Wald aufgelesen hat«, hatte Dedi gehört.

Wim schnitt eine beinah mitfühlende Grimasse. Sie alle wussten, dass Markgraf Gero bei seinen Verhören immer einen oder zwei Schritte weiterging, als strikt notwendig gewesen wäre. »Er ist gewiss nicht zu beneiden«, befand Wim und würfelte eine Drei.

»Ja, fast so ein armes Schwein wie du«, kommentierte Dedi schadenfroh und würfelte eine Acht.

Liudolf ließ seinen Gewinn auf der Tafel liegen. »Lasst uns die Einsätze erhöhen, eh wir alle einschlafen.«

»Gute Idee!« Dedi rieb sich die Hände. »Mich juckt es am Ohr, und das ist immer ein sicheres Zeichen, dass ich die nächste Runde gewinne, wisst ihr, denn …«

Der helle Klang von Trompeten ertränkte den Rest.

Sie tauschten hoffnungsvolle Blicke und standen auf. Noch ehe sie die Tür der Halle in der gegenüberliegenden Stirnwand erreicht hatten, schwangen die beiden Flügel nach innen, und Geros Sohn Siegfried kam eiligen Schrittes herein.

»Liudolf, es ist der König!« Sein hageres, sonst immer so ernstes Gesicht strahlte. »Und er hat die fränkischen und sächsischen Sieger vom Lechfeld mitgebracht!«

Er sagt es, als hätten sie magische Kräfte, fuhr es Liudolf durch den Kopf. »Großartig. Geh und hol deinen Vater.«

Während Siegfried kehrtmachte, gab Liudolf ein paar Anweisungen: »Bringt heißen Wein«, trug er dem erstbesten Diener auf. »Und die Köche sollen eine warme Suppe oder Eintopf oder irgendetwas in der Art zaubern.« Sein Vater war schließlich nicht mehr der Jüngste, und die feuchte Herbstkälte vertrieb man am Besten mit heißen Speisen und Getränken aus den Gliedern. »Einstweilen bringt Brot und kaltes Wild und was immer wir sonst noch haben. Möglichst schnell und möglichst reichlich«, schloss er augenzwinkernd. Er ertappte sich bei einem Lächeln. Wie eh und je war er nervös, wenn er vor seinen Vater trat. Doch er erkannte mit einiger Verwunderung, dass er sich dennoch freute, den König wiederzusehen.

Er ging mit Dedi und Wim hinaus in den unablässigen Regen. Der schlammige Innenhof der kleinen Anlage wimmelte von Reitern. Stimmen brüllten durcheinander, Dampf stieg von den Flanken der Gäule auf, Kettenpanzer klirrten, und die kalte Luft war erfüllt vom Geruch nach Pferden und Eisen.

Liudolf entdeckte den König inmitten des Gewimmels, drängte sich rüde zu ihm durch und sank im Schlamm auf ein Knie. »Willkommen auf Kutin, mein König.«

»Liudolf!« Strahlend hob der König ihn auf und schloss ihn in die Arme. »Welche Freude, dich zu sehen, mein Sohn!«

Etwas Warmes und Wohliges durchrieselte Liudolf, doch er antwortete lediglich: »Ihr findet uns überrascht. Falls Ihr einen Boten vorausgeschickt habt, ist er verloren gegangen, fürchte ich.« Er wies einladend zur Halle hinüber. »Aber heißer Wein ist unterwegs.«

»Dafür sei Gott gepriesen. Wir haben keinen Boten geschickt. Gaidemar und Hardwin wollten vorausreiten, aber nach Lage der Dinge schien es mir klüger, eng beisammen zu bleiben.«

Gaidemar und Hardwin wollten vorausreiten. Es klang vertraut, wie der König es sagte. Nach Waffenbruderschaft und verschworener Gemeinschaft. Gaidemar, nicht Liudolf war mit dem König geritten, hatte Seite an Seite mit ihm auf dem Lechfeld gekämpft und Taten vollbracht, über die vermutlich in hundert Jahren noch Lieder gesungen würden. Liudolf spürte Eifersucht und das altvertraute Gefühl von Unzulänglichkeit. Aber er hatte sich geschworen, sich von diesen kindischen Anwandlungen nicht mehr leiten zu lassen, rief er sich ins Gedächtnis.

Er sah sich um und entdeckte seinen Cousin ein paar Schritte weiter rechts in einer Reitergruppe mit einem schaurigen St.-Albans-Banner.

»Gaidemar!« Er schloss ihn in die Arme.

Gaidemar erduldete die Vertraulichkeit nur einen Moment, ehe er sich brüsk befreite. Aber ein kleines Lächeln malte sich im kurzen schwarzen Bart ab. »Gut, dich zu sehen, mein Prinz.«

»Gleichfalls. Kommt. In der Halle regnet es auch, aber nicht so fürchterlich wie hier draußen.«

Es dauerte ein Weilchen, bis das Durcheinander nach der Ankunft des Königs und seiner Reiter sich gelegt hatte, aber schließlich saß Liudolf mit seinem Vater und Gero in seiner Kammer um ein Kohlebecken. Sie hatten sich hierhin zurückgezogen, um unbelauscht Neuigkeiten austauschen zu können, während in der Halle das Nachtmahl für die Burgbesatzung und die Neuankömmlinge vorbereitet wurde.

»Wir hatten ein paar Zusammenstöße mit kleinen Verbänden der Obodriten, mein König«, berichtete Markgraf Gero. »Jedes Mal haben wir sie aufgerieben, aber es waren nur Scharmützel. Sie meiden die offene Schlacht und lauern uns lieber wie Banditen in den Wäldern auf, dieses feige Gesindel.« Seine gruseligen bernsteinfarbenen Augen funkelten kalt.

Geros Hass auf alle Slawen war Liudolf immer ein wenig unheimlich. Gewiss, die Obodriten waren stur und unbezähmbar und erhoben sich gegen die königliche Oberherrschaft, wann immer sie glaubten, damit durchzukommen. Außerdem waren sie grausame Krieger, und Liudolf war auch nicht geneigt, sie in seine Abendgebete einzuschließen. Aber für Gero war es irgendetwas Persönliches, argwöhnte er, und das beeinträchtigte das Urteilsvermögen des Markgrafen.

»Heute brachten meine Männer mir einen Gefangenen«, fuhr dieser fort. »Wir haben ihn befragt, und er behauptet, die Hauptstreitmacht habe sich nach Nordosten zurückgezogen und lagere jenseits der Recknitz.«

»Wo ist das?«, fragte der König.

»Ungefähr dreißig Meilen von hier«, schätzte Liudolf.

»Nun, da Ihr gekommen seid, mein König, sollten wir ausrücken und sie stellen«, riet Gero mit mühsam unterdrückter Heftigkeit. »Jetzt sind wir zahlreich genug, um sie zu zermalmen.«

Der König sah fragend zu Liudolf.

Der Prinz nickte. »Es wird Zeit für eine Entscheidung. Aber wenn sie sich am anderen Ufer der Recknitz eingegraben haben, wird es nicht so leicht sein, sie zur Schlacht zu zwingen.«

»Und unser Marsch würde durch welches Gelände führen?«, wollte Otto wissen.

»Schauderhaft«, antwortete Liudolf achselzuckend. »Tückische Sümpfe, finstere Wälder und überall Seen. Immer da, wo man eigentlich lang will.«

Otto trank einen Schluck aus seinem dampfenden Becher, stellte ihn bedächtig auf den sandbedeckten Boden und sagte: »Wir werden sie zur Schlacht stellen, und zwar so rasch wie möglich.«

»Ha!« Gero ließ die rechte Faust in die linke Hand klatschen.

Liudolf legte den Kopf schräg und studierte das Gesicht seines Vaters. Ihm schwante ganz und gar nichts Gutes. »Was ist passiert?«, fragte er.

»Wichmann und Ekbert haben in Sachsen ein entsetzliches Blutbad angerichtet«, berichtete Otto. Er hatte die Stimme ein wenig gesenkt, so wie er es immer tat, wenn er von schrecklichen Dingen sprach. Als fürchte er, es könne Gottes Ohr beleidigen, zu hören, zu welchen Abscheulichkeiten die Krone seiner Schöpfung imstande war. »Hermann Billung hat getan, was in seiner Macht stand, um seinen beiden Neffen und ihren obodritischen Kriegern Einhalt zu gebieten, aber seine Stärke war zu gering. Er hatte seine Truppen in Kacherien an der Elbe zusammengezogen, doch als er sah, wie groß die feindliche Überzahl war, handelte er einen Frieden aus. Wichmann und Ekbert stellten harte Bedingungen: Die freien Männer in der Burg sollten mit ihren Frauen und Kindern auf die Mauer steigen und unbehelligt bleiben. Aber alle Unfreien, Vorräte, Hab und Gut sollten als Beute für die Feinde im Burghof versammelt werden, ehe die Tore geöffnet wurden.« Er hob mit einem ergebenen kleinen Seufzer beide Hände. »Was blieb den Unseren übrig? Sie stimmten zähneknirschend zu. Als die Obodriten in die Burg strömten, erkannte einer von ihnen die Frau eines Soldaten wieder. Jedenfalls behauptete er das. Sie sei seine

Sklavin gewesen. Er forderte sie zurück, packte sie, und der Ehemann verpasste ihm einen Fausthieb.«

»Oh, Jesus.« Liudolf konnte sich den Rest denken. »Die Obodriten glaubten, es sei eine Falle?«

Der König hob die breiten Schultern. »Vielleicht. Jedenfalls gab es Geschrei und Durcheinander, Schwerter wurden gezogen, und am Ende erschlugen die Obodriten jeden einzelnen Mann in Kacherien und führten die Frauen und Kinder in die Sklaverei.«

Liudolf und Gero bekreuzigten sich.

»Und *das* haben Wichmann und Ekbert zugelassen?«, fragte Gero fassungslos. Sein Gesicht hatte mit einem Mal die Farbe frischer Sahne, sah Liudolf. Vermutlich nicht vor Entsetzen über das Massaker von Kacherien, sondern weil Wichmanns und Ekberts Schwester Hadwig die Frau seines Sohnes Siegfried war und er fürchtete, die Schandtaten der Billunger könnten ihm schaden. Geros Ambitionen und Machtgier waren berüchtigt.

»Sie haben es nicht nur zugelassen, sondern sie führten das Kommando«, antwortete der König.

»Was ist mit Hermann?«, fragte Liudolf.

»Verwundet, aber er wird wieder«, beruhigte der König ihn. »Wer weiß, womöglich gibt es doch noch etwas, wovor Wichmann und Ekbert zurückschrecken, und sie haben sich gescheut, ihren Onkel zu töten.« Er legte Gero einen Moment die Hand auf den Arm. »Ich weiß, es ist bitter, alter Freund, aber dich trifft keine Schuld. Und wir müssen jetzt an andere Dinge denken und rasch handeln. Auf dem Lechfeld haben wir uns Respekt erworben und unsere Feinde das Fürchten gelehrt. Ich hatte gehofft, die Nachrichten von der Schlacht würden auch die aufständischen Slawen ins Grübeln bringen, aber das ist nicht geschehen, im Gegenteil. Also müssen wir sie ebenso züchtigen wie die Ungarn, damit auch sie endlich ihre Lektion lernen.«

Falls wir können, dachte Liudolf.

»Aber zahlenmäßig dürften wir ihnen jetzt doch überlegen sein, oder?«, sagte Gaidemar, als Liudolf ihm seine Bedenken anvertraute. »Und gegen ein entschlossenes Heer aus Panzerreitern haben die Slawen noch niemals eine Schlacht gewonnen.«

»Hm.« Liudolf stocherte mit einem Schürhaken in der Glut des kleinen Feuers herum, bis sie wieder zu Leben erwachte, und warf ein Scheit darauf. Der Kastellan hatte Gaidemar eine Hütte im Burghof als Quartier zugewiesen, während die Reiter des heiligen Alban außerhalb der Palisade ihre Zelte aufgeschlagen hatten. Das Häuschen war feucht und unkomfortabel, aber wenigstens hatte es eine Feuerstelle.

Ehe sie ihre Unterhaltung fortsetzen konnten, trat einer der jungen Panzerreiter ein, machte einen Diener und stellte einen dampfenden Krug vor Gaidemar auf den wackligen Tisch. »Pferde und Reiter sind vollzählig und halbwegs ordentlich gefüttert, Hauptmann«, meldete er. »Und morgen früh gleich nach Sonnenaufgang kommt der Hufschmied, wie Ihr wolltet.«

»Danke, Sigurd.«

»Braucht Ihr noch irgendwas?«

Gaidemar schüttelte den Kopf. »Das war alles für heute. Gute Nacht.«

Mit einem höflichen Gruß zog der St.-Albans-Reiter sich zurück.

»Junge, Junge, welch tiefe Verehrung«, frotzelte Liudolf, als sie wieder allein waren.

Ein kleines Lächeln huschte über Gaidemars Gesicht, doch er entgegnete kopfschüttelnd: »Ich versuche ihnen beizubringen, warum Respekt wichtig ist, wenn man seine Schlachten gewinnen will. Aber das ist alles.«

»Ich sehe, was ich sehe«, widersprach Liudolf. »Und ich bin nicht überrascht. Ich habe dich schließlich kämpfen sehen. Kein Wunder, dass sie zu dir aufschauen. Ich hätte allerdings nicht gedacht, dass ihre Ergebenheit so weit geht, dich zu bedienen. Wo ist denn Miro überhaupt?«

Gaidemars Miene verfinsterte sich. »Reden wir über etwas anderes.«

»Sag nicht, er ist dir davongelaufen.«

»Liudolf, hörst du schlecht? Ich sagte, ich will nicht über ihn

sprechen. Mirogod ist Vergangenheit. Bis ich einen neuen Burschen gefunden habe, versehen meine Reiter reihum seine Pflichten, und das funktioniert tadellos. Wenn du die Wahrheit wissen
willst, ich bin dankbar, dass ich meine Ruhe habe.«

Liudolf glaubte ihm kein Wort, und er hätte zu gerne gewusst,
was passiert war. Aber ebenso gut konnte man versuchen, einem
Granitblock seine Geheimnisse zu entlocken.

Gaidemar schenkte heißen Würzwein in zwei Holzbecher.
»Wo sind Ida und die Kinder?«

»Bei meiner Großmutter in Quedlinburg. Ida wollte mit herkommen, aber ausnahmsweise hat sie einmal Vernunft walten
lassen. Wegen der Kinder, schätze ich. Und nun fehlt sie mir«,
gestand er ein wenig verschämt. »Als sie mich in St. Gallen aufge-
scheucht hat, war ich immer noch so wütend auf sie, dass ich
dachte, ich sei ein für alle Mal fertig mit ihr. Ich meine, schließlich
war sie schuld daran, dass meine Auflehnung gegen den König
so … aus dem Ruder gelaufen ist.«

Gaidemar runzelte überrascht die Stirn und entgegnete kopfschüttelnd: »Mach dir nichts vor, Vetter, das führt zu nichts. Du allein warst schuld, weil du zugelassen hast, dass du die Kontrolle
verlierst.«

Liudolf griff wieder zum Schürhaken und stocherte missmutig im Feuer herum, das nur lustlos brannte, während er darüber
nachsann. »Tja, wer weiß. Im Grunde ist es auch gleich, denke ich
heute. Man kann wohl sagen, ich hatte verdient zu scheitern.«

»Nein. Dein Vorgehen mag fragwürdig gewesen sein, aber dein
Anliegen war gerecht.«

Liudolf fiel aus allen Wolken. »Wenn du das glaubst, warum
hast du mir den Rücken gekehrt?«

Gaidemar schnaubte. »Du weißt verdammt gut, warum, Liudolf. Ich habe dem König einen Eid geschworen, den ich nicht brechen konnte. Und das hast du ganz genau gewusst, weswegen du
mich auf dem Hohentwiel festsetzen wolltest, wie du dich vielleicht erinnerst.«

Liudolf erinnerte sich nur zu gut. Er sah seinem Cousin in die
Augen. »Abscheulich und feige, ich weiß. Offen gestanden, Gaide-

mar, kann ich mir heute nicht mehr so recht erklären, warum dieser Schritt mir damals gangbar erschien. Akzeptabel. Ich ... na ja, mein Zorn war so gewaltig, dass ich irgendwie aus den Augen verloren habe, was recht und was unrecht ist.«

»Kommt vor«, erwiderte Gaidemar leichthin.

»Hm. Dich auf dem Hohentwiel einzusperren war übrigens auch Idas Idee. Die Entscheidung war natürlich letztlich meine, aber Ida ... hat mich getrieben.«

»Weil du es zugelassen hast.«

Liudolf seufzte. »Nur zu wahr. Trotzdem habe ich es ihr verübelt. Ich dachte, es ist vorbei zwischen uns. Aber ... na ja.« Er zuckte die Achseln und trank einen Schluck. »Vermutlich könnte sie mir auch einen Dolch ins Herz stoßen, es würde irgendwie nichts zwischen uns ändern.«

»Abgesehen davon, dass es sie zur Witwe machen würde«.

»Du verstehst nicht, wovon ich rede«, warf Liudolf ihm seufzend vor.

»Nein«, gestand sein Cousin bereitwillig. »Ich verstehe nichts von gefühlsduseligem Geschwätz.« Er trank ebenfalls, und die konzentrierte Weise, wie er den Becher wieder abstellte – als müsse er sich bewusst davon abhalten, ihn auf den Tisch zu rammen –, verriet Liudolf, dass irgendetwas in Gaidemar brodelte.

Liudolf legte den Kopf schräg und sah ihn scharf an. »Wie ist es denn eigentlich mit dir und dem heiligen Stand der Ehe?«, fragte er. »Du bist ... was? Ein Jahr älter als ich? Sechsundzwanzig?« Und auf Gaidemars unwilliges Nicken hin fuhr er fort: »Höchste Zeit also, oder?«

»Nur leider bin ich ein namenloser Bastard und besitze nicht eine Krume Land, um eine Familie zu ernähren«, erinnerte sein Cousin ihn. »Darum stehen die Väter, die mir ihre Töchter geben wollen, nicht gerade Schlange.«

»Hör doch auf. Du genießt die Gunst meines Bruders, der zufällig der mächtigste Kirchenfürst des Reiches ist, und hältst an seinem Hof ein einflussreiches Amt. Obendrein lukrativ, schätze ich, so wie ich Wilhelm kenne. Also erzähl mir nichts. Es gibt schlechtere Partien als dich.«

Gaidemar lehnte den Rücken an die rohe Bretterwand und sah zum runden Rauchabzug in der Mitte des Strohdachs empor, durch den immer noch vereinzelte Regentropfen fielen und zischend im Feuer verdampften. Als Liudolf schon mit keiner Antwort mehr rechnete, sagte er: »Ich hätte gerne eine Frau und Kinder. Ein Heim, wohin ich zurückkehren kann, wenn ich aus dem Krieg komme. Die Vorstellung gefällt mir.« Er hob kurz die Schultern. »Vielleicht irgendwann einmal …«

Er ist einsam, fuhr es Liudolf durch den Sinn. Früher hatte er sich über solcherlei Dinge nie Gedanken gemacht, aber seit er selbst im finsteren Tale gewandert war, kam er manchmal zu den sonderbarsten Einsichten über andere Menschen. Gaidemar war wurzellos und namenlos und mutterseelenallein auf der Welt, und wenn er aus dem Krieg zurückkehrte, wartete ein verwaistes Quartier im Bischofspalst zu Mainz auf ihn, wo die Luft abgestanden und die Trinkbecher eingestaubt waren. »Ewig kannst du nicht mehr warten, wenn du kein greiser Bräutigam sein willst, über den sich alle insgeheim lustig machen«, mahnte der Prinz.

Gaidemar traktierte ihn mit einem finsteren Blick. Liudolf hielt ihm mühelos stand, bis sie beide lachen mussten.

»Lass uns über etwas anderes reden, mein Prinz, oder trink deinen Becher aus und verschwinde«, sagte Gaidemar.

»Welches Thema wäre dir denn genehm, Hauptmann?«, fragte Liudolf unterwürfig. »Das Wetter vielleicht? Es regnet seit ungefähr zwei Wochen ohne Unterlass, und wenn wir morgen ausrücken, werden wir vermutlich alle im Morast versinken.«

»Und falls nicht, auf welchen Feind werden wir treffen? Was hast du über die Obodriten gelernt, seit du hier bist?«

Liudolf überlegte einen Moment, ehe er antwortete: »Nun, vor allem wohl dies: Den Obodriten ist es ernster mit ihrem Aufstand gegen den König, als es mir je war. Sie sind lieber tot als unterworfen. Wenn du die Wahrheit wissen willst, Gaidemar: Sie imponieren mir.«

»Weil du leicht zu beeindrucken bist«, zog sein Vetter ihn auf. »Wer führt sie an?«

»Wir sind nicht ganz sicher. Es scheint zwei Fürsten zu geben,

Stoinef und Nakon. Sie sind Brüder, heißt es. Früher war Ratibor der Fürst der Obodriten, hat Hermann Billung uns erklärt, aber er ist gestorben. Oder vielleicht haben Stoinef und Nakon ihn auch gestürzt und ermordet. Sie sind seine Neffen oder so etwas.«

»Hatte dieser Fürst Ratibor keinen Sohn?«, fragte Gaidemar.

»Wir wissen auch das nicht«, musste Liudolf bekennen. »Wir wissen überhaupt ziemlich wenig über unsere Feinde. Unsere Späher kehren nie zurück, und wenn wir gelegentlich einen Obodriten gefangen nehmen – was nicht oft gelingt, weil sie sich die Kehle durchschneiden, wenn wir sie schnappen –, dann bringt Gero ihn um, ehe der Gefangene die wirklich interessanten Fragen beantworten kann. Gero ist so besessen von seinem Hass auf alle Slawen, dass er ständig den Kopf verliert. Erbärmlich, sag ich dir. Vermutlich kommt er einfach nicht drüber weg, dass seine Tochter gegen seinen Willen den Fürsten der Heveller geheiratet hat.«

»Ach ja, ich erinnere mich. Mein Ziehvater brachte die Geschichte von einem Hoftag mit nach Saalfeld. Der König hat Geros Tochter Fürst Tugomir zur Frau gegeben, ohne das Einverständnis ihres Vaters einzuholen. Wir haben damals gerätselt, was es damit wohl auf sich hatte.«

»Genau kann ich es dir auch nicht sagen. Der König wollte Frieden mit den Slawen, und weil Tugomir so lange als Geisel an unserem Hof gelebt und inzwischen die Taufe empfangen hatte, hoffte er wohl, wenn er ihm sein Fürstentum zurückgibt, hat er einen Verbündeten auf slawischer Seite. Und offenbar wollte Fürst Tugomir eine sächsische Grafentochter zur Belohnung, und der König gab ihm Geros Tochter. Oder so ähnlich.«

Gaidemar verteilte den Rest aus dem Krug auf ihre Becher. »Der Plan ist jedenfalls aufgegangen. Die Heveller haben seit Jahren keinen Ärger gemacht.«

»Hm.« Liudolf trank versonnen den letzten Schluck. Der Wein war längst nicht mehr heiß, aber süß und würzig. »Vielleicht sollte der König den beiden jungen obodritischen Fürsten sächsische Grafentöchter anbieten, und dann hätten wir Ruhe jenseits der Elbe.«

»Rechne lieber nicht damit.«

»Wir haben keinen Proviant mehr, Hauptmann.« Volkmar von Limburg hielt die Stimme gesenkt. »Keinen Krümel Brot, keinen Fetzen Dörrfleisch – wir sind völlig blank. Wenn der Quartiermeister des Königs uns nicht aushilft, müssen wir hungern.«

Gaidemar begutachtete das steinharte Stück Brot in seiner Linken, das sein Abendessen darstellte, brach es mit einiger Mühe durch und steckte eine Hälfte in den Beutel am Gürtel. »Es besteht kein Grund zu flüstern, Volkmar. Sag den Männern, sie sollen diese Ration als ihre vorläufig letzte betrachten und sie sich einteilen, wie es sie gutdünkt. Wir sind die Panzerreiter des heiligen Alban, keine verhätschelten Knäblein. Es wird uns nicht umbringen, ein paar Tage zu fasten. Der Quartiermeister des Königs hat auch keinen Proviant mehr und obendrein das Fieber.«

Volkmar nickte. »Wie so viele. Jeder Dritte, hab ich gehört.« Er klang beunruhigt.

Gaidemar gab keinen Kommentar ab.

Die königliche Armee, die rund fünfzehnhundert Mann zählte, hatte zwei Tage bis an die Recknitz gebraucht. Das Wetter hatte sich gebessert, und trotz des schwierigen Geländes waren sie gut vorangekommen. Bei der Überquerung eines der eiligen Bäche, die es in diesem verfluchten Land zu Hunderten zu geben schien, hatten sie zwei Packpferde verloren, doch ansonsten waren sie ohne Missgeschicke durchgekommen, vor allem ohne Feindkontakt.

Wir hätten wissen müssen, dass es zu leicht war, dachte Gaidemar. *Zu gut, um wahr zu sein …*

Denn kaum hatten sie das flache Ufer der Recknitz erreicht, war alles schiefgegangen. Ehe sie begriffen, dass das bewaldete Ufer ein tückischer Sumpf war, waren zwei von Geros Männern elendiglich im Treibsand versunken. Als der König befahl, eine Viertelmeile zurückzufallen, mussten sie feststellen, dass der Feind sich in ihren Rücken geschlichen und den Pfad mit Baumverhauen versperrt hatte. Derweil sammelte sich am anderen Ufer das Hauptheer der Obodriten und ihrer Verbündeten, zweitausend Mann oder mehr, die Hälfte beritten, die restlichen mit Streitäxten und Schwertern bewaffnet, unter ihren gefürchteten heidnischen Feldzeichen aus Gold und Silber, denen Zauberkräfte nachgesagt wurden.

Und während die Bratendüfte von den Feuern der Slawen über den Fluss wehten, ging den Königlichen auf dieser Seite der Proviant aus. Der Regen kam zurück, und nach drei Tagen gab es die ersten Fieberfälle. Seit einer Woche saßen sie hier nun in ihrem tristen Lager fest, gefangen zwischen der Recknitz und den bewachten Baumverhauen der Feinde. Inzwischen glich das ganze Lager einem Lazarett – auch der König war krank. Und Tag für Tag kamen die feindlichen Krieger ans jenseitige Ufer und riefen Schmähungen herüber. Natürlich konnten die deutschen Truppen sie nicht verstehen, aber das Hohngelächter, die obszönen Gesten und der hämische Tonfall bedurften keiner Übersetzung: *Kommt doch herüber, wenn ihr nicht zu feige seid. Ihr wollt die ruhmreichen Sieger der Lechfeldschlacht sein? Wir sehen nur ein erbärmliches Häuflein von Schlappschwänzen …*

Mit verengten Augen starrte Gaidemar durch den Nieselregen zum obodritischen Lager hinüber, als Liudolf zu ihm trat. »Der König bittet dich zu sich. Lagebesprechung.«

»Ich komme.« Gaidemar kehrte dem Ufer entschlossen den Rücken, schlang den tröpfelnden Mantel fester um sich und ging Seite an Seite mit dem Prinzen zum königlichen Zelt in der Mitte des Lagers. Die Wachen ließen sie passieren. Der Linke hielt ihnen höflich den Zelteingang auf und hustete rasselnd.

König Otto stand in der Zeltmitte, und obwohl das gräulich weiße Leinwanddach dort am höchsten war, musste er den Kopf ein wenig einziehen, um nicht anzustoßen. Mit verschränkten Armen und undurchschaubarer Miene lauschte er Hardwins Bericht.

»… haben heute etwa dreihundert Kranke, von denen ungefähr die Hälfte zu schwach ist, um zu kämpfen. Dazu zählt auch Ihr, mein König, wenn Ihr meine Offenheit verzeihen wollt.«

»Unsinn …«, knurrte Otto, doch die fahle Blässe und der Fieberglanz in seinen Augen gaben Hardwin recht.

»Der Proviant geht bedenklich zur Neige«, fuhr dieser fort, »und auch die gesunden Soldaten sind nassgeregnet und durchgefroren. Vater Friedrich glaubt, dass der Regen wieder zunehmen wird, seine schmerzende Hüfte sei ein unfehlbares Anzeichen.« Ein Grinsen huschte über sein Gesicht, unbeschwert und respektlos. »Mit all dem will ich sagen: Unsere Lage wird nicht besser, je mehr Zeit verstreicht. Wie sieht es bei euch mit den Vorräten aus, Gaidemar?«

»Welche Vorräte?«, gab er zurück.

»Wir *müssen* einen Weg finden, sie zur Schlacht zu zwingen«, warf Gero ein, und es klang, als sage er es nicht zum ersten Mal.

Otto nickte und strich sich nachdenklich über den Bart. Dann schien er einen Entschluss zu fassen und ließ die Arme sinken. »Das werden wir. Ihr habt recht, je länger wir zaudern, desto schwächer werden wir. Damit ist jetzt Schluss. Morgen früh beim ersten Tageslicht stellen wir Stoinef und die Seinen zur Schlacht.«

»Großartige Idee«, befand Liudolf. »Nur wie wollen wir das anstellen?«

Otto überlegte noch einen Moment. Dann zeigte er mit dem Finger auf Gero. »Du sprichst ihre Sprache. Also nimm ein Dutzend Bogenschützen zum Schutz, geh so nah ans Ufer wie möglich und verhandele mit Fürst Stoinef. Sag ihm, jetzt sei seine letzte Gelegenheit, sich zu ergeben. Biete ihm Straffreiheit an, wenn sie die Waffen niederlegen und meine Oberherrschaft anerkennen. Drohe ihm, andernfalls würden wir morgen den Fluss überqueren und ihn vernichten.«

»Aber, mein König …«, begann Gero ungeduldig.

Der hob die Rechte. »Natürlich wird Stoinef ablehnen, aber wir erreichen, dass er morgen früh mit einem Angriff rechnet.« Und an Liudolf und Gaidemar gewandt fuhr er fort: »Ihr zwei nehmt unterdessen hundert kräftige, gesunde Männer, zieht eine Meile flussabwärts und fällt Bäume. Möglichst viele und möglichst leise. Dann wartet ihr bis zum Einbruch der Dämmerung und baut mit dem geschlagenen Holz drei Brücken über die Recknitz. Sie müssen weder schön noch besonders solide sein, es reicht, wenn sie morgen früh noch da sind. Sobald es hell wird, führen Geros Bogenschützen über den Fluss hinweg einen Scheinangriff. Und während die Obodriten damit beschäftigt sind, überqueren wir auf euren Brücken den Fluss mit allem, was wir haben, und greifen sie von hinten an.« Er sah in die Runde und lächelte wie ein Lausebengel, der sich einen besonders pfiffigen Streich ausgedacht hat.

Die vier Kommandanten ließen sich den Plan durch den Kopf gehen, prüften ihn in Gedanken auf Schwachstellen und nickten schließlich einträchtig.

»Könnte klappen«, befand Hardwin.

»Es ist großartig!«, frohlockte Gero.

»Ich kann's kaum erwarten, Stoinefs Gesicht zu sehen, wenn wir plötzlich von Norden über ihn herfallen«, stimmte Liudolf mit einem schadenfrohen Grinsen zu. »Nur: Wie baut man bei Dunkelheit Brücken?«

Gaidemar winkte beschwichtigend ab. »Der Fluss ist weder breit noch tief, und er fließt gemächlich. Wir müssen nur die Baumstämme hineinlegen und gut miteinander vertäuen. Und ich wette gegen Vater Friedurich, dass wir heute Nacht statt Regen ein wenig Mondlicht bekommen. Es wird gehen.«

»Werden die Brücken den Fluss nicht aufstauen?«, gab Hardwin zu bedenken. »Die Slawen schöpfen doch gewiss Verdacht, wenn morgen früh die Uferwiesen geflutet sind.«

Daran hatte niemand gedacht. In die ratlose Stille hinein sagte Liudolf: »Wir sorgen dafür, dass das Wasser über unsere Baumstämme noch abfließen kann. Es werden eher Furten als Brücken sein, die wir bauen, aber stabil und breit genug für die Pferde.«

Der König nickte, seine Miene ernst und konzentriert. »In Ordnung. Ich lege die Sache in eure Hände. Was immer ihr baut, muss bei Sonnenaufgang fertig sein.«

Grau und neblig brach der neue Tag an, aber wie Gaidemar prophezeit hatte, war es halbwegs trocken geblieben.

Er hatte den rechten Fuß auf einen gefällten Baumstamm gestellt, die Arme auf dem Oberschenkel gekreuzt und schaute zu, während Hatto seinem Zwillingsbruder die blutende Linke verband, die Hugo sich bei den letzten Handgriffen an einer ihrer provisorischen Brücken aufgeschlitzt hatte.

»Es wird gehen, Hauptmann«, versicherte der Verwundete tapfer. »Ehrenwort, ich kann den Schild damit halten.«

»Kommt nicht infrage«, beschied Gaidemar.

»Aber …«

»Das ist mein letztes Wort, Hugo«, unterbrach der Hauptmann. »Wenn wir dich mitnehmen, wird dein Bruder die ganze Zeit nur darauf bedacht sein, dich zu decken, und ihr geht beide drauf.«

Seite an Seite saßen die Zwillinge auf dem Baumstamm und nickten betreten, die Mienen enttäuscht wie Bengel, die nicht zum Jahrmarkt durften. Sigurd, der das Verbandszeug gebracht hatte, gähnte herzhaft.

Sie alle waren müde nach einer schlaflosen, arbeitsreichen Nacht, aber das Ergebnis ihrer Mühen konnte sich sehen lassen: Aus vertäuten Stämmen und Ästen hatten sie drei Dämme über die Recknitz gebaut, etwa so breit wie ein Mann groß war, stabil genug, um gepanzerte Reiter zu tragen, aber sie hatten den Fluss nur geringfügig angestaut.

In der Ferne waren plötzlich Rufe und Wiehern zu hören. Gaidemar wandte den Kopf. »Das ist Geros Scheinangriff«, mutmaßte er, richtete sich auf und sagte in die Runde: »Es ist so weit.«

Die St.-Albans-Reiter standen gerüstet und mit gesattelten Pferden bereit, und auf Gaidemars Zeichen saßen sie auf.

Liudolf wies nach Süden zwischen die Bäume, wo das Dunkel der Nacht nur zögerlich wich. »Da kommt der König.«

Wie geisterhafte Schatten lösten Otto, Hardwin und die sächsischen Panzerreiter sich aus dem Nebel und hielten auf sie zu.

»Alles bereit?«, fragte der König seinen Sohn.

Liudolf nickte und zeigte einladend auf den Fluss. »Drei Brücken, wie Ihr wolltet.« Er konnte sich ein stolzes Lächeln nicht verbeißen.

Der König nickte, ohne das Lächeln zu erwidern. Falls er immer noch Fieber hatte, war ihm zumindest nichts mehr davon anzusehen. Vermutlich hatte er ihm mit seiner geballten königlichen Autorität befohlen, von ihm zu weichen. Otto wirkte in sich gekehrt und konzentriert, so wie Gaidemar ihn schon vor der Schlacht auf dem Lechfeld erlebt hatte. Angespannt, aber nicht nervös. Grimmig, aber nicht unbesonnen. Vielleicht dachte er an die abgeschlachteten Männer, die versklavten Frauen und Kinder von Kacherien, denn in seinen Augen glomm ein gewaltiger Zorn. »Dann lasst uns in die Schlacht ziehen und die Heiden vernichten oder bezwingen. Gott sei mit uns allen. Vorwärts.«

Gaidemar sah in den Gesichtern seiner jungen Panzerreiter, was er selbst empfand: Sie waren voller Ehrfurcht für ihren König. Und sie waren froh, dass sie *mit* ihm in die Schlacht zogen, nicht gegen ihn.

Otto, Liudolf und Gaidemar ritten jeweils über eine der provisorischen Brücken vorweg, und ihre Männer folgten ihnen. Die Überquerung der Recknitz ging langsam, aber ohne Missgeschicke vonstatten, und der Morgennebel deckte die königlichen Truppen gut. Als schließlich das gesamte Reiterheer am östlichen Ufer war, befahl Otto: »Wir rücken in einer geschlossenen Linie vor. Hardwin, du hältst dreihundert Männer als Nachhut zurück und folgst uns, wenn du hörst, dass die Schlacht begonnen hat. Liudolf, du befehligst den rechten Flügel, ich die Mitte. Gaidemar, deine Reiter bilden unsere linke Flanke. Sie darf nicht bröckeln, denn wenn der Feind durchzubrechen versucht, dann auf eurer Seite, die dem Fluss abgewandt ist.«

»Sie wird halten, mein König«, versprach Gaidemar. Er legte die rechte Faust auf die linke Brust, um König Otto Ehre zu erweisen, und die Reiter des heiligen Alban folgten seinem Beispiel.

Mit präzisen Befehlen formierte Otto seine Armee, und als die Linie stand, setzten sie sich alle gleichzeitig in Bewegung. Erst im Trab. Dann im Kanter. Und als der König das Schwert hob, beschleunigten die Panzerreiter zum gestreckten Galopp und hoben die Lanzen oder Schwerter in der Rechten in die Höhe. Das schnelle Trommeln der Hufe war ohrenbetäubend. Grasbüschel flogen auf, Hufeisen blitzten im trüben Morgenlicht, und die Erde schien zu beben.

In Windeseile erreichten sie die obodritischen Truppen, die mit dem Rücken zu ihnen in unordentlichen Haufen am Ufer der

Recknitz standen und den scheinbar sinnlosen Beschuss durch Geros Männer ihrerseits mit Pfeilen und Schmährufen erwiderten. Doch das herannahende Donnern blieb nicht lange ungehört.

Die slawischen Krieger fuhren herum, erkannten die heranrasende Gefahr und ihre eigene Dummheit. Doch sie gerieten nicht in Verwirrung, wie Gaidemar insgeheim gehofft hatte.

Ihre Reitersoldaten, die vielleicht die Hälfte der obodritischen Truppen ausmachten, sprangen in die Sättel ihrer bereitstehenden Pferde, bildeten in Windeseile kleine, rautenförmige Verbände und preschten den Angreifern entgegen, während ihre Bogenschützen sich zu einer langen Doppelreihe formierten, die langsam und diszipliniert vorrückte und die heranpreschenden Panzerreiter unter Beschuss nahm. Sie schossen gut. Noch ehe die St.-Albans-Reiter mit den berittenen Feinden zusammenprallten, stürzten zwei Pferde links und rechts von Gaidemar unter angstvollem Gewieher zu Boden, beide einen Pfeil in der Brust.

Gaidemar hielt auf das feindliche Reiterknäuel zu und hob die Lanze über die Schulter. Zu seiner Rechten sah er den König die Klingen mit seinem ersten Gegner kreuzen. Hörner erklangen, Befehle wurde gebrüllt, und Liudolf führte ein Dutzend Reiter Richtung Fluss, wo eine slawische Reiterschar sich anschickte, die Angreifer zu umrunden und dem König in den Rücken zu fallen.

Gaidemar richtete den Blick wieder auf den Feind vor sich, schleuderte die Lanze und traf den vordersten der Reiter mitten ins Herz. Der Getroffene rutschte nach rechts aus dem Sattel und geriet seinen Kameraden unter die Hufe, die unbeirrt auf Gaidemar zu preschten. Jetzt waren drei an der Spitze. Sigurd erledigte den linken mit der Lanze. Der rechte fiel mit einem Pfeil in der Kehle. Der mittlere, ein junger Kerl mit einer gezackten Narbe im Gesicht und einem verbeulten Helm, stellte sich Gaidemar und ließ sein Schwert mit einem gellenden Kampfschrei niedersausen. Gaidemar parierte den Hieb mit dem Schild und griff seinerseits an. Sein Gegner war schnell und wendig, lenkte sein furchtloses Pferd mit den Knien, um auf Gaidemars Schildseite zu gelangen, doch der erfahrene Hauptmann der St.-Albans-Legion erkannte die Gefahr früh genug, um sie abzuwenden. Er folgte der Bewegung seines Feindes wie ein Spiegelbild, hielt dann geradewegs auf ihn zu, doch das Pferd des Slawen scheute, ehe sie zusammenstießen, und brach nach rechts aus. Gaidemar rammte dem feindlichen Krieger den Schild vor die Schulter, sodass der um ein Haar vom Pferd gefallen wäre. Er fing sich im letzten Moment, doch er hatte Schild und Klinge verloren, und sein Schwertarm baumelte nutzlos herab, zweifellos gebrochen. Gaidemar hob seine eigene Waffe, um sie seinem Feind ins Herz zu stoßen, als ihn etwas wie ein Felsbrocken in den Rücken traf und aus dem Sattel schleuderte. Im Sturz verlor er den Helm und landete mit dem Gesicht im nassen Gras.

Gerade noch rechtzeitig verschränkte er die Arme über dem Kopf, ehe seine eigenen Reiter über ihn kamen. Die Mehrzahl der Pferde übersprang oder mied das Hindernis, das da so plötzlich vor ihnen im Gras lag, aber dennoch spürte Gaidemar eine Vielzahl von Huftritten an den unterschiedlichsten Stellen, hörte Fetzen der Schreckensrufe seiner Reiter, und dann waren sie fort. Mit dem Gesicht nach unten blieb er keuchend liegen und lauschte dem Hufschlag, dem Schlachtenlärm und den Schreien, die sich allmählich entfernten.

Ohne sich aufzurichten, nahm er die Linke vom Kopf, führte sie auf den Rücken und schob sie langsam zur rechten Schulter, doch er ertastete nichts. Er versuchte es andersherum, führte die Hand unter dem Kinn hindurch und über die Schulter. Der Schmerz kam so plötzlich, als sein Mittelfinger an den Pfeil stieß, dass Gaidemar stöhnte. Augenblicklich biss er die Zähne zusammen und schnitt den Laut ab. Dann dachte er verwirrt: *Wozu die Mühe, es hört dich doch niemand.*

Er brauchte einen Moment, um seinen Mut zu sammeln, ehe er den Pfeil noch einmal ertastete. Dieses Mal stöhnte er ein bisschen lauter. Das verdammte Ding musste aus kurzer Distanz gekommen sein, hatte seinen Kettenpanzer durchdrungen und steckte oberhalb des Schulterblatts, und zwar ziemlich tief. Er wusste, er hatte trotzdem Glück gehabt. Einen Spann weiter unten, und der Pfeil hätte seine Lunge durchbohrt.

Er hob langsam den Kopf. Die Bewegung löste irgendetwas

Fürchterliches in seiner Schulter aus. Es fühlte sich an, als hätte jemand den Pfeil gepackt und würde ihn emsig hin und her drehen. Gaidemar spürte Schweiß auf Brust und Nacken. Angestrengt spähte er nach vorn, und er sah königliche Reiter in matt schimmernden Kettenpanzern und slawische Reiter in Lederwämsern mit glänzenden Helmen, doch er vermochte nicht zu sagen, wie die Schlacht stand. Das Banner des heiligen Alban war nach Westen gedriftet, und selbst wenn seine Männer versucht hätten, umzukehren und ihn zu holen, hätten die slawischen Bogenschützen ihnen den Weg versperrt. Er war auf sich allein gestellt, erkannte Gaidemar ohne Überraschung oder Zorn. Das war es eben, was passierte, wenn man sich aus dem Sattel werfen ließ. Er hatte es seinen Rekruten wohl hundertmal vorgebetet, und nun lag er selbst hier. *Kein alter, sondern ein dummer Panzerreiter …*

Er ignorierte die Schulter, legte die Handflächen links und rechts von seinem Kopf ins Gras und stemmte sich hoch, bis er auf den Knien lag. Das war doch wenigstens schon mal etwas. Er beschloss, einen kleinen Moment auszuruhen, ehe er den nächsten, vermutlich schlimmsten Abschnitt in Angriff nahm und auf die Füße kam. Es musste sein, das war ihm klar, denn wenn er hier liegen blieb, würden ihn die Slawen eher finden als die Königlichen, ganz gleich, wer den Sieg davontrug.

»Und das wollen wir doch nicht, oder?«, raunte er vor sich hin. Seine eigene Stimme klang ihm fremd in den Ohren. Kurzatmig und rau. »Also reiß dich zusammen und steh auf.«

Er holte noch einmal tief Luft und wappnete sich, und gerade als er das linke Knie anzog, um den Fuß auf die Erde zu stellen, landete ein Tritt seitlich in seinen Rippen und schleuderte ihn auf den Rücken. Der Pfeil wurde noch ein bisschen tiefer in die Wunde getrieben, ehe er abbrach, und Gaidemar stockte der Atem.

Keuchend lag er da und stierte zu der Gestalt empor, die wie ein Turm über ihm aufragte, die er aber nur als Schattenriss sehen konnte. Eine junge Stimme stieß einen Wortschwall hervor, der sich nicht nach Segenswünschen anhörte. Dann sah er das matte Schimmern einer Schwertklinge, die über seiner Kehle zur Ruhe kam.

Gaidemar schloss die Augen. *Jesus Christus, erbarme dich meiner. Vergib mir meine Geburt in Sünde und all das Blut, das ich vergossen habe, all die lüsternen Gedanken, denen Taten gefolgt wären, hätte Adelheid mich gelassen. Beschütze Uta und das verlogene Früchtchen, das mein Bursche war. Und wenn du mir eine letzte Gnade erweisen willst, lass es schnell gehen. Amen.*

Er öffnete die Augen einen Spalt breit. »Wie lange willst du mich noch warten lassen, du heidnischer Hurensohn?«

Ein Tritt gegen die Schläfe erlöste ihn von Schmerz und Todesangst.

Er sah grelle Bilder in wirrer Abfolge: Adelheid mit Emma und Bruder Guido in einem Gerstenfeld, Immed und Uta am bewaldeten Ufer des Siechbachs, Mirogod im rotverschmierten Schnee, der schwefelgelbe Himmel über dem Lechfeld. Sie wechselten so schnell, dass sie ineinander zu verschwimmen schienen, und dann erwachte er abrupt. Der Schmerz in der Schulter war das Erste, was er registrierte, und er wusste auf einen Schlag, was geschehen war.

Unwillig schlug er die Lider auf. Er lag gefesselt auf der kalten, schlammigen Erde am Ufer eines Baches, über sich die fast schon kahlen Zweige alter Bäume und ein Himmel voll dräuender Wolken. Die Kleider klebten ihm feucht auf der Haut. Als ihm aufging, dass sein Kettenpanzer verschwunden war, hob er die gefesselten Hände und tastete nach der Lederschnur um seinen Hals, doch er fand nichts. Sie hatten ihm seinen Ring genommen.

Macht nichts, versuchte er sich einzureden. *Du brauchst ihn vermutlich nicht mehr.* Doch hatte er vorher geglaubt, er könne sich nicht einsamer und verlorener fühlen, so wurde er jetzt eines Besseren belehrt. Er biss die Zähne zusammen und schärfte sich ein, sich mit handfesteren Sorgen zu befassen: Ihm war kalt und flau, was beides vom Blutverlust rühren mochte. Stimmen murmelten in der Nähe, und kaum hatte er den Kopf gewandt, um festzustellen, mit wie vielen heidnischen Barbaren er es zu tun hatte, kassierte er schon wieder einen dieser mörderischen Tritte, dieses Mal in die Nieren. Er kniff die Augen zu. Das Nächste, was er wahrnahm, waren ein Plätschern und warme Nässe auf den

Oberschenkeln. Er musste nicht hinschauen, um zu begreifen, dass sein Bewacher ihn bepinkelte. Gaidemar verspürte Zorn ebenso wie Scham ob dieser Demütigung, aber er blieb einfach reglos auf dem Rücken liegen, rang um eine ausdruckslose Miene und wartete, dass es vorüberging.

Es gibt zwei Gründe, warum dich der Feind, der dich besiegt hat, gefangen nimmt, statt dich zu töten, hörte er die etwas pedantische Stimme seines Ziehvaters in seinem Kopf. *Entweder er will dich gegen Geld oder Zugeständnisse eintauschen. Oder aber er hasst dich so sehr, dass er dich leben lässt, um dich später in Ruhe zu töten. Du besitzt weder Reichtümer noch einflussreiche Verbindungen, Gaidemar. Also besser, du lässt dich nicht gefangen nehmen …*

Aber genau das war nun geschehen, und er wusste, von jetzt an würde es nur noch schlimmer werden. Also musste er sich zusammenreißen und wenigstens glaubhaft den Anschein erwecken, als sähe er allem gelassen ins Auge, was auch immer geschehen mochte. Etwas Besseres fiel ihm einfach nicht ein.

Als das Plätschern versiegte, öffnete er die Augen. Der Slawe war ein Mann um die vierzig mit einem gegabelten Bart, einem wettergegerbten Gesicht und graublauen Augen, in denen Grausamkeit und ein diebisches Vergnügen funkelten. Er lächelte auf den Gefangenen hinab und sagte irgendetwas, das triumphal und zornig zugleich klang.

»Ich versteh kein Wort, Freundchen«, erwiderte Gaidemar liebenswürdig. »Aber sollte ich je wieder die Hände frei haben, werde ich dir dein gutes Stück abschneiden, mit dem du mich beleidigt hast.«

Der Slawe lachte brummelig – es klang beinah gutmütig –, dann beugte er sich über Gaidemar, packte den Strick, der seine Hände fesselte, und zerrte ihn auf die Füße.

Gaidemar hatte die Zähne fest zusammengebissen, aber der Schmerz war so fürchterlich, dass er ihm den kalten Schweiß auf die Stirn trieb, und seine Knie waren mit einem Mal butterweich.

Gabelbart tätschelte ihm unsanft die Wange und rief etwas zu seinen beiden Kameraden am Feuer hinüber, die aufstanden und mit grimmigen Mienen näher kamen.

468

Warum nur zwei?, fragte Gaidemar sich. Wo ist der Rest von Fürst Stoinefs Armee? Und wo wir gerade dabei sind, wo ist Fürst Stoinef?

Aber alle zusammenhängenden Gedanken kamen ihm abhanden, als seine drei Bewacher ihn auf den Rücken eines Pferdes hievten. Während Gaidemar zusammengekrümmt im Sattel saß, sodass seine Stirn fast die struppige braune Mähne berührte, und auf bessere Zeiten hoffte, fesselten sie seine Füße an die Steigbügel.

Gabelbart nahm die Zügel des stämmigen Braunen in die Rechte, ging zu seinem eigenen Pferd und saß auf. Die anderen beiden schwangen sich ebenfalls in die Sättel. Die kleine Abteilung setzte sich in Bewegung, ritt in den seichten Bach und folgte seinem Lauf stromabwärts.

Gaidemar hatte die gebundenen Hände vor sich auf den Sattel gestützt und versuchte, die Schritte des Pferdes mit der Linken abzufedern, um die rechte Schulter zu schonen. Es ging. Jedenfalls einigermaßen. Er litt Durst und er fürchtete sich, doch der Schmerz war auf ein erträgliches Maß abgeebbt, und dafür war er dankbar. Er wusste, er durfte nicht zu weit vorausdenken.

Sein Gefühl sagte ihm, dass es Nachmittag war. Das brachte ihn zu der Frage, wie lange er eigentlich bewusstlos gewesen war, aber er schob sie beiseite, denn das war ohne Belang. Wegen der Wolken konnte er den Sonnenstand nicht ausmachen und so ergründen, in welche Himmelsrichtung die Reise ging. Der Bachlauf, dem sie folgten, war jedenfalls nicht die Recknitz, sondern schmaler und quirliger. Gaidemar hielt den Blick auf das klare Wasser gerichtet, das um die Hufe der vier Pferde plätscherte und schäumte, und versuchte, nicht darüber nachzudenken, was aus Aspar geworden war, seinem herrlichen Schlachtross, das ihn so furchtlos durch die Schlacht auf dem Lechfeld getragen hatte, und aus Amelung, seinem treuen vierbeinigen Reisegefährten. Oder aus der Reiterlegion des heiligen Alban. Aus dem König und aus Liudolf. Doch je weiter sie in den abweisenden, stillen Herbstwald vordrangen, desto schwieriger wurde es, die Schreckensbilder fernzuhalten: Otto, der Prinz und die jungen Panzerreiter reglos und blutig im aufgewühlten Schlamm auf dem Schlachtfeld inmitten von toten und sterbenden Pferden, während die siegreichen obodritischen Krieger von einem zum anderen gingen, ihnen Waffen und Rüstung abnahmen, den vornehmeren unter den Gefallenen die Ringe von den Fingern zogen und denen, die noch atmeten, die Kehle durchschnitten.

Vielleicht war es ja auch ganz anders gekommen, hielt er sich vor Augen. Womöglich war König Ottos Plan ja aufgegangen und es waren die Obodriten, die in der Schlacht unterlegen waren und deren Blut die schwere dunkle Erde am Ufer der Recknitz tränkte. Und vielleicht waren die siegreichen königlichen Truppen gerade in diesem Moment dabei, ihre Toten zu bergen und zu zählen, und wenn ihnen aufging, dass Gaidemar nicht darunter war, würden Hardwin oder Liudolf eine Schar Freiwilliger aus den Reihen der St.-Albans-Reiter zusammenstellen und sich auf die Suche machen.

Die Vorstellung gab ihm nicht viel Hoffnung, aber immerhin ein wenig Trost, der genau so lange anhielt, bis Gabelbart seinen Grauschimmel aus dem Bach auf einen erkennbaren Pfad lenkte und angaloppierte. Der Schmerz flammte wieder auf, als die Schulter durchgerüttelt wurde. Gaidemar verstärkte den Druck seiner Schenkel, um die Erschütterungen möglichst mit den Beinen abzufangen, doch er erreichte nur, dass der Braune sein Tempo beschleunigte und sich neben den Grauschimmel schob. Gabelbart fluchte und zog erst Gaidemar, dann dem Braunen mit dem langen Ende seiner Zügel eins über. Gaidemar ließ sich zurückfallen, krallte die Hände in die Mähne seines Pferdes und betete, er möge bewusstlos werden, doch er betete vergebens.

Er hatte später nur bruchstückhafte Erinnerungen an diesen langen Ritt in die Finsternis.

Sie hatten erst angehalten, nachdem das letzte Tageslicht geschwunden war, und als sie Gaidemar vom Pferd holten, hatte er zitternd auf der Erde gelegen und alle Slawen in den hintersten Winkel der Hölle verflucht. Die drei Obodriten konnten ihn zwar nicht verstehen, aber sie lasen ihn trotzdem aus dem Gras auf, zwei nahmen ihn in die Mitte und einer prügelte auf ihn ein, bis die lang ersehnte Bewusstlosigkeit ihn endlich erlöste. Von da an war alles ein wenig verschwommen. Er wusste noch, dass er die erste Nacht im Stehen an einen Baum gefesselt verbracht hatte, aber er wusste nicht mehr, wie er am nächsten Morgen zurück in den Sattel gekommen war. In seiner Erinnerung war der zweite Tag seiner Gefangenschaft ein diffuses graues Jammertal aus Schmerz und Hilflosigkeit ohne klare Bilder. Von der zweiten Nacht wusste er gar nichts mehr, bis Gabelbart ihn bei Tagesanbruch mit Tritten geweckt und ihm einen Becher Wasser ins Gesicht geschüttet hatte. Immerhin nur Wasser. Gaidemar hatte versucht, mit der Zunge möglichst viel davon zu erreichen. Das hatte den quälenden Durst nicht lindern können. Dafür hatte es ihn weit genug belebt, dass er die grauenvolle Prozedur des Aufsitzens bei wachem Verstand erleben durfte.

Am Nachmittag gelangten sie ans Ziel.

Als sie anhielten, hob Gaidemar mit Mühe den tonnenschweren Kopf und sah durch graue Nieselschleier eine gewaltige Wallanlage mit einer Palisade auf der Krone. Vor ihnen öffnete sich ein mächtiges zweiflügeliges Tor. Vier Wachen kamen heraus und sprachen mit Gabelbart und seinen Kameraden. Die Stimmen klangen erregt und riefen durcheinander. Gaidemar blinzelte, weil das trübe Tageslicht ihn in den Augen schmerzte. Es erschien ihm unnatürlich grell und blendete ihn. Er nahm einen widerwärtigen Gestank nach Erbrochenem wahr, sah an sich hinab und musste nicht länger rätseln, woher der Geruch kam.

Die kleine Kolonne setzte sich wieder in Bewegung, durchquerte die Vorburg mit einem Sammelsurium strohgedeckter Hütten und gelangte durch ein weiteres Tor in die Hauptburg, in deren Mitte sich eine große, bedrohlich wirkende Halle erhob.

Gabelbart saß ab und trat ohne Hast zu seinem Gefangenen. Gaidemar richtete den Blick auf den Widerrist seines Pferdes und setzte alles daran, sich seine Furcht nicht anmerken zu lassen. Er wusste nicht mehr genau, wieso, aber es kam ihm irgendwie wichtig vor.

Gabelbart löste die Stricke, welche die Füße des Gefangenen an die Steigbügel fesselten, packte ihn beim Gürtel und zog ihn aus dem Sattel. Gaidemar landete wie ein Kornsack zu seinen Füßen, krümmte sich zusammen und versuchte dann, sich nicht mehr zu rühren.

Sein Peiniger gab ein paar barsche Befehle, ehe seine Schritte sich entfernten.

Gut, dachte Gaidemar und schloss die Augen. Er war nicht sicher, ob er einschlief oder starb, und es war ihm auch egal. Doch er bekam die Antwort nur wenig später, als diese teuflischen Barbaren anfingen, Eimer mit eisigem Wasser über ihm zu entleeren. Er hatte schon vorher erbärmlich gefroren, aber jetzt schlotterte er in seinen triefenden Kleidern. Er versuchte wegzukriechen, doch sie folgten ihm, lachend und johlend, Guss folgte auf Guss, vermischt mit treffsicher platzierten Tritten dann und wann, sodass Gaidemar schließlich kapitulierte und mit klappernden Zähnen einfach liegen blieb. Dann zerrten sie ihn wieder auf die Füße, und erst als sie ihn halbherzig mit ein paar schmuddeligen Lumpen abtupften, ging ihm auf, dass dieser neuerliche Schrecken nicht so sehr dazu dienen sollte, ihn zu quälen, sondern vielmehr, ihn zu säubern. Um ihn präsentabel zu machen, vermutete er, sah zu der imposanten Halle hinüber und erkannte, dass der abscheulichste Teil dieses langen, langen Tages noch vor ihm lag.

Die Halle war gut gefüllt. Männer und Frauen saßen getrennt an zwei langen Tafeln und aßen, ein paar struppige Hunde schnüffelten im sandigen Bodenbelag nach fortgeworfenen Knochen, doch ein Diener befahl sie mit ein paar scharfen Worten zu sich und trieb sie zu einer Seitentür. Fackeln steckten in mannshohen Eisenhaltern entlang der Wände, und ihr blendendes Flackern verursachte Gaidemar sengende Kopfschmerzen. Felle und kunstvoll gewebte Behänge zierten die Holzwände, die Läden der wenigen kleinen Fenster waren geschlossen, um die feuchte Herbstkälte auszusperren. Ein lebhaftes Feuer prasselte hinter der Haupttafel, an deren Mitte ein blonder Mann in Gaidemars Alter auf einem prunkvollen Fürstenthron saß. Er war von graubärtigen Ratgebern und grimmigen Kriegern flankiert.

Die Gespräche versiegten, als Gaidemar zwischen seinen beiden Bewachern durch den langen Saal hinkte. Aus dem Augenwinkel sah er an der unteren Tafel die Frauen mit ihren Stirnbändern und Schläfenringen aus Gold und Silber. Bis seine Eskorte vor der fürstlichen Tafel anhielt, war es so still geworden, dass er das Wasser aus seinen Kleidern in den Sand tropfen hörte. Der linke seiner Bewacher trat ihm die Füße weg, sodass Gaidemar in angemessen unterwürfiger Haltung vor ihrem Fürsten auf den Knien landete. Er ballte die gefesselten Hände und hob den Kopf.

Der blonde Mann auf dem Thron musterte den Gefangenen geruhsam aus scharfen blauen Augen, den Kopf ein wenig zur Seite geneigt und die Rechte lose um einen großen Bronzebecher gelegt, der vor ihm auf dem Tisch stand. Dann fragte er: »Wie ist dein Name?«

Er hatte einen starken Akzent, doch er sprach Deutsch.

Das erstaunte Gaidemar, und es erzürnte ihn auf sonderbare Weise. »Gaidemar.«

»Und was weiter?«

»Hauptmann der Reiterlegion des heiligen Alban zu Mainz.«

Der Slawe nickte. »Ich bin Nakon, Schedrags Sohn, Fürst der Obodriten und Anführer aller freien slawischen Völker.« Er sagte es mit Stolz, aber ohne Überheblichkeit.

»Und doch sprecht Ihr die Sprache Eurer Bezwinger? Wie eigenartig.«

»Wir sind nicht bezwungen«, belehrte Nakon ihn stirnrunzelnd. »Und du zeigst wenig Demut für ein gefangenes, fieberndes, blutendes Häuflein Elend, Hauptmann Gaidemar. Unklug.«

»Ah ja?« Gaidemar schenkte ihm ein frostiges Lächeln. »Lasst Ihr mich gehen, wenn ich Euch die Füße küsse?«

Nakon verzog für einen Lidschlag die Mundwinkel nach oben, schüttelte dann aber bedächtig den Kopf. »Du hast gesehen, was an der Recknitz geschehen ist.«

»Nein, Fürst, ich habe keine Ahnung. Den ersten Angriff mei-

473

ner Legion habe ich gesehen, dann holte mich einer Eurer Pfeile aus dem Sattel, und danach sah ich nur noch das grüne Gras und die Stiefel Eurer trittfreudigen Krieger.«

»Nun, dann werde ich dir erzählen, wie es war: Nachdem euer Markgraf Gero, diese niederträchtige *Missgeburt*, die Truppen meines Bruders in die Falle gelockt hatte, fiel euer König den Unseren mit seinem Reiterheer in den Rücken, metzelte die meisten nieder und schlug die übrigen in die Flucht. Stoinef, mein Bruder, wurde von einer berittenen Meute eingeholt und abgeschlachtet.« Nakon sprach in nüchternem Tonfall, doch die Fingernägel der Linken bohrten sich für einen Moment in die Handfläche, als habe er Mühe, sich unter Kontrolle zu halten. Mit der anderen Hand führte er den Becher an die Lippen und nahm einen ordentlichen Schluck.

»König Otto und sein Heer verfolgten unsere Truppen bis zu ihrem Lager, fielen darüber her, nahmen unsere Krieger gefangen und metzelten alle anderen nieder, Knechte, Weiber, Knaben, einfach alles.«

Und was habt ihr mit den Menschen von Kacherien getan?, dachte Gaidemar, aber er hielt seine Zunge im Zaum.

»Dann steckten sie Stoinefs abgehackten Kopf auf eine Lanze«, setzte Nakon seinen schaurigen Bericht fort. »Sie pflanzten ihn inmitten des verwüsteten Lagers auf und führten die Gefangenen vor ihn, zwangen sie auf die Knie nieder und enthaupteten sie. Es waren siebenhundert Männer, Hauptmann Gaidemar, aber König Ottos Schlächter sind ja in der ganzen Welt für ihre tödliche Schnelligkeit berühmt, nicht wahr? Als die siebenhundert Köpfe um das aufgepflanzte Haupt meines Bruders herum zu einem Hügel aufgetürmt lagen, brachten sie Stoinefs Ratgeber dorthin, unseren alten Onkel Draschko, den sie bis zum Schluss aufgespart hatten, blendeten ihn, rissen ihm die Zunge heraus und ließen ihn zum Sterben auf dem Hügel aus Köpfen liegen.« Nakon brach ab, lehnte sich in seinen Thronsessel zurück und schlug die Beine übereinander, ohne den Blick von seinem Gefangenen abzuwenden. »Du siehst also, Hauptmann Gaidemar, wir lassen dich glücklich sterben. Und langsam, damit du deinen Triumph auskosten

kannst. Bedauerlicherweise können wir dich nicht siebenhundert-
mal töten, um die Gerechtigkeit wiederherzustellen, aber sei versichert: Wir werden unser Bestes geben.«

Hütten und Speicherkammern zogen sich in einer geschlossenen
Reihe entlang der Innenseite der Palisade, und ihre Dächer bildeten den Wehrgang. Einige dieser Verschläge waren zum Burghof nur mit einem Lattenrost verschlossen, weil darin Vieh gehalten wurde, und in einem dieser Ställe ketteten sie Gaidemar an
einen rostigen Eisenring in der hinteren Wand. Der Strohbelag
war feucht und dünn und roch nach Hühnern, aber ihm war alles
gleich. Als die hölzerne Tür sich knarrend geschlossen hatte, ließ
er sich behutsam auf die linke Seite sinken, dem Burghof den Rücken zugewandt. Ihn schwindelte, und inzwischen war er so durstig, dass seine Zunge ihm dick und pelzig erschien und er sich ausgedörrt fühlte. Trotzdem verhalf seine Erschöpfung sich zu ihrem
Recht, und er fiel in einen unruhigen Schlaf. Ein paarmal fuhr er
stöhnend auf, wenn er sich geregt und den Schmerz in der Schulter wieder aufgeweckt hatte, sank aber sogleich zurück in düstere Träume von kopflosen Leichen und aufgetürmten Häuptern,
in deren entstellten Fratzen er mit zunehmendem Grauen vertraute Gesichter erkannte: Liudolf, Sigurd, den König und Mirogod – in seinen Träumen blieb niemand verschont. *Du hast uns
im Stich gelassen,* warf Volkmars entstellter Mund ihm vor. *Du
bist einfach verschwunden, und wir hatten keinen Anführer mehr,
Gaidemar.*

Wie nicht anders zu erwarten, warf der Kopf des Königs ein,
schaurig geschmückt mit einem blutbesudelten Diadem. *Du bist
und bleibst eben nur ein Bastard, Gaidemar …*

»Gaidemar«, mischte eine Frauenstimme sich ein. »Befreie
dich von deinem Albdruck und wach auf.« Es klang gedämpft und
streng zugleich.

Er riss die Augen auf, aber er rührte sich nicht.

»Bist du wach?«, fragte sie.

»Ja.«

»Dann sieh mich an.«

Er wollte nicht. Er war nicht einmal sicher, ob er konnte. Doch wer immer diese Frau war, sie sprach seine Sprache, nicht mit slawischem, sondern mit sächsischem Zungenschlag, und in seiner Einsamkeit und Furcht erwies allein diese Gemeinsamkeit sich als unwiderstehlich. Also begab er sich an die mühsame Prozedur, sich aufzurichten und im Sitzen langsam zu ihr umzuwenden.

»Wer bist du?«, fragte er, und als er im schwachen Mondlicht, das durch die dünn gewordene Wolkendecke schimmerte, eine der vornehmen Damen aus der Halle erkannte, verbesserte er sich: »Wer seid Ihr? Und ... woher kennt Ihr meinen Namen?«

»Ich kannte deinen Vater. Er hat oft von dir gesprochen. Ich bin Egvina von Wessex.«

»Allmächtiger ...«, stieß er erschrocken hervor. Hoffnungslos verwirrt fragte er sich einen Moment, ob er immer noch träumte.

»Du weißt, wer ich bin?« Es klang neugierig, fast amüsiert.

Egvina von Wessex: Schwester von König Ottos erster Gemahlin Editha, angelsächsische Prinzessin, verruchte Geliebte seines berüchtigten Vaters Prinz Thankmar. Aber nicht seine Mutter.

Gaidemar nickte.

Als Egvina sich vorbeugte, klimperten die kleinen s-förmigen Schläfenringe an ihrem Stirnband. »Hier.« Sie streckte die Hand mit einem Holzbecher durch den Lattenrost.

Er riss ihr den Becher aus den Fingern und trank gierig. Es war kühles Brunnenwasser. Nie zuvor hatte er etwas Köstlicheres getrunken. Als er den leeren Becher absetzte, keuchte er. »Habt Dank, Prinzessin.«

»Fürstin, um genau zu sein«, verbesserte sie nachsichtig.

»Was?«, fragte er, immer noch außer Atem, aber es interessierte ihn eigentlich nicht. »Ihr habt nicht vielleicht noch einen Schluck Wasser?«

»Gleich«, stellte sie in Aussicht, zog ihren edlen pelzgefütterten Mantel fester um sich und machte es sich auf einem Hackklotz vor seiner Lattenrosttür bequem.

»Ihr solltet vermutlich nicht hier sein«, warnte er und versuchte, an ihr vorbei in den Burghof hinauszuspähen, aber mehr als zehn Schritte weit konnte er nicht sehen.

»Mach dir keine Sorgen. Sie haben viele Becher auf das Andenken des armen Stoinef geleert – auch wenn es in Wahrheit nicht besonders schade um diesen Einfaltspinsel ist –, und jetzt schlafen sie wie die Toten«, erwiderte sie seelenruhig.

»Wieso Fürstin?«, fragte Gaidemar. »Fürstin von was?«

»Was glaubst du wohl? Fürstin der Obodriten. Nach dem Tod deines Vaters ging ich über die Elbe. Um mir in den endlosen slawischen Wäldern einen Baum zu suchen und mich aufzuhängen, glaube ich. Stattdessen begegnete ich Ratibor, dem Fürsten der Obodriten.« Sie zuckte die Achseln. »Gib mir den Becher. Und du musst etwas essen.«

Schon bei dem Gedanken an Essen schloss sich seine Kehle, doch als sie ihm den aufgefüllten Becher wieder reichte, trank er so gierig wie beim ersten Mal. Er wusste, es war unklug. Ohne Wasser hätten die Schusswunde und das Fieber ihn vielleicht vor Tagesanbruch erledigt. Aber er sah sich außerstande, der Versuchung zu widerstehen. »Ratibor starb?«, fragte er, als ihm einfiel, dass Liudolf diesen obodritischen Fürsten erwähnt hatte.

Egvina verschränkte die Arme und sah für einen Moment zu den silbrig leuchtenden Wolken auf. »Er segelte vorletzten Sommer nach Norwegen zu König Håkon. Auf der Rückfahrt gerieten sie in einen Sturm. Fünf Mann gingen über Bord, darunter Ratibor und unser Sohn.«

»Es tut mir leid, Fürstin.«

Sie hob die Hand zu einer kleinen Geste der Resignation. »Nakon und Stoinef sind seine Vettern. Ihr Vater war der jüngere Bruder von Ratibors Vater. Ich hatte befürchtet, sie würden mich zurück nach Sachsen zu meinem strengen Schwager Otto schicken, stattdessen sind sie hinreißend und behandeln mich, als wäre ich ihre Mutter. Jedenfalls tut Nakon das.«

»Das bedeutet, ich sollte mir lieber keine Hoffnungen machen, dass Ihr mich befreit?«

Sie lachte leise. »Gott, du siehst nicht nur aus wie dein Vater, du klingst auch genauso wie er. Ich gebe zu, als sie dich vorhin in die Halle brachten, wurden meine Augen feucht. Und nicht nur meine Augen.«

Gaidemar spuckte vor Schreck den letzten kostbaren Schluck Wasser aus.

Die Fürstin stand auf und strich ihren Rock glatt. »Aber ich glaube nicht, dass ich für dich oder genauer gesagt für sein Andenken mein Leben und mein Heim aufs Spiel setzen will. Ich bin nicht aus dem Holz, aus dem man Märtyrer macht.«

Er nickte ergeben und reichte ihr den Becher zurück.

»Sie sind anständige Menschen, weißt du«, sagte sie mit Nachdruck. »Viele Obodriten sind sogar Christen, auch die Fürstenfamilie. Aber Otto will einfach nicht dulden, dass sie in Freiheit und nach ihren eigenen Gesetzen leben.« Mit einem Mal war sie aufgebracht. »Er will die ganze Welt beherrschen, so scheint es, und er schickt ausgerechnet eine Natter wie Gero über die Elbe, um die Slawen zu unterwerfen, und wundert sich, wenn sie sich wehren.«

»Mag sein«, gab Gaidemar zurück. »Aber Eure ›anständigen‹ Obodriten haben sich vor Wichmanns und Ekberts Karren spannen lassen, die Elbe überschritten und alle Bewohner von Kacherien getötet oder versklavt. Der König hatte jedes Recht, Vergeltung zu üben.«

Fürstin Egvina schnaubte verächtlich. »Er musste nicht gleich Stoinefs ganzes Heer abschlachten.«

Gaidemar rieb sich die hämmernde Stirn. »Ich wünschte, das hätte er. Dann läge Gabelbarts Kopf jetzt bei denen seiner Kameraden und ich wäre nicht hier.«

»Gabelbart? Oh, du meinst Dervan. Er führte die Nachhut. Als sein Bruder dich aus dem Sattel schoss, brachten sie dich in den Schutz des Waldes, denn sie sahen an deiner Rüstung und deinem Pferd, dass du ein Kommandant warst, und hofften, dich später vielleicht gegen einen gefangenen Obodriten auszutauschen. Doch wie sich herausstellte, ließ Otto ja keinen seiner Gefangenen am Leben. Dervan und seine Brüder blieben im Dickicht, als sie sahen, dass die Schlacht verloren war, und warteten ab, um ihrem Fürsten berichten zu können. Und dich nahmen sie mit, damit Nakon und sein Rat über dein Schicksal entscheiden konnten.«

Gaidemar nickte. Was für ein verfluchtes Pech. Das sah ihm doch wieder einmal ähnlich: Während der König und sein Reiterheer einen vollkommenen Triumph errungen hatten, musste ausgerechnet er – Gaidemar – als Einziger in Gefangenschaft geraten.

»Was werden sie tun?«, fragte er schließlich, und als er die Fürstin zögern sah, fügte er hinzu: »Sagt es mir. Ich schwöre, ich werde Euch nicht anflehen, mich zu retten. Aber ich will wissen, worauf ich gewappnet sein muss.«

»Sie werden dich an einen Pfahl ketten und von den Hunden zerfleischen lassen.«

Gaidemar war einen Moment sprachlos, und er spürte, wie seine Kopfhaut sich vor Entsetzen kräuselte. »Wann?«

»Sobald die Hunde hungrig genug sind. Übermorgen vielleicht.«

Es würde nicht lange dauern, nahm er an. Er hatte schon so viel Blut verloren – viel Leben war nicht mehr in ihm. Und sobald die Hunde merkten, dass er keine Gefahr darstellte, würde das Leittier ihm die Kehle durchbeißen. Doch selbst wenn nicht, er musste diesem Tod ins Auge sehen und ihn ertragen. Es war das Einzige, was ihm übrig blieb. Andere Männer waren schon schlimmer gestorben, ohne um Gnade zu winseln. Und wenn sie das vollbracht hatten, konnte er es vielleicht auch.

»Du nimmst es gelassen, sehe ich«, bemerkte sie.

Das war übertrieben, aber wenn sie es glaubte, umso besser. »Ich bin Soldat«, erwiderte er. »Und Soldaten sterben. Der eine schnell und ruhmreich auf dem Schlachtfeld, der andere langsamer. Am Ende sind beide gleich tot, und das ist die ganze Geschichte.«

Egvina neigte den Kopf zur Seite. »Seltsam. Ich hätte dich nicht für einen Mann gehalten, der sich damit zufriedengibt.«

»Doch. Das tue ich. Ich mag aussehen wie Prinz Thankmar, Fürstin, aber ich bin nicht er.«

Sie nickte mit einem Schulterzucken und stand auf. »Willst du Brot?«

»Nein. Habt trotzdem Dank für Eure Güte.«

»Ich bin nicht gütig«, stellte sie klar. »Aber ich musste dich sehen.«

»Ihr wisst nicht zufällig, wer meine Mutter war?«

Die Frage schien sie zu überraschen, doch sie schüttelte den Kopf. »Er sprach nicht gern von ihr und hat mir ihren Namen nie verraten. Aber er dachte oft an sie. Alles, was ich weiß, ist, dass sie bei deiner Geburt starb.«

Pöhlde, Oktober 955

Adelheid schreckte aus einem leichten Schlaf und legte beide Hände auf ihren gerundeten Bauch. Das Kind war aufgewacht und machte sich emsig bemerkbar. Ja, strample nur, mein kleiner Otto oder meine kleine Bertha, dachte die Königin. Du bist ein willkommenes Zeichen der Hoffnung in dieser finsteren Stunde …

Es war spät geworden, die Nacht längst hereingebrochen, aber immer noch saß sie hier mit Gräfin Hulda auf einer schmalen, unbequemen Bank an der Wand der Schlafkammer. Obwohl ein kunstvoll gewebter Behang die Wand bedeckte, kam eisige Zugluft durch die Ritzen der alten Bretter, sodass Adelheid am Rücken fror, während die Kohlepfanne zu ihren Füßen sie zu rösten drohte. Bischof Michael von Regensburg und der Abt des hiesigen Klosters knieten mit zwei Benediktinern auf der anderen Seite des Raumes und beteten leise. Sie hatten einige große Wachskerzen entzündet, die Licht ebenso wie Trost spendeten. Und auf dem breiten Bett, flankiert von seiner Mutter und seiner Gemahlin, lag Prinz Henning und starb einfach nicht.

Das war Adelheid unbegreiflich. Ottos Bruder war nur noch Haut und Knochen, das einst so üppige und goldene Haar war stumpf und dünn geworden, die strahlend blauen Augen trüb, das Gesicht grau und gefurcht von den ständigen Schmerzen. Als er gesagt hatte, er wolle nach Pöhlde, um die Königinmutter dort zu treffen, hatten alle gewusst, dass er sich verabschieden wollte. Die weite Reise von Bayern in den Harz hatte seine letzten Reserven aufgezehrt, und seit ihrer Ankunft in der ländlichen Pfalz mit dem neuen Kloster hatte er fiebernd und elend hier gelegen. Er konnte nichts mehr zu sich nehmen bis auf einen Schluck Wasser dann und wann. Die Augen lagen tief in den Höhlen, die Gesichtshaut hatte einen ungesunden Gelbton angenommen, und er schien geschrumpft.

Aber er starb nicht.

Bischof Michael bekreuzigte sich, stand auf und trat an das Bett. Judith machte ihm Platz.

»Wollt Ihr jetzt Euren Frieden mit Gott machen, mein Prinz?«, fragte der Geistliche.

»Gott und ich … haben einander schon lange nichts mehr zu sagen, Vater«, antwortete Henning mit pergamentdünner Stimme.

Mathildis, die Königinmutter, legte ihre Hand auf seine. »Besinne dich, mein geliebter Sohn.« Es war schwer zu sagen, ob es Befehl oder Flehen war. »Wenn dein Weg dich gelegentlich von Gott fortgeführt hat, dann ist jetzt der Zeitpunkt, zu ihm zurückzukehren.«

»Dafür ist es nie zu spät«, stimmte der Bischof zu. »Denn Gottes Gnade ist zum Glück grenzenlos.« Er war ein Gottesmann nach Adelheids Geschmack: fromm, hochgebildet und voller Tatkraft. Er hatte als junger Bischof die Böhmen missioniert und im vergangenen Sommer beim Kampf gegen die Ungarn eine schwere Verwundung davongetragen. Hennings rauer Charme konnte ihn nicht einschüchtern. »Wollt Ihr nicht wenigstens die Verstümmelung des Erzbischofs und des Patriarchen beichten?«

»Was soll ich zu Gott sagen?« Henning flüsterte, aber dennoch war der Tonfall voller Hohn. »›In Reue und Demut bekenne ich meine Sünden?‹ Demut war … niemals meine Stärke. Und ich empfinde keine Reue. Die beiden treulosen Pfaffen haben nur bekommen, was sie … was sie verdienten. Soll ich Gott in meiner letzten Stunde anlügen?«

»Nein, du sollst umkehren, du sturer Bengel«, sagte die Stimme des Königs von der Tür.

Während alle die Köpfe wandten, trat Otto mit eiligen Schritten an das Bett seines Bruders. Er ergriff die magere, faltige Hand des Sterbenden, sah kurz von Judith zu seiner Mutter und dann weiter zu Adelheid.

Sie tauschten ein kleines Lächeln. Ottos Haar war feucht, der schwere Mantel nassgeregnet, Saum und Stiefel schlammbespritzt. Er sah so aus, als habe er sich gerade noch die Zeit genommen, die Rüstung abzulegen, ehe er vom Schlachtfeld aus an das Sterbelager seines Bruders geeilt war. Vermutlich, weil es genauso war. Und Adelheid dankte Gott, dass dieser starke, kühne, offenbar schon wieder siegreiche König ihr Gemahl und Gefährte und der Vater ihrer Kinder war. Eine Mischung aus Stolz und Zärtlichkeit zog ihr die Brust zusammen, und mit leisen Gewissensbissen sah sie zu Judith, der das Schicksal einen Mann zugewiesen hatte, der ein Schwächling an Körper und Geist war.

Otto setzte sich neben Mathildis auf die Bettkante. »Gott zum Gruße, Mutter«, sagte er höflich.

»Der Herr sei mit Euch, mein König«, erwiderte sie ebenso förmlich.

Otto blickte auf Henning hinab. »Bereue deine Sünden, Bruder. Ich weiß, dass du es kannst, denn ich habe den Tag nicht vergessen, als du dich mir in der Klosterkirche von Magdeburg zu Füßen geworfen und meiner Gnade anempfohlen hast. Ich weiß auch, dass das keinem Mann so schwerfällt wie dir, denn du bist stolz und unbeugsam. Aber du hast dich nie vor schwierigen Aufgaben gescheut. Also tu es. *Jetzt*, Henning.«

Der verzog das Gesicht zu einem schaurigen Totenschädelgrinsen. »Das sieht dir so ähnlich, Otto. Du meinst immer noch, du hättest … die Befehlsgewalt über mich.«

»Er ist dein König und dein älterer Bruder«, rief Mathildis ihm ins Gedächtnis. »Also musst du gehorchen. Wenigstens dieses eine Mal.«

»Mein König …« Henning nickte bedächtig. »Und doch hast du immer wie eine dressierte Maus getan, was … was ich wollte.«

Otto runzelte die Stirn und schüttelte den Kopf wie über einen trotzigen Dreikäsehoch.

»Du … du glaubst mir nicht? Letzten Winter …«

»Henning«, unterbrach Judith. Es klang scharf. Eine Warnung.

Er ignorierte sie. »Als ich letzten Winter die Ungarn ins Land geholt habe, hast du … hast du Liudolf und Konrad die Schuld gegeben und sie bluten lassen. Genau ... genau wie ich es beabsichtigt hatte.«

Für einen Lidschlag spannten die Wangenmuskeln des Königs sich an, aber was immer er an Zorn oder Schrecken ob dieses Geständnisses empfand, drängte er zurück.

»Es hat mich ... manch bittere Stunde lang aufgeheitert«, setzte Henning mit seinem rauen Flüstern fort. »Und ich ... ich habe auf dich gewartet, damit ich dir das noch sagen konnte, Otto. Ich wusste ... du würdest kommen.«

»Und nun hast du es gesagt«, antwortete Otto milde. »Hast mich ein letztes Mal hintergangen und für deine Pläne eingespannt, ohne dass ich es gemerkt habe. Bist du zufrieden?«

»Bist du gekränkt? Zornig? Bitter? *Irgend*etwas, das dich ausnahmsweise einmal ... zu einem gewöhnlichen Sterblichen macht?«

Er will weder Vergebung noch Frieden, erkannte Adelheid mit zunehmender Beklommenheit. Er will einen allerletzten Triumph über seinen Bruder, so belanglos und kleinlich er auch sei.

Otto zuckte hilflos die Schultern. »Nein. Seit du auf der Welt bist, habe ich dir alles verziehen, was du angerichtet hast, und ich kann heute nicht damit aufhören, Bruder. Es ist eine zu liebe alte Gewohnheit.«

»*Verflucht sollst du sein* ...«, zischte Henning und wandte den Kopf ab.

Judith nahm seine freie Hand zwischen ihre beiden. »Es ist gut, Liebster.« Sie sprach ruhig, aber nicht so, als hätte sie ein ungebärdiges Kind vor sich. »Du bist dir treu geblieben und hattest das letzte Wort in diesem Zwist, der dein ganzes Leben vergiftet hat. Jetzt beichte, damit dein Sohn nicht um deine Seele bangen muss und deinen vielen Feinden, die du blutend und zerschlagen am Wegrand zurückgelassen hast, nicht die Genugtuung bleibt, dich in der Hölle zu wissen.«

Wieder einmal zeigte sich, dass sie die Einzige war, die Henning zu nehmen wusste. Mit einer unwilligen Grimasse nickte er, sah zu Bischof Michael empor und setzte eine fromme Miene auf, die Adelheid um ein Haar zum Lachen gebracht hätte.

»In Reue und Demut bekenne ich meine Sünden, Vater. Es sind ... derer so viele, dass ich nicht weiß, ob mir noch Zeit bleibt, sie alle aufzuzählen.«

»Das ist ohne Belang«, kam Otto der Antwort des Bischofs zuvor. »Denn was zählt, ist deine Reue vor Gott. Und wir alle hier werden für dich beten, jedes Kloster im Reich wird Messen für deine Seele halten.«

Otto, Mathildis und Judith traten vom Bett zurück und überließen den möglicherweise reuigen Sünder seinem Beichtvater. Adelheid konnte ihr Geflüster nicht verstehen und war dankbar. Ihre Lider wurden wieder schwer, und fast war sie eingenickt, als der Klang einer einzelnen Glocke die Brüder des Klosters zur Mette rief. Mitternacht. Der Tag des Allerheiligenfestes war angebrochen, und es passte zu Henning, fand sie, dass er sich ausgerechnet die Nacht der Wiedergänger ausgesucht hatte, um aus der Welt zu scheiden, da die Geister der Verstorbenen zurückkehrten und die Lebenden heimsuchten.

Als sie Ottos Präsenz neben sich spürte, schlug sie die Augen wieder auf. Gräfin Hulda erhob sich. »Nehmt meinen Platz, mein König«, sagte sie gedämpft. »Wenn Ihr gestattet, gehe ich zur Mette in die Kirche.«

Adelheid drückte kurz ihre Hand und erteilte ihre Erlaubnis mit einem Nicken.

Otto ließ sich neben ihr nieder und legte den Arm um ihre Schultern. Die Königin widerstand der Versuchung, den Kopf an seine Brust zu lehnen, und ergriff stattdessen seine schwielige Linke mit beiden Händen. Und so warteten sie.

Bischof Michael sah aus, als sei er bis in die Seele hinein erschöpft, als er Henning schließlich die Absolution erteilte. Adelheid beneidete ihn nicht um die Abscheulichkeiten, die er sich hatte anhören müssen, aber sie war dennoch erleichtert, dass Hennings Seele reingewaschen war. Um Judiths und ihrer Kinder, vor allem um Ottos willen.

Henning hatte die Augen geschlossen, als sie sich wieder um das Bett versammelten. Wie zuvor setzten Frau und Mutter des Sterbenden sich auf die Bettkante und hielten seine Greisenhände, und als das erste graue Licht durch die Ritzen des Fensterladens sickerte, hörte Hennings Herz auf zu schlagen.

Die Stille in der dämmrigen Kammer nahm eine andere Qualität an, so als hätte sie den Atem angehalten. Otto und Adelheid bekreuzigten sich genau wie alle anderen.

»Und so starb Prinz Heinrich«, sagte Bischof Michael feierlich. »Herzog von Bayern, Sohn des ruhmreichen Königs Heinrich und Bruder des großen Königs Otto, in der Königspfalz zu Pöhlde an Allerheiligen, dem ersten November im Jahre des Herrn neunhundertfünfundfünfzig. Er ruhe in Frieden.«

»Amen«, murmelten sie.

Die Königinmutter vergoss ihre Tränen würdevoll und lautlos, ging schließlich gemessenen Schrittes zur Tür, ohne ihren Erstgeborenen auch nur eines Wortes oder Blickes zu würdigen, und begab sich in die Klosterkirche. Judith hockte zusammengesunken auf der Bettkante und schluchzte, presste aber bald die Hand vor den Mund, um sich zu fangen, und leistete keinen Widerstand, als Adelheid sie auf die Füße zog, damit die jungen Mönche dem Toten die Hände falten und ein Kruzifix auf die Brust legen konnten.

Versteckt zwischen den Falten ihres weit fallenden Schwangerschaftsgewandes ergriff Adelheid die Hand des Königs, denn sie wusste, dass er trauerte. Auch wenn jeder recht haben mochte, der sagte, die Welt sei ohne Henning ein glücklicherer Ort. Otto hatte seinen Bruder dennoch geliebt, ebenso wie seinen Bruder Thankmar und seinen Sohn Liudolf, die sich genauso gegen ihn versündigt und in Rebellion erhoben hatten. Otto konnte nichts dagegen tun, denn so war er eben. Seine Familie, wusste sie, war seine größte Schwachstelle.

Er erwiderte den Druck ihrer Hand, ehe er sie losließ und sich neben Bischof und Abt auf die harten Holzdielen kniete, um wie versprochen mit ihnen für Hennings Seele zu beten.

Adelheid trat hinaus auf den zugigen Korridor und schloss die Tür so lautlos wie möglich. Wie sie erwartet hatte, stand Immed von Saalfeld Wache, reglos wie ein Findling.

Er sah die Königin fragend an, und als sie nickte, senkte er den Blick und bekreuzigte sich.

»Die Herzogin wünscht, dass ihr Gemahl in Regensburg beigesetzt wird, Graf. Würdet Ihr alles Notwendige für die Rückreise veranlassen und für die Totenwache hier in der Klosterkirche?«

»Gewiss, edle Königin.« Er sah ihr nicht ins Gesicht, und er musste sich zweimal räuspern.

»Mir ist bewusst, dass dies auch für Euch ein persönlicher Verlust ist. Der Herzog konnte sich glücklich schätzen, einen treuen Gefolgsmann wie Euch an seiner Seite zu wissen.«

Er musste sich schon wieder räuspern. »Danke.«

Adelheid legte für einen Augenblick die Hand auf seinen Unterarm. Sie wusste, er war ein ebensolches Scheusal wie Henning. Immed war es schließlich gewesen, der auf Hennings Geheiß den Erzbischof und den Patriarchen verstümmelt hatte, und die Widerwärtigkeit dieser Sünde verursachte ihr Ekel. Aber das durfte er nicht merken, denn sie brauchten ihn – zumindest bis die Verhältnisse in Bayern sich geklärt hatten und feststand, ob Judith der Aufgabe als Regentin im Namen ihres kleinen Sohnes gewachsen war.

»Wir müssen den Erzbischöfen von Köln und Mainz umgehend Nachricht vom Tod ihres Bruders und Onkels senden. Ich werde ihnen schreiben. Findet zwei zuverlässige Boten und schickt sie in einer Stunde zu mir.«

Immed verneigte sich und fuhr sich dabei verstohlen mit dem Handrücken über die Nase. »Wie Ihr wünscht.«

Der windige, klare Herbstmorgen war schon fortgeschritten, als Otto in die königlichen Gemächer der Pfalz kam, wo Adelheid gerade im Begriff war, ihre beiden Briefe zu versiegeln. Doch als sie ihren Gemahl an der Tür entdeckte, erhob sie sich und trat ihm entgegen.

Otto umarmte sie vorsichtig, weil er immer fürchtete, mit seinen Bärenkräften irgendeinen Schaden anzurichten, wenn sie hochschwanger war. Aber sein Kuss war innig und leidenschaftlich – wie ein Versprechen auf die Nächte, die kommen würden, wenn der kleine Otto oder die kleine Bertha endlich aus dem Wege war …

Adelheid musste sich auf die Unterlippe beißen, weil die unausgesprochenen Verheißungen ihres Gemahls sie immer in Wallung brachten, und mit einem selbstironischen Lächeln löste sie sich von ihm.

Sie wies auf die gefalteten Pergamentbogen. »An Brun und Wilhelm. Willst du sie lesen?«

Otto winkte ab, setzte sich ihr gegenüber an den ausladenden Tisch und wartete, bis sie fertig mit dem Versiegeln war.

»Du siehst müde aus«, bemerkte sie, während sie mit jeder Hand einen der Briefe wedelte, um das Wachs zu trocknen.

»Ich habe die Nacht im Sattel verbracht, und bei solchen Gelegenheiten stelle ich fest, dass ich nicht jünger werde«, bekannte er. »Und wie ergeht es meiner geliebten Königin?«

»Blendend«, versicherte sie. »Noch sechs Wochen, schätzt der Medicus. Mit Gottes Hilfe haben wir zu Weihnachten ein weiteres Kind, und das wird dich über deinen Verlust hinwegtrösten.«

»Ja, ganz gewiss«, räumte er ein, wandte den Blick ab und stierte einen Moment in die Glut des Kohlebeckens. Im Raum war es dämmrig, denn das kleine Fenster war mit einem Laden verschlossen, und die Luft war schwer vom Rauch der verglimmenden Holzkohle.

»Wie Unrecht ich Liudolf getan habe«, murmelte Otto erwartungsgemäß und seufzte.

»Das hast du nicht«, widersprach Adelheid brüsk. »Schön, es war Henning, der die Feinde Gottes ins Land geholt hat, nicht Liudolf, aber die Tatsache bleibt, dass dein Sohn sie mit Gold und Führern ausgestattet hat, auf dass sie deinen Bruder Brun in Lothringen heimsuchen und deine Macht im Reich zersetzen sollten, damit Liudolf seinen Aufstand zum Erfolg führen konnte. Also bring dich nicht um den Schlaf, mein König. Liudolf sollte sich nicht beschweren, dass der Verdacht auf ihn gefallen ist, so abscheulich, wie er sich gegen dich versündigt hat.«

Und genau deswegen, fand sie, war es nicht notwendig, dem König zu gestehen, dass sie diejenige gewesen war, die den Verdacht auf Liudolf gelenkt hatte.

»Du hast ja so recht. Trotzdem schmerzt es mich, dass ich ihn fälschlich bezichtigt habe.«

Ja, ich weiß, dachte Adelheid eine Spur gereizt und wechselte das Thema. »Erzähl mir von den Obodriten. Und von Wichmann und Ekbert. Dein Bote berichtete mir von deinem großen Sieg an der Recknitz, aber wie ging es weiter?«

»Der Aufstand der Obodriten ist niedergeschlagen, denn sie haben ihre Armee verloren«, antwortete er nüchtern. »Wir haben blutige Rache genommen für den gebrochenen Frieden und die Toten von Kacherien. Aber Wichmann und Ekbert sind mir durch die Finger geschlüpft. Sie sind spurlos verschwunden, so als hätte die Erde sich aufgetan und sie verschluckt.«

Adelheid hatte das Kinn auf die Faust gestützt und dachte nach. »Sende Boten an deine Schwestern im Westfrankenreich.«

»Wie bitte?«

Sie zuckte ungeduldig mit den Schultern. »Die Obodriten sind besiegt und müssen einen Frieden mit dir aushandeln. Das heißt, dort können Wichmann und Ekbert keinen Unterschlupf mehr finden, denn sie wissen, dass ihre Auslieferung deine erste Forderung sein wird. Ebenso wissen sie, dass sie hier als Landesfeinde geächtet sind und keine Woche überleben würden, wenn sie versuchten heimzukehren. Aber dein Schwager Hugo von Franzien wäre zum Beispiel sicher geneigt, ihnen Asyl zu gewähren, und sei es nur, um dir zu beweisen, dass er keine Angst vor dir hat. Und seine Gemahlin ist deine Schwester, also sind Wichmann und Ekbert ihre Cousins ebenso wie deine.«

Otto schenkte sich einen Becher des frischen Brunnenwassers aus dem Krug auf dem Tisch ein und trank. »Du könntest recht haben«, räumte er ein. »Lass uns den Brief an Brun noch einmal öffnen und ihn bitten, Hadwig auf den Zahn zu fühlen.«

Adelheid nickte, nahm den oberen ihrer Briefe in die Hand und griff nach dem feinen Silbermesserchen mit dem Elfenbeingriff, mit dem sie immer ihre Federkiele anspitzte, um das Siegel abzuheben, als Ottos große Hand sich auf die ihre legte. »Warte noch einen Augenblick. Es gibt noch etwas, das ich dir sagen muss.«

Sie schaute auf. »Ja?«

»Unsere Verluste an der Recknitz waren erstaunlich gering. Aber wir vermissen Gaidemar.«

Ihre Hand zuckte zurück und entglitt der seinen. »Oh, Jesus Christus, bitte nicht … Was ist passiert?«

»Er führte den Angriff auf der linken Flanke, und seine jungen Reiter haben sich wieder einmal hervorragend bewährt, genau wie auf dem Lechfeld. Doch ein Pfeil traf ihn in den Rücken, er stürzte während des Angriffs vom Pferd und geriet seinen eigenen Männern unter die Hufe.« Er ergriff wieder Adelheids Hand, nahm sie zwischen seine beiden und sah ihr ins Gesicht. »Der junge Sigurd von Hersfeld, der mir die Nachricht brachte, sagte, sie seien sicher gewesen, er müsse tot sein. Aber sie haben genau das getan, was er sie gelehrt hat, und nicht angehalten, um nach ihrem gefallenen Hauptmann zu sehen, sondern sind weitergeritten und haben Stoinefs Krieger in die Flucht geschlagen. Als sie nach dem Ende der Schlacht zurückkehrten, war Gaidemar verschwunden, sein Schlachtross stand am Ufer der Recknitz und graste.«

»Also ist er in Gefangenschaft?«

Otto hob ratlos die Schultern. »Ich war sicher, wir hätten jeden einzelnen der Feinde getötet, aber es ist nicht undenkbar, dass er noch während der Kämpfe vom Schlachtfeld geschafft und Gott weiß wohin verschleppt wurde.«

Adelheid befreite ihre Hand und stand auf. »›Nicht undenkbar‹ heißt, du weißt es nicht.«

»Nein. Ich kann keinen Boten zu Fürst Nakon auf die Mecklenburg schicken, um mich bei ihm höflich nach dem Verbleib meines Bastardneffen zu erkundigen, Adelheid, denn wir haben gerade Nakons Bruder und seine Armee zur Hölle geschickt. Er würde jeden Boten töten.«

»Warum ziehst du dann nicht mit deinem Reiterheer zur Mecklenburg?«

»Weil wir sie belagern müssten, und es würde Monate dauern, sie zu nehmen. Nakon *weiß*, dass er geschlagen ist. Aber er muss zu mir kommen, um einen Frieden auszuhandeln, nicht ich zu ihm. Wir müssen ihm die Zeit geben, die er braucht, um seinen

Stolz herunterzuschlucken, wenn wir Frieden jenseits der Elbe wollen.«

Adelheid biss die Zähne zusammen, legte die Hände vor Mund und Nase und fragte sich, wie es nur sein konnte, dass Otto ein Ungeheuer wie seinen Bruder betrauerte, aber der Verlust seines Neffen ihn kaum zu berühren schien, obgleich er genau wusste, dass Gaidemar ein wirklich guter Mann war, der alle Eigenschaften besaß, die Henning immer hatte vermissen lassen. Und ganz gleich ob Bastard oder nicht, das sah Otto einfach nicht ähnlich. Als ihr der Verdacht in den Sinn kam, es könne Eifersucht sein, die Otto seit jeher gegen Gaidemar eingenommen hatte, fand sie ihn zuerst vollkommen abwegig. Der König war kein Mann, der zu solch kindischen Anwandlungen neigte. Er war zu klug, sich seiner selbst zu sicher, zu *vernünftig* für Eifersucht. Der Gedanke war einfach lächerlich. Bis sie feststellen musste, dass er alles, aber auch *alles* erklärte, was ihr so lange Rätsel aufgegeben hatte.

Adelheid nahm sich zusammen und schärfte sich ein, dass sie Gelassenheit zeigen musste, ganz gleich, wie es in Wahrheit in ihr aussah.

Sie ließ die Hände sinken und faltete sie auf der Tischplatte. »Und du meinst, es gibt gar nichts, was wir tun können?«

Otto schüttelte bekümmert den Kopf. »Ich wüsste nicht, was. Liudolf, Hardwin und beinah jeder von Gaidemars Männern wollten sich freiwillig melden, um im Geheimen zur Mecklenburg zu reiten und auszukundschaften, ob er dort ist und ob er noch lebt, aber das konnte ich natürlich nicht erlauben.«

»Wir bräuchten einen Kundschafter, der nicht als solcher erkannt wird, sollte er erwischt werden«, sagte die Königin langsam.

Otto nickte. »Ich habe mir den Kopf zerbrochen, wer das sein könnte, sei versichert. Aber ich kenne keinen Mann, auf den das zuträfe.«

»Nein.« Adelheid schob ihr Silbermesser gedankenverloren unter das rotglänzende Siegelwachs ihres Briefes. »Ich auch nicht.«

Durch die Lücken im Lattenrost konnte Gaidemar zuschauen, wie seine Richtstätte aufgebaut wurde. Der Himmel war wolkenlos und von einem verwaschenen Blau, und die Herbstsonne schien auf das halbe Dutzend Sklaven, das im Burghof eine Grube aushob. Gaidemar lag so reglos wie möglich auf der linken Seite und beobachtete ihre Fortschritte, aber das Fieber war jetzt so hoch, dass die Wirklichkeit ihm zunehmend entglitt. Obwohl er auf der Erde lag, schwindelte ihn so sehr, dass er sich manchmal an Bord eines Schiffes wähnte, und als er das nächste Mal aus einem seiner bizarren Träume erwachte, hatten die Sklaven einen geschälten Baumstamm in ihrer Grube aufgerichtet und mit Steinen und Erde fixiert. Eine Kette mit einem Halseisen baumelte von einem Eisenring im Stamm, und Gaidemar glaubte schon zu spüren, wie das Eisen ihn würgen würde, wenn ihm die Knie einknickten.

Seine Schulterwunde pochte und strahlte Hitze aus. Die Pfeilspitze steckte immer noch darin, doch der scharfe Schmerz, den sie ihm anfangs bereitet hatte, war zu einem dumpfen Hämmern geworden. Er wusste, die Wunde hatte sich nicht nur entzündet. Sie war brandig. Deswegen fürchtete er sich nicht weniger vor dem nächsten Morgen, aber sein Verstand – das letzte bisschen, was ihm davon geblieben war – sagte ihm, dass eine ausgehungerte Hundemeute immer noch besser war, als langsam und qualvoll zu verfaulen.

Als er das nächste Mal zu sich kam, war es heller in seinem Verschlag. Gaidemar blinzelte, bis sein Blick klar wurde, und stellte fest, dass die Lattenrosttür geöffnet war und zwei sehr junge slawische Krieger sich über ihn beugten. Sie berieten sich mit gesenkten Stimmen in ihrer Sprache, dann packten sie den Gefangenen kurzerhand jeder unter einer Achsel und schleiften ihn hinaus in den Burghof.

Gaidemar hörte ein rasselndes Keuchen und brauchte ein Weilchen, bis ihm klar wurde, dass es aus seiner eigenen Kehle kam. Der betäubte Schmerz in der Schulter war wieder erwacht, aber ehe es richtig schlimm wurde, hatten die beiden Jünglinge ihn zu dem Pfahl gebracht, zogen ihn auf die Füße und schlangen ein stabiles Seil um seine Brust, mit dem sie ihn an den Baumstamm fesselten, ehe sie ihm das Halseisen umlegten. Schwer und kalt lag es auf seinen Schlüsselbeinen, und ihm dämmerte, dass es nicht vornehmlich als Fessel diente, sondern seine Kehle schützen und damit seinen raschen Tod verhindern sollte. Während er mit dieser Erkenntnis rang, lösten die beiden jungen Männer die Handfesseln, zerrten seine Arme nach hinten und banden sie hinter dem Pfahl wieder zusammen.

Verschnürt und bereit, dachte Gaidemar und wünschte, die Erde unter seinen Füßen würde nicht so schwanken. Aber der Strick um die Brust gab ihm Halt. Während ihm das Kinn auf das kalte, raue Halseisen sank, sah er, dass um seinen Pfahl ein stabiler, hüfthoher Zaun errichtet worden war. Gabelbart und ein weißhaariger Kerl standen draußen, beobachteten den Gefangenen und unterhielten sich mit gesenkten Stimmen. Der Greis streckte die Rechte aus, um ins Innere des Ringes zu zeigen, und Gaidemar erkannte feine dunkle Linien auf seinen Handrücken, heidnische Zeichen, die sich zu bewegen schienen.

Jesus Christus, beschütze mich vor den Mächten der Finsternis …

Die Zeit verging sonderbar ruckartig. Einmal kam er zu sich und fand sich drei kleinen Jungen gegenüber, die ihn mit Dreck und Steinen bewarfen und in wildes Gelächter ausbrachen, wenn sie die anvisierte Stelle trafen, bis ein finster dreinblickender Krieger sie verjagte. Das nächste Mal war es eine Schar hübscher junger Frauen mit Wasserkrügen, die vermutlich auf dem Rückweg vom Brunnen bei ihm haltgemacht hatten, um ihn zu begaffen. Er schämte sich, weil er so krank und schmutzig und schmachvoll an einen Pfahl gekettet vor ihnen stand, und er schloss einfach die Augen vor dieser neuerlichen Demütigung. Als er die Lider nur einen Moment später wieder aufschlug, war es Nacht geworden, und im Burghof herrschte Stille bis auf das Bellen und Jaulen der hungrigen Hunde in einem Verschlag in der Nähe.

Gaidemar fror und schwitzte zugleich. Seine Hände spürte er schon lange nicht mehr, und allmählich machte sich auch in Füßen und Waden Taubheit breit. Das Atmen war mühsam geworden, und ihm war speiübel. Es verwunderte ihn, dass man sich so elend fühlen konnte, ohne zu sterben, und er sann auf irgendetwas, womit er seine Gedanken von seinem jammervollen Zustand ablenken konnte. Doch es wollte ihm einfach nichts einfallen.

Aus dem Augenwinkel sah er ein Flackern. Er wandte den Kopf ein wenig nach links, und wie erwartet löste die Bewegung eine neue Welle von Schwindel aus, aber der Strick hielt ihn auf den Füßen. In einer der Hütten entlang der Palisade brannte ein Feuer, erkannte er. Nicht in seinem Hühnerverschlag, sondern ein gutes Stück weiter die Wallanlage entlang. Zuerst glaubte er, die Hütte sei bewohnt und jemand koche sein Essen, aber bald wurde das Feuer heller und größer, und er ahnte, dass dort irgendetwas ganz und gar nicht so war, wie es sein sollte.

Darum war er nicht übermäßig erstaunt, als wenig später eine erregte, angstvolle Frauenstimme zu rufen begann. Hier und da öffneten sich die Türen der Verschläge, Menschen traten ins Freie, entdeckten das Feuer und nahmen die erschrockenen Rufe auf.

Als die Bewohner der Halle in den Burghof strömten, brannten die Hütten und die Palisade auf einer Breite von zehn Schritten schon lichterloh, und Funken stiegen schwebend zum Nachthimmel auf.

Fürst Nakon eilte mit langen Schritten zum Brandherd und erteilte im Gehen eine Reihe von Befehlen. Knechte, Mägde, Krieger und Damen, sogar ein paar Kinder sammelten sich am Brunnen, begannen zu schöpfen und bildeten zwei Ketten.

Gaidemar spürte den warmen Atem hinter sich, ehe er eine gedämpfte Frauenstimme hörte: »Es geht doch nichts über ein gutes Ablenkungsmanöver.«

»Fürstin Egvina …«

»Schsch. Rühr dich nicht.« Er fühlte ihre Hand auf seinem Unterarm, und im nächsten Moment verschwanden die Stricke von seinen Handgelenken. »Die Torwachen haben ihre Posten verlassen, um beim Löschen zu helfen. Aber du musst dich beeilen.«

Ich glaube nicht, dass ich noch laufen kann, lag ihm auf der Zunge, aber er sagte es nicht. Es klang zu undankbar, fand er. Von wehleidig ganz zu schweigen …

Im nächsten Moment tasteten ihre Finger über seinen Hals, fanden den Schließmechanismus des Halseisens und lösten den Bolzen. Dann durchschnitt sie den Strick, der seinen Oberkörper an den Pfahl gebunden hatte, und wie erwartet sackte Gaidemar in sich zusammen und landete halb sitzend, halb liegend im feuchten Gras.

Trotz der inzwischen zahlreichen Löschmannschaften breitete das Feuer auf der anderen Seite des Burghofs sich weiter aus. Frauen schrien angstvoll, als ein Abschnitt der angebauten Hütten polternd in sich zusammenfiel und einen gewaltigen Funkenflug auslöste. Warnrufe und Befehle wurden durcheinandergebrüllt.

»Ich hoffe, Euer Ablenkungsmanöver fackelt nicht die ganze Mecklenburg ab«, murmelte Gaidemar.

»Das hoffe ich auch«, gestand die Fürstin eine Spur nervös. »Und jetzt steh auf!«

Sie packte seinen rechten Unterarm und zerrte ihn auf die Füße. Der Schmerz in der Schulter machte ihn munter.

»Bleib in der Vorburg im Schatten der Palisade, auf der Rückseite der Häuser«, befahl sie leise.

»Und was dann?«

»Jemand erwartet dich kurz vor dem Tor. Jetzt geh endlich. Ich muss beim Löschen helfen, sonst wird Nakon mir auf die Schliche kommen.«

Gaidemar nickte. »Habt Dank, Fürstin«, flüsterte er.

Sie legte ihm für einen Augenblick die Hand auf die bärtige Wange, und ein Lächeln huschte über ihr Gesicht, das ihm durchtrieben und traurig zugleich erschien. Dann wandte sie sich geduckt ab und verschwand durch die schmale Öffnung in der Einfriedung der Richtstätte.

Gaidemar ließ ihr ein paar Atemzüge Vorsprung, ehe er ihr

494

folgte – torkelnd, aber einigermaßen schnell. Er kehrte dem Feuer den Rücken, sandte ein Stoßgebet gen Himmel und wandte sich zum geöffneten Tor. Es war unbewacht, wie Egvina gesagt hatte. Er ging hindurch und glitt auf der anderen Seite sofort in den schwarzen Schatten der Palisade. Keinen Herzschlag zu früh: Eine aufgeregte Schar von einem Dutzend Männern, vermutlich Handwerker aus der Vorburg, kam aus der entgegengesetzten Richtung, um beim Löschen zu helfen.

Gaidemar fuhr sich mit dem Unterarm über die Stirn, wo sich ein öliger, kalter Schweißfilm gebildet hatte, und tastete sich an den rohen Stämmen der Einfriedung entlang. Der Weg erschien ihm weit, und einmal verlor er das Gleichgewicht und landete auf den Knien, aber schließlich erreichte er das letzte der hölzernen Gebäude vor dem Haupttor. Ein Viehstall, sagte ihm seine Nase. Er maß die Entfernung zum Tor mit den Augen, unschlüssig, was er als Nächstes tun sollte, als ein einzelner Reiter hinter dem gedrungenen Stall zum Vorschein kam.

Er glitt behände aus dem Sattel, hielt sein Ross am Zügel und sah sich einen Moment suchend um. Obwohl Gaidemar sich an die Einfriedung presste, als wolle er damit verschmelzen, entdeckte der Ankömmling ihn und kam auf ihn zu. »Der allmächtige Gott sei gepriesen«, wisperte er. »Ich hab dich gefunden ...«

Gaidemar zucke zurück. »*Miro?*«

»Komm, Herr. Das Tor ist frei, aber nicht mehr lange. Ich habe Amelung mitgebracht. Er muss uns einstweilen beide tragen.«

»Nimm die Hände von mir, du verlogenes Miststück ...«

»Pst!«, zischte sein einstiger Bursche streng. »Morgen früh kannst du mich wieder hassen, wenn du unbedingt willst, aber jetzt müssen wir dich erst einmal hier rausschaffen.«

Gaidemar wurde von grauenvollen Albträumen heimgesucht. Er trieb allein auf einem Floß in einem Meer aus Nebel und verging vor Durst. Dann wieder schien er auf einem Bett aus glühenden Kohlen über den Boden eines Waldes zu schweben und sah einen grauverwaschenen Himmel und kahle Äste über sich einhergleiten, während er allmählich geröstet wurde. Schließlich hörte er eine körperlose Stimme mit slawischem Akzent sagen: »Was immer geschieht, lasst ihn auf keinen Fall los«, und im nächsten Moment spürte er einen heißen Atem, der ihm den Rücken verbrannte. Fürst Nakons Hunde waren endlich über ihn gekommen, schlugen ihre Fänge in seine Arme und Beine, sodass er sich nicht losreißen konnte, und ihr Leittier zerfetzte nicht seine Kehle, sondern seine Schulter. Er öffnete den Mund, um zu schreien, aber wie es bei Träumen so oft der Fall war, fiel das Grauen einfach in sich zusammen. Unvermittelt hielt er Adelheid in den Armen. Ihre durchschimmernden Lider waren geschlossen und flatterten, als sei sie besinnungslos. Er trug sie zu ihrem Bett und legte sich zu ihr, um endlich, endlich herauszufinden, wie ihre Haut und ihre Lippen sich anfühlten, doch als er die Hand nach ihr ausstreckte, war es eine Fremde mit Miros Zügen, die neben ihm lag. Gaidemar stieß sie von sich, sie driftete über die Bettkante davon und drehte sich dabei um die eigene Achse wie ein Blatt in einem Strudel, und er war wieder allein in der Dunkelheit.

»Es wird jetzt nicht mehr lange dauern«, sagte die Stimme mit dem slawischen Akzent. »Siehst du, wie die Brust sich hebt und senkt? Er wird bald aufwachen.«

»Gebe Gott, dass Ihr recht habt«, antwortete Liudolf. Es klang angespannt.

Wieso Liudolf?

»Glaubt Ihr, er wird es schaffen?«

Eine unbekannte Frauenstimme. Voller Furcht.

»Ich denke schon. Das Schlimmste hat er überstanden, selbst wenn er üble Schmerzen haben wird, sobald er aufwacht. Aber es ist ein Wunder, dass er überhaupt noch lebt. Er muss ein verdammt zäher Bursche sein.«

»Zäher Bastard …«, verbesserte Gaidemar. Jedenfalls nahm er an, dass er es gesagt hatte, auch wenn er seine Stimme nicht erkannte.

»Gaidemar!«, jubelte Liudolf.

»Schsch«, mahnte die bedächtige Stimme mit dem Akzent. »Bestürmt ihn nicht.«

Dann lag plötzlich eine Hand auf Gaidemars unverletzter

Schulter. »Öffne die Augen, wenn du kannst, Gaidemar. Zeit, dass du ins Diesseits zurückkehrst.«

Er kniff die Lider zu wie ein trotziger Bengel. Die Schmerzen nahmen ihm fast den Atem. »Ich bin nicht sicher ... ob ich will.«

»Ich weiß.«

»Woher?«

»Lange Geschichte. Aber glaub mir, ich weiß ganz genau, wie du dich fühlst.«

Unwillig schlug Gaidemar die Augen auf. Es dauerte ein Weilchen, bis sein Blick scharf wurde, und als es endlich geglückt war, sah er zur Belohnung eine große, schmale Hand mit diesen gruseligen Punktlinien darauf, die einen Becher hielt.

»Trink das.«

Ehe Gaidemar protestieren konnte, war der Becher an seinen Lippen, eine zweite Hand stützte seinen Kopf, und er öffnete den Mund und trank gierig, obwohl es schauderhaft schmeckte, denn sein Durst war so viel schlimmer als das Gebräu.

Die Hand mit den heidnischen Mustern schien geübt darin, einem Kranken etwas einzuflößen, denn sie hörte immer dann auf zu schütten, wenn er eine kleine Pause brauchte, machte aber weiter, ehe er den Kopf abwenden konnte. So war der ganze Becher nach kurzer Zeit geleert.

Keuchend sank Gaidemar zurück und konnte zum ersten Mal das Gesicht des Mannes sehen, der mit übereinandergeschlagenen Beinen auf der Bettkante saß: dunkles Haupt- und Barthaar, helle Haut, fesselnde schwarze Augen, deren eindringlicher Blick beinah zu glimmen schien und Gaidemar bestens bekannt war, denn sein Dienstherr, Erzbischof Wilhelm, hatte genau die gleichen Augen. »Grundgütiger«, murmelte er. »Ihr seid ... Fürst Tugomir.«

Ein Lächeln vertrieb die ehrfurchtgebietende Strenge aus den Zügen und ließ das Gesicht um Jahre jünger wirken. »Willkommen auf der Brandenburg, Gaidemar, Thankmars Sohn.«

»Aber wie ...«

»Nicht jetzt«, unterbrach der Fürst der Heveller mit einem

497

Kopfschütteln. »Ich weiß, du hast viele Fragen, aber sie müssen warten. Du bist immer noch sehr krank. Viele Menschen haben Himmel und Hölle in Bewegung gesetzt und viel riskiert, um dich zu retten …«

»Ich habe niemanden darum gebeten«, stellte Gaidemar klar und merkte sofort, dass er noch zu erledigt war für diese diffuse Mischung aus Scham und Zorn.

»Oh, ich weiß. Trotzdem darfst du sie nicht enttäuschen und jetzt doch noch sterben. Also trink noch einen Becher. Der Sud lindert die Schmerzen und senkt das Fieber. Und dann schlaf. Du bist in Sicherheit.«

Er schlief – manchmal tief und traumlos, manchmal wieder von schweren Albdrücken geplagt, und wann immer er aufzuwachen begann, flößte irgendwer ihm wieder dieses scharfe, bittere Gebräu ein, und er sank zurück in die Zwischenwelt.

Als er zum ersten Mal richtig zu sich kam, spürte er sofort, dass irgendetwas anders war. Mit geschlossenen Augen eruierte er seine Verfassung, aber dieses Mal in Ruhe und systematisch, ohne das unbestimmte Grauen, das seine Träume, vielleicht auch seine Todesnähe ihm beschert hatten. Die Schulter schmerzte immer noch tückisch, doch es war ein normaler Wundschmerz, wie er ihn von vielen Verletzungen kannte. Er fühlte sich gesund an, dieser Schmerz, nicht so grundfalsch wie das heiße Pochen des Wundbrands. Auch die Rippen protestierten gegen jede noch so winzige Regung. Die bohrenden Kopfschmerzen waren indessen ebenso verschwunden wie der wabernde Schwindel. Er hatte kein Fieber mehr, erkannte er erleichtert.

Langsam schlug er die Lider auf und sah ein vertrautes Gesicht über sich. »Liudolf …«

Der Prinz lächelte voller Erleichterung auf ihn hinab. »Junge, Junge. Keinen halben Pfennig hätte ich auf dich gewettet, als sie dich herbrachten. Aber heute Morgen hat Tugomir gesagt, du seiest außer Lebensgefahr.«

»Und woher will er das wissen?«, fragte Gaidemar argwöhnisch, wenngleich er spürte, dass es stimmte.

»Glaub ihm nur, Vetter. Er ist ein berühmter Heiler. Als ich ein Bengel war, hat er mir auch einmal das Leben gerettet. So wie jetzt dir.«

»Was ist passiert?«

»Er hat die Pfeilspitze herausgeholt und deine Wunde ausgebrannt.«

»Das weiß ich selbst, danke. Ich meine ...«

Aber Liudolf ließ sich nicht beirren. »Sie war ganz grau und violett von Fäulnis. Du warst mehr tot als lebendig, aber als er die erste seiner glühenden Klingen aufgelegt hat, wurdest du auf einmal wieder ganz munter, das kann ich dir sagen. Wir wussten dich kaum zu bändigen. Einer von Tugomirs jungen Gehilfen hat sich von oben bis unten vollgekotzt. Man konnt's ihm kaum verübeln. Ehrlich, Gaidemar, ich habe noch nie etwas so Abscheuliches erlebt.«

Nein, dachte Gaidemar, ich vermutlich auch nicht, und er war froh, dass er nicht wirklich dabei gewesen war.

»Aber wie kam ich her? Und wie in aller Welt kommst du hierher?«

»Du hast ja so ein verdammtes Glück gehabt, Mann. Als die Königin hörte, dass du in Gefangenschaft bist, hat sie Miro zur Mecklenburg geschickt, um nach dir zu forschen. Ich bin hierhergeritten, um Fürst Tugomir um Hilfe zu bitten. Aber er wusste schon alles und ...«

»Woher? Wir sind hier hundert Meilen weit weg von der Mecklenburg, oder?«

»Frag mich.« Der Prinz zog ratlos die Schultern hoch. »Tugomir war immer schon ein bisschen gruselig. Früher in Magdeburg sagten die Leute, er hätte magische Kräfte. Und vermutlich ist es so. Er war Priester eines heidnischen Götzen oder so etwas, bevor Vater die Brandenburg erstürmte und ihn gefangen nahm.«

Deshalb die tätowierten Hände, schloss Gaidemar.

»Nein, nicht magische Kräfte«, sagte Miros Stimme von der Tür. »Er hat eine Vila.«

»Eine was?«, fragte Liudolf.

Gaidemar drehte das Gesicht zur Wand. »Schick sie weg, Liudolf.«

»Wen?«, fragte der Prinz verdattert.

»Miro. Mira. Oder wie immer sie heißt. Wirf sie hinaus, ich will sie nicht sehen.«

»Aber was ...?«

»Bitte, Herr, du *musst* mich anhören«, flehte sein einstiger Bursche verzweifelt.

Gaidemar schloss einfach die Lider und rührte sich nicht, und mit einem Mal war der Schmerz wieder so mörderisch, dass er ihm die Kraft aus den Gliedern zu saugen schien wie ein trockenes Tuch eine Wasserlache aufsog.

»Was geht hier vor?«, fragte die Stimme des Fürsten barsch. »Bist du noch bei Trost, Liudolf? Ich habe gesagt, du kannst eine halbe Stunde bei ihm sitzen und mit ihm über das Wetter plaudern, wenn er aufwacht. Ich meinte nicht, dass hier ein Sturm stattfinden sollte.«

»Ich verstehe überhaupt nicht, was hier los ist«, beschwerte sich Liudolf.

»Na schön. Ich denke dennoch, es ist besser, du gehst. Dieser Mann hat die letzten fünf Jahre nichts anderes getan, als für dich und deine Familie die heißen Eisen aus dem Feuer zu holen, aber selbst er braucht hin und wieder eine Pause. Zum Beispiel jetzt. Na los, raus mit dir. Du auch, Mira.«

Balsamweiche Stille blieb zurück, nachdem die Tür sich mit dem inzwischen vertrauten Quietschen geschlossen hatte.

Der Schemel neben dem Bett knarrte diskret, und Gaidemar nahm an, dass der Fürst dort Platz genommen hatte. Trotzdem ließ der Genesende die Lider geschlossen und das Gesicht abgewandt und wartete auf bessere Zeiten. Er wusste aus Erfahrung, dass die Lebenskraft wellenartig an- und abschwoll, wenn der Körper mit einer Verwundung zu ringen hatte, sodass man sich manchmal ein Weilchen in Geduld fassen musste, bis das Wellental überwunden war. So auch dieses Mal.

»Danke«, sagte er schließlich.

»Keine Ursache. Die Fürstin ist der Auffassung, es sei an der

Zeit, dass du etwas isst. Darum hat sie dir eine Hühnerbrühe gekocht. Wenn du kannst, nimm ein paar Löffel. Glaub mir, du willst nicht zu allem anderen noch den Zorn meiner Frau auf dich ziehen.«

Gaidemar grinste der Wand aus säuberlich geglätteten Brettern zu und sah Fürst Tugomir schließlich an. »Riecht gut.«

»Also dann.« Er streckte ihm die tätowierte Rechte entgegen. Gaidemar nahm sie mit der linken Hand und zog sich hoch. Es tat weh, ging aber besser als erwartet, und ehe er zurücksinken konnte, hatte Tugomir ihm ein pralles Kissen in den Rücken geschoben.

Gaidemar sah an sich hinab und entdeckte, dass er kein Obergewand mehr, dafür einen breiten Verband um die rechte Schulter und die Brust trug, der auch den Arm ruhigstellte.

»Du hast zwei oder drei Rippen gebrochen, schätze ich«, bemerkte Tugomir.

Das war Gaidemar keineswegs neu. »Die Obodriten wissen ihre Stiefel nicht nur zum Laufen einzusetzen.«

»Ja, sie werden ziemlich ruppig, wenn sie wütend sind.« Der Fürst reichte ihm eine dampfende Tonschale mit einem Holzlöffel darin.

Gaidemar nahm sie mit der Linken, stellte sie ungeschickt auf seinen Schoß und führte den Löffel an die Lippen. Er blies über die heiße, klare Brühe, aber mit einem Mal verspürte er Heißhunger und schlürfte den Löffel leer, obwohl die Suppe noch zu heiß war. Sie schmeckte noch besser, als sie duftete. »Seid so gut und sagt der Fürstin meinen Dank.«

»Das werde ich. Du kannst von Glück sagen, dass die Suppe gelungen ist, denn meine vornehme Gemahlin stellt sich für gewöhnlich nicht selbst ans Kochfeuer. Aber für dich war die Köchin einfach nicht gut genug.«

»Wieso?«, fragte Gaidemar verständnislos. »Sie kennt mich doch überhaupt nicht. Genau wie Ihr. Genau wie Fürstin Egvina. Wieso nehmen sich auf einmal wildfremde Menschen meiner an?«

»Das macht dich misstrauisch?«, tippte der Fürst, und es klang amüsiert. »Und obendrein verlegen?«

Gaidemar gab ein missgelauntes Brummen von sich und aß lieber noch einen Löffel Suppe, als zu antworten, aber dieser Fürst Tugomir hatte den Nagel auf den Kopf getroffen.

Der schlug die Beine übereinander und verschränkte die langen Finger um ein Knie. »Das liegt vermutlich daran, dass du dein ganzes Leben daran gewöhnt warst, alleine zurechtzukommen. Das ist eine schwierige Gabe, und man bezahlt einen hohen Preis an Einsamkeit dafür, sie zu erwerben. Darum fürchtet man sich davor, sie wieder zu verlernen.«

Gaidemar hatte noch niemals erlebt, dass ein Fremder scheinbar mühelos in seine Seele blicken konnte. Er ließ den Löffel in die Schale sinken und sah dem Fürsten in die Augen. »Liudolf hatte recht. Ihr *seid* gruselig, weiß Gott.«

Der Fürst deutete ein Achselzucken an. Er war vielleicht Mitte vierzig, schätzte Gaidemar, groß und von schlanker, athletischer Statur, vermutlich ein leidenschaftlicher Reiter und Jäger. Er strahlte Autorität und Willensstärke aus; man konnte ihn sich ohne Mühe an der Spitze einer siegreichen Armee oder als weisen, wenn auch unerbittlichen Richter vorstellen. Doch da war noch etwas anderes, das Gaidemar nicht benennen oder fassen konnte, und das machte ihn gleichzeitig neugierig und nervös.

»Halte fest an deiner Unabhängigkeit, die dir bislang immer so gute Dienste geleistet hat«, riet Fürst Tugomir. »Das hat dein Vater auch getan. Aber du bist hier nicht unter Fremden und hast von mir und den Meinen nichts zu befürchten. Dein Vater war der beste Freund, den ich je hatte.«

»Wirklich? Und ich dachte, er war ein Halunke.«

»Oh ja«, stimmte der Fürst vorbehaltlos zu. »Ein Halunke und ein großartiger Mann.«

»In Sachsen reißen die meisten Leute sich lieber das Herz aus dem Leib, als seinen Namen zu erwähnen.«

»Weil ihr Sachsen, ansonsten so unerschrocken, vor Furcht erstarrt, wenn ihr nicht kontrollieren oder vorhersagen könnt, was einer der Euren tut. Prinz Thankmar war eben unberechenbar. Wie eine Sturmflut.«

»Und ein Verräter.«

Der Fürst schüttelte den Kopf. »Ein Rebell. Und er hat einen hohen Preis dafür bezahlt.«

Gaidemar schob sich den Löffel in den Mund, um sich daran zu hindern, die erste der tausend Fragen zu stellen, die ihm mit einem Mal unter den Nägeln brannten. Er fürchtete, der Fürst könnte ihn für weichlich halten, wenn er merkte, wie groß Gaidemars Sehnsucht war, mehr über seinen Vater zu erfahren. Also aß er lieber. Doch die Schale war noch halb voll, als seine Kehle sich plötzlich zuschnürte und er nichts mehr herunterbrachte.

Tugomir nahm ihm die Suppe ab. »Das Beste wäre, du würdest noch ein paar Stunden schlafen.«

Gaidemar schüttelte den Kopf. »Ich muss mit Liudolf sprechen. Ich weiß nicht einmal, was nach der Schlacht an der Recknitz aus meinen Männern geworden ist.«

»Sie sind mit dem König nach Sachsen zurückgekehrt. Ich werde Otto und der Königin einen Boten schicken, jetzt da du außer Lebensgefahr bist, und du kannst ihm die Order für deine Reiterlegion mitgeben, wenn es dein Wunsch ist.«

»Danke.« Der Fürst hatte die Tür schon fast erreicht, als Gaidemar sich einen Ruck gab und fragte: »Woher wusstet Ihr, dass ich auf der Mecklenburg gefangen gehalten wurde?«

»Wenn ich es dir erklärte, würdest du mir doch nicht glauben«, antwortete Tugomir.

Aber Gaidemar ließ sich damit nicht abspeisen. »Was ist eine Vila?«

»Eine Wasserelfe. Manchmal sucht eine Vila sich einen Menschen aus, dem sie sich dann und wann zeigt. Meistens um ihn zu plagen. Manchmal aber auch, um ihm Bilder von Dingen zu zeigen, die noch nicht geschehen sind.«

Gaidemar wusste beim besten Willen nicht, was er auf diesen Unsinn erwidern sollte.

»Schon bevor Liudolf hier eintraf, habe ich eine Gesandtschaft zu Fürst Nakon geschickt, um deine Auslieferung zu verhandeln«, fuhr Tugomir in aller Seelenruhe fort, als wären die Einflüsterungen einer Wasserelfe die normalste Sache der Welt. »Aber sie wäre vermutlich zu spät gekommen, selbst wenn Nakon eingewilligt hätte. Doch zum Glück hatte Königin Adelheid schon Mira ausgesandt, um nach dir zu forschen. Das Mädchen hat sich in die Mecklenburg gemogelt, ist zu Egvina gegangen und hat sie überredet, ihr bei deiner Befreiung zu helfen. Gott allein weiß, wie sie das bewerkstelligt hat, denn Egvina tut für gewöhnlich nur das, was ihren Absichten oder ihrer Bequemlichkeit dient. Schließlich hat Mira dich auf deinen Gaul gesetzt und festgebunden, ehe du das Bewusstsein verlorst, und hat sich bei Dunkelheit und wenig Mondlicht bis ans Westufer des großen Sees dort oben durchgeschlagen, wo sie bei Morgengrauen zufällig mit meinen Männern zusammentraf. Ein sehr findiges Mädchen, deine Mira. Von mutig ganz zu schweigen.«

»Sie ist ein ehrloses, verlogenes Weibsbild«, widersprach Gaidemar, dem ganz flau vor Zorn wurde bei der Erkenntnis, dass er ihr jetzt auch noch zu Dank verpflichtet war.

Fürst Tugomir kam noch einmal zurück, stellte die Suppenschale auf den kleinen Tisch an der Stirnwand und setzte sich wieder auf den Schemel. »Das ist sie nicht, glaub mir. Du verstehst ihre Beweggründe nicht, weil du die Bräuche der slawischen Völker nicht kennst, aber weder hat sie sich dich getäuscht noch angelogen.«

»Nein? Hat sie sich nicht als Knabe ausgegeben und behauptet, ihr Name sei Mirogod?«

»Sie *war* ein Knabe, ihr Name *war* Mirogod. Sie war im Begriff, eine eingeschworene Jungfrau zu werden und ein Leben als Mann zu führen, ehe sie verschleppt wurde.« Und er schilderte Gaidemar eine vollkommen irrwitzige Tradition, nach der sich in einer Familie ohne männliche Nachkommen eine Tochter in einen Sohn verwandeln konnte. »Du siehst also, aus ihrer Sicht hat sie die Wahrheit gesagt und dich nicht betrogen. Die Frage ist, ob du in der Lage bist, die Dinge mit ihren Augen zu betrachten.«

»Ich schätze, nein«, knurrte Gaidemar unversöhnlich. »Euer Neffe, der ehrwürdige Erzbischof von Mainz, sagt gelegentlich, es mangele mir an Vorstellungsgabe und Mitgefühl.«

»Was vermutlich nicht stimmt. Aber auch dein Vater hat gern ein Geheimnis daraus gemacht, dass er sie besaß, damit nur ja niemand auf die Idee kommen konnte, an sie zu appellieren. Genau wie deine Schwester.«

»Meine … *was?*«

»Hatheburg. Thankmars und Egvinas Tochter. Sie lebt hier bei uns, seit ihre Mutter Fürst Ratibor …«

»Ich habe eine Schwester? Und sie ist *hier?*«

»Wie ich sagte. Du bist hier nicht unter Fremden, Gaidemar.«

Früh am nächsten Morgen wachte Gaidemar auf und entschied, dass er mehr als genug Zeit in diesem Bett verbracht hatte, das vermutlich ohnehin irgendwem gehörte, der es zurückwollte. Er setzte sich auf und spürte Sand unter den Füßen, als er sie auf den Boden stellte. Auf dem Tisch entdeckte er eine Schale mit Wasser und ein Leinentuch. Er maß die Entfernung mit den Augen, stützte sich mit der linken Hand an der Wand ab und stand langsam auf. Ihm wurde schwarz vor Augen, und in seinen Ohren erklang ein warnendes Summen, aber beides verging. Langsam und unsicher legte er die drei Schritte zum Tisch zurück, hielt sich an der Kante fest und zog sich mit dem Fuß den Schemel heran. Dann setzte er sich und wusch sich, so gut es ging. Bei der Gelegenheit stellte er fest, dass die Blutergüsse auf Armen und Oberkörper – manche in Hufeisenform, andere unförmig – allmählich zu einem bläulichen Gelb verblassten.

Als er fertig war, stemmte er sich mit der Linken in die Höhe und schaute sich suchend nach irgendetwas um, das er anziehen könnte, als die Tür sich öffnete und eine junge Frau mit ein paar Kleidungsstücken über dem Arm hereinkam. »Du bist wach!«, rief sie erfreut.

Sie blieb einen Schritt vor ihm stehen und betrachtete ihn mit unverhohlener Neugier. Sie war sehr schön, fand er. Eine Vielzahl kleiner blonder Flechten umrahmte ein Gesicht mit ausgeprägten, fast hochmütigen Wangenknochen, einer hohen Stirn, schmaler Nase und fein geschwungenen Lippen. Die großen Augen waren von einem hellen, strahlenden Blau, das an die Flügel eines Bläulings im Sonnenschein erinnerte. Genau wie König Ottos Augen. Oder seine eigenen, wusste Gaidemar.

»Hatheburg?«, fragte er unsicher.

Sie legte auf dem Tisch ab, was sie getragen hatte, wandte sich ihm wieder zu und ergriff seine gesunde Hand mit ihren beiden. »Gaidemar. Es ist so wunderbar, dass du wieder gesund bist.«

Er erinnerte sich an diese Stimme. »Du … hast an meinem Bett gewacht?«, fragte er.

»Natürlich. Zusammen mit Liudolf oder mit Mira. Nun sieh mich nicht an wie ein verschrecktes Reh, ich bin doch deine Schwester.«

»Ich schätze, ich muss mich noch daran gewöhnen, eine zu haben«, erwiderte er.

»Ja, so geht es mir auch. Ich wusste so wenig von deiner Existenz wie du von meiner. Warum konnten wir nicht normale Eltern haben wie andere Leute auch, die verheiratet sind und ihre Kinder nicht in Heimlichkeit und Abgeschiedenheit aufziehen müssen?«

»Diese Frage habe ich mir gestellt, seit ich denken kann.«

»Und? Irgendwelche lichtvollen Erkenntnisse?«

»Natürlich nicht.«

Sie lachten. Es war vertraut, dieses Lachen, so als seien sie uralte Freunde. War es wirklich möglich, dass das gemeinsame Blut so stark war? Oder bildeten sie sich das nur ein, weil sie etwas gefunden hatten, was so lange eine unerfüllte Sehnsucht gewesen war?

»Wenn du denkst, du kannst ein paar Schritte laufen, komm mit hinaus«, schlug Hatheburg vor. »Es ist so ein herrlicher Morgen. Tugomir sagt, frische Luft sei jetzt das Allerbeste für deine Genesung.«

»Nur zu gern. Ich werde allmählich mürbe in dieser fensterlosen Kammer, so komfortabel sie auch sei.«

»Meine«, erklärte sie achselzuckend.

»Dann hab vielen Dank, Schwester.«

Sie nickte, holte die Sachen vom Tisch und half ihm hinein. Mit größter Selbstverständlichkeit zog sie ihm das Obergewand aus weichem Leder über den Kopf. Es war weit genug, um den bandagierten Arm mitsamt Schlinge darin zu tragen, aber seinen linken Arm führte sie in den dazugehörigen Ärmel. »Setz dich hin.« Sie wies auf den Schemel. »Schuhe.«

Er gehorchte, da ihm nicht viel anderes übrig blieb.

Hatheburg streifte ihm die neuen Schuhe über und schnürte die Bänder kreuzweise bis unter die Knie.

»Das machst du ziemlich geschickt«, befand ihr Bruder.

Sie richtete sich wieder auf und erklärte: »In der Halle gibt es eine ständig nachwachsende Schar von Kindern, die immer jemanden brauchen, der ihnen beim Ankleiden hilft. Bei den Hevellern ist es nicht üblich, den Nachwuchs von Ammen aufziehen zu lassen.«

Gaidemar stand auf und legte sich mit einer Hand den guten Mantel um, den sie ihm hinhielt. »Was ist mit dir? Hast du keine Familie?«, fragte er. Hatheburg musste ein paar Jahre jünger sein als er, war aber längst im heiratsfähigen Alter.

»Ich heirate Bolilut, Fürst Tugomirs Erstgeborenen. Aber wir müssen bis zum nächsten Sommer warten, dann ist er sechzehn.«

»Das heißt, du wirst Fürstin der Heveller?«, verwunderte sich Gaidemar, als er vor ihr ins Freie trat.

Sie nickte und sah sich einen Moment um. »Ich glaube, ich gehöre hierher. Ganz sicher bin ich mir allerdings nicht. Aber ich wäre verrückt, wenn ich irgendwo anders leben wollte als hier. Komm mit, ich zeige es dir.«

Der Innenhof der Hauptburg hatte erwartungsgemäß Ähnlichkeit mit dem der Mecklenburg: Die imposante Wallanlage mit den umlaufenden Hütten und die große Halle mit den angebauten Gemächern der Fürstenfamilie, umgeben von ein paar weiteren Wohn- und Wirtschaftsgebäuden.

Hatheburg führte ihren Bruder zu einer steilen Holzstiege, die auf den Wehrgang führte, und von dort oben entdeckte er einen Eichenring mit einem kunstvoll bemalten Bauwerk darin auf der Westseite des Burghofs und eine bescheidene Kirche hinter der Fürstenhalle.

»Das dort drüben ist der Tempel des slawischen Kriegsgottes Jarovit«, erklärte seine Schwester, die seinem Blick gefolgt war. »Der alte und der neue Glaube leben auf der Brandenburg in brüchigem Frieden nebeneinander. Bei vielen anderen slawischen Völkern ist es so ähnlich. Und jetzt dreh dich um.«

Gaidemar wandte sich nach Osten, wo eine rotgoldene Sonne noch niedrig über den endlosen, herbstbraunen Wäldern stand. Der Himmel war weit und blau, und eine Schar Wildgänse zog in perfekter Formation darüber. Die Brandenburg, erkannte er zu seinem Erstaunen, erhob sich auf einer Insel inmitten eines Flusses. Die Havel, vermeldete sein Gedächtnis. Nebelschwaden hingen über dem ruhig dahinfließenden Wasser und den Feldern am jenseitigen Ufer, die die Menschen dem Wald hier sicher nur unter größten Mühen abgerungen hatten. Denn dieses Land war wild und unbezähmbar, das spürte man. Und wohin man auch schaute, sah man das bläuliche Schimmern von Wasserflächen zwischen den Bäumen. Gaidemar nahm sich Zeit, ließ den Blick langsam von Süd nach Nord schweifen und sog den atemberaubenden Ausblick in sich auf, der sich wie Balsam auf Geist und Seele zu legen schien.

Schließlich sah er Hatheburg wieder an und nickte. »Ich verstehe, was du meinst.«

Sie verschränkte die Unterarme auf der Palisade. »Als ich ganz klein war, habe ich an König Ottos Hof gelebt. Mit Vater und Mutter. Aber ich weiß es nur, weil Tugomir es mir erzählt hat. Ich war drei, als Vater starb. Ich habe ... überhaupt keine Erinnerungen an ihn.«

Er hörte an ihrer Stimme, dass sie das schmerzte. »Es tut mir leid«, sagte er unbeholfen.

»Und was ist mit dir?«, wollte sie wissen. »Erinnerst du dich an ihn?«

»Nur vage. Ich glaube nicht, dass ich jemals sein Gesicht richtig gesehen habe.« Und er erzählte ihr von den Besuchen des geheimnisvollen Fremden während seiner Kindheit in Saalfeld. »Sie hörten auf, als ich zehn war. Weil er starb, wie mir inzwischen klar ist.«

»Wenigstens hast du diese flüchtigen Erinnerungen. Besser als nichts, nehme ich an.«

»Du hast recht.«

»Wie waren die Menschen, bei denen du aufwuchst?«

»Anständig.«

»Anständig?« Es klang spöttisch. »Das scheint mir … ein bisschen dürftig. Waren sie gut zu dir? Warmherzig?«

Er hob die Schultern. »Sie haben ihre Sache so ordentlich gemacht, wie sie konnten. Gewissenhaft, schätze ich. Und Warmherzigkeit hat in der Erziehung von Knaben keinen Platz.«

»Was für ein Unsinn«, widersprach sie. »Na los, raus mit der Sprache. Ich will wissen, wie es war.«

Aber du bist eine Fremde, dachte Gaidemar erschrocken. Dennoch hörte er sich sagen: »Zu Weihnachten und zu Ostern legte meine Ziehmutter mir zum Segen die Hände auf den Kopf, als ich ein kleiner Bengel war. Ich habe diese Feste herbeigesehnt, weil es die einzigen Gelegenheiten waren, da sie mich berührte.« Er stieß hörbar die Luft aus. »Und das habe ich noch nie zuvor jemandem erzählt.«

»Wie war dein Ziehvater?«, bohrte Hatheburg unbeirrt weiter.

Aber er hob abwehrend die Linke. »Du bist an der Reihe, würde ich sagen. Wieso bist du hier aufgewachsen und nicht bei deiner Mutter und den Obodriten?«

»Fürst Ratibor, ihr Gemahl, musste sich gelegentlich mit Umsturzplänen der heidnischen Priesterschaft herumplagen. Einige Male war es ziemlich brenzlig. Als Tugomir vorschlug, mich herzuholen, damit ich in Sicherheit sei, haben sie eingewilligt. Und dann irgendwie vergessen, mich wieder zurückzuholen. Ich denke, Ratibor war eifersüchtig auf mich. Oder vielmehr auf Mutters Erinnerungen an Vater. Aber sie kommt oft her, um uns zu besuchen. Und ich hab hier ein warmes Nest gehabt. Ich habe Glück gehabt für einen Bastard.«

»Ja, ich auch.«

»Und deine Ziehbrüder und -schwestern? Wie waren sie?«

Und ehe er sich's versah, erzählte er ihr von Immed, dem ewigen Wettstreit ihrer Jugendjahre und der bitteren Feindschaft, die inzwischen daraus geworden war. Von Reinhildis, der Ziehschwester, die Hals über Kopf und unter ihrem Stand mit einem Freibauern verheiratet worden war, weil sie Gaidemar schöne Augen gemacht hatte. Von Hugo und Hatto und sogar von Uta.

Sie setzten sich auf die oberste Treppenstufe, weil Gaidemars

Beine bald müde wurden, und sprachen über die Vergangenheit und Zukunftspläne, über Slawen und Sachsen, Christen und Heiden – Gott und die Welt. Aufgrund ihrer unterschiedlichen Natur redete Hatheburg mehr, während Gaidemar meistens zuhörte, aber er verspürte ein geradezu albernes Glücksgefühl, dass er sie gefunden hatte, das ihn leichtsinnig und redselig machte wie zu viel Wein, und er merkte, dass es ihr ganz genauso erging.

»Wenn du irgendetwas tun könntest, ganz gleich was. Angenommen, eine gute Fee käme zu dir und würde sagen, Gaidemar, du hast einen Wunsch frei, einmal zu tun, was du immer schon tun wolltest. Was wäre es?«

Das war einfach. »Fliegen wie ein Vogel.«

Sie starrte ihn einen Moment an, die Lippen leicht geöffnet. Dann murmelte sie ein wenig unbehaglich: »Mein Gott. Du musst wahrhaftig mein Bruder sein. Fliegst du in deinen Träumen?«

»Als Kind beinah jede Nacht. Heute leider nicht mehr. Du?«

»Genau das Gleiche. Eine der alten Frauen hier hat mir geraten, ich solle eine Adlerfeder mit zu Bett nehmen, dann kämen die Träume wieder. Aber es hat nicht geklappt.«

»Kannst du Vogelstimmen unterscheiden?«, wollte Gaidemar wissen.

»Ja!«

»Auch die wirklich schwierigen? Zum Beispiel Buchfink und Laubsänger?«

»Aber ja!« Ihre Augen leuchteten. »Du etwa auch?«

Er nickte. »Und ich werde ständig damit aufgezogen, weil es so ein weibischer Zeitvertreib ist.«

»Pah!«, machte sie abschätzig. »Wenn das wieder einmal jemand behauptet, kannst du sagen, du habest die Gabe von deinem Großvater, dem ruhmreichen König Heinrich, geerbt, den sie deswegen den Vogler nannten.«

»Ist das wahr?«, fragte er verblüfft. »Das wusste ich nicht.« Er kam sich gleich viel weniger albern vor.

Sie versäumten die Frühmesse, die der Fürst, seine Familie und der christliche Teil seines Haushaltes besuchten, und schlossen sich ihnen in der Halle zum Frühstück an.

Gaidemar lernte Fürstin Alveradis und ihre Kinder kennen, fünf Söhne und drei Töchter, die allesamt ihrem Vater nachschlugen bis auf die zwölfjährige Jasna, die das bernsteinfarbene Haar und die nussbraunen Augen ihrer Mutter geerbt hatte.

Liudolf saß auf dem Ehrenplatz zur Rechten des Fürstenthrons und zog Gaidemar neben sich auf die Bank. »Hier, Vetter, probier von dieser Wildpastete. Ich schwöre, die bringt dich wieder auf die Beine.«

»Ich *bin* wieder auf den Beinen«, entgegnete Gaidemar.

Ein Diener trat an die Tafel und schenkte eine goldene Flüssigkeit in den Becher, den sie teilten, und als Gaidemar trank, stellte er fest, dass es der beste Met war, den er je gekostet hatte.

»Ich breche heute auf«, eröffnete der Prinz ihm. »Du weißt es vermutlich noch nicht, aber Henning ist endlich gestorben, dieser gottverfluchte Hurensohn. Ich sollte in Magdeburg sein, wenn die Trümmer seiner Schreckensherrschaft verteilt werden, damit ich nicht wieder leer ausgehe.«

Für Gaidemar war es weder ein Verlust noch eine Überraschung. Schon nach der Schlacht auf dem Lechfeld im August hatte Henning ausgesehen, als werde er den nächsten Sonnenaufgang nicht mehr erleben. Trotzdem war es ein denkwürdiges Ereignis, wenn ein Prinz starb, und Gaidemar bekreuzigte sich. »Du hoffst, der König wird dir Bayern geben?«, fragte er und bemühte sich, seine Skepsis nicht zu zeigen.

Doch Liudolf schnaubte abschätzig. »Nie im Leben. *Er* würde es möglicherweise noch einmal mit mir riskieren, aber Adelheid wird das nicht zulassen. Außerdem haben Henning und Judith einen Sohn.« Er winkte ab. »Nein, Gaidemar, von falschen Hoffnungen bin ich für alle Zeiten geheilt.«

»Ich wünschte, ich könnte das glauben«, entgegnete sein Cousin trocken.

Liudolf ging auf die Spitze nicht ein. »Dennoch könnte sich allerhand ändern. Was wird zum Beispiel unser alter Freund Berengar von Ivrea tun, nun da er Hennings Fuß nicht mehr im Nacken spürt? Ich denke, dass ich jetzt an der Seite meines Vaters sein sollte.«

Gaidemar nickte. »Das ist nur richtig«, fand er.

»Und du solltest hier auch nicht unnötig lange herumtrödeln. Wilhelm wird dich jetzt ebenso brauchen.«

»Ich komme, sobald ich kann«, versprach Gaidemar gedämpft.

Fürst Tugomir hatte ihn trotzdem gehört und beschied: »Du wirst noch mindestens eine Woche hierbleiben. Ich musste die Pfeilwunde ausbrennen, weil du sonst gestorben wärest, aber die Brandwunde ist ziemlich groß. Ich lasse dich nicht gehen, ehe ich sicher bin, dass sie sich nicht entzündet.«

Gaidemars erster Impuls war, sich zu widersetzen, aber er wusste, was er diesem Mann schuldig war, und wollte nicht unhöflich sein.

»Hör lieber auf ihn«, riet auch Liudolf und drosch ihm viel zu hart auf die verletzte Schulter. »Wir sehen uns spätestens zu Weihnachten in Magdeburg.«

»Schön, meinetwegen«, sagte Gaidemar und seufzte ergeben, doch in Wahrheit hatte er überhaupt nichts dagegen, seine geschundenen Knochen noch ein wenig auszuruhen und vor allem seine Schwester besser kennenzulernen.

Brandenburg, November 955

Nach wenigen Tagen war Gaidemar dem Zauber des Havellandes und der fremdartigen slawischen Welt erlegen. Das Herbstwetter blieb trocken und sonnig, und er unternahm mit Hatheburg lange Streifzüge durch die Wälder, manchmal mit, meistens jedoch ohne die Begleitung ihres jungen Verlobten, und seine Schwester zeigte ihm ihre Lieblingsplätze und die Wildwechsel und erzählte ihm hin und wieder eine der slawischen Sagen, die dieses Land hervorgebracht hatte. Sie waren heidnisch und rätselhaft, und Gaidemar war fasziniert.

Die meisten Bewohner der Brandenburg begegneten ihm mit Gastfreundschaft, auch wenn nur wenige seine Sprache verstanden. Einer von ihnen war Semela, ein Vertrauter des Fürsten und ein ebenso guter Heiler wie er, der jeden Morgen Gaidemars Verband wechselte und ihm mit Augenzwinkern und großer Redseligkeit die eigentümliche Seele der slawischen Völker zu erklären versuchte. Auch Fürstin Alveradis, die eine Tochter des mächtigen Markgrafen Gero war, und ihre zahlreiche Brut taten alles, um Gaidemars Aufenthalt in ihrer Mitte so angenehm wie möglich zu machen. Und das Beste von alldem war, dass Mira wie vom Erdboden verschwunden blieb, sodass Gaidemar sich nach einigen Tagen fragte, ob sie Liudolf zurück nach Sachsen begleitet hatte. Ihm war es gleich. Er erging sich in dem herrlichen Gefühl, wieder zu Kräften zu kommen, und machte zum ersten Mal im Leben Bekanntschaft mit den Vorzügen des Müßiggangs.

Einige Tage nach Liudolfs Abreise schickte Fürst Tugomir nach ihm. Gaidemar folgte der Wache durch den grasbewachsenen Innenhof der Hauptburg und blickte zum Himmel auf. Es war kurz vor Sonnenuntergang, und unheilschwangere graue Wolken zogen von Westen heran.

Der Fürst empfing ihn in einem behaglichen Raum an der Südseite der Halle, wo er dabei war, ein dickflüssiges, weißliches Gebräu aus einem dampfenden Kessel in kleine Tonkrüge zu füllen.

»Nimm Platz, Gaidemar«, lud er seinen Gast ein und wies mit dem Holzlöffel auf einen mit Kissen und Fellen gepolsterten Sessel am Feuer. »Wie fühlst du dich? Semela berichtet mir, die Wundheilung mache gute Fortschritte.«

»So ist es, und ich fühle mich völlig gesund. Fabelhaft, um genau zu sein.«

Tugomir nickte zufrieden. »Ich hoffe, es stört dich nicht, wenn ich das hier fertigmache. Es verliert seine Wirkungskraft, wenn es an der Luft erkaltet.«

»Nur zu«, antwortete Gaidemar und setzte sich. »Was ist es?«

»Drudenmilch.«

»Ah.« Gaidemar räusperte sich ironisch. »Mir war bis heute nicht klar, dass Druden Milch geben.«

Tugomir lächelte flüchtig. »Es ist nichts Heidnisches daran. Bei euch nennt man es Goldwurzel. Es ist wirksam gegen Bauchgrimmen, Gicht, Wechselfieber, woran meine Frau leidet, und viele andere Dinge. Gegebenenfalls hilft es auch gegen lästige Zeitgenossen, denn falsch angewendet, ist es giftig.«

Gaidemar nickte. »Dann sollte ich vielleicht solch ein Krüglein von Euch erbitten.«

»Tatsächlich?« Tugomir ließ das zähflüssige Gebräu in die enge Öffnung des Gefäßes träufeln, und kein Tropfen ging daneben. »Obwohl Henning doch schon tot ist?«, fragte er, ohne aufzuschauen.

»Ihr wisst, dass er mir nicht wohlgesinnt war? Ihr seid ausgesprochen gut informiert, scheint mir.«

»Henning hat die meisten Menschen verachtet«, erklärte Tugomir. »Diejenigen, die er nicht verachten konnte, weil er sie fürchtete, hat er gehasst. Und keinen so leidenschaftlich wie deinen Vater. Darum nehme ich an, er hat diesen Hass in dem Moment auf dich übertragen, als du ihm zum ersten Mal unter die Augen tratest.«

»Kommt hin«, räumte Gaidemar ein. »Unsere Bekanntschaft begann auch nicht gerade unter besonders glücklichen Umständen.«

»Nichts in Hennings Leben geschah unter glücklichen Umständen. Aber nun ist er tot, und nicht er ist der Grund, warum ich dich zu mir gebeten habe.«

»Sondern?«

Der Fürst verschloss einen gefüllten Krug mit einem kleinen runden Holzzapfen und stellte sich den nächsten bereit, doch ehe er seine Arbeit fortsetzte, öffnete er eine kostbare, mit Bernsteinen besetzte Silberschatulle auf dem Tisch, nahm einen kleinen Gegenstand heraus und hielt ihn Gaidemar auf der ausgestreckten Hand hin. »Um dir dies hier zurückzugeben.«

»Mein Ring!« Der jüngere Mann nahm ihn zwischen Daumen und Zeigefinger der Linken und umschloss ihn dann selig mit der Faust. »Wie in aller Welt kommt er hierher?«

»Du hast im Fieber von dem Ring gesprochen, erzählte mir deine Schwester. Sie hat keine Ruhe gegeben, bis ich einen Boten zu Fürst Nakon geschickt habe, der so anständig war, ihn herauszugeben.«

»Fürst Nakon?«, wiederholte Gaidemar. »Reden wir über denselben Nakon, der mich von einer hungrigen Hundemeute zerfleischen lassen wollte?«

Tugomir hob seelenruhig die Schultern. »Ich denke nicht, dass er es wollte. Aber wärst du nicht geflohen, hätte er keine große Wahl gehabt. Wie jeder Herrscher muss sich auch Nakon den Regeln der Macht beugen.«

»Ich glaube nicht, dass ich das verstehe.«

Tugomir begann, das nächste Krüglein zu füllen. »Er hätte dich hingerichtet, um seinem Volk zu zeigen, dass er Rache für seinen toten Bruder wollte. Also je bestialischer deine Hinrichtung, umso überzeugender die Demonstration fürstlicher Geschlossenheit. Doch in Wahrheit wäre es nicht mehr lange gut gegangen mit Nakon und Stoinef. Es ist immer schwierig, wenn zwei Männer sich eine Herrschaft teilen, aber bei zwei so unterschiedlichen Männern ist es aussichtslos. Nakon wollte weder ein Bündnis mit Wichmann und Ekbert, noch wollte er diesen aussichtslosen Krieg gegen Otto. Aber Stoinef und die übrigen Hitzköpfe haben nicht auf ihn gehört, im Gegenteil, sie haben angedeutet, seine Haltung sei feige und verräterisch. Also hat Nakon sie ziehen lassen, und nun ist keiner von ihnen zurückgekehrt. Nakon trauert um seinen Bruder, aber ebenso ist er froh, dass Stoinef aus dem Wege ist, auf dass das obodritische Volk vielleicht in Frieden leben kann. Darum war es gar nicht so schwierig, ihm den Ring zu entlocken.«

»Habt Dank, Fürst Tugomir.« Weil die Lederschnur verschwunden war, steckte Gaidemar den kostbaren Goldreif einstweilen an den rechten Ringfinger. »Ich habe diesen Ring, seit ich denken kann. Das einzige Erinnerungsstück an meinen Vater. Darum war es bitter, ihn zu verlieren.«

»Das kann ich mir vorstellen. Ich glaube indessen nicht, dass er von deinem Vater ist.«

»Aber die zwei Buchstaben darin …«

»Ein D und ein S, ich habe sie gesehen.«

»Jesus, lesen könnt Ihr auch noch?«, fragte Gaidemar ungläubig. Der Fürst nickte.

»Sie stehen für *Dux Saxoniae*. Herzog von Sachsen«, erklärte Gaidemar. »Das haben der Dorfpfarrer in Saalfeld und Erzbischof Wilhelm jedenfalls gesagt. Wilhelm glaubt, mein Vater habe ihn von seinem Vater bekommen, der ja nicht nur König, sondern ebenso Herzog von Sachsen war.«

»Ich kann mir nicht vorstellen, dass König Heinrich ausgerechnet Thankmar einen Ring gegeben hätte, der als Herrschaftssymbol gedeutet werden kann«, wandte Tugomir ein und begann, den nächsten Krug zu füllen. »Nein, ich denke eher, dass dieser Ring von deiner Mutter stammt.« Er sah kurz von seiner Arbeit auf, las die unausgesprochene Frage in den Augen seines Gastes und schüttelte bedauernd den Kopf. »Ich weiß nicht, wer sie war. Er sprach oft von dir, aber selten von ihr. Weil er sich dessen schämte, was er ihr angetan hatte. Denn wer auch immer sie war, er hat ihr ein Kind angehängt, und dann sind er und Otto mit König Heinrich und seinem Reiterheer über die Elbe gezogen, um die Brandenburg zu belagern.«

»Gott, ist das wahr?«, fragte Gaidemar, und der Gedanke an die Einsamkeit und Verzweiflung seiner Mutter legte sich wie ein Schatten auf sein Herz.

Der Fürst hielt den Blick auf seine Arbeit gerichtet. »Du kamst im Januar am Tag des heiligen Fabian zur Welt, hat er mir einmal erzählt. Ich bin nicht sicher, aber es mag sehr wohl der Tag gewesen sein, da diese Burg hier König Heinrich in die Hände fiel. Genau wie meine Schwester und ich«, fügte er mit einem Hauch von Bitterkeit hinzu. »Jedenfalls dauerte es bis zum Frühling, ehe das siegreiche sächsische Heer von seinem Slawenfeldzug heimkehrte, und da warst du längst auf der Welt und deine Mutter gestorben.«

Gaidemar biss die Zähne zusammen. »Er war ein verantwortungsloser Schurke, mein Vater.«

»Nein, Gaidemar, das war er nicht.« Tugomir verschloss auch den letzten Krug gewissenhaft, räumte ihn zusammen mit den übrigen auf ein Wandbord und setzte sich seinem Gast gegenüber ans Feuer. »Aber das ist es, was du glauben sollst.«

»Wieso? Wen kümmert schon, was ich glaube?«

Fürst Tugomir lehnte sich zurück, verschränkte die Finger ineinander und stützte das Kinn auf die Daumen. Ohne Gaidemar aus den Augen zu lassen, antwortete er: »Mehr Menschen, als dir vermutlich klar ist. Sag, kennst du einen Panzerreiter namens Hosed?«

Gaidemar nickte. »Wir haben zusammen in der zwölften Legion gedient und am selben Tag die Schwertleite empfangen. Er ist ziemlich gefährlich mit der Streitaxt.«

»Es war dieser Hosed, der bei der Schlacht an der Recknitz Fürst Stoinef erschlug und seinen Kopf König Otto brachte. Und Otto belohnte ihn mit einem Lehen von zwanzig Königshufen.«

Gaidemar spürte einen heißen Stich – eine abscheuliche Anwandlung von Neid –, doch er erwiderte scheinbar gelassen: »Verdient, denkt Ihr nicht? Hosed hat große Tapferkeit bewiesen.«

»Kein Zweifel. Aber du hast in der Schlacht auf dem Lechfeld den Tross zurückerobert und die Böhmen und Schwaben vor dem Untergang bewahrt. Wäre das nicht geschehen, hätten die Ungarn die Schlacht gewonnen, ehe sie richtig begonnen hatte. Wenn aber Stoinefs Kopf dem König zwanzig Hufen Land wert ist, warum hat Otto dich nach dem Sieg über die Ungarn mit einem Schulterklopfen abgespeist?«

Gaidemar stand ohne Eile auf. »Ich habe keine Ahnung, Fürst. Und wenn Ihr gestattet, würde ich mich jetzt gerne zurückziehen. Was immer Ihr gegen den König im Schilde führt, mich gewinnt Ihr dafür nicht. Und wenn Ihr mir die Bemerkung verzeihen wollt: Eure Taktik ist eher plump.«

Tugomir nickte anerkennend und entgegnete: »Sei unbesorgt. Ich habe vor fünfzehn Jahren meinen Frieden mit Otto gemacht und nicht die Absicht, daran etwas zu ändern. Setz dich wieder hin, Gaidemar. Ich will dir ein paar Dinge sagen, über deinen König und über deinen Vater, die du vermutlich von niemandem sonst hören wirst.«

Gaidemar war nicht sicher, was er von dieser Ankündigung halten sollte. Aber nach einem kurzen Zögern kehrte er auf seinen Platz zurück. »Ihr wart bei meinem Vater, als er starb?«, fragte er.

»Woher weißt du das?«

»Wilhelm hat es einmal erwähnt.«

Fürst Tugomir nickte.

»Wie ist er gestorben?«

»Durch die Lanze eines Feiglings. Sie traf ihn in den Rücken.«

»Das weiß ich. Und das meinte ich nicht. *Wie* ist er gestorben?«

»Zornig, aber gefasst. Und ohne Furcht. Er war ein sehr mutiger Mann, weißt du.«

Gaidemar nickte, und mit einem Mal hatte er einen Brocken in der Kehle, an dem er eine ganze Weile zu schlucken hatte.

Schließlich erhob sich der Fürst, schenkte Met aus einem Tonkrug in zwei Becher und stellte einen davon vor Gaidemar. »Was dein Vater von Otto wollte, war eigentlich nur, was ihm zustand: das Erbe seiner Mutter. Otto hatte sich jedoch entschlossen, es einem anderen zu geben. Als König war er natürlich legitimiert, so zu entscheiden, aber es war weder gerecht noch besonders klug. Otto glaubte, dass Thankmar ihm Loyalität schulde, allein weil er sein Bruder war, ohne dass er das gegenseitige Treueverhältnis mit einem Lehen besiegeln müsse. Man könnte sagen, er wollte ihre Verwandtschaft ausnutzen.« Er trank einen Schluck und wies dann mit dem Zeigefinger auf die Brust seines Gegenübers. »Du besitzt etwas sehr Seltenes, Gaidemar: Bescheidenheit. Sie ist bestechend, weil sie aufrichtig ist, und ich vermute, du hast sie gelernt, weil man als Bastard gut beraten ist, keine zu hohen Erwartungen an das Leben zu haben. Aber dein Vater besaß diese Eigenschaft nicht. Er war ein Prinz. Voller Stolz und Hochmut. Er war zutiefst gekränkt über Ottos Weigerung, ihm sein Erbe zu geben, und deswegen rebellierte er gegen den König und zog gegen ihn in den Krieg. Als dieser Krieg ihn das Leben kostete, war König Otto erschüttert. Über den Verlust seines Bruders, aber auch, weil er genau wusste, dass er ihm unrecht getan hatte. Und trotzdem macht er nun mit dir genau das Gleiche: Er nutzt deine Loyalität aus. Er vertraut dir die heiklen Fälle an, weil er genau weiß, dass du ihm bis zum letzten Blutstropfen ergeben bist, aber die zwanzig Königshufen bekommt ein anderer. Das dient seinen Absichten. Denn wenn du ein begüterter Edelmann wärest, vielleicht gar den Grafentitel bekämest, den du dir doch eigentlich längst verdient hast, würden die Leute aufhören, dich einen Bastard zu nennen. Sie würden es irgendwann vergessen. Und du wärest unabhängig von der Gunst der königlichen Familie und nicht mehr das zuverlässige, nützliche und anspruchslose Werkzeug, das du heute bist.«

Gaidemar hatte ihm aufmerksam zugehört und hoffte, dass seine Miene die Entrüstung und Kränkung nicht preisgab, die er empfand. Er nahm einen ordentlichen Zug Met, stellte den Becher dann auf sein Knie und sagte: »Es klingt ziemlich hässlich, wie Ihr es ausdrückt. Doch Ihr vergesst meine Vettern, Prinz Liudolf und Erzbischof Wilhelm, und ebenso vergesst Ihr die Königin. Sie können mir vielleicht keine Königslehen und schönen Titel geben, aber ich weiß, dass ihre Freundschaft aufrichtig ist. Und was Wilhelm mir gegeben hat, war im Grunde das Einzige, was ich je wollte: mein altes Leben als Panzerreiter. Er hat mir sogar das Kommando über seine Legion übertragen, und ich habe mich immer noch nicht an das Ansehen gewöhnt, welches diese Position mir in Mainz beschert hat. Ich habe wirklich keinen Grund, mich zu beklagen, Fürst.«

»Es ist auch nicht meine Absicht, dich zu verbittern. Wilhelm ist ein großartiger Mann – und ich sage das nicht nur, weil er mein Neffe ist. Es überrascht mich nicht im Geringsten, dass ausgerechnet ihr zueinander gefunden habt. Worauf ich hinauswollte, ist eigentlich dies, Gaidemar: Du hast keinen Grund, dich für deinen Vater zu schämen. Erst recht nicht, für seine Fehltritte zu sühnen. Er war kein Verräter. Das weiß auch Otto, obgleich er nie widerspricht, wenn es jemand behauptet. Otto ist auch deswegen der größte König der Christenheit, weil er die Regeln der Macht beherrscht. Er weiß, wie man sie erlangt, behält und vergrößert. Die Welt kann von Glück sagen, dass dieser König immer danach strebt, das Richtige zu tun. Aber bei der Wahl der Mittel, die ihn ans hehre Ziel führen, ist er nicht zimperlich. Du weißt, dass ich recht habe, denn du hast es gelegentlich schon gesehen oder auch zu spüren bekommen. Aber lass dir nicht länger weismachen, du hättest es nicht besser verdient. Denn das stimmt nicht.«

Gaidemar schwieg und stierte mit gesenktem Kopf in seinen Becher. Er spürte, welche Erleichterung es war, nicht mehr schlecht von seinem Vater denken zu müssen, aber gerade weil es sich so himmlisch anfühlte, fragte er sich argwöhnisch, ob er den Worten dieses Fremden überhaupt trauen durfte. Er musste jedoch feststellen, dass er keinen stichhaltigen Grund fand, es nicht zu tun. Fürst Tugomir hatte nicht versucht, ihn vor seinen Karren zu spannen. Er hatte ihm das Leben gerettet und nichts als Freundlichkeit erwiesen. Wilhelm und sogar der König sprachen nur in den höchsten Tönen von ihm, und anständig getauft war er auch.

»Ich … habt Dank, Fürst Tugomir. Ich muss mir all das noch ein Weilchen durch den Kopf gehen lassen, aber ich bin froh, dass Ihr mir diese Dinge gesagt habt.«

Tugomir schlug die Beine übereinander und nickte. »Denk nach und bleibe unser Gast, solange du willst. Wieso verbringst du die Feiertage nicht hier? Wilhelm und seine Legion werden so lange auf dich verzichten können, denn niemand führt an Weihnachten Krieg. Du könntest dich vollständig auskurieren und derweil einen ausgiebigen Blick auf unsere Jasna werfen.«

Das kam so unerwartet, dass Gaidemar um ein Haar zusammengefahren wäre. »Eure Tochter?«

Der Fürst hob die tätowierten Hände zu einer beredten Geste väterlicher Nachsicht. »Seit Jasna dich gesehen hat, fängt jeder zweite Satz aus ihrem Munde mit ›Gaidemar‹ an. Sie ist noch sehr jung, aber wer immer sie heiratet, wird eine wundervolle und kluge Frau bekommen. Ihre Mitgift würde dich zu einem reichen Mann machen. Ich will dich nicht beleidigen, indem ich unterstelle, du seist käuflich, aber du könntest das Landgut erwerben, das Otto dir nicht gibt, für dich und die Deinen ein Heim schaffen und die Wurzeln schlagen, die du nie hattest. Darüber hinaus hätte ich dich gern als Schwiegersohn.«

»Warum?«, fragte Gaidemar verständnislos.

Tugomir zeigte sein seltenes Lächeln und blieb die Antwort schuldig.

»Wieso kann ich mein Äffchen nicht mit in die Kirche nehmen?«, fragte Emma. Sie hatte die Fäuste in die Hüften gestemmt, ihre Wangen hatten sich vor Zorn gerötet, und Tränen schimmerten in ihren Augen. Nie sah sie ihrem Vater ähnlicher als mit dieser Miene kindlichen Trotzes, erkannte Adelheid und biss sich schuldbewusst auf die Unterlippe. Es erschien ihr illoyal dem armen Lothar gegenüber, so etwas zu denken. Aber es war nun einmal die Wahrheit.

»Weil es sich nicht gehört«, antwortete sie.

»Aber Hadwig hat ihr Hündchen jedes Mal dabei!«

Adelheid hatte diesen Einwand kommen sehen. »Hadwig ist eine der vornehmsten Damen des Reiches und kann es sich leisten, gegen die Regeln zu verstoßen«, erklärte sie.

»Das ist nicht gerecht!«, empörte sich Emma. »Im Übrigen bin ich eine italienische Prinzessin, also auch eine ziemlich vornehme Dame. Also wieso darf ich nicht, was Hadwig darf?«

Ohne Vorwarnung spürte die Königin Schwäche ihre Beine hinaufkriechen, und ihr brach der Schweiß aus. Sie setzte sich ein wenig schneller als sonst üblich auf einen Stapel Bauholz und sah in den begonnenen Dachstuhl ihrer neuen Halle empor. Der Winterhimmel über Magdeburg war melancholisch grau, aber wenigstens hatten die Schneefälle nachgelassen.

»Ist dir nicht gut?«, fragte Emma ängstlich und legte ihrer Mutter die kleine, beringte Linke auf den Arm – ihr Anliegen zumindest für den Augenblick vergessen.

Adelheid nahm die Hand ihrer Tochter in ihre, drückte einen Kuss auf die Innenfläche und schüttelte lächelnd den Kopf. »Alles in bester Ordnung, meine süße italienische Prinzessin. Ich bin nur noch ein wenig erschöpft von der Geburt deines kleinen Bruders.«

»Kein Wunder, bei zwei Niederkünften in elf Monaten«, raunte Hulda von Lüneburg einer der kunstvoll behauenen Steinsäulen zu.

Adelheid verdrehte die Augen. »Müsst Ihr wirklich schon wie-

der davon anfangen, Gräfin?«, fragte sie. »Ich wette, bei Eurer un-
überschaubaren Kinderschar habt ihr drei pro Jahr bekommen.«

Hulda und Emma lachten.

»Ich komme nur meiner Fürsorgepflicht nach, weiter nichts«,
antwortete die Gräfin dann. Es klang unbeschwert, aber die schönen goldbraunen Augen waren voller Unruhe.

»Das weiß ich zu schätzen«, versicherte Adelheid, und um das
leidige Thema zu beenden, fügte sie hinzu: »So wie ich nur meinen Pflichten als Königin nachkomme, indem ich Prinzen und
Prinzessinnen in möglichst großer Zahl gebäre, richtig?«

Zwei Wochen vor Weihnachten hatte sie einen Prinzen zur Welt
gebracht. Es *war* eine schwere Geburt gewesen – ihre schwerste
bislang –, aber sie erholte sich tadellos, und der Prinz war die reine
Wonne. Anders als jeder Säugling, den sie je gekannt hatte, weinte
er niemals, sondern schien in einem Dauerzustand schläfriger Zufriedenheit zu existieren. Wie schon nach dem Sieg auf dem Lechfeld beschlossen, hatten sie ihn nach seinem Vater benannt, der so
übermütig vor Glückseligkeit gewesen war, als wäre es sein Erstgeborener. Aber Otto hatte das Gleiche gesagt wie Hulda: Adelheid dürfe nicht gleich wieder schwanger werden. Er mache sich
Vorwürfe. Und ob sie nicht gemeinsam ein Keuschheitsgelübde …

Die Königin hatte rasch das Thema gewechselt.

»Komm her, mein Engel, setz dich zu mir«, lud sie Emma ein.

Die Kleine hockte sich neben sie auf die provisorische Holzbank, und Adelheid nahm sie mit unter ihren weiten, mit Silberfuchs gefütterten Mantel. Das allgegenwärtige Äffchen kauerte
sich missmutig zu ihren Füßen zusammen. »Ihm ist kalt«, mutmaßte die Prinzessin besorgt. »Er kommt doch aus einem Land,
wo es immer heiß ist.«

»Dann nimm ihn auf den Schoß«, gestattete ihre Mutter großzügig. Und als sich auch Emmas kleiner Spielkamerad unter dem
Silberfuchs zurechtgekuschelt hatte – der Kopf lugte freilich aus
dem Spalt und wandte sich neugierig bald nach links, bald nach
rechts –, fragte die Königin: »Du weißt doch, dass Hadwig letztes
Jahr mit dem Herzog von Schwaben verheiratet worden ist, oder?«

Emma nickte.

Hadwig – Hennings und Judiths Älteste – machte ihre Sache ziemlich gut, fand Adelheid, bedachte man, dass sie noch keine sechzehn war. Dann und wann brach sich indessen das Kind in ihr Bahn – etwa wenn sie ihr ewig kläffendes Schoßhündchen mit zum Hochamt in die Klosterkirche brachte –, doch die schlaue, blutjunge Herzogin wusste ganz genau, dass weder ihr Gemahl noch ihre Mutter sie zurechtweisen würden: Sowohl Burchard von Schwaben als auch Judith von Bayern war an engen, freundschaftlichen Beziehungen zwischen ihren beiden Herzogtümern gelegen, und Hadwig war der Garant dafür.

»Ihre besondere Stellung ist es, die Hadwig in die Lage versetzt, gegen die Regeln zu verstoßen.«

»Willst du sagen, Macht bedeutet, dass man sich seine Regeln selbst machen kann?«, fragte Emma erstaunt.

Hulda hatte sichtlich Mühe, ein ernstes Gesicht zu wahren.

Adelheid antwortete jedoch ernst: »Genau so ist es, mein Liebling: Sie bedeutet, dass man sich die Regeln selber machen *kann*. Aber nicht, dass man es auch *soll*. Wenn du eines Tages Königin des Westfrankenreichs wirst, kannst du eine ganze Menagerie mit in die Kirche nehmen, niemand darf es dir verbieten. Aber ist es auch richtig? Wird der Radau deiner Tiere nicht die feierliche Heiligkeit der Messe stören? Vielleicht Gott ablenken, sodass er den flehenden Gebeten seiner Gläubigen gar nicht richtig zuhören kann?«

Emma zog erschrocken die Luft ein. »Meinst du wirklich?«

Adelheid hob die schmalen Schultern. »Es wäre denkbar. Außerdem würdest du ein schlechtes Beispiel geben. Alle westfränkischen Kinder würden zu ihren Müttern sagen: Oh, ich möchte mein Hündchen, mein Kätzchen, mein Ferkel oder mein Huhn mit in die Kirche nehmen. Stell dir nur das Durcheinander vor. Und wenn die Mütter es verbieten, würden die Kinder sagen: ›Aber Königin Emma tut es doch auch!‹ Erkennst du, wohin das führt?«

Ihre Tochter nickte und seufzte vernehmlich. »Ich weiß, was du sagen willst. Die Menschen schauen auf uns, darum müssen wir ihnen ein gutes Beispiel geben, damit wir sie näher zu Gott bringen.«

»Genau so ist es«, antwortete die Königin. »Um das zu tun, hat Gott uns ausgewählt, über die anderen zu herrschen. Die Bauern müssen uns ernähren, die Handwerker müssen uns kleiden und so weiter, die Soldaten müssen uns verteidigen. Also müssen wir ihnen etwas zurückgeben.«

»Das gute Beispiel?«, fragte Emma unsicher.

Adelheid nickte. »Und unsere Fürsorge, unsere Gebete, königliche Gerechtigkeit – sie ist besonders wichtig –, unsere Strenge und unsere Liebe. Alles, was ein Vater und eine Mutter ihren Kindern geben, schulden der König und die Königin ihren Untertanen. Oder der Herzog und die Herzogin.«

In der nahen Klosterkirche rief eine helle Glocke zur Sext.

Seufzend schälte Emma sich aus dem Mantel ihrer Mutter. »Lateinunterricht bei Bruder Anselm nach dem Mittagsgebet. Ich sollte mich auf den Rückweg machen. Said?«

Der kleine Kastrat, den sie zusammen mit dem Äffchen von Ibrahim ibn Hischam geschenkt bekommen hatte, war Emmas ständiger Begleiter geworden. Er hatte das mächtige Baugerüst vor der Apsis an der Ostseite der Halle bewundert, kam nun aber zurückgelaufen, als seine Herrin ihn rief, und verbeugte sich.

»Prinzessin?« Er hatte eine melodiöse Stimme und in dem halben Jahr, das er hier verbracht hatte, erstaunlich viel Deutsch gelernt, das er mit einem hinreißend exotischen Akzent sprach.

»Wir müssen zum Unterricht. Lauf voraus und sorge dafür, dass wir ein Kohlebecken bekommen. Hier, nimm Kirada mit.« Sie drückte ihm die grüne Leine in die Hand, und das Äffchen kletterte bereitwillig auf die knochige Schulter des Jungen.

Adelheid stand ebenfalls auf. »Lasst uns auch zurückgehen, Hulda.« Sie schaute sich noch einmal zufrieden in der riesigen Halle um, die wahrhaftig imposant sein würde, wenn sie nur erst ein Dach hatte. »Wo stecken denn eigentlich diese arbeitsscheuen Handwerker?«, fragte sie kritisch. »Die Feiertage sind schließlich vorbei.«

»Vermutlich machen sie wieder einmal frei, weil heute das Namensfest eines ihrer Schutzheiligen ist«, mutmaßte ihre Vertraute.

»Der heilige Eichbalkius, Patron der Zimmerleute oder weiß der Kuckuck wer.«

Emma und Said kicherten.

»Der heilige Sebastian, Schutzpatron der Steinmetze«, klärte eine vertraute Stimme sie auf.

Adelheid wandte sich lächelnd um. »Gaidemar!«

Er verneigte sich galant. »Edle Königin. Prinzessin. Gräfin.«

»Oh, es ist so schön, dass Ihr wieder hier seid!«, bekundete Emma, nahm seine Hand in ihre beiden und sah mit großen, ernsten Augen zu ihm auf. »Wir haben uns solche Sorgen um Euch gemacht, als Liudolf uns erzählt hat, wie krank Ihr wart.«

Gaidemar zwinkerte ihr zu. »Man sollte nie vergessen, dass Liudolf zu Übertreibungen neigt, Prinzessin.«

Adelheid täuschte er nicht mit seinem unbeschwerten Tonfall. Sie merkte, dass ihm etwas auf der Seele lag.

»Habt Ihr von den göttlichen Zeichen gehört, Gaidemar?«, fragte die Prinzessin.

»Zeichen?«, widerholte er.

Emma nickte. »Im Advent sind in Sachsen und Franken an den Kleidern der Leute feurige Kreuze erschienen. Der ganze Hof hat tagelang von nichts anderem gesprochen. Der ehrwürdige Abt hat vor der Johanniskirche zu den Menschen gepredigt und gesagt, es seien Zeichen des Aussatzes. Eine göttliche Warnung. Und wir alle müssten umkehren und Buße tun.«

»Nein, davon habe ich nichts gehört. Umkehren und Buße tun schadet nie, schätze ich, aber wenn Gott Franken und Sachsen mit Aussatz schlagen wollte, hätten wir es inzwischen vermutlich gemerkt, denkst du nicht?«

Sie lächelte voller Erleichterung. Obwohl Emma nur verschwommene Erinnerungen an ihre Flucht von Garda nach Canossa hatte, war Gaidemar in ihrer Vorstellung der Mann, der alle Gefahren bannen und alle Hindernisse überwinden konnte, darum hatte sein Wort bei ihr Gewicht. »Ihr habt sicher recht.«

»Vergiss Bruder Anselm nicht, Emma«, mahnte Adelheid.

Emma ließ Gaidemars Hand los. Zusammen mit Said lief sie zum Eckturm und verschwand auf der Treppe.

Die Erwachsenen folgten langsamer, und Gaidemar ging voraus, um die Königin stützen zu können, sollte sie auf der steilen und vereisten Wendeltreppe ausrutschen.

»Einmal Leibwächter, immer Leibwächter«, neckte Hulda.

»Und Lebensretter«, fügte Adelheid hinzu. Unten angekommen, nahm sie den Arm, den Gaidemar ihr reichte, und fragte: »Und darf ich hoffen, dass Ihr vollständig genesen seid, lieber Freund?«

Er nickte. »Es ging mir nie besser.«

»Ihr seht auch blendend aus«, war heraus, ehe sie sich hindern konnte. Für gewöhnlich neigte Adelheid nicht zu unbedachten Äußerungen, aber in seiner Gegenwart war sie manchmal nicht so auf der Hut, wie eigentlich angebracht gewesen wäre. Weil sie einmal solch ein gefährliches Abenteuer zusammen erlebt hatten, nahm sie an, fern der Welt vom Hof und seinen Regeln in der Wildnis. Das schuf ein Band, dessen Webart niemand so recht verstehen konnte, der nicht dabei gewesen war. Und doch fand sie ihren alten Freund verändert. Sie hätte nicht den Finger darauf legen können, was es war, aber es lag gewiss nicht allein an dem wundervollen Goldring, den er neuerdings an der Linken trug.

»Glückwunsch zu Eurem Sohn, edle Königin«, sagte er mit diesem kleinen Lächeln, das vornehmlich in den blauen Augen schimmerte.

»Danke. Ihr müsst ihn bei Gelegenheit bewundern – er ist ein wunderschöner kleiner Prinz, auch wenn ich das vermutlich nicht sagen sollte.«

Das Haupttor der alten Pfalz lag vor ihnen, doch Gaidemar verlangsamte seine Schritte ein wenig. »Ich habe Fürst Tugomirs Tochter mitgebracht. Prinzessin Jasna. Der Fürst hat mir aufgetragen, Euch zu bitten, ob Ihr sie eine Weile als Hofdame zu Euch nehmen würdet.«

»Nun, da sie schon hier ist, kann ich schwerlich ablehnen, nicht wahr«, gab Adelheid trocken zurück. »Wie alt ist sie denn?«

»Zwölf. Aber sie ist noch … sehr scheu.«

»Sie hat noch nicht viel von der Welt gesehen, nehme ich an.«

»Nein.«

»Warum habt Ihr auf einmal so rote Ohren, Gaidemar? Ist sie Eure Braut?«

Sein Kopf fuhr so schnell herum, dass die Wirbel hörbar knackten. »Woher wisst Ihr das?«, fragte er fassungslos.

Sie hob lächelnd die Schultern. »Geraten.«

Hulda schnaubte verächtlich. »Eine slawische Heidenprinzessin? Ihr könnt etwas Besseres finden, wenn Ihr Euch ein wenig anstrengt, mein Junge.«

Er wandte sich zu ihr um. »Sie ist keine Heidin, Und ich hätte Euch nicht für eine Slawenhasserin gehalten, Gräfin.«

»Bin ich auch nicht. Ich denke nur an Eure Zukunft, das ist alles.«

»Darum kümmere ich mich selbst, vielen Dank«, gab er frostig zurück.

Der Gedanke, dass ›ihr‹ Gaidemar heiraten wollte, gefiel Adelheid nicht, erkannte sie zu ihrem Schrecken. Es war keineswegs eine neue Erkenntnis, dass sie selbstsüchtig und höchst eitel sein konnte, aber in diesem Fall fand sie es besonders abscheulich. Mit mehr Überschwang als üblich nahm sie seinen Arm wieder und ging weiter. »Aber Eure Prinzessin Jasna ist noch zu jung, und ich soll sie hüten, bis sie heiratsfähig ist?«

Gaidemar nickte. »Wenn es nicht zu viel verlangt ist. Ich könnte sie zu meiner Ziehmutter nach Saalfeld schicken, aber ...«

»Auf keinen Fall. Sie ist mir willkommen.« Sie erwog einen Moment, ihn nach Mira zu fragen, aber ihr Instinkt warnte sie. »Seid Ihr jetzt erst aus dem Havelland zurückgekehrt?«

Er schüttelte den Kopf. »Ich komme aus Mainz. Gemeinsam mit dem ehrwürdigen Erzbischof.«

Sie sah ihn prüfend an und überlegte, was ihn veranlasst haben könnte, durch Sachsen zu reisen, ohne bei Hof haltzumachen.

»Er schickte mir am Dreikönigstag einen Boten und ersuchte um meine sofortige Rückkehr«, beantwortete Gaidemar ihre ungestellte Frage. »Oder ›befahl‹ trifft es wohl eher.«

»Und nun ist er beim König, und sie streiten?«

»Falls es möglich ist, mit Wilhelm zu streiten, ja.«

Adelheid spürte einen heißen Stich in der Magengegend. *Hei-*

lige Jungfrau, voll der Gnaden, flöße ihnen ein bisschen Vernunft ein, ich flehe dich an. Gerade hat er den Zwist mit dem einen Sohn beendet. Lass ihn nicht gleich den nächsten mit dem anderen Sohn beginnen ...

Seit ihrer Kindheit hatte sie der Muttergottes ihre Kümmernisse vorgetragen, und immer hatte sie Trost darin gefunden, die Heilige Jungfrau um Beistand in solchen Angelegenheiten bitten zu können, über die sie selbst keine Macht hatte. Doch der Angstknoten wollte sich nicht lösen. Er nistete sich ein, als hätte sie glühende Kohlestückchen verschluckt.

»Der König hat jedes Recht, hier in Magdeburg ein Erzbistum zu errichten, wenn es sein Wunsch ist und der Papst zustimmt«, erklärte sie, und sie hörte selbst, dass es rechthaberisch klang.

»Der Papst hat indes noch vor wenigen Monaten Brief und Siegel darauf gegeben, dass Erzbischof Wilhelm sein Stellvertreter nördlich der Alpen sei und das letzte Wort in allen kirchlichen Angelegenheiten habe«, konterte Gaidemar, doch als sie zu einer flammenden Erwiderung ansetzen wollte, hob er abwehrend die Linke. »Lasst uns nicht stellvertretend für den König und den Erzbischof streiten, meine Königin. Aber ich bitte Euch inständig: Macht dem König klar, dass er seinen Plan dieses Mal nicht mit der Brechstange durchsetzen darf.«

Adelheid war geneigt, ihren Ohren zu misstrauen. »Was fällt Euch ein, Gaidemar? Ihr wollt dem König vorschreiben, was er zu tun oder zu lassen hat?«

Er warf ihr von der Seite einen langen Blick zu, den sie überhaupt nicht zu deuten wusste, und es bekümmerte sie, wie fremd sie einander geworden waren.

»Natürlich nicht«, antwortete er. »Aber *Ihr* solltet es tun, denn er hört auf Euch.«

»Heiliger Mauritius, unser Gaidemar ist unter die Politiker gegangen«, murmelte Hulda düster.

Es hat tatsächlich den Anschein, fuhr es Adelheid durch den Sinn. Sie hüllte sich in ein unheilschwangeres Schweigen königlichen Unwillens, das sie besonders gut beherrschte.

Gaidemar gab vor, nichts davon zu bemerken, und geleitete sie in die kleine beheizte Halle ihrer Privatgemächer, die wieder einmal Schauplatz eines Familienkrachs zu werden versprach.

Wilhelm stand mit verschränkten Armen seitlich zum Fenster – nicht in erzbischöflicher Pracht, sondern in schlichten schwarzen Priestergewändern, die ihm etwas unbestimmt Finsteres verliehen, was vermutlich genau seine Absicht gewesen war.

Otto saß in kerzengerader Herrscherpose in Adelheids byzantinischem Lieblingssessel am Feuer, die noble Stirn gefurcht. Als er seine Gemahlin eintreten sah, erhob er sich höflich und schmuggelte ein etwas angespanntes Lächeln in ihre Richtung, doch als sein Blick auf Gaidemar fiel, wurde seine Miene wieder sturmumwölkt. »Hab Dank. Sei so gut und lass uns allein.«

Gaidemar wollte Hulda in den Nebenraum folgen, aber Wilhelm beschied: »Ich wäre dankbar, wenn Ihr ihm gestatten würdet zu bleiben.« Es klang barsch. »Er kann bezeugen, was Tugomir zu dieser Sache zu sagen hatte, und das solltet Ihr hören.«

Für einen Lidschlag war Otto anzusehen, dass er es nicht schätzte, wenn sein Sohn ihm Vorschriften machen wollte, aber dann nahm er sich zusammen. »Wie du wünschst. Dann tritt ein, Hauptmann Gaidemar von der Reiterlegion des heiligen Alban. Ich bin übrigens glücklich, dich wohlauf zu sehen.«

Gaidemar legte die rechte Faust auf die Brust und verneigte sich vor ihm. »Habt Dank, mein König.«

Der wandte sich wieder an seinen Sohn. »Lass mich dir erklären, was wir vorhaben, Wilhelm: Wir verlegen den Bischofssitz von Halberstadt nach Magdeburg und erheben es zum Erzbistum. Die Diözesen Brandenburg und Havelberg und alle weiteren, die wir zur Missionierung der Heiden jenseits der Elbe noch gründen, werden dem neuen Erzbistum unterstellt, das sich einzig der Bekehrung der Slawen widmen soll und dafür von mir mit den nötigen Mitteln ausgestattet wird. Was kann daran falsch sein? Ich weiß, dass Halberstadt und die Bistümer im Slawenland bislang deinem Erzbistum unterstehen, aber du wirst als Metropolit und Erzkaplan des Reiches von zu vielen anderen Dingen in Anspruch genommen, um der Mission die nötige Zeit und Aufmerksamkeit widmen zu können. Also wieso sträubst du dich gegen diesen Vorschlag? Ich verstehe einfach nicht, welche Bedenken du dagegen hast.«

Wilhelm hatte ihm aufmerksam zugehört. Als der König verstummte, fragte er: »Wer ist ›wir‹?«

»Wie bitte?«

»Ihr sagtet: *Wir* gründen ein Erzbistum in Magdeburg. Wer?«

»Abt Hadamar von Fulda, dein Onkel Brun und ich haben diesen Plan gemeinsam gefasst. Schon letzten Sommer. Und nach dem Sieg auf dem Lechfeld habe ich Gott geschworen, dass ich ihn nun in die Tat umsetzen werde.«

Wilhelms Brauen verzogen sich für einen Lidschlag spöttisch nach oben, aber er hielt jeden Hohn aus seiner Stimme, als er erwiderte: »Mein Onkel Brun, verstehe.« Gemächlich kam er vom Fenster herüber, setzte sich dem König gegenüber auf einen Scherenstuhl und neigte sich ein wenig vor. »Was Onkel Brun anstrebt, ist, meinen Einfluss zu verringern, mein König ...«

»Also wirklich, Wilhelm, was für ein Unsinn«, warf der König ungeduldig ein. Es klang gönnerhaft, und Adelheids Hände wurden feucht. Wilhelm war der höchste Kirchenfürst des Reiches und ein stolzer Mann – Herablassung schien der sicherste Weg, ihn in Rage zu bringen.

Doch der junge Erzbischof wartete zwei, drei Atemzüge, bis der Einwurf des Königs verklungen war, ehe er leise fortfuhr: »Er ist Euer Kanzler, dem Ihr vollkommen vertraut, ich weiß. Aber er ist nicht der Verteidiger des Glaubens, der ein Erzbischof sein sollte.«

»Wie kannst du es wagen, Wilhelm?«, brauste Otto auf.

Der hob beschwichtigend die feingliedrige Rechte. »Wie könnte er das sein, ist er doch Erzbischof und Herzog zugleich. Das ist, wenn Ihr meine Offenheit vergeben wollt, ein unhaltbarer Zustand, denn so wie man nicht Fisch und Fleisch zugleich sein kann, kann ein Mann nicht gleichzeitig der Kirche und der Welt dienen.«

»Ich sehe nicht, was so unmöglich daran sein sollte«, entgegnete der König. »Solange der König und seine Herzöge im Einklang mit Gottes Geboten handeln.«

»Oh, Vater ...« protestierte Wilhelm und seufzte ungeduldig.

»Seid so gut und hört auf, mir den naiven, wohlmeinenden Narren auf dem Thron vorzuspielen, darauf falle ich nicht mehr herein.«

Otto saß da wie vom Donner gerührt – zu schockiert, um ihn zurechtzuweisen.

Das gab seinem Sohn die Gelegenheit, fortzufahren:»Was war, als Henning meinen Amtsbruder Herold von Salzburg und den Patriarchen von Aquileja verstümmeln ließ? Euer Entsetzen war groß, ich weiß, genau wie Bruns, aber habt Ihr Henning bestraft? Ihm sein Herzogtum genommen, um einen besseren Mann einzusetzen und die Kirche zu beschützen? Nein. *Weil Ihr die Interessen des Reiches über die der Kirche gestellt habt.*«

»Und wer gibt sich jetzt naiv?«, konterte der König, hitzig, aber ohne Überheblichkeit.»Du weißt genau, dass ich Henning nicht absetzen konnte, als die Ungarn vor der Tür standen. Ich muss die Interessen des Reiches und der Kirche abwägen.«

»Ganz genau.« Wilhelm atmete tief durch und lehnte sich in dem Scherenstuhl zurück, der unheilvoll knarrte.»Aber ich muss das nicht, denn ich bin ein Erzbischof der Heiligen Mutter Kirche. Genau wie Brun. Und doch will er ein Erzbistum Magdeburg – vermutlich mit Eurem alten Freund Hadamar von Fulda als willfährigem Erzbischof –, nicht um die Slawen jenseits der Elbe zu missionieren, sondern um sie auszubeuten, ihnen ihr Silber und ihre Pferde als Zehnt abzuknöpfen, auf dass das Reich gedeihe.«

»Wie kommst du dazu, Brun solche Scheinheiligkeit zu unterstellen? Und mir? Habe ich nicht immer gesagt, dass ich die Slawen unterwerfen will, um ihnen den wahren Glauben zu bringen, damit ihre Seelen gerettet werden?«

»Oh ja. Und Ihr habt ausgerechnet ein tollwütiges Ungeheuer wie Gero mit der Aufgabe betraut, sie zu befrieden.«

»Weil niemand sonst mit ihnen fertig wird! Weil sie halsstarrige und kriegswütige Barbaren …« Er brach unvermittelt ab und mäßigte sich.»Vergib mir, mein Sohn. Sie sind deinem Herzen nahe, weil deine Mutter eine slawische Fürstentochter ist, und es lag mir fern, dich zu kränken.«

»Ich weiß. Doch genau das ist der Grund, warum ich die Slawenmission nicht aus der Hand geben werde. Ihr nennt sie Barbaren und behandelt sie wie unartige Kinder, die gezüchtigt werden müssen, um sie Gehorsam zu lehren. Nur dass Ihr die Obodriten nicht gezüchtigt, sondern abgeschlachtet habt, nicht wahr?« Dem sonst immer so besonnenen jungen Erzbischof war für einen Augenblick anzusehen, wie tief Ottos Rache an den Obodriten ihn erschüttert hatte, und Adelheid fühlte mit ihm. Sie hatte die militärische Notwendigkeit verstanden, aber das Blutbad an den slawischen Kriegern hatte sie dennoch entsetzt. Und *sie* hatte keine slawischen Wurzeln.

Doch Wilhelm brachte seine Gefühle schnell wieder unter Kontrolle und fuhr fort: »So errettet man keine Seelen, mein König. Seht doch nur die Heveller an: Tugomir und viele seines Volkes haben den wahren Glauben angenommen, weil sie die Entscheidung aus freien Stücken treffen konnten. Seit fünfzehn Jahren halten die Heveller Frieden, da wir Tugomir Bischöfe geschickt haben, die ihn und sein Volk respektierten. Doch er hat Gaidemar wissen lassen, dass er euer Friedensabkommen als hinfällig betrachtet, wenn das Bistum Brandenburg ohne sein Einverständnis einem neuen Erzbistum Magdeburg unterstellt wird.«

»Das würde ich mir an Tugomirs Stelle lieber zweimal überlegen«, knurrte Otto.

Wilhelm hob beide Hände zu einer Geste der Ungeduld und forderte Gaidemar auf: »Sag du es ihm.«

Gaidemar starrte einen Moment in die Binsen hinab, und seine Wangenmuskeln spannten sich an. Man konnte sehen, wie unwohl er sich in seiner Haut fühlte, aber dann hob er den Kopf und sah den König an. »Natürlich kann Fürst Tugomir Euch im Feld ebenso wenig besiegen wie Stoinef es konnte, und das weiß er ganz genau. Aber Ihr hättet einen weiteren Brandherd östlich der Elbe anstelle eines zuverlässigen Verbündeten.«

»Ich kann nicht glauben, dass Ihr das wollt«, fügte Wilhelm eindringlich hinzu.

»Nein, ich will nicht, Wilhelm, doch ich bin auch nicht erpressbar.«

»Aber Vater, Ihr müsst doch verstehen ...«, versuchte Wilhelm es noch einmal.

Adelheid war es satt, auf eine Lücke im Disput zu warten, und fiel ihm ins Wort: »Wieso bitten wir nicht den Papst, eine Bischofssynode einzuberufen, um über die Gründung eines Erzbistums in Magdeburg zu beraten?«

Vater und Sohn war anzusehen, dass der Vorschlag ihnen Unbehagen einflößte, denn den Ausgang einer solchen Synode konnte keiner von beiden kontrollieren, geschweige denn vorhersagen. Und genau das war es, was Adelheid wollte: die Entscheidung in andere Hände legen, damit sie nicht die königliche Familie spaltete.

Doch ehe auch nur einer von beiden ein Gegenargument ersonnen hatte, das seine persönlichen Machtinteressen hinreichend verschleierte, sagte Bruns Stimme von der Tür: »Ihr könnt aufhören, Euch die Köpfe heißzureden. Der Papst ist tot.«

Einen Moment saßen sie alle da, als wären sie zu Salzsäulen erstarrt.

Otto regte sich als Erster. »Er ruhe in Frieden«, murmelte er und bekreuzigte sich.

Die anderen folgten seinem Beispiel.

Brun trat über die Schwelle und schloss die Tür. Er verneigte sich vor dem König und der Königin und legte Wilhelm im Vorbeigehen die Hand auf die Schulter. »Wie es aussieht, hast du fürs Erste gewonnen, denn unser neuer Heiliger Vater hat vermutlich andere Sorgen als die Erzbistumsgründung in Magdeburg.«

Mit einem kleinen Schulterzucken befreite Wilhelm sich von der Hand seines Onkels. »Und wer mag er sein, unser neuer Heiliger Vater?«

»Octavian von Spoleto«, antwortete Brun mit einem bitteren kleinen Lächeln.

»Oh, Jesus, ich wünschte, du hättest uns das erspart …«, murmelte der jüngere der beiden Erzbischöfe.

»Kopf hoch«, gab Brun zurück. »Es bedeutet zumindest, dass du deine Geliebte behalten kannst, denn er hat schätzungsweise zwei Dutzend.«

»*Was*?«, fragte Otto – schockiert, wie Brun zweifellos beabsichtigt hatte. »Welche Geliebte?«

Wilhelm schnipste ein unsichtbares Stäubchen von seinem strengen schwarzen Gewand und verschränkte dann die Arme. »Wärmsten Dank, Onkel.«

»Oh, keine Ursache«, versicherte Brun, der unverkennbar ein diebisches Vergnügen an seiner kleinen Rache hatte. »Wir Brüder *in Christo* sollten immer zusammenstehen, nicht wahr?«

»Es sei denn, einer der Unseren wandelt auf Irrwegen …«

»Schluss damit!«, befahl Adelheid mit aller königlichen Autorität, die ihr zu Gebote stand.

Es wirkte. Otto, Brun und Wilhelm verstummten und schauten sie an. *Treuherzig* war das Wort, das ihr in den Sinn kam, und sie sah aus dem Augenwinkel, dass Gaidemar amüsiert war.

Sie wandte sich an den König. »Octavian von Spoleto auf dem Stuhl Petri ist eine Katastrophe, Otto. Wir müssen überlegen, was nun zu tun ist.«

»Klärt mich auf«, forderte der König seine Familie auf. »Wer ist er, und warum ist er eine Katastrophe?«

»Sein Vater war Graf Alberich von Spoleto, der mehr als zwanzig Jahre lang über Rom und den jeweiligen Papst geherrscht hat«, begann Adelheid. »Streng genommen nicht rechtmäßig, aber er hat seine Sache ganz ordentlich gemacht und – vergebt meine Offenheit – die Huren aus dem Lateran verjagt. Ehe er vorletzten Sommer starb, hat er den römischen Adel schwören lassen, seinen Sohn zum nächsten Papst zu wählen. Und genau das ist jetzt geschehen.«

»Octavian nennt sich Johannes XII.«, hatte Brun erfahren. »Das ist eine Geschmacklosigkeit, die uns einen guten Eindruck von seinem Charakter vermittelt, denn Johannes XI. war sein Onkel, den sein Vater in einem Verlies verfaulen ließ. Unser neuer Pontifex ist ganze siebzehn Jahre alt, mein König, und seit dem Tod seines strengen Vaters hört man immer wildere Geschichten über seine Ausschweifungen. Er ist eine Schande für die Heilige Mutter Kirche und wird in Windeseile irgendein Unheil anrichten.«

Dieser düsteren Prophezeiung folgte ein nachdenkliches Schweigen. Gaidemar bewies wieder einmal seinen Sinn fürs

Praktische und füllte die kostbaren Pokale auf dem Tisch – das leise Plätschern das einzige Geräusch.

»Ein unfähiger Papst könnte sich indes ebenso als Segen für uns erweisen«, sagte Wilhelm nachdenklich, trank einen Schluck und gab Gaidemar den Becher mit einer einladenden Geste zurück. »Seit einem halben Jahrhundert liegt die Kaiserkrone im Staub. Wenn Octavian ... Papst Johannes eines Morgens aufwacht und feststellt, dass er isoliert und sein Leben in Gefahr ist, wird er sie Euch vermutlich mit Freuden aufsetzen.«

»Die Frage ist nur, was der Kaiser von Byzanz davon hielte«, warf Brun trocken ein. »Kaiser neigen zu der Überzeugung, dass an der Spitze nur ein Platz ist. So ähnlich wie Päpste ...«

»Ihr alle überseht, was das nächstliegende und drängendste Problem ist, vor das diese Papstwahl uns stellt«, warf Adelheid ein, und als sie in die verständnislosen Gesichter blickte, seufzte sie ungeduldig. »Was glaubt ihr wohl, wer die Schwäche des neuen Papstes ausnutzen wird, um seine gierigen Finger nach dem Kirchenstaat auszustrecken und so ganz Italien unter seine Kontrolle zu bringen?«

Otto tauschte einen Blick mit seinem Bruder, Wilhelm mit Gaidemar, und alle vier sagten im Chor: »Berengar.«

Köln, Mai 956

Denkt Ihr, Hauptmann, hat der König den Hoftag ausgerechnet hier einberufen, weil er im Streit zwischen den beiden Erzbischöfen auf der Seite seines Bruders steht?«, fragte Pippin von Atzbach neugierig. »Immerhin ist dies hier doch Bruns Bischofsstadt.«

Gaidemar brummte desinteressiert. »Die ehrwürdigen Erzbischöfe streiten nicht. Dafür sind sie zu heilig.«

»Wenn Ihr's sagt ...« Pippin grinste respektlos.

Er war einer der Neuzugänge in Gaidemars Reiterlegion. Seit dem Sieg auf dem Lechfeld waren die Reiter des heiligen Alban so etwas wie eine Legende, und aus dem ganzen Reich strebten junge Männer nach Mainz und bewarben sich um Aufnahme, sodass Gaidemar sich vor Rekruten kaum retten konnte.

Pippin stellte die kleine Truhe mit Gaidemars Habseligkeiten neben dem grobgezimmerten Holzbett ab. »Diese Stadt stinkt zum Himmel«, bemerkte er.

Da hatte er recht. Zu viele Menschen und ihr Vieh lebten zusammengepfercht innerhalb der Stadtmauern. Und dennoch war Gaidemar fasziniert gewesen, als sie den kurzen Weg vom Kai zur Königspfalz durch das Gewimmel der Stadt zurückgelegt hatten, über einen belebten Marktplatz und vorbei an der schönen Bischofskirche St. Peter.

»Denkst du, es wird heute noch etwas mit dem kühlen Bier, das du mir besorgen wolltest?«

»Ich geh ja schon. Aber woher man bei dieser Hitze kühles Bier bekommen soll …« Mit einem düsteren Kopfschütteln ging der junge Panzerreiter hinaus, und Gaidemar war ein Moment der Ruhe in seinem beengten Quartier vergönnt.

Das winzige Fenster bot einen Ausblick über den Marktplatz bis zum Rheinufer, denn die Kammer lag im Obergeschoss des Gästehauses. Gaidemar beobachtete einen Lastkahn, der mit säuberlich aufgestapelten Kornsäcken beladen war und am Kai festmachte. Der Schiffer musste sich schwer auf seinen Sohn oder Gehilfen stützen, als er von Bord kam. Gaidemar glaubte zuerst, er sei betrunken, aber dann sah er, dass dem Mann schwärzliches Blut aus der Nase über Mund und Kinn strömte, und nach drei oder vier unsicheren Schritten brach er zusammen. Sein Weib sprang an Land und beugte sich gemeinsam mit dem Jungen über die reglose Gestalt im Straßendreck, und augenblicklich bildete sich eine Menschentraube um die Gruppe, sodass Gaidemar nicht erkennen konnte, was als Nächstes geschah. Aber nur einen Steinwurf entfernt war zwischen einer Marktfrau und ihrer Kundin ein Handgemenge im Gange, aus dem bald eine ernsthafte Keilerei wurde. Gänse und Hühner, die an dem Stand feilgeboten wurden, stoben unter panischem Geflatter auseinander. Eier gingen zu Bruch, Federn trudelten in der sachten Brise davon, und während die kreischenden Weiber weiter aufeinander eindroschen, fand das unbewachte Federvieh dankbare Abnehmer.

Amüsiert kam Gaidemar zu dem Schluss, dass man hier vermutlich den ganzen Tag am Fenster stehen und das bunte Leben in der großen Stadt begaffen konnte, aber dafür fehlte ihm bedauerlicherweise die Zeit. Als er feststellen musste, dass Pippin nicht zurückkam – weil er entweder kein Bier hatte auftreiben können oder es doch lieber selbst getrunken hatte –, verließ er seine Kammer, lief die wacklige, knarrende Holztreppe hinab und trat in den herrlichen Frühlingssonnenschein hinaus.

»Alt und ehrwürdig« hatte Wilhelm die karolingische Kaiserpfalz zu Köln beschrieben, kurz bevor sein Schiff die große Stadt am Rhein anlief. Das bedeute vermutlich schäbig und unzureichend, hatte Volkmar von Limburg im Flüsterton übersetzt, und er hatte genau ins Schwarze getroffen. Bis auf die steinerne Halle waren alle Gebäude verwittert und windschief und standen wahrscheinlich nur deswegen noch, weil sie so eng beieinander lagen, dass sie sich gegenseitig stützten konnten. Im Hof herrschte ein unüberschaubares Durcheinander aus Höflingen, Priestern, Soldaten und Gesinde, und über einem Kochfeuer, das Gaidemar nicht sehen konnte, hatte irgendwer offenbar ein Stück Fleisch vergessen, sagte ihm seine Nase.

Er drängte sich durch das Gewühl bis zur Pfalzkapelle, neben der die vornehmeren Quartiere lagen.

Zwei seiner Männer standen Wache an der verwitterten Tür des Gästehauses, das man dem Erzbischof von Mainz zur Verfügung gestellt hatte.

»Hauptmann!« grüßten sie, und die Augen in den fast noch bartlosen Gesichtern strahlten ob all der Aufregung und Geschäftigkeit.

»Hat irgendwer sich vergewissert, dass unsere Gäule anständig untergebracht sind und gefüttert werden?«, fragte Gaidemar. Die Pferde waren auf einem anderen Schiff den Rhein hinabgefahren als der Erzbischof und sein Gefolge.

»Hatto und Hugo von Saalfeld kümmern sich darum«, wusste der rothaarige Timo von Fulda zu berichten.

537

Gaidemar nickte und trat in eine dämmrige kleine Vorhalle mit einer Treppe und drei Türen. Eine stand einen Spann breit offen, und er hörte gedämpftes Kichern. Magisch angezogen, trat er näher, spähte durch den Spalt und entdeckte auf einem ausladenden Bett mit farbenfrohen Wolldecken drei junge Frauen, die im Schneidersitz einander zugewandt saßen.

»Hier, das wird dir hervorragend stehen, Jasna«, sagte Uta und hielt ein veilchenblaues Band in die Höhe. »Wir könnten es dir ins Haar flechten.«

Gaidemars zukünftige Braut zögerte einen Augenblick, dann nahm sie das Band in die Linke und ließ es durch die Rechte gleiten. »So seidig. Wirklich schön.«

Sie sprach ohne Akzent, weil ihre Mutter ja eine sächsische Grafentochter war, und doch hatte ihre Sprechweise etwas Fremdländisches. Es lag eher an der Betonung der Worte als an der Aussprache. Gaidemar fand es bezaubernd. Doch welche anderen Eigenschaften Jasna besitzen mochte, war ihm bislang verborgen geblieben. Sie war ein hübsches Mädchen, aber ihre Schüchternheit ging über das übliche Maß einer wohlbehüteten, keuschen Jungfrau hinaus. Auf der Reise vom Havelland nach Magdeburg hatte sie kaum ein Wort mit ihm gesprochen und sich – wenn überhaupt – mit ihren beiden Dienerinnen und den slawischen Wachen unterhalten, die Fürst Tugomir ihnen als Eskorte mitgegeben hatte. Wenn Gaidemar gelegentlich ein Satz eingefallen war, den er an sie richten konnte, hatte sie höflich und zuvorkommend geantwortet, aber stets mit gesenktem Blick und glühenden Wangen. Das hatte ihn ein wenig entmutigt, und er hatte sich dabei ertappt, dass er sie mied.

»Komm, lass es uns versuchen«, schlug Uta vor, angelte einen Hornkamm von der Kommode neben dem Bett und begann, Jasnas Flechten zu lösen.

Die Fürstentochter betrachtete sich derweil in einem bronzenen Handspiegel, ein kleines Lächeln in den Mundwinkeln.

Gaidemar war dankbar, dass Uta sich des Mädchens angenommen hatte. Ihr Ungestüm und ihre freche Frohnatur konnten Jasna nur guttun.

Die Dritte im Bunde saß ein wenig abseits und verfolgte das Einflechten des blauen Haarbandes mit undurchschaubarer Miene.

»Komm her, Mira, halt diese Strähne hoch«, bat Uta sie. »Man braucht eigentlich drei Hände für diese Aufgabe, noch besser vier.«

Auf den Knien rutschte Gaidemars einstiger »Bursche« näher zu den beiden anderen Mädchen und nahm willig einen Strang bernsteinfarbener Locken in die Rechte.

»Du kommst als Nächste an die Reihe«, stellte Uta in Aussicht.

»Aber mein Haar ist viel zu kurz«, wehrte Mira ab und fuhr sich verlegen mit der freien Hand über den blonden Schopf, der noch nicht ganz auf Schulterlänge gewachsen war.

»Ach, Papperlapapp«, widersprach Uta ungeduldig. »Wir stecken dein Haar im Nacken zusammen, dann fällt die Länge überhaupt nicht auf, und binden dir ein Zierband um die Stirn. Du wirst wunderschön aussehen, wart's nur ab.«

Mira rang sich ein Lächeln ab und schaute dann konzentriert zu, während Uta mit flinken Fingern Jasnas Haar flocht. Eine der zahllosen geheimnisvollen Frauenkünste, von denen Mira keine Ahnung hatte, ging Gaidemar auf. Und unweigerlich kam ihm die Frage in den Sinn, wie er sich gefühlt hätte, wäre vor zehn Jahren irgendwer zu ihm gekommen und hätte gesagt: ›Du darfst nun doch kein Panzerreiter werden, es war alles ein Irrtum, in Wahrheit bist du ein Mädchen, also zieh dir ein Kleid an und lerne sticken.‹ Die Vorstellung war so grauenvoll, dass sie ihm für einen Moment heiß auf den Magen drückte. Vermutlich hätte er genau die Verlorenheit empfunden, die er selbst von seinem Lauerposten an der Tür aus so mühelos in Miras grünen Augen erkannte. Aber der Vergleich hinkte natürlich. Er war ein Kerl, sie eine Frau. Wäre die Verstellung so tiefgreifend gewesen, wie Fürst Tugomir ihm hatte weismachen wollen, so überzeugend, dass Mira selbst irgendwann Zweifel gekommen wären, was sie denn nun eigentlich war, hätte ein diskreter Blick zwischen ihre Beine doch wohl genügt, um die Frage zu klären. Stattdessen hatte sie sich selbst und ihn und den Rest der Welt angelogen und hinters Licht geführt, und dafür hatte sie Strafe verdient.

Als Jasnas Frisur zu Utas Zufriedenheit gerichtet war – und das blaue Band sah in der Tat sehr hübsch aus –, stand Uta vom Bett auf, öffnete den Deckel der Kommode, kramte eine Weile darin herum und kehrte mit einem kunstvoll geschnitzten Kästchen zurück. »Hier, schnuppert mal.«

Jasna klappte den Deckel auf und hielt sich das Kästchen unter die zierliche Nase. »Hm! Himmlisch. Was ist es?«

»Es wird Ambra genannt. Es wächst als Pilz am Meeresboden, hat mir einmal ein Händler erzählt. Wilhelm hat es vom Abgesandten des Kalifen gekauft, glaub ich, und mir geschenkt.« Gaidemar war schockiert, dass sie so ungeniert von ihrem Geliebten sprach, und er fragte sich unbehaglich, was Frauen wohl sonst noch alles unumwunden aussprachen, wenn sie sich unbelauscht wähnten. »Es ist ziemlich kostbar«, fuhr Uta fort. »Aber nehmt nur ein Stück. Wickelt es in ein Tüchlein und tragt es im Beutel mit euch, ihr werdet so verführerisch sein, dass ihr allen Panzerreitern die Köpfe verdreht. Gaidemar eingeschlossen.«

Er wäre um ein Haar zurückgezuckt. Erst jetzt, da sein Name gefallen war, ging ihm auf, wie schamlos er horchte, und er trat unter leisem Bedauern den geordneten Rückzug an.

Der ehrwürdige Erzbischof hatte im Obergeschoss Quartier bezogen und saß mit seinem Bruder zusammen am Tisch.

»Gaidemar!« Liudolf sprang auf und schloss ihn stürmisch in die Arme. »Wir fingen an zu befürchten, du seist in den Rhein gefallen.«

»Grässliche Vorstellung«, entgegnete Gaidemar mit einer Grimasse. Falls möglich, roch der Fluss noch schlimmer als die Stadt.

»Nimm Platz, Vetter.« Wilhelm wies einladend auf einen freien Scherenstuhl. »Probier diesen Wein. Sie lagern ihn in einem Keller aus der Römerzeit, und er ist herrlich kühl.«

Gaidemar setzte sich, schenkte sich einen Schluck aus dem Krug ein und trank. Es war ein fruchtiger Weißwein, der dank seiner Temperatur tatsächlich die Sinne erfrischte. Der Hauptmann nickte anerkennend.

Die Sonne funkelte auf dem Rubin seines Ringes, als der Erzbischof sich nachschenkte. »Es ist ein Jammer, das wir fast alles vergessen haben, was die Römer uns einst gelehrt haben.«

»Setz ein halbes Dutzend deiner ehrgeizigen jungen Mönche daran, das Geheimnis des Kühlkellers zu ergründen«, schlug Liudolf vor. »Ich bin sicher, sie kriegen es heraus.«

»Ich dachte nicht nur an kühlen Wein, sondern an Poesie, Philosophie und Baukunst. Alles, was du sehen und erleben darfst, wenn du über die Alpen ziehst.« Er seufzte so tief, dass die Brust unter dem schwarzen Seidengewand sich sichtlich hob und senkte. »Wie ich dich beneide …«

»Vielleicht sollten wir tauschen«, schlug Liudolf trocken vor. »Poesie, Philosophie und Baukunst sind mir völlig gleich und können mir die Aussicht, nach Italien verbannt zu werden, nicht versüßen.«

»Du ziehst nach Italien?«, fragte Gaidemar den Prinzen erstaunt.

Der nickte. »Berengar belagert Canossa.«

Gaidemar schnaubte. »Er hatte immer schon eine zu hohe Meinung von sich. Niemals kommt er da hinein.«

»Es sei denn, er hungert Graf Atto aus.«

»Du wirst das zu verhindern wissen«, sagte Wilhelm zuversichtlich. »Und der König hat völlig recht. Wir schulden Atto und den übrigen italienischen Adligen, die uns die Treue halten, Unterstützung. Und wir dürfen nicht riskieren, sie an Berengar zu verlieren.«

Nur allzu gern wäre Gaidemar mit Liudolf in dieses Abenteuer jenseits der Alpen gezogen. Und er wusste ganz genau, dass es seinen Panzerreitern ebenso ergehen würde. Seit dem Ende des Slawenfeldzugs vor einem halben Jahr hatten sie keinen Feind mehr vor die Klingen bekommen, und allmählich wurden sie rastlos. Doch die Entscheidung oblag natürlich Erzbischof Wilhelm.

Der wechselte indessen das Thema. »Es geht ein Gerücht, Gotzelo von Löwen und einige andere lothringische Adlige wollen Brun aus dem Herzogtum vertreiben. Fleißig und detailversessen, wie unser Onkel ist, schaut er ihnen zu genau auf die Finger, nehme ich an, und sie hätten ohnehin lieber einen der Ihren zum

Herzog. Sieh zu, was du herausfindest, Gaidemar. Was wir vor allem wissen müssen: Wie steht Gotzelo zu seinen Söhnen? Der König erwägt, einen oder mehrere von ihnen als ›Gäste‹ an den Hof zu holen. Aber sie taugen nur dann als Geiseln, wenn sie ihrem Vater auch teuer sind.«

Gaidemar nickte.

»Wie stellst du es an, solche Dinge herauszufinden?«, fragte Liudolf neugierig.

Gaidemar hob die Schultern. »Mal sehen. Als Erstes locke ich den Hauptmann von Gotzelos Wache ins Wirtshaus, füll ihn ab und horch ihn aus. Die Wachen kennen ja immer die brisantesten Geheimnisse ihrer Herrschaft. Da fällt mir ein, ehrwürdiger Bischof: Seid Ihr darüber im Bilde, dass Uta unten in ihrem Gemach Hof hält und meiner Braut und meiner … Mira Bänder ins Haar flicht?«

Wilhelm nickte seelenruhig. »Was erwartest du, das ich tun soll, Gaidemar? Sie in einer Holzkiste verwahren?«

»Das ist gar keine üble Idee …«

Liudolf gluckste vergnügt.

Wilhelm zeigte unfein mit dem Finger auf Gaidemar und vertraute seinem Bruder an: »Er fürchtet, Immed von Saalfeld könnte es herausfinden. Anscheinend schlottert er vor seinem fürchterlichen Ziehbruder.«

»Blödsinn«, knurrte Gaidemar. »Aber was wollt Ihr tun, wenn er Uta für ihren rechtmäßigen Gemahl zurückfordert?«

»Ich habe eine finanzielle Vereinbarung mit Sigismund von Westergau getroffen«, eröffnete der Erzbischof ihm unerwartet. »Er wird uns keine Schwierigkeiten machen.«

»Das wird Immed nicht hindern, Euch so viele Schwierigkeiten zu machen, wie er nur kann«, entgegnete Gaidemar grimmig. »Schwierigkeiten sind sein liebster Zeitvertreib.«

»Ich bringe mich wegen eines kleinen bayrischen Grafen nicht um den Schlaf«, beschied Wilhelm.

»Im Übrigen ist Immed von Saalfeld vollauf damit beschäftigt, Hennings trauernde Witwe zu nageln«, behauptete Liudolf. »Ich glaube nicht, dass er Zeit für Intrigen hat.«

»Immed und Herzogin Judith?«, fragte Gaidemar fassungslos. Die Königssöhne lachten über seine entsetzte Miene.

»Judith herrscht im Namen ihres Sohnes über Bayern«, erinnerte Wilhelm ihn. »Sie macht das ziemlich geschickt, wie ich höre, und war klug genug, Immed als ihren Mann fürs Grobe am Hof zu behalten, genau wie Henning es getan hat. Und eins führte zum anderen, schätze ich.«

Gaidemar war erleichtert zu hören, dass auch Immed ein Geheimnis hatte, das ihn erpressbar machte. Denn mochten Wilhelm und Liudolf die Liaison zwischen der Herzoginwitwe und ihrem Grafen auch amüsant finden, der König würde todsicher nicht darüber schmunzeln.

»Gestattet mir dennoch, zwei meiner Männer als Utas persönliche Leibwächter abzustellen«, bat er seinen Dienstherrn. »Ich nehme nicht an, dass Ihr eines Morgens aufwachen und feststellen wollt, dass irgendwer sie gestohlen hat, oder?«

Der Erzbischof wurde schlagartig ernst. »Nein. Tu, was immer du für richtig hältst, Vetter.«

Wilhelm und Brun hatten eng mit dem König und der Königin zusammengearbeitet, um diesen Hoftag vorzubereiten. Das erstaunte Gaidemar, denn Wilhelms Erbitterung in der strittigen Frage um die Erzbistumsgründung in Magdeburg ging tief. Es war ihm rätselhaft, wie zwei Männer ihre Differenzen einfach beiseitelegen konnten – wie ein Werkzeug, das man gerade nicht benötigt –, um sich in schönster Eintracht anderen Dingen zu widmen. Vielleicht musste man ein wahrer Gottesmann sein, um das fertigzubringen; Gaidemar wusste, er hätte es nicht gekonnt. Doch der Erfolg gab ihnen zweifellos recht, denn dieser Hoftag versprach ein Triumph zu werden.

Otto und Adelheid erstrahlten in königlicher Pracht auf ihren Thronsesseln in der großen Halle und empfingen die Huldigungen mächtiger Fürsten der Welt und der Kirche. Drei Tage lang beriet der Hoftag Angelegenheiten der Herzogtümer und Grafschaften, zukünftige Gesandtschaften nach Byzanz und Rom, feierte rauschende Festmähler mit Musik und Gauklern und erlesenen

Speisen, die die Königin ausgewählt hatte, und als zu guter Letzt auch noch ein obodritischer Bote vor den Hof trat und in Fürst Nakons Namen um Frieden bat, war die Genugtuung groß, nicht aber die Überraschung.

»Otto gelingt einfach alles, was er beginnt«, sagte der Abt von Corvey zu seinem Amtsbruder und erbitterten Konkurrenten, Hadamar von Fulda.

»Jedenfalls im Moment«, schränkte dieser ein und massierte sich abwesend mit der Linken die Schläfe, als hätte er Kopfweh. »Aber verlasst Euch lieber nicht darauf, dass es anhält. Wenn wir auf Erden bekämen, was wir verdienen, würde ich mich beruhigt zurücklehnen und sagen, diesem gottesfürchtigen und gerechten König droht keinerlei Gefahr. Aber Ihr wisst ja, Bruder. Nur im Jenseits werden die Gerechten belohnt. Und außerdem …«

Gaidemar konnte ihrer Unterhaltung nicht länger folgen, weil Unruhe am Eingang zur Halle ihn ablenkte. Eine der Wachen dort hatte offenbar den Posten verlassen, und wenngleich es nicht seine Männer waren, bewegte Gaidemar sich unauffällig Richtung Tür, denn er stand in der Nähe.

Der Mann versäumte keineswegs seinen Dienst. Er lag zusammengekrümmt und zitternd am Boden. Seine Kameraden beugten sich über ihn.

»Was ist mit dir, Sigebert?«, fragte der kleine Dicke ganz rechts. »War das letzte Bier schlecht?«

Die anderen lachten, bis sie das schwärzliche Blut aus der Nase ihres Kameraden strömen sahen.

Wido kam energisch herübergestapft. »Was geht hier vor?«, verlangte er zu wissen. »Sigebert, wenn du nicht tot bist, steh gefälligst auf und …« Er unterbrach sich abrupt und trat einen Schritt zurück. »Verfluchte Scheiße«, murmelte er.

»Lass ihn hier wegschaffen, ehe er den ganzen Hof ansteckt«, riet Gaidemar gedämpft. Er hatte das Gesinde darüber tuscheln hören, dass in der Stadt ein tückisches Fieber ausgebrochen sei. Und er hatte den Flussschiffer mit der blutenden Nase nicht vergessen, den er am Tag ihrer Ankunft hier vom Fenster aus beobachtet hatte.

Wido nickte. »Drudmar, Gerhold, bringt ihn ins Quartier und

schickt Ablösung«, befahl er. Er wartete, bis die beiden Männer den Kranken hinaustrugen, ehe er Gaidemar zuraunte: »Wenn es das ist, was in der Stadt umgeht, dann gnade uns Gott. Die Leute sterben wie die Fliegen, sagt mein Bursche.«

Gaidemar sah besorgt zur hohen Tafel hinüber, wo Adelheid mit dem König saß und unbeschwert mit Erzbischof Brun an ihrer rechten Seite plauderte. Das Gold ihrer Krone funkelte im Licht der vielen Kerzen, ihre elfenbeinfarbene Robe schien leicht zu schimmern, und ihr Gesicht strahlte eine ruhige Heiterkeit aus. Welch eine Genugtuung dieser Hoftag für sie sein musste. Nach all den schweren Jahren des Familienzwists und der Kriege gegen Ungarn und Slawen schienen all ihre Mühen nun endlich belohnt zu werden. Wenn irgendwer diesen Triumph verdiente, dann war es Adelheid, fand er, und er betete, Gott möge das Glück dieses Tages nicht trüben. Doch Gott hörte nicht zu. Als Gaidemar den Blick weiter über die Halle schweifen ließ, sah er Hadamar wankend auf die Füße kommen. Der ehrwürdige Abt hatte die Hände vor Mund und Nase geschlagen, aber zwischen den Fingern quoll dunkles Blut hervor.

»Der Erzbischof von Trier ist gestorben«, berichtete Gaidemar.

Adelheid, Hulda und Jasna bekreuzigten sich.

Gaidemar schmuggelte seiner slawischen Prinzessin ein beruhigendes Lächeln zu, oder jedenfalls versuchte er das. Aber Adelheid argwöhnte, dass ihm genauso graute, er sich ebenso hilflos fühlte wie alle anderen, seit der Allmächtige diese Pestilenz auf die Welt herabgeschleudert hatte.

Gaidemar trug es nur mit mehr Fassung als die meisten, und dafür war sie dankbar. »Es tut mir leid, dass ich Euch so schlechte Nachrichten bringe, meine Königin«, sagte er und stellte einen dampfenden Krug auf den Tisch.

»Mir scheint, es gibt derzeit keine anderen«, antwortete sie. »Und dabei sagte Brun gestern noch, Erzbischof Ruotbert ginge es besser.«

»So war es auch. Aber nach Mitternacht stieg das Fieber wieder an, wie bei den meisten.«

Adelheid nickte wortlos.

Es begann mit Kopf- und Gliederschmerzen und leichtem Fieber, das nach etwa einem halben Tag sprunghaft anstieg. Dass sie dem Tode geweiht waren, merkten die Kranken erst, wenn sie plötzlich von Schwindel und dem typischen Nasenbluten heimgesucht wurden. Das »Schwarze Fieber« nannten die Menschen diese Seuche wegen der dunklen Verfärbung des Blutes, und sie sprachen den Namen nur im Flüsterton aus, bekreuzigten sich oder machten das Zeichen gegen den bösen Blick. Niemand hatte die Erscheinungen der feurigen Kreuzzeichen vergessen, die in den Wochen vor Weihnachten landauf, landab für Aufregung gesorgt hatten, und die Menschen waren sich einig: Diese Seuche war eine Strafe Gottes für ihre Sünden. In der ersten Nacht des Krankheitsverlaufs rötete sich die Haut, bei vielen bildeten sich schmerzhafte, eitrige Pusteln. Hals, Achseln und Leisten schwollen an, die Fiebernden litten quälenden Durst und konnten doch nicht bei sich behalten, was man ihnen einflößte. Oft besserte sich ihr Zustand am dritten Tag, und wenn sie gerade anfingen, Hoffnung zu schöpfen, kam das Fieber zurück. Von zehn Kranken starben neun, hatte Adelheid einen Medicus sagen hören.

Seit einer Woche wütete die Epidemie jetzt in Köln und hatte das bunte, pulsierende Leben in der großen Stadt am Rhein fast völlig zum Erliegen gebracht. Vom Fenster aus hatte Adelheid überfüllte Leichenkarren vorbeirumpeln sehen und Todkranke, die sich die verlassenen Straßen entlangschleppten und von ihren Nachbarn mit Steinwürfen fortgejagt wurden. Die einst so belebten Kaianlagen waren verwaist, und nur drei, vier ganz verwegene Marktleute hatten ihre Stände auf dem Platz an der großen Bischofskirche geöffnet.

»Trinkt das, meine Königin«, riet Gaidemar und wies auf den Krug, den er gebracht hatte. »Gräfin, Jasna, ihr ebenfalls.«

»Was ist es?«, fragte Hulda.

Jasna war an den Tisch getreten und fächelte sich den Dampf des Gebräus unter die Nase. »Alant, Eibenbeeren und Schwarznessel in Rotwein, würde ich sagen.«

Gaidemar nickte anerkennend. »Ich merke, dein Vater hat dich viel gelehrt. Eine geweihte Hostie wird ebenfalls mit in den Trank gekocht. Jeder in Köln trinkt ihn, der es sich leisten kann. Er schützt vor Ansteckung.«

»Schwarznessel?«, fragte Hulda ungläubig. »Wie in aller Welt habt Ihr die beschafft? Meine Zofe sagt, in ganz Köln ist für Geld und gute Worte kein Blättchen mehr davon zu bekommen.«

»Ich hoffe, Ihr erlasst mir die Antwort«, bat Gaidemar mit einem etwas geisterhaften Lächeln.

Adelheid konnte es sich schon vorstellen. Vermutlich hatte er irgendeine arme Kräuterfrau mit vorgehaltener Klinge gezwungen, ihre Restbestände an Schwarznessel herauszurücken. Er war schließlich Soldat, daran gewöhnt, Widerstände mit dem Schwert zu beseitigen. Aber sie kannte ihn gut genug, um zu ahnen, dass es ihm Gewissensbisse verursachte, eine wehrlose Frau zu bedrohen. Oder möglicherweise dachte er, wenn er heute noch das Schwarze Fieber bekäme, müsse er vor Gottes Richterstuhl treten, ehe Gras über die Sache mit dem Kräuterweib wachsen konnte ...

Jasna füllte das dampfende Gebräu in drei Becher, brachte der Königin einen davon und stellte ihn mit einem anmutigen Knicks vor sie. Gaidemars Blick folgte ihr, aber wie so oft war seine Miene schwer zu deuten. Dann trat er an den Tisch, ergriff den Becher der Königin und nahm einen kleinen Schluck – genau wie früher.

»Keine Gaumenfreude, aber ungiftig«, versicherte er. »Ich habe dem Mönch zugeschaut, der es zusammengebraut hat. Er hat nur hineingetan, was ich ihm gegeben habe.«

Adelheid nickte mit einem matten Lächeln. Ihre Furcht vor Giftanschlägen hatte sie nie ganz abschütteln können, und bis heute rührte sie nichts an, was nicht vor ihren Augen vorgekostet worden war. Ungezählte Becher hatte sie in dieser Weise mit Gaidemar geteilt, und sie ertappte sich dabei, dass sie mit Wehmut an jene Zeiten zurückdachte, da sie die fremde, junge Königin des Ostfrankenreiches und er ihr Leibwächter gewesen war. Leichter waren diese Jahre auch nicht gewesen, aber unkomplizierter. Oder zumindest kam es ihr heute so vor.

Sie rief sich energisch zur Ordnung und schnupperte an ihrem

Becher. Der Trank roch scharf und frisch, nicht einmal unangenehm. Unerschrocken nahm sie einen großen Schluck: bitter, erdig und würzig. »Ich könnte mich daran gewöhnen.«

Hulda hob den Krug an und hielt ihn ein wenig schräg. »Es reicht noch für die Prinzessinnen und Prinzen und für den König, schätze ich. Der König braucht es dringender als jeder andere.«

Adelheid wandte den Kopf. »Der König tut, was er tun muss«, erwiderte sie. Es geriet schärfer, als sie beabsichtigt hatte. »Und selbst wenn er keine Heilung bringt, spendet er den Menschen zumindest Trost.«

»Ich weiß.« Hulda hob begütigend die rundliche Hand. »Es lag mir fern, sein Handeln zu tadeln, meine Königin. Das steht mir nicht zu, und ich weiß, dass das, was er tut, einen Sinn hat.«

Aber es ist gefährlich, sagte sie nicht, obwohl sie es zweifellos dachte. Und Adelheid wusste, ihre Vertraute hatte recht.

Seit es so schlimm mit der Seuche geworden war, kamen die Kölner, um sich von ihrem König die Hand auflegen zu lassen. Erst vereinzelt. Dann vielleicht ein Dutzend am Tag. Vorgestern hatte es erstmals eine Schlange und Gedrängel gegeben, sodass Wido und die königliche Wache für Ordnung sorgen mussten. Und während die meisten der Bischöfe, Äbte und Adligen, die nicht krank geworden waren, Köln fluchtartig den Rücken gekehrt hatten, saß der König in der Marienkapelle des wundervollen Doms und ließ die verzweifelten Menschen zu sich kommen. Und in jeder Schenke der Stadt konnte man Geschichten von den Wunderheilungen hören, die die Hand des Königs bewirkt hatte.

Adelheid ging mit dem Krug in die Kinderstube hinüber. Erlefrida, die Amme, saß am Tisch und hatte den kleinen Otto angelegt, der mit genießerisch zugekniffenen Augen trank. Adelheids Zofe Anna hockte daneben und nähte. Der zweieinhalbjährige Brun kniete auf einer Wolldecke am Boden und spielte mit zwei Holzpferdchen, die ein Jahr jüngere Mathilda und das Äffchen Kirada lagen aneinandergeschmiegt in der Wiege und schlummerten. Emma und Said saßen auf einer kleinen Bank unter dem Fenster und gaben einander Rätsel zu lösen.

»Ich möchte, dass jeder von euch einen kleinen Becher dieser Arznei trinkt«, sagte die Königin zur Begrüßung.

Amme und Zofe sprangen auf und knicksten, Emmas maurischer Sklave stand ebenfalls auf und verneigte sich formvollendet.

Die Königin stellte den Krug vor Anna. »Du sorgst dafür, ja?«

»Gewiss, meine Königin. Otto auch?«

Adelheid schüttelte den Kopf. Ihr Jüngster war zu klein für den starken Trank. »Wir müssen hoffen, dass Erlefrida die Arznei über ihre Milch an ihn weitergibt.« Sie setzte sich neben Emma auf die zu niedrige Bank, zeigte mit dem Finger auf die Wiege und fragte: »Seid ihr sicher, dass das eine gute Idee ist?«

Emma nickte emsig. »Sie schreit, bis Kirada zu ihr in die Wiege klettert. Ist er bei ihr, schläft sie sofort ein.«

»Schön, meinetwegen«, brummte die Königin, tippte Said auf die Brust und trug ihm auf: »Ich wünsche, dass der Affe genauso häufig gebadet wird wie die Prinzessin, klar?«

»Gewiss, Herrin«, versprach der pfiffige Junge und sah sie aus großen, schwarzen Augen treuherzig an.

»Stimmt es, dass auch die Katzen das Schwarze Fieber kriegen, die Hunde aber nicht?«, wollte Emma wissen.

Ihre Mutter nickte. »So hört man, ja.«

»Und denkst du, es liegt daran, dass die Katzen mit Satan im Bunde sind?«

»Wer hat dir denn diesen Unsinn erzählt?«

»Bertram von Gandersheim.«

Adelheid seufzte. »Bertram von Gandersheim ist des Königs Hundeführer, Emma, und wie so viele Hundenarren hat er für Katzen nichts übrig. Und ich habe dir schon hundertmal gesagt, du sollst nicht in der Pfalz herumstreunen und mit den Höflingen und der Dienerschaft plaudern, bis diese Seuche vorbei ist, richtig?«

»Habe ich doch gar nicht«, verteidigte ihre Tochter sich entrüstet. »Er hat es gestern nach der Frühmesse zu Erzbischof Brun gesagt.«

»Der ihn einen Narren gescholten hat, nehme ich an?«

Emma nickte, ohne ihre Mutter aus den Augen zu lassen. »Aber warum die Katzen krank werden, wusste er auch nicht.«

Adelheid legte ihr einen Arm um die Schultern. »Selbst die Weisesten können die Wege des Herrn nicht immer ergründen, Emma. Wir wissen nicht, warum Gott diese Pestilenz geschickt hat, ob er uns bestrafen oder etwas damit sagen will. Wir müssen beten und uns seiner Botschaft öffnen, dann verrät er es uns vielleicht. Aber vielleicht auch nicht. Er muss uns nichts erklären, weißt du. Und wir müssen nicht alles verstehen. Nur so viel: Gott liebt uns, denn wir alle sind seine Kinder, und es ist immer *sein* Wille, der geschieht.«

»Hast du denn gar keine Angst, Mutter?«

»Nein«, antwortete Adelheid mit Nachdruck und dachte: *Vater unser im Himmel, vergib mir diese Lüge, aber was sonst bleibt einer Mutter übrig?* »Wir dürfen keine Angst haben, mein Liebling. In schweren Zeiten wie diesen schauen die Menschen auf uns, und wenn sie sehen würden, dass wir uns fürchten, würden sie verzweifeln und den Halt verlieren und sich von Gott entfernen. Und das können wir nicht zulassen.«

Emma hatte ihr mit gesenktem Kopf gelauscht. Als ihre Mutter verstummte, sah sie auf und nickte. »Aber es ist so schwierig. Sich nicht zu fürchten, meine ich. Wie machst du das nur? Ich fasse mir allenthalben an die Nase, um zu fühlen, ob sie schon blutet. Ich glaube, ich bin ein Feigling, Mutter«, gestand sie unglücklich.

Adelheid zog das kleine Mädchen für einen Moment an sich und drückte einen Kuss auf den nussbraunen Schopf. »Das bist du nicht«, widersprach sie. »Aber du bist erst sieben Jahre alt. Das ist noch sehr jung, um immer furchtlos und kühn zu sein. Du musst es noch üben. Und einstweilen verrate ich dir eine List: Du kannst auch einfach *vorgeben*, keine Angst zu haben. Für die meisten Lebenslagen einer Prinzessin oder Königin ist das völlig ausreichend.«

Emma lächelte erleichtert. »Oh, gut. Ich schätze, das kann ich schaffen.«

»Ich bin sicher, das kannst du. Trink deine Arznei und bete. Geh zur Beichte, sei mildtätig und gütig. Und vor allem: Vertraue auf die Liebe Gottes. Mehr können wir nicht tun.«

Obwohl andere Pflichten drängten, hatte Adelheid sich eine Stunde Zeit genommen, um bei ihren Kindern zu bleiben. Weil ihre Anwesenheit und das ernste Gespräch Emma guttaten, hatte sie sich eingeredet, in Wahrheit jedoch, weil sie nicht wusste, ob ihr je wieder eine Mußestunde mit vier gesunden Kindern vergönnt sein würde.

Als die Glocke der Bischofskirche die Mittagsstunde schlug, suchte die Königin Brun auf, um mit ihm die Überführung des verstorbenen Erzbischofs nach Trier, vor allem aber dessen Nachfolge zu erörtern. Ruotbert war der letzte der alten Generation von Erzbischöfen gewesen, die noch von Ottos Vater eingesetzt worden war; ein aufrechter Gottesmann, aber rückständig in seinen Ansichten und in seinem Wirken zu sehr auf die Belange Lothringens beschränkt, was ihn nicht selten in Konflikt mit Brun gebracht hatte, der ja die weltliche Macht in Lothringen ausübte. Nun bot sich die Gelegenheit, auch im mächtigen Erzbistum Trier einen Bischof einzusetzen, der sich für Ottos Vision eines geeinten, von einer starken Kirche geführten Reiches begeistern konnte, und die Auswahl wollte wohlüberlegt sein.

»Letztlich muss der König entscheiden«, sagte Brun, als sie ihre Kandidatenlisten verglichen und erörtert hatten.

Adelheid gab ihm recht. »Aber wir sollten auch hören, was Wilhelm dazu zu sagen hat, denkt Ihr nicht?«

»Grundsätzlich ja«, räumte Brun mit einer seiner besten Grimassen ein. »Aber ich muss gestehen, er ist zurzeit nicht mein Lieblingsneffe ...«

Adelheid verzog für einen Lidschlag die Mundwinkel nach oben. »Dennoch hat er recht, Brun. Otto darf ihm die Slawenmission nicht wegnehmen. Der König ist zu ungeduldig in seinem Bestreben, die Heiden zum wahren Glauben zu bekehren, und richtet dabei nur Schaden an. Er versteht diese Menschen einfach nicht und nimmt sie nie richtig ernst. Wilhelm schon. Schließlich ist er selbst zur Hälfte slawisch. Das ist ein unschätzbarer Vorteil. Und Otto darf ihn nicht verspielen, nur um sein geliebtes Magdeburg reicher und mächtiger zu machen. Das ist eitel.«

»Puh«, machte der Erzbischof. »Womöglich habt Ihr recht,

meine Königin. Aber das sind Dinge, die wirklich nur Ihr Otto sagen könnt. Jedem anderen würde er dafür den Kopf abreißen.«

»Ich werde mit ihm über das geplante neue Erzbistum sprechen, Ihr habt mein Wort. Wenn Ihr Wilhelm in die Auswahl des neuen Erzbischofs von Trier einbeziehet.«

Brun nickte. »Das werde ich, sobald ich die Wünsche des Königs kenne. Womöglich hat er ja schon einen Kandidaten im Sinn.«

»Ich bin nicht sicher, ob er schon Gelegenheit hatte, darüber nachzudenken«, bekannte Adelheid, stand auf und sammelte ihre Pergamente ein. »Ich habe ihn heute noch überhaupt nicht gesehen.«

Ottos Bruder nickte und hob seufzend die Schultern. »Ich werde heute Nachmittag eine Bußandacht halten, um für ein Ende der Seuche zu beten. Er sollte hinkommen, wenn er kann. Eine Stunde Einkehr wird ihm guttun. Er reibt sich ja wieder einmal völlig auf.«

»Ich sage es ihm«, versprach sie.

Der Innenhof der Königspfalz lag ebenso still und verlassen unter der sengenden Sonne wie die Stadt. Ein Stallknecht stand am Brunnen und zog Wasser herauf, um die königlichen Rösser zu tränken, zwei Mägde kamen mit schweren Brotkörben beladen vom Backhaus zur Halle herüber. Sonst war niemand zu sehen bis auf die Wachen am Haupttor, die nah an die Palisade gedrängt standen, um ein wenig Schatten zu erhaschen.

Als sie die Königin kommen sahen, traten sie indessen hastig vor, verneigten sich artig und öffneten ihr das Tor.

Mit eiligen Schritten überquerte Adelheid den staubigen Platz und trat dankbar durch eine Seitenpforte in das kühle Halbdunkel der Bischofskirche. Diese war eine wundervolle, reich geschmückte Basilika, die an beiden Enden über ein Querhaus, einen Chor und eine Apsis verfügte.

Im Westchor führten zwei Treppen zum Hochaltar hinauf, der dem heiligen Petrus geweiht war, dazwischen lag eine Treppe zur Krypta hinunter, und vor diesem Abgang saß der König auf einem schlichten Holzschemel. Es dauerte einen Moment, bis Adelheids

Augen sich auf das dämmrige Licht eingestellt hatten, aber dann erkannte sie, dass es eine junge Familie mit einem kranken Kind war, die vor ihn getreten war.

»Segnet ihn und macht ihn gesund, Herr«, flehte die Mutter, eine füllige, hübsche Frau, fast selbst noch ein Kind, in einem erdbraunen Kleid mit einer schmuddligen, gräulichen Haube. Sie streckte Otto ihren fiebernden, vielleicht dreijährigen Sohn entgegen wie eine Opfergabe.

Der König nahm das wimmernde Kind auf sein Knie und strich ihm über den feuchten Schopf.

»Wie heißt dein Sohn?«, fragte er die Frau.

»Otto, mein König. Wir haben ihn nach Euch benannt«, erklärte sie mit entwaffnendem Stolz.

Der Vater des kranken Kindes stand neben seinem Weib, knetete die Lederkappe in seinen Händen und schluchzte erstickt.

»Und hat Otto Brüder und Schwestern?«, fragte der König weiter.

»Unseren Heinrich hat das Schwarze Fieber schon geholt«, antwortete der Vater heiser und räusperte sich. »Unsere Gerda ist noch gesund.«

Otto legte seinem kleinen Namensvetter einen stützenden Arm um die Schultern und ließ die Rechte einen Moment auf seinem Kopf ruhen. Dann tauchte er zwei Finger in das bronzene Weihwasserbecken, das neben ihm auf einem niedrigen Bänkchen stand, und segnete das Kind mit dem Kreuzzeichen. »Der allmächtige Gott behüte und beschütze dich, Otto, in dieser Welt und in der nächsten. Im Namen des Vaters, des Sohnes und des Heiligen Geistes, Amen.« Er gab ihn seiner Mutter zurück. »Ich kann euren Sohn nicht heilen«, erklärte er mit dieser Mischung aus Güte und Strenge, die niemand so beherrschte wie er. »Nur Gott wirkt Wunder, nicht die Menschen. Aber euer Otto hat meinen Segen, genau wie ihr. Geht heim und seid getröstet.«

Die Mutter kniete sich mit dem Kind im Arm auf die Steinfliesen, ergriff schüchtern Ottos Mantelsaum und drückte ihn an die Lippen. Der edle himmelblaue Seidenbrokat und ihre rissige, rot gearbeitete Hand bildeten einen sonderbaren Kontrast. Als der

König auch ihr die Rechte auf den Kopf legte, fing sie ebenso an zu schluchzen wie ihr Mann, kam unsicher auf die Beine und fuhr sich schniefend mit dem Ärmel über die Nase.

Ein Mönch trat diskret hinzu, um der Familie anzudeuten, dass ihre Audienz vorüber war. Als die Eltern sich abwandten, sah Adelheid sie erstmals im Licht des kostbaren siebenarmigen Kerzenleuchters, der neben Otto stand, und erkannte, dass die Gesichter rosig glänzten wie frisch polierte Kupferkessel. Sie hatten sich ordentlich geschrubbt, ehe sie vor ihren König traten, ging ihr auf, und es erschien ihr bemerkenswert, dass sie selbst in ihrer Düsternis und Verzweiflung die Kraft gefunden hatten, ihrem König auf diese Weise ihre Ehrerbietung zu zollen.

Hadald war im Begriff, zwei kräftige junge Kerle vor den König zu führen, die eine kranke Frau in ihrer Mitte stützten. Doch als der Kämmerer die Königin sah, bedeutete er dem Trio zu warten.

Adelheid nickte ihm dankbar zu, und Hadald vollführte seine unnachahmliche Verbeugung und fegte mit seiner spärlichen Haarpracht die Bodenfliesen. Sie waren niemals Freunde geworden, aber die Königin rechnete es dem Kämmerer hoch an, dass er bei dieser Amtshandlung des Königs genauso für einen reibungslosen Ablauf sorgte wie bei Reichstagen oder Hoffesten. Ein wahrlich treuer Gefolgsmann. Und kein Feigling.

Sie ging zu Otto und setzte sich neben ihm auf die unterste Stufe zum Hochaltar. »Ich bringe dir eine Arznei, mein König. Sie wird dich vor dem Schwarzen Fieber beschützen«, sagte sie und reichte ihm den Zinnbecher.

»Gut von dir.« Er stellte den Trank jedoch vorerst unberührt auf den Boden. »Aber noch heilsamer ist dein Anblick.«

»Sehr charmant«, lobte sie lächelnd, wurde aber gleich wieder ernst. »Das Leid der Menschen muss eine große Bürde sein. Es ist so gut von dir, dass du dich ihrer annimmst.«

Er hob mit einem kleinen Seufzen die Schultern. »Das gehört nicht gerade zu meinen Stärken«, bekannte er. »Mein Vater konnte volksnah sein. Er vermochte die gleiche Sprache zu sprechen wie die Menschen. Und er konnte mit seinen Soldaten trinken und ihnen das Gefühl vermitteln, er sei einer der Ihren. Diese

Gabe besitze ich nicht. Trotzdem kommen die Leute nun zu mir in ihrer Not.«

»Und du bist hier und gibst ihnen Halt und Trost. Wie ein guter König es sollte. Also sag nicht, du könntest nicht volksnah sein, denn das bist du gerade im wahrsten Sinne des Wortes. Nur anders als dein Vater.«

Er nickte und wiegte gleichzeitig den Kopf hin und her, als wisse er nicht, ob er ihr zustimmen sollte oder nicht. »Wenn du die Wahrheit wissen willst: Es erschüttert mich, mit welcher Hoffnung sie vor mich treten. Und in Wirklichkeit kann ich überhaupt nichts tun.«

»Nein, sag das nicht«, widersprach Adelheid. »Vielleicht ist es nur ein alter Aberglaube, dass die Hände des Königs Heilung bringen. Andererseits bist du Gottes Auserwählter. Wer kann wissen, wie viel Heil dein Segen zu spenden vermag?«

Impulsiv ergriff sie seine Hände und hätte sie um ein Haar gleich wieder losgelassen, weil sie zu glühen schienen. Mit einem halb unterdrückten Laut des Schreckens schaute sie auf und sah einen dünnen, schwärzlichen Blutfaden, der sich langsam von seinem Nasenloch löste und beinah verstohlen im blonden Bart versickerte.

Köln, Juni 956

Die Stadt und die Pfalz waren noch stiller geworden. Das Zwitschern des Blaukehlchens in der Linde draußen vor dem Gästehaus schien der einzige Laut der Welt zu sein. Die Glocken der vielen Kirchen waren auf Anordnung des Erzbischofs verstummt und würden so lange schweigen, wie der König mit dem Schwarzen Fieber rang.

Das Blaukehlchen sang sich die Seele aus dem kleinen Leib. So als wolle es den niedergedrückten Menschen vor Augen führen, dass diese Finsternis irgendwann vorübergehen würde und sie den Mut nicht verlieren durften. Es trällerte, bis eine Elster kam und es mit ihrem unmelodischen Gezeter verjagte.

Gaidemar war es recht. Die Geschwätzigkeit und die ungerechtfertigte Zuversicht des kleinen Gesellen waren ihm auf die Nerven gegangen. Er war nicht in der Stimmung, sich aufheitern zu lassen.

Seine Augen brannten hinter den geschlossenen Lidern, aber er fand keinen Schlaf, obgleich er sich bis in die Knochen erschöpft fühlte nach dieser bitteren Nacht.

Er hatte bei Hatto und Hugo gewacht. Vor drei Tagen hatten seine beiden Ziehbrüder binnen einer Stunde das Schwarze Fieber bekommen, und binnen einer Stunde waren sie auch heute kurz vor Tagesanbruch gestorben. Im Leben wie im Tode hatten diese Brüder eben immer alles gemeinsam gemacht, doch während Hatto friedvoll in die nächste Welt hinübergedämmert war, hatte Hugo sich nicht ergeben wollen. Sein letzter Kampf, für den ihm eigentlich längst die Kraft fehlte, sein Fluchen und Stöhnen und die gepeinigten Fieberphantasien waren schwer mit anzusehen gewesen. Und während Gaidemar neben ihrem Strohlager an die Wand gelehnt saß und darauf wartete, dass es vorüberging, war Wilhelm lautlos in die Kammer gekommen und zu ihm getreten.

Der König ist tot, hatte Gaidemar gedacht, und das Ausmaß der Furcht, die dieser Gedanke mit sich brachte, hatte ihn erschüttert.

Es war falscher Alarm, stellte sich heraus. Der König kämpfte immer noch – seit fünf Tagen, und das war ein Tag mehr, als die meisten anderen schafften. Wilhelm war nur gekommen, um eine Weile am Sterbebett seiner beiden jungen Panzerreiter zu beten. Das hatten sie gemeinsam getan, aber Gaidemar hatte keinen Trost darin gefunden. Diese Seuche machte ihn einfach vollkommen ratlos. Den Krieg konnte er verstehen. Auch der war bitter, forderte Blut und Menschenleben, machte Frauen zu Witwen und Kinder zu Waisen und brachte Trauer und Elend in die Welt, aber er war nun einmal nötig. Er diente einem *Zweck*, erfüllte den Willen des Königs. In gewisser Weise konnte Gaidemar sogar verstehen, warum ein Fürst einen Gefangenen von einer hungrigen Hundemeute zerfleischen ließ, denn auch das diente einem Zweck. Diese Pestilenz hingegen erschien ihm ganz und gar sinnlos. Sie schlug willkürlich zu, raffte unschuldige Säuglinge und fromme Klosterfrauen ebenso dahin wie Mordbuben und Huren, Bettler und neuerdings auch Könige. Wozu? Was dachte Gott sich nur dabei? Was sollte aus dem Reich werden, wenn Otto starb? Wofür hatte der Allmächtige ihm auf dem Lechfeld den Sieg gegen die Übermacht der heidnischen Feinde geschenkt, wenn er ihn jetzt einkassierte, ehe das Werk des Königs vollendet war?

All das machte ihn ratlos. Und die Vorstellung, welche Not Adelheid ausstand, machte ihn hilflos.

Nichts war so dazu geeignet, seinen Zorn zu wecken, wie Ratlosigkeit und Hilflosigkeit. Er ballte die Fäuste und bohrte die Fingernägel in die Handflächen. Er zog sich das schlaffe Kissen über den Kopf, um das Geschrei der Elster auszusperren, aber es nützte nichts. Er vergrub den Kopf samt Kissen in den Armen, lauschte in der Dunkelheit seinem eigenen, abgehackten Atem und hielt die Luft an, ehe er sich zwang, in langen, gleichmäßigen Zügen zu atmen.

Irgendwie war er wohl doch eingeschlafen, denn er schreckte ruckartig aus düsteren Träumen und umklammerte die Hand, die zaghaft an seiner Schulter rüttelte, noch ehe er die Augen ganz geöffnet hatte.

»Mira …«

»Du brichst mir die Knochen«, bemerkte sie ohne besondere Dringlichkeit.

Er ließ sie los – schleuderte ihre Hand regelrecht von sich –, drehte sich auf den Rücken und legte den Unterarm über die Augen. »Was willst du?«

Bitte, Gott, nicht Adelheid …

»Nachschauen, ob du noch lebst. Seit Tagesanbruch hat dich niemand gesehen, und jetzt ist Abend. Volkmar fing an zu fürchten, du lägest hier mit dem Schwarzen Fieber, aber er hat sich nicht getraut nachzuschauen.«

Gaidemar verzog spöttisch einen Mundwinkel. »Das heißt wohl, du bist unerschrockener als Volkmar.«

Mira antwortete nicht.

Er hoffte, wenn er sie lange genug ignorierte und sich nicht rührte, werde sie glauben, er sei wieder eingeschlafen, und einfach verschwinden. Aber sie blieb, wo sie war. Er hörte sie atmen.

Schließlich nahm er den Arm von Gesicht und schlug die Lider auf. Mira hatte nicht gelogen. Draußen herrschte sanftes, rotgoldenes Abendlicht. Die Elster war längst verschwunden, und das friedvolle Zirpen der Grillen kam durchs Fenster.

»Gibt es Neuigkeiten vom König?«, fragte er.

Sie schüttelte langsam den Kopf. »Ich habe den ganzen Tag nichts gehört.« Die grünen Augen mit den dichten blonden Wimpernkränzen waren unverwandt auf ihn gerichtet. Im Dämmerlicht seiner Kammer wirkten sie dunkler, als sie in Wahrheit waren, und Tränen funkelten darin. »Aber wenn er tot wäre, wüssten wir es, schätze ich.«

Gaidemar setzte sich auf. »Wenn er tot wäre, hätte die tiefste Glocke der Bischofskirche vierundvierzig Mal geschlagen, für jedes Lebensjahr einmal«, klärte er sie auf. »Das hat Brun beschlossen. Er glaubt anscheinend, man könne jede Lebenslage beherrschen, wenn man sie nur perfekt inszeniert …« Plötzlich wollte seine Stimme den Dienst verweigern, und er räusperte sich schleunigst.

»Gaidemar.«

»Was?«, knurrte er.

»Ich hab Angst.« Sie sagte es mit einem verlegenen Achselzucken, schämte sich für ihre Furcht in einer Weise, wie nur Kerle sich schämten.

»Ja, ich auch.« Es war kaum mehr als ein Flüstern, aber es war heraus, und er konnte nicht fassen, dass er sich dazu hatte hinreißen lassen.

»*Du?*« Ihr Blick war eine Mischung aus Ungläubigkeit und banger Hoffnung. Eine blonde Strähne hatte sich aus ihrem kleinen Haarknoten gestohlen, kringelte sich um ihr Ohr und legte sich auf ihre Schulter wie ein Seidenband.

Er hielt die Strähne in der Linken und ließ sie durch die Finger gleiten, ehe er einen bewussten Entschluss gefasst hatte. Fein, glatt und kühl fühlte sich ihr Haar an.

Mira schreckte zusammen, als er sie so unvermittelt berührte, hielt jedoch still und sah ihn an, ein verwirrtes und gleichzeitig tapferes kleines Lächeln in den Mundwinkeln.

War ihm in der Vergangenheit einfach nie aufgefallen, wie rot ihr Mund war? Oder hatte sie irgendeine geheime Weiberlist angewendet, um die Farbe zu vertiefen? Diese Lippen erinnerten ihn an die Himbeeren seiner Kindheit, so rot und samtig. Und mit einem Mal überkam ihn das Verlangen, herauszufinden, ob sie auch ebenso warm und süß waren.

Mira kniete sich vor ihn auf die fadenscheinige Wolldecke. »Wovor?«

»Wovor was?«, fragte er abwesend.

»Wovor hast du Angst?«

Er ließ die Haarsträhne los und fuhr mit dem Zeigefinger ihren Wangenknochen hinauf, über die Schläfe zu dem geflochtenen Stirnband aus moosgrünen und rostroten Wollfäden, das sie so zart aussehen ließ – so mädchenhaft – und die wundervolle Farbe ihrer Augen betonte.

»Gaidemar …«

Er schüttelte den Kopf und legte einen Finger auf diese roten Himbeerlippen.

Er fürchtete sich, weil die Welt, die er gekannt hatte und begreifen konnte, unterging. All die Regeln, die er befolgt hatte, waren einen Dreck wert, denn nichts, was er für bedeutsam gehalten hatte, bestand vor der Feuerprobe, die diese Seuche war. Darum war es mit einem Mal belanglos, dass Mira ihm vorgegaukelt hatte, sie sei ein Junge. Es spielte keine Rolle mehr. Er wollte spüren, dass er noch lebte. Und er wollte sie spüren lassen, dass sie noch lebte.

Er zog sie noch ein wenig näher und küsste sie. Mira war weder erschrocken noch überrascht. Sie schloss die Augen, und er ergötzte sich am goldenen Schimmern ihrer langen Wimpern, während er die Zunge zwischen ihre Lippen schob. Ihre Miene war ernst, die Haut so blass, dass sie im dämmrigen Abendlicht bläulich wirkte.

Ohne den Kuss zu unterbrechen, schnürte er ihr Kleid auf. Er brauchte nicht hinzusehen. Gaidemar war ein Panzerreiter – er hatte schon viele, *sehr* viele Kleider aufgeschnürt. Die meisten waren zu grell und an strategischer Stelle eingerissen gewesen. Eine Jungfrau hatte er hingegen noch nie entblättert, und er schärfte sich ein, seine Ungeduld zu zügeln.

Mira löste die Lippen von seinen, richtete sich auf die Knie auf und half ihm, ihr Über- und Unterkleid über den Kopf zu ziehen. Dabei löste ihr Haarknoten sich gänzlich auf, aber das Stirnband hielt den seidigen Blondschopf im Zaum, der ihre Schultern umschmeichelte und ihn so scharf machte, dass er ihr Hemd mit beiden Fäusten am Halsausschnitt packte und mit einem kleinen Ruck in Fetzen riss.

Mira zog erschrocken die Luft ein, sah ihm für einen Herzschlag in die Augen und lächelte unsicher.

Ihr Mädchenkörper war straff und schlank. Gaidemar legte die Hände auf die rundlichen Schultern und spürte ihre glatte, warme Haut, von der ein betörender Duft ausging – keine Seife, kein Ambra, sondern ihr ureigener Frauengeruch. Gaidemar vergrub die Nase in der kleinen Vertiefung zwischen Hals und Schlüsselbein und sog den Duft gierig ein, während er seine Hände zu den apfelrunden Mädchenbrüsten wandern ließ und weiter über ihren niedlichen Bauchnabel. Er umfasste ihre Taille und zog Mira mit einem kleinen Ruck auf seinen Schoß. Sie legte die Hände auf seine Schultern, vergrub sie in seinen Haaren und sah ihm in die Augen. »Tu es, Gaidemar. Bevor ich sterbe, will ich wissen, wie es ist, eine richtige Frau zu sein. Es macht nichts, wenn du mir wehtust.«

Er schüttelte den Kopf. Mit einem Mal war es nicht mehr merkwürdig, dass dieses zauberhafte Mädchen jahrelang sein ›Bursche‹ gewesen war. Es war auch nicht anstößig. Es war einfach egal. »Ich erinnere mich, wie gut du einstecken kannst. Aber ich tu dir nicht weh.«

Er legte sie auf den Rücken, spreizte ihre Beine mit dem Knie und presste die Hand auf das seidige blonde Dreieck ihrer Schamhaare, bis Miras Wangen sich röteten und ihr Atem ein wenig rauer wurde.

»Zieh dich aus«, verlangte sie.

»Wozu?«, fragte er verblüfft.

»Weil ich es will. Ich will dich richtig fühlen.«

»Das wirst du so oder so«, entgegnete er trocken, aber er tat ihr den Gefallen. Mit ein paar wenigen Handgriffen entledigte er sich seiner Kleider, und Mira ließ ihn nicht aus den Augen. Er ahnte, dass der Anblick seines prallen, aufgerichteten Glieds sie erschreckte, auch wenn sie alles daransetzte, es sich nicht anmerken zu lassen, und darum legte er sich zwischen ihre Beine, küsste sie wieder und strich mit den Händen über ihre warme Haut, bis sie sich an sein Gewicht und seine Nähe gewöhnt hatte.

Sie schlang die Arme um seinen Nacken und schmiegte sich ihm entgegen, sodass es ihm mit jedem Atemzug schwerer fiel, Geduld zu üben. Er schloss die Augen, tastete und spielte mit seinen erfahrenen Händen, bis ihr ein leises Keuchen entschlüpfte und ihr Leib seinen Rhythmus aufnahm. Mit der Linken brachte er sein pochendes Glied in Stellung und drang ein kleines Stückchen in die feuchte Wärme. Seine Hände strichen über die weiche, flaumige Innenseite ihrer Schenkel und schoben sie weiter auseinander, während er mit sachtem Schaukeln tiefer in sie hineinglitt. Sie stöhnte, doch nicht vor Schmerz, sondern vor Wonne, und ihre Hände krallten sich in seine Schultern und zogen ihn näher, also schob er einen Arm unter ihren Rücken, stieß mit Macht in sie hinein und zog sie gleichzeitig mit einem Ruck an sich. Sie keuchte und kniff die Augen zu, aber jetzt war kein Halten mehr, für ihn nicht und für sie genauso wenig. Mira vergrub die Finger in seinem Haar und erwiderte seine Stöße mit einem Ungestüm, das ihm das letzte bisschen Verstand raubte. Er küsste sie gierig und pflügte in sie hinein, hart und schnell und doch mit einer Zärtlichkeit, die ihm fremd und unheimlich war. Und dann erschauerte sie und stöhnte, nahm die Hand von seinem Schopf und biss hinein, um ihre Lust nicht der ganzen Welt kundzutun. Gaidemar ergriff die Hand mit einem Kopfschütteln, steckte ihren kleinen Finger in den Mund und sah ihr in die Augen, als er sich in sie ergoss.

Eine Weile lagen sie reglos in der zunehmenden Dunkelheit, bis ihr Atem wieder ruhig geworden war. Schließlich löste er sich von ihr und streckte sich auf dem Rücken aus.

Mira regte sich an seiner Seite. »Ich sollte besser verschwinden.«

Sie wollte sich aufrichten, aber er bekam sie am Handgelenk zu fassen und zog sie zu sich herunter. »Hiergeblieben …«, brummte er.

Nach einem kleinen Zögern bettete sie den Kopf auf seine Schulter. Man konnte merken, dass sie keine Übung darin hatte; sie brauchte ein Weilchen, bis sie die richtige Stelle fand. Als sie endlich stillhielt, legte er eine Hand auf ihre warme Hüfte und schloss die Augen.

»Müssen wir nicht in die Kirche?«, fragte Mira.

»Wozu?«

»Die ehrwürdigen Erzbischöfe Wilhelm und Brun halten einen Bittgottesdienst für die Genesung des Königs.«

»Ich schätze, sie können auf uns verzichten«, erwiderte er schläfrig.

Mira widersprach nicht, aber sie war rastlos. Ihre Augen blieben geöffnet und blinzelten häufig, merkte er, weil ihre Wimpern ihn jedes Mal dabei an der Schulter kitzelten.

»Gaidemar …«

Er seufzte. »Herrje, auf einmal benimmst du dich wahrhaftig wie eine Frau. Kannst du nicht einfach die Klappe halten?«

»Aber wenn irgendwer mich nachts aus deinem Quartier kommen sieht, gibt es Gerede. Was wird Jasna denken?«

Er verspürte einen heißen Stich in der Magengegend. Seine Braut war ihm vorübergehend entfallen. Doch er wollte jetzt auch nicht an sie erinnert werden. Er wollte an gar nichts außerhalb der warmen Dunkelheit und des hinreißenden Mädchenkörpers an seiner Seite denken müssen.

»Ich schmuggle dich schon hinaus, ohne dass irgendwer dich sieht, sei unbesorgt.«

»Und wenn ich schwanger werde?«

Wird der ehrwürdige Erzbischof mich ob meiner heuchlerischen Entrüstung über seine Liaison mit meiner Ziehschwester aufziehen, bis ich ihm die Zähne einschlage, dachte er.

»Warum warten wir nicht ab, ob irgendwer von uns nächste

Woche noch lebt, ehe wir uns den Kopf über das zerbrechen, was in neun Monaten geschehen könnte?«, regte er an.

»Ja. Du hast recht.«

Er strich mit den Lippen über ihre Stirn und spürte, wie sie sich allmählich entspannte. Als sie sich auf die Seite drehte, schlang er einen Arm um sie und zog sie näher, bis ihr Rücken sich an seine Brust schmiegte, und so schliefen sie beide ein.

Zum ersten Mal seit vielen Nächten schlief Gaidemar tief und friedvoll. Er erwachte bei Morgengrauen zu einem jubilierenden Chor von Vogelstimmen und fühlte sich erfrischt. Noch ehe er die Augen geöffnet und begriffen hatte, was so anders war als sonst, regte sich Mira in seinen Armen und rieb sich an ihm, sodass ein Teil von ihm auf einen Schlag sehr viel wacher war als der Rest.

Mit einem Lächeln, das zu gleichen Teilen lüstern und schelmisch war, schob er die Hand von hinten zwischen ihre Beine und weckte sie auf. Mira rekelte sich mit einem langgezogenen Laut des Wohlbehagens und nahm ihn begierig in sich auf, ohne die Augen zu öffnen.

Als es richtig hell wurde, standen sie schweren Herzens auf, weil die dräuende, finstere Wirklichkeit sich nicht länger fernhalten ließ.

Gaidemar schlug die Decke zurück und war ein wenig erschrocken über die Menge an Blut auf dem Laken. »Oh, verdammt … Es tut mir leid, Mira.«

»Was?«, fragte sie mit hochgezogenen Brauen und schwang die Beine aus dem Bett. »Seit wann so zimperlich, kühner Panzerreiter?«

»Auch wieder wahr …« Trotzdem war ihm ein wenig unbehaglich.

Sie stellte sich vor ihn, stemmte die Hände in die Seiten und blickte kopfschüttelnd auf ihn hinab – wunderbar schamlos in ihrer Nacktheit. »Nicht sehr viele Männer würden sich Gedanken darüber machen, wie es ihrer Sklavin ergeht, wenn sie sie zum ersten Mal in ihr Bett nehmen. Du hast ein butterweiches Herz, Hauptmann.«

»Ah ja?«, knurrte er, packte sie am Arm und zog sie mit einem Ruck näher. »Wenn du dich da nur nicht täuschst …«

Sie sahen sich an, und Gaidemar war vage bewusst, dass er diese grünen Augen heute zum ersten Mal ohne den Hauch von Traurigkeit sah, der so untrennbar zu dem Bild gehörte, das er sowohl von Miro als auch von Mira gehabt hatte. Dass er es fertiggebracht haben sollte, diese Melancholie zu vertreiben, hielt er für ausgeschlossen, aber ihre Abwesenheit machte ihn geradezu lächerlich glücklich.

Jetzt nimm dich zusammen, Mann, was ist nur los mit dir?

Mira spürte, dass seine Stimmung plötzlich umgeschlagen war, drückte einen Kuss auf seine Stirn und befreite sich dann, um ihre Kleider vom Boden aufzusammeln. »Ich brauch ein neues Hemd«, bemerkte sie.

Gaidemar nickte. »Erzbischof Wilhelm unterhält ein ganzes Heer an Näherinnen, die seine schwarzen Seidengewänder in Ordnung halten. Eine von ihnen wird dir eins nähen.«

»Ich sollte es lieber selbst tun. Eine der vielen Fertigkeiten, in denen ich mich üben muss.«

Gaidemar stieg in die Hosen, schnürte sie zu und trat ans Fenster, um Mira Gelegenheit zu geben, sich unbegafft anzukleiden. Schließlich verstummte das leise Rascheln in seinem Rücken. »Ich … werd dann jetzt gehen«, sagte sie unsicher.

Er wandte sich um. »Warte. Lass mich nachschauen, ob die Luft rein ist.« Er trat an die Tür, und gerade als er die Hand an den Riegel legte, erklang von der nahen Bischofskirche ein tiefer Glockenschlag. Er erstarrte, und in seinem Rücken hörte er Mira scharf die Luft einziehen.

Ein zweiter Glockenschlag folgte.

»Der war heller als der erste«, bemerkte sie. Es klang ein wenig kurzatmig.

Der dritte Schlag kam von der kleinsten und hellsten Glocke des Geläuts, und dann erklangen alle drei wieder, in schnellerer Abfolge. Dann gleichzeitig.

Gaidemar merkte erst jetzt, dass er den Atem angehalten hatte. »Ich glaube, das ist …«

»… ein Freudengeläut!«, beendete sie den Satz für ihn und fiel ihm mit einem kleinen Jubellaut um den Hals. »Oh, Gaidemar. Der König lebt!«

Ingelheim, Juni 956

»Gleich der leuchtenden Sonne ward der König der Welt zu jeglicher Zier und Freude zurückgeschenkt«, hatte Wilhelm in dem feierlichen Dankgottesdienst gesagt, den er zusammen mit Brun in dessen Kirche St. Peter zu Köln zelebriert hatte.

Gleich der leuchtenden Sonne …

Liudolf saß im langen, duftenden Gras am Ufer des Rheins und dachte darüber nach. Womöglich stimmte es ja. Vielleicht war der König für sein Reich, was die Sonne für ein Kornfeld war: überlebenswichtig. Jedenfalls hatte es den Anschein, als habe seine Genesung die Macht der Seuche gebrochen. Ein paar Tage lang waren noch Leichenwagen durch die Gassen von Köln gerumpelt, aber nur mit zwei oder drei in Leinen eingenähten Toten darauf, nicht mehr hoch beladen wie zuvor. Dann war allmählich Leben in die große Stadt zurückgekehrt, und die Kölner hatten beim Dankgottesdienst dicht gedrängt in der Kirche gestanden und draußen die Straßen gesäumt, um ihren König zu bestaunen und zu bejubeln …

Wie mochte es sich anfühlen, solch ein König zu sein? Gegenstand untertäniger Ehrfurcht ebenso wie lächerlich überzogener Erwartungen?

Otto hatte das Krankenlager kaum verlassen, als sie schon wieder Schlange standen mit ihren kranken Säuglingen und blinden Gevattern, die er heilen sollte, obwohl er sich selbst kaum auf den Beinen halten konnte. Das hatte Liudolf wütend gemacht, und er war erleichtert gewesen, als Wilhelm dafür sorgte, dass der Hof weiter nach Ingelheim zog, in dessen friedlicher Abgeschiedenheit der König wieder zu Kräften kommen konnte.

Auf dass unsere Sonne nicht untergehe, dachte Liudolf halb spöttisch, halb unbehaglich.

»Edler Prinz ...«

Er wandte den Kopf. Eine traurige Gestalt in einem zerlumpten Kapuzenmantel stand zwei Schritte zur Linken und hatte Liudolfs herrlichem blauäugigen Schimmel eine Hand auf die Nüstern gelegt.

»Was willst du?«, fragte der Prinz unwirsch und kam auf die Füße. »Was fällt dir ein, mein Pferd anzufassen?«

Der Bettler ließ die Hand sinken. »Tut mir leid«, murmelte er, doch es klang nicht sehr zerknirscht.

Liudolf war auf der Hut. Es war eigentlich viel zu heiß für solch einen Mantel, und mit dem Kerl stimmte irgendetwas nicht. Er überlegte noch, ob er die Börse oder den Dolch zücken sollte, als er im Schatten der Kapuze eine Augenbinde erahnte, und mit einem Mal erkannte er ihn. »Heiliger Mauritius ... *Ekbert*?«

Sein einäugiger Cousin stieß einen zu lang angehaltenen Atem aus. »Bitte, Prinz, hör mich an, eh du die Wache rufst.«

»Ich reite nie mit Wache aus«, klärte Liudolf ihn auf. »Was willst du? Und nimm die verdammte Kapuze ab, damit ich dein Gesicht sehen kann.«

Ekbert Billung streifte langsam die Kapuze zurück. Die Hände waren mager und zitterten ein wenig. Auch das Gesicht war so ausgemergelt, dass Liudolf sich fragte, ob Ekbert die Seuche gehabt hatte.

»Ich warte hier seit zwei Tagen auf dich«, bekannte der. »Ich erinnere mich, dass du früher immer hier langgeritten bist.«

»Das wundert mich nicht«, gab Liudolf zurück. »Wir waren oft genug hier, als Wichmann und du am Hof aufgewachsen seid und das Brot an der Tafel des Königs aßet, ehe ihr ihn verraten habt.«

»Du nimmst den Mund ziemlich voll«, konterte Ekbert. »Bedenkt man, dass es *deine* Revolte war, der wir uns angeschlossen haben.« Es klang eher erschöpft als angriffslustig.

»Hm«, machte der Prinz. »Aber meine Revolte ist gescheitert, und ich habe meinen Frieden mit dem König gemacht, während dein Bruder und du euch mit den verdammten Obodriten verbündet, die Männer der Garnison von Kacherien abgeschlachtet und ihre Frauen und Kinder in die Sklaverei verkauft habt. Ich hoffe also inständig, du willst nicht an unsere Freundschaft aus Jugendtagen appellieren, denn dann müsste ich dir mein Frühstück vor die Füße kotzen.«

Ekbert nickte ergeben. »Apropos. Du hast nicht zufällig irgendetwas zu essen in deinem Beutel? Ich habe vor drei Tagen zum letzten Mal ein Stück Brot erbettelt, und ich glaube, ich fall gleich in Ohnmacht.«

Liudolf seufzte tief. »Sag mal, merkst du nicht, dass du bei mir kein Mitgefühl wecken wirst?« Trotzdem ging er an die Satteltasche, kramte einen Brotbeutel hervor und warf ihn seinem Vetter zu. »Hier«, knurrte er. »Es ist ein paar Tage alt und vermutlich angeschimmelt. Genau richtig für eine Jammergestalt wie dich also.«

Ekbert schnürte den Beutel mit fiebriger Hast auf, griff hinein, förderte den halben Brotlaib zutage, der tatsächlich frisch und weich war, und verschlang ihn mit wenigen großen Bissen.

Kommentarlos packte Liudolf auch seinen Weinschlauch aus und zog den hölzernen Stopfen heraus. »Du bekommst einen Schluck, wenn du mir endlich sagst, was du willst.«

»Dasselbe wie du, mein Prinz. Ich will meinen Frieden mit dem König machen und mein Leben zurück. Meine Frau und meine Kinder vor allem. Und genau das will auch mein Bruder Wichmann.«

»Woher der plötzliche Sinneswandel?«, fragte Liudolf skeptisch und drückte ihm den Weinschlauch in die Finger. »Ich wähnte euch glücklich und zufrieden am Hof des fürchterlichen Hugo von Franzien.«

Ekbert nahm einen tiefen Zug aus dem Schlauch, setzte keuchend ab und fuhr sich mit dem Handgelenk über die Lippen. »Herzog Hugo ist tot«, eröffnete er dem Prinzen. »Und seine Witwe – deine Tante Hadwig – hat uns mit einem Tritt in den Hintern davongejagt, kaum dass er kalt war.«

Der König bekreuzigte sich. »Gott schenke dir den ewigen Frieden, Schwager Hugo. Ich fing an zu befürchten, du wolltest ewig leben.«

Liudolf war verblüfft über diese Flapsigkeit seines frommen Vaters, aber das ließ er sich nicht anmerken. »Er ist beim Festmahl in der Halle tot vom Sessel gekippt, sagt Ekbert. Alle seien schockiert gewesen. Alle außer Hugos Witwe.«

Brun zeigte ein ganz und gar unbischöfliches, boshaftes Lächeln. »Unsere Hadwig war noch nie leicht zu erschüttern, mein König.«

Otto nickte und strich sich versonnen mit dem Daumen über das bärtige Kinn. Er war immer noch bleich und mager, fand Liudolf, doch wenn man in die hellblauen Augen sah, bekam man eine Ahnung von seiner ungeheuren Vitalität. »Das wird viele Dinge im Westfrankenreich ändern. Und zwar zu unseren Gunsten, wenn Hadwig die Regierung für ihren Sohn übernimmt. Wo ist Ekbert Billung jetzt, Liudolf?«

»Draußen bei der Wache, mein König. Ich habe ihn nicht in Ketten legen lassen, weil ich fürchtete, er könnte unter dem Gewicht zusammenklappen, heruntergekommen, wie er ist. Aber ich bringe ihn als Gefangenen vor Euch, auf dass er die königliche Gerechtigkeit erfahre.«

Sie sahen sich einen Moment in die Augen. »Du hast also deine Lektion gelernt und lieferst deine einstigen Verbündeten meinem Urteil aus«, sagte der König. Es klang erstaunt.

Liudolf nickte, und das Herz schlug ihm bis zum Halse, als er entgegnete: »Weil ich selbst erfahren habe, wie groß die Gnade des Königs ist. Und ich hoffe darauf, dass Ihr sie nicht nur Eurem Sohn angedeihen lassen könnt, sondern auch einem guten Mann, der in die Irre geleitet wurde und in aufrichtiger Reue vor Euch tritt. Kurzum, mein König, ich bete … ich bete, dass auch Ihr Eure Lektion gelernt habt.«

Brun schnaubte. »Du beweist wieder einmal mehr Schneid als Klugheit, Liudolf«, warnte er.

Die Miene des Königs glich auf einmal der einer Marmorstatue – ein Anblick, der jeden warnte, der ihn kannte.

Liudolf machte sich auf eine königliche Strafpredigt gefasst und fiel aus allen Wolken, als ausgerechnet Adelheid ihrem Gemahl eine schmale, lilienweiße Hand auf den Arm legte und sagte:

»Hat der Prinz nicht recht, mein König? Hast nicht du selbst gesagt, dass wir Lehren aus der Vergangenheit ziehen müssen, um nicht Gefahr zu laufen, unsere Fehler zu wiederholen?«

Langsam wandte Otto den Kopf, und auch Adelheid kam in den zweifelhaften Genuss des Marmorblicks. Sie blieb indessen völlig unbeeindruckt, beobachtete Liudolf nicht ohne Neid.

Der König dachte eine Weile nach und tauschte stumme Botschaften mit seinem Bruder, ehe er sagte: »Ich werde Ekbert anhören und ihn unter Umständen in Gnaden wiederaufnehmen, wenn seine Reue mich überzeugt. Über seinen Bruder, dessen Sünden viel schwerer wiegen, entscheide ich, wenn er es ebenfalls wagen sollte, vor mir zu erscheinen.«

Adelheid erhob sich von ihrem brokatgepolsterten Sessel an der hohen Tafel, ergriff Ottos Hand mit ihren beiden und führte sie für einen Moment an die Lippen. »Würdest du Liudolf und mich entschuldigen? Ich denke, diese Begegnung ist leichter für alle Beteiligten, wenn wir nicht zugegen sind, und ich habe mit dem Prinzen zu reden.«

Worüber?, fragte Liudolf sich verwundert.

»Natürlich«, stimmte der König mit einem kleinen Lächeln zu.

Adelheid kam die Stufe von der Estrade herab und nickte ihren beiden Damen zu, die in einer Fensternische gewartet hatten. »Hulda, Jasna, Ihr könnt uns begleiten. Es ist so ein herrlicher Sommerabend.«

Die Wache öffnete die Tür der vornehmen Halle, und Liudolf ließ der Königin den Vortritt.

Der kupferfarbene Sonnenschein wirkte nach der Dämmerung im Innern der Halle grell. Die beiden Hofdamen folgten ihnen in gebührlichem Abstand – nahe genug, um den Anstand zu wahren, weit genug entfernt, um nicht zu lauschen.

Schweigend schlenderten sie durch den großzügigen, grasbewachsenen Innenhof der Pfalz, vorbei am Pferdestall und der Wachkammer. Hinter der Schmiede war eine kleine Wiese, wo eine weinberankte Laube mit einer Bank stand. Dorthin führte Adelheid den Prinzen, nahm Platz und lud ihn mit einer Geste ein, sich zu ihr zu setzen.

Liudolf betrachtete die Königin diskret aus dem Augenwinkel. Obgleich vor Gott und der Welt seine Stiefmutter, war sie ein Jahr jünger als er – gerade fünfundzwanzig geworden –, und trotz der fünf Schwangerschaften war sie immer noch schmal und mädchenhaft. Sie wirkte, als sei sie aus Spinnweben und Morgennebel gemacht. Doch der Eindruck von Zerbrechlichkeit trog genauso wie der verträumte Blick der warmen braunen Augen, war ihm inzwischen längst klar geworden.

»Und?«, fragte sie mit einem kleinen, spöttischen Lächeln. »Was seht Ihr?«

»Eine Königin.« Es war heraus, ehe er entscheiden konnte, ob es klug war.

Adelheid nickte versonnen. »Ja, das bin ich. So wie Eure Mutter vor mir. Ist es das, was Ihr mir nie vergeben konntet? Dass ich ihren Platz eingenommen habe?«

»Nein.« Liudolf richtete den Blick auf die satten gelben Löwenzahnblüten, die wie eine Abteilung Panzerrreiter an der Wand der Schmiede aufgereiht standen, dort, wo die Sense nicht hinkam.

»Sondern was?«, wollte sie wissen.

Er wandte den Kopf und sah sie wieder an. »Zum allerersten Mal, seit Ihr meinen Vater vor fünf Jahren geheiratet habt, führen wir ein Gespräch unter vier Augen, und Ihr erwartet, dass ich Euch einen Blick in meine Seele gewähre?«

»Ihr habt recht, das wäre vermessen. Doch dieses Gespräch hat nur dann einen Sinn, wenn wir uns die Wahrheit sagen, Prinz. Wo es uns nach fünf Jahren endlich gelungen ist, das Schweigen zu brechen.«

Liudolf verzog einen Mundwinkel zu einem freudlosen kleinen Lächeln. »Die Wahrheit ist, edle Königin, dass ich Euch stets für eiskalt und machtgierig gehalten habe. Und für meine Feindin.«

Sie nickte, offenbar nicht im Mindesten gekränkt. »Und ich habe Euch für selbstsüchtig und schwach gehalten. Womöglich haben wir uns beide getäuscht.«

»Tja. Wer weiß«, gab er zurück.

»Dass Ihr Ekbert vor den König geführt und gleichzeitig an Ottos Gewissen appelliert habt, beweist auf jeden Fall Mut und Klugheit. Und ich bin Euch dankbar dafür. Es wird die Macht des Königs innerhalb des Reiches stärken und die Gefahr durch slawische Überfälle schmälern, wenn die Billung-Brüder ihren Frieden mit dem König machen.«

»Falls er sie nicht doch aufknüpft.«

Adelheid schüttelte den Kopf. »Rachgier liegt nicht in seiner Natur. Wenn sie in aufrichtiger Reue vor ihn treten, wird er ihnen vergeben.«

»Wer wüsste das besser als ich …«, warf er bissig ein. »Ich verstehe allerdings nicht, warum es den König scheren sollte, ob die Billunger reumütig in die königliche Huld zurückkehren oder nicht. Sie haben doch in Wahrheit keine Chance gegen ihn. Niemand hat das. Die Macht des Königs ist unantastbar.«

»Glaubt das nur nicht«, widersprach Adelheid unerwartet scharf. »Keine Macht ist unantastbar. Man muss sie hegen und pflegen wie ein zartes Pflänzchen, Tag für Tag, Jahr um Jahr, sonst verkümmert sie und vergeht. Herzog Hugos Tod sichert uns den Frieden mit Westfranken, denn dort herrschen nun Ottos Schwestern für ihre Söhne. Die freiheitsdurstigen slawischen Völker im Osten bleiben hingegen ein Risiko. Doch die größte Gefahr lauert in Italien.«

Liudolf ging ein Licht auf. »Ich beginne zu ahnen, wieso wir diese Unterhaltung führen. Ihr wollt mich vor Berengars Tücke warnen.«

Adelheid schaute ihm in die Augen. »Wie gesagt. Ich habe erkannt, dass meine Zweifel an Eurer Klugheit unbegründet waren. Darum bin ich überzeugt, es ist nicht nötig, Euch vor Berengar zu warnen.«

»Das erleichtert mich. Ich weiß, dass er ein hinterhältiger und durchtriebener Halunke ist. Vielleicht habe ich einmal gedacht, ich müsse darüber hinwegsehen, weil er Euer Feind und damit mein Freund sei. Aber sogar ich lerne gelegentlich aus meinen Fehlern. Genau wie mein alter Herr, den Ihr eben zum Glück an die Schönheit dieser Tugend erinnert habt, eh er mir den Kopf abreißen konnte.«

Adelheid schmunzelte, und sein Herz stolperte einmal kurz,

weil sie so bezaubernd aussah, wenn sie lächelte. Dann wurde sie wieder ernst. »Wann wollt Ihr über die Alpen ziehen?«

»Sobald ich meine Truppen beisammen und ausgerüstet habe. In sechs Wochen, schätze ich.«

»Gut. Und wenn ich Euch erkläre, wer Berengars heimliche Verbündete sind und wer seine Rivalen und Feinde, deren Ambitionen Ihr Euch zunutze machen könnt, werdet Ihr mir zuhören? Oder werdet Ihr meinen Rat in den Wind schlagen, weil ich Eure böse Stiefmutter bin?«

Liudolf musste lachen. »Ich bin vielleicht nicht besonders erpicht auf Eure Ratschläge, edle Königin, aber ich fürchte, ich bin auf sie angewiesen«, bekannte er dann. »Denn ich will Berengar in den Staub werfen, wisst Ihr. Ein für alle Mal, wenn ich kann.«

»Das trifft sich gut, Prinz Liudolf«, sagte die Königin. »Denn der König gedenkt, Euch als Vizekönig nach Italien zu schicken. Ihr wisst, was das bedeutet, nicht wahr?«

Liudolf legte die Hände auf die Knie und sah in den klaren Abendhimmel hinauf. Oh ja, er wusste, was es bedeutete: Er sollte doch noch seine Krone bekommen. Nur musste er das dazugehörige Königreich erst erobern …

»Wieso nur komme ich mir auf einmal vor wie ein Pferd, dem man ein Haferplätzchen vorhält, damit es über ein Hindernis springt?«

»Das ist mir vollkommen schleierhaft, Prinz«, beteuerte sie mit einem Wimpernaufschlag reinster Unschuld.

Jasna von Brandenburg trat zu ihnen und knickste anmutig vor Adelheid. »Die Gräfin sagt, es wird Zeit, Euch fürs Festmahl umzukleiden, edle Königin.«

»Ich komme gleich, Jasna«, stellte Adelheid in Aussicht.

»Schon wieder ein Festmahl?«, fragte Liudolf ungläubig, während die slawische Fürstentochter zu Gräfin Hulda auf der Bank an der Schmiede zurückkehrte. »Und ich dachte, der Hoftag sei vorüber.«

Adelheid vollführte eine resignierte Geste. »Der neue Gesandte des Kaisers von Byzanz.«

Der Prinz nickte, den Blick immer noch auf Jasna gerichtet.

»Sie ist eine Schönheit. Ich erinnere mich an ihre Mutter, die sah genauso aus.«

»Und Jasna ist weit mehr als das«, eröffnete Adelheid ihm. »Ich glaube nicht, dass der König ohne ihre Hilfe wieder gesund geworden wäre. Sie ist enorm heilkundig, wie sich herausgestellt hat.«

»Ich dachte, gegen diese Pestilenz gäbe es keine Arznei.«

»Nein. Aber gegen Fieber und innere Blutung, die offenbar schuld daran waren, dass so viele der Kranken starben.«

»Hm«, machte Liudolf. »Ich gestehe, ich würde lieber glauben, der König wäre dank seiner Nähe zu Gott wieder genesen. Es ist ein so tröstlicher Gedanke.«

»Das eine schließt das andere nicht aus, Prinz Liudolf«, entgegnete die Königin ernst, aber mit einem verräterischen Funkeln in den Augen. »Im Übrigen steht es Euch frei zu glauben, was immer Ihr wollt. Ohne Gottes Gnade und seine Wunder werdet Ihr niemals König von Italien, so viel ist gewiss.«

Quedlinburg, September 957

»Hier, Hauptmann, das ist mein Bruder Faramond.« Volkmar von Limburg schob einen lang aufgeschossenen Jüngling vor sich durch den Zelteingang. »Die Reiter des heiligen Alban haben einhellig beschlossen, es werde höchste Zeit, dass Ihr einen neuen Burschen bekommt, und Faramond hat sich freiwillig gemeldet. Na ja, fast.«

Der Knabe warf seinem Bruder einen gehetzten Blick zu, dann riss er sich den Strohhut vom Kopf und verneigte sich vor Gaidemar. »Es wäre eine große Ehre für mich, Herr«, versicherte er, und der Adamsapfel in seinem mageren Hals glitt auf und ab, als hätte er Mühe zu schlucken.

Gaidemar legte Schwert und Wetzstein beiseite und betrachtete erst den kleinen Bruder, dann den großen. »Danke, Faramond.« Durch den zurückgeschlagenen Zelteingang sah er die verschwitzten Pferde vor seinem Zelt und fügte hinzu: »Westlich des Haupttores findest du eine Koppel, wo all unsere Pferde stehen. Bring eure beiden dorthin und richte den Knechten aus, sie sollen sie ordentlich versorgen. Komm anschließend zurück.«

Faramond verneigte sich nochmals und eilte hinaus, um den Befehl zu befolgen.

Gaidemar wartete, bis der dumpfe Klang der Hufe sich entfernt hatte, ehe er Volkmar fragte: »Was fällt dir ein? Wenn ich einen Burschen wollte, würde ich mir einen suchen.«

Der junge Panzerreiter schüttelte den Kopf. »Wir haben allmählich die Hoffnung verloren, dass dieser Tag jemals kommt, Hauptmann. Aber als Kommandant der berühmtesten Reiterlegion des Reiches habt Ihr eine Stellung zu wahren, ob es Euch nun gefällt oder nicht.«

»Oh, erspar mir dieses Gefasel«, entgegnete Gaidemar ungeduldig. »Ich bin und bleibe ein landloser Bastard und werde mich nicht zum Gespött machen, indem ich vorgebe, eine Stellung zu wahren, die ich überhaupt nicht besitze. Und außerdem ...«

»Aber die Knaben aus gutem Hause reißen sich förmlich darum, von Euch das Waffenhandwerk zu lernen und ...« Volkmar verstummte abrupt, als er Gaidemars Blick sah, und schlug schuldbewusst die Hand vor den Mund. »Jesus, Maria und Josef ... Ich hab's schon wieder getan«, gestand er mit komischer Verzweiflung.

Gaidemar verzog einen Mundwinkel. »Was ich sagen wollte, war: Wir ziehen nächste Woche mit dem König in den Krieg gegen die Redarier. Du weißt genau, dass das ein Blutbad wird, egal, wie es ausgeht. Willst du wirklich, dass dein Bruder mitkommt?«

»Warum denn nicht?«, entgegnete Volkmar unbekümmert. »Je tiefer das Wasser, desto schneller lernt man schwimmen.«

Oder man ersäuft, dachte Gaidemar. »Wie alt ist er?«

»Zwölf. Höchste Zeit also, dass er in die Waffenausbildung kommt. Unser alter Herr hat das Reißen in den Gliedern und kann nicht mehr fechten.«

»Also schön, ich werd drüber nachdenken«, stellte Gaidemar in Aussicht.

Seit Mira in sein Zelt zurückgekehrt war, hatte sie auch ihre einstigen Aufgaben wieder übernommen, hielt seine Rüstung und Waffen in Ordnung und kümmerte sich um seine Pferde. Es war nie darüber gesprochen worden. Vermutlich war es ihnen beiden so vorgekommen, als sei die natürliche Ordnung der Dinge wiederhergestellt, so absurd es auch in Wirklichkeit sein mochte und so sonderbar der Anblick einer Frau auch war, die einen Ringelpanzer im Sand wälzte. Gaidemar war es gleich. Tatsächlich fand er sich oft an Ida erinnert, die früher mit ihrem undamenhaften Gebaren manches Mal Kopfschütteln erregt und sich nicht darum geschert hatte, was die Welt dachte. Mira war nicht so selbstbewusst und unverfroren wie Liudolfs Gemahlin, aber sie imponierte ihm genauso. Er hatte indessen nicht vor, sie mit in den Krieg zu nehmen.

Volkmar wies zum Ausgang. »Der Proviantmeister wartet draußen auf Euch.«

»Das wirst du übernehmen«, entschied der Hauptmann. »Ich muss zum Erzbischof.«

»Ich soll den Proviant für die ganze Legion ordern?«, fragte der junge Panzerreiter entsetzt. »Aber … aber woher soll ich wissen, wie lange der Feldzug dauert?«

»Du weißt genauso viel wie ich, Volkmar«, gab Gaidemar zurück. »Und es wird Zeit, dass du solche Dinge lernst. Kalkuliere für zwei Monate. Wenn wir die Redarier bis dahin nicht kleingekriegt haben, müssen wir die Entscheidung vermutlich auf den Frühling vertagen, denn im Slawenland kommt der Schnee früh. Der Proviantmeister hat viel Erfahrung, hör dir an, was er zu sagen hat. Und vergiss bloß das Pferdefutter nicht.«

»In Ordnung, Hauptmann.« Volkmars Miene zeigte Stolz und Verwirrung zu gleichen Teilen. »Ich bin nicht sicher, wie es mir behagt, dass Ihr mir solche Verantwortung übertragt«, bekannte er mit der ihm eigenen entwaffnenden Offenheit.

Gaidemar konnte ihm das gut nachfühlen – zu Beginn hatte das Kommando über eine ganze Legion von Panzerreitern ihn auch halb zu Tode erschreckt. »Ich schätze, du wächst mit deinen Aufgaben«, antwortete er. »Meistens bleibt einem gar nichts anderes übrig. Sag deinem Bruder, wenn er bis heute Abend eine neue Gurtschnalle für meinen Sattel gefunden hat, obwohl es keinen Sattler in Quedlinburg gibt, dann nehme ich ihn.«

Der Hof und die engsten Ratgeber des Königs waren nach Quedlinburg gekommen, um den Feiertag zur Geburt der Gottesmutter zu begehen. Es war kein großer Hoftag mit alldem üblichen Rummel und Durcheinander, und wären die Vorbereitungen für den bevorstehenden Feldzug nicht gewesen, hätte die Atmosphäre etwas Beschauliches gehabt. Die Pfalz zu Quedlinburg zählte zu den schönsten in ganz Sachsen, aber da sie auch das Kanonissenstift der ehrwürdigen Königinmutter beherbergte, war sie meist von weihevoller Stille durchdrungen, und man sprach unwillkürlich mit gesenkter Stimme. Es war ein Ort der Ruhe und Einkehr, und die Spätsommerhitze tat ein Übriges. Alle außer dem Gesinde bewegten sich so träge wie die Hummeln im hohen Gras.

Gaidemar brauchte eine halbe Ewigkeit, bis er Wilhelm fand. Eine Wache brachte ihn schließlich auf die richtige Fährte: Der ehrwürdige Erzbischof sei bei seiner Großmutter, der ehrwürdigen Mutter Oberin, Königinmutter Mathildis, erklärte er wichtig, und sein Tonfall besagte, dass Gaidemar dort nichts verloren habe. Der war geneigt, sich dieser Meinung anzuschließen, denn das Kanonissenstift war eine Gemeinschaft frommer Damen, und Männer auf ihrem Gelände gewiss unerwünscht. Dennoch folgte er der Wegbeschreibung des Wachsoldaten durch die dämmrige Vorhalle des steinernen Hauptgebäudes gleich neben der Stiftskirche, eine knarrende Treppe hinauf ins Obergeschoss und zur dritten Tür auf der linken Seite.

Er wollte gerade anklopfen, da öffnete sich schwungvoll die Tür, und König Ottos Mutter trat heraus. Als sie Gaidemar im Halbdunkel entdeckte, stieß sie erschrocken die Luft aus, doch als sie ihn erkannte, überraschte sie ihn mit einem Lächeln. »Es ist gruselig, wie ähnlich Ihr Eurem Vater seht, Hauptmann. Er war ein furchtbarer Flegel, wisst Ihr. Der Hecht im Karpfenteich dieser Familie. Nun, wenigstens war uns nie langweilig, solange er da war ...«

Mit einem routinierten, huldvollen Nicken segelte sie in ihren schwarzen Nonnengewändern an ihm vorbei, und Gaidemar schüttelte fassungslos den Kopf, als er den Raum betrat. »Ich hätte nicht gedacht, dass sie von meiner Existenz weiß.«

»Oh, meine Großmutter weiß alles über jeden«, klärte Wilhelm ihn mit unverhohlener Bewunderung auf.

»Ihr habt Euch gründlich versteckt, Euer Gnaden, dafür, dass Ihr nach mir geschickt habt«, bemerkte Gaidemar säuerlich.

»Vergib mir, Vetter. Sie wünschte mich zu sprechen, und sie gehört zu den Damen, die man besser nicht warten lässt.«

»Ja, darauf wette ich.«

Wilhelm deutete ein Achselzucken an. »Ich verehre meine Großmutter sehr, weißt du.«

»Das ist mir aufgefallen.«

»Der König und sie haben einander nie verstanden. Henning stand stets zwischen ihnen. Aber sie ist eine kluge Frau. Und sie war immer gut zu mir, als ich ein Junge war. Obwohl meine Mutter eine slawische Geisel und ich ein Bastard war, hat sie mich genauso behandelt wie Liudolf und Liudgard. Dabei liegen Herzlichkeit und Großmut nicht in ihrer Natur.«

Gaidemar räusperte sich vielsagend. »Habt Ihr eigens nach mir geschickt, um rührselige Jugenderinnerungen mit mir zu teilen?«

»Nein.« Wilhelm lachte in sich hinein. »Rührselige Landschaftsbetrachtungen vielleicht. Komm her und schau dir das an.«

Gaidemar trat zu ihm ans Fenster, dessen Pergamentbespannung jetzt während der warmen Jahreszeit entfernt worden war, und blickte hinaus. Der breite Felsenbuckel, auf dem die Pfalz stand, fiel auf dieser Seite so steil ab, dass man auf eine Palisade verzichtet hatte. Nur eine niedrige, halb verfallene Bruchsteinmauer begrenzte die kleine Wiese hinter der Stiftskirche, sodass man einen ungehinderten Blick über die Dächer des Städtchens, die umliegenden Weiden und frisch gepflügten Felder und bis auf die dunklen Wälder des Harzes hatte.

»Ja«, räumte Gaidemar ein und atmete tief durch. »Sogar ich bin in der Lage, diese Schönheit zu erkennen.«

»Dann besteht ja noch Hoffnung für die Seele im Innern dieser *sehr* rauen Schale«, spöttelte Wilhelm, lehnte sich mit dem

Rücken an die Mauer neben dem Fenster und wechselte das Thema. »Ich habe einen Brief des Bischofs von Como erhalten. Keine guten Neuigkeiten. Der Markgraf von Asti hat Liudolf den Rücken gekehrt, wie es scheint, und Berengar einen Treueid geschworen.«

Gaidemar zog die Brauen hoch. »Graf Guido? Aber hieß es nicht, er und Liudolf hätten ein Bündnis geschlossen?«

»So hieß es, ganz genau. Ich weiß nicht, was passiert ist. Aber eins ist gewiss: Ohne Guido von Asti wird Liudolf die Lombardei nicht halten können.«

Dabei hatte Liudolfs Feldzug in Italien so vielversprechend begonnen. Kaum hatte der Prinz die Belagerer vor den Toren von Canossa vertrieben, war Berengars Sohn Adalbert – der einstmals picklige Jüngling, der Adelheid heiraten wollte – ihm mit einer Armee entgegengezogen. Doch Liudolf und seine Truppen hatten sie vernichtend geschlagen. Berengar, seine mächtige Frau Willa und Adalbert hatten sich in verschiedene Festungen verkrochen, so wie sie es immer taten, wenn der Gegenwind zu stark wurde, und seither schien Liudolfs Herrschaft unangefochten.

»Ein Wort genügt, wenn Ihr wünscht, dass ich die Reiter des heiligen Alban über die Alpen führe, um Liudolf Verstärkung zu bringen«, erbot sich Gaidemar.

Doch Wilhelm schüttelte den Kopf. »Dies ist Liudolfs Bewährungsprobe, Gaidemar. Und er muss sie allein bestehen.«

Gaidemar nickte. Der Erzbischof hatte recht, wusste er.

Prinzessin Emma kam hinter der Kirche in Sicht, wie üblich in Begleitung des kleinen Kastraten mitsamt Äffchen. Ihnen folgte Erlefrida, die Amme, mit dem knapp zweijährigen Prinzen Otto auf der Hüfte und der ein Jahr älteren Mathilda an der Hand. Die beiden Kleinen sahen wie Miniaturausgaben des Königs aus, nur der vierjährige Brun, der neben der Amme einherstapfte, hatte das dunkle Haar und die großen braunen Augen seiner Mutter geerbt. Lachend rannte er zu Emma und rief: »Er soll Purzelbaum machen, Emma! Los, Kirada, mach Purzelbaum!«

Emma löste die grüne Leine des Äffchens und sagte etwas zu ihm, das man hier oben nicht verstehen konnte. Augenblicklich fing das drollige Geschöpf an, über die Wiese zu rollen, und die Kinder jauchzten.

Der Erzbischof verschränkte die Arme. »Im Übrigen wünsche ich, dass meine Reiterlegion den König begleitet, wenn er gegen die Redarier zieht, denn die Befriedung der Slawen ist *meine* Aufgabe.«

Er sprach wie meistens in gemäßigtem Tonfall, aber das Glimmen in den schwarzen Augen verriet, wie nah das Schicksal der slawischen Völker jenseits der Elbe seinem Herzen war.

Wilhelm hatte sich verändert. In der strittigen Frage über die Gründung eines Erzbistums in Magdeburg hatte er sich durchgesetzt, hatte sich der Unterstützung des neuen jungen Papstes versichert, um die Pläne des Königs und Erzbischof Bruns zu vereiteln. Brun vereinte als vertrauter Bruder und Erzkaplan des Königs, Herzog von Lothringen, Kanzler des Reiches und Erzbischof von Köln so viel Macht in sich, dass es eigentlich unmöglich war, ein politisches Ziel gegen ihn durchzusetzen. Doch genau das war Wilhelm gelungen – ohne ein neuerliches Zerwürfnis innerhalb der königlichen Familie heraufzubeschwören –, und das hatte ihm Selbstbewusstsein und große Anerkennung unter Adel und Klerus beschert.

»Das war auch der Grund, weshalb ich dich sprechen wollte, Gaidemar. Um dich zu bitten, auf diesem Feldzug die Augen für mich offenzuhalten und mir Nachricht zu schicken, wenn du den Eindruck gewinnst, dass dieser Krieg mit unbotmäßiger Härte geführt wird.«

Gaidemar runzelte die Stirn. »*Unbotmäßig?*«, wiederholte er, hin und her gerissen zwischen Belustigung und Unwillen. »Ich glaube nicht, dass es möglich ist, einen Feldzug mit Glacéhandschuhen zu führen. Gegen die Slawen schon gar nicht, denn sie sind grausame, tapfere Krieger und zu allem entschlossen.« Er schätzte sie dafür, und das hörte vielleicht auch Wilhelm.

Der lächelte eine Spur zerknirscht. »Was du eigentlich meinst, ist, dass ich niemals auf einem blutigen Schlachtfeld gestanden und mein Leben gegen einen erbitterten Feind riskiert habe, und du hast recht. Aber der König und vor allem Markgraf Gero verlieren gelegentlich aus den Augen, dass es unser oberstes Ziel ist, die Völker jenseits der Elbe zum wahren Glauben zu bekehren. Sie werfen sie nieder, um ihnen ihr Land zu nehmen und Tribut einzufordern, und ganz gleich, was sie tun, sie rechtfertigen alles damit, dass die Slawen doch nur Heiden sind. Aber Gott fordert von uns, sie als unsere Brüder zu betrachten und ihre Seelen zu retten, das weißt du ganz genau. Auch der König weiß das. Nur vergisst er es gelegentlich. Also erinnere ihn daran, mehr will ich gar nicht.«

»Oh, das ist großartig, ehrwürdiger Vater«, knurrte Gaidemar. »Er wird mich noch mehr lieben als gewöhnlich, wenn ich anfange, seine strategischen Entscheidungen anzuzweifeln.«

»Du bist Kommandant der St.-Albans-Legion, kein kleiner Panzerreiter mehr. Und du hast den Sieg auf dem Lechfeld überhaupt erst möglich gemacht. Er wird zuhören, wenn du etwas zu sagen hast, sei versichert.«

»Aber ...«

»Gaidemar, es war unrecht, Stoinef und seine Truppen abzuschlachten. Unnötig, unklug und barbarisch.«

Gaidemar musste an das Kläffen und Winseln der ausgehungerten Hundemeute auf der Mecklenburg denken. »Was Barbarei angeht, können die Slawen durchaus mithalten ...«

»Ja, ich weiß. Aber irgendwann wird eine Seite damit aufhören müssen, wenn es je Frieden jenseits der Elbe geben soll, also wieso nicht wir? Und außerdem ...« Er unterbrach sich und fragte ungehalten: »Wieso habe ich das Gefühl, dass du mir auf einmal nicht mehr zuhörst?«

Gaidemar hob die Linke zu einer Geste der Entschuldigung und ruckte das Kinn Richtung Fenster. Zwei junge Damen waren Arm in Arm auf der Wiese hinter der Kirche erschienen, offenbar in ein angeregtes Gespräch vertieft. Die Köpfe steckten zusammen, sodass die sachte Sommerbrise den weizenblonden Schopf der einen und den bernsteinfarbenen der anderen durcheinanderwehte, als wolle sie sie miteinander verflechten. Die Mädchen entdeckten irgendein Pflänzchen in der Wiese, das ihr Interesse weckte, und beugten sich darüber, um es zu begutachten. Die eine machte eine Bemerkung, und beide lachten.

»Schau sie dir an, Vetter«, murmelte der Erzbischof mit unverhohlener Bewunderung. »Die beiden Frauen, die dich lieben. Eine schöner als die andere. Du bist doch wahrhaftig ein Glückspilz.«

»Nur seltsam, dass ich mich gar nicht glücklich fühle«, entgegnete Gaidemar und wünschte sogleich, er hätte es nicht gesagt.

Erwartungsgemäß betrachtete Wilhelm ihn mit Unverständnis. »Warum denn nicht, in aller Welt?«

Gaidemar winkte ab. »Reden wir über die Redarier, ehrwürdiger Vater ...«

»Gleich«, entgegnete der Erzbischof erbarmungslos. »Komm schon, was ist es, das dir an der Zuneigung dieser beiden zauberhaften Geschöpfe nicht behagt? Bei Gott, Gaidemar, daran kannst wirklich nur du etwas auszusetzen finden.«

Jasna und Mira waren stehen geblieben und bewunderten die Kunststücke des kleinen Affen. Sie waren über die vergangenen Monate innige Freundinnen geworden. Das war vielleicht nicht so verwunderlich, bedachte man, dass sie beide slawische Wurzeln hatten und das Interesse für Heilkunst und Kräuterkunde sie verband. Doch Gaidemar wurde immer ein wenig mulmig zumute, wenn er sie zusammen sah, seine Sklavin und seine Braut. »Womöglich habt Ihr ja recht, und mein Unbehagen ist albern«, antwortete er. »Aber irgendwann in absehbarer Zeit werde ich Jasna heiraten müssen, wenn ich sie und ihren Vater nicht beleidigen will. Und spätestens an dem Tag muss ich Mira fortschicken. Das ... fällt mir nicht leicht.«

Doch das traf es nicht so recht. Ihm wurde sterbenselend bei dem Gedanken. Irgendwie war es passiert, dass Mira sich mit Widerhaken in seiner Seele festgesetzt hatte. Sie war immerzu in seinen Gedanken. So, wie es ihm einst mit der Königin ergangen war, nur war es mit Mira viel schlimmer, weil sie so vertraut miteinander waren. Wenn er morgens aufwachte, tastete er nach ihrem schlafwarmen, geschmeidigen Leib, ehe er die Augen aufschlug, und wenn er sie fand, spürte er ein eigentümliches Flattern in der Magengrube, das nicht allein Begierde war. Kam er von einem Ausritt zurück und entdeckte sie zufällig am Brunnen, durchzuckte ihn ein kleiner, herrlicher Rausch. Und sobald sich ihre Blicke trafen, erkannte er, dass es ihr genauso erging. Das war vielleicht das Unglaublichste an diesem Wunder: Dass Mira ihn lieben konnte, obwohl sie ihn besser kannte als irgendein anderer Mensch auf der Welt. Und er wusste nicht so recht, wie er auf sie verzichten sollte.

»Das musst du mir erklären, fürchte ich«, sagte der Erzbischof. »Warum willst du sie fortschicken? Jasna ist doch ein vernünftiges Mädchen, sie wird gewiss darüber hinwegsehen.«

Gaidemar hielt den Blick auf die spielenden Kinder gerichtet. »Aber ich nicht. Man schwört einander ewige Treue, wenn man heiratet, ehrwürdiger Vater. Und ein Eid ist eine ernste Sache. Das solltet Ihr besser wissen als ich. Ein Versprechen im Angesicht Gottes.«

Wilhelm seufzte. »Manchmal kann ich mich des Eindrucks nicht erwehren, dass du dir das Leben absichtlich schwermachst, Cousin.«

Gaidemar nickte unverbindlich. Er hatte gewusst, dass Wilhelm es nicht verstehen würde. Der Erzbischof war ein frommer Gottesmann und unerschrockener Streiter für das Wohl der Heiligen Mutter Kirche, aber Fragen der Moral betrachtete er zuzeiten mit einem Augenzwinkern.

»Vielleicht habt Ihr recht. Aber meine Integrität ist das Einzige, was ich besitze und ... Oh, Jesus Christus.« Er krallte die Hände um die Pfosten des schmalen Fensters und brüllte hinaus: »Mira! Der Prinz!«

Während die Amme und die übrigen Kinder dem Affen Kirada gefolgt waren, der sich purzelbaumschlagend auf Jasna und Mira an der Kirchenmauer zugerollt hatte, war es Prinz Brun langweilig geworden, seine Kapriolen anzuschauen, und er hatte begonnen, die Bruchsteinmauer zu erklimmen, die die Wiese von der Steilkante des Felsens trennte.

Wilhelm stand hinter Gaidemar und sah an dessen Schulter vorbei hinab. »Oh Gott, da geht es hundert Fuß hinunter. Brun! Komm da runter, Brüderchen! Hörst du nicht!«

Die Rufe der Männer oben am Fenster hatten die Amme alarmiert, und sie fuhr auf dem Absatz herum, sah den kleinen Jungen klettern und legte entsetzt die Hand an die Kehle, ohne sich zu rühren. Mira stieß sie rüde beiseite und lief los.

Brun legte die Hände auf die bröckelige Mauerkante und zog sich hoch.

Mira rannte immer noch wie ein Junge, pfeilschnell, mit rhythmisch schwingenden Armen. Aber das Kleid kam ihr ins Gehege, sie stolperte über den Saum und schlug hin.

»Oh, heiliger Vitus, du Helfer in der Not, steht uns bei ...«, flehte Wilhelm.

Gaidemar maß in aufsteigender Panik die Entfernung vom Fenster zur Erde. Er hätte einen Sprung wagen können – allein, das Fenster war zu schmal für einen ausgewachsenen Mann.

Der kleine Prinz hatte ein Knie auf der Mauerkrone, zog das zweite Bein hoch und stand auf.

Mira war wieder aufgesprungen und hatte ihn fast erreicht. Brun stand selbstvergessen und scheinbar völlig furchtlos auf der Mauer, breitete die Arme aus und balancierte nach links. Mira streckte die Hand aus.

Wilhelm wagte nicht mehr, seinen kleinen Bruder anzurufen, weil er fürchtete, ihn zu erschrecken, aber die Amme konnte nicht länger an sich halten und stieß einen gellenden Schrei aus: »Bruuun!«

Der Junge fuhr zu ihr herum und geriet in Wanken.

Wilhelm stieß ein heiseres Stöhnen aus und krallte die Hand um Gaidemars Arm.

Brun ruderte mit den Armen, kippte mit einem angstvollen Schrei hintenüber und verschwand.

Mira warf sich im selben Moment mit ausgestreckten Armen über das Mäuerchen, um ihn noch zu erwischen, aber Gaidemar wusste mit albtraumhafter Gewissheit, dass es zu spät war. Nach ein oder zwei Herzschlägen, die ihm so lang wie eine ganze Lebensspanne erschienen, richtete Mira sich wieder auf, schlug die leeren Hände vors Gesicht und sank im Gras auf die Knie.

Als wolle er sie imitieren, landete Wilhelm neben Gaidemar hart auf den Knien, krallte die Hände ins schwarze Haar und senkte den Kopf. Er gab keinen Laut von sich, aber seine Schultern bebten.

Gaidemar bekreuzigte sich und wandte sich wieder dem Fenster zu, damit sein Cousin seine Tränen nicht sah und selbst unbeobachtet trauern konnte.

Erlefrida, die Amme, saß zusammengekrümmt und heulend im Gras und presste den winzigen Otto an sich, der missgelaunt strampelte, als halte sie ihn zu fest. Die neunjährige Emma war so bleich, dass ihre Haut wächsern wirkte, aber sie besaß genug Geistesgegenwart und Beherrschung, um ihre kleine Schwester Mathilda auf den Arm zu nehmen und zu wiegen, die die hysterische Amme mit furchtsam aufgerissenen Augen anstarrte. Jasna kniete bei Mira im Gras und legte ihr den Arm um die Schultern. Mira hielt den Kopf gesenkt, ergriff aber die Hand ihrer Freundin mit ihren beiden.

»Gaidemar …« Wilhelm fuhr sich mit dem Ärmel übers Gesicht und kam auf die Füße wie ein Greis.

»Ja?«

»Es ist viel verlangt, ich weiß, aber … würdest du Brun holen?«

Gaidemar spürte einen eisigen Schauer seinen Rücken hinabrieseln bei der Vorstellung, was er am Fuße der Felsenklippe vorfinden würde, aber er nickte. »Natürlich.«

Wilhelm legte ihm für einen Lidschlag die Hand auf den Unterarm. »Danke. Dann … gehe ich zu Adelheid und meinem Vater.«

Gaidemar erkannte, dass seine Aufgabe nicht die schwerste war, die es jetzt zu erfüllen galt.

Mira stand am Tor und wartete auf ihn, Amelung am Zügel. »Ich weiß, wohin du gehst, und ich komme mit dir«, sagte sie.

Gaidemar nahm ihr das Pferd ab. »Nein.«

»Doch.« Die grünen Augen schimmerten verräterisch, aber Miras Gesichtsausdruck zeigte grimmige Entschlossenheit.

Er ließ den Zügel los und nahm ihre Hände in seine. »Ich will nicht, dass du ihn siehst.«

»Ich muss, glaub mir.«

Gaidemar schüttelte den Kopf. »Ich lasse nicht zu, dass du dich bestrafst, weil du ihn nicht rechtzeitig erreicht hast. Du hattest keine Chance, ich habe es gesehen.«

584

»Wenn ich nicht über das *verfluchte* Kleid gestolpert wäre …«

»Ja, Mira, aber *Gott* hat entschieden, dass du eine Frau wirst. So wie er auch beschlossen hat, dass Prinz Brun nur vier Jahre alt werden sollte.« Er biss die Zähne zusammen, um sich daran zu hindern, laut auszusprechen, was er von Gottes Ratschluss hielt.

»Nichts davon hast du zu verantworten, und du hast getan, was du konntest. Jetzt lass mich gehen, ehe mich der Mut verlässt.«

Sie ließ seine Hände los. Tränen rannen über ihre fahlen Wangen. »Hier, nimm das.« Sie streckte ihm ein zusammengefaltetes Tuch entgegen, und Gaidemar war dankbar für ihre Geistesgegenwart.

Wortlos saß er auf und trabte aus dem Tor, während in seinem Rücken die Wachen in Wehklagen ausbrachen, weil irgendwer ihnen die schreckliche Kunde gebracht hatte.

Der Felsenrücken mit der Pfalz und dem Stift lag eine Viertelmeile außerhalb des Städtchens, und Gaidemar begegnete keiner Menschenseele, als er in der sengenden Nachmittagshitze auf die Rückseite des Hügels mit der schroffen Steilkante ritt. Ein Bussard zog seine Kreise am wolkenlosen Sommerhimmel. Als Gaidemar aus dem Sattel glitt, reichte das spärliche, verdorrte Gras ihm bis an die Oberschenkel. Das Knarren des hölzernen Sattels schien der einzige Laut auf der Welt zu sein.

Der Prinz lag gleich am Fuß der Felswand auf dem Rücken, und er sah längst nicht so schlimm aus, wie Gaidemar erwartet hatte.

»Gepriesen sei der Herr für diese kleine Gnade«, flüsterte er und kniete sich neben das tote Kind auf die felsige Erde. Der starre, glasige Blick der braunen Augen drohte ihm das bisschen Haltung zu rauben, an das er sich klammerte, und er schloss mit der flachen Hand die Lider. Das zarte Gesicht war wie durch ein Wunder unversehrt und wirkte friedlich, jetzt da die Augen geschlossen waren. Unter dem Hinterkopf war die staubige Erde jedoch nass und rot.

Gaidemar breitete das Laken aus, das Mira ihm mitgegeben hatte, und registrierte ohne Interesse, dass es sich um ein kostbares Altartuch handelte. Die Goldfäden funkelten in der Sonne. Er hob den kleinen Leib auf und stellte bei der Gelegenheit fest, dass beide Beine und der linke Arm gebrochen waren. Vermutlich war auch so ziemlich jeder andere Knochen zerschmettert, denn Brun war tief gestürzt. Aber man konnte ihn seiner Mutter zeigen, ohne ihr den Verstand zu rauben, und darin fand er ein Mindestmaß an Trost. Er neigte sich über seinen kleinen Cousin und küsste ihm die Stirn, ehe er ihn in das kostbare Leichentuch hüllte und zurückbrachte.

Sie warteten im Innenhof auf ihn. Vor dem Portal der großen Halle hatte sich die königliche Familie versammelt. Otto hatte Adelheid einen Arm um die Schultern gelegt. Wilhelm stand einen Schritt zur Rechten und strich Emma abwesend über den Schopf, die mit gesenktem Kopf vor ihm stand und leise weinte. An Ottos anderer Seite war die Königinmutter, und obwohl sie den schlafenden Prinz Otto im Arm hielt, wirkte sie wie ein düsterer Racheengel. Der König hatte seine Tochter auf dem linken Arm, die den Kopf vertrauensvoll an seine Schulter gelegt hatte und schläfrig blinzelte.

Erlefrida konnte sich nicht um ihre verbliebenen Schützlinge kümmern: Sie lag wimmernd mit dem Gesicht nach unten auf der Erde und rührte sich nicht, weil Wido einen Schuh auf ihren Rücken gestellt hatte und sie mit mörderischen Blicken traktierte, während unablässig Tränen über seine stoppeligen Wangen liefen.

Otto und Adelheid sahen Gaidemar entgegen, als er vom Pferd stieg und die kleine Last in seinen Armen vor ihnen ins Gras legte. Adelheids Blick flackerte kurz in seine Richtung.

»Habt Dank, dass Ihr uns unseren Sohn zurückbringt, Gaidemar.«

Er nickte und kam sich unzulänglich vor, weil er keinen Ton herausbrachte.

Adelheid löste sich aus Ottos Umarmung, sank langsam auf die Knie und schlug das Altartuch weit genug zurück, um Bruns Gesicht zu enthüllen. Sie beugte sich über ihn, hob seinen Oberköper an – unendlich behutsam, als graue sie davor, ihn weiter zu beschädigen – und wiegte ihn. Otto trat zu ihr, sein Schritt hölzern und ungelenk, als spüre er die Füße nicht den Boden berühren, kniete sich neben sie, nahm ihre Hand und betete leise. Wilhelm fiel mit ein. Auch Adelheid bewegte die Lippen, beobachtete Gaidemar, doch schien es kein Gebet zu sein, das sie flüsterte. Ihr alabasterweißes Gesicht, eben noch eine Maske des Leids, hatte einen gänzlich anderen Ausdruck angenommen und hatte mit einem Mal etwas Furchteinflößendes, obwohl die Augen geschlossen blieben. Er glaubte die Worte »Ida von Schwaben« auf ihren Lippen zu lesen und schauderte. Er hatte den Fluch, den Liudolfs Gemahlin vor so langer Zeit gegen Adelheids Söhne ausgesprochen hatte, längst vergessen. Doch Adelheid vergaß niemals, wusste er.

Das Schluchzen der Amme klang wahrhaft erbarmungswürdig, aber es störte die Andacht der Trauernden und zerriss die bleierne Stille. Gaidemar sah mit verengten Augen zu ihr hinüber. Die Furcht, die mit einem Mal seine Beine hinaufkroch, münzte er um in Zorn, den er besser zu handhaben wusste, und er zog das Schwert und trat gemächlich zu dem vierschrötigen Wachsoldaten.

»So ein goldiger Prinz, Hauptmann«, flüsterte Wido rau. »So ein goldiger Prinz ...«

Gaidemar nickte. »Sei dennoch barmherzig und hilf der armen Erlefrida auf die Füße, Wido«, sagte er.

Wido starrte ihn einen Moment ungläubig an, dann verstand er. Er lächelte bitter, nahm den Fuß aus ihrem Kreuz und streckte ihr die Hände hin. »Komm schon, Mädchen. Steh auf.«

Die Amme flennte noch ein bisschen lauter und ergriff die hilfreich ausgestreckten Hände. Wido zog sie auf die Knie, ließ sie dann plötzlich los und sprang behände zur Seite, ehe Gaidemar ihr mit einem sparsamen Streich den Kopf abschlug. Mit einem dumpfen, fast verstohlenen Laut landete der Kopf im Gras, und dann war endlich Stille.

Lago Maggiore, September 957

»Er kommt nicht«, grollte Atto von Canossa leise.

»Er kommt«, widersprach Liudolf mit mehr Zuversicht, als er empfand. »Wartet's nur ab.«

Der Graf von Canossa warf ihm einen forschenden Blick zu, erwiderte aber nichts. Liudolf war dankbar, dass eine erneute Debatte über Sinn und Unsinn dieses Unterfangens ihm erspart blieb. Alles hing davon ab, dass ihr Überraschungsangriff gelang, und darum war jedes gesprochene Wort ein Risiko.

Er war nur mit Atto, Wim und Dedi hergekommen. Um gar zu neugierigen Blicken zu entgehen, waren sie vor Tagesanbruch ans Ufer des Sees geritten, hatten das Boot bestiegen, welches Attos Sohn dort für sie vertäut hatte, und waren vielleicht zwei Stunden lang das Westufer hinaufgerudert. Der Sonnenaufgang hatte den spiegelglatten See und die Berge mit den schneebedeckten Gipfeln erst in Zartrosa und dann in Blutrot getaucht. Das wahrhaft erhabene Schauspiel hatte Liudolf beinah den Atem verschlagen, und auch die anderen Männer im Boot hatten verdächtig ergriffene Mienen gezeigt. Bis Atto Wim auf die Schulter tippte und mit dem Finger ans Ufer wies. »Da, die Ziegelhütte mit dem roten Dach, das muss es sein.«

Sie waren eine halbe Meile nördlich der unscheinbaren Jagdhütte an Land gegangen, hatten das Boot im Uferschilf versteckt und sich in die Wälder geschlagen, bis sie auf einen gut erkennbaren Pfad stießen, der in die richtige Richtung führte.

Und hier lagen sie nun im Unterholz auf der Lauer, doch je weiter der Morgen fortschritt, desto nervöser wurde Liudolf. Obendrein kam er sich allmählich ziemlich albern vor in seinem Versteck aus Haselzweigen. Aber das ließ er sich nicht anmerken. *Geduld ist die wichtigste Tugend des Jägers*, hatte Fürst Tugomir ihm und Wilhelm wieder und wieder vorgebetet, als er sie das Jagen lehrte. *Deine Beute ist schneller als du, lautloser, stärker und ausdauernder. Geduld ist dein einziger Vorteil. Nutze ihn …*

Es war kein Hirsch und auch kein wilder Eber, den Liudolf heute stellen wollte, aber der Rat war dennoch gut, wusste er.

Die Sonne begann am makellos blauen Himmel zu klettern, und es wurde heiß im Dickicht, wenngleich sie sich doch im Schatten verbargen.

Dedi, der neben Liudolf hockte, wischte sich mit dem Ärmel über die glänzende Stirn. Das spärliche rote Haar klebte ihm in feuchten Strähnen am Schädel, und sein feistes Gesicht hatte sich bedenklich gerötet.

Liudolf wollte gerade den ledernen Wasserschlauch vom Gürtel lösen, als er ein leises Klimpern irgendwo zu seiner Linken hörte. Er sah Dedi in die Augen und legte einen warnenden Finger an die Lippen. Dann spähte er auf die andere Seite des schmalen Weges, wo Atto und Wim sich verborgen hatten. Atto hob kurz die Hand, um ihm anzuzeigen, dass er es auch gehört hatte. Liudolf wandte den Kopf in die Richtung, aus der das Geräusch gekommen war, und lauschte mit verengten Augen. Dumpfer Hufschlag. Zwei Pferde im Schritt. Vielleicht drei. Er entließ langsam einen lang angehaltenen Atem. Die Sonne flirrte durch das Blätterdach über dem Pfad, die leichte Brise, die mit Sonnenaufgang eingesetzt hatte, strich durch das Laub der Bäume und ließ die Tupfen auf dem Waldboden unruhig tanzen.

Der vorderste der Reiter kam in Sicht, ein athletischer Mann mit blondem Bart und Schopf, in den gedeckten Braun- und Grüntönen, die man zur Jagd trug, auf einem gut gebauten Fuchs. Ihm folgte ein zweiter Jäger, ein paar Jahre jünger vielleicht, mit einem gespannten Bogen über der Schulter und einem wilden braunen Lockenschopf, der aussah, als könne kein Kamm ihn bändigen. Zwei Wachen in Plattenpanzern bildeten die Nachhut, doch sie waren mehr mit dem Weinschlauch beschäftigt, den sie hin- und herwandern ließen, als mit der Sicherung ihres Herrn.

Gut so, dachte Liudolf und richtete sich langsam auf. Er vermied schnelle Bewegungen, um seine Beute nicht vorzeitig zu warnen, verlagerte das Gewicht auf den linken Fuß, dann auf den rechten, um sicherzustellen, dass seine Glieder nicht verkrampft waren.

Der Anführer wandte den Kopf. »Mach dich bereit, Dado«, riet er gedämpft. »Noch eine Viertelmeile bis zu der Stelle, von der ich gesprochen habe, wo der Bock ...«

Liudolf sprang mit einem leichtfüßigen Satz aus dem Dickicht. »Der Bock hat für heute noch mal Glück gehabt, Graf.« Und ehe der Reiter wusste, wie ihm geschah, hatte Liudolf ihm die Zügel aus dem losen Griff entwunden und nach links verrissen, sodass der Fuchs sich unter wieherndem Protest ins Gras legte und sein Reiter aus dem Sattel purzelte. Als er sich ächzend aufrichtete, fand er sein ganzes Blickfeld von einer blank polierten Stahlklinge ausgefüllt.

»Prinz Liudolf …«

Der lächelte schadenfroh auf ihn hinab. »Graf Guido.«

Der Pfalzgraf von Asti wollte auf die Füße kommen, aber Liudolf stellte einen Fuß auf seine Schulter und beförderte ihn zurück ins Gras. Guido lag hilflos wie ein Käfer auf dem Rücken. Sein Blick glitt nach links, und sein Mund verzog sich zu einem bitteren kleinen Lächeln, als er erkennen musste, dass Liudolfs Begleiter die seinen ebenfalls überwältigt und aus den Sätteln geholt hatten. Atto, Dedi und Wim ließen sie aufstehen, fesselten die beiden Wachen Rücken an Rücken und führten den Wuschelkopf zu Liudolf.

»Dado von Benevent, nehme ich an?«, fragte der höflich.

»Woher wisst Ihr das?«, entgegnete der junge Mann. Es klang angriffslustig, doch sein Blick flackerte gehetzt von ihm zu Guido und wieder zurück.

»Geraten«, log Liudolf und wandte sich wieder an den mächtigen Pfalzgrafen von Asti zu seinen Füßen. »Ich bedaure, Euren Jagdausflug so rüde zu unterbrechen, aber ich hätte ein paar Kleinigkeiten mit Euch zu besprechen.« Er nahm den Fuß von Guidos Schulter und trat einen Schritt zurück, hielt das Schwert aber einsatzbereit in der Rechten. »Ihr dürft aufstehen.«

Der Graf sprang agil auf die Füße und machte einen wütenden Schritt auf ihn zu. »Was fällt Euch ein, Prinz? So könnt Ihr nicht mit mir umgehen, Ihr scheint zu vergessen …«

»*Ihr* scheint zu vergessen, dass Ihr mir letzten Herbst einen Treueid geleistet und ihn nun gebrochen habt und zu Berengar zurückgekrochen seid. Darum kann ich mit Euch umspringen, wie es mir gefällt, denn Ihr habt Euer Leben verwirkt.«

Guido zog höhnisch die Brauen hoch. »Vergebt mir, wenn ich nicht schlottere. Ihr wisst so gut wie ich, dass Ihr Italien ohne mich nicht regieren könnt.«

»Seid nicht so sicher«, warf Atto von Canossa ein. »Das hat Berengar auch geglaubt, und nun sitzt er einsam und verlassen in San Giulio und fragt sich, wohin seine Macht entschwunden ist.«

590

»Einsam und von allen Freunden verlassen bis auf Euch, Guido«, nahm Liudolf den Faden wieder auf. »Ihr habt mir Euren Sohn als Unterpfand Eurer Treue überlassen und sein Leben riskiert, um auf Berengars Seite zurückzukehren. *Warum?* Was hat Berengar Euch versprochen?«

»Er ist der rechtmäßige König von Italien, nicht Ihr, nicht Euer Vater«, konterte der Pfalzgraf aufgebracht.

Liudolf schüttelte seufzend den Kopf. »Meine Stiefmutter ist die rechtmäßige Erbin der italienischen Krone. Glaubt mir, an der Kröte hatte auch ich lange zu schlucken, denn Adelheid und ich waren einander nie sonderlich zugetan. Doch wir müssen uns den Tatsachen stellen, Guido. Durch seine Heirat mit Adelheid ist mein Vater der einzig rechtmäßige König, der mich hergeschickt hat, um die Herrschaft für ihn auszuüben. Also erzählt mir nichts von Berengars angeblichem Anspruch. Das ist Unsinn und Euch doch ohnehin völlig egal. Ihr wollt Genua, nicht wahr? *Das* hat er Euch versprochen.« Und weil Guido stumm blieb, fügte er mit einem verächtlichen Schnauben hinzu: »Was für ein Narr Ihr doch seid. Ich hatte vor, es Euch zu geben. Aber daraus wird nun nichts mehr, fürchte ich.« Er nickte Wim und Dedi zu. »Verschnürt den Wuschelkopf. Wir nehmen ihn mit.«

»*Was?*« Zum ersten Mal drohte Guido die Fassung zu verlieren. »Aber was hat mein Schwager damit zu tun?«

Der junge Dado von Benevent wollte das Jagdmesser zücken, aber der Bogen über der Schulter behinderte ihn, und Liudolfs Gefährten überwältigten ihn mühelos.

»Guido, was geht hier vor?«, fragte Dado, und es klang halb entrüstet, halb ängstlich.

Liudolf betrachtete ihn einen Moment und wandte sich dann wieder an den mächtigen Grafen. »Das Wohlergehen Eures Sohnes ist Euch offenbar so gleichgültig, dass Ihr nicht einmal fragt, ob er noch lebt. Was übrigens der Fall ist. Er ist ein sonniges Kerlchen, und mein Sohn und er sind unzertrennlich. Da ich es nicht übers Herz bringe, ihn zu töten, und die Möglichkeit Euch auch überhaupt nicht den Schlaf raubt, ist der kleine Guido indes ein wertloses Druckmittel. Aber ich habe Grund zu der Annahme, dass es sich mit Eurem Schwager hier anders verhält, da Ihr das Bett lieber mit ihm teilt als mit seiner Schwester, wie man hört.«

»Worauf wollt Ihr hinaus, Prinz«, fragte Guido brüsk. »Glaubt Ihr im Ernst, Ihr könntet mich damit erpressen?«

Noch vor einem Jahr hätte Liudolf das vielleicht geglaubt, denn die Welt, in der er aufgewachsen war, verdammte Männerliebe als abscheuliches Verbrechen. Die ertappten Sünder wurden kastriert und aufgehängt. Und wenn sie dafür zu mächtig waren, wurden sie doch zumindest ausgestoßen und galten als verfemt – ein für alle Mal erledigt. In Italien, diesem bestrickend schönen und rätselhaften Land waren die Dinge jedoch anders. Die Regeln mochten die gleichen sein, aber ihre Auslegung war eine andere. Die Betrachtungsweise. Eine bitterernste Sache, die einen Mann in Sachsen Ruf und Leben kosten konnte, rief hier vielleicht nur ein Augenzwinkern hervor. Liudolf hatte ein paar Monate gebraucht, um das zu lernen, und es war einer der Gründe, warum er sich so in dieses Land verliebt hatte.

»Es liegt nicht in meiner Absicht, Euch zu erpressen«, eröffnete er Guido. »Nicht mit Euren Bettgeschichten jedenfalls. Aber ich nehme Euren Schwager als Gast an meinen Hof.« Er legte Dado von Benevent scheinbar freundschaftlich den Arm um die Schultern. »Eurem Sohn kann ich kein Haar krümmen, aber bei ihm hier bin ich weniger zimperlich.« Er setzte dem jungen Mann die scharfe Klinge an die Kehle, als wolle er ihn rasieren, und mit einem kleinen Ruck des Handgelenks verpasste er ihm einen flachen Schnitt.

Als Dado das Blut seinen Hals hinabrinnen spürte, zuckte er zusammen. Wie im Affekt krallte er die Linke um Liudolfs Handgelenk, so fest, dass die aufwändige, schnörkelige Fassung seines kostbaren Rubinrings dem Prinzen die Haut einritzte. »Guido, was geht hier vor?«, fragte der Wuschelkopf, den unverkennbar flehenden Blick auf seinen Schwager gerichtet.

Der stand einen Augenblick reglos da, als hätte ihn der Schlag getroffen, und seine Wangen waren merklich fahler geworden. Dann stieß er hörbar die Luft aus und zuckte die Achseln. »Nun, wenn das so ist, Prinz Liudolf …«

Seufzend trat er auf ihn zu und sank auf die Knie.

Liudolf nahm schleunigst die Klinge von Dados Kehle und steckte sie ein, damit Guido sich nachher nicht damit herausreden konnte, sein Schwur sei ihm unter Zwang abgenötigt worden.

Der Pfalzgraf legte die rechte Hand auf das kleine Reliquiar, das Atto von Canossa vorausschauend mitgebracht hatte, sah Liudolf in die Augen und gelobte: »Ich schwöre Euch Lehnstreue und Gehorsam und bin vom heutigen Tage der Eure mit Leib und Ehre, bis einer von uns diese Welt verlässt und der allmächtige Gott meinen Schwur aufhebt.«

Er leierte es nicht einmal hochnäsig herunter, sondern sprach mit feierlichem Ernst. Das war mehr, als Liudolf erwartet hatte. Guido ließ die Reliquie los und führte die Hände zusammen.

Liudolf umschloss Guidos Hände mit seinen. Dann trat er zurück. »Erhebt Euch, Lehnsmann.« Er wartete, bis der Graf aufgestanden war und sich die Erdkrumen von den Knien gefegt hatte, ehe er ihn einlud: »Begleitet uns nach Pombia zum Essen, wenn Ihr nicht zu eingeschnappt seid. Ihr könnt Euren Sohn sehen und Euch von Eurem Schwager verabschieden, ehe Ihr die Heimreise antretet.« Und er konnte sich nicht verkneifen, grinsend hinzuzufügen: »Zu Eurer sehnsüchtig wartenden Gemahlin.«

Die Sonne stand schon hoch, als sie über den See zurückfuhren, und ließ das Wasser wie blauen Brokat funkeln. Liudolf bekam Kopfschmerzen von dem rastlosen Glitzern und massierte sich dann und wann die Schläfe. Kopfschmerzen war er nicht mehr gewöhnt, denn seit seiner Zeit in St. Gallen war er ein äußerst maßvoller Trinker geworden, und er wunderte sich, wie er es früher nur ausgehalten hatte, jeden Morgen solch einen Brummschädel zu haben.

Als sie am Ufer festmachten und zu ihren Pferden zurückkehrten, borgte Wim seinen Braunen Guido und Dado und saß selbst hinter Dedi auf. Liudolf ritt an der Spitze der kleinen Schar in Pombia ein, einem beschaulichen Städtchen unweit des Sees mit einer komfortablen Burg.

»Schaut nur, da kommt der Weiße Reiter!«, rief die blonde

Tochter des Müllers ihren Schwestern zu, und die Mädchen winkten.

Liudolf nickte ihnen lächelnd zu und klopfte dankbar den Hals seines blauäugigen Schimmels, der ihm diesen Spitznamen eingetragen hatte. Als er im vergangenen Sommer Berengar von den Toren Canossas vertrieben hatte, war der Ruf zum ersten Mal erschallt. Die Besatzung der befreiten Burg hatte auf dem Wehrgang gestanden und ihm zugejubelt. »Gott segne Prinz Liudolf! Es lebe der Weiße Reiter!«

Irgendwie war der Name haften geblieben, genauso wie die Hochachtung, mit der die Menschen ihn aussprachen. Was Liudolf niemals für möglich gehalten hatte, war eingetreten: Die Italiener mochten ihn. Und sie schätzten ihn dafür, dass er ihnen Frieden und Ordnung zurückgebracht hatte. Das hätte er sich selbst nie zugetraut, und dennoch war es passiert. Es war unfassbar, hatte Liudolf erkannt, was ihm alles gelingen konnte, wenn nur die Alpen zwischen ihm und seinem Vater lagen …

Ida wartete im sonnendurchfluteten Innenhof der Burg auf ihn. Auf ihr Zeichen brachte ein Diener einen goldenen, fein ziselierten Weinpokal, den sie zu ihrem Gemahl emporstreckte: »Wie ich sehe, war die Jagd erfolgreich«, bemerkte sie, und ihre Augen strahlten.

Liudolf zwinkerte ihr zu, nahm einen ordentlichen Zug und gab ihr den Becher zurück. »Ich bringe Gäste mit.«

Ida wartete, bis Guido und sein Schwager abgesessen waren, ehe sie auch dem Grafen den Pokal entgegenstreckte. »Seid willkommen in unserer Halle in Pombia.«

Guido war keineswegs unempfänglich für weibliche Reize, und er betrachtete Ida mit unverhohlener Bewunderung. »Ich gestehe, was bis eben eine Bußübung für mich war, verwandelt sich gerade in ein Vergnügen.« Er hob ihr den Becher mit einem etwas angespannten Lächeln entgegen und trank. Die Sonne glitzerte auf dem satten Gold des Pokals, und Liudolf spürte ein sengendes Stechen hinter den Augen, so plötzlich, dass er scharf die Luft einzog. Für einen Moment schien sein Blickfeld zu zerfließen, wurde aber sogleich wieder scharf, und der Schmerz verging.

Er saß ab und übergab Albus einem Stalljungen, der das berühmte Pferd mit offenkundiger Ehrfurcht zum Stall hinüberführte.

Ida wies einladend zur Halle. »Tretet ein. Drinnen ist es kühl und schattig.«

Liudolf reichte ihr den Arm und führte seine Gemahlin und seine Gäste in die hübsche Halle, die aus Ziegeln gemauert und weiß getüncht war. Die kleinen Fenster waren mit Holzläden verschlossen, sodass es im Innern in der Tat dämmrig war, aber die Kühle war eine Wohltat nach der Spätsommerhitze draußen.

Sie nahmen an der hohen Tafel Platz, und auf Idas Zeichen brachte eine Magd eine Schale mit Trauben und Feigen.

»Das Essen braucht noch ein Weilchen«, erklärte Ida und schob die Obstschale Atto hin. »Erfrischt Euch einstweilen.«

Der Graf von Canossa wählte eine fette Feige, auf deren samtiger Schale einige Wassertropfen perlten, biss hinein und seufzte genießerisch. Guido und Dado griffen zu, dann Wim und Dedi. Ida füllte und verteilte die Weinbecher und berichtete Guido von den kleinen Heldentaten seines vierjährigen Sohnes. Die Atmosphäre entspannte sich spürbar, und Liudolf war dankbar für das diplomatische Geschick seiner Frau, aber der sengende Kopfschmerz war zurück, er spürte Schweiß seinen Nacken und dann die Wirbelsäule hinabrinnen, und als er die unberührte Feige in seiner Hand betrachtete, schloss sich plötzlich seine Kehle.

Liudolf stand so abrupt auf, dass der schwere Sessel mit einem unangenehmen Schleifgeräusch zurückrutschte, das die Kopfschmerzen verschlimmerte. »Entschuldigt mich einen Moment«, murmelte er und fragte sich, warum er so besoffen klang. Er versuchte, gemessenen Schrittes den Ausgang zu erreichen, aber bittere Galle schoss ihm in den Mund, er presste die Hand vor die Lippen, floh torkelnd ins Freie und schaffte es gerade noch auf die Nordseite der Halle, ehe er alles erbrach, was er in sich hatte, und noch ein paar Eingeweide dazu. Oder so fühlte es sich jedenfalls an.

Er kniete mit geschlossenen Augen und keuchend auf der Erde, als sich Idas kühle Hand auf seine Stirn legte. »Heilige Jungfrau …

Du glühst vor Fieber, mein armer Prinz. Komm. Steh auf. Du musst dich hinlegen.«

Liudolf nickte, zu elend, um sich dafür zu schämen, dass sie ihn in diesem Zustand sah. Er kam mit ihrer Hilfe auf die Füße und tastete sich drei, vier Schritte an der Mauer der Halle entlang, ehe seine Knie wieder einknickten. »Mist …«, murmelte er, und ihm war so schwindelig, dass er wieder würgen musste, auch wenn er nichts mehr von sich zu geben hatte.

»Liudolf, was hast du denn nur …« Ida strich ihm das feuchte Haar aus der Stirn. Sie sprach ruhig, aber er hörte die Furcht in ihrer Stimme.

»Keine Ahnung. Was Falsches gegessen vermutlich …« Lass mich hier liegen, dachte er und starrte auf die vertrockneten Grashalme vor seinen Augen. Es war eine Farbe, die ihn immer beruhigte, das Ocker eines heißen italienischen Sommers. Er sog den süßen Heugeruch der sonnenversengten Wiese ein und driftete davon, kam aber wieder zu sich, als er Wim sagen hörte: »Flößt ihm Essig ein, dann kommt alles raus.«

Liudolf schlug die Augen auf, um zu protestieren. Wim und Dedi standen über ihn gebeugt, die Mienen ratlos und ernst. Dann verständigten sie sich mit einem Nicken, packten ihn an den Armen und zogen ihn auf die Füße.

»Komm, mein Prinz, du musst dich aufs Ohr legen«, sagte Wim.

»Ja, ich glaub, das ist eine gute Idee«, murmelte Liudolf.

Seine beiden Freunde legten sich seine Arme um die Schultern. Halb führten, halb trugen sie ihn zu dem schmucken kleinen Wohngebäude hinüber. Jeder Schritt löste so etwas wie einen Schmiedehammerschlag im Innern seines Schädels aus, und der Schweiß auf seinem Gesicht wurde mit einem Mal eisig kalt. Liudolf kniff gegen das Gleißen der weißgetünchten Mauern die Augen zusammen. Trotzdem sah er Graf Guido und den jungen Dado von Benevent, als er von seinen Freunden gestützt auf seiner langsamen Prozession die Halle passierte. Guido von Asti betrachtete den kranken Prinzen mit konzentrierter Miene, ernst, mitfühlend sogar, doch in seinen Augen stand ein sonderbar kaltes Funkeln.

Liudolfs Knie knickten ein, und sein Kopf sank auf die Brust. Verschwommen, aus dem Augenwinkel sah er Dado voller Schrecken die Linke vor den Mund schlagen. Der Rubinring war verschwunden, und Liudolf verstand. Nicht Guido und Dado waren ihm in die Falle gegangen. Es war genau umgekehrt.

Er wandte den Kopf in die andere Richtung – es schien Stunden zu dauern – und fand Idas Blick, die großen Augen voller Furcht und das Gesicht wachsbleich unter den Sommersprossen. Er öffnete den Mund, um es ihr zu sagen: *Vergiftet. Der Ring war vergiftet* ... Aber dann wurde ihm schwarz vor Augen – ganz plötzlich, so als habe ihm jemand eine blickdichte Augenbinde umgelegt –, und er hatte nicht das Gefühl zu stürzen, sondern als hebe sich der Erdboden und komme ihm entgegen.

»Und so starb Prinz Liudolf ...«, flüsterte er.

»Oh, Liebster, sag das nicht.« Ida schluchzte. »Graf Atto ist schon losgeritten, er holt einen Medicus aus dem Kloster.«

Liudolf nickte, wenngleich er keine Ahnung hatte, was er bejahte. Er schlug die Augen auf, aber er konnte nichts mehr sehen. Er öffnete die Lippen, weil er ihr etwas furchtbar Wichtiges sagen musste, doch er hatte vergessen, was es war.

Er fiel, langsam und trudelnd, in bodenlose Tiefe, aber er fürchtete sich nicht mehr.

Und er sah Ida allein auf der Kuppe eines grasbewachsenen Hügels stehen, die Arme gen Himmel gereckt. Die rote Haarpracht wehte im Wind wie ein Banner. »Geh nicht fort, Liudolf!«, rief sie, aber ihre Stimme war kaum zu hören, weil sie so weit weg war. Und noch während er sie betrachtete, entfernte das Bild sich immer weiter, die birkenschlanke Gestalt wurde kleiner und kleiner, bis sie schließlich nur noch ein rötlicher Punkt war, der in der Dämmerung verglühte.

DRITTER TEIL
960–962

Magdeburg, Juni 960

Die Morgendämmerung färbte den wolkenlosen Himmel violett. In der Pfalz und den Gemüsegärten der Häuser entlang der Elbe krähten die Hähne so unablässig und schrill, als wollten sie sicherstellen, dass an diesem bedeutsamen Tag jeder, aber auch jeder in Magdeburg zeitig erwachte. Gaidemar sah auf den Fluss hinab und versuchte, das ebenso absurde wie beklemmende Gefühl abzuschütteln, dies sei der letzte Sonnenaufgang seines Lebens. Es war ja schließlich nicht seine Hinrichtung, die heute stattfinden sollte.

Nur seine Hochzeit.

Das Wasser der Elbe funkelte in den ersten Sonnenstrahlen wie ein lang wallender, purpurner Krönungsmantel.

»Was meinst du?«, fragte Mira und wies mit dem ausgestreckten Arm auf den Fluss. »Hat die Königin das bestellt?«

»Ganz bestimmt«, antwortete er. »Heute ist ihr großer Tag. Da hat sie sicher nichts dem Zufall überlassen.«

Sie lachten, aber Gaidemar wusste, Miras Unbeschwertheit war ebenso aufgesetzt wie seine. In Wahrheit lag dieser Tag ihnen beiden wie ein Felsbrocken auf der Seele. Doch sie hatten alles ausgesprochen, was es dazu zu sagen gab – öfter als einmal und vor allem öfter, als ihm lieb war.

»Komm.« Er wollte ihr den Arm um die Schultern legen, entschied sich im letzten Moment anders und führte sie weg vom Fluss, quer über den weitläufigen Innenhof zum Gästehaus, wo man ihm trotz der drangvollen Enge in der Pfalz ein Quartier zugewiesen hatte. Gaidemar war froh, dass er nicht wie einst mit einem feuchten Grubenhaus auf der Wiese am Fischteich vorliebnehmen musste. An dem Tag im letzten Sommer, als Mira ihre kleine Hatheburg zur Welt brachte, hatte er beschlossen, sich nicht mehr mit den miserabelsten und feuchtesten Quartieren abspeisen zu lassen, die er immer bekam, weil jeder Kämmerer im Reich wusste, wie anspruchslos er war. Anspruchslosigkeit, hatte Gaidemar eingesehen, war eine überschätzte Tugend.

»Sei leise«, warnte Mira, als sie die Hand an den Türriegel legte. »Wenn wir Glück haben, schläft sie noch.«

Sie schlichen in ihre Kammer und traten ans Bett, auf dem ein stabiler Weidenkorb stand. Gaidemar hatte ihn genau in der Mitte der Schlafstatt platziert, damit er nicht herunterpurzeln konnte, falls das Kind sich regte. Aber sie hätten sich nicht zu sorgen brauchen: Hatheburg lag noch genauso wie vor einer halben Stunde und schlummerte selig, die kleinen Fäuste links und rechts neben dem Kopf mit dem hellen Flaum. Gaidemar schaute auf die provisorische Wiege hinab und betrachtete seine Tochter, die Hand am Kinn.

Mira hob seinen feinen Sommermantel auf, der unordentlich am Fußende gelegen hatte, und faltete ihn zusammen. »Das machst du immer, wenn die Welt nicht sehen soll, was du empfindest, Hauptmann«, bemerkte sie.

»Was?«, fragte er zerstreut.

»Du streichst mit dem Zeigefinger über die Oberlippe und versteckst so den Mund hinter der Hand.«

»Blödsinn«, knurrte er und ließ schleunigst die Hand sinken.

Mira legte ihm die feinen neuen Gewänder zurecht, die er sich auf Wilhelms Rat hin hatte schneidern lassen. Für das Festmahl am heutigen Tage, mit welchem die prächtige neue Halle der Pfalz zu Magdeburg eingeweiht werden sollte. Und für den anderen feierlichen Anlass, der dem vorausgehen würde …

Das Knarren von Holzdielen und Klappern von Fensterläden verrieten, dass auch die übrigen Bewohner des Gästehauses allmählich erwachten, aber es waren nur gedämpfte, beinah verstohlene Laute. Bis sich jenseits der Bretterwand zur Rechten unvermittelt eine wütende, raue Männerstimme erhob: »Pass doch auf, du slawisches Luder!« Ein dumpfer Schlag fiel, gefolgt von einem halb unterdrückten Schrei und einem Poltern, so als sei jemand zu Boden gegangen.

Mira zog die Schultern hoch. »Wie es scheint, ist dein Schwiegergroßvater unser Nachbar.«

Gaidemar nickte, wandte aber ein: »Ich glaube nicht, dass es das gibt. Einen Schwiegergroßvater, meine ich.«

»In meiner Sprache schon«, entgegnete sie und befingerte nervös die feine Bordüre am Halsausschnitt seines neuen eichenlaubgrünen Gewandes. »Nur gut, dass ich nicht wusste, wer nebenan logiert. Ich hätte kein Auge zugetan.«

Viel geschlafen hatten sie auch so nicht. Gierig hatten sie sich geliebt, um den Schmerz so lange wie möglich auf Abstand zu halten, und dann hatten sie reglos in die Dunkelheit gestarrt und vorgegeben zu schlafen, weil die Nähe des anderen sie plötzlich beide verlegen machte. Und trotzdem hatten sie sich wieder gefunden und aneinandergeklammert wie Verirrte in einem nächtlichen Gruselwald.

»Du hast keine Veranlassung, dich vor Markgraf Gero zu fürchten«, stellte Gaidemar klar.

Mira warf ihm einen ungläubigen Bick zu. »*Jeder* hat Anlass, sich vor diesem Wüterich zu fürchten, zumindest jeder Slawe.«

Der Markgraf wurde nicht umsonst der »Slawenschlächter« genannt. Seine Grausamkeit war berüchtigt, besonders bei den Völkern östlich der Elbe. Jasnas Mutter war seine Tochter, aber es war allgemein bekannt, dass Fürst Tugomir und sein Schwiegervater einander leidenschaftlich verabscheuten. Darum war Gaidemar einigermaßen zuversichtlich, dass verwandtschaftliche Beziehungen mit dem Slawenschlächter ihm erspart bleiben würden.

Hatheburg wachte auf und fing an zu schreien. Ehe Mira sie aufnehmen konnte, hatte Gaidemar seine Tochter aus dem Weidenkorb gehoben. Anstandslos reichte er sie weiter, denn er wusste, sie war hungrig, aber er musste wenigstens einmal kurz ihren winzigen, warmen Leib in Händen halten und in die grünen Augen sehen, ehe er sie hergeben konnte.

Mira setzte sich auf die Bettkante und legte den Säugling an. Gaidemar schenkte sich aus dem Krug auf dem kleinen Tisch einen

Schluck Wasser ein und trat ans Fenster, aber aus dem Augenwinkel betrachtete er Mutter und Kind.

Mira hatte den Blick auf ihre Tochter gerichtet und fuhr mit dem Daumen über den kleinen Kopf, während das Kind trank. Hatheburg kniff die Augen zu wie ein zufriedenes Kätzchen. Sie waren ein gutes Gespann, Mutter und Tochter, lebten in einer natürlichen Eintracht miteinander, die ihn faszinierte. Die Gegenwart der einen schien die jeweils andere stets zu beglücken und zu beruhigen. Und er war froh darüber.

Mit der Mutterschaft hatte Mira den Groll gegen ihre Weiblichkeit endgültig hinter sich gelassen, und aus dem knochigen, betont knabenhaften Backfisch war eine bezaubernde junge Frau geworden. Gaidemar waren die bewundernden Blicke nicht entgangen, mit denen die St.-Albans-Reiter und selbst die Geistlichen und Mönche an Wilhelms Hof sie verfolgten. Sie hatten seine Eifersucht geweckt, diese Blicke, aber ebenso hatten sie ihn mit Stolz erfüllt. Eitel und obendrein albern war dieser Stolz, das wusste er sehr wohl, aber es gab nicht viel, das er dagegen machen konnte. Er besaß, was andere Männer sich vergeblich wünschten, und gerade weil er immer gewusst hatte, dass er Mira irgendwann aufgeben musste, hatte er sie umso mehr zu schätzen gewusst. Und nun war der Tag eben gekommen.

Es war ja nicht so, als wäre er der einzige Mann, der so handelte. Im Gegenteil, es war üblich. Viele Männer schickten die Geliebte fort, mit der sie Tisch und Bett geteilt und vielleicht sogar Kinder gezeugt hatten, wenn sie heirateten – es war ein Gebot des Anstands. Der König hatte es schließlich auch getan und Wilhelms Mutter in ein Kloster gesteckt, ehe er sich mit Prinzessin Editha vermählte. Mira behauptete, genau das sei der Grund, warum der Erzbischof Gaidemar für seinen Entschluss verhöhnte, manchmal mit untypischer Grausamkeit. Vielleicht hatte sie recht. Aber wie dem auch sein mochte, Gaidemar hatte nie an seiner Entscheidung gezweifelt, denn es war der einzige Weg, den er einschlagen konnte.

Ob er indessen auch damit leben konnte, blieb abzuwarten …

»Es wird Zeit«, sagte Mira.

Hatheburg hatte sich sattgetrunken. Mira bettete das zufriedene Kind zurück in sein Weidenkörbchen und trug es zur Tür, wo eine bescheidene Truhe mit ihren Habseligkeiten bereits fertig gepackt stand. Dann wandte sie sich zu Gaidemar um, zuckte die Schultern, schien nicht zu wissen, wohin mit den Händen, und verhakte die Zeigefinger ineinander.

Gaidemar kam langsam näher und blieb vor ihr stehen. Ein Streifen des klaren Morgenlichts fiel durchs Fenster und ließ den grünen Edelstein an der Goldkette um ihren Hals funkeln, der exakt die Farbe ihrer Augen wiedergab und den er ihr nach Hatheburgs Geburt geschenkt hatte. Er war erleichtert, dass Mira die Kette nicht abgelegt hatte, denn der Stein, der aus dem sagenhaften Ägypten stammte und den der Händler *Esmaraldus* genannt hatte, war ein bewährtes Heilmittel gegen Kummer und Einsamkeit.

»Lass es uns kurz machen«, sagte er. »Es wird nur immer schwerer.«

Sie lächelte. Es war das tapfere Lächeln seines einstigen »Burschen«, wenn der sich vor eine Aufgabe gestellt fand, die er nicht meistern konnte.

»Es ist ja nicht so, als würden wir uns nie wiedersehen.«

»Natürlich nicht«, pflichtete sie ihm ein wenig zu hastig bei.

Mira wurde in Adelheids Haushalt aufgenommen. Das war eine äußerst großzügige Geste der Königin – von exzentrisch ganz zu schweigen –, denn Mira war Slawin und obendrein eine junge Mutter ohne Ehemann. Trotzdem hatte Adelheid darauf bestanden, dass ihre Zofe Anna, die an einem häufig wiederkehrenden Wechselfieber litt, ihre Pflichten allein nicht mehr erfüllen könne und auch die Prinzessinnen Emma und Mathilda eine vertrauenswürdige Dienerin benötigten. Die Königin tat es natürlich für Gaidemar, munkelten die Klatschmäuler am Hof, und deswegen sei es kein Wunder, dass sie sich so großzügig zeigte. Das Wunder war vielmehr, dass der König nicht widersprochen hatte.

»Faramond bringt euch hinüber«, sagte Gaidemar, obwohl sie das längst wusste.

»In Ordnung. Ich hoffe, er lässt meine Truhe nicht fallen und verstreut die Windeln im Burghof.« Faramonds Neigung zu Missgeschicken war legendär.

Gaidemar gab sich große Mühe, sein Grinsen unbeschwert erscheinen zu lassen. »Ich bin sicher, für dich nimmt er sich zusammen.«

Wieder drohte sich bleiernes Schweigen breitzumachen. Ehe es sie in die Knie zwingen konnte, entknotete Mira ihre Finger und sah ihm ins Gesicht. »Leb wohl, Gaidemar. Sei glücklich mit Jasna, das habt ihr beide verdient, hörst du.«

»Leb wohl, Mira.« Mehr fiel ihm wieder einmal nicht ein.

Sie nickte ihm mit einem flüchtigen Lächeln zu, so als ginge sie nur kurz zum Bäcker, wandte sich ab und legte die Hand an den Türriegel.

Ehe sie diesen zurückziehen konnte, hatte Gaidemar sie gepackt und umschlang sie, als wolle er alles Leben aus ihr herauspressen und nichts übrig lassen, das er fortschicken könnte. Mira klammerte sich mit der gleichen Dringlichkeit an ihn, doch als seine Lippen die ihren suchten, ließ sie ihn los, legte die Hände auf seine Brust und schob ihn von sich.

»Jetzt ist Schluss«, schalt sie leise.

»Es tut mir leid«, flüsterte er heiser und trat einen halben Schritt zurück.

Ohne ihn noch einmal anzuschauen, hob sie den Weidenkorb mit dem gurrenden Säugling auf und öffnete die Tür. »Wir sind so weit, Faramond.«

Gaidemars Bursche stand schon bereit und verbeugte sich artig. Seine Miene verriet, wie untröstlich er war, dass dieser Tag gekommen war, aber mit der unaufdringlichen Freundlichkeit, die Gaidemar so an ihm schätzte, trat er über die Schwelle, stupste Hatheburg behutsam mit einem Finger an die Nase und hob sich die Truhe auf die Schulter. »Dann wollen wir mal. Wenn die beiden Damen mir zu folgen beliebten …?«

Mit einem nachsichtigen Kichern, das gar nicht gekünstelt klang, trat Mira auf den Korridor hinaus und zog die Tür hinter sich zu.

Gaidemar wartete, bis ihre Schritte verklungen waren. Dann

sah er sich nach irgendetwas um, woran er seinen Schmerz auslassen konnte. Aber alles in diesem Gästehaus war klapprig und miserabel gezimmert, und er fürchtete, er werde unwillkommene Aufmerksamkeit erregen, wenn der Tisch zusammenbrach oder die Wände umfielen, weil er die Fäuste hineinschmetterte. Also presste er die Handballen gegen die Stirn und wartete, dass es vorüberging.

Es war der Sonnabend vor Pfingsten, und der gesamte Adel und hohe Klerus des Reiches schien angereist zu sein, um das Fest mit dem König und der Königin zu begehen und vor allem die neue Pfalz zu bestaunen, von der die unerhörtesten Dinge berichtet wurden.

Nicht wenige der vornehmen Gäste fanden sich am späten Vormittag vor dem Portal der Klosterkirche ein, um Zeuge zu werden, wie der Hauptmann der berühmten St.-Albans-Reiter irgendeine Slawenprinzessin heiratete. Die Verbindung an sich erregte kein großes Interesse, denn sie war von keinerlei politischer Bedeutung, aber es war ein wundervoller Sommertag und eine Hochzeit immer ein willkommenes Spektakel.

Gaidemar blieb beinah das Herz stehen, als er die Menschentraube sah, die sich in einem unordentlichen Halbmond vor der imposanten Westfassade der Kirche versammelt hatte.

»Jesus, Maria und Josef«, murmelte Volkmar, der Seite an Seite mit Sigurd einen Schritt hinter ihm ging. »Das müssen an die zehn Dutzend Leute sein.«

»Kennt Ihr die alle, Hauptmann?«, fragte Sigurd verwundert.

Gaidemar schüttelte stumm den Kopf, sein Mund zu ausgetrocknet, um zu antworten. Er entdeckte das eine oder andere bekannte Gesicht in der Menge: Männer seiner Legion und ein paar alte Freunde aus der Zwölften – schon in weinseliger Laune, so schien es –, einige Bischöfe und Grafen, denen er im Laufe der Jahre begegnet war, aber die meisten waren Wildfremde. Und er war froh, dass er auf Wilhelm gehört hatte und nicht mutterseelenallein zu seiner Hochzeit gekommen war, sondern mit einer kleinen Eskorte unter dem Banner des heiligen Alban. Er mochte ein Bastard ohne den Rückhalt einer mächtigen und vornehmen Familie sein, aber das Banner zeigte jedem, der es sah, dass dieser Mann einen Platz in der Welt besaß, den er sich mit dem Schwert erkämpft hatte, und deswegen Ansehen genoss. Wurzellos und namenlos, aber kein Niemand.

Bereitwillig bildeten die gut gelaunten Schaulustigen eine Gasse, um Gaidemar und seine Ehrengarde durchzulassen, und hier und da waren gemurmelte Kommentare über das schaurige Banner oder die erlesene Garderobe des Bräutigams zu hören.

Als der vor dem zweiflügeligen Bronzeportal ankam, entdeckte er zu seiner Verblüffung die königliche Familie in der ersten Reihe, mit beachtlichem Gefolge. Und auch Erzbischof Wilhelm erwartete ihn bereits: ein erhabener Kirchenfürst im festlichen, golddurchwirkten Messgewand und einem funkelnden Rubin am rechten Zeigefinger. Als er seinen Vetter kommen sah, linderte ein warmes Lächeln den Ausdruck von ehrfurchtgebietender Strenge.

»Gaidemar! Gott sei mit dir. Endlich ist der Tag gekommen.«

Der Bräutigam erwiderte das Lächeln und verneigte sich. »Und das lange Warten hat ein Ende, ehrwürdiger Vater.«

Er hatte sich geschworen, niemanden merken zulassen, wie schwierig dieser Tag für ihn war – vor allem Jasna nicht –, und er war ein bisschen stolz darauf, wie unbekümmert er klang.

»Ich würde sagen, auf diese Braut zu warten lohnt sich«, gab Wilhelm zurück, sah sich vielsagend um und fügte hinzu: »Und das ist auch gut so, denn es scheint, als müsstest du dich noch ein wenig länger in dieser Kunst üben. Ich sehe weit und breit keine Spur von ihr.«

Hier und da plätscherte fröhliches Gelächter.

Es war nicht irgendwelchen taktischen Manövern von Gaidemars Seite geschuldet, dass der Tag seiner Vermählung immer wieder aufgeschoben worden war. Erst hatte die Königin interveniert, weil sie Jasna zu jung fand, dann waren es die Feldzüge gegen die Redarier und andere aufständische Slawenvölker gewesen – irgendetwas war immer dazwischengekommen. Bis der Erzbischof kurz vor Ostern den heutigen Tag vorgeschlagen hatte, da auch

Jasnas Eltern, Fürst Tugomir und Fürstin Alveradis, ihr Kommen zum Pfingsthof und zur Einweihung der neuen Pfalz angekündigt hatten.

Gaidemar stand mit herabbaumelnden Armen im Schatten des wundervollen Gotteshauses, spürte die laue Morgenluft im Gesicht und versuchte, sich nicht wie der letzte Trottel zu fühlen.

»Hast du den Ring?«, hörte er Sigurd hinter sich flüstern.

»Wie oft willst du das noch fragen?«, gab Volkmar zurück, ebenso tonlos, aber unverkennbar gereizt.

Dann endlich kündigten Raunen und Füßescharren das Erscheinen der Braut an, und Gaidemar wandte sich um.

Sie war so wunderschön, dass ihm bei ihrem Anblick für einen Moment der natürliche Atemrhythmus abhandenkam, und er war nicht der Einzige. Ein großes Durchatmen durchwogte die Zuschauer, als hätten alle gleichzeitig die Luft angehalten.

Am Arm ihres Vaters trat Prinzessin Jasna vor das Portal der Klosterkirche des heiligen Mauritius. Sie trug ein Kleid von der Farbe frischer Sahne, gegürtet mit einer geflochtenen Kordel aus Gold- und Silbergarn, aus welchen auch ihr Stirnband gearbeitet war. Dieses war mit edelsteinbesetzten Schläfenringen verziert, die in der Sonne mit ihrem bernsteinfarbenen Haar um die Wette leuchteten. Die makellose Haut der Siebzehnjährigen hatte einen matten Schimmer wie Elfenbein, und die großen braunen Augen waren voller Wärme, als sie ihren Bräutigam anschaute.

Es gibt schlimmere Schicksale, musste Gaidemar sich eingestehen.

Auch Fürst Tugomir war mit zahlreichem Gefolge zur Vermählung seiner Tochter gekommen. Gaidemar entdeckte inmitten der Ehrenwache aus furchteinflößenden Hevellerkriegern Fürstin Alveradis, ihren ältesten Sohn Bolilut und zu seiner großen Freude auch dessen Gemahlin, seine Schwester Hatheburg. Mit ernster Miene betrachtete sie die feierliche Szene, aber als sie Gaidemars Blick auf sich spürte, zwinkerte sie ihm verstohlen zu. Davon wurde ihm gleich leichter ums Herz.

Fürst Tugomir legte die filigrane Linke seiner Tochter in Gaidemars ausgestreckte Rechte.

Der Bräutigam verneigte sich. »Ihr erweist mir große Ehre, Fürst.«

Der schüttelte den Kopf. »Die Ehre ist unsere. Und ich bin gewiss, ich könnte mein Kind nicht in bessere Hände geben.«

Wenn du wüsstest, dachte Gaidemar unbehaglich.

Zur allgemeinen Verwunderung trat der Fürst der Heveller zu Erzbischof Wilhelm und schloss ihn in die Arme. »Vilema, mein Junge. Es tut gut, dich zu sehen.«

Gaidemar fragte sich, wie lange es wohl her sein mochte, dass irgendwer den höchsten Kirchenfürsten des Reiches zuletzt ›mein Junge‹ genannt hatte.

Aber Wilhelm schien keineswegs pikiert. »Gleichfalls, Onkel«, erwiderte er. »Und ausnahmsweise einmal zu einem so frohen Anlass.«

»Wohl wahr«, stimmte der Fürst zu. Sie sprachen noch einen Moment miteinander – so leise, dass man ihre Worte nicht verstehen konnte –, und dann trat der Fürst ein paar Schritte zurück, damit die Zeremonie beginnen konnte.

Wilhelm breitete die Hände aus und wartete. Als schließlich Stille eingekehrt war, schaute er von Gaidemar zu Jasna und wieder zurück, und mochte der Erzbischof seine Gefühle sonst auch immer hinter einer Maske distanzierter Höflichkeit verbergen, zeigte sein Ausdruck jetzt Milde und unverhohlene Zuneigung. »Wir haben uns hier heute im Angesicht Gottes versammelt, um diesen Mann und diese Frau im heiligen Sakrament der Ehe zusammenzuführen«, begann er mit tragender Stimme. »Diese ist ein ehrenvoller Stand und darf nicht leichtfertig oder unbedacht geschlossen werden. Und darum frage ich dich, Gaidemar: Willst du diese Jungfrau zu deinem angetrauten Weibe nehmen, sie lieben und ehren und ihr allein angehören, sie halten und bewahren, in Gesundheit und Krankheit, in guten wie in schlechten Tagen, bis dass der Tod euch scheidet?«

»Das will ich.«

Der ehrwürdige Erzbischof wandte sich an die Braut. »Also frage ich auch dich: Willst du, Jasna von Brandenburg, diesen Mann zu deinem angetrauten Gemahl nehmen, ihn lieben und ehren, ihm allein angehören und gehorchen, ihn halten und bewahren, in Gesundheit und Krankheit, in guten wie in schlechten Tagen, bis dass der Tod euch scheidet?«

»Ja, ich will, ehrwürdiger Vater.«

Eine Spur zu viel Eifer lag in ihrer Stimme, sodass hier und da Kichern zu vernehmen war, und Gaidemar sah aus dem Augenwinkel, dass Jasna sich auf die Unterlippe biss und ihre Wangen sich mit einer zarten Röte überzogen. Für einen Moment verstärkte er den Druck seiner Hand und schmuggelte ein Lächeln in ihre Richtung, das sie voller Erleichterung erwiderte.

Der Erzbischof musste um seine feierliche Miene ringen, aber wie üblich hatte er sich gleich wieder unter Kontrolle. »So wollen wir also Gottes Segen für euren Bund erbitten, ehe ihr in seinem Angesicht und vor all diesen Zeugen euer Gelöbnis tauscht. Sollte irgendwer der hier Versammelten Kenntnis von einem Hindernis haben, warum diese beiden nicht ehelich verbunden werden dürfen, so möge er jetzt sprechen oder für immerdar schweigen.« Er legte die übliche kleine Pause ein, und Gaidemar überlegte, ob es wohl je einen Bräutigam gegeben hatte, dem in diesem Moment nicht das Herz bis zum Halse schlug, aber schon fuhr Wilhelm fort: »Da ihr reinen Herzens und aus freiem Willen zusammengefunden …«

»Ja, es gibt ein Hindernis«, erhob sich eine Stimme in ihrem Rücken.

Immed, erkannte Gaidemar und fuhr herum, so abrupt, dass er seine Braut um ein Haar zu Fall gebracht hätte. Er legte ihr einen Arm um die Schultern. Das hatte er noch nie im Leben getan, so wenig wie er sie je geküsst hatte oder auch nur einen Moment allein mit ihr gewesen war. Aber im Angesicht der Katastrophe, die sich hier gerade anbahnte, fühlte er sich Jasna mit einem Mal nah, und er kam sich schwach und unzulänglich vor, weil er genau wusste, dass er sie vor dem, was hier gerade passierte, nicht würde beschützen können – was immer es war.

Der Ausdruck des Erzbischofs war sturmumwölkt, aber er fragte höflich: »Wer ist es, der einen Einwand gegen diese Vermählung vorbringt?«

Immed stand mit der Herzogin von Bayern und ihren Kindern gleich hinter dem Königspaar, aber jetzt trat er vor und verneigte sich. »Immed von Saalfeld, Euer Gnaden, Graf im Ammergau.«

»Graf Immed«, grüßte Wilhelm frostig. »Seid so gut und erklärt Euch.«

»Nur zu gern«, versicherte Immed lächelnd. Für alle Welt war es ein verbindliches, gar gewinnendes Lächeln, aber Gaidemar kannte seinen Ziehbruder besser und sah das grausame Frohlocken in den dunklen Augen. »Die liebreizende Prinzessin Jasna von Brandenburg und Gaidemar von Nirgendwo können nicht heiraten, weil sie zu nah verwandt sind.«

Er weiß, wer meine Mutter war. Die Erkenntnis durchzuckte Gaidemar wie ein gleißender Blitz, und sie war so entsetzlich, dass er Jasnas Hand loslassen musste, weil er fürchtete, ihr andernfalls die Finger zu brechen. Haltsuchend legte er die Linke auf das Heft seines Schwertes. Dann trat er einen Schritt auf seinen Ziehbruder zu. »Nur weiter, Immed.«

Der betrachtete ihn, und sein Blick war so kalt und ausdruckslos wie die Augen eines Käfers. »Es ist ganz einfach: Die Schlampe, die dich geworfen hat, war Markgraf Geros Schwester Ratberga. Somit ist …«

»*Was?*« Der gefürchtete Slawenschlächter drängte sich rüde durch die Zuschauerreihen nach vorn, sodass die korpulente Gräfin vom Hessengau ins Gras segelte, und packte Immed mit einer seiner Pranken am Arm. »Was fällt Euch ein? Wie könnt Ihr es wagen, meine tote Schwester so schändlich zu verleumden? Ich hätte nicht übel Lust, Euch …«

»Oh, sei still, Bruder«, fiel Gräfin Hulda ihm ungehalten ins Wort und kam ebenfalls auf die kleine Freifläche vor der Kirchentür. »Er sagt die Wahrheit.« Sie wandte sich an Gaidemar. »Es tut mir so leid, Hauptmann. Ich hätte es Euch lieber selbst und zu einem glücklicheren Zeitpunkt offenbart, aber ich war durch Eid gebunden.«

Gaidemar konnte nicht antworten. Er konnte nicht einmal vernünftig atmen, weil diese öffentliche Demütigung ihm die Luft abschnürte. Ein penetrantes Summen war in seinem Kopf, und er verspürte eine fahle Übelkeit. Sein Blick glitt rastlos über die Reihen der Zuschauer. Er war sich vage bewusst, dass es Miras Gesicht war, das er suchte, aber er fand nur Fremde, deren Mienen Schrecken oder schauriges Vergnügen oder beides zeigten.

»Ich wusste nicht, dass Markgraf Gero Euer Bruder ist, Gräfin«, hörte er sich schließlich sagen.

»Nein, ich hänge es nicht an die große Glocke«, räumte Adelheids Vertraute grimmig ein. »Dennoch ist es so. Und unsere Schwester war Eure Mutter, Graf Immed sagt die Wahrheit, selbst wenn seine Ausdrucksweise nicht für seine Manieren spricht. Darum bin ich Eure Tante, der Markgraf Euer Onkel, aber gleichzeitig Jasnas Großvater, und deshalb dürft Ihr nicht heiraten, auch das ist wahr.« Sie sah zu Jasna. »Es tut mir leid, mein Kind.«

Jasna stieß einen matten Laut des Jammers aus und wich kopfschüttelnd einen Schritt zurück, die Hände vor Mund und Nase gelegt. Gaidemar wollte zu ihr treten, auch wenn er keine Ahnung hatte, was er ihr sagen konnte, doch sie wandte sich ab, lief zu ihrem Vater und vergrub das Gesicht an seiner Brust.

Fürst Tugomir legte die Arme um seine Tochter und tauschte einen Blick mit dem König. Der nickte ihm zu und sagte in die unheilschwangere Stille: »Ich schlage vor, wir setzen diese Aussprache an einem anderen Ort fort.«

Der greise Abt des Klosters, der im Innern der Kirche vergeblich auf den Einzug der Hochzeitsgesellschaft gewartet hatte, um mit Wilhelm gemeinsam die Brautmesse zu zelebrieren, steckte fragend den Kopf aus der Tür. »Wo bleibt ihr denn nur? Was … Ach, du Schreck.« Die finsteren Gesichter, die angespannte Haltung des Bräutigams und seines Ziehbruders, die sich wie Kontrahenten beim Zweikampf gegenüberstanden, sagten ihm alles, was er wissen musste. Mit einiger Mühe drückte der dürre alte Mann den rechten Flügel des massigen Bronzeportals ganz auf und winkte einladend. »Der Kapitelsaal steht Euch zur Verfügung, mein König. Ihr erreicht ihn am schnellsten durch die Kirche und den Kreuzgang.«

Wie immer neigte Otto ein klein wenig das Haupt vor dem ehrwürdigen Gottesmann. »Habt Dank, Vater Carolus.« Er nahm

Adelheids Arm und sagte über die Schulter: »Folgt mir. Graf Immed, wir sind Euch dankbar, dass Ihr Euren Ziehbruder und Prinzessin Jasna vor einer schweren Sünde bewahrt habt, aber ich glaube, auf Eure Anwesenheit können wir nun verzichten.«

Man konnte weiche Knie von diesem Tonfall bekommen, doch Immed wandte tapfer ein: »Aber mein König, denkt Ihr nicht, ich habe das Recht, die Wahrheit zu hören?«

»Ihr kanntet sie doch schon, oder nicht?«, konterte Otto und musterte ihn in aller Seelenruhe. »Woher eigentlich?«

Plötzlich konnte Immed ihm nicht länger in die Augen schauen, aber er antwortete: »Von Eurem Bruder. Prinz Henning wurde ja in Merseburg erzogen, und wenngleich er noch ein Knabe war, als Gaidemar zur Welt kam, hat er dennoch geahnt, dass ein dunkles Geheimnis sich hinter Ratbergas plötzlichem Tod verbarg. Jahre später hat er die Hebamme ausfindig gemacht und sie ... überredet, das Geheimnis zu lüften. Er hat es bewahrt und mir kurz vor seinem Tod geschenkt, wie er es ausdrückte.«

Und mit einem Mal begriff Gaidemar, was Immed und Henning so eng verbunden hatte: Es war der Hass auf einen Bruder, der ihnen im Wege stand und ihnen die Ehre und Anerkennung vorenthielt, die sie ihrer Meinung nach verdienten. Henning hatte immer geglaubt, Ottos Krone stehe ihm zu. Immed hatte immer geglaubt, Gaidemar habe ihm den Ruhm als Panzerreiter und die Nähe zur königlichen Familie gestohlen, die eigentlich ihm zustanden.

»Nun, Ihr habt einen wahrlich sonderbaren Zeitpunkt gewählt, die Wahrheit zu enthüllen.«

»Weil man manche Bastarde gelegentlich zurechtstutzen und daran erinnern muss, wo ihr Platz ist«, gab Immed achselzuckend zurück.

Otto führte Adelheid zur Kirchentür. »Manche Bastarde vielleicht«, sagte er über die Schulter. »Aber mein Neffe zählt nicht dazu.«

Fassungslos starrte Gaidemar ihm hinterher. Warum, *warum* hatte das hier passieren müssen, ehe der König sich dazu durchringen konnte, ihn so zu nennen?

»Vater hatte Ratberga in Wendhusen ins Damenstift gesteckt, obwohl sie nicht wollte«, begann Hulda ihren Bericht.

»Sie war immer ein halsstarriges und ungehöriges Frauenzimmer«, grollte ihr Bruder, der in der Mitte des runden Versammlungssaals rastlos auf und ab ging. »Sie war nun mal der Kirche versprochen, das ist doch völlig normal und …«

»Du hast ja recht, alter Freund«, unterbrach Otto beschwichtigend. »Aber sei so gut und lass die Gräfin erzählen.«

Mit einem Laut, der sich wie das Knurren eines wütenden Bären anhörte, trat Gero an das einzige Fenster des Raumes und lehnte sich daneben an die nackte Mauer. Es war der Platz, der am weitesten von Fürst Tugomir und seiner Familie entfernt war, die mit Otto und Adelheid, Wilhelm, Gaidemar und Gräfin Hulda im Halbkreis auf den Bänken der ersten Reihe saßen.

»Wendhusen war das Stift, dem Prinz Thankmars Mutter als Äbtissin vorgestanden hatte, nachdem der König sich von ihr scheiden ließ … ich meine natürlich der *alte* König, Euer Vater«, fügte Hulda an Otto gewandt hinzu. »Thankmar besuchte ihr Grab dort, wenn er zufällig in der Nähe war. So sind er und meine Schwester sich begegnet. Es muss sehr schwierig für die beiden gewesen sein, denn Stiftsdamen ist der Umgang mit Männern ja verboten und sie verbringen den Großteil des Tages in der Gemeinschaft, niemals unbeobachtet. Aber irgendwie haben Thankmar und Ratberga einen Weg gefunden, sich zu treffen. Und meine Schwester … hat sich rettungslos verliebt.« Sie hob seufzend die Schultern und warf dem König einen Blick zu, der halb zerknirscht und halb trotzig wirkte. »Was kann ich sagen? Sie waren jung und unvernünftig, und Ratberga glaubte, nicht ohne ihren Prinzen leben zu können. Er war ein junger Heißsporn, daran erinnere ich mich genau. Vermutlich war es für ihn nur ein Abenteuer. Aber sie …«

»Ihr tut Thankmar unrecht«, warf Fürst Tugomir unerwartet ein. Er und seine Frau hatten Jasna in die Mitte genommen, die zwischen ihnen kauerte und sich an die Hand ihrer Mutter klammerte, als fürchte sie, der nächste Windhauch könne sie ergreifen und Gott weiß wohin blasen. Mit dem Daumen wischte Tugomir ihr eine Träne von der Wange und betrachtete sie einen Moment mit einem wehmütigen Lächeln, als sehe er in ihr das Abbild der jungen Ratberga von Merseburg. »Als ich ihm begegnete, waren all die Dinge bereits geschehen, von denen wir hier sprechen, und er hatte Egvina getroffen. Aber ich weiß, dass er Eure Schwester gern geheiratet hätte, Gräfin. Das hat er mir gesagt, selbst wenn er ihren Namen verschwieg. Doch es war unmöglich. Auch Thankmar und Ratberga waren zu nahe verwandt, um sich vermählen zu dürfen.«

»Für Prinzen macht man Ausnahmen«, widersprach Hulda.

Tugomir hob die Schultern. »Aber nicht, wenn die Brüder der Braut intervenieren würden«, entgegnete er und bedachte Gero mit einem Blick unverhohlenen Abscheus.

Hulda schnaubte unfein und wandte sich an Gaidemar. »Wie dem auch sei. König Heinrich zog mit seiner Reiterarmee und seinen Söhnen über die Elbe, um die slawischen Völker zu unterwerfen. Das war im Sommer. Und während sie Fürst Tugomirs Vater in der Brandenburg belagerten, merkte Eure Mutter, dass sie guter Hoffnung war. Natürlich war sie verzweifelt, wie Ihr Euch denken könnt, und sie schickte mir einen Boten. Gott allein weiß, wie sie das angestellt hat, aber zum Glück hatte man uns beide Lesen und Schreiben gelehrt, sodass sie mir ihre grauenvolle Lage in einem Brief schildern konnte. Ich hatte im Jahr zuvor Wilhelm von Lüneburg geheiratet und erwartete selbst mein erstes Kind, aber mein Gemahl war mit dem König gezogen, genau wie unser Vater und unsere Brüder. Darum konnte mich niemand hindern, nach Wendhusen zu reiten. Fünfzig Meilen im strömenden Regen, und das in meinem Zustand.« Sie schüttelte den Kopf bei der Erinnerung, den Blick auf einen gezackten Riss in einer der steinernen Bodenfliesen gerichtet. »Ich habe der Mutter Oberin meine Schwester unter dem Vorwand abgeschwatzt, ich bräuchte familiären Beistand angesichts meiner bevorstehenden Niederkunft. Die Äbtissin gab uns eine Eskorte mit, und wir ritten heim nach Merseburg, aber ich brachte Ratberga nicht auf die Burg, sondern in ein verstecktes Köhlerdorf im Wald in der Nähe, wo unsere einstige Amme im Haus ihres Bruders lebte. Es waren bitterarme

Menschen, das Haus eine jämmerliche, feuchte Kate, aber mir fiel nichts Besseres ein. Dankbar nahmen die Leute die paar Pfennige, die ich unbemerkt aus den Schatullen meines Gemahls abzweigen konnte, und versprachen, sich um Ratberga zu kümmern und um ihr Kind, wenn es kam. Ich blieb in Merseburg und ritt gelegentlich hin, um nach ihr zu schauen. Ich dachte, es bestünde kein Risiko, da niemand da war, der Verdacht schöpfen könnte. Dass der kleine Prinz Henning mir auf die Schliche kommen könnte, der mit seinem Kaplan und seinem Fechtlehrer in Merseburg geblieben war, wäre mir im Traum nicht eingefallen. Vergebt mir, wenn ich das sage, mein König, aber Euer Bruder war als Knabe eine verschlagene kleine Kröte.«

Otto runzelte missfällig die königliche Stirn, aber er widersprach ihr nicht.

Es war Fürst Tugomir, der aussprach, was Gaidemar dachte: »Daran hat sich nie viel geändert.«

»Könnten wir bei der Sache bleiben«, bat Adelheid kühl. Der Fürst nickte knapp, mit versteinerten Kiefermuskeln.

»Ich bekam meinen Konrad kurz vor Allerheiligen, und wenige Wochen später war es auch bei Ratberga so weit. Ich war zufällig dort, als die Wehen einsetzten, und ich danke Gott dafür, dass ich meiner Schwester beistehen konnte. Aber alles ging schief. Der Schnee lag so hoch, dass die Hebamme aus dem Nachbardorf erst nach Stunden herbeigeschafft werden konnte. Ratberga ...« Sie unterbrach sich, wischte sich zwei Tränen von den rundlichen Wangen, winkte mit der Linken ab und legte die Rechte auf Gaidemars Hände, die ineinander verkrampft in seinem Schoß lagen. Er zuckte zusammen, zog die Hände aber nicht weg, sondern sah ihr in die Augen. »Sprecht weiter, Gräfin.«

Hulda schüttelte den Kopf. »Ich will Euch nicht unnötig quälen. Es war eine fürchterliche Geburt, und Ratberga verlor viel Blut. Ohne die Hebamme wäre sie da und dort verblutet. Trotzdem war Eure Mutter selig, als Ihr endlich da wart. Nur fünf Tage waren euch gemeinsam beschieden, eh das Fieber sie holte, aber seid versichert, keine Mutter hat ihr Kind je mehr geliebt.«

Plötzlich hatte Gaidemar einen Kloß in der Kehle, der sich dick und kantig wie ein Felsbrocken anfühlte, und er hatte Mühe, ihn herunterzuwürgen. Er konnte nur beten, dass niemand merkte, wie tief Huldas Worte ihn berührten. Er brachte ein mattes Lächeln zustande und befreite seine Hände aus ihren. »Habt Dank, Gräfin.«

»Mir wird ganz schlecht von diesem Rührstück«, knurrte Graf Gero. »Wie *konntest* du uns all die Jahre anlügen, Hulda? Weißt du eigentlich, wie ehrlos das ist? Wie sündig?«

Sie hob schuldbewusst die Hände. »Ich weiß, es war schändlich. Aber sie hat mich bei der Seele unserer Mutter schwören lassen, dass ich ihr Geheimnis bewahre, also was konnte ich tun? Davon abgesehen, war ich auch nicht erpicht auf deinen und Vaters Zorn, als ihr im Frühjahr danach nach Hause kamt. Ich habe unsere Schwester sterben sehen und mir Vorwürfe gemacht, dass ich keinen besseren Ort gefunden habe, wo sie niederkommen konnte, wo es wärmer war und sie schneller Hilfe bekommen hätte. Das hat schwer auf mir gelastet, und damit hatte ich genug zu kämpfen. Also habe ich euch das Märchen vom Winterfieber erzählt. Letztlich spielte es doch gar keine so große Rolle, an welchem Fieber sie gestorben war, oder?«

»Also wirklich, Hulda …«, entgegnete der Markgraf kopfschüttelnd, aber es klang zahm für seine Verhältnisse, sodass Gaidemar sich fragte, ob die Vorstellung von Ratbergas Furcht und Verzweiflung vielleicht sogar ihn berührt hatte.

Gräfin Hulda ergriff schon wieder Gaidemars Hand und zeigte auf den Goldreif, den er am Ringfinger trug. »Sie hat ihn mir für Euch gegeben, ehe sie starb.«

»Woher stammt er?«, fragte Gaidemar. »Was bedeuten die eingeprägten Buchstaben?«

»Was für Buchstaben?«, wollte Adelheid wissen.

»Ein D und ein S«, antwortete Wilhelm.

»*Dux Saxoniae?*«, fragte der König verblüfft.

»Das habe ich auch gedacht«, antwortete sein Sohn. »Aber wieso sollte Ratberga einen Ring der sächsischen Herzöge haben? Wohl kaum von Thankmar.«

Hulda schüttelte den Kopf. »Es steht nicht für *Dux Saxoniae*, sondern für *Domino Servimus.* ›Wir dienen dem Herrn‹. Es ist das Motto der heiligen Schwestern des Kanonissenstifts zu Wendhusen. Aber nur Äbtissinnen tragen einen Ring mit dem Motto. Dieser gehörte nicht Eurer Mutter, Gaidemar, sondern Eurer Großmutter.« Sie sah zu Hatheburg. »Und der Euren, mein Kind. Es war das einzige Erinnerungsstück, das Prinz Thankmar von seiner Mutter besaß, und er hat es Ratberga geschenkt, ehe er ins Feld zog.«

»Zeigst du ihn mir?«, bat Hatheburg ihren Bruder.

Gaidemar zog nach einigen Fehlversuchen den Ring vom Finger, stand auf und brachte ihn ihr. Hatheburg hielt den satt glänzenden Goldreif gegen das Licht und bewegte ihn zwischen Daumen und Mittelfinger, bis sie die winzigen eingeprägten Buchstaben im Innern fand. »Wundervoll. Ich wusste nicht, dass Goldschmiede so etwas können. *Dies*seits der Elbe, meine ich.«

»Ich weiß nicht, ob es mir gefällt, wie slawisch du geworden bist, Hatheburg«, schalt der König halb im Scherz, halb entrüstet, und hier und da flackerte ein Lächeln über die Gesichter. Aber die Geschichte, die Gräfin Hulda für sie zum Leben erweckt hatte, lag ihnen allen wie ein Schatten auf der Seele, und es war lange still.

Markgraf Gero, der seinen rastlosen Marsch durch den Kapitelsaal wieder aufgenommen hatte, war schließlich der Erste, der das Schweigen brach. Vor Gaidemar blieb er abrupt stehen und schnauzte: »Erwartet keine familiären Bande von meiner Seite, Hauptmann, schon gar nicht Land oder Geld.«

Gaidemar musterte ihn einen Moment und erwiderte frostig: »Ihr seid der letzte Mensch auf Erden, zu dem ich familiäre Bande wünsche, und ich brauche weder Euer Land noch Euer Geld.«

»Ein hergelaufener Bastard wie du sollte um etwas mehr Höflichkeit bemüht sein.« Es war eine unmissverständliche Drohung.

Ehe Gaidemar entschieden hatte, ob er sie einer Antwort würdigen sollte, sagte die Königin liebenswürdig: »Es scheint, nicht nur Bastarden mangelt es zuzeiten an Höflichkeit.«

Fürst Tugomir wandte den Kopf zu langsam ab, um sein boshaftes Lächeln zu verbergen, und auch Hulda genoss es sichtlich, dass Adelheid ihren herrschsüchtigen Bruder zurechtgestutzt hatte.

Geros Miene sagte, dass ihm hier einfach zu viel zugemutet wurde, und es klang beinah quengelig, als er den König fragte: »Braucht Ihr mich noch?«

Otto schüttelte nachsichtig den Kopf. »Geh nur.« Er wartete, bis der Markgraf hinausgestürmt war und polternd die Tür hinter sich geschlossen hatte, ehe er zum Fürsten der Heveller sagte: »Ich bedaure diesen Vorfall zutiefst, Tugomir. Ich hoffe, du weißt, dass nichts uns fernerliegen könnte, als deine Tochter, deine Gemahlin und dich zu brüskieren. Letztlich ist es Thankmar, dem wir diese Misere verdanken, und du kanntest ihn ja.«

»Besser als Ihr«, erwiderte Tugomir abweisend.

Der Erzbischof nahm die Hand vom Kinn. »Fangt nicht an zu streiten, das nützt niemandem. Genau betrachtet ist es Immed von Saalfeld, dem wir diese Misere verdanken, mein König, nicht Euer toter Bruder.«

»Immed war lediglich der Bote mit der schlechten Kunde«, widersprach Otto. »Weil er seinen Ziehbruder nicht besonders innig liebt und ihm die Mitgift und das Ansehen missgönnt, die diese Ehe ihm eingebracht hätten, hat er auf einen Weg gesonnen, sie ihm vorzuenthalten.«

Aber Wilhelm schüttelte den Kopf. »Warum ist er dann nicht mit seinem Einwand vorgetreten, als letzten Sonntag das Aufgebot zu dieser Heirat hier in der Kirche verlesen wurde, obschon er bereits hier war? Warum hat er gewartet, bis er den größtmöglichen Scherbenhaufen damit anrichten konnte? Um Gaidemar zu schaden bedurfte es dieses öffentlichen Spektakels nicht. Ein Zerwürfnis zwischen Euch und Fürst Tugomir konnte er hingegen nur heute heraufbeschwören. Ein solches Zerwürfnis würde einen Flächenbrand jenseits der Elbe auslösen, der sehr wohl nach Sachsen übergreifen könnte. Und so wie einst Henning glaubt anscheinend auch Judith: Alles, was Sachsen und Eure Königsmacht schwächt, ist gut für Bayern. Ihr solltet nicht in diese Falle tappen. Und du auch nicht, Onkel.«

Otto ließ sich das einen Moment durch den Kopf gehen, dann nickte er. »Du hast recht.«

Auch Tugomirs Haltung entspannte sich, und er spöttelte: »Ich hoffe, es beschwört kein Zerwürfnis zwischen deinem Vater und mir herauf, wenn ich sage: Den Scharfblick für politische Ränke hast du von deiner Mutter.«

Hatheburg gab Gaidemar den Ring zurück. »Hier, Bruder. Wirklich ein schönes Erinnerungsstück.«

Er hielt ihn ihr auf der flachen Hand hin. »Trag du ihn eine Weile.« Ihm graute ein wenig davor, den Ring herzugeben, aber er wusste, seine Halbschwester hatte das gleiche Anrecht darauf wie er.

Doch Hatheburg schüttelte den Kopf und schloss seine Finger um das Schmuckstück. »Kommt nicht infrage. Er mag von unserer Großmutter kommen, aber du hast ihn von deiner Mutter geerbt. Ich werd ihn nicht nehmen.«

Er nickte, steckte seinen Ring wieder an und fühlte sich gleich eine Spur besser. Er wandte sich an Jasna. Sie hatte ihre Tränen getrocknet und sich gefasst, aber die großen Augen waren voller Schmerz. Nicht wegen der abscheulichen Szene vorhin, ahnte er, sondern weil ihre große Sehnsucht sich nun nicht erfüllen würde, die doch schon zum Greifen nah gewesen war. »Ich hätte dich gerne geheiratet, Prinzessin.«

Es war eine Lüge, denn seine geplatzte Vermählung, so abscheulich die Umstände auch sein mochten, erfüllte *seine* große Sehnsucht. Er konnte es kaum erwarten, Mira aus Adelheids Gemächern zu holen und ihr zu erklären, dass sich alles geändert hatte. Aber es kostete ihn keine Mühe, Jasna von seiner Aufrichtigkeit zu überzeugen, denn das Mädchen lag ihm am Herzen – vielleicht in etwa so wie Hatheburg –, und er wollte, dass sie hocherhobenen Hauptes aus dieser vertrackten Geschichte herauskam.

»Ja, ich Euch auch, Hauptmann«, antwortete sie würdevoll, sogar mit einem klitzekleinen Lächeln in den Mundwinkeln. »Aber wie es scheint, hat Gott andere Pläne mit uns. Und wenn unsere Vermählung ihm nicht gefällig gewesen wäre, weil sie gegen die Gesetze seiner Kirche verstößt, müssen wir wohl lernen, Graf Immed dankbar zu sein.«

»Das lerne ich in diesem Leben nicht mehr«, musste er bekennen. »Aber ich beglückwünsche Euch zu Eurer Weisheit. Es ist keine neue Erkenntnis für mich, dass sie der meinen überlegen ist.«

Sie musste schlucken und schlug den Blick nieder. Gaidemar wandte sich an ihre Eltern, ehe er Jasna aufs Neue aus der Fassung bringen konnte, und verneigte sich. »Fürst. Fürstin. Ich habe offen gestanden keine Ahnung, was ich Euch sagen soll. Außer, dass ich zutiefst bedaure, was heute passiert ist.«

Tugomir stand auf und legte ihm für einen Moment die Hand auf die Schulter. »So wie wir, Gaidemar. Aber ich bin froh, dass du jetzt den Namen und die Geschichte deiner Mutter kennst. Dein Ziehbruder ahnt vermutlich gar nicht, welch großen Dienst er dir damit erwiesen hat.«

Gaidemar nickte. »Er wäre erschüttert ...«

Sie tauschten ein kleines Lächeln.

»Mein Bruder kann froh sein, dass ich heute erst erfahren habe, wen er in so schändliche Schwierigkeiten gebracht hat«, bemerkte der König mit einem leisen Seufzen. »Ich hätte ihm den Kopf abgerissen. Ich erinnere mich an Ratberga von Merseburg. Deine Mutter war ein hinreißendes Mädchen, Gaidemar. Und tugendhaft. Jedenfalls, bis sie Thankmar in die Hände fiel.«

»Es gehört sich zwar nicht, seinem König zu widersprechen, aber glaubt mir, Ratberga hatte mindestens den gleichen Anteil an dieser Torheit wie Thankmar«, warf Hulda ein.

Es gab tausend Dinge, die Gaidemar von ihr wissen wollte, aber hier war weder Zeit noch Ort dafür. Und er wusste, er musste sich vor Huldas übergroßem Mutterherz hüten. Er kannte und schätzte diese Frau seit beinah zehn Jahren, aber die Erkenntnis, dass sie seine Tante war, erschreckte ihn ein wenig. Und er fragte sich, wie in aller Welt sie es geschafft hatte, ihre Verwandtschaft vor ihm zu verbergen, wo sie doch so zu gluckenhafter Fürsorglichkeit neigte, vor allem nach dem Genuss von burgundischem Rotwein, dem sie so gerne zusprach.

Adelheid erhob sich und breitete kurz die Hände aus. »Ganz gleich, wie gedämpft unsere Feierlaune ist, wir müssen gehen und uns fürs Festmahl umkleiden. Wenn wir uns verspäten, werden die Grafen und Bischöfe glauben, die geplatzte Hochzeit habe tatsächlich zu einem Zwist zwischen dem König und Fürst Tugomir geführt.«

»Nein, das wollen wir wahrhaftig nicht, dass die Gäste unseres Hoftags Ränke schmieden und die Messer wetzen, während sie an unserer Tafel schmausen«, stimmte der König trocken zu und reichte ihr den Arm.

Gaidemar verneigte sich auch vor ihnen. »Habt Dank für Euren Beistand.«

Adelheid lächelte ihm zu. »Er kann Euch kaum überrascht haben, Hauptmann.«

Deiner weniger als der des Königs, dachte Gaidemar, wenngleich er sich heutzutage nie sicher war, wie Adelheid eigentlich zu ihm stand. Jedes Mal, wenn sie ihn mit ›Hauptmann‹ ansprach, sagte sie ihm damit, dass er nicht mehr ihr ›lieber Freund‹ war. Sie konnte ihm einfach nicht vergeben, dass er ihr ihren toten Sohn gebracht hatte, statt ihn zu retten, vermutete er. Was nur wieder einmal bewies, welch hinterhältige Lanzenstöße das Schicksal einem gern zufügte.

»Ich wünsche es zu erfahren, wenn Graf Immed gegen dich intrigiert, Gaidemar«, sagte der König. »Ich werde das nicht dulden.«

Oh, natürlich, dachte Gaidemar und fing Wilhelms mokantes Lächeln auf. *Und ich werde mir ja so großes Ansehen erwerben, wenn ich zu dir gerannt komme wie ein petzender Bengel …* Doch er nickte lediglich und hielt dem Königspaar höflich die Tür auf.

Auf dem Weg zu Adelheids Gemächern musste Gaidemar sich gegen den Strom aus Gästen und Dienern stemmen, die der neuen Pfalz zustrebten. Das Gewühl wurde dichter und dichter, sodass er irgendwann erwog, das Schwert zu ziehen und sich seinen Weg mit der Klinge zu bahnen. Das Getuschel und die neugierigen Blicke, die er erntete, entgingen ihm keineswegs, und sie machten ihn nicht gerade langmütiger.

Die geplatzte Hochzeit und weit mehr noch die Geschichte seiner Mutter hatten ihn aufgewühlt. Das war ein Zustand, den er verabscheute. Es war, als hätten Immed und Hulda seine Seele geschält, sodass sie nackt und für jedermann sichtbar offenlag. Er fühlte sich ungepanzert. Angreifbar.

Sein ganzes Leben hatte er wissen wollen, wer seine Mutter war. Er konnte sich an keinen Tag seiner Kindheit erinnern, da er nicht über seine Eltern nachgedacht hatte, über den geheimnisvollen Fremden im Kapuzenmantel und die Unbekannte, die ihn geboren hatte. In gewisser Weise war es tröstlich gewesen, dass er nicht den leisesten Hinweis auf ihre Identität gehabt hatte, denn so hatte er sich Geschichten über sie ausdenken können. Meistens waren es Geschichten von einer feinen, wunderschönen Dame in einer einsamen Festung, der maskierte Räuber das Kind aus der Wiege entrissen, und die ihr Leben opferte, als sie mit Klauen und Zähnen um den schutzlosen Säugling kämpfte. Schwülstiges, albernes Zeug, doch es hatte das hohle Gefühl in seinem Innern gelindert. Und nun hatte sein Wunsch sich also erfüllt, und er kannte die Wahrheit: Eine feine Dame war seine Mutter tatsächlich gewesen, wenn auch keine sehr tugendhafte. Plötzlich hatte er ein klares Bild vor Augen, ein *wahrhaftiges* obendrein: eine verängstigte, schwangere junge Frau, die in einer stürmischen Winternacht verzweifelt auf die Hebamme wartete. Und es machte ihm zu schaffen, dass er nichts für sie tun konnte, dass im Gegenteil er es gewesen war, der diese Verzweiflung verursacht und seine Mutter letztlich umgebracht hatte. So sehr quälte ihn der Gedanke, dass er trotz des warmen Sommertages die Arme für einen Moment um den eigenen Leib schlingen musste. Er trauerte um seine Mutter, erkannte er. Mit dreißig Jahren Verspätung. Aber gleichzeitig bewunderte er sie – genau wie seinen Vater –, weil sie allen Regeln getrotzt und sich genommen hatten, was sie wollten. Vermutlich bewies das nur wieder einmal seine eigene Schlechtigkeit – die jedem Bastard innewohnte, da er in Sünde gezeugt war –, aber er konnte nichts dagegen machen. Was sie getan hatten, erforderte Mut, und dieser Mut erfüllte ihn mit einem rebellischen Stolz.

All das brachte ihn durcheinander. Er brauchte einen Freund, mit dem er die verrückten Ereignisse dieses Vormittages teilen konnte, und er wollte eine Frau, in deren Armen er seine sonderbaren und widersprüchlichen Empfindungen vergessen konnte.

Und es gab einen Menschen in seinem Leben, der diese beiden Rollen in sich vereinte.

»Mira?«, rief er, während er die schmucke kleine Vorhalle zu Adelheids Gemächern betrat. »Wo steckst du?«

Der Raum war wie ausgestorben. Sonnenlicht fiel durch die beiden Fenster und ließ die Staubteilchen in der Luft wie Goldflitter schimmern, und auf der Bank, wo an anderen Tagen Gesandte und Bittsteller auf eine Audienz bei der Königin warteten, stand ein vergessener Zinnbecher.

Doch Gaidemar hörte Stimmen aus dem hinteren Teil des Hauses, vielleicht auch aus dem Garten. Helle Stimmen von Frauen und Kindern. Er folgte ihnen durch den dämmrigen Korridor auf die Südseite des Gebäudes zu der Kammer mit dem geheimen Astloch.

Er klopfte und steckte den Kopf durch die Tür. »Mira?«

»Sie ist nebenan, Hauptmann«, antwortete Anna, die dabei war, Emma das Haar zu flechten.

»Seid Ihr verheiratet, Gaidemar?«, fragte die zwölfjährige Prinzessin neugierig, sah ihn aber nicht an, weil sie nicht wagte, den Kopf zu bewegen und so ihre Frisur zu ruinieren.

»Nein, die Hochzeit ist geplatzt, Prinzessin.«

»Heiliger Mauritius!«, rief die Zofe erschrocken aus, und sämtliche Haarnadeln rutschten ihr aus den Fingern und verschwanden in den Binsen am Boden. »Was ist passiert?«

»Immed von Saalfeld ist passiert«, antwortete er grimmig. »Ich wette, du findest die Einzelheiten im Handumdrehen heraus, Anna, es ist eine Klatschgeschichte nach deinem Geschmack.« Er wandte sich ab und sagte über die Schulter: »Und du solltest dich mit der Prinzessin beeilen, die Königin wird jeden Moment hier sein.«

»Ja, welch ein Glück, dass ich acht Hände habe«, gab sie krötig zurück.

Gaidemar ging weiter zur letzten Tür auf der rechten Seite. Er klopfte und trat unaufgefordert ein. Niemand war dort. Der Weidenkorb stand auf einer ausladenden, bunt bemalten Truhe unter dem Fenster, aber keine Hatheburg lag darin. Stirnrunzelnd schaute er aus dem Fenster. Der verwunschene Garten lag ebenso ausgestorben, und die Rosen verschwendeten ihre Pracht an die verwaisten Holzbänke. Ratlos sah er sich in der stillen Kammer um, und mit einem Mal schien sein Herz in die Kehle hinaufgerutscht zu sein und hämmerte dort. Miras kleine Reisetruhe war nirgends zu entdecken. Kein Kleidungsstück oder Haarband. Kein Windelstapel oder Spielzeug. Und viel schlimmer noch: Er spürte in den Knochen, dass Mira und Hatheburg nicht mehr hier waren.

Gaidemar riss die Tür mit solchem Schwung auf, dass sie polternd gegen die Wand prallte, rannte den Korridor entlang und hinaus ins Freie, um die alte Halle herum über die zertrampelte Wiese des Innenhofs zum Pferdestall.

»Braucht Ihr Amelung, Herr, oder ...«, fragte der Stallbursche und verstummte verdattert, als Gaidemar ihn beiseite rempelte, um zu Darkos Box zu gelangen.

Sie war leer.

»Wo ist sie?«, herrschte er den Stallburschen an.

»Hauptmann?«, fragte der, hoffnungslos verwirrt und ein wenig ängstlich.

Gaidemar packte ihn mit beiden Fäusten am Kittel und rüttelte. »Mira, du Ochse! Wo ist sie?«

»Woher zum Henker soll ich das wissen?«, konterte der segelohrige Stallknecht. »Sie kam hier rein mit Eurem Balg auf dem Arm und hat gesagt, ich soll satteln. Ich hab angenommen, Ihr hättet sie fortgejagt, jetzt wo Ihr eine Fürstentochter geheiratet habt, und nicht gefragt, wohin sie wollte. Sie ist aus dem Tor geritten, als seien alle Teufel der Hölle hinter ihr her. Und mehr kann ich Euch nicht sagen.«

»Ich muss schon sagen, edle Königin ...« Bischof Recemund von Elvira sah sich anerkennend in der neuen Halle um. »Diese Residenz kann sich wahrlich mit der des Kalifen in Cordoba messen.«

»Wir haben nur nicht so wundervolle Springbrunnen wie die, von denen Ihr uns erzählt habt«, erwiderte Adelheid lächelnd, aber in Wahrheit war sie mehr als zufrieden mit dem Ergebnis ihrer langen Mühen.

»Anders als in Andalusien kommt hier ja auch genug Wasser von oben«, gab Recemund augenzwinkernd zurück. Er war nicht viel älter als sie selbst, höchstens Anfang dreißig, ein auffallend gutaussehender Andalusier mit schwarzen Augen und tiefbrauner Haut, weit gereist, weltgewandt und trotz seines christlichen Glaubens der neue Gesandte des mächtigen Kalifen Abd ar-Rahman. »Und ich möchte behaupten, die Schönheit Eurer Marmorsäulen übertrifft die im Palast des Kalifen.«

»Nun, dann bin ich beruhigt.«

Sie sprachen noch einen Moment über die Tücken des Säulenbaus, doch Recemund verabschiedete sich bald und machte dem Herzog von Schwaben Platz, ihrem Onkel Burchard, der mit seiner jungen Gemahlin der Nächste in der langen Schlange derer war, die Otto und Adelheid ihre Aufwartung machen wollten.

Während sie vortraten, gönnte Adelheid sich nochmals einen Blick durch die lichtdurchflutete, wahrhaft königliche Halle der neuen Pfalz: Der hundert Fuß lange Saal erinnerte an eine Basilika. Zwei Reihen aus schlanken Doppelsäulen trennten die Seitenschiffe vom Hauptschiff und schufen anmutige Bögen, die das Licht der atemberaubend großen Fenster hindurchließen. Den Marmor für die Pfeiler und die beiden Thronsessel hier in der Apsis am Ostende hatte Adelheid aus Italien kommen lassen, und die überwiegende Mehrzahl der Gäste, die niemals südlich der Alpen gewesen waren, bestaunten den schimmernden, elfenbeinfarbenen Stein – manche gar mit offenen Mündern. Andere hatten den Kopf in den Nacken gelegt und starrten zum kunstvollen Tonnengewölbe hinauf, das zwanzig Fuß über ihnen zu schweben schien. Es war noch nicht alles fertig; Adelheid wartete noch auf die Wandteppiche aus England und goldene Kerzenhalter aus Byzanz, die nicht pünktlich angekommen waren, aber niemand außer ihr bemerkte, dass noch irgendetwas fehlte.

Burchard trat vor und verneigte sich, Hadwig an der Hand, die in einen anmutigen Knicks sank.

»Ihr habt Euch selbst übertroffen, meine Königin«, befand der Herzog mit dem eisgrauen Bart. »Nicht, dass ich überrascht wäre. Und wenn Ihr Eurem alten Onkel die Freiheit gestatten wollt, möchte ich hinzufügen: Die Halle ist ein angemessener Rahmen für Eure königliche Würde und Schönheit.«

Sie hob lachend die Hände. »Ich glaube, so viel Lob auf einmal verkrafte ich nicht.«

»Und dennoch habt Ihr recht, Burchard«, befand der König, nahm Adelheids Hand und führte sie für einen Moment an die Lippen. »Ich muss gestehen, ich habe die Ambitionen der Königin beim Bau dieser Halle manches Mal belächelt, aber heute werde ich eines Besseren belehrt.«

Der Herzog nickte wissend. »Es verschlägt einem den Atem, wie die jungen Frauen uns Graubärte überraschen können, nicht wahr? Ich erlebe das jeden Tag, mein König«, schloss er mit einem wohlwollenden Blick auf Ottos junge Nichte.

Während der König einem Diener bedeutete, Burchard und Hadwig Wein zu bringen, und seine unverkennbar schwangere Nichte nach ihrem Wohlbefinden befragte, ließ Adelheid den Blick unauffällig durch die Halle schweifen. Sie entdeckte Bischof Ulrich von Augsburg, der mit Erzbischof Wilhelm an einer der Doppelsäulen stand und anscheinend eine Anekdote auf Kosten des Abts von Corvey erzählte, denn die beiden Bischöfe blickten einen Moment zu ihm hinüber und brachen dann in Gelächter aus. Einen Schritt weiter hatten Judith von Bayern und der gutausse-hende Bischof von Freising konspirativ die Köpfe zusammenge-steckt. Immed von Saalfeld stand wie üblich einen Schritt hinter der Herzogin und blickte sich argwöhnisch um, als sei Judith hier von Feinden umzingelt. Der Gesandte des Königs der Angelsach-sen unterhielt sich mit Fürst Tugomir, und der junge König des Westfrankenreichs rückte allmählich an die Spitze der Schlange vor dem Thron, seine Mutter, Ottos Schwester Gerberga, an sei-ner Seite.

Alle waren gekommen.

Die Erkenntnis erfüllte Adelheid mit Stolz und Genugtuung, ganz ähnlich wie der Anblick ihrer neuen Pfalz, denn beide sym-bolisierten dasselbe: Ottos Würde als mächtigster Herrscher der Christenheit. Es gab niemanden mehr, der das ernsthaft angezwei-felt hätte, und die Königin hatte diese Halle auch deswegen erbauen lassen, um Otto selbst und der Welt klarzumachen, dass er sich mit dem Rang eines Königs unter vielen nicht zufriedengeben musste. Dass es eine Krone gab, die der Einmaligkeit seiner Stellung entsprach, und er brauchte sie sich nur zu nehmen. Heute war vielleicht noch nicht der Tag, um der Welt diesen Anspruch zu verkünden, aber doch ein bedeutender Meilenstein auf dem Weg dorthin, und dass ausgerechnet Gaidemar nicht gekommen war, um diesen Triumph mit ihr zu teilen, kränkte sie ein wenig.

Oder womöglich sogar mehr als nur ein wenig.

Er war so oft an ihrer Seite gewesen auf dem langen, verschlungenen Weg hierher, hatte ihr Leben beschützt, mit Meister Stephanus über den Plänen dieser Halle gebrütet, mit Otto auf dem Lechfeld gekämpft. Doch seit jenem schrecklichen Sommer vor drei Jahren zeigte er ihr die kalte Schulter. Sie wusste natürlich genau, warum: Er hatte sie nach Bruns Tod dabei ertappt, wie sie Ida von Schwaben verfluchte, diese durchtriebene Teufelsbuhle, und Gott bat, er möge Ida das Liebste auf der Welt nehmen. Darum gab Gaidemar ihr – Adelheid – die Schuld an Liudolfs Tod. Womöglich hatte er sogar recht, und sie respektierte seinen Schmerz um den toten Freund und Vetter. Aber langsam, fand sie, hatte er sie mit seiner eisigen Höflichkeit lange genug büßen lassen. Und dass er sie ausgerechnet heute im Stich ließ, nachdem der König und sie ihm bei seiner geplatzten Hochzeit Loyalität und Treue erwiesen hatten … Sie war sich noch nicht schlüssig, ob sie ihm das vergeben konnte, oder ob es nicht vielleicht an der Zeit war, Hauptmann Gaidemar zu zeigen, wie unklug es war, Königin Adelheids Zorn zu erregen.

»König Lothar!«, grüßte sie Ottos Neffen, den König des Westfrankenreiches, mit einem strahlenden Lächeln. »Und Königin Gerberga.« Sie stand auf, um ihrer Schwägerin besondere Ehre zu erweisen, denn sie schätzte Ottos Schwestern sehr, die die beiden mächtigsten Männer des Westfrankenreichs geheiratet hatten, beide inzwischen verwitwet waren und die Macht ihrer jungen Söhne ausübten.

Gerberga wollte vor ihr auf die Knie sinken, aber Adelheid hielt sie davon ab, indem sie federleicht ihren Arm berührte, und

wandte sich zu ihren Kindern auf der reich geschnitzten Holzbank, die an der linken Seite der Apsis im rechten Winkel zu den
prächtigen Thronsesseln stand. »Komm, Emma, und begrüße deinen Verlobten.«

Adelheid war keineswegs entgangen, dass ihre Tochter mit
glühenden Wangen die Schritte des gutaussehenden Bischofs Recemund verfolgt hatte, aber nun verbannte Emma ihn umgehend
aus ihren Gedanken, erhob sich, trat mit sittsam gesenktem Kopf
vor den jungen König und knickste. »Ich bin geehrt, edler König.«

Lothar verneigte sich galant. »Meinerseits, Prinzessin Emma.«
Er war noch ein wenig schlaksig, sein rötlich blonder Bart noch etwas spärlich für einen erwachsenen König von achtzehn Jahren,
befand Adelheid nüchtern, aber sein Lächeln war charmant und
selbstbewusst, und er schenkte ihrer Tochter seine volle Aufmerksamkeit.

Die fünfjährige Mathilda und der vierjährige Otto, die in Huldas Obhut auf der Bank geblieben waren, ließen ihre große
Schwester nicht aus den Augen – sichtlich beeindruckt, dass sie
einem fremden König vorgestellt wurde, der sogar ihr Gemahl
werden sollte.

Nur zwei, fuhr es Adelheid durch den Kopf. Auf der Bank wäre
für viel mehr Prinzen und Prinzessinnen Platz gewesen, aber diese
beiden waren alles, was Gott ihr und Otto zugedacht hatte. Adelheid liebte ihre Tochter aus erster Ehe genauso wie ihre beiden
Kleinen, aber sie war Realistin und wusste, es waren die Königskinder, die sie Otto gebar, auf die es ankam. Und obwohl sie ihm
neben Mathilda drei Söhne geboren hatte, konnte sie heute nur
einen Prinzen und eine Prinzessin vorweisen. Nicht mehr als Editha Gotthabsieselig zustande gebracht hatte. Das beschämte sie,
und nichts auf der Welt machte ihr größere Angst als der Gedanke,
wie zerbrechlich ein vierjähriger Knabe war. Man konnte sie hüten wie seinen Augapfel, man konnte sie warmhalten, kleiden
und füttern, man konnte für sie beten und sie von jedem Bischof
der Welt segnen lassen, aber die Wahrheit blieb: Prinzen waren
ebenso vergänglich wie Bauernkinder. Das hatten Heinrichs Krippentod und Bruns tödlicher Sturz sie gelehrt. Alle Hoffnung ruhte

nun auf dem kleinen Otto, der sich neugierig und gänzlich furchtlos in der prunkvollen Halle umblickte, die Wangen ganz rot vor
Aufregung. Und Adelheid wusste, Liudolfs Tod hatte die Zukunft
des kleinen Prinzen ein wenig sicherer gemacht. Ottos labiler und
rebellischer Erstgeborener mit dem großen Rückhalt beim sächsischen Adel konnte ihrem Sohn nicht mehr gefährlich werden. Ida
von Schwaben hatte sich nach dem Tod ihres Gemahls gebrochen
auf eines ihrer entlegenen Güter im Wallis zurückgezogen – sie
hatte nichts mehr, wofür sie kämpfen und Adelheids Kinder verfluchen konnte, und das, befand die Königin befriedigt, war gut so.

*Ich hätte noch ganz andere Dinge getan, um meinen Sohn zu
beschützen, Hauptmann Gaidemar, und wenn du das nicht bil-
ligen kannst, dann zur Hölle mit dir …*

»Wo ist sie, Uta? Und erzähl mir nicht, dass du nichts davon
wusstest.«

Uta von Saalfeld schaute von dem großen Stickrahmen auf, den
sie sich ans Fenster hatte tragen lassen. »Du meine Güte. Welch
stürmischer Auftritt. Nimm doch Platz, Gaidemar.« Sie wies einladend auf den Tisch unter dem zweiten Fenster.

Gaidemar machte zwei lange Schritte auf seine Ziehschwester
zu und baute sich mit verschränkten Armen vor ihr auf. »Erspar
mir deine vornehme Überheblichkeit, sei so gut«, knurrte er. »Sag
mir, wo sie ist.«

Uta sah ihm einen Moment ins Gesicht, den Kopf leicht zur
Seite geneigt. Dann stand sie wortlos auf, schob Gaidemar sanft,
aber bestimmt zum Tisch hinüber und nahm den vergoldeten
Weinkrug von der Fensterbank – eine elegante Dame, die sich
selbstsicher in ihrer lichten, kostbar eingerichteten Halle bewegte.
Genau genommen war es natürlich Wilhelms Halle. Der Erzbischof von Mainz besaß das größte Haus in Magdeburg, gleich gegenüber der Johanniskirche. Doch Uta erfüllte die Rolle der Dame
des Hauses mit Finesse und Selbstverständlichkeit. Seit Sigismund
von Westergau vor zwei Jahren im Kampf gegen die Redarier sein
Leben gelassen hatte, waren die Zeiten des Schattendaseins für
Uta vorüber. Wilhelm war inzwischen so mächtig geworden, dass

er aus seiner Geliebten kein Geheimnis mehr machen musste. Die Liaison erregte noch hier und da Kopfschütteln – vor allem bei den Äbten der mächtigen Reichsklöster, jedenfalls bei denen, die sich selbst keine Geliebte hielten –, aber sogar der König hatte es aufgegeben, seinen Sohn ob seines Lebenswandels zu rügen.

Sie schenkte ein und reichte Gaidemar den Becher mit beiden Händen und leicht geneigtem Kopf. »Hier, Bruder. Trink. Ich kann mir vorstellen, wie es in dir aussieht.«

»Nein, Uta. Du hast keine Ahnung.«

Er wandte ihr den Rücken zu und blickte aus dem Fenster, während er den nicht gerade kleinen Pokal mit einem Zug zur Hälfte leerte. Die Magdeburger Salzhändler, die für den Pfingstschmuck in der Johanniskirche zuständig waren, brachten Karren mit Grünzeug und Blumengebinden, während um sie herum auf dem Vorplatz der tägliche Markt stattfand, wo die Bauern aus dem Umland ihre Überschüsse und slawische Händler mit Fuhrwerken voller Pelze und Trockenfisch ihre Waren anpriesen.

»Warum konnte ich nicht als Sohn eines Salzhändlers zur Welt kommen?«, fragte er leise. »Dann stünde ich jetzt dort unten und würde Birkenzweige um das Kirchenportal flechten, ich wüsste, wo mein Platz in der Welt ist, wäre längst mit irgendeiner Nachbarstochter verheiratet, die mein Vater ausgesucht hätte, und damit *Schluss*.«

Seine Ziehschwester gesellte sich zu ihm und sah ebenfalls auf das bunte Treiben hinab, einen unberührten Becher in der Hand. »Ja, ich denke, wir alle wünschen uns dann und wann, das Leben eines anderen zu führen. Aber vermutlich sieht das Dasein der Salzhändler nur von außen betrachtet einfacher aus.«

Gaidemar schnaubte wütend, setzte den Becher wieder an und leerte ihn. »Sag mir, wohin sie gegangen ist, Uta.«

»Ich weiß es nicht.« Sie legte ihm die Hand auf den Unterarm und wartete, bis er sie wieder ansah. »Du hast natürlich recht: Mira ist zu mir gekommen und hat mir anvertraut, dass sie fortgehen will. Dass sie nicht bei Hofe leben und dich ständig sehen kann, verheiratet und unerreichbar, wie sie es ausdrückte. Aber sie hat mir nicht gesagt, wohin sie gehen wollte. Sie hatte einen Plan, dessen bin ich sicher, aber sie hat ihn mir nicht verraten. Weil sie fürchtete, dass ich es dir sagen würde. Und vermutlich hätte ich das auch.«

»Aber du bist nicht auf die Idee gekommen, mich vorzuwarnen, nein?«, fragte er bitter.

»Das konnte ich nicht«, gab sie zurück und zuckte ratlos die Schultern. »Sie hat mich Stillschweigen schwören lassen, ehe sie mir gesagt hat, worum es eigentlich ging, und dann ...«

»Wann war das?«, fiel er ihr ins Wort.

»Gestern nach der Vesper.« Sie betrachtete ihn mit einem traurigen Kopfschütteln. »Ich will deinen Kummer nicht mit Vorhaltungen verschlimmern, Gaidemar, aber wenn du dir nur einmal die Mühe gemacht hättest, die Sache mit ihren Augen zu betrachten, hättest du wissen müssen, dass sie so etwas tun würde. Ich meine, du *kennst* sie doch.«

»Richtig. Und deswegen habe ich unbelehrbarer Tor geglaubt, sie würde verstehen, warum ich nicht anders handeln konnte.«

»Ja, natürlich hat sie das verstanden«, gab Uta zurück, eine Spur ungehalten. »Aber sie ist keine Heilige. Sie wollte nicht aus der Ferne zuschauen müssen, wie du mit Jasna glücklich wirst und treusorgend eure wachsende Kinderschar großziehst, während sie selbst dankbar vor Adelheid auf den Knien herumrutschen muss, weil die sie mitsamt ihrem Balg aufgenommen hat.«

Er wandte den Kopf ab. »Nun, aus der ehelichen Glückseligkeit und der wachsenden Kinderschar wird ja nun nichts.«

»Nein.« Uta klang beklommen. »Aber als das herauskam, waren Mira und Hatheburg längst über alle Berge.«

»Ich werde sie suchen«, sagte er gepresst. »Ich werde sie suchen, und ich werde sie auch finden; mir ist gleich, wie lange es dauert. Und dann kann sie sich auf etwas gefasst machen. Was fällt ihr ein, allein mit einem schutzlosen Säugling ins Ungewisse aufzubrechen? Einfach ohne meine Erlaubnis zu verschwinden? Sie ist immer noch meine Sklavin, verflucht noch mal ...«

»Oh, ich bin überzeugt, es wird sie sehr für dich einnehmen, wenn du sie bei eurem Wiedersehen daran erinnerst«, konterte seine Ziehschwester, plötzlich ebenso wütend wie er.

Gaidemar drückte ihr den leeren Becher in die Finger und wollte sich abwenden, aber Uta überholte ihn und stellte sich mit dem Rücken vor die Tür. »Nein, geh so nicht fort. Vergib mir, ich …« Sie unterbrach sich, biss sich kurz auf die Unterlippe und gestand dann: »Immed war vorhin hier. Eine Begegnung mit ihm stimmt mich nie umgänglicher, und heute war er noch schlimmer als sonst.«

Gerade hatte Gaidemar ihr noch den Hals umdrehen wollen, aber sein Zorn auf Uta verrauchte von einem Atemzug zum nächsten. »Was wollte er?«

»Das Gleiche wie immer«, gab sie achselzuckend zurück. »Mir Vorschriften machen. Ich solle gefälligst in ein Damenstift eintreten oder nach Saalfeld zurückkehren und den nächsten Gemahl heiraten, den er mir aussucht. Er war … abscheulich.«

»Ja, Immed ist heute in Höchstform. Wilhelm sollte dafür sorgen, dass die Wachen ihn erst gar nicht zu dir vorlassen.«

Sie nickte. »Das ist schwieriger, als es sich anhört. Immed ist der Graf im Ammergau und Herzogin Judiths Vertrauter. Die Wachen wissen das, und er schüchtert sie ein. Wenn er kommt und verlangt, seine Schwester zu sehen, haben sie nicht immer den Mut, ihn abzuweisen. Jedenfalls …« Sie atmete tief durch. »Er hat mir selten solche Angst gemacht wie heute. Natürlich hat es ihn furchtbar geärgert, dass sein Einschreiten gegen eure Vermählung nicht den Effekt hatte, den er sich erhoffte, und der König dich nicht in Schimpf und Schande davongejagt hat.«

»Nein. Eher im Gegenteil.«

»Ja, das habe ich gehört«, sagte Uta mit einem kleinen Lächeln. »Und ich bin so froh für dich, dass der König endlich einmal öffentlich zu dir gestanden hat. Aber für Immed war es eine böse Überraschung. Es macht mir Angst, wie sehr er dich hasst. Du musst dich vor ihm hüten, hörst du.«

Er nickte unwillig.

»Und es war nicht allein sein Zorn auf dich, der ihn so unausstehlich machte. Es ist noch irgendetwas anderes. Ich könnte schwören, Immed fürchtet sich.«

»Wovor?«

»Ich hatte gehofft, du könntest es mir sagen.«

Gaidemar schüttelte langsam den Kopf. Er hatte keine Ahnung, was es sein könnte, das Immed beunruhigte, aber er war geneigt, Utas Intuition zu trauen.

»Vielleicht solltest du in Adelheids neue Halle gehen und es herausfinden«, regte sie an. »Vermutlich wundert die Königin sich, dass du nicht längst dort bist.«

Gaidemar fiel auf Anhieb nichts ein, wozu er weniger Lust verspürt hätte. Aber er fürchtete, Uta hatte recht. Er musste sich sehen lassen, und außerdem musste er mit dem Erzbischof sprechen und sich beurlauben lassen, ehe er sich auf die Suche nach Mira machen konnte.

»Wenn du raten müsstest, wohin sie gegangen ist, Uta, was wäre dein erster Gedanke?«

»Über die Elbe«, antwortete seine Ziehschwester ohne zu zögern. »Vielleicht sogar heim nach Mähren.«

Gaidemar beugte sich zu ihr herab und küsste ihr die Stirn. »Das denke ich auch. Vergib mir meine Unbeherrschtheit.«

»Beinah erleichtert es mich, dass du dazu fähig bist«, gab sie zurück. »Man könnte dich fast für einen gewöhnlichen Sterblichen halten.« Sie stellte sich auf die Zehenspitzen und küsste ihn ihrerseits auf die bärtige Wange. »Pass auf dich auf. Und sei ja nett zu ihr, wenn du sie findest, hörst du.«

Saalfeld, September 960

Aber er fand sie nicht.

Den ganzen Sommer durchstreifte Gaidemar das Slawenland. In den dünn besiedelten, waldreichen und von unzähligen Seen und Flüssen durchzogenen Landschaften schien seine Suche ein hoffnungsloses Unterfangen, und er wurde von dem Gedanken verfolgt, dass er genau das im Wald versteckte Dörfchen, wo Mira mit Hatheburg untergeschlüpft war, vielleicht gestern ahnungslos passiert hatte.

Trotzdem suchte er weiter. Bei den Hevellern auf der Brandenburg fand er sie nicht, aber Fürst Tugomir borgte ihm seinen zweitjüngsten Sohn Liudolf als Übersetzer, der Gaidemar bis an die March in Mähren begleitete. Auch in ihrer alten Heimat fand Gaidemar indessen keine Spur von Mira. Er brachte den kaum zwölfjährigen Liudolf zurück nach Hause, ehe er bis an die Küste zur Mecklenburg ritt, wenngleich er befürchten musste, dass Fürst Nakon ihn immer noch an seine Hunde verfüttern wollte. Im Schutz der Dunkelheit schlich Gaidemar sich zu Fürstin Egvina, doch auch sie hatte nichts von Mira gehört oder gesehen.

Gaidemar weigerte sich aufzugeben. Er durchstreifte die kaum befriedeten Gebiete der Redarier und Zirzipanen, er verlor in einem Sumpf in der Nähe von Spandau sein Packpferd mit seinen Decken und allem Proviant, in einem finsteren Eichenwald im Havelland wurde er bei Dämmerung von einem Wolf angegriffen und bekam Fieber, als die Bisswunden sich entzündeten – alles umsonst. Und er fragte sich, ob Mira und Hatheburg vielleicht auch unter die Wölfe geraten und längst tot waren, denn die düsteren Wälder des Slawenlandes schienen nicht nur unendlich, sondern sie waren gefährlich und lebensfeindlich. Auf hundert verschiedene Arten konnten sie einen Wanderer umbringen, der sich unbedacht in ihren Schatten wagte, eine junge Frau mit einem Säugling erst recht. Er wusste, dass Mira von ihrem Vater gelernt hatte, zu jagen und sich im Wald zurechtzufinden. Und trotzdem schwand die Hoffnung mit jedem Tag seiner aussichtslosen Suche.

Unverrichteter Dinge überquerte er Anfang September die Elbe wieder in westlicher Richtung und kam an einem strahlenden Spätsommertag nach Saalfeld.

»Gaidemar!«, grüßte der alte Ommo ihn verdattert, als der Besucher vor dem gedrungenen Pferdestall gleich rechts des Haupttors der Pfalz absaß. »Oder Hauptmann, sollte ich wohl sagen«, verbesserte sich der Stallknecht. »Aber Ihr seht ein wenig abgerissen und verwildert aus, wenn Ihr meine Offenheit vergeben wollt.«

»Ich glaub's.« Gaidemar klopfte sich nachlässig mit den flachen

Händen auf Brust und Ärmel und staunte über die Staubwolken, die das hervorrief. »Ich kam zufällig vorbei, und da dachte ich mir, ich könnte nachschauen, wie es allen geht.«

Das war nicht ganz richtig, gestand er sich selbst. Er befand sich im freien Fall, seit er sich eingestanden hatte, dass er Mira und Hatheburg für immer verloren hatte. Und er brauchte irgendetwas, woran er sich festklammern konnte, so wie ein Wanderer in einer Steilwand sich mit den Fingern in eine Felsspalte krallt, um nicht ins Bodenlose zu stürzen. Er wusste natürlich, dass er das, was immer er suchte, nicht in Saalfeld finden würde, denn er hatte hier keine Wurzeln. Und trotzdem verlangte ihn danach, in den Wald zu gehen und den Siechbach bis zur Saale entlangzuwandern, so wie er es als Junge oft getan hatte, wenn ihm etwas zu schaffen machte. Ihm fiel einfach nichts Besseres ein.

»Ich fürchte, Ihr habt für Euren Besuch keinen sehr glücklichen Tag ausgewählt«, vertraute Ommo ihm mit kummervoller Miene an und nickte zur kleinen Kapelle hinüber. »Sie begraben Eure Ziehmutter.«

Gaidemar senkte den Kopf und bekreuzigte sich. »Was ist passiert?«

»Nichts«, gab der Knecht achselzuckend zurück. »Sie war alt und ist gestorben.«

Gaidemar nickte kommentarlos, schlug die Steigbügel über den Sattel und klopfte Amelung abwesend den feuchten Hals. Sein treuer Reisegefährte ließ müde den Kopf hängen. Auch er kam in die Jahre. Um Augen und Ohren zeigten sich die ersten grauen Haare. Noch ein Abschied, der bald bevorstand, wusste Gaidemar, und der Gedanke deprimierte ihn.

Er drückte Ommo den Zügel in die Hand. »Wo ich schon hier bin, werde ich gehen und ihr die letzte Ehre erweisen.«

Er machte einen Abstecher zum Brunnen, zog sich einen Eimer Wasser herauf und wusch sich notdürftig Gesicht und Hände, damit er nicht wie ein wilder Bandit zur Trauergemeinde stieß.

Diese war überschaubar, erkannte er, als er die kleine, aber aus Sandstein gemauerte und reich ausgestattete Pfalzkapelle betrat. Arnold von Saalfeld kniete vor dem schlichten Holzsarg am Altar, kerzengerade und mit unbewegter Miene. Nur zwei seiner fünf Töchter waren mit ihren Familien zur Beerdigung gekommen, Irmgardis und Reinhildis, die beide in der Nähe lebten. Weder ihre älteren Schwestern noch Uta konnte Gaidemar entdecken, und auch Immed war glücklicherweise nicht aus dem fernen Regensburg angereist. Die Mönche und Bediensteten, die Arnold bei der Verwaltung der königlichen Pfalz zur Seite standen, und das Gesinde füllten die Kapelle, und als Vater Gerwolf den letzten Segen gesprochen hatte, lösten sich zwei stämmige Knechte aus der hinteren Reihe, um zusammen mit Arnolds Schwiegersöhnen den Sarg auf den kleinen Gottesacker hinter der Kirche zu tragen. Gaidemar trat ebenfalls nach vorn, bedeutete dem älteren der beiden Knechte mit einer Geste, dass seine Dienste nicht benötigt würden, und gemeinsam mit den Männern seiner Ziehschwestern und dem Ochsentreiber des Guts trug er Richlind von Saalfeld zu Grabe.

Deren Witwer blinzelte verwundert, als er seinen Ziehsohn entdeckte, aber dann nickte er ihm dankbar zu.

»Ich bin froh, dich zu sehen, Gaidemar«, bekannte er beim anschließenden Leichenschmaus, der natürlich nicht in der königlichen Halle, sondern im Wohnhaus der Familie am Südrand der Einfriedung abgehalten wurde.

»Wieso?«, fragte Gaidemar verblüfft.

»Wieso?«, wiederholte sein Ziehvater stirnrunzelnd. »Weil Hatto und Hugo tot sind und Immed in Bayern, was fast genauso schlimm ist. An einem Tag wie diesem wünscht ein Mann, seine Söhne um sich zu haben.«

Ich bin nicht dein Sohn, lag Gaidemar auf der Zunge, aber er nickte lediglich und schenkte ihm höflich einen Becher des verdünnten Biers ein, das sein Ziehvater bevorzugte.

»Mutter hat von dir gesprochen, kurz bevor das Ende kam«, eröffnete Reinhildis ihm, und zwei Tränen rannen ihr über die rundlichen Wangen. »Sie erbat Gottes Segen für dich.«

»Wie gut von ihr«, antwortete er pflichtschuldig.

Reinhildis sah ihm noch einen Moment ins Gesicht. »Du bist so dürr, Gaidemar. Bist du krank?«

Er schüttelte den Kopf. »Ich war ein paar Wochen in der Wildnis ohne ausreichenden Proviant.«

»Verstehe.« Sie wischte sich nochmals energisch mit dem Handgelenk über die Augen, um ihre Tränen zu trocknen. »Das würde mir vermutlich auch mal guttun.«

Gaidemar hob seinen Becher, um ein Grinsen zu verstecken. Reinhildis, das einstmals so gertenschlanke und bildhübsche Mädchen, war ziemlich in die Breite gegangen, aber sie strahlte eine innere Ruhe und Zufriedenheit aus, um die er sie beneidete. »Geht es dir gut?«, fragte er ein wenig unbeholfen.

Sie nickte und lächelte ihm zu. »Ich kann nicht klagen. Ein guter Mann, eine fette Scholle und jedes Jahr ein Kind. Das ist kein schlechtes Leben.«

»Nein.«

»Trotzdem hättest du lieber Gaidemar geheiratet«, brummte ihre Schwester. »Herrje, wenn ich an die Stürme denke ...«

Reinhildis biss sich auf die Unterlippe und legte Gaidemar kurz die Hand auf den Arm. »Ich hoffe, du hast mir inzwischen verziehen, dass ich dir einen Kuss gestohlen habe.«

»Da gibt es nichts zu verzeihen«, erwiderte er feierlich und fügte dann augenzwinkernd hinzu: »Hin und wieder denke ich ganz gern daran zurück.«

Sie warf eine Rosine nach ihm, die er geschickt auffing und sich in den Mund steckte.

Es befremdete ihn, wie mühelos er dieses höfische Geplänkel beherrschte, das er doch eigentlich verabscheute. Er ertappte sich dabei, dass es ihn aufheiterte.

Arnold wandte sich entrüstet an seine pummelige Tochter. »*Du* hast Gaidemar den Kuss gestohlen? Nicht umgekehrt?«

»Ich fürchte«, gestand Reinhildis schuldbewusst.

Der ältere Mann bedachte seinen Ziehsohn mit einem Kopfschütteln. »Und du hast keinen Ton gesagt, als ich dich dafür verprügelt habe?«

Gaidemar winkte ab. »Ich hatte keine sehr großen Anstrengungen unternommen, mich gegen den Kuss zu wehren.«

Gedämpftes Gelächter hellte die Stimmung des Trauerhauses

auf, und Gaidemar befragte seine Ziehschwestern nach ihren Kindern, um das Thema zu wechseln.

Doch Arnold von Saalfeld blieb in sich gekehrt und folgte der Unterhaltung nur mit halbem Ohr. Er wirkte schwermütig. Nun, wenn Gaidemar irgendetwas nachfühlen konnte, dann das. Ohne Mira erschien ihm die Welt wie ein graues Ödland, voller Menschen, die ihn nicht kümmerten, die sinnlos daherschwätzten und belanglose Dinge taten. Womöglich erging es seinem Ziehvater genauso. Immerhin hatte er mehr als die Hälfte seines Lebens mit seiner Gemahlin verbracht, was nur den Wenigsten beschieden war.

»Ich wünschte, Immed käme nach Hause«, gestand der alte Mann ihm, als sie schließlich am Abend allein in der schlichten, aber behaglichen Halle saßen. Reinhildis und ihre Familie waren heim auf ihr benachbartes Gut geritten, Imgardis und ihr Gemahl hatten sich in einer der zugigen Kammern im Dachgeschoss schlafen gelegt. Die Dunkelheit war früh hereingebrochen – man konnte merken, dass der Sommer zur Neige ging –, und Gaidemar hatte zwei Kerzen auf dem Tisch entzündet.

»Ihr habt ihm einen Boten geschickt?«, fragte er.

Arnold nickte. »Aber der kann ihn noch nicht erreicht haben. Sie ist ja erst vor zwei Tagen gestorben. Wir konnten mit der Beerdigung nicht warten, verstehst du, bei der Hitze.«

»Nein, natürlich nicht.«

»Und jetzt liegt sie da unten allein im Dunkeln.«

»Das dürft Ihr nicht denken«, widersprach Gaidemar. »Sie sitzt am Tisch des Herrn. Ich weiß nicht, wie es dort ist, aber gewiss ist es ein lichter Ort, oder?«

»Und meinst du, das hat sie verdient? Gott in seiner Herrlichkeit zu schauen?«

»Natürlich. So wie jeder von uns, schätze ich. Wir müssen alle darauf hoffen, dass Gott unsere Sünden vergibt, auch die etwas größeren. Denn niemand ist frei davon.«

Arnold verzog für einen Moment die Mundwinkel nach oben. »Man kann merken, dass du im Haushalt eines Erzbischofs lebst, Gaidemar, du redest beinah selbst schon wie einer.«

»Das muss am Bier liegen«, gab er flapsig zurück, dankbar, dass er nicht noch mehr tröstende Worte finden musste, wo Worte doch nicht gerade seine Stärke waren. »Im Übrigen lebe ich nur gelegentlich in seinem Haushalt. Meistens stecke ich mit seiner Reiterlegion irgendwo im Dreck.«

»Was immer das war, was du wolltest.«

»Richtig.«

»Ich bin froh, dass du und er zusammengefunden habt. Ich halte Erzbischof Wilhelm für einen wirklich guten Mann.«

Gaidemar überlegte, ob sein Ziehvater womöglich gar nicht wusste, dass dieser ›wirklich gute Mann‹ sich Uta als Geliebte hielt. Ob er vielleicht annahm, sie befinde sich immer noch im Kanonissenstift in Quedlinburg, weil niemand den Mut gefunden hatte, ihm reinen Wein einzuschenken. Er musste feststellen, dass er selbst auch kein Verlangen verspürte, diese undankbare Aufgabe zu übernehmen, und so beschränkte er sich auf ein knappes Nicken.

»Ich denke, Ihr passt hervorragend zusammen«, fügte Arnold hinzu.

»Ja, das ist wahr.« Gaidemar schenkte ihnen beiden nach. »Und es ist gut von Euch, dass Ihr Euch Gedanken über meine Position gemacht habt.«

»Ich mache mir oft Gedanken über dich«, gestand sein Ziehvater untypisch freimütig, drehte den Bierbecher zwischen den Händen und blickte hinein. »Je älter ich werde, desto häufiger frage ich mich, ob ich das Versprechen, das ich deinem Vater gab, auch wirklich eingehalten habe.«

»Das habt Ihr«, versicherte Gaidemar und überraschte sich selbst, als er dem älteren Mann für einen Moment die Hand auf den Unterarm legte. »Glaubt mir.«

Arnold lehnte sich auf seinem knarrenden Sessel zurück und musterte sein Gegenüber eingehend. »Nun, was immer wir dazu beigetragen haben, du bist ausgesprochen gut gelungen, mein Junge. Ich wünschte, Immed hätte mehr von dir.«

»Immed ist Immed«, gab Gaidemar mit vorgetäuschtem Gleichmut zurück. »Und die bayrische Herzogin hält große Stücke auf ihn. Er hat erst ihrem Gemahl und dann ihr treu gedient und ist ein mächtiger Graf geworden. Genug, um einen Vater stolz zu machen, oder?«

Arnold nickte, aber er wirkte nicht sehr überzeugt. »Er sagte mir, du hättest deine Finger im Spiel gehabt, als Utas Gemahl in der Schlacht gegen die Redarier fiel?« Und als er Gaidemars Entrüstung sah, fügte er mit einer wegwerfenden Geste hinzu: »Es war nicht schade um den Misthund, weiß Gott.«

»Ich weiß nicht, wie Immed dazu kommt, dergleichen zu behaupten, denn er war nicht dabei«, entgegnete Gaidemar. »Soweit ich weiß, saß er warm und bequem in Regensburg, während wir uns bei Schneetreiben mit den Redariern schlugen und das vergossene Blut steinhart gefror, sobald es aufhörte zu dampfen. Sigismund von Westergau bekam eine Streitaxt mitten in die Brust. Eine *slawische* Streitaxt.«

Schön, es war nur ein paar Pferdelängen vor ihm passiert, er hatte es kommen sehen und blitzschnell entschieden, mit dem Wurf seiner Lanze lieber Volkmars Pferd zu retten als Utas Gemahl, aber das *konnte* einfach niemand wissen. Es war wirklich gruselig, wie oft Immed mit seinen Verleumdungen mitten ins Schwarze traf. Gab einem zu denken ...

»Wie dem auch sei«, sagte Arnold und trank einen Schluck. »Hätte ich meiner Tochter einen besseren Mann gesucht, wäre sie heute nicht die Kebse deines Dienstherrn. Du hast geglaubt, ich wüsste nichts davon? Ich bin alt, Gaidemar, aber kein Narr.« Für einen Moment funkelte Zorn in seinen Augen.

»Nein, gewiss nicht«, räumte der Ziehsohn ein und wappnete sich auf eine Strafpredigt.

Er fiel aus allen Wolken, als Arnold von Saalfeld stattdessen sagte: »Es ist mein Fluch, dass ich wieder und wieder auf Immed gehört habe. Ich habe Uta mit Sigismund verheiratet, weil *er* darauf gedrungen hat. Ich habe dich bestraft, Gott allein weiß wie oft, weil *er* Lügengeschichten über dich erzählt hat. Erst seit deine Ziehmutter tot ist und ich keine Rücksicht mehr auf sie nehmen muss, habe ich mir erlaubt, mir einzugestehen, was mein Erstgeborener ist. Ein Ungeheuer. Hatto und Hugo sind tot. Der einzige brauchbare Kerl, den ich großgezogen habe, bist du.«

»Ausgerechnet«, spöttelte Gaidemar, um zu verhehlen, wie sehr diese Lebensbeichte ihn erschütterte.

»Ausgerechnet«, stimmte Arnold zu und lachte bitter. »Nicht dass es mich überrascht, was für ein Soldat und Kommandant du geworden bist. Das konnte man schon sehen, als du sieben Jahre alt warst. Aber was hat aus dem maulfaulen Eigenbrötler, der du warst, einen Edelmann gemacht? *Das* wüsste ich zu gern.«

Adelheid, dachte Gaidemar unwillkürlich, doch er wehrte unbehaglich ab: »Ihr solltet mich nicht überschätzen. Ich bin, was ich immer war: nur ein Bastard mit einem Schwert.«

Regensburg, Dezember 960

Said warf den Ball nach links zu Mathilda, und die Prinzessin gab ihn mit Schwung an ihren kleinen Bruder weiter. Otto, gerade fünf geworden, konnte schon mit einigem Geschick fangen, traf dann aber eine Fehlentscheidung und warf zu Kirada. Der Affe duckte sich weg, ließ den Ball hinter sich zu Boden gehen, kletterte dann behände auf die verschrammte Lederkugel und lief darauf durch die geräumige Kammer. Die beiden Prinzessinnen und der maurische Sklave klatschten und lachten, doch der Prinz rief empört: »Aber was machst du denn, Kirada …«, und rannte auf das Äffchen zu.

Kirada sprang mit angstvoll aufgerissenen Augen von dem Ball herunter und flüchtete sich kreischend auf Saids Schulter.

Der kleine Prinz holte sich seinen Ball zurück und warf ihn zu Gaidemar, der mit übereinandergeschlagenen Beinen in einem bequemen Sessel am Feuer saß. Gaidemar täuschte in Wilhelms Richtung und warf dann doch zurück zu Otto. Damit hatte der Junge nicht gerechnet, hob die Hände zu spät und bekam den Ball ins Gesicht.

Gaidemar hatte nur mit geringem Schwung geworfen, trotzdem fing Ottos Nase an zu bluten, und der kleine Kerl stimmte ein ohrenbetäubendes Gebrüll an.

»Ach herrje …« Gaidemar erhob sich gemächlich aus seinem Sessel.

»Könnt Ihr nicht aufpassen!«, fuhr Adelheid ihn an.

Sie wollte aufspringen, aber Wilhelm hielt sie mit einer beschwichtigenden Geste zurück. »Es ist nichts, meine Königin«, beruhigte er sie, stand ebenfalls auf und las den heulenden Prinzen aus dem Stroh auf. »Schsch, schon gut, Brüderchen«, murmelte er, nahm ihn mit zu seinem Platz und setzte ihn auf sein Knie. »Kein Grund für solch ein Geschrei, das gehört sich nicht für einen Prinzen, auch nicht für eine halbe Portion wie dich.«

Otto hasste es, wenn sein erwachsener Halbbruder ihn so nannte, und heulte noch ein bisschen lauter.

Gaidemar beobachtete Adelheid aus dem Augenwinkel und erkannte, welche Mühe es sie kostete, nicht dazwischenzugehen, dem Erzbischof ihren Jüngsten zu entreißen und ihn selbst zu trösten.

»Was belauert Ihr mich so?«, fragte sie verdrossen. »Fürchtet Ihr, ich könnte mit den Fäusten auf Euch losgehen, weil Ihr meinem Sohn eine blutige Nase verschafft habt?«

»Vermutlich kann ich froh sein, wenn ich dafür nicht als Verräter aufgeknüpft werde«, gab Gaidemar zurück.

Er konnte sie ja verstehen. Zwei Prinzen hatte sie verloren, und nur Otto war übrig, um seinem Vater dereinst auf den Thron zu folgen. Es war kein Wunder, dass es die Königin dazu drängte, ihn wie ein kostbares Reliquiar in Wolle zu packen und in eine Truhe zu sperren, damit er nur ja keinen Kratzer abbekam. Und Gaidemar rechnete ihr hoch an, dass sie aus ihrer Furcht um Ottos Wohl meist ein Geheimnis machte. Sie schritt nicht ein, wenn die Spiele der Kinder ein wenig wild wurden, obwohl ihr Blick dann jedem von Ottos Schritten folgte und es überhaupt keinen Zweck hatte, sich mit ihr zu unterhalten, weil sie nicht zuhörte. Sie hatte auch nicht protestiert, als Gaidemar den kleinen Jungen im Herbst zum ersten Mal auf ein Pony gesetzt hatte. Aber sie war mindestens eine Woche lang so zornig auf ihn gewesen, dass Gaidemar immer fürchtete, er könnte Frostbeulen davontragen, wenn ihr Blick auf ihn fiel. Und er war erleichtert gewesen, dem Hof zu entkommen, mit dem Erzbischof nach Mainz zurückzukehren und die ersten Schritte von Ottos Reit- und Fechtausbildung dem Waffenmeister des Königs zu überlassen.

»Otto, jetzt ist es wirklich genug«, mahnte Wilhelm schon nicht mehr ganz so geduldig. »Du willst nicht, dass ich dem König sagen muss, du seiest eine Memme, oder?«

Das wirkte immer. Das Geheul verstummte wie abgeschnitten, und der kleine Kerl schüttelte den Kopf, dass die blonden Kinderlocken flogen. Prinz Otto vergötterte seinen Vater. Wenn man ihn ließ, folgte er ihm auf Schritt und Tritt, setzte sich zufrieden in die Binsen und lehnte den Kopf an sein Knie. In den Augen des Königs als Memme dazustehen, musste folglich ein unerträglicher Gedanke sein, und so gab Otto auch keinen Laut von sich und hielt tapfer still, als der Erzbischof ihm mit dem feuchten Tuch, das Hulda ihm gebracht hatte, das Blut vom Gesicht tupfte.

»Na, siehst du«, sagte Wilhelm. »So gut wie neu. Weißt du, warum du den Ball ins Gesicht bekommen hast?«

»Gaidemar hat geschummelt«, antwortete Otto prompt. »Er hat so getan, als würde er zu dir werfen, und dann plötzlich kam der Ball zu mir.«

»Das war kein Schummeln, mein Prinz«, stellte der Übeltäter klar. »Sondern eine Finte.«

»Was ist das, eine Finte?«, wollte Otto wissen.

»Eine erlaubte Täuschung«, antwortete Gaidemar. »Sie soll den Gegner im Kampf dazu verleiten, einen Fehler zu machen. So wie ich dich verleitet habe, nicht die Hände zu heben, weil du dachtest, ich werfe zu deinem Bruder. Beim Fechten macht man es genauso. Und deine blutige Nase soll dich lehren, in Zukunft argwöhnischer, wachsamer und vor allem schneller zu sein.«

Otto schenkte ihm ein Lächeln von solcher Strahlkraft, dass es Gaidemar immer ein wenig die Brust zusammenzog, wenn er es sah. Und nie vermisste er seine Tochter mehr als in diesen Momenten.

»Bring's mir bei«, bat der Prinz.

»Das würde ich auch gern lernen«, meldete Said sich zu Wort, wie immer respektvoll und von erlesener Höflichkeit.

»Ich auch, ich auch«, fiel Mathilda mit ein. »Bitte, bitte, Hauptmann!«

»Nein, heute nicht mehr«, beschied Hulda und klatschte energisch in die Hände. »Die Königin und Prinzessin Emma müssen sich fürs Festmahl umkleiden, und der Rest von euch Rackern wird abgefüttert und ins Bett gesteckt, denn es ist längst dunkel.« Wie zum Beweis wies sie aufs Fenster, das jedoch mit einem Laden verschlossen war, vor dem obendrein ein dicker Wandteppich hing, um die eisige Zugluft auszusperren. Die Kinder murrten enttäuscht, aber Hulda gab vor, es nicht zu hören. »Seid so gut und schickt nach der Amme, Gaidemar, mein Junge.«

»Sicher, Gräfin«, erwiderte er und stand bereitwillig auf. »Aber ich bin *nicht* Euer Junge.«

Hulda, Adelheid und Wilhelm lachten über seinen Märtyrertonfall.

Gaidemar ging zur Tür, und Wilhelm schloss sich ihm an. »Für mich wird es auch Zeit.«

Gemeinsam traten sie auf den eisigen Korridor hinaus, wo die wenigen Fackeln zischten und flackerten. Gaidemar hieß eine der beiden Wachen vor der Tür, die Amme zu holen, und begleitete Wilhelm die Treppe hinab in den Innenhof der Pfalz. Der Schnee lag fast eine Elle hoch, aber zahllose Füße hatten ein Wirrwarr von Trampelpfaden hindurch gebahnt, und die Cousins folgten einem davon zu dem großzügigen Gästehaus neben der Haupthalle, das die Erzbischöfe von Mainz und Köln mit ihrem Gefolge bewohnten.

Gaidemars Kammer lag im Erdgeschoss auf der linken Seite, und ehe sie die Tür erreichten, hörten sie es dahinter bedenklich scheppern.

Wilhelm lachte in sich hinein. »Wäre Kirada dein Bursche, würde weniger zu Bruch gehen, denke ich manchmal.«

»Ja«, knurrte Gaidemar. »Ich könnte Emma fragen, ob sie mit mir tauschen will …« Er betrat sein Quartier, auf alles gefasst.

Faramond stand mit den zwei Hälften einer zerbrochenen tönernen Schüssel in Händen in der Raummitte und starrte ungläubig auf die dampfende Wasserpfütze zu seinen Füßen. »Es tut mir leid, Hauptmann«, beteuerte er. »Ich weiß überhaupt nicht, wie das passieren konnte …«

»Das sagst du immer«, eröffnete Gaidemar ihm und warf den feuchten Mantel, den er über dem Arm getragen hatte, auf den Tisch. »Was sollte das sein, ehe es ein Missgeschick wurde?«

»Fichtensud. Die … die Wolldecken auf Eurem Bett wimmeln von Ungeziefer. Ich wollte sie mit Fichtendampf ausräuchern. Das funktioniert, meine Mutter hat's mir mal gezeigt. Aber …« Er brach ratlos ab.

»Die Tonschale kam aus irgendeiner unbeheizten Geschirr-kammer und war eiskalt, als du das heiße Wasser hineingefüllt hast?«, tippte Gaidemar.

Faramond senkte den Blick und nickte unglücklich. »Ich hab nicht drüber nachgedacht.«

»Wie üblich«, sagte Gaidemar kühl, öffnete seine Reisetruhe und fischte das gute, eichenlaubgrüne Gewand heraus, um sich für das Bankett in der Halle umzuziehen. »Das muss ein Ende haben, Faramond.«

»Ich weiß, Herr«, räumte sein Bursche unglücklich ein. »Wenn Ihr erlaubt, hole ich neues Wasser, damit Ihr Euch erfrischen könnt.«

»Ja, gleich. Nimm die Decken mit, trag sie zum Kämmerer und richte ihm aus, er möge selbst darin schlafen und uns ordentliche geben.«

Faramond nickte, aber Gaidemar mutmaßte, dass sein Bursche entweder ohne Wasser oder ohne Decken zurückkommen würde, weil ihm eins von beiden entfallen war.

Früher hatte Gaidemar ihn geschlagen, um ihn Sorgfalt zu leh-ren. Aber das tat er heute nicht mehr, weil er eingesehen hatte, dass es nichts nützte. Es war keine Nachlässigkeit, wenn Faramond irgendetwas zerbrach oder seine Pflichten versäumte. Es war ein-fach seine Natur. Faramond, hatte Gaidemar erkannt, war mit sei-nen Gedanken stets auf Wanderschaft. Ein Träumer. Er konnte ne-ben einem Feuer mit einem vergessenen Kessel darüber stehen, ohne den Qualm und den brenzligen Geruch zu bemerken, weil er in einer Geschichte von Drachen und Zauberringen weilte.

»Sag mir, warum nimmt ein Panzerreiter den Sohn eines freien Mannes als Burschen, den er besser kleiden und füttern muss als einen Sklaven?«, fragte der Hauptmann.

»Weil der Bursche das Waffenhandwerk von seinem Herrn lernen und so selber eines Tages ein Reitersoldat werden soll«, antwortete Faramond getreulich, denn das hatte er schon so oft gehört, dass sogar er es sich gemerkt hatte.

»Und ist es das, was du willst? Ein Panzerreiter werden?«

»Natürlich!« Er sagte es mit leuchtenden Augen, ausnahmsweise einmal ganz bei der Sache.

Gaidemar wusste, dass der Junge ein Vorbild in ihm sah, vor allem in seinem großen Bruder. Volkmar von Limburg, der sich Gaidemar so unwillig untergeordnet hatte, als er mit den ersten drei, vier Dutzend junger Heißsporne zur neu gegründeten St.-Albans-Legion kam, war Gaidemar so unverzichtbar wie sein Schwertarm geworden. Er nahm ihm inzwischen einen Gutteil der organisatorischen Aufgaben ab und trainierte zusammen mit Sigurd von Hersfeld den Nachwuchs, wenn Gaidemar selbst andere Pflichten zu versehen hatte. Volkmar gehörte zu den Männern, die den Ruf der St.-Albans-Legion geprägt hatten, und wenn er gelegentlich nach Hause kam, läuteten die Kanoniker im St.-Georgs-Stift zu Limburg die Glocken, um den Bezwinger der heidnischen Ungarn willkommen zu heißen.

»Es ist kein Wunder, dass du deinem Bruder nacheiferst, er ist ein großartiger Mann. Aber nicht jeder ist dafür gemacht, Soldat zu werden. Hast du dich je gefragt, ob dir vielleicht eine geistliche Laufbahn bestimmt ist?«

Faramond legte die großen Tonscherben in seinen Händen endlich auf dem Tisch ab, wandte sich langsam zu Gaidemar um und fiel zu dessen Schrecken vor ihm auf die Knie. »Bitte, Hauptmann … bitte nicht …«

»Steh auf, Faramond.«

»Bitte schickt mich nicht ins Kloster, ich würde eingehen. Ich weiß ja, dass ich ein Trottel und ein Taugenichts bin, aber ich habe Fortschritte mit dem Schwert gemacht, das habt Ihr selbst gesagt.«

»Steh auf, hab ich gesagt!«, herrschte Gaidemar ihn an. »Vorher rede ich nicht mit dir. Und fang ja nicht an zu flennen.«

Der Fünfzehnjährige kam auf die Füße, blieb mit gesenktem Kopf vor seinem Herrn stehen, und sein Adamsapfel glitt sichtbar auf und ab, als er mühsam schluckte. Er war immer noch so dürr wie an dem Tag vor drei Jahren, als Gaidemar ihn zu sich genommen hatte, nur länger aufgeschossen. Es stimmte, er *hatte* Fortschritte gemacht, aber andere Jungen in seinem Alter waren um Klassen besser und hatten ihre Waffenkünste längst auf dem Feld erprobt. »Mein Vater wäre so furchtbar enttäuscht, wenn ich in Schimpf und Schande heimkomme. Das könnte ich nicht aushalten.«

»Von Schimpf und Schande kann keine Rede sein«, stellte Gaidemar klar. »Und ist dein Vater nicht Vogt bei den Stiftsherren in Limburg? Wäre er nicht stolz, wenn du dort einträtest?«

Faramond schüttelte den Kopf. »Mein Vater ist ein guter Christenmensch, aber er denkt insgeheim, was alle Väter denken: *Richtige* Männer ziehen in den Krieg. Er *würde* Schande empfinden, das weiß ich ganz genau.«

Gaidemar nickte und dachte einen Moment nach. In der Stille hörte man das Tröpfeln des verschütteten Fichtensuds von der Tischkante, und inzwischen hatte sich ein höchst angenehmes Aroma in der Kammer ausgebreitet.

»Also schön«, sagte der Hauptmann schließlich leise. »Heute ist der Heilige Abend. Ich gebe dir noch ein Jahr und einen Tag. Ich verlange, dass du dich zusammennimmst und mehr anstrengst, sowohl bei deinen Waffenübungen als auch bei der Verrichtung deiner Pflichten. Denn wenn wir im Verlauf des kommenden Jahres in eine Schlacht ziehen – und sei versichert, dass es dazu kommt –, dann wirst du dort deine Bluttaufe empfangen. Bereite dich darauf vor. Wach endlich auf, verflucht noch mal, sonst wirst du fallen, eh dein Bart richtig wächst, verstehst du mich?«

Faramond nickte. Dann hob er den Kopf und sah ihm in die Augen. »Ja, Hauptmann.«

»Am Weihnachtstag nächstes Jahr wird abgerechnet: Entweder du trittst in die Legion ein, oder du gehst nach Hause.«

»Danke, Hauptmann.«

»Ja, ja«, knurrte Gaidemar. »Spar dir deinen Dank, bis wir wissen, ob du den Tag noch erlebst.«

Die Pfalz in Regensburg konnte sich mit der neuen in Magdeburg nicht messen, stellte Adelheid mit Befriedigung fest, aber Judith hatte ihre Halle festlich schmücken lassen: Wundervolle Behänge von beachtlicher Größe zierten die Wände, Becher und Krüge aus Gold und Silber standen auf den voll besetzten, langen Tafeln, manche mit Edelsteinen verziert. Sie funkelten im Licht der großen Wachskerzen, deren schmiedeeiserne Ständer mit Mistelzweigen geschmückt waren.

»Warum eigentlich Misteln?«, fragte Adelheid den König leise, als sie an seinem Arm zum Ehrenplatz in der Mitte der hohen Tafel ging.

Otto pflückte im Vorbeigehen eine weiße Beere von einem der Zweige, warf sie sich in den Mund und küsste seine Gemahlin verstohlen auf die Schläfe. »Keine Ahnung«, musste er gestehen. »Aber wenn man eine Beere abpflückt, darf man seine Liebste küssen. Sind alle Beeren aufgebraucht, ist Schluss.«

Adelheid lächelte und schüttelte gleichzeitig den Kopf über diesen wunderlichen Brauch.

»Ich fürchte, es hat etwas mit den alten Göttern zu tun«, raunte Bischof Ulrich ihr konspirativ zu, während er neben ihr Platz nahm. »Unsere Vorfahren verehrten die Mistel als Zauberpflanze. Die christlichen Mönche, die sie missionierten, waren so klug, ihnen die Misteln zu lassen, und wandelten sie in einen Weihnachtsbrauch um.«

»Und bei den alten Germanen war die Mistel ein Friedenssymbol«, fügte Brun hinzu. »Daher der Brauch mit dem Küssen.« Er pflückte eine Beere ab, verspeiste sie, ergriff mit großer Geste Emmas Hand und führte sie galant an die Lippen.

Die Prinzessin errötete und kicherte.

Wilhelm war im Begriff, seinen Sessel zurückzuziehen und Platz zu nehmen, als sein Blick zur weit geöffneten Doppeltür glitt und er mitten in der Bewegung erstarrte.

Adelheid schaute in die gleiche Richtung und entdeckte eine elegante Dame in den mittleren Jahren, die eine so auffällige Ähnlichkeit mit Wilhelm hatte, dass man unschwer erraten konnte, wer sie war. Dass der hagere Priester an ihrer Seite aussah wie Otto, gab der Königin hingegen Rätsel auf.

»Würdet Ihr mich einen Moment entschuldigen«, bat Wilhelm. Höflich und bedächtig wie immer, aber das Strahlen in seinen Augen verriet seine Freude.

»Bring sie mit an die Tafel«, trug der König seinem Ältesten auf, und über die Schulter befahl er einem der Diener: »Sag dem Truchsess, wir brauchen hier zwei weitere Plätze.«

Adelheid neigte sich dem König zu und bat: »Klär mich auf, ehe sie hier sind.«

»Sie ist Dragomira von Brandenburg. Wilhelms Mutter.«

»Fürst Tugomirs Schwester?«, vergewisserte Adelheid sich.

Otto nickte, und ehe er fortfahren konnte, warf Judith an seiner anderen Seite spitz ein: »Und ihr Gefährte ist, wie Ihr vermutlich schon erraten habt, ein Vetter des Königs, edle Königin. Widukind von Herford, ein hochehrwürdiger Bischof und dennoch ihr Liebhaber.«

»Ich bin nicht ganz sicher, ob du dir moralische Entrüstung leisten kannst, liebste Schwägerin«, bemerkte Otto mit einem trügerisch milden Lächeln, und als sein Blick scheinbar zufällig zu Immed von Saalfeld glitt – der ebenfalls an der hohen Tafel saß, wenn auch am Rand –, wich das Lächeln dem gefürchteten Marmorblick.

»Ich bin mir dessen auch keineswegs sicher, mein König«, bekannte Judith mit einem treuherzigen Augenaufschlag, der Adelheid beinah zum Lachen gebracht hätte. »Aber ich habe ja nur die Wahrheit gesagt.«

Otto nickte ergeben und erklärte seiner Frau: »Widukind war Priester in dem Damenstift, wo Dragomira nach meiner Vermählung mit Editha eingetreten war.«

Wie freiwillig ist die Mutter deines Bastards wohl ins Kloster gegangen, um Platz für Editha zu machen?, fuhr es Adelheid durch den Kopf.

»Sie begegneten sich und … na ja.« Adelheid erkannte an seinem Ausdruck, dass er auch nach dreißig Jahren immer noch eine Schwäche für Wilhelms Mutter hatte, und schärfte sich ein, dass Eifersucht ebenso albern wie unangebracht war.

»Als wir einen Bischof für die Slawenmission suchten, war Widukind die perfekte Wahl«, fuhr Otto fort. »Er hat jahrelang sehr fruchtbar mit Tugomir zusammen die Verbreitung des wahren Glaubens im Havelland befördert, und dass er eine Frau hat, störte dort niemanden. Aber als Fürstin Olga von Kiew uns vor ein paar Jahren einen Boten schickte und einen Lehrer für ihren Sohn erbat, meldete Widukind sich freiwillig und ging nach Osten.« Er wandte sich wieder an Judith. »Hast du ihn zum Hoftag geladen?«

Die bayrische Herzogin schüttelte den Kopf. »Ich wusste nicht einmal, dass sie zurück sind. Und wie käme ich dazu, Gäste zu Eurem Hoffest zu bitten, mein König? Außerdem kann ich ihn nicht ausstehen. Und sie erst recht nicht«, schloss sie mit einem giftigen Blick auf Dragomira von Brandenburg.

Ehe Adelheid sich nach dem Grund ihrer Abneigung erkundigen konnte, hatte Wilhelm seine Mutter und den einstigen Bischof von Brandenburg vor die hohe Tafel geführt, wo sie vor dem Königspaar das Knie beugten.

»Erhebt euch und speist mit uns«, lud Otto sie mit einem warmen Lächeln ein. »Es ist so eine große Freude, euch zu sehen – alle beide.«

»Danke, mein König.« Als Widukind lächelte, sah er dem König noch ähnlicher, obschon seine Augen braun waren, erkannte Adelheid jetzt, nicht blau wie Ottos. »Uns ergeht es ebenso. Und wir bringen Neuigkeiten aus Kiew.«

»Ja, das dachte ich mir«, antwortete der König. »Gute oder schlechte?«

Sein Cousin hob ein wenig ratlos die Schultern. »Ich bin offen gestanden nicht ganz sicher. Auf jeden Fall interessante.«

Otto traktierte ihn für ein paar Herzschläge mit einem eindringlichen Blick, dann sagte er: »Also schön. Lasst uns essen und ein wenig unbeschwert sein, bevor du uns berichtest.«

Unter vernehmlichem Ächzen trugen die Diener zwei weitere der schweren Eichensessel an die hohe Tafel, und Wilhelm stellte die Tischordnung mit Geschick und leichter Hand um, sodass seine Mutter an seiner Seite saß. Adelheid beobachtete, wie Dragomira verstohlen unter der Tischplatte seine Hand ergriff und einen Moment drückte, ehe sie sie wieder losließ. »Ich sehe, du bist wohl, mein Sohn«, sagte sie.

Wilhelm neigte sich ihr zu und antwortete so leise, dass Adelheid ihn nicht verstehen konnte. Aber sie hatte auch kein Bedürfnis, Mutter und Sohn zu belauschen, die sich jahrelang nicht gesehen hatten. Versonnen rührte sie in der langweiligen Fastensuppe, die heute vorschriftsgemäß aufgetragen worden war, ehe es am morgigen Weihnachtstag das große Festmahl gab, und fragte sich, was an Fürstin Olgas Hof schiefgelaufen sein mochte, dass Bischof Widukind so unerwartet zurückgekehrt war.

»Fürstin Olgas Sohn ist erwachsen geworden«, eröffnete der ihnen achselzuckend, als der König ihm nach dem Essen die gleiche Frage stellte. »Der Prinz war drei Jahre alt, als sein Vater ermordet wurde und Olga die Regentschaft übernahm, aber das ist fünfzehn Jahre her. Seine Mutter suchte Unterstützung beim byzantinischen Kaiser, um ihr Reich zusammenzuhalten, und ließ sich vor fünf Jahren taufen. Doch der junge Fürst Swjatoslaw will sich seine Allianzen nicht von seiner Mutter vorschreiben lassen, und bislang hat er die Taufe abgelehnt. Nun hat Fürstin Olga mich hergeschickt, mein König, um Euch zu bitten, ihr Missionare nach Kiew zu senden, die ihr helfen sollen, den wahren Glauben zu schützen und zu verbreiten.«

»Sie will Missionare von *uns*?«, fragte Otto verblüfft. »Nicht vom byzantinischen Kaiser?«

Widukind nickte. »Sie hat sich über ihre Beweggründe nicht viel entlocken lassen, aber ich nehme an, sie fürchtet eine Einmischung ihrer mächtigen byzantinischen Nachbarn in ihre Politik.«

Otto lehnte sich in seinem Sessel zurück und strich sich versonnen mit der Linken über den kurzen, graumelierten Bart. »Das klingt beinah zu gut, um wahr zu sein, Vetter. Es hieße, dass wir den Einfluss der römischen Kirche nach Osten erweitern könnten, ohne den Kaiser in Konstantinopel zu brüskieren.«

»Und wir würden ihn damit auf dezente Weise daran erinnern, dass sein Titel allein ihm kein Machtmonopol garantiert«, warf Brun ein. »Dass es im Westen einen Herrscher gibt, der auf Augenhöhe mit ihm steht, selbst wenn ihm die kaiserliche Würde fehlt.«

»Die Frage ist eben nur, ob Olga sich noch an der Macht hält, bis unsere Missionare eintreffen. Und ob der ungestüme Swjatoslaw ihnen gleich die Köpfe abhacken lässt«, gab Widukind mit einem Seufzen zu bedenken. Er sah Otto direkt an. »Womöglich hat Olga zu lange gewartet.«

Mit einem liebenswürdigen Lächeln bemerkte Dragomira an Judith gewandt: »Vielleicht steckt darin eine Lehre für Euch, meine Liebe. Schließlich regiert auch Ihr im Namen Eures Sohnes, nicht wahr?«

»Halt ja die Klappe, du Natter«, knurrte die bayrische Herzogin.

»Judith«, schalt der König leise.

Sie schnaubte höhnisch. »Eins sage ich Euch: Wenn mein Sohn erwachsen ist, werde ich nicht versuchen, in seinem Namen weiter die Macht auszuüben. Offen gestanden werde ich froh sein, sie abzugeben. Ich bin zu bequem zum Regieren.«

Leises Gelächter plätscherte an der hohen Tafel und vertrieb die angespannte Stimmung, aber Adelheid blieb nicht verborgen, dass irgendetwas Judith zu schaffen machte. Die bayrische Herzogin mochte für ihre scharfe Zunge und ihre intrigante Politik berüchtigt sein, aber Adelheid hatte sie gern. Genau wie sie selbst damals mit Lothar hatte auch Judith oft die Besonnene und Kaltblütige sein müssen, wenn ihr Gemahl in seinem Zorn auf den König und den Rest der Welt den Kopf zu verlieren drohte, und hatte all die Jahre ihrer Ehe wie ein Gaukler auf einem hoch gespannten Seil balancieren müssen, ohne irgendwen, der sie aufgefangen hätte, wäre sie gestürzt. Adelheid wusste, wie sich das anfühlte, und womöglich war es diese Gemeinsamkeit, die sie zu Freundinnen gemacht hatte.

Nachdenklich ließ die Königin den Blick über die prächtig gekleideten Gäste in der voll besetzten Halle schweifen und überlegte, wer für die Mission in Kiew geeignet – und mutig genug – wäre, während sie aus den Unterhaltungsfetzen links und rechts erfuhr, dass Bischof Ulrich die von den Ungarn zerstörte St.-Afra-Kirche in Augsburg wieder aufbauen ließ und dass Wilhelms jüngere Halbschwester Gertrudis ins Kanonissenstift in Möllenbeck eingetreten war. Weil sie lieber Buchmalerin werden wollte als die willfährige Gemahlin eines Slawenfürsten, so schien es. Die Nachricht erfreute Wilhelm sichtlich, doch gleich darauf verfinsterte sich seine Miene, als seine Mutter ihm gestand, sein kleiner Bruder Widukind habe sich ebenfalls für ein spirituelles Leben entschieden, jedoch als Priester im Tempel des heidnischen Kriegsgottes Jarovit auf der Brandenburg.

Adelheid sann darüber nach, ob Fürst Tugomir recht tat, die alte Religion seines Volkes weiterhin zu dulden, obwohl er selbst doch zum wahren, christlichen Glauben gefunden hatte. Sie war noch zu keinem Ergebnis gekommen, als sie eine der Wachen zu Gaidemar treten sah, der mit Hardwin von Wieda an der unteren rechten Tafel saß. Die Wache beugte sich konspirativ zu ihm herab und flüsterte ihm etwas zu.

Gaidemar erhob sich von seinem Platz und verließ die Halle, zügig, aber nicht überstürzt.

Er war noch nicht zurückgekehrt, als nach dem kärglichen Fastenmahl diejenigen Angehörigen des bayrischen Adels vortraten, die dem König ein Anliegen vorzutragen hatten oder ihm einen Lehnseid leisten wollten, weil sie den alten gebrochen oder aber weil sie ihren Titel unlängst erst geerbt hatten. Sogar Wichmann Billung hatte sich nach Regensburg bemüht, um dem König für die Ländereien zu huldigen, die er im Namen seiner bayrischen Gemahlin hielt. Nach seinem einäugigen Bruder Ekbert war schließlich auch der mächtige Wichmann reumütig vor Otto erschienen und hatte kniefällig seine Vergebung erfleht, und seither ließ er keine Gelegenheit aus, Otto seine neuentdeckte Königstreue zu beweisen. Adelheid traute Wichmanns Treueschwüren in etwa so weit wie den Beteuerungen eines Reliquienhändlers und machte sich keine Illusionen, dass Wichmanns Läuterung von Dauer sein würde, aber wenigstens fürs Erste waren die rebellischen Billunger gezähmt und der innere Frieden des Reiches sicher.

Als die Hofgesellschaft am Ende der Zeremonie in die eisige und sternenklare Christnacht hinausströmte, war Gaidemar immer noch nicht zurückgekehrt.

Adelheid entschuldigte sich bei Otto und den Gästen an der hohen Tafel und ging in Huldas und Emmas Begleitung zu den Wohngemächern hinüber, um kurz nach ihren Kleinen zu schauen.

Mathilda und Otto schliefen friedlich in dem komfortablen Bett, das sie teilten, genau wie Kirada, der sich zwischen ihnen zu einem kleinen Fellknäuel zusammengerollt hatte. Said und die Amme lagen in warme Decken gehüllt auf dünnen Strohmatratzen am Boden.

Adelheid schirmte das Licht ihrer Kerze mit der Hand ab. »Lasst uns wieder gehen, eh wir sie aufwecken«, wisperte sie. »Möchtest du mit in die Mette oder schlafen gehen, Liebling?«, fragte sie ihre Älteste.

Emma trat kopfschüttelnd zur Tür. »Ich komme mit in die Mette.«

Der feierliche Gottesdienst, mit dem das Fest der Geburt Christi begann, sollte in der Kirche des Klosters St. Emmeram gehalten werden, das gleich neben der Pfalz lag, und Emma wollte sich die herrlichen Gesänge der Mönche nicht entgehen lassen.

Sie wartete mit Hulda in der beheizten Stube neben dem Schlafgemach der Kinder, während Adelheid auf den Korridor hinaustrat, um sich in ihre Gemächer zu begeben. Doch als sie an der letzten Tür vor der Treppe vorbeikam, sah sie Lichtschein durch einen schmalen Spalt und hörte ein überhebliches, siegesgewisses Lachen. »Das würde ich mir an deiner Stelle noch mal gut überlegen, meine Schöne.« Eine Männerstimme, halb drohend, halb schmeichelnd. Der Tonfall verursachte Adelheid einen eisigen Schauer auf dem Rücken, denn er erinnerte sie an Berengar. Sie blieb stehen und blies ihre Kerze aus.

»Untersteh dich, mir zu drohen, Immed«, antwortete Judith.

»Du solltest nicht vergessen, wer ich bin. Und wer du bist. Alles, was du erreicht hast, verdankst du Henning, und ich brauche nur mit den Fingern zu schnipsen, und du bist wieder der unbedeutende kleine Panzerreiter, der du warst.«

»Oh, erspar mir das, Herzblatt«, gab er gelangweilt zurück, und Wein plätscherte in einen Becher. »Herzogin oder nicht, wenn ich dein kleines Geheimnis durchsickern lasse, wirst du diejenige sein, die alles verliert und sich mit geschorenen Haaren zu lebenslanger Buße ins Kloster verabschiedet. Und der glutäugige Bischof Abraham, von dem du dich neuerdings bespringen lässt, darf sich, wenn er Glück hat, zur Slawenmission melden.«

»Vielleicht wäre ein Kloster das geringere Übel. Verglichen damit, dich sehen und dein selbstgefälliges Geschwätz anhören zu müssen«, konterte Judith wütend.

»Bist du sicher? Wir reden vom Kloster, Teuerste, nicht von einem vornehmen Damenstift. Stell es dir vor. Ein eisiges, zugiges Dormitorium voller Weiber. Zwei kärgliche Mahlzeiten am Tag. Ein formloses Gewand aus ungefärbter Wolle. Ein Dutzend Mal am Tag auf den Knien in der eisigen Kapelle, und der Heiland am Kreuz der einzige Kerl, den du je siehst, denn sogar der Priester muss sich vor den tugendhaften Bräuten Christi hinter einem Wandschirm verbergen. Na, wie hört sich das an? Genau für dich gemacht, oder was denkst du?«

Judith lachte. »Das glaubst du doch wohl selbst nicht. Nie im Leben würde der König mich in solch ein Kloster stecken. Ich bin von Luitpolds Geblüt, hast du eigentlich eine Ahnung, was das bedeutet, du sächsischer *Bauernlümmel*?«

»Jetzt reicht es, du läufiges Luder«, knurrte Immed. Es klang gefährlich, und Adelheid war schockiert, aber nicht überrascht, als sie den Schlag hörte. »Wir werden ja sehen, wer von uns recht hat. Aber ehe wir uns als gute alte Feinde trennen, wollen wir uns gebührend verabschieden, was denkst du, hm?«

Stoff riss, und die Königin stieß mit der flachen Hand die Tür auf. »Vergib die Störung, Judith. Kannst du mir deine perlenbestickten Seidenschuhe borgen? Ich kann meine nirgendwo ... Graf Immed, sieh an.«

Sein Kopf fuhr herum, und dann verharrte Immed wie erstarrt, obwohl die Situation kaum eindeutiger und vernichtender hätte sein können: Judith saß auf der Bettkante, ihr Schleier mit dem goldenen Stirnreif verrutscht, und Immed stand über sie gebeugt wie ein dräuender Schatten und hatte sie an den Oberarmen gepackt, ein Knie zwischen ihren.

Er fasste sich schnell, ließ die Herzogin los und richtete sich ohne Hast auf. »Edle Königin«, grüßte er mit einem mokanten Lächeln. »Welch bemerkenswerter Zufall.«

Adelheid trat über die Schwelle und schloss die Tür. »Es ist kein Zufall«, stellte sie klar.

»Ah.« Er seufzte erleichtert. »Endlich einmal die Wahrheit.«

Judith stand von der Bettkante auf und richtete mit einem routinierten Griff ihren Schleier, ehe sie mit einem leicht bebenden Finger zur Tür wies. »Verschwinde, Immed. Du bist die längste Zeit ein bayrischer Graf gewesen. Verschwinde aus meinem Herzogtum und aus meinem Leben und kehr niemals zurück.«

Mit einem blasierten Lachen verschränkte er die Arme und lehnte sich an den schweren Tisch. »Das kannst du dir aus dem Kopf schlagen, Herzblatt. Ich kenne deine dunklen Geheimnisse, das solltest du lieber nicht vergessen. Vielleicht nicht alle, aber zumindest das dunkelste, meinst du nicht auch? Also bilde dir nicht ein, du könntest mich herumkommandieren. Denn …«

»Ich glaube, die Herzogin hat ihre Wünsche klar geäußert«, unterbrach Adelheid. »Ich schlage vor, Ihr geht packen und verlasst die Pfalz mit Eurem Gefolge, ehe der ganze Hof Zeuge wird.«

Immed fuhr zu ihr herum, und zum ersten Mal begegnete Adelheid dem berüchtigten Zorn in diesen dunklen Augen. Der schöne, beinah üppige Mund war zu einem schmalen Strich zusammengepresst, das gutaussehende Gesicht mit einem Mal verkniffen und hässlich, und die Königin fragte sich, ob Immed seine Wut kontrollieren konnte oder umgekehrt von ihr beherrscht wurde, sie selbst und Judith vielleicht in Lebensgefahr schwebten. Aber jetzt gab es kein Zurück mehr, und Adelheid hatte gelernt, dass bei Männern wie Immed von Saalfeld Angriff die beste Verteidigung war.

»Zwingt mich nicht, die Wache zu rufen«, drohte sie.

Er stieß zischend die Luft aus. »Was bildet Ihr Euch eigentlich ein? Dass ich mich davonjagen lasse wie ein streunender Köter, nur weil Ihr es beschlossen habt? Nachdem ich dem bayrischen Herzogshaus ein Jahrzehnt lang mit all meiner Kraft gedient habe? Ich schlage vor, Ihr nehmt die Perlenschühchen, die Ihr wolltet, und verschwindet wieder. Das hier ist nur eine kleine Meinungsverschiedenheit unter Verliebten.«

»Ihr scheint nicht zu verstehen, was ich sage: Ich, Adelheid, Königin des ostfränkischen Reiches und von Italien, befehle Euch, diesen Hof und die Pfalz zu Regensburg vor Sonnenaufgang zu verlassen. Wie könnt Ihr es wagen, mir den Gehorsam zu verweigern?«

»Ganz einfach, edle Königin. Ich kann es wagen, weil die Herzogin sich innerhalb der nächsten halben Stunde besinnen und mir meinen Grafentitel zurückgeben wird, wenn sie sich klarmacht, was Ihr blüht, sobald ich dem König Ihr kleines Geheimnis zutrage.«

»Schön, ganz wie Ihr wollt«, gab Adelheid zurück – scheinbar in aller Seelenruhe, aber in Wahrheit spürte sie ihr Herz in der Kehle pochen. Nun war sie diejenige, die die Arme verschränkte. »Wenn Ihr vor den König tretet, um die Herzogin anzuklagen, werde ich Euch der Lüge bezichtigen und dem König berichten, dass Ihr versucht habt, Judith zu vergewaltigen. Wie Ihr vermutlich wisst, hängt der König Vergewaltiger auf.«

Immed verlor die Beherrschung. »Aber es ist keine Lüge!«, schrie er sie an. »Sie hat …«

»Was immer sie getan hat, Ihr wäret auf jeden Fall tot, bevor Ihr die Genugtuung bekämet, Judith in Schande zu sehen. Ihr solltet nicht den Fehler machen zu glauben, ich würde es nicht tun, Immed. Also zum letzten Mal: Verschwindet aus Regensburg und geht heim nach Saalfeld, das ich Euch lasse, wenn Ihr schön artig seid und Euch still verhaltet.«

Einen Moment starrte er sie fassungslos an, und die Kränkung in seinen Augen machte sie so wütend, dass sie Mühe hatte, sich zu beherrschen.

»Warum … warum tut Ihr das?«, fragte er verständnislos, und seine Stimme drohte zu kippen, so erschüttert war er. »Wollt Ihr Rache üben für Euren getreuen Schatten Gaidemar, ist es das?«

Aber das war nicht der Grund. Auch wenn sie für immer in Gaidemars Schuld stand, wäre sie im Traum nicht darauf gekommen, seine Kämpfe auszufechten. Die Wahrheit war, dass sie Judith Loyalität erweisen und vor allem Immeds schlechten Einfluss auf Judiths Sohn beenden wollte. Der kleine Heinrich war schon jetzt ein ungebärdiges, übellauniges Kind. Aber dereinst würde er der mächtigste Vasall ihres Sohnes sein, und Adelheid wollte niemanden in Heinrichs Nähe, der Missgunst und Unzufriedenheit in sein Herz pflanzte.

Doch was sie sich zu sagen entschloss, war: »Wie typisch für euch Männer, dass ihr meint, es ginge immer nur um euch. Ihr habt Hand an die Herzogin gelegt und wolltet Euch ihr aufzwingen. Reicht das nicht? Habt Ihr kein Gewissen, welches Euch sagt, dass Ihr dafür Strafe verdient?«

Immed lachte – es klang halb abschätzig, halb hysterisch. »Bislang hat sie sich darüber nie beklagt.«

Adelheid hatte genug gehört. Abwartend sah sie ihm ins Gesicht.

Immed konnte ihren Blick nur einige Herzschläge lang erwidern. Dann flackerte der seine zur Seite, und der einstige Graf ging mit langen Schritten zur Tür, riss sie mit so viel Schwung auf, dass sie polternd gegen die Wand schlug, und stürmte hinaus.

Judith atmete tief durch. »Gott sei Dank«, sagte sie untypisch kleinlaut. »Habt Dank, meine Königin. Das werde ich Euch niemals vergessen.«

Adelheid schloss die Tür, trat zu ihrer Schwägerin und setzte sich neben sie. Dann verschränkte sie die Hände im Schoß und sah sie an. »Was hast du getan? Und sag mir die Wahrheit. Ich will nicht, dass diese Geschichte mich in einem unpassenden Moment einholt.«

Judith stierte so lange ins Bodenstroh hinab, als wolle sie die Kamillenblüten zählen, die darauf ausgestreut waren. »Ich war schwanger und bin zu einer Engelmacherin gegangen.«

Adelheid stockte der Atem, und sie musste ihre geballte gute Erziehung aufbieten, um sich ihr Entsetzen nicht anmerken zu lassen. *Gott steh dir bei, Judith ...*

»Du kannst froh sein, dass du noch lebst«, sagte sie.

Es war offenbar kühler geraten als beabsichtigt, denn die Herzogin sah sie mit einem gequälten, spöttischen Lächeln an. »Ja, das bin ich, glaubt mir. Obwohl ich mir zwischendurch gewünscht habe, ich wäre tot. Es war grauenvoll, das könnt Ihr mir glauben. So grauenvoll, dass ich mir einbilde, ich hätte für diese abscheuliche Sünde bereits gebüßt. Aber die Hebamme war die Schwester meiner Zofe, und sie hat einen guten Ruf. Ich wusste, wenn irgendwer mir helfen kann, dann sie. Ich sehe, Ihr billigt es nicht, edle Königin, aber Ihr wollt mir nicht ernsthaft weismachen, dass Ihr kein Asant nehmt, wenn der König Euch nachts besucht hat, oder? Immerhin seid Ihr seit fünf Jahren nicht schwanger geworden.«

Mein größter Kummer und mein schlimmstes Versäumnis, dachte Adelheid flüchtig. Sie war neunundzwanzig Jahre alt und kerngesund, aber sie konnte nicht mehr empfangen. Einen Moment lang beneidete sie Judith, die gewiss niemals nachts wachlag und sich mit einem schlechten Gewissen herumplagte, weil sie ihren Pflichten nicht nachkommen konnte.

Sie schüttelte den Kopf. »Was ist Asant?«

»Ach, herrje.« Judith nahm Adelheids lilienweiße Linke in ihre beiden Hände und führte sie kurz an die Lippen. »So große Klugheit, und dennoch solche Unschuld. Asant ist eine Heilpflanze, die gegen die verschiedensten Gebrechen hilft, aber sie verhindert auch ungewollte Schwangerschaften. Man kocht einen Sud davon und trinkt ihn nach dem Beischlaf. Aber er schmeckt fürchterlich und riecht noch schlimmer, und ich ... habe ihn ein- oder zweimal vergessen. Und schon war's passiert«, schloss sie mit einem Schulterzucken.

»Und hättest du nicht für ein paar Wochen auf ein abgelegenes Gut verschwinden und das Kind in aller Diskretion bekommen können?«

»Wenn ich gewollt hätte, sicher. Aber ich bin ein paar Jahre älter als Ihr, und bei Gerbergas Geburt wäre ich beinah verblutet. Ich hatte Angst, wenn Ihr die Wahrheit wissen sollt. Und außerdem wusste ich ja nicht einmal, wer der Vater war.«

»Oh, bei allen Heiligen, Judith …« Adelheid schüttelte den Kopf, aber sie war nicht so schockiert, wie sie eigentlich hätte sein müssen, stellte sie fest. Judiths Lasterhaftigkeit mochte abstoßend sein und gegen alle göttlichen und irdischen Gesetze verstoßen, aber die Königin bewunderte die Kühnheit ihrer Schwägerin.

»Ja, ich weiß, ich weiß.« Judith wedelte ihre Vorhaltungen beiseite wie eine lästige Fliege. »Wenn Männer es tun, wird es mit einem Augenzwinkern hingenommen, wenn Frauen es tun, ist es eine Katastrophe.«

»Männer werden nicht schwanger«, warf Adelheid ein.

»Nein, sie sind verfluchte Glückspilze. Und ehe Ihr mich mit Steinen bewerft, erinnert Euch, dass Ihr diejenige wart, die mich auf Abraham von Freising aufmerksam gemacht hat.«

»Weil er ein hervorragender Gelehrter ist. Ich dachte, er wäre ein guter Lehrer für Heinrich und ein wertvoller Ratgeber für dich. Es war hingegen nicht meine Absicht, dir einen neuen Liebhaber auszusuchen«, stellte die Königin klar.

Judith gluckste – es war ein ungezogener und gefährlich ansteckender Laut. »Nein, das dachte ich mir, aber dennoch habt Ihr es getan. Und Ihr habt mit allem recht, was Ihr über ihn gesagt habt: Der Bischof von Freising ist nicht nur das schönste Mannsbild, das seit Henning in meinem Bett gelegen hat, er ist auch klug und erfrischend gutartig. Eine Erlösung nach Immeds Gehässigkeit und Tücke. Aber Immed hatte an meinem Hof zu viel Macht an sich gebracht – ich war zu unvorsichtig in den Jahren seit Hennings Tod. Also habe ich ihn weiter … empfangen, während ich auf einen Weg sann, ihn loszuwerden. Ich habe schon an Gift gedacht. Aber Eure Lösung war die elegantere.«

»Hm«, machte Adelheid verdrossen. »Ich hoffe, wir werden nicht alle noch bereuen, dass wir ihn haben laufen lassen.« Sie stand auf. »Lass uns zur Mette gehen, Judith. Vermutlich warten schon alle auf uns.«

Judith erhob sich ebenfalls. »Ihr werdet Otto nicht sagen, womit Immed mich erpressen wollte?«

Adelheid schüttelte den Kopf. Otto hätte Judith sofort die Kontrolle über Bayern und ihren Sohn entzogen, und das hielt sie für falsch. »Aber ich werde einen Gefallen von dir einfordern, wenn du am wenigsten damit rechnest.«

»Ich weiß nicht, was ich machen soll, Hauptmann«, jammerte Wido händeringend. »Es sind Gesandte aus der Fremde, so viel ist mal sicher, denn man versteht kaum ein Wort, das sie faseln. Nur hatten wir keine Ankündigung von ihrem Kommen. Sie sehen aus wie Pfaffen, aber es könnten genauso gut verkleidete Königsmörder sein …«

Als er Atem schöpfte, fand Gaidemar Gelegenheit zu sagen: »Immer mit der Ruhe, Wido.«

»Ja, Ihr habt gut reden!«, zischte der sonst so unerschütterliche Wachsoldat und fuhr sich nervös mit der Linken über den Stiernacken. »Euch zieht ja auch keiner das Fell ab, wenn ich die Falschen einlasse. Das einzige Wort, das ich verstanden hab, war ›Otto‹. Aber ich führ diese Fremdlinge nicht vor meinen König, eh ich weiß, was es mit ihnen auf sich hat, und außerdem ist der König in der Kirche, und er kann es überhaupt nicht ausstehen, wenn man ihn beim Gebet stört, das wisst Ihr ja.«

»Wie viele fremdländische Königsmörder sind es?«

»Sechs. Und macht Euch nicht über mich lustig, sonst verpass ich Euch eins, Hauptmann oder nicht.«

Die Vorstellung war nicht ohne Reiz, musste Gaidemar feststellen. Ein Fausthieb ins Gesicht war ein ehrlicher, unkomplizierter Schmerz, den er handhaben konnte. Ganz anders als ein gebrochenes Herz …

Aber er verzichtete dennoch. »Wo sind sie jetzt?«

Wido biss sich auf die Unterlippe. »Sie stehen im Hof des Klosters und schneien allmählich zu.«

»Nein, das geht nicht«, befand der Hauptmann. »Führ sie ins Refektorium, da ist jetzt niemand. Lass ihnen Licht und heißen Würzwein bringen, dann wissen sie, dass wir ihnen nicht die Kehle durchschneiden wollen. Ich hole den Erzbischof.«

»Aber der ist doch auch in der Mette!«

»Tu, was ich dir sage, und zerbrich dir nicht meinen Kopf«, fuhr Gaidemar ihn an, und Wido sah gleich viel glücklicher aus. Ihm war es am liebsten, wenn ihm jemand sagte, was er tun sollte – der Tonfall kümmerte ihn nicht.

Gaidemar ging so schnell, wie die Schneedecke es zuließ, zum Gästehaus zurück und zog zwei seiner Männer von der Türwache ab. »Pippin, du kannst Latein, richtig?«

»Es ist ziemlich eingerostet, Hauptmann.«

»Ja oder nein?«

»Ja.«

Pippin von Atzbach war der Kirche versprochen gewesen und hatte ein paar Jahre auf der Domschule zu Mainz verbracht, ehe er aufgrund seines anhaltenden ungebührlichen Betragens hinausgeworfen wurde. Statt ihn in Schimpf und Schande nach Hause zu schicken, hatte Erzbischof Wilhelm den unwilligen Zögling in die St.-Albans-Legion gesteckt. Es hatte sich als segensreiche Lösung für alle Seiten erwiesen: Der wilde Pippin hatte seine Freiheit zurück, niemand legte den Schulmeistern mehr Brennnesseln in die Betten oder verbrauchte die gesamte Tinte im Scriptorium, um einen Teufel mit riesigem Gemächt und den abstehenden Haaren von Bruder *Rector* an die Wand zu malen. Und Gaidemar hatte in dem ungestümen und gänzlich furchtlosen Jungen einen begabten Rekruten bekommen. Aber heute kam der Hauptmann nicht umhin, gelegentlich darüber nachzusinnen, wie verhängnisvoll es für seine Mutter gewesen war, sich dem vorbestimmten Weg zu verweigern, für den sie nicht geschaffen war, wie vergleichsweise leicht für Pippin.

»Dann komm. Nimm eine Fackel mit. Drudhelm, du gehst hinüber zur Klosterkirche, wartest, bis die Christmette vorüber ist und sagst Erzbischof Wilhelm, er möge sich so schnell wie möglich ins Refektorium begeben.«

»Wird gemacht, Hauptmann.«

Sie fanden die Ankömmlinge im Speisesaal des Klosters: sechs Männer unterschiedlichen Alters, die um ein Kohlebecken standen und ebenso missmutig wie argwöhnisch um sich blickten.

Gaidemar trat einige Schritte in den Saal hinein und verneigte sich. »Vergebt, dass Ihr warten musstet, edle Herren, Euer Bote muss sich verirrt haben.«

Auf sein Nicken übersetzte Pippin den Gruß ein wenig stockend ins Lateinische.

»Wir haben keinen ausgesandt«, antwortete ein hochgewachsener, älterer Mann in einem edlen Fuchspelzmantel. Offenbar ein Bischof, da er Pippin verstanden hatte. »Heimlichkeit war das oberste Gebot unserer Reise.«

Sie sind auf der Flucht, fuhr es Gaidemar durch den Kopf, als er die Übersetzung hörte. »Nehmt Platz, ehrwürdiger Vater, und stärkt Euch.« Er wies einladend auf die Speisen und den Wein, die Wido aus der Pfalz herübergeschickt hatte. »Der König, die Königin und die ehrwürdigen Bischöfe sind noch in der Mette.«

Einer der Jüngeren trat in den dämmrigen Lichtklecks. »Soll das etwa heißen, heute ist Heiligabend?« Er sprach Deutsch, wenn auch mit starkem Akzent.

»So ist es. Und Ihr …« Gaidemar brach ab und starrte ihn ungläubig an. »Grundgütiger. Ihr seid Graf Attos Sohn.«

Der junge Mann verneigte sich mit einem erschöpften Lächeln. »Tedald von Canossa, zu Euren Diensten.«

Gaidemar erinnerte sich lebhaft an die beiden lärmenden, ungezogenen Söhne des Grafen von Canossa, die bei Tisch ständig Ringkämpfe ausgetragen hatten. Aber das war über zehn Jahre her, ging ihm auf. Zeit genug, um aus Knaben Männer zu machen.

Er erwiderte die Verbeugung. »Mein Name ist Gaidemar.«

Tedald machte große Augen. »Der Hauptmann der St.-Albans-Reiter?«

»Woher wisst Ihr das?«

»Oh, Prinz Liudolf hat so oft von Euch gesprochen! Welch ein Glück, dass wir ausgerechnet Euch gefunden haben, Hauptmann! Wir sind nämlich …«

Ein Mann mit schulterlangen dunklen Locken, aus denen es unablässig tröpfelte, legte ihm warnend die Hand auf den Arm. »Gaidemar, der Bastard?«, fragte er scharf. »Der Mann, der die Königin aus Garda befreit hat?« Es war eine strenge, befehlsgewohnte Stimme.

»Befreit hat sie sich selbst«, gab Gaidemar zurück, verneigte sich sparsam und erwiderte den Blick der stechenden dunklen Augen seelenruhig, denn Blicke konnten ihn schon lange nicht mehr einschüchtern. »Ich habe sie nur nach Canossa eskortiert. Und ich habe die Ehre mit ...?«

»Otbert, Graf von Mailand. Seid Ihr darüber im Bilde, dass Berengar geschworen hat, Euch die Eier abzuschneiden und sie vor Euren Augen an die Schweine zu verfüttern, eh er Euch blendet und aufknüpft?«

Was habe ich nur an mir, dass jeder mich an irgendwelche gefräßigen Kreaturen verfüttern will?, fragte Gaidemar sich.

Er schenkte Otbert ein frostiges Lächeln. »Welch ein illustrer Feind. Das ist zu viel der Ehre für einen Bastard wie mich, Graf. Und wenn Ihr mir nun sagen wollt, was Euch herführt ...«

»Ihr missversteht mich, Hauptmann. Den illustren Feind haben wir alle gemeinsam.« Unfein zeigte Otbert der Reihe nach mit dem Finger auf seine Begleiter: »Dies sind Walpert, der Erzbischof von Mailand, und Waldo, der Bischof von Como. Die beiden zähneklappernden Milchbärte dort drüben sind Giovanni und Azo, Abgesandte des Heiligen Stuhls. Und wir alle sind gekommen, um König Otto zu ersuchen, sich darauf zu besinnen, dass er auch König von Italien ist. Habt Ihr je im Winter die Alpen überquert, Hauptmann Gaidemar?«

»Allerdings.« Kurz nach Adelheids und Ottos Hochzeit in Pavia war er mit Liudolf nach Schwaben aufgebrochen, Gaidemar auf der Flucht vor Ottos Groll und Hennings Tücke, Liudolf in Rebellion gegen die Wiederverheiratung seines Vaters. Die schneebedeckten Berge waren ein Naturwunder von so imposanter Schönheit gewesen, dass sogar Gaidemar es hatte würdigen können, aber er hatte vorher nicht gewusst, dass es irgendwo auf der Welt so bitterkalt sein konnte, und mancher von Liudolfs Männern hatte den Anblick der winterlichen Alpen mit abgefrorenen Zehen oder Fingern bezahlt. »Darum beginne ich zu ahnen, wie dringend Euer Anliegen ist.«

Graf Otberts kleines Hohnlächeln konnte seine Besorgnis und Erschöpfung nicht übertünchen. »Otto *muss* uns Beistand leisten. Berengar ist in das Herzogtum Spoleto eingefallen. Das heißt, er steht vor den Toren Roms.«

Gaidemar trug Pippin auf, die Gäste mit neuem Wein zu versorgen, und dann ging er, um den König und die Königin aus der Christmette zu holen.

Die Ankunft der Gesandten und Flüchtlinge aus Italien sorgte beim Weihnachtshof zu Regensburg für reichlich Gesprächsstoff und Spekulationen.

Wie Gaidemar geahnt hatte, waren Otto und Adelheid sogleich ins Refektorium geeilt, um sie zu begrüßen, und er war nicht überrascht zu sehen, dass die Königin die Bischöfe und Graf Otbert mit großer Herzlichkeit empfing, weil sie alte Freunde waren. Aber auch den beiden Abgesandten des Papstes begegnete sie huldvoll, wenngleich wachsam und eine Spur distanziert, denn niemand hier traute dem blutjungen Papst Johannes, der den Lateranpalast in ein Hurenhaus verwandelt hatte, wenn auch nur die Hälfte der hanebüchenen Berichte stimmte, die gelegentlich aus Rom bis hierher drangen.

Gaidemar hatte Pippin zum Kämmerer geschickt, der trotz der drangvollen Enge in der Pfalz mit einiger Mühe Betten für die unangemeldeten Gäste gefunden hatte.

Am Weihnachtsmorgen zelebrierten Brun und Wilhelm gemeinsam mit Erzbischof Walpert das Hochamt, und die wundervolle, aber nicht sehr große Kirche von St. Emmeram drohte aus den Nähten zu platzen. Die Weihnachtsliturgie und das Zeremoniell des Hofes beherrschten den Tag, sodass der König und die Königin erst am nächsten Morgen Gelegenheit fanden, die Ankömmlinge und Gesandten aus Italien in Ruhe anzuhören.

»Es ist schlimm«, berichtete Adelheid ihren Vertrauten am Nachmittag beklommen. »Berengar und Adalbert überziehen das ganze Land mit Krieg, und wo sie auf Widerstand stoßen, plündern und brandschatzen sie.«

»Berengar hat eine sonderbare Art, sich den Italienern als ihr angeblich rechtmäßiger König zu empfehlen«, spöttelte Wilhelm. Mit der Schuhspitze schob er das Kohlebecken, um welches sie herumsaßen, näher zu Adelheid. »Ihr fröstelt wieder einmal, edle Königin.«

»Ich bin nicht sicher, ob es am bayrischen Winter oder an Berengar liegt«, bekannte sie untypisch verzagt und zog das wollene Tuch fester um die Schultern. Obwohl sie die Ritzen mit Stroh hatte ausstopfen lassen, zog es fürchterlich durch die Fensterläden.

»Ja, man kann das Grausen bekommen, wenn man an ihn denkt«, pflichtete der Erzbischof ihr bei. »Wir haben uns eingebildet, Liudolf hätte Italien für uns gesichert, aber dieser Schuft Berengar hat gerade einmal drei Jahre gebraucht, um alles zunichtezumachen, was mein armer Bruder erreicht hat.«

Das machte ihn wütend, hörte Gaidemar an Wilhelms Stimme. *Gut so.* Er ertappte sich dabei, dass er die Zähne zusammengebissen hatte, um seinen eigenen Zorn zu beherrschen, der so leicht in ihm zu brodeln begann, seit Mira und Hatheburg fort waren. Aber heute hatte er einen verdammt guten Grund für seine Erbitterung, fand er. Denn die Schreckensnachrichten aus Italien machten Liudolfs Tod vollkommen sinnlos.

»Graf Otbert hat recht«, sagte er. »Wenn der König Frieden in Italien wünscht, muss er sich selbst darum kümmern. Es gibt niemanden außer ihm, der Berengar und Adalbert auf Dauer in die Schranken weisen kann.«

»Aber der Zeitpunkt ist denkbar schlecht, um das Reich zu entblößen«, erinnerte Gräfin Hulda sie. »Mein grässlicher Bruder Gero ist zu einer Pilgerfahrt nach Rom aufgebrochen. Wenn er die Marken jenseits der Elbe nicht sichert, werden die Slawen sich wieder erheben, sobald der König über die Alpen zieht.«

»Der Zeitpunkt ist *immer* schlecht«, entgegnete Wilhelm mit einem Achselzucken. »Das war seit jeher das Dilemma der Herrscher zweier Reiche, denn selbst ein König kann nur auf *einer* Seite der Alpen sein. Die einzige Lösung scheint mir, sich jeweils der Brandherde anzunehmen, die schon in Flammen stehen, statt sich aus Furcht vor versteckten Glutnestern gar nicht zu rühren.

Und wenn selbst der Papst uns um Hilfe ersucht, der ganz gewiss keinen Wert darauf legt, dass der mächtige und sittenstrenge König Otto ihm auf die Pelle rückt, dann muss Italien in der Tat brennen. Lichterloh.«

Adelheid nickte versonnen. Sie saß kerzengerade in ihrem Sessel, die Hände lose auf den Armlehnen, und dachte nach. Dann blickte sie an sich hinab, ergriff die schwere Goldkette mit dem kostbaren edelsteinbesetzten Reliquiar und wog es in der Rechten. »Wisst ihr, was das ist?«

»Je ein Fingerknochen der heiligen Johannes und Paulus, soweit ich weiß«, antwortete der Erzbischof.

»So sagte der Gesandte des byzantinischen Kaisers, der es uns überreichte«, stimmte Adelheid zu. »Und habt Ihr je ein protzigeres Reliquiar gesehen?«

Wilhelm, Hulda und Gaidemar tauschten verstohlene Blicke. Sie alle wussten, dass die Königin etwas aussheckte, wenn ihre Gedanken auf so scheinbar verschlungenen Pfaden zu wandern begannen.

»Wieso tragt Ihr es, wenn Ihr es protzig findet?«, wollte Hulda wissen.

»Damit der Gesandte es seinem Herrn berichten kann und der Basileus keinen Anlass hat, sich beleidigt zu fühlen.«

»Der wer?«, fragte Gaidemar stirnrunzelnd.

»Basileus«, gab sie zurück, wie immer ungeduldig, wenn sie etwas wiederholen oder erklären musste, was ihrer Meinung nach jedes Kind wissen sollte.

»Es ist der Titel des byzantinischen Kaisers«, erklärte Wilhelm seinem Cousin.

»Ah«, machte Gaidemar respektlos.

»Er hat uns Gold und Juwelen und Glaspokale und Elefanten geschickt, um uns mit seiner Prachtentfaltung zu beeindrucken«, sagte Adelheid. »Vielleicht sogar einzuschüchtern. Aber in Wahrheit entlarvt er damit nur seine eigene Schwäche. Denn sein Einfluss in Italien ist geschwunden. Er kann Berengar ebenso wenig kontrollieren wie wir, aber ohne Berengar hat er kaum mehr als einen Fuß in der Tür nach Italien.«

»Und der Basileus ist nicht älter als der Papst«, wusste Wilhelm. »Er ist seinem Vater erst letztes Jahr auf den kaiserlichen Thron in Byzanz gefolgt, und bislang tut er sich schwer, seine Macht zu behaupten.«

»Das ist gelinde ausgedrückt«, bemerkte Adelheid nicht ohne Schadenfreude. »Er hat alle Hände voll damit zu tun, sich vor seiner liebreizenden Gemahlin zu schützen, die angeblich seinen Vater vergiftet hat, um nun mit irgendeinem Palasteunuchen über Byzanz und den jungen Basileus Romanos zu herrschen. Mit alldem will ich sagen: Ihr habt vollkommen unrecht, liebe Gräfin. Es könnte gar keinen besseren Zeitpunkt für uns geben, nach Italien zu ziehen. Weder der Kaiser von Byzanz noch der Papst *wollen* Otto vor ihrer Haustür. Aber der eine hat keine Macht, ihn zu hindern, und der andere braucht ihn. Papst Johannes weiß genau, dass es sein Ende bedeutet, wenn Berengar den Kirchenstaat überrennt. Er wird tun, was immer nötig ist, um seine Haut zu retten.«

Und ihre Augen begannen zu funkeln, als spiegele sich darin bereits der Glanz der Kaiserkrone.

Gaidemar holte sie nur ungern auf den Boden der Tatsachen zurück, denn dieser verträumte Blick erinnerte ihn so sehr an das elfenhafte, scheinbar so zerbrechliche Mädchen, das sich ihm damals auf der Flucht aus Garda anvertraut hatte. Dennoch wiederholte er Huldas Einwand: »Bleibt immer noch die Frage, wer das Reich hier beschützen soll, während König Otto in Italien weilt.«

»Hm?«, machte Adelheid abwesend, kehrte dann plötzlich in die Gegenwart zurück und antwortete: »Oh, ganz einfach: König Otto.«

»Auf die Gefahr hin, dass Ihr mich wieder einen schwerfälligen Klotz schimpft, aber das verstehe ich nicht.«

»Ich auch nicht«, bekannten Hulda und Wilhelm im Chor.

»Nein?«, fragte die Königin unschuldig. »Nun, das werdet ihr.«

Der kleine Otto weinte. Er heulte nicht, weil er sich auch mit fünfeinhalb Jahren seiner Tränen schon schämte, aber sie waren hartnäckig, rannen unablässig über seine zarten Kinderwangen und tropften auf das feine Gewand aus himmelblauem Brokat, ehe er sie verstohlen wegwischen konnte.

Adelheids Herz wurde bleischwer von dem Anblick, aber das ließ sie sich nicht anmerken. »Du musst dich jetzt zusammennehmen, mein Liebling. Was sollen die Reichsfürsten von dir denken, wenn sie dich so sehen? Es beleidigt sie, einem jammernden König zu huldigen, so jung er auch sei.«

»Ich weiß«, bekannte der kleine Prinz kläglich und hielt untypisch brav still, als Anna ihm mit einem kühlen, feuchten Tuch das Gesicht abtupfte. »Aber ich fürchte mich so, Mutter.«

Sie legte ihm die Hand auf den Kopf und strich ihm das Haar aus der Stirn. Es war flaumweiches, seidiges Kinderhaar, aber feucht. Der Pfingstsonntag versprach ein heißer Tag zu werden. Noch war es indessen früh, die Luft in der Kammer im Obergeschoss der Pfalz angenehm frisch und von Frühlingsdüften durchhaucht. Otto schwitzte nicht, weil ihm zu warm war, sondern vor Aufregung, wusste Adelheid, und sie begann sich zu sorgen.

Was tun wir ihm nur an?, fuhr es ihr durch den Kopf. Aber sogleich versagte sie sich jede Anwandlung von mütterlichem Mitgefühl. Dafür war hier und heute kein Platz.

Sie hockte sich vor ihn. »Schau mich an, mein Prinz.«

Folgsam hob er den Blick. Immer noch hingen Tränen in seinen dichten blonden Wimpern wie Morgentau, aber sie liefen nicht mehr.

»Ich weiß, es ist ein schwieriger Tag für dich, und du bist schon verständig genug, um zu begreifen, dass eine Krone eine Bürde ist. Aber das ist nun einmal unser Los. Ich war ungefähr so alt wie du, als ich mein Zuhause und alle vertrauten Menschen verlassen und in ein fremdes Land ziehen musste, darum weiß ich genau, wie du dich fühlst. Doch Tapferkeit ist das Einzige, was dir jetzt helfen kann, mein süßer Prinz.«

Otto nickte einsichtig, schluckte und wandte beschämt den Kopf ab, weil die Tränen wieder flossen.

Die Königin richtete sich auf und wandte ihrem Sohn den Rücken zu, um ihren Unmut zu bekunden. Ihr Wille sei wie eine Stahlklinge, sagte Hulda gelegentlich, und bei Bedarf könne sie sie zücken und jeden Widerstand damit niedermachen. Aber falls das stimmte, sah Adelheid sich außerstande, diese Klinge jetzt zu führen, selbst wenn sie wusste, dass das ihre Plicht war.

»Nanu, noch nicht fertig?«, fragte die tiefe, warme Stimme des Königs von der Tür. »Wir sollten gehen, ehe die armen Grafen im Säulenhof in ihren feinen Gewändern gesotten … Ach, herrje. Mein armer Sohn.«

Der Prinz sprang von seinem Schemel auf. »Ich bin bereit, mein König«, beteuerte er und blinzelte heftig. »Ich mach Euch keine Schande, Ehrenwort!«

»Das weiß ich«, versicherte sein Vater, trat zu ihm und hob ihn auf seinen Arm, ohne sich darum zu scheren, dass die steifen Brokatgewänder knittern könnten. »Ich kenne dich, und darum bin ich überzeugt, dass du dich beherrschen und ein würdevoller junger Prinz sein wirst, aber trotzdem will ich dir ein Geheimnis verraten, von dem dir besser wird.«

»Wirklich?« Der Junge hatte die Hände gegen die Schultern seines Vaters gestemmt und sah ihn an, die großen, hellblauen Augen voller Hoffnung.

Der große Otto nickte feierlich. »Du hast Angst, weil die Kirche voller Fremder ist, die dich nicht aus den Augen lassen und jeden deiner Schritte belauern werden, nicht wahr? Du fürchtest, du könntest stolpern oder sonstwie einen Narren aus dir machen, und sie alle könnten insgeheim über dich lachen.«

»Woher wisst Ihr das?«, fragte der Junge erstaunt.

»Na ja, es mag ein Vierteljahrhundert her sein, aber auch ich bin hier zum König gekrönt worden. Und mir erging es ganz genauso. Mir war ziemlich mulmig, obwohl ich viel älter war als du. Aber meine Sorge war ebenso unbegründet wie deine. Du wirst nicht stolpern, und du wirst dich nicht lächerlich machen, Otto, und die Grafen und Bischöfe werden dein wahres Königtum erkennen, wenn sie dich mit der Krone sehen. Und weißt du, weshalb?«

»Weshalb denn?«

»Weil es von Gott kommt. Er hat uns die Aufgabe übertragen, über das Reich und die Menschen zu herrschen, dir ebenso wie mir. Er erweist uns eine besondere Gnade, macht uns zu seinen Waltern auf Erden, und darum sind wir ihm näher als gewöhnliche Menschen. *Das* ist es, was Königtum bedeutet. Diese Gnade ist eine große Verantwortung und manchmal sogar eine Last, aber es ist Gottes Sache, dafür zu sorgen, dass wir die nötige Kraft haben und unseren Untertanen die besondere göttliche Gnade offenbar wird. Darum hat *er* sich zu kümmern, nicht du. Er wird deine Schritte lenken, heute auf dem Weg zu deiner Krönung und solange du lebst, wenn du dich nur immer darauf besinnst, dass es sein Wille ist, den du erfüllen musst, verstehst du?«

»Ja, mein König.« Und die grenzenlose Erleichterung, die er empfand, ließ sein Gesicht regelrecht erstrahlen.

Der König lachte leise, drückte den Jungen einen Moment an sich und küsste ihm die Stirn. »Ich sehe, mein Geheimnis hat funktioniert.«

Der Prinz nickte emsig.

»Gut. Und vergiss nicht, von den drei Erzbischöfen, die dich salben und krönen werden, ist einer dein Bruder Wilhelm und einer dein Onkel Brun. Also was soll schon schiefgehen?«

»Ihr habt recht«, stimmte der kleine Junge zu.

Adelheid betrachtete Vater und Sohn und schärfte sich ein, nur ja nicht rührselig zu werden. Aber auch sie verspürte Erleichterung. Und Dankbarkeit, dass der König genug Klugheit und vielleicht auch Demut besaß, um bei Otto nicht die Fehler zu wiederholen, die er mit Liudolf gemacht hatte. Das gab ihr Hoffnung für die Zukunft.

Es war ein aufreibendes Frühjahr gewesen. Sie waren bis Ostern in Regensburg geblieben, hatten Gesandtschaften empfangen und ausgeschickt, hatten erörtert, welche Vasallen und Reiterlegionen den König auf seinen Italienzug begleiten, welche zur Verteidigung des Reiches zurückbleiben sollten. Der König hatte sich mit Enthusiasmus Adelheids Vorschlag angeschlossen, den kleinen Otto zum Mitkönig krönen zu lassen – auf dass in seiner Abwesenheit ein gekrönter König zumindest als symbolischer Herrscher zurückblieb –, denn auch sein leuchtendes Vorbild Karl der Große hatte dies getan. Der Schritt löste indessen nicht die heikle Frage, wer den kleinen König sicher verwahren und in seinem Namen die wahre Macht ausüben sollte. Auf dem Reichstag zu Worms im letzten Monat, wo die Fürsten den kleinen Otto offiziell zum König gewählt hatten, waren sie schließlich übereingekommen, dass die Erzbischöfe Wilhelm und Brun sich diese Aufgaben teilen sollten. Adelheid war zuversichtlich, dass das Wohl ihres Sohnes und auch das des Reiches bei ihnen in guten Händen lagen, denn auch wenn die beiden so unterschiedlichen Kirchenfürsten sich nicht sonderlich mochten, hatten sie doch in der Vergangenheit schon oft bewiesen, dass sie fruchtbar zusammenarbeiten konnten. Außerdem gehörten sie zur Familie, und das gab für Adelheid genauso den Ausschlag wie für Otto.

Alte Familienbande nutzte sie auch, um mehr über die unübersichtliche Lage in Italien in Erfahrung zu bringen. Ihr Vetter Theobald, der Markgraf des von Berengar bedrängten Spoleto, erwies sich als üppig sprudelnde Informationsquelle, doch war sie sich nie ganz sicher, wie weit sie ihm trauen konnte.

Gleiches galt für die Gesandten des Heiligen Stuhls, den päpstlichen Diakon Giovanni und den Kanzleivorstand Azo, die Otto im Namen des Heiligen Vaters als Bezwinger der Ungarn und Slawen, als Beherrscher aller Reiche jenseits der Alpen, als würdigen Hüter der Heiligen Lanze und unerschrockenen Streiter Christi rühmten. Die Königin wusste, Otto war all das. Dennoch erfüllten die päpstlichen Gesandten mit ihren Schmeicheleien sie mit Misstrauen, vor allem als sie Otto im Namen des Heiligen Vaters die Kaiserkrone andienten. Alle bei Hof spürten, dass mit diesen Gesandten irgendetwas nicht stimmte, und nicht einmal Walpert, der Erzbischof von Mailand, wollte mit Gewissheit ausschließen, dass nicht vielleicht die Widersacher des jungen Johannes XII. die beiden geschickt hatten, um Otto zu ihrem Werkzeug zu machen, den lasterhaften Papst loszuwerden …

»Mir wär wohler, wenn es Prinz Liudolf wäre«, raunte Volkmar Gaidemar zu, während sie mit den übrigen Männern der Ehrenwache hinter dem Sessel im Säulenhof der Pfalz Aufstellung nahmen. »Der käme zumindest mit den Füßen an den Boden.«

Gaidemar gab keinen Kommentar ab, aber auch er wünschte, es wäre Liudolf, der hier heute zum Mitkönig gekrönt wurde, wenn auch aus anderen Gründen als Volkmar. Es verging kein Tag, da er nicht an den toten Prinzen dachte und den Freund vermisste, der Liudolf ihm gewesen war – jedenfalls meistens. Wenn Hadald, der Kämmerer, bei seinen Verbeugungen mit dem Haar wieder einmal den Boden fegte oder der Bischof von Halberstadt etwas besonders Salbungsvolles von sich gab, wusste er manchmal so genau, was Liudolf dazu gesagt hätte, dass er beinah glaubte, es zu hören – eine gewisperte Flegelei geradewegs aus dem Jenseits. Beim Anblick eines temperamentvollen Pferdes oder eines Würfelbechers konnten die Erinnerungen ihn hinterrücks überfallen, und bislang hatte Gaidemar noch nicht gelernt, sich dagegen zu wappnen. Dabei machte er sich nichts vor. Wäre es Liudolf, dem die Fürsten hier heute huldigten, hätte der Reichsfrieden nur so lange gehalten, bis der König über die Alpen zog, das wusste er ganz genau.

Trotzdem wollte er ihn zurück.

Der kleine Prinz Otto ertrug die langwierige Zeremonie im Säulenhof unterdessen geduldiger, als sein großer Bruder es vermutlich je vermocht hätte. Er saß in seinen todsicher kratzigen neuen Gewändern auf dem ausladenden Sessel, hörte auf, mit den Füßen zu wippen, als seine Mutter sich vielsagend räusperte, und empfing die schier endlose Prozession weltlicher und kirchlicher Würdenträger, die vor ihm niederknieten und ihm einen Treueid schworen. Sein Onkel Burchard für das Herzogtum Schwaben. Seine Tante Judith und ihr Sohn Heinrich für Bayern. Niemand für Franken, denn dort übte der König selbst die Herzogsmacht aus, aber Wilhelm für das Erzbistum Mainz und Brun für Köln und das Herzogtum Lothringen. Gefolgt von Dutzenden Grafen,

Bischöfen und Äbten, und Otto hörte sich ihre ewig gleichen Eidformeln an, ohne sich anmerken zu lassen, wie grauenvoll langweilig diese Zeremonie für ihn sein musste. Er dankte ihnen mit den feierlichen Worten, die Adelheid ihn zu dem Zweck hatte auswendig lernen lassen. Sie mochten gestelzt klingen, weil Otto sie selbst kaum verstand, aber niemand blieb von der ernsten Aufrichtigkeit in den blauen Kinderaugen unberührt.

Irgendwann war jedoch auch die letzte Huldigung erbracht, und Erzbischof Wilhelm trat wieder vor, verneigte sich und streckte dem Prinzen die Hand entgegen. Unverkennbar erleichtert sprang der Junge von dem viel zu hohen Sessel, legte vertrauensvoll die Hand in die seines großen Bruders und ließ sich von ihm in die Pfalzkapelle führen.

Die Ehrenwache folgte der königlichen Familie in diese wundersame Kirche, die mit ihrer achteckigen Form so fremdländisch und geheimnisvoll anmutete. Entlang der Wände standen Landedelleute und sonstiges freies Volk dichtgedrängt und verrenkten sich die Hälse. Wilhelm blieb mit dem Prinzen in der Mitte des Gotteshauses stehen und rief: »Sehet, ich bringe euch Otto, den alle Fürsten des Reiches zum König gewählt haben und den Gott auserkoren hat! Wenn diese Wahl eure Zustimmung findet, so hebt die Rechte gen Himmel!«

Hunderte Hände wurden emporgereckt, und ein gewaltiger Jubel brandete auf und hallte von der hohen Kuppel zurück, sodass es ein wahres Getöse ergab. Gaidemar beobachtete, wie der Prinz dem Erzbischof einen verstohlenen, bangen Blick zuwarf, den Wilhelm mit einem ebenso unauffälligen Händedruck erwiderte.

Dann traten die beiden anderen Erzbischöfe – Brun von Köln und Heinrich von Trier – hinzu. Zu dritt geleiteten sie Otto zum Altar, hüllten ihn in den Krönungsmantel, legten ihm Szepter und Stab in die Hände, salbten ihn und setzten ihm schließlich die goldene Krone aufs Haupt: ein Diadem mit vier blattförmigen Spitzen aus funkelndem Gold, welches perfekt auf den blondgelockten Kinderkopf passte. Das war natürlich kein Zufall, wusste Gaidemar. Die Königin, die die Wirkung von Symbolen und höfischer

Pracht vermutlich besser verstand als ein Mann es je vermochte, hatte die Krone für diesen Anlass anfertigen lassen.

Die Miene des kleinen Königs drückte freudiges Erstaunen aus, als die drei höchsten Kirchenfürsten ihn die Treppe hinauf zum Marmorthron Karls des Großen führten. Gaidemar und Wido, die für diese besondere Ehre ausgewählt worden waren, folgten ihm, nahmen im Schatten der Säulen hinter dem imposanten Thron ihre Wache auf und waren die Einzigen, die Zeugen wurden, wie der kleine König seine Krone abnahm, um sie neugierig zu befingern und zu betrachten.

Wido warf Gaidemar einen alarmierten Blick zu, aber der Hauptmann winkte beruhigend ab. Einen ausgewachsenen König konnte man von unten auf dem altehrwürdigen Thron sehen, aber der kleine Otto konnte nicht über die Balustrade in den Kirchenraum schauen und war im Gegenzug für sein versammeltes Volk dort unten unsichtbar.

Möge es kein Omen für seine Herrschaft sein, dachte Gaidemar und ermahnte seinen kleinen König mit einer Geste und einem Zwinkern, die Krone wieder aufzusetzen.

Beim Krönungsbankett in der Halle der Pfalz nahmen Adelheid und Otto ihren Sohn in die Mitte, sodass er das Zentrum der hohen Tafel und somit auch der Aufmerksamkeit bildete, aber nach dem ersten Gang winkte Adelheid Gaidemar zu sich und sagte: »Der junge König würde sich nun gern zurückziehen, Hauptmann.«

»Aber Mutter, wieso denn?«, empörte sich Otto. »Es ist doch noch hell draußen! Und ich bin noch gar nicht richtig satt!«

»Tu es trotzdem, mein Sohn«, riet sein Vater lächelnd. »Der heutige Tag war anstrengend für dich, und ein König hat die Pflicht, auf seine Gesundheit zu achten.«

»Aber …«

»Otto.« Mit einem Mal war die Stimme des Königs so scharf wie sein Schwert.

Vermutlich war es das erste Mal im Leben des kleinen Königs, dass er in den zweifelhaften Genuss des Marmorblicks kam, vermutete Gaidemar, denn mit der Krönung hatten sich auch schlagartig die Anforderungen geändert, die der Vater an den Sohn stellte.

Letzterer verstand die warnenden Anzeichen indes ohne Mühe. »Wie Ihr wünscht, Vater.«

Ohne Hilfe kletterte er von seinem Thronsessel und verneigte sich vor seinen Eltern, wobei er seine Krone sicherheitshalber mit der Linken festhielt. Er wollte Gaidemar von der Estrade folgen, blieb aber wie angewurzelt stehen, als er feststellte, dass alle in der Halle Versammelten sich erhoben hatten, um ihrem neuen König Ehre zu erweisen.

Otto errötete ein wenig – ob vor Freude oder Verlegenheit, konnte Gaidemar nicht entscheiden – und folgte ihm dann hinaus in den brütend heißen Nachmittag.

»Manche Dinge ändert auch eine Krone nicht, scheint es«, grollte der Junge. »Man wird zu Bett geschickt, obwohl man überhaupt nicht müde ist!«

»Ich fürchte«, musste der Hauptmann zustimmen. »Jedenfalls, solange der Gekrönte kaum über die Tischkante sehen kann. Wartet ein paar Jahre.«

Otto schnaubte missgelaunt. »Das sagen Erwachsene immer!«

»Hm. Manche Dinge haben sich durch Eure Krönung aber schon geändert. Wollt Ihr noch in der Küche vorbei? Einen Becher Milch und ein Stück Honigkuchen abstauben? Ihr werdet sehen, niemand wird wagen, sie Euch zu verweigern.«

Ottos Miene hellte sich auf. »Au ja!«

So lieferte Gaidemar einen einigermaßen gnädig gestimmten König bei der Amme ab und vergewisserte sich anschließend, dass trotz des allgemeinen Durcheinanders in der Pfalz der Wachdienst in den königlichen Gemächern während der Nachtstunden geregelt war.

»Das geht Euch nichts mehr an, Hauptmann«, protestierte Gerhard von Hochfeld verschnupft. Er kommandierte die Leibwache der Königin, die auch die Prinzen und Prinzessinnen zu schützen hatte, und er hatte es nie gelernt, seine Eifersucht auf

Gaidemar zu verhehlen. »Ich glaube nicht, dass Ihr Anlass habt, an meiner Sorgfalt zu zweifeln.«

»Natürlich nicht«, versicherte Gaidemar beschwichtigend. »Aber Ihr täuscht Euch dennoch, fürchte ich. Als Statthalter des Königs hat der Erzbischof beschlossen, dass der St.-Albans-Legion die Sicherheit des kleinen Königs obliegen soll, sobald dessen Vater nach Italien zieht.«

Gerhard starrte ihn ungläubig an. »Ihr sollt … was?« Er lachte schadenfroh. »Die angeblich beste Reiterlegion des Reiches soll unseren Dreikäsehoch von König behüten? Ihn ins Bettchen bringen und ihn aufheben, wenn er von seinem Pony herunterpurzelt?«

Gaidemar biss die Zähne zusammen und nickte. »Ganz recht. Tausend raubeinige Ammen.«

Und er war ein klein wenig stolz auf die Disziplin, die seine Männer bewiesen, indem sie gegen diese Zumutung keine Meuterei angezettelt hatten. Was sie indessen nicht davon abhielt, sich bitterlich bei ihrem Hauptmann über die Befehle des Erzbischofs zu beklagen, und zwar tagein, tagaus …

Gerhard von Hochfeld vollführte eine einladende Geste. »Dann nur zu, Hauptmann. Ich bin der Letzte, der Euch an der Ausübung Eurer Pflichten hindern würde. Ein Glück, dass der kleine König schon aus den Windeln ist, he?«

Als Gaidemar in die Halle zurückkehrte, hielt der Bischof von Freising eine feierliche, aber ebenso kurzweilige und geistreiche Predigt über Gottesgnadentum und Königspflichten. Leises Gelächter plätscherte an den langen, festlich geschmückten Tafeln, und während die eine Hälfte der Gäste sich nach dem bischöflichen Segen bekreuzigte, klatschte die andere Beifall.

»Der König runzelt die Stirn über solch leichtfertiges Geschwätz aus dem Mund eines Bischofs«, bemerkte die raue Stimme seines Ziehvaters hinter Gaidemars linker Schulter.

Er wandte den Kopf und antwortete: »Ich schätze, der König denkt, dass der Glaube eine sehr ernste Sache ist und wir uns jeden Tag aufs Neue anstrengen müssen, um Gottes Gnade zu erlangen.

Und er ist in ständiger Sorge um diejenigen, die der Errettung ihrer Seelen nicht die gebotene Aufmerksamkeit schenken. So ähnlich wie Ihr.«

Arnold von Saalfeld brummte zustimmend, ohne den jungen Abraham von Freising aus den Augen zu lassen, der auf einen diskreten Wink der Herzogin von Bayern zu ihr trat. »Man hört, sie stecken jetzt ständig zusammen, und sie tut keinen Schritt ohne seinen Rat.«

Gaidemar nickte. Schon Anfang des Jahres, bevor er mit seinen Männern dem Erzbischof zurück nach Mainz gefolgt war, hatte es am Hof in Regenburg Gemunkel darüber gegeben. »Ja, wie es aussieht, hat der Bischof Immed als Ratgeber der Herzogin abgelöst«, räumte er ein und bemühte sich halbherzig, sich seine Befriedigung nicht anhören zu lassen.

Arnold sah ihn scharf an. »Was weißt du darüber?«

Gaidemar zuckte die Schultern. »Überhaupt nichts.«

»Die Königin hat irgendetwas damit zu tun.«

»Wie kommt Ihr darauf?«

»Immed hat so etwas angedeutet«, bekannte Arnold und rieb sich verlegen mit dem Handrücken übers Kinn. »Er kam wie ein Sturmwind nach Saalfeld, sein Gaul halbtot mit Schaum vor dem Maul. Ob er auf der Flucht sei, hab ich ihn gefragt. Er hat das empört bestritten, aber offenbar hat er sich mit der Herzogin überworfen, sie hat ihm seine Grafschaft genommen und ihn mit einem Tritt in den Hintern davongejagt.«

Gaidemar pfiff leise vor sich hin. »Was hat er angestellt?«

»Ich hatte gehofft, du könntest es mir sagen.« Arnold sah ihm unverwandt ins Gesicht.

Doch sein Ziehsohn schüttelte den Kopf. »Wenn Ihr wissen wollt, ob ich ihm irgendeine Falle gestellt habe, lautet die Antwort nein. Und ganz gleich, was Ihr denkt, die Königin würde niemals den Sturz eines unbescholtenen Mannes betreiben, nur um mir einen Gefallen zu tun. Wenn Immed in Ungnade gefallen ist, hat er das selbst zustande gebracht, ohne meine Hilfe.«

»Und doch hättest du Anlass genug gehabt, ihm zu grollen.«

»Kann schon sein«, antwortete Gaidemar desinteressiert. Aber die Wahrheit war: Auch wenn er Immed ruiniert hätte, selbst wenn er ihn erschlagen hätte – nichts davon hätte Mira zurückgebracht, und darum schien es die Mühe kaum wert. »Wohin ist er gegangen?«

»Über die Elbe. Er will sich Hermann Billung anschließen und hofft, dass der ihm eine seiner Töchter gibt, wenn Immed sich im Kampf gegen die slawischen Heiden bewährt.«

»Ein guter Plan«, sagte Gaidemar höflich, auch wenn er insgeheim dachte, dass Immed einer Befriedung der slawischen Völker vermutlich mehr schaden als nützen würde.

»Wird höchste Zeit, dass er heiratet und Söhne zeugt«, brummte Arnold. »Ich werde nicht jünger, und bevor ich diese Welt verlasse, hätte ich gern gesehen, dass mein Haus fortbesteht. Vielleicht ist es ja ein Segen, dass mein Erstgeborener seinen feinen bayrischen Grafentitel verloren hat. Womöglich lehrt ihn das, sein bescheidenes Erbe in Saalfeld zu schätzen.«

»Vielleicht«, räumte Gaidemar ein. *Wohl dem, der einen Namen und ein königliches Lehen zu erben hat, so bescheiden es auch sei*, dachte er. *Ganz gleich, was für ein Schurke er ist.* Er rang sich ein Lächeln ab, damit Arnold seine Bitterkeit nicht erriet. »Habt Ihr ein ordentliches Quartier? Braucht Ihr irgendetwas?«

Sein Ziehvater schüttelte den Kopf. »Aber wenn du mir einen Gefallen tun willst, sag mir, wo ich Uta finde. Mir ist es gleich, wenn ich bis nach Mainz reiten muss, aber ich will sie sehen.«

Uta hatte den Erzbischof wie meistens auch auf die Reise nach Aachen begleitet und wartete in dessen komfortablen Gemächern hier in der Pfalz auf seine Rückkehr. Wie stets bei offiziellen Anlässen hatte sie natürlich auch an der Krönung des kleinen Otto nicht teilnehmen können, und sie verbrachte den Tag und den Abend allein. Sicher war sie manchmal einsam, mutmaßte Gaidemar. Aber er zögerte dennoch. Dann erwiderte er: »Ich bringe Euch zu Ihr, wenn Ihr mir schwört, Ihr Vorhaltungen und düstere Prophezeiungen zu ersparen.«

»Was ich meiner Tochter zu sagen habe, geht dich nichts an«, schnauzte Arnold entrüstet.

Gaidemar nickte unverbindlich. »Dann wünsche ich Euch viel

Erfolg bei dem Versuch, an meinen Männern vorbei zu ihr zu gelangen ...«

Er wollte sich abwenden, aber sein Ziehvater legte ihm die Hand auf den Arm. »Nein, warte, Gaidemar. Vergib mir. Du hast mein Wort. Es war gar nicht meine Absicht, ihr Vorhaltungen zu machen. Auch wenn es mich schmerzt, was aus ihr geworden ist, sie ist und bleibt meine Tochter, und ich habe den Wunsch, sie zu sehen und mich zu vergewissern, dass es ihr gut geht.«

»Es geht ihr gut«, versicherte Gaidemar. Aber Uta hatte im Frühling ein Kind verloren und trauerte noch. Auch wenn ein Bastard weder ihr noch Wilhelms Leben leichter gemacht hätte, sehnte Uta sich nach einem Kind, wusste er. Doch Gott strafte ihre Unzucht mit Unfruchtbarkeit: In all den Jahren, die sie an der Seite des Erzbischofs verbracht hatte, war sie erst zweimal schwanger geworden, und beide Male hatte es ein schlimmes Ende genommen.

Gaidemar lud seinen Ziehvater mit einer Geste ein, vorauszugehen, aber ehe sie den Ausgang der Halle erreichten, trat Faramond zu ihm. »Der ehrwürdige Erzbischof wünscht Euch zu sprechen, Hauptmann«, sagte er mit seiner besten Verbeugung.

Gaidemar sah zur hohen Tafel hinüber und stellte fest, dass der König, sein Bruder Brun und Wilhelm ihre Ehrenplätze verlassen hatten und mit einem Boten im säulenbeschatteten Seitenschiff der Halle standen.

»Faramond, dies ist Arnold von Saalfeld. Geleite ihn in die Privatgemächer seiner erzbischöflichen Gnaden.«

»Wie Ihr wünscht. Seid so gut und folgt mir, Herr.«

Arnold nickte seinem Ziehsohn zu. »Hab Dank«, sagte er ein wenig steif, vermutlich verlegen, weil das Wiedersehen mit seiner Tochter nach so vielen Jahren nun vor den Augen dieses fremden Jungen stattfinden würde. Aber Gaidemar wusste die delikate Angelegenheit bei Faramond in guten Händen.

Er wartete, bis sie die Halle verlassen hatten, ehe er zu Otto und den beiden Erzbischöfen ging. Viele neugierige Blicke folgten ihm.

»Ihr habt nach mir geschickt, ehrwürdiger Vater?«

Wilhelm nickte, sein Lächeln angespannt.

»Nachrichten aus Rom, Hauptmann«, eröffnete Brun ihm und zeigte unfein mit dem Finger auf den Boten, dem anzusehen war, dass er sich auf seinem langen Ritt nicht geschont hatte. »Dies ist Lorenzo von Perugia, der im Auftrag des Markgrafen von Spoleto zu uns gekommen ist.«

Adelheids Cousin Theobald, wusste Gaidemar.

»Der Markgraf warnt uns, dass die beiden Gesandten aus Rom, die dem König an Weihnachten angeblich im Namen des Papstes die Kaiserkrone angetragen haben, offenbar *nicht* im Auftrag des Heiligen Vaters gehandelt haben, denn kurz nach ihrer Rückkehr wurden sie verhaftet. Beiden wurde die rechte Hand abgehackt, der Diakon Giovanni verlor außerdem die Nase, Azo die Zunge. Ich nehme an, Ihr wisst, was das bedeutet?«

Gaidemar nickte. Offenbar hatte Giovanni seine Nase in Angelegenheiten gesteckt, die ihn nichts angingen, der Kanzleivorstand Azo hatte zu viel geredet, und beide hatten die Schwurhand zum Meineid erhoben. »Aber wenn nicht der Heilige Vater sie geschickt hat, wer dann?«

»Das ist in der Tat die Frage«, sagte der König. »Auf jeden Fall sieht es so aus, als sei der junge Papst nicht so erpicht auf eine kaiserliche Schutzmacht, wie wir alle dachten.«

»Obwohl Berengar und Adalbert ihn von zwei Seiten in die Zange nehmen?«

Wilhelm hob vielsagend die Schultern. »Tun sie das? Oder spielen Berengar und der Papst uns eine Posse vor und stecken unter einer Decke?«

Gut möglich, erkannte Gaidemar. Papst Johannes war dafür bekannt, dass allein seine Launen und seine Bequemlichkeit sein Handeln bestimmten, und er hatte nicht gerade das Herz eines Löwen. Vermutlich zitterte er vor Berengar und hatte sich bereitwillig für dessen Intrigen einspannen lassen. »Ihr denkt, der Hilferuf des Papstes sollte dazu dienen, Euch in Italien in eine Falle zu locken?«, fragte er den König.

Otto lächelte gefährlich. »Falls es so ist, werden wir dafür sorgen, dass er selbst hineintappt.«

»Aber Erzbischof Brun und ich versuchen, den König zu überzeugen, dass er eine größere Armee über die Alpen führen muss als ursprünglich geplant«, erklärte Wilhelm und sah Gaidemar an. Treuherzig. »Ich weiß, es ist eine schwere Enttäuschung für dich, Cousin, aber ich fürchte, die Reiter des heiligen Alban werden nach Italien ziehen, statt sich in Mainz in seligem Nichtstun zu ergehen.«

Augsburg, August 961

Fast genau sechs Jahre nach der gewaltigen Schlacht versammelte sich wieder ein deutsches Heer auf dem Lechfeld – dieses Mal, um über die Alpen zu ziehen und die Prophezeiung der siegreichen Truppen von damals zu erfüllen.

Gleißend schien die Augustsonne am vergissmeinnichtblauen Himmel. Es war ein trockener Sommer gewesen, und der Lech stand so niedrig, dass die Flussschiffer kaum genug Wasser unter dem Kiel hatten. Staubig und ausgedörrt erstreckte sich das weite, schattenlose Lechfeld, und es war schwarz von Zelten, Soldaten und Pferden. Aber die Kommandanten der insgesamt zehn Legionen hatten dafür gesorgt, dass Ordnung in dem scheinbar unentwirrbaren Gewimmel herrschte.

»Der Herzog von Schwaben hat die Wagen mit den Pfeilen für seine Bogenschützen zu Hause vergessen«, wusste Faramond indessen zu berichten.

»Dann ist es ja ein Glück, dass er es nicht so weit nach Hause hat«, gab sein Bruder lachend zurück. »Er kann noch ein paar Männer zurückschicken, die Pfeile zu holen. Wenn sie in Sachsen oder Lothringen stünden, wäre es schlimmer.«

»Nicht dass wir hier Legionen aus Lothringen hätten«, warf Sigurd ein. »Und auch nicht besonders viele aus Sachsen.«

»Die einen schützen die Westgrenze, die anderen die Elbe«, erinnerte Gaidemar sie. »Alle Herrscher der Christenheit mögen vor König Otto schlottern oder sich seiner Schutzmacht unterstellt haben, aber wir wollen doch lieber nicht die Sicherheit des Reiches darauf verwetten, dass sie auch noch so zahm bleiben, wenn der König jenseits der Alpen ist.«

Sigurd stieß Volkmar einen Ellbogen in die Seite. »Er redet wie ein richtiger Politiker, oder?«

Gaidemar warf ihm ohne viel Elan eine Zwetschge an den Kopf. »Sei froh, dass es zu heiß ist, um deine Unverfrorenheit angemessen zu ahnden«, brummte er.

»Nun, wie dem auch sei.« Volkmar leerte den Becher und schnitt eine Grimasse, weil das Bier so warm war. »Unsere Stärke wird wohl ausreichen, um Berengar und den Papst das Fürchten zu lehren. Der eine ist ein Tattergreis, der andere ein Bübchen. Ich mach mir jedenfalls keine Sorgen.«

»Die Ungarn haben sich auch keine Sorgen gemacht, als sie euch hier mit einer Übermacht von zehn zu eins gegenübertraten«, erinnerte Faramond ihn.

Sein Bruder kniff ihn unsanft ins Ohr. »Was willst du damit sagen, he? Etwa, dass wir eine böse Überraschung erleben könnten?«

Faramond zuckte bockig die Schultern. »Böse Überraschungen gehören ebenso zum Krieg wie Lanzen und Schwerter.« Er ruckte das Kinn in Gaidemars Richtung. »*Er* sagt das.«

»Und ich habe recht«, stimmte der Hauptmann zu. »So wie meistens. Auf jeden Fall wäre es ein Fehler, Berengar von Ivrea zu unterschätzen. Aber ich denke auch, dass mit zehn Legionen nicht viel schiefgehen kann.«

»Immer vorausgesetzt, sie kommen alle heil über die verfluchten Berge«, schränkte Sigurd ein und schüttelte die Faust gen Süden. »Ich als Flachländer hab ja nichts dafür übrig, wisst ihr, und davon mal abgesehen …«

Er unterbrach sich, als ein junger Panzerreiter ihrer Legion vor Gaidemars Zelt erschien, in dessen dürftigem Schatten sie saßen, und sich ein wenig linkisch verneigte.

»Ah, Drudhelm von Ellwangen. Der Mann, dessen Gaul ständig durchgeht«, zog Volkmar ihn auf.

Mit roten Ohren wandte Drudhelm sich an Gaidemar. »Eine Dame, die Euch zu sprechen wünscht, Hauptmann.«

Gaidemars Herz stolperte einmal kurz, und sogleich rief er sich zur Ordnung. Natürlich war es *nicht* Mira. Sie war nach Osten gegangen und irgendwo in den Tiefen der slawischen Wälder verschwunden. Auf immerdar.

»Dann führ sie her«, trug er dem jungen Soldaten auf, sah kurz an sich hinab und stellte fest, dass seine Erscheinung staubig, aber zumutbar war.

Die Besucherin, die Drudhelm zu ihm führte, war in der Tat eine slawische Dame mit Stirnband und Schläfenringen, aber ihre Augen waren blau, nicht grün, ihr Haar einige Schattierungen dunkler als Miras.

»Hatheburg!« Gaidemar erhob sich und trat ihr mit einem Lächeln entgegen.

Sie ergriff seine Hände und küsste ihn ungeniert auf die Wange. »Es ist so schön, dich zu sehen, Gaidemar.«

Aus dem Augenwinkel sah er seine Männer verwunderte Blicke tauschen.

»Ich glaube, das war fürs Erste alles«, sagte er und vollführte eine Geste, als wolle er einen lästigen Mückenschwarm verscheuchen. »Seid so gut und lasst mich allein mit meiner Schwester.«

Die Enttäuschung auf den drei Gesichtern war beinah komisch. Volkmar, Sigurd und Faramond warteten ungeduldig auf den Tag, da ihr Hauptmann ihnen endlich eine neue Braut präsentierte. Sie waren schlimmer als Gräfin Hulda.

Nachdem sie sich verabschiedet hatten, wies Gaidemar einladend auf einen der freigewordenen Schemel. »Ein Schluck sommerwarmes Bier?«

»Her damit. Ich glaube, ich habe auf dem Ritt hierher ein Pfund Staub geschluckt.« Hatheburg trank durstig, und als sie absetzte, keuchte sie ein wenig. »Gott, tut das gut … Fürst Tugomir sagt, ich hätte einen Zug wie ein Kerl, und den habe ich todsicher von Vater geerbt.«

Gaidemar schenkte ihr grinsend nach. »Was in aller Welt tust du hier?«

»Du hast es nicht gehört? Die slawischen Stämme, die Frieden mit dem König halten, haben eine Legion für ihn aufgestellt. Bo-

686

lilut führt sie an«, erklärte sie – unüberhörbar stolz auf ihren Gemahl. »Und ich bin mitgekommen, um mich der Reisegesellschaft der Königin anzuschließen.«

Das war eine gänzlich unerwartete Freude. »Dann hoffe ich, dass sie mich unterwegs dann und wann an ihre Tafel lädt, auch wenn sie derzeit nicht gut auf mich zu sprechen ist.«

»Wirklich? Ich dachte, du bist ihr Vertrauter und Ratgeber.«

»Hm.« Er wiegte den Kopf hin und her. »Manchmal. Ursprünglich sollten die St.-Albans-Reiter zurückbleiben und ihren Sohn, den kleinen König, beschützen. Dann kam es doch anders, und anscheinend habe ich meine Erleichterung darüber nicht gut genug verborgen.«

»Nun ja, du musst verstehen, dass sie um den kleinen Otto in ständiger Sorge ist.«

Er nickte. »Natürlich verstehe ich das. Aber auch sein Schicksal wird sich in Italien entscheiden.«

»Ja, das ist wahr.« Hatheburg trank wieder und sah sich dabei um. Das Lager der St.-Albans-Legion war ordentlich und durchdacht, aber es bot keinen besonders erbaulichen Anblick. Trotzdem leuchteten ihre Augen, während sie alles um sich herum gierig in sich aufsog.

»Wie geht es Fürst Tugomir und seiner Familie?«, fragte er.

»Ich nehme an, was du eigentlich meinst und nicht zu fragen wagst, ist: Wie geht es Jasna?«

Er fühlte seine Ohren heiß werden, aber er nickte.

»Sei unbesorgt, Bruder.« Sie legte ihm die Hand auf den Arm, ihr Blick voller Wärme. »Sie hat bei einem Gastmahl zu Mittsommer den Fürsten der Wagrier kennengelernt, und auf einmal haben ihre Wangen wieder Farbe und ihre Augen wieder Glanz. Ihr Vater und Bolilut sind einverstanden, und im Frühling wird Hochzeit gefeiert. Ich hoffe, bis dahin sind wir aus Italien zurück, das will ich auf keinen Fall versäumen.«

Gaidemar verspürte einen unerwarteten und höchst albernen Stich der Eifersucht, aber das ließ er sich nicht anmerken. »Der Fürst der Wagrier soll ja anständig zu ihr sein. Sonst zieht die St.-Albans-Legion über die Elbe ...«

»Ich lass es ihn wissen«, versprach Hatheburg. »Und wie steht es mit dir?«

Er schüttelte den Kopf. »Der ewige Junggeselle, so scheint es.«

»Aber was ist mit Mira?«

»Was weißt du von ihr?«, fragte er erstaunt.

»Jasna und sie waren unzertrennlich, oder? Natürlich hat Jasna mir alles über sie erzählt. Und über eure kleine Hatheburg. Ich bin übrigens sehr stolz darauf, dass du deine Tochter nach mir benannt hast.«

Gaidemar hielt den Blick auf seinen Becher gesenkt, während er ihr erzählte, dass Mira sich in Luft aufgelöst hatte, ehe sie von seiner geplatzten Hochzeit mit Jasna erfahren konnte.

Und weil es seine Schwester war, mit der er hier saß, fügte er hinzu, was er bislang nicht einmal sich selbst einzugestehen gewagt hatte: »Heute frage ich mich, warum ich Mira überhaupt wegschicken wollte. Damals dachte ich, es sei der einzige Weg, den Anstand und Ehre zuließen. Weil ein Ehegelöbnis nicht anders ist als ein Eid an den König: eine Verpflichtung, von der allein der Tod einen entbinden kann. Aber heute habe ich den Verdacht, dass ich nur aus Eitelkeit gehandelt habe.« Er nahm endlich seinen Mut zusammen und sah Hatheburg ins Gesicht. »Jasna hätte es überhaupt nichts ausgemacht, wenn ich Mira behalten hätte, weil es bei den Slawen eben so üblich ist. Im Gegenteil, sie wollte ihre Freundin nicht verlieren. Und Mira hätte ein Anrecht auf meine Fürsorge und Anerkennung gehabt, ebenso wie die kleine Hatheburg. Aber die Wahrheit ist: Meine eigene kostbare Ehre war mir wichtiger als alles andere.« Er hob mit einem bitteren kleinen Lächeln die Schultern. »Und jetzt zahle ich den Preis für meinen Hochmut.«

»Ich finde nicht, dass du das verdient hast«, entgegnete Hatheburg.

»Siehst du?«, erwiderte er und verschränkte die langen Finger um das angewinkelte linke Knie. »Das ist das Großartige daran, eine Schwester zu haben.«

Es war ein gewaltiger Heereszug, der sich in den letzten August-
tagen von Augsburg auf der alten Römerstraße in südlicher Richtung in Marsch setzte: Mit Otto und Adelheid ritten Herzog Burchard von Schwaben, eine Vielzahl deutscher Grafen, Otbert von
Mailand und Tedald von Canossa. Ihnen folgten rund zehntausend
Panzerreiter und ebenso viele Fußsoldaten, ganz zu schweigen von
Dienern, Pferdeknechten, Köchen, Wundärzten, Huren und Mar-
ketendern. Als sie den Inn überschritten und das Gelände zum
Brennerpass hin steil anzusteigen begann, sah Adelheid zurück
auf diesen gigantischen schwarzen Heereswurm und konnte sein
Ende nicht ausmachen.

Das Wetter blieb trocken und heiß, doch als sie den Pass erreichten, zog von Westen her Nebel auf. Mit einer Schnelligkeit,
die Adelheid nie zuvor erlebt hatte, verschluckten die dichten,
grauweißen Schwaden den Kegel des Sattelbergs zu ihrer Rechten,
breiteten einen gespenstischen Vorhang über die Passstraße und
eilten weiter, um auch die schroffen grauen Hänge und schließlich
den Gipfel des Wolfendorns im Osten zu verhüllen. In der Spanne,
die es dauerte, drei Vaterunser zu beten, wurde aus dem warmen
Sommertag nasskalter Herbst.

Am späten Vormittag hob sich der Nebel, jedoch nur um sich
in unheilschwangere, bleigraue Wolken zu verwandeln, und dann
öffnete der Himmel seine Schleusen. Fürsorglich brachte Anna
der Königin den langen Mantel, aber nach kaum einer Stunde fand
der Regen seinen Weg durch den dicht gewalkten Wollstoff. Adelheid spürte eisige Sturzbäche auf Armen und Rücken, krümmte
sich wie alle anderen mit grimmiger Miene im Sattel zusammen,
um dem Wind möglichst wenig Angriffsfläche zu bieten, und betete zur Heiligen Jungfrau, es möge bald vorübergehen.

Doch die Muttergottes war offenbar der Ansicht, dem König,
der Königin und ihrem ganzen Heer täte eine Bußprozession
gut. Die drei Tage, die sie zur Überquerung der Alpen brauchten,
schüttete es ohne Unterlass. Es gab Unfälle und Reibereien. Sie
verloren mehr als zwei Dutzend Saumtiere mit Proviant und Ausrüstung. Der Koch und der Proviantmeister der vierten Legion gerieten in Streit über ein undichtes Pökelfleischfass, trugen ihre

Rauferei ausgerechnet an einer besonders engen Stelle der Pass-straße aus und stürzten ineinander verkeilt und schreiend in die Tiefe. Zwei- und Vierbeiner verloren im schwierigen, nassen Gelände den Halt, gerieten ins Schlittern und brachen sich die Knochen. Und ganz gleich, was geschah, welche Dummheiten oder Missgeschicke ihr Fortkommen hinderten, der König bewahrte Gelassenheit und vor allem Geduld. Er ritt zurück zur Unglücksstelle, um Mut zu machen oder einen Bergungseinsatz zu leiten, er ertrug das freudlose kalte Lageressen und die feuchten Nächte in einem undichten Zelt mit Humor, und Adelheid beobachtete, wie seine Männer sich ein Beispiel an ihm nahmen, die Zähne zusammenbissen und die nächste schwierige Meile in Angriff nahmen.

Aber auch die längste Passstraße musste einmal enden, rief Adelheid sich in regelmäßigen Abständen ins Gedächtnis, und sie hatte recht: Bei Einbruch der Dämmerung des dritten Tages erreichten sie das Etschtal. Der König sandte Späher nach Süden und befahl, am Ufer des Flusses ein befestigtes Lager zu errichten, wo das Heer einige Tage ausruhen sollte, während sie auf die Rückkehr der Kundschafter warteten.

Im Verlauf des folgenden Tages besserte sich das Wetter, bis der Himmel schließlich wieder blau war und Mensch und Tier allmählich trockneten. Die allgemeine Erleichterung über das Ende der Sintflut hob spürbar die Stimmung – man hörte die Soldaten im Lager jetzt öfter singen als fluchen, selbst wenn die Stimmen eher rau als schön und die Verse reichlich derb waren. Adelheid sah es ihnen nach und sonnte sich insgeheim in der unbeholfenen Ehrerbietung, die die Männer an den Tag legten, wann immer sie einen Fuß vor ihr geräumiges Zelt setzte. Und das tat sie oft, denn die Farbe des Himmels, die Qualität des Lichtes und der Duft der Sommerwiesen lockten sie ins Freie, weil sie sie so unwidersteh-lich an ihr geliebtes Pavia erinnerten. Also setzte sie sich am Ufer der Etsch ins Gras und ließ zu, sich von der allgemeinen Zuversicht anstecken zu lassen.

Doch schlechte Nachrichten ließen nicht lange auf sich warten.

»Hauptmann Gaidemar und Tedald von Canossa, mein König«, meldete Wido.

»Dann herein mit ihnen«, antwortete Otto.

Adelheid legte die Feder beiseite. Ihr Brief an den Bischof von Novara konnte warten. Sie bedeutete einem der Diener, den Silberkrug auf dem Tisch aufzufüllen und sie dann allein zu lassen. Kaum war er aus dem Zelt geschlüpft, führte Wido die beiden Kundschafter herein.

»Gaidemar, Tedald«, grüßte der König. »Gott sei gepriesen, dass Ihr wohlbehalten zurückgekehrt seid.«

Wohlbehalten vielleicht, aber ihre Kleider waren staubig, und Tedald hatte offenbar einen Reitunfall erlitten: Das linke Hosenbein war zerrissen und ebenso blutig wie die verschrammte Hand. Vermutlich hatte er sich und seinem Pferd allerhand zugemutet. Er wirkte erschöpft und sehr angespannt.

Gaidemar hingegen war nicht anzumerken, ob die Nachrichten, die er brachte, ihn beunruhigten. Er wirkte grimmig wie immer in letzter Zeit, aber ebenso gelassen. Unerschütterlich vielleicht sogar. Wenn Adelheid ihn betrachtete, war sie jedenfalls nicht verwundert, warum seine Männer ihm bereitwillig bis an den Schlund der Hölle folgten.

Seite an Seite mit Tedald von Canossa war er auf der kleinen Freifläche jenseits des wackligen Tisches auf ein Knie gesunken, und während der König sie mit einer Geste aufforderte, sich zu erheben, schenkte Hulda ihnen Wein ein.

»Hier, Ihr müsst Euch erfrischen, Gaidemar …«, *mein Junge* schluckte sie zum Glück im letzten Moment hinunter, reichte ihrem Neffen den gefüllten Bronzepokal mit einem beunruhigten kleinen Lächeln und lenkte ihre mütterliche Fürsorge auf Tedald. »Ihr solltet das verbinden lassen, wisst Ihr, denn …«

»Gräfin«, mahnte Otto beinah amüsiert, um ihren heilkundigen Ausführungen zuvorzukommen, die immer eine Spur zu lang ausfielen.

Hulda hob beide Hände. »Ich weiß, mein König. Vergebt mir.«

Otto sah zu Gaidemar. »Also?«

»Sie erwarten uns drei Tagesmärsche südlich von hier an einer

Schlucht«, berichtete dieser ohne Umschweife, den unberührten Becher in der knochigen Rechten.

»An der Veroneser Klause?«, vergewisserte sich Adelheid.

Gaidemar nickte.

»Wie viele?«, fragte der König.

Tedald streifte Gaidemar mit einem unsicheren Blick und ergriff dann das Wort: »Wir sind uns nicht einig. Ich schätze, fünfzigtausend. Der Hauptmann denkt, es sind mehr.«

»Über fünfzigtausend ...«, wiederholte Otto.

Es sollte nachdenklich klingen, nahm Adelheid an, aber sie kannte ihren Gemahl gut genug, um nicht darauf hereinzufallen. Er war entsetzt, wusste sie. Genau wie sie selbst.

Otto tauschte einen langen Blick mit Gaidemar. »Wir haben es schon einmal vollbracht, du und ich.«

»Ja, mein König.«

»Und die Übermacht der Ungarn war schlimmer, zehn zu eins oder mehr.«

Gaidemar nickte, den Blick auf einen Punkt eine Elle vor seinen Füßen gerichtet.

»Sag mir, was du denkst«, befahl der König brüsk.

Gaidemar sah ihm ins Gesicht. »Es ist völlig gleich, was ich denke. Wir müssen den Weg durch die Klause nehmen, denn es gibt keinen anderen. Aber dort verengen sich die Straße und das Flussbett wie der Hals eines Kruges.« Er wies auf das Silbergefäß auf dem Tisch, um zu veranschaulichen, was er meinte. »An der engsten Stelle können nicht mehr als zehn Männer nebeneinander reiten. Dieses Mal werden wir mehr brauchen als ein gottgesandtes Gewitter, um die feindliche Übermacht zu bezwingen, denn wir sind in einer nachteiligen Position. Da wir daran indes nichts ändern können, ist es Zeitverschwendung, darüber zu klagen.«

Otto lächelte und legte ihm kurz die Hand auf die Schulter. »Guter Mann. Jetzt trink endlich, Gaidemar, eh du vor Höflichkeit verdorrst.«

Der Hauptmann blickte auf den Becher in seiner Hand, als habe er ihn vergessen oder wisse nicht, wozu er diente, und nahm dann einen tiefen Zug.

»Berengar führt sie, nehme ich an?«, fragte der König weiter. Aber Tedald schüttelte den Kopf. »Sein Sohn Adalbert.«

»Was sagst du da?« Otto lachte ungläubig. »Im entscheidenden Moment überlässt Berengar seine Armee seinem Söhnchen?«

»Er ist kein Söhnchen mehr«, widersprach Adelheid. »Nicht nur wir werden älter, sondern glücklicherweise auch unsere Feinde. Adalbert muss fünfzehn oder sechzehn gewesen sein, als Berengar mich mit ihm vermählen wollte, und das ist zehn Jahre her.«

»Viele Adlige in Italien, die Berengar die Gefolgschaft verweigern, folgen Adalbert«, meldete Tedald sich zu Wort, der seine Scheu allmählich ablegte, nachdem er erkannt hatte, dass man in diesem Zelt für schlechte Nachrichten oder unbequeme Meinungen nicht den Kopf verlor. »Zumindest beim Adel der Lombardei ist es so. Berengar hat die Grafen und Bischöfe zwanzig Jahre lang drangsaliert und betrogen.«

»Und sie glauben im Ernst, mit Adalbert führen sie besser?«, fragte Otto erstaunt.

»Vielleicht nicht«, erwiderte die Königin. »Aber sie hoffen vermutlich, er sei leichter zu handhaben.« Sie schwieg einen Moment und fuhr dann nachdenklich fort: »Wenn wir indes einen Weg fänden, einen Keil zwischen Adalbert und die italienischen Grafen zu treiben ...«

»Ja, aber wie?«, fragte Otto.

»Du könntest Guido von Asti einen Boten senden und andeuten, dass er seinen Kopf unter Umständen behalten darf, wenn er Berengar *und* Adalbert den Rücken kehrt.«

»Nein«, sagten Otto und Gaidemar im Chor, und es war schwer auszumachen, wessen Entrüstung die größere war.

»Ich weiß.« Adelheid hob begütigend die Linke. »Aber er zählt zu den mächtigsten unter ihren Anhängern.«

»Das ist wahr«, stimmte Tedald zu. »Wir können getrost davon ausgehen, dass von den fünfzig- oder sechzigtausend Männern, die uns an der Veroneser Klause auflauern wollen, ein Drittel seinem Befehl untersteht.«

»Und wenn er abzieht, ziehen sie ab«, schloss Adelheid und sah ihren Mann vielsagend an.

»Adelheid, das ist ausgeschlossen«, protestierte Otto. »Was für eine königliche Gerechtigkeit soll das sein? Ich lasse einen Verbrecher davonkommen, weil es politisch bequemer ist? Guido von Asti hat Liudolf einen Lehnseid geschworen und ihn dann *ermordet*. Tiefer kann ein Mann nicht sinken.«

Gaidemar starrte sie stumm an, sein Blick so vorwurfsvoll, so *gekränkt*, als hätte sie ihm einen Dolch mitten ins Herz gestoßen. Einen Moment drohte sie selbst ob der Monstrosität ihres Vorschlags zu verzagen, aber dann ballte sie die Fäuste und sagte leise: »Ich ahne, was Ihr denkt, Hauptmann: Ihr glaubt, es sei ein geringes Opfer für mich, weil ich Liudolfs Tod weniger betrauere als Ihr.«

»Ihr betrauert seinen Tod überhaupt nicht«, gab er frostig zurück.

»Ihr irrt Euch.«

Sie hatte den Schmerz des Königs mit ansehen müssen, als unmittelbar nach dem Tod des einen Sohnes die Nachricht von der Ermordung des anderen gekommen war, und zum ersten Mal hatte sie erlebt, dass Otto in Finsternis wandelte. Hilflos hatte sie danebengestanden, schwach und niedergedrückt von ihrem eigenen Kummer um den kleinen Brun, und sie hatte Guido von Asti mit einer Leidenschaft gehasst, die wie giftige Galle in ihrem Innern gebrodelt und ihr Angst gemacht hatte.

»Ihr habt kein Recht, meine Motive in Zweifel zu ziehen. Aber wir können uns persönliche Rachegefühle in Anbetracht der erdrückenden feindlichen Übermacht einfach nicht leisten. Wenn Ihr fallt, bleibt Liudolfs Tod ganz sicher ungesühnt.« Sie sah von Gaidemar zu Otto. »Das gilt auch für dich, mein König. Und nicht Guido von Asti ist der Grund, warum wir über die Alpen gezogen sind, das solltet ihr beide nicht vergessen.«

Zwei Tage später brachen sie das Lager ab, und der Heereswurm kroch weiter nach Süden. Der Weg durch das Etschtal war einfacher als die Passstraße, und trotz der Spätsommerhitze, die Mensch und Tier zu schaffen machte, bewältigten sie in drei Tagesmärschen rund achtzig Meilen. Vor Einbruch der Dunkelheit des dritten Tages erreichten sie schließlich das kleine Kloster fünf Meilen vor der Veroneser Klause, wo der König und die Königin übernachten wollten.

Das Heer schlug auf den umliegenden Wiesen ein notdürftiges Lager auf, und im rotgoldenen Licht des Sonnenuntergangs versammelten Gaidemar und seine engsten Vertrauten sich um das Feuer vor seinem Zelt zum Nachtmahl.

»Hm!«, machte Hatheburg überrascht, als sie den schlammfarbenen Eintopf in ihrer Schale todesmutig gekostet hatte. »Viel besser, als es aussieht!«

»Ja, mein Brüderchen ist zwar ein Trottel, aber er versteht sich aufs Kochen«, befand Volkmar und wandte sich zum Zelteingang, um sicherzugehen, dass Faramond ihn auch gehört hatte.

Der Junge trat gerade mit einem Zinnkrug ins Freie und strafte seinen Bruder mit Verachtung. »Es ist der Rest aus dem Fässchen, Herr«, eröffnete er Gaidemar. »Morgen müssen wir einem der hiesigen Weinbauern etwas abkaufen oder Wasser trinken.«

»Das macht nichts«, knurrte Sigurd in seine Schale. »Morgen Abend wird keiner von uns mehr Durst verspüren ...«

»Oh, halt endlich die Schnauze«, entgegnete Volkmar ungehalten. »Wir haben das Lechfeld überlebt, also werden wir auch die Veroneser Klause überstehen.«

Das sagen alle, fuhr es Gaidemar durch den Kopf, *aber davon wird es nicht wahrer.*

»Was wirst du tun, wenn wir morgen früh ausrücken?«, fragte er seine Schwester und bemühte sich, die Furcht um ihre Sicherheit aus seiner Stimme zu halten.

»Die Königin hat mich in ihr Zelt eingeladen«, gab sie zurück. Es klang, als habe Adelheid sie zur Falkenjagd gebeten. Hatheburg wirkte vollkommen unbesorgt. Er ahnte, dass sie ihm und ihrem Mann etwas vorspielte, mit ihrer unerschütterlichen Haltung den Mut der Krieger stärken wollte, und er bewunderte sie dafür. Auch wenn das Schicksal ihr den Rang einer Prinzessin vorenthalten hatte, konnte man doch merken, aus welchem Holz sie geschnitzt war. Dennoch fragte sie: »Wieso verhandelt der König nicht mit diesem Markgrafen Berengar, wenn dessen Armee so viel größer ist?«

695

»Weil Berengar ein ehrloser Schuft ist. Er hat sein Wort dem König gegenüber schon so oft gebrochen, dass Otto keinen Sinn darin erkennen kann, nochmals mit ihm zu verhandeln. Wir könnten ihm ja doch nicht trauen.«

»Damit könnte Otto sich immer noch herumärgern, wenn die italienische Armee abgezogen ist und wir unbeschadet durch diese enge Schlucht gelangt sind.«

»Nein«, widersprach ihr Gemahl unerwartet. Bolilut war ein wortkarger Mann – was Gaidemar sehr schätzte – und beschränkte sich für gewöhnlich lieber aufs Zuhören. Nicht etwa weil er aufgrund seiner Jugend schüchtern gewesen wäre oder seiner eigenen Meinung nicht traute, sondern weil er nur den Mund aufmachte, wenn er Lohnendes zu sagen hatte. Am Vorabend einer wenig aussichtsreichen Schlacht gab es nicht viel Sinnvolles auszusprechen, was die meisten Männer indes nicht hinderte, so unablässig zu plappern wie der plätschernde Fluss. Vermutlich, um sich von ihren eigenen Gedanken und ihrer Furcht abzulenken.

»Der König riskiert, seine Ehre zu verlieren, wenn er mit einem Eidbrecher verhandelt«, fuhr Bolilut an seine Gemahlin gewandt fort. »Und das würde sich irgendwann rächen.«

»Ich weiß, du meinst, morgen Abend mit intakter Ehre tot auf dem Schlachtfeld zu liegen, wäre vorzuziehen«, gab Hatheburg zurück und aß versonnen einen Löffel Eintopf. »Mir scheint, es gibt eine männliche und eine weibliche Art, diese Lage zu betrachten. Auch wir Frauen halten große Stücke auf Ehre, aber wir sind … praktischer als ihr Männer.«

»Das sagt die Königin auch«, warf Gaidemar ein. Und er überlegte, ob seine Schwester womöglich recht hatte, ob es etwas mit den grundlegenden – manchmal schier unüberbrückbaren – Unterschieden zwischen Männern und Frauen zu tun hatte, dass er Adelheid überhaupt nicht mehr verstand. »Also erkläre mir, wie man mit einem Schurken einen faulen Frieden aushandeln soll, ohne wie ein Feigling dazustehen.«

»Ich denke, König Otto hat der Welt seinen Mut und seine Tapferkeit hinreichend bewiesen, oder? Wie oft ist er gegen eine feindliche Übermacht in die Schlacht gezogen und als Sieger zurückgekehrt? Muss er das wirklich an jeder Wegbiegung wiederholen?«

Gaidemar schüttelte den Kopf. »Aber er ist als der rechtmäßige König nach Italien gekommen. Und auf Drängen des Papstes – angeblich jedenfalls. Nun stellt Berengar sich ihm in den Weg, der ihm den Anspruch auf die italienische Krone streitig macht, und der Papst schickt keine Truppen, um Ottos zu unterstützen.«

»Weil er nicht kann?«, fragte Volkmar.

Der Hauptmann hob vielsagend die breiten Schultern. »Das ist es, was wir glauben sollen. Jedenfalls: Otto wird seine Herrschaft hier nur errichten und behaupten können, wenn er sie aus eigener Kraft erringt. *Deswegen* hat er eine Armee über die Alpen geführt.«

»Zu schade, dass sie nicht reicht«, brummte Sigurd. »Wie es aussieht, hat der König sich verschätzt.«

»Das sähe ihm aber gar nicht ähnlich, oder?«, widersprach Gaidemar.

Hatheburg schaute ihn verblüfft an. »Du denkst, er hat irgendeinen geheimen Plan, von dem wir alle nichts ahnen?«

Aber ihr Bruder schüttelte den Kopf. »*Gott* ist sein Plan«, antwortete er. »Der König ist davon überzeugt, dass der Allmächtige ihn hergeführt hat.« Aber das traf es irgendwie nicht. Gaidemar suchte nach den richtigen Worten und fand sie zur Abwechslung einmal: »Er ist von der Gewissheit durchdrungen.«

Seine Schwester nickte. »Ja, das merkt man, wenn man ihn ansieht. Er … ich weiß auch nicht. Er strahlt etwas aus, das nicht so ganz von dieser Welt zu sein scheint. Deswegen wird er auch Kaiser, sagt Fürst Tugomir. Weil Gott sein Antlitz erleuchtet.«

Das war eine Spur zu poetisch für Gaidemars Geschmack, aber es traf zweifellos zu. »Und deswegen ist der König davon überzeugt, dass es Gottes Wille ist, den er hier erfüllt. Du kannst sicher sein, dass er die Heilige Lanze tragen wird, wenn wir morgen früh in die Klause reiten.«

»Um Gott daran zu erinnern, dass *er* dafür zuständig ist, die Wunder für Otto zu wirken?«, fragte Bolilut spöttisch.

»Es wäre jedenfalls nicht das erste Mal, dass er das tut«, gab Gaidemar zurück.

Die anderen nickten versonnen, und Faramond hörte auf, nervös im Feuer herumzustochern, seine Miene mit einem Mal hoffnungsvoll. Aber seine eigenen Zweifel konnte Gaidemar nicht zerstreuen.

Beim ersten perlgrauen Tageslicht rüsteten sie sich zur Schlacht. König Otto ritt an der Spitze seiner Truppen in die enge Felsenschlucht, gefolgt von einem Dutzend ausgesuchter Panzerreiter. Gaidemar folgte unmittelbar hinter dem König, denn er war für die Ehre ausgewählt worden, das königliche St.-Michaels-Banner zu tragen, und an seiner Seite trabte Hardwin von Wieda, die Heilige Lanze in der Rechten.

Hinter der königlichen Ehrengarde ritt die St.-Albans-Legion, welcher der Herzog von Schwaben mit seinen Männern und das restliche Heer sich anschließen sollten. Gaidemar konnte indes nur raten, ob das auch geschah, da sie aufgrund der Enge der Schlucht so weit auseinandergezogen waren.

Irgendwo zu ihrer Linken ging die Sonne auf, doch zwischen den schroff aufragenden Felswänden der Klause verharrten die nächtlichen Schatten noch. Der Fluss, der rechts von ihnen murmelnd dahinströmte, war ein bleigraues, von silbrigen Wellen gekräuseltes Band. Junge Bäume wuchsen hier und da zwischen Ufer und Straße. Gaidemar hörte vereinzelt Girlitz und Star, und er musste an den Schicksalstag vor über sechs Jahren denken, als sie bei Sonnenaufgang zum Lechfeld geritten waren. Im Gegensatz zu dem jubilierenden Vogelchor damals klang ihr Lied heute unsicher und matt, so als spürten sie die enorme Anspannung, die in der Luft lag.

Die Schlucht erstreckte sich in einer langgezogenen Rechtskurve, und als das Heer ihren Ausgang erreichte, zügelte der König sein slawisches Schlachtross und hob die Rechte. Der geisterhafte Zug hielt an, Hufschlag und das Knarren von Holz und Leder verstummten, und mit einem Mal schien die Welt vollkommen still.

Hardwin von Wieda reichte Otto die Heilige Lanze nach vorn. »Der allmächtige Gott beschütze Euch, mein König«, sagte er.

»Amen«, murmelte Gaidemar und bekreuzigte sich.

Der König warf ihnen über die Schulter einen Blick zu, das kleine Lächeln um die Lippen beinah spitzbübisch, und nahm die Lanze mit festem Griff. »Er wird sich heute wieder einmal sehr für uns anstrengen müssen.«

Wie die ausgebreiteten Arme eines steinernen Riesen öffneten die Felswände sich zu einem weiten Tal, das im rosigen Licht der frühen Morgensonne an jedem anderen Tag wahrscheinlich lieblich aussah. Auf der westlichen Seite schmiegte sich ein Dorf ans Flussufer. Die Bewohner bewirtschafteten vermutlich die umliegenden Weinfelder, aber für dieses Jahr hatte die Weinlese sich wohl erledigt, denn das ganze Tal war schwarz von Reitern und Fußsoldaten, die das deutsche Heer in dreigeteilter Schlachtaufstellung erwarteten.

Gaidemar ließ den geschulten Blick über die Reihen der Feinde schweifen. Helme und Lanzenspitzen schimmerten kupferfarben in der Morgensonne. Nichts regte sich bis auf die Banner, die in der sachten Brise wehten. Berengars Truppen warteten, lauerten wie ein gefräßiges Ungeheuer, und Gaidemar wusste, dieses Mal konnte Otto nicht siegen. Ihre Position war zu nachteilig. Das Ungeheuer musste nur den Schlund aufreißen, um sie alle zu verschlingen, eine Reihe nach der anderen.

»Vielleicht ist heute der Tag, Gaidemar«, sagte Hardwin.

Er nickte knapp. »Ja, vielleicht.«

Gott segne dich, Mira, und halte seine schützende Hand über dich und unsere Tochter. Er verspürte einen metallischen Geschmack im Mund, und sein Herzschlag hatte sich ein wenig beschleunigt. Aber das war alles.

Hörner erschollen, und angeführt von einem gerüsteten Krieger samt Bannerträger setzten die Feinde sich in Bewegung.

»St.-Albans-Reiter, aufrücken«, befahl Gaidemar über die Schultern. »Und zwar zügig. Wir bekommen Gesellschaft.«

Die Reiterei der gegnerischen Vorhut galoppierte an, und ihr Anführer zog die Klinge.

Der König hob die Heilige Lanze und preschte auf das gewaltige italienische Heer zu, als wolle er sich ihm allein mit seiner Ehrenwache entgegenwerfen.

Hinter sich hörte Gaidemar den Hufdonner seiner Panzerreiter, aber er schaute nicht zurück. Er stützte den Schaft der königlichen Standarte auf den linken Steigbügel, zog mit der Rechten das Schwert und folgte dem König so dicht wie ein Schatten. Fünfzig Pferdelängen trennten sie noch von der feindlichen Vorhut, dann dreißig, und als sie nah genug waren, um den heiligen Secundus von Asti auf dem gegnerischen Banner zu erkennen, zerteilte die heranrasende italienische Reiterei sich mit einem Mal der Länge nach wie ein zerrissenes Tuch. Die eine Hälfte schwenkte nach rechts ab, die andere nach links, sie beschrieben je einen weiten Halbkreis und machten kehrt.

»Was zum Henker hat das zu bedeuten?«, brüllte Hardwin, und er klang so verwirrt, wie Gaidemar sich fühlte.

Berengars Hauptstreitmacht war jetzt ebenfalls in Bewegung, aber statt über das hoffnungslos unterlegene deutsche Heer hereinzubrechen, wich sie zurück. Langsam und zähflüssig, aber stetig strömte die schwarze Masse gepanzerter Soldaten nach Süden, legte die einst so lieblichen Weinfelder des Tales frei und enthüllte Schritt um Schritt den Blick auf zertrampelte Reben und von tausenden Hufen aufgewühlte Erde.

Otto senkte den Arm mit der Lanze und zügelte sein Schlachtross. Die nachfolgenden Reiter folgten seinem Beispiel, und dann saßen sie reglos in den Sätteln wie vom Donner gerührt und beobachteten ungläubig den geordneten Rückzug ihrer Feinde.

»Aber … warum tun sie das?«, fragte Volkmar irgendwo hinter Gaidemars rechter Schulter.

Der Hauptmann schüttelte ratlos den Kopf. »Ich verstehe es so wenig wie du. Sie hatten uns doch schon an der Gurgel.«

»Ja, ja«, sagte einer der Reiter aus Ottos Ehrengarde und gluckste vergnügt. »Aber sie haben sich im letzten Moment überlegt, dass sie die Schlacht lieber ausfallen lassen, als einen Sieg für Berengar zu erringen.«

Der König wandte den Kopf. »*Was?*«

Der Reiter nahm den Helm ab und entpuppte sich als Tedald von Canossa. Aus dem Sattel verneigte er sich vor Otto, aber er hatte Mühe, seine Heiterkeit unter Kontrolle zu bringen. »Vergebt mir, mein König. Ich stelle mir nur die ganze Zeit Berengars Gesicht vor, wie er hinter seinem Heer im Sattel sitzt, einen gut gefüllten Becher in der Hand ... Er gehört zu der Sorte Kommandanten, die ihre Schlachten lieber aus dem Hintergrund lenkt, wie Ihr vermutlich wisst. Und noch während er sich siegesgewiss die Hände reibt, muss er tatenlos mit ansehen, wie seine schöne Armee von dannen zieht und ...« Er konnte nicht weitersprechen, biss sich auf die Lippen, lief rot an und brach in hilfloses Gekicher aus.

Auch Ottos Mundwinkel verzogen sich für einen Lidschlag nach oben, und es funkelte in den hellblauen Augen. »Aber wieso? Wenn Ihr irgendetwas darüber wisst, dann reißt Euch zusammen, Junge, und berichtet uns.«

Tedald fand die Beherrschung wieder. Kopfschüttelnd antwortete er: »Alles, was ich Euch sagen kann, ist, dass Erzbischof Walpert gestern nach Einbruch der Dunkelheit ins feindliche Lager geritten ist. Ich muss gestehen, zuerst habe ich gedacht, er hat es sich anders überlegt und läuft über. Aber anscheinend hat er Adalbert oder Graf Guido von Asti oder beiden ein Angebot überbracht, das sie nicht ausschlagen konnten.«

»Von wem?«, fragte Hardwin verdattert.

Adelheid, wusste Gaidemar plötzlich, und er sah an Ottos Marmorblick, dass er dieselben Schlüsse gezogen hatte und genauso überrascht war wie der Rest von ihnen.

Der König führte die Heilige Lanze kurz an die Lippen und reichte sie Hardwin. »Hier. Bring sie Vater Liutprand zurück. Wie es aussieht, kommen wir heute ohne göttliches Wunder aus.«

»Wie Ihr wünscht, mein König.« Hardwin wendete sein Pferd und ritt zurück.

Einen Augenblick ließ Otto den Blick über die zertrampelten Weinfelder schweifen. Dann sagte er: »Der Allmächtige oder die Königin oder beide gemeinsam haben uns das Tor nach Italien geöffnet, ohne dass wir einen Tropfen Blut vergießen mussten. Wir werden hier im Tal unser Lager aufschlagen und den Tag im Gebet verbringen, um Gott zu danken. Gaidemar?«

»Mein König?«

»Die Legion des heiligen Alban übernimmt die Bewachung des Lagers. Falls Berengar es sich anders überlegt und zurückkehrt, müssen wir rechtzeitig gewarnt sein. Und du selbst reitest hinüber in dieses Dorf und sagst den Weinbauern, dass Königin Adelheid sie für ihre Verluste entschädigen wird.«

»Die Königin wird entzückt sein, das zu hören«, bemerkte Gaidemar trocken.

Otto deutete ein Achselzucken an. »Sie schuldet mir eine Erklärung, und das ist immer ein günstiger Moment, um sie zu schröpfen. Außerdem kann es unserer Sache hier nur förderlich sein, wenn die einfachen Menschen feststellen, dass sie im Austausch für den Blutsauger Berengar ihre freigiebige und fürsorgliche Königin Adelheid zurückbekommen.«

Pavia, Oktober 961

Tatsächlich war Walpert von Mailand auf Adelheids Bitte hin in aller Heimlichkeit als Unterhändler ins feindliche Lager geritten, und der kluge Erzbischof hatte Zwietracht unter ihren Feinden gesät, wie sie es selbst kaum besser vermocht hätte: Die Mehrzahl der italienischen Adligen, die sich hinter Berengars Banner versammelt hatten, kündigte ihm die Gefolgschaft; selbst Guido von Asti hatte ihn schließlich gedrängt, zu Adalberts Gunsten abzudanken, damit ihre Sache nicht aussichtslos werde. Weil Berengar feststellen musste, dass es allmählich einsam um ihn herum wurde, war er sogar bereit gewesen, es zu tun. Aber seine Gemahlin Willa, die seit jeher großen Einfluss auf ihn ausübte, hatte ihn umgestimmt. Daraufhin war im italienischen Lager offener Streit ausgebrochen, und Guido hatte Otto und seine Truppen in der Veroneser Klause davonkommen lassen, um Berengar zu beweisen, dass er ohne die Grafen nichts ausrichten konnte.

Verwirrung und Furcht waren daraufhin unter Berengars Anhängern ausgebrochen, und sein riesiges Heer hatte sich zerstreut. Adalbert hatte sich schäumend vor Wut in eine Burg am Lago Maggiore zurückgezogen, während seine Mutter auf einer Insel im Lago d'Orta weiter westlich Zuflucht nahm.

Aber Berengar von Ivrea gab sich noch nicht geschlagen. Er zog mit seinen verbliebenen Truppen am Ufer des Po entlang nach Westen, und so sehr Otto und sein Heer sich auch eilten, konnten sie ihn doch nicht einholen, ehe er Pavia erreichte und besetzte. Als Berengar den deutschen Heereswurm herankriechen sah, wartete er indes nicht, bis ein Belagerungsring ihn einschließen konnte. Stattdessen legte er die altehrwürdige Residenzstadt der langobardischen Könige in Schutt und Asche und zog nach Süden ab.

Ungestraft.

Adelheid hatte in der Nacht vom königlichen Zeltlager aus die Feuersbrunst über ihrer geliebten Stadt gesehen, den unheimlichen rotgoldenen Schimmer, der sich wie ein verfrühter Sonnenaufgang über Pavia erhob. Und so hatte sie gewusst, was sie erwartete.

Doch als sie am nächsten Morgen an Ottos Seite in die geschändete Stadt einzog, musste sie feststellen, dass dies einer der Anblicke war, auf die man sich nicht vorbereiten konnte. Bitterer Brandgeruch lag über den Gassen und Straßen von Pavia. Die schmucken Häuser, die sie einst gesäumt hatten, waren niedergebrannt, einfach verschwunden, oder geschwärzte Balken ragten sinnlos empor wie verkohlte Skelette. Nur wenige Menschen waren auf den Straßen zu sehen. Die Gesichter und Kleider rußbeschmiert und angesengt, betrachteten sie den König, die Königin und ihr Gefolge teilnahmslos. Die Kinder winkten, aber ihre Augen waren zu weit aufgerissen, ihr Lächeln wirkte wie eine Grimasse des Entsetzens. Adelheid schämte sich für ihre farbenfrohen und perlenbestickten Seidengewänder, für den wundervollen Schimmel mit der langen gewellten Mähne, der sie trug. Aber das ließ sie sich nicht anmerken. Sie sah in die verstörten Gesichter und versuchte, sich jedes einzelne einzuprägen, sich den Schrecken der Menschen zu eigen zu machen. Doch ihre Miene blieb verträumt und eine Spur abwesend wie immer, während sie kleine Münzen verstreute und huldvoll bald nach links, bald nach rechts nickte. Denn sie wusste, nur so konnte sie den Leuten helfen. Nicht mit den paar Pfennigen, sondern mit ihrer königlichen Erhabenheit. Viele dieser Menschen standen vor dem Nichts und fragten sich, woher sie das Brot nehmen sollten, um ihre Kinder satt zu machen, weil Berengar ihre Werkstätten, ihre Felder und Viehställe verbrannt hatte. Aber der Anblick ihres Königs und ihrer Königin spendete ihnen Hoffnung, weil sie vertrauensvoll wie Kinder darauf bauten, dass diese majestätischen, beinah unirdischen Wesen alles irgendwie wiedergutmachen würden.

Adelheid war keineswegs sicher, ob sie das konnte. Aber den Trost durfte sie den Leuten von Pavia nicht nehmen, wusste sie.

Und so lächelte sie und segnete die Kinder, die man ihr anreichte und deren Haare nach Rauch rochen, und wahrte Haltung, bis sie in den Innenhof der geschwärzten Ruine einritten, die einmal der Palast gewesen war.

Otto saß ab und reichte ihr wortlos die Linke, um ihr vom Pferd zu helfen, seine Miene grimmig und bekümmert. Adelheid nahm die Hand – warm und trocken und stark –, glitt aus dem Sattel und sah sich systematisch um: Der linke Flügel des Haupttors war aus den wuchtigen Angeln gerissen, das wundervolle Relief von Axthieben zerstört. Die Marmorsäulen waren nicht nur geschwärzt, sondern die meisten umgeworfen, das Dach der umlaufenden Arkade eingestürzt. Es war unfassbar, wie viel Mühe Berengar auf sein Zerstörungswerk verwendet hatte. Er musste die feindlichen Hörner schon in der Ferne gehört haben und hatte dennoch befohlen, Seile um die schlanken Säulen zu schlingen, Pferde oder Ochsen davorzuspannen und sie einreißen zu lassen.

Auch die große Halle, wo Adelheids Hochzeiten gefeiert worden waren, bot einen erschütternden Anblick. Rußige Fächer über den leer gähnenden Fensteröffnungen verrieten, dass auch das Innere gebrandschatzt worden war, all die herrlichen Möbel und Wandbehänge, die Bücher und Urkunden, goldenen Platten und Pokale gestohlen oder in Rauch aufgegangen.

Ihr geliebter Mandelbaum war gefällt und in den Brunnen geworfen worden. Die Krone ragte aus der gemauerten Einfassung und bot einen abstoßenden, geradezu obszönen Anblick.

Die Königin schloss für einen Moment die Lider und konzentrierte sich darauf, ruhig zu atmen und nicht zu schwanken.

»Würdest du mich einen Augenblick entschuldigen, mein König?«, bat sie, und sie war sehr zufrieden damit, wie ruhig, wie normal ihre Stimme klang.

Er sah ihr in die Augen, legte kurz die Hand an ihre Wange und nickte. »Natürlich.«

Adelheid war ihm so dankbar, dass er nicht einmal versuchte, ihr seine Gesellschaft aufzuzwingen. Er verstand einfach.

Langsam wie ein Schlafwandler wandte sie sich ab und ging zu der kleinen Kapelle auf der anderen Seite des Innenhofs, die kein Dach und keine Tür mehr hatte, aber immerhin noch stand. Die Wandmalereien im Innern waren abgeplatzt, weil irgendwer mit einem Hammer auf den Putz eingeschlagen hatte wie ein Besessener. Und natürlich waren alle Wertgegenstände vom Altar verschwunden, auch das goldene Kreuz, das Lothar zu Emmas Geburt gestiftet hatte.

Vor dem Altar sank Adelheid auf die Knie, beugte den Kopf über die gefalteten Hände und weinte um den einzigen Ort, wo sie während ihrer kurzen und schwierigen Kindheit glücklich gewesen war. Nicht *sicher*, denn sie war immer schon zu klug gewesen, um sich Sicherheit vorzugaukeln. Sicherheit konnte es für eine Prinzessin niemals geben, weil es nun einmal das Los aller Königskinder war, politischen Absichten geopfert zu werden. Aber die Warmherzigkeit der Menschen hier, die Unbeschwertheit unter dem meist blauen Himmel Italiens und ihre Freundschaft mit Lothar – alles, was das Leben der kleinen Prinzessin Adelheid reich und schön gemacht hatte, war mit diesem Palast verknüpft gewesen. Seine Zerstörung war ein herber Verlust, und er tat so weh, dass sie sich am liebsten auf den Boden geworfen und mit den Fäusten auf die kalten Steinfliesen getrommelt hätte, um sich dann zu einem möglichst kleinen Ball zusammenzurollen und geraume Zeit nicht mehr zu rühren, nichts mehr zu hören und nichts mehr zu sehen.

Aber sie wusste, dass sie sich damit nur selbst geschadet hätte. Denn wenn sie sich so gehen ließ, gestand sie ein, wie tief Berengars Rache sie verletzt hatte. Und das wollte sie auf keinen Fall. Sie hatte auch nicht vergessen, dass sie Gott ein Opfer angeboten hatte, bevor Otto mit seinem Heer zur Veroneser Klause gezogen war. *Lass ihn zurückkehren, Herr*, hatte sie gebetet, *erlöse mein geliebtes Italien von Berengars Schreckensherrschaft und schenke Otto noch dieses eine Wunder, auf dass er die Kaiserkrone des christlichen Abendlandes erlangen und den Menschen Frieden und Wohlstand bringen kann. Nimm dafür, was immer dich gut dünkt, nur nicht meine Kinder. Amen.*

Und Gott hatte sie beim Wort genommen, so wie er es immer tat. Also vergoss sie ihre Tränen still und beherrscht, wie man es von einer Königin erwarten konnte. Wie sie selbst es von sich erwartete. Und zur Hölle mit Berengar.

Otto saß auf der niedrigen Mauer, die einst das Fundament des Säulengangs gebildet hatte, und wartete auf sie. Als er die Königin aus der Kapelle kommen sah, lächelte er.

Sie setzte sich neben ihn, nahm seine Hand und vermied es, auf den toten Mandelbaum im Brunnen zu schauen. »Danke, dass du nicht sagst, dies sei der Preis für mein eigenmächtiges Handeln, Erzbischof Walpert zu Adalbert und Guido zu schicken.«

Otto schüttelte den Kopf. »Hättest du um meine Erlaubnis gebeten, hätte ich ablehnen müssen. Aber du hast mir und den Männern meiner Armee vermutlich das Leben gerettet. Und ich wünschte, du hättest diesen Preis nicht dafür zahlen müssen. Das hast du nämlich nicht verdient, weißt du.«

Adelheid spürte ihre Kehle wieder gefährlich eng werden und hob abwehrend die lilienweiße Linke. »Sei lieber ein wenig strenger zu mir, das könnte ich besser verkraften, glaube ich.«

Er lachte leise, beugte sich zu ihr herüber und küsste die einzelne Träne weg, die verstohlen ihre Wange hinabrinnen wollte. »Ab morgen, du hast mein Wort.«

Es war eine Weile still. Der Wind hatte aufgefrischt, fachte ein Glutnest in den Trümmern der Wohngemächer an, die plötzlich zu rauchen begannen, und trieb die gefallenen und abgerissenen Mandelblätter raschelnd in der südöstlichen Ecke des Hofs zusammen. Es war ein melancholisches Geräusch, klang nach Verfall und Einsamkeit, nach Herbst. Adelheid legte den Kopf in den Nacken. Der Himmel hatte sich zugezogen, war mit einer weißlich grauen Wolkendecke überzogen, und mit einem Mal wurde es kühl.

Otto nahm Adelheid mit unter seinen Mantel. Der kostbare Umhang aus purpurner Wolle war so verschwenderisch geschneidert, dass die Königin mühelos mit hineinpasste, und sie fühlte sich so gut aufgehoben, dass es ihren Kummer milderte.

»Und was machen wir nun?«, fragte sie schließlich.

»Wir bauen deinen Palast wieder auf«, antwortete Otto prompt.

Sie hob den Kopf von seiner Schulter und sah ihn an. »Aber wie stellst du dir das vor? Wir müssen nach Rom ziehen, und zwar mit schmetternden Trompeten, um den Papst daran zu erinnern, dass er dir die Kaiserkrone versprochen hat. Jetzt, da er Berengars Stiefel nicht mehr im Nacken spürt, wird er vielleicht zögern, sein Wort zu halten. Und wir wissen überhaupt nicht, wie der römische Adel dazu steht. Dieser Feldzug ist womöglich noch nicht vorüber, mein Gemahl, und wenn du wie Karl der Große am Weihnachtstag zum Kaiser gekrönt werden möchtest, sollten wir uns lieber beeilen.«

Doch er winkte ab. »Das Datum erscheint mir nicht mehr so wichtig. Wenn es Gottes Wille ist, werde ich Kaiser Otto sein, der erste Kaiser nachrömischer Zeit, der kein Nachfahre Karls des Großen ist. Und vielleicht sollte ich deswegen aufhören, alles genauso machen zu wollen wie er, und lieber die Tradition meines eigenen Hauses begründen.«

Adelheid atmete tief durch. »Du ahnst nicht, wie froh ich bin, dass du zu dieser Einsicht gelangt bist.«

»Was nicht zuletzt dir geschuldet ist.«

»Oh, hör schon auf, mein König«, wehrte sie ab. »Du hast einen eigenen Verstand, und als ich zuletzt nachgeschaut habe, funktionierte er noch ganz passabel. Du brauchst weder mich noch sonst irgendwen, um zu weisen Einsichten zu gelangen, schon allein, weil du *immer* nach dem Wort des Herrn entscheidest.«

»Siehst du? Genau das meinte ich. Kein bezahlter Speichellecker könnte mir je so wundervolle Dinge sagen wie du, die mich immer so davon überzeugen, ich könne alles vollbringen, was ich nur will, dass es dann auch tatsächlich meistens gelingt«, erwiderte er, wurde aber gleich wieder ernst. »Sag, was du willst. Den Weg, der hierhergeführt hat, sind du und ich gemeinsam gegangen.«

»Ja, das ist wahr«, räumte Adelheid vorbehaltlos ein.

»Wir waren immer gut füreinander, du und ich. Vom ersten Tag an«, fuhr er fort. »Ohne dich wäre ich nicht unterwegs nach Rom zu meiner Kaiserkrönung, das wirst du kaum leugnen. Und deswegen ist es mein Wunsch, dass du Kaiserin wirst, Adelheid.« Er wandte ihr das Gesicht zu und sah ihr in die Augen. »Seite an Seite mit mir. Wenn es wirklich so sein sollte, dass ich würdig bin, die Kaiserkrone zu tragen, muss dasselbe für dich gelten.«

Stumm erwiderte sie den Blick der fesselnden hellblauen Augen. Es wäre eine Lüge gewesen, zu behaupten, dass es sie nicht nach dieser Krone verlangte. Dass sie bei der Beichte nicht gelegentlich hatte bekennen müssen, sich eitlen Träumereien hingegeben und geglaubt zu haben, sie habe sich diese, die höchste weltliche Würde verdient. Aber jetzt, da sie zum Greifen nah schien, kamen ihr mit einem Mal Bedenken. »Ich weiß nicht, Otto.« Sie sah ihn unbehaglich an. »Ich bin ehrlich nicht sicher, ob ich würdig bin. Du weißt es vielleicht nicht, weil du immer nur das Gute in denen sehen willst, die du liebst, aber ich bin nicht so untadelig, wie du immer glaubst.«

»Nein?« Er machte große Augen und lachte dann in sich hinein. »Denk nur, Adelheid. Ich bin auch nicht so untadelig, wie du immer glaubst. Also lass mich nicht allein im schattigen Tal meiner Selbstzweifel, und geh auch die letzten Meilen des Weges mit mir.«

»Einverstanden«, hörte sie sich sagen und atmete tief durch. Das Herz pochte ihr in der Kehle, und beinah schwindelte sie von ihrer eigenen Verwegenheit und der Größe dieses Augenblicks.

Otto holte sie indes mühelos zurück auf den Boden der Tatsachen.

»Gut«, sagte er leise, legte den Arm um ihre Schultern und zog sie noch ein wenig näher. »Während jedoch dank deiner Voraussicht meine Krone schon seit Monaten fertig ist, müssen wir deine noch anfertigen lassen. Das tun wir hier, schlage ich vor, sagst du doch immer so gern, die lombardischen Goldschmiede seien unübertrefflich. Und während wir darauf warten, richte deinen Palast wieder her, Adelheid. Nimm dir so viele Steinmetze und Zimmerleute, wie du brauchst, kaufe an Zierrat, was sich auf die Schnelle beschaffen lässt, und dann feiern wir Weihnachten in der wieder erstrahlenden Königshalle zu Pavia. Sei nicht zu sparsam, hörst du. Berengar bezahlt die Rechnung, was könnte passender sein?«

»Berengar?«, fragte sie verwundert.

»Hm. Sein Kämmerer ist zu uns übergelaufen; Burchard brachte mir eben die Nachricht.«

»Rudolf von Bergamo?« Sie konnte es kaum fassen. »Aber er war Berengar so ergeben wie Hadald dir.«

»Offenbar hat er seine Meinung geändert«, gab er mit einem kleinen Schulterzucken zurück. »Jedenfalls hat er bei seinem Seitenwechsel freundlicherweise Berengars Schatullen mitgebracht. Prall gefüllt mit den Reichtümern, die er dem italienischen Volk abgepresst hat. Und somit hat Berengar von Ivrea seine Truppen, den Rückhalt des Adels *und* seine Kriegskasse verloren. Er ist erledigt, Adelheid.«

Das wäre zu schön, um wahr zu sein, fuhr es ihr durch den Kopf. Vielleicht lag es daran, dass sie so lange unter Berengar zu leiden gehabt hatte – der gerade mit der Brandschatzung Pavias wieder bewiesen hatte, dass er noch nicht mit ihr fertig war. Jedenfalls konnte sie nicht so ohne Weiteres glauben, dass die Bedrohung einfach verschwunden sein sollte.

»Ich hoffe, du täuschst dich nicht«, sagte sie. »Berengar ist immer für eine böse Überraschung gut. Und irgendwo zwischen uns und Rom steht Guido von Asti mit seinen dreißigtausend Mann, der sich schon so oft von Berengar hat beschwatzen lassen.«

Otto nickte und richtete den Blick auf die Ruine der Halle. »Sei versichert, ich habe Guido von Asti nicht vergessen.«

Auf Befehl des Königs wurden noch vor Einbruch der Dunkelheit der tote Mandelbaum aus dem Brunnen geholt und die Trümmer im Innenhof so weit beiseitegeräumt, dass Platz genug für das königliche Zelt entstand. Und während Otto am nächsten Vormittag mit Erzbischof Walpert die Zusammensetzung einer Gesandtschaft nach Rom beriet, mit Herzog Burchard die Versorgung der Stadtbevölkerung erörterte und Hardwin von Wieda mit dem Kommando über das Heerlager betraute, machte Adelheid einen Rundgang durch ihren geschändeten Palast und stellte eine Liste der wichtigsten Arbeiten und Anschaffungen zusammen, zog Erkundigungen über Meister Stephanus ein und war selig zu erfahren, dass er nach der Fertigstellung ihrer neuen Pfalz tatsächlich nach Pavia heimgekehrt war.

»Lasst nach ihm schicken, Gräfin«, bat sie Hulda und rieb sich die kalten Hände, mit einem Mal aufgeregt wie ein Kind. »Wer weiß, womöglich hat er einige seiner Handwerker aus Magdeburg mit hergebracht, um für sie alle gemeinsam eine neue Arbeit in einem Kloster oder einer Bischofsstadt zu finden.«

»Wido, du hast die Königin gehört«, sagte Hulda zum Kommandanten der königlichen Wache. »Sorge dafür, dass Meister Stephanus hergebracht wird, und zwar höflich, hörst du?«

Er brummelte belustigt und stiefelte hinaus.

»Und Gaidemar soll ebenfalls herkommen«, fuhr Adelheid fort. »Er hatte die erstaunlichsten Einfälle, als wir die Pfalz geplant haben, vor allem, was deren Verteidigung anbelangte.«

»Ja, ich erinnere mich.« Hulda spannte ein Stück mitternachtsblauer byzantinischer Seide in ihren Handstickrahmen. »Aber Hauptmann Gaidemar hat sich leider in Luft aufgelöst.«

»Was soll das heißen?«, fragte Adelheid.

Hulda streckte die Linke aus, Handfläche nach oben. »Ich habe nach seinem Burschen geschickt, weil ich ihn um eine Gefälligkeit bitten wollte. Doch statt des jungen Faramond kam seine Schwester zu mir ... Gaidemars Schwester, meine ich natürlich, nicht Faramonds. Ein hinreißendes Mädchen übrigens, die Heveller werden einmal eine großartige Fürstin bekommen. Jedenfalls sagte sie mir, Gaidemar und Faramond seien bei Tagesanbruch mit unbekanntem Ziel fortgeritten. Nicht einmal Volkmar von Limburg scheint zu wissen, wohin. Oder falls doch, lässt er es sich nicht entlocken.«

»Hm«, machte Adelheid verwundert. »Eigenartig. Nun, er wird schon wieder auftauchen, und dann können wir ihn immer noch zu Rate ziehen. Es ist ja nicht so, als müssten wir einen Neubau planen wie in Magdeburg.«

»Nein.« Hulda richtete den Blick auf die Zeltwand, hinter der die ausgebrannte Halle lag. »Trotzdem weiß ich nicht, was der König sich vorstellt, wenn er sagt, er will Weihnachten in Pavia feiern. Wo denn? Die Palasthalle wieder herzurichten dauert doch gewiss länger als zwei Monate?«

»Ich würde sagen, das hängt davon ab, wie viele fleißige Hände zu Werke gehen. Wir werden einfach abwarten müssen, was wir bis zu den Feiertagen zustande bringen. So oder so hat der König recht. Wir beweisen den Menschen der Lombardei unsere Treue und unser Mitgefühl, indem wir hierbleiben.«

»Inmitten von Schutt und Trümmern? Ich würde sagen, man kann Treue und Mitgefühl auch übertreiben.«

»Ich wüsste nicht, wie«, widersprach Adelheid kurz angebunden, um das Thema zu beschließen. »Und außerdem ...« Sie brach ab, weil ihre Zofe aus der benachbarten Schlafkammer kam und vor ihr knickste. »Was gibt es denn, Anna?«

»Ich habe die Truhe mit Euren Pelzpantoffeln gefunden, edle Königin.«

»Oh, das trifft sich gut. Auch wenn ich nicht sicher bin, ob es für meine Füße nicht inzwischen zu spät ist. Ich spüre sie nämlich gar nicht mehr.« Der Oktobertag war ungemütlich, und ein Zelt bot nur unzureichenden Schutz gegen die feuchte Kälte, die dem Boden zu entströmen schien.

Anna trat näher, einen Pantoffel in jeder Hand, kniete sich vor Adelheid auf den strohbedeckten Boden und ersetzte die dünnen Seidenschuhe. »Ihr solltet Felle auf dem Boden auslegen lassen, wenn ihr länger hier hausen wollt.«

»Das ist eine hervorragende Idee«, befand Adelheid. »Schick mir den Kämmerer her, er soll sie mir besorgen.«

»Sofort, edle Königin. Und ich wollte fragen, ob Ihr mich für ein, zwei Tage entbehren könnt.«

»Nanu? Was hast du vor? Erst Gaidemar, jetzt du. Kann es sein, dass alle alten Getreuen mich verlassen, weil es ihnen in Pavia zu unwirtlich ist?«

Anna hob den Blick und sah ihr in die Augen, obgleich es sich nicht gehörte. »Wann hätte ich Euch je im Stich gelassen?«

Adelheid schüttelte lächelnd den Kopf und legte ihr für einen Moment die Hand auf die Schulter. »Du hast recht. Ich habe nur gescherzt. Ich kenne deine Treue und weiß sie auch zu schätzen.«

Die Zofe nickte zufrieden und kam auf die Füße. »Ich will nach Hause und sehen, ob meine Mutter noch lebt«, erklärte sie.

Adelheid wusste, dass Anna aus einem Dorf ganz in der Nähe stammte und in den vergangenen zehn Jahren ebensolches Heimweh gelitten hatte wie sie selbst. »Verstehe. Und natürlich kannst du gehen, Anna. Meine Haare werden zwar aussehen wie ein verlassenes Vogelnest, wenn du sie nicht bändigst, aber ein paar Tage werde ich ohne dich überstehen. Sag Wido, er soll dir eine Eskorte mitgeben.«

Anna lächelte und knickste. »Habt Dank. Der edle Herr Pippin von Atzbach war so gütig, mir seine Begleitung anzubieten.«

Adelheid schärfte sich ein, nicht die Stirn zu runzeln. Erstens bekam man Falten davon, und zweitens war es allein Annas Angelegenheit, wenn sie sich mit den Panzerreitern des Erzbischofs von Mainz einließ. Trotzdem musste man, wenn schon nicht den Anstand, dann doch wenigstens den Schein wahren. »Du kannst unmöglich allein mit einem Reitersoldaten durch die Lombardei ziehen. Richte Pippin von Atzbach aus, ich bestehe auf einer vierköpfigen Eskorte, und nimm eine der jungen Dienstmägde als Begleitung mit, hörst du.«

»Wie Ihr wünscht, meine Königin«, willigte Anna ein, auch wenn ihr Tonfall sagte, dass sie so viel Aufhebens um ihre Person albern fand. »Ach ja, und der junge Tedald von Canossa kam eben vorbei und lässt ausrichten, Bischof Rather und Graf Otbert wären dankbar für eine Unterredung mit Euch.«

»Stimmt es, dass Rather wieder Bischof von Verona werden soll?«, fragte Hulda.

Adelheid hob vielsagend beide Hände. »Ich weiß, die Veroneser haben ihn schon zweimal davongejagt. Er *ist* schwierig. Aber der König vertraut ihm, und wenn Rather über Verona herrscht, können wir sicher sein, dass uns von Norden aus niemand in den Rücken fällt, während wir nach Rom ziehen.« Sie streifte die Ringe über und stand auf. »Bring mir den Brokatumhang, Anna, und dann sagst du der Wache, sie soll Bischof Rather, Erzbischof Walpert und Graf Otbert herführen. Ich möchte heißen Wein zu dieser Unterredung und keine Knabbereien, damit sie nicht zu lange bleiben, hörst du?«

Anna knickste und ging hinaus.

»Gräfin, würdet Ihr nach dem Goldschmied schicken? Und lasst mich wissen, wenn Meister Stephanus eintrifft.«

Hulda erhob sich und betrachtete sie mit einem wissenden Lächeln. »Wie typisch für Euch. Statt trauernd durch die Ruinen Eures geliebten Palastes zu streifen, stürzt Ihr Euch in die Arbeit. Unter widrigen Umständen zeigt Ihr immer die größte Stärke.«

»Es muss daran liegen, dass mein Leben meist eine Aneinanderreihung widriger Umstände war«, gab Adelheid trocken zurück. »Vermutlich habe ich einfach viel Übung darin. Aber es scheint mir ein Glück, dass ich so bin, Hulda. Es gibt ein Wort dafür, das mir gerade nicht einfällt.«

Ihre Vertraute nickte. »Das Wort lautet ›königlich‹«, antwortete sie.

»Das sind immer noch ziemlich viele Soldaten«, sagte Faramond. Er ließ den Blick über das Zeltlager außerhalb der Burganlage schweifen, und seine Miene verriet Zweifel.

»Das braucht uns nicht zu kümmern«, erwiderte Gaidemar. »Sie werden zwei zerlumpten Mönchen keinerlei Beachtung schenken.«

Der Junge befingerte nervös den Sattelgurt seines Braunen. »Wie könnt Ihr Euch dessen so sicher sein?«

»Aus dem gleichen Grund, warum der Marder keine Jagd auf einen Igel macht: keine lohnende Beute, aber der Marder riskiert eine Nase voller Stacheln, wenn er ihm zu nahe kommt. Die Soldaten dort unten wissen, dass arme Mönche nichts besitzen, was zu rauben sich lohnt, sie aber ihr Seelenheil riskieren, wenn sie sie anrühren.«

Faramond atmete tief durch und brachte keine neuen Bedenken mehr vor. Dafür war es jetzt ohnehin zu spät, und außerdem hatten sie eine Vereinbarung: Wie er sich denn nun bewähren solle, hatte der Junge Gaidemar gefragt, nachdem die Schlacht an der Veroneser Klause ausgefallen war und die Feinde des Königs sich zerstreut hatten, sodass Faramond sich um seine Bluttaufe betrogen sah. Nach reiflicher Überlegung hatte Gaidemar ihm vorgeschlagen, ihn auf diese inoffizielle kleine Geheimmission zu begleiten. *Wenn wir beide einigermaßen heil zurückkehren, betrachte ich deinen Teil unseres Abkommens als erfüllt.*

Und hier waren sie also, zwei Tagesritte von Pavia entfernt, wo sich in den lieblichen, hügeligen Weinfeldern unweit von Asti eine trutzige Burg mit einer abweisenden Ringmauer aus grauem Stein erhob. Gaidemar und Faramond hatten ihr Lager in einem kleinen Eichenwäldchen aufgeschlagen, von wo aus sie gute Sicht auf das Haupttor und das Zeltlager davor hatten. Hier hatten sie eine unwirtliche Nacht verbracht und nichts als altbackenes Brot und Wasser aus einer nahen Quelle zu sich genommen, weil Gaidemar nicht erlaubt hatte, dass sein Bursche ein Feuer entzündete. Der Rauch hätte unliebsame Aufmerksamkeit erregen können.

Den Tag hatten sie genutzt, um das Kommen und Gehen am Torhaus zu beobachten und den Turnus der Wachablösung auszuspionieren, während Gaidemar seine vagen Pläne vervollständigte.

»Also dann«, sagte er, als der windige Herbstnachmittag zur Neige ging. »Es wird Zeit. Zieh dich um und mach einen frommen Hungerleider aus dir.«

Zufrieden beobachtete er, wie durchdacht Faramond seine Erscheinung veränderte. Er zog sich die Schuhe aus und krempelte die Beinlinge bis über die Knie auf. Dann schlüpfte er in die zerschlissene Mönchskutte und vergewisserte sich, dass der scheinbar zufällige Riss im Stoff genau über dem Schaft seines Messers am Gürtel darunter saß, sodass er die Klinge schnell ziehen konnte. Zu guter Letzt kratzte er mit den Fingern über die braune Erde, um Trauerränder unter die Nägel zu bekommen, brachte sein Haar in Unordnung und zog die Kapuze darüber.

»Sandalen?«, fragte Gaidemar.

Faramond schüttelte kurz den Kopf. »Ich gehe barfuß. Dann kann ich schneller laufen.«

»Gut.«

Auch Gaidemar entledigte sich seiner Schuhe und streifte das jämmerliche und ziemlich schmuddelige Mönchsgewand über. Er hatte schweren Herzens seinen kurzen Bart geopfert, weil Mönche nun einmal glattrasiert waren, und die zwei Tage alten Stoppeln schienen hervorragend geeignet, den verlotterten Eindruck zu unterstreichen, den er erwecken wollte. Genau wie Faramond verbarg er sein Messer unter dem Habit, aber anders als sein Bursche entschied er sich für die Sandalen und vervollständigte seine Kostümierung mit einer geknoteten Kordel, die ihm als Gürtel diente.

»Fertig. Binde die Pferde an, aber nicht zu fest. Falls wir nicht zurückkehren, sollen sie sich befreien können, ehe sie verhungern.«

Faramond zuckte nicht mit der Wimper, sondern gehorchte kommentarlos. Sie rollten ihre Siebensachen in ihre Decken und schnürten sie hinter den Sätteln auf die Rücken der Pferde. Gaidemar klopfte Amelung zum Abschied freundschaftlich den Hals, und dann machten sie sich zu Fuß auf den Weg zur Burg.

Kurz vor Sonnenuntergang war am Torhaus viel Betrieb: Die Tagwache wurde abgelöst, und die Offiziere aus dem Zeltlager kamen zum Nachtmahl in die Halle des Burgherrn. In dem allgemeinen Durcheinander schenkte niemand den beiden Mönchen besondere Beachtung, nur ein pausbackiger Junge, der die Nachtwache antrat, murmelte ein respektvolles »Gott sei mit Euch, Brüder«.

Gaidemar schlug milde lächelnd das Kreuzzeichen über ihm.

»Habt Ihr keine Angst, hierfür in die Hölle zu kommen?«, wisperte Faramond, als sie den schlammigen Burghof durchschritten.

»Nein«, gab Gaidemar ebenso leise zurück. »Nicht hierfür.«

Sie begaben sich zügig, aber ohne verräterische Hast zur Kapelle – einer verwitterten Bretterbude, die müde an der Nordmauer zu lehnen schien – und betraten das dämmrige Innere. Es war kalt und dumpfig. Nicht eine einzige Kerze brannte auf dem schmucklosen Holzaltar, und obwohl es die Stunde der Vesper war, ließ sich niemand blicken.

»Keine sehr frommen Leute hier, scheint es«, befand Faramond missfällig.

»Wir müssen trotzdem damit rechnen, dass ein Feldgeistlicher oder der Hauskaplan hier aufkreuzt«, warnte Gaidemar. »Also lass uns ein wenig beten. Das hat noch niemandem geschadet.«

Seite an Seite knieten sie sich auf den festgestampften Lehmboden. Faramond senkte den Kopf über die gefalteten Hände und schloss die Lider, während Gaidemar wachsam den Blick durch das lieblose Gotteshaus schweifen ließ und lauschte.

Niemand kam.

Zwei Stunden vor Mitternacht entledigten sie sich ihrer Verkleidung, versteckten die Kutten unter dem Altar und verließen die Kapelle. In der Burg war es still geworden. Gaidemar und Faramond drückten sich an die Bretterwand und sahen sich im Innenhof um. Die Wolkendecke war nur noch dünn, ein milchiger Dreiviertelmond beleuchtete sie von oben und machte die Nacht hell genug, um Gebäude und Umrisse zu erkennen.

Gaidemar wies zu einem soliden Fachwerkanbau an der Südseite der steinernen Haupthalle. »Dort dürften die Schlafgemächer sein. Lass uns gehen. Halte den Kopf gesenkt, damit die Wachen auf dem Wehrgang dein Gesicht nicht schimmern sehen.«

»In Ordnung.«

Sie nutzten jede Deckung, die sich ihnen bot, huschten von der Kapelle hinüber zum Viehstall, glitten weiter in den Schatten der Schmiede, wo man durch die offene Tür die Glut in der Esse sehen und das dröhnende Schnarchen des Schmieds hören konnte, und dann hatten sie den Schatten der Ringmauer erreicht. Faramond ließ im Gehen eine Hand über die kühle, raue Oberfläche der Steinquader gleiten und erstarrte, als ein gellender, unirdischer Schrei die Nacht zerriss.

Gaidemar legte ihm von hinten einen Augenblick die Hand auf die Schulter. »Steinkauz«, flüsterte er.

Faramond atmete langsam tief durch und bekreuzigte sich. »Der hat mir so gerade noch gefehlt, Herr.«

»Schsch«, warnte Gaidemar. »Wir sind da.«

Vor dem Fachwerkbau stand eine einzelne Wache, ein ungerüsteter junger Kerl mit verbeultem Helm, der sich lässig auf seine Pike stützte und blinzelnd nach rechts in die Dunkelheit spähte, von wo der Kauzruf gekommen war.

Gaidemar schlich sich mit gezücktem Messer lautlos von links an ihn heran, presste ihm die freie Rechte auf den Mund und stieß ihm von hinten die Klinge ins Herz. Ohne einen Laut sackte der Tote gegen ihn, und Gaidemar schleifte ihn in die Schatten neben dem Gebäude. Dort legte er ihn mit dem Gesicht nach unten ins feuchte Gras, befreite sein Messer und wischte es an den Kleidern des Toten sauber.

Dann ging er zurück zur Tür, wo Faramond bereits auf ihn wartete, die Pike des Wächters in der Hand. Behutsam drückte der Junge mit der flachen Hand die Tür auf, und Gaidemar glitt hinein. Er hatte damit gerechnet, dass dies einer der gefährlichsten Momente sein würde, weil die Mondnacht heller als das Innere der Schlafkammer war. Stattdessen blendete ihn der Schein einer Fackel gleich neben der Tür, und ehe seine Augen sich darauf einstellen konnten, spürte er einen Luftzug. Instinktiv duckte er sich nach links weg und ließ sich fallen. Er sah einen Schattenriss über sich, eine hohe Gestalt, die mit beiden Händen ein Schwert über die rechte Schulter hob, und gerade als Gaidemar erkannte, dass er nicht ausweichen konnte, weil zwischen Tür und Bett nicht genug Platz war, um zur Seite zu rollen, trat Faramond der Gestalt die Füße weg, die daraufhin polternd zu Boden ging und das Schwert unter sich begrub.

»Dado?«, kam eine schlaftrunkene Stimme vom Bett.

Gaidemar sprang auf den Gestürzten, stemmte ein Knie in dessen Kreuz, krallte die Linke in seinen Wuschelkopf und legte ihm die Klinge an die Kehle.

Der so rüde Geweckte auf dem Bett hatte sich aufgerichtet. »Was zur Hölle …«

»Still, Herr«, befahl Faramond, höflich, aber unmissverständlich grimmig, und setzte ihm die Spitze der Pike auf die nackte Brust.

Gaidemar stand auf und zerrte den Angreifer mit sich auf die Füße, der den Kopf zur Seite bog und vergeblich versuchte, sich loszureißen. Der Hauptmann rüttelte ihn unsanft, den Blick auf Faramonds Gefangenen gerichtet: ein großer, athletischer Mann mit blonden Haaren, Bart und Schläfen von Silberfäden durchzogen. Er war jetzt hellwach, die Körperhaltung angespannt, aber in seinem Blick lag keine Furcht.

»Graf Guido von Asti, nehme ich an?«

»Ganz recht. Und ich habe die Ehre mit …?«

»Mein Name ist Gaidemar, Hauptmann der Legion des heiligen Alban.«

»Gai… wer?«, fragte Guido desinteressiert, um ihm seine Geringschätzung zu bekunden.

»Es spielt keine Rolle«, gab Gaidemar mit einem frostigen Lächeln zurück. »Es lohnt sich nicht mehr, dass Ihr Euch meinen Namen merkt.«

Der Graf musterte ihn ungläubig und griff nach der Felldecke, als wolle er sie bis zur Brust hochziehen.

»Lasst Eure Hände, wo ich sie sehen kann«, befahl Gaidemar. Er presste den Unterarm vor die Kehle seines Gefangenen und setzte ihm die Dolchspitze an den äußeren Winkel des rechten Auges. »Denkt lieber nicht, ich würde auch nur einen Herzschlag zögern, ihn zu blenden.«

Der junge Mann zog hörbar die Luft ein und wurde stocksteif.

Gaidemar ließ Guido von Asti nicht aus den Augen und erkannte, dass diesem das Schicksal des Wuschelkopfs nicht gleichgültig war.

»Nimm die Decke vom Bett und fessle die Hände des Grafen links und rechts neben seinem Kopf an den Balken«, trug Gaidemar Faramond auf, zog zwei aufgewickelte dünne Lederriemen aus dem Beutel am Gürtel und warf sie dem Jungen zu.

Der fing die kleinen Bälle mühelos, trat an die Schlafstatt, packte zuerst Guidos rechtes Handgelenk und band es fachmännisch an das stabil gezimmerte Bett, dann das linke, ehe er die Felldecke mit einem Ruck ins Bodenstroh beförderte.

»Jetzt du«, sagte Gaidemar und stieß Wuschelkopf das Knie in die Nieren. »Dein Name ist Dado von Benevent?«

»So ist es«, gab der verdrossen zurück. »Und was immer du vorhast, du musst den Verstand verloren haben. Du hast vermutlich keine Ahnung, wer Graf Guido von Asti ...«

»Sei lieber still. Sonst ist deine Zunge das Erste, was du verlierst«, unterbrach Gaidemar.

Dado warf ihm über die Schulter einen flackernden Blick zu. Vielleicht war es der leidenschaftslose Tonfall, der ihn einschüchterte. Gaidemar sprach, als wäre er die Ruhe selbst, und achtete darauf, dass auch seine Miene seinen Hass und seinen Zorn nicht preisgab. Denn Rache war eine Speise, die man am besten kalt genoss, wusste er.

Er drängte Dado vor sich her zu der breiten Schlafstatt und zwang ihn darauf nieder, bis der Jüngere halb aufgerichtet auf dem Rücken lag, genau wie der Graf. Gaidemar presste ihm das Knie auf die Brust, damit er stillhielt, und fesselte auch Dados Handgelenke ans Bett.

Dann trat er einen Schritt zurück und betrachtete seine Gefangenen im unruhigen Fackelschein. Da sie nur mit ihren Beinlingen aus feinster Wolle bekleidet waren, sah man, dass Guidos Brust und Arme von den Erinnerungen an so manche Schlacht geziert waren, Dados hingegen glatt und unversehrt. Beide Männer beobachteten ihn, die dunklen Augen voll adligem Hochmut, die Kiefermuskeln versteinert, Dados Miene trotzig, Guidos wachsam. Gaidemar entging keineswegs, dass der Graf versuchte, unauffällig an seinen Handfesseln zu zerren.

»Faramond.«

»Ja, Herr?«

»Geh hinaus, hol dir den Helm des Wachsoldaten und nimm seinen Platz vor der Tür ein. Bleib auf deinem Posten, ganz gleich, was du von hier drinnen hörst.«

»Wie Ihr befehlt.«

Gaidemar wartete, bis die Tür in seinem Rücken sich schloss. Dann sagte er: »Ich erkläre euch, wie es jetzt weitergeht: Ich kann euch nicht knebeln, da ich ein paar Antworten von euch will, aber sobald ihr die Stimmen erhebt, um die Torwache herbeizulocken, töte ich euch beide. Wenn ihr meine Fragen zu meiner Zufriedenheit beantwortet, bleibt zumindest einer von euch vielleicht am Leben. Klar?«

»Und was mag es sein, das deine Wissbegier in solchem Maße geweckt hat, dass du all diese Mühen auf dich nimmst, Hauptmann Gaidemar?«, fragte der Graf im höhnischen Plauderton.

Gaidemar ging nicht darauf ein, dass Guido seinen Namen nun offenbar doch kannte, denn er gedachte nicht, wie eine dressierte Maus nach dessen Pfeife zu tanzen. »Prinz Liudolf. Einer von euch beiden hat ihn vergiftet. Ich will wissen, wer. Also sagt es mir, und zwar zügig, wenn euch an eurer Unversehrtheit gelegen ist.«

Die beiden Schwäger tauschten einen Blick, aber Gaidemar konnte nicht deuten, welche stummen Botschaften sie einander sandten.

»Ich habe keine Ahnung, wie Ihr auf solch einen Gedanken kommt, Hauptmann ...«, begann Guido im Brustton der Empörung.

Er verstummte abrupt, als die matte, aber mörderisch scharfe Klinge aufblitzte und Gaidemar mit einer sparsamen Bewegung aus dem Handgelenk den Daumen von Dados gefesselter Hand trennte. Blitzschnell legte er dem Verstümmelten die Rechte mit der blutigen Klinge auf den Hinterkopf und presste ihm die andere Hand auf die Lippen, gerade als er anfing zu schreien.

»Schsch«, machte Gaidemar, halb tröstend, halb streng, wie ein Vater, der sein Söhnchen beim Fechtunterricht ermahnt, nicht über jeden Kratzer zu heulen.

Grauen weitete Dados Augen, sie starrten zu Gaidemar empor,

und von einem Herzschlag zum nächsten waren Gesicht und Brust des jungen Mannes schweißüberströmt. Er atmete abgehackt und schnell, aber er schrie nicht mehr. Als Gaidemar seinen Kopf freigab, ließ er ihn nach hinten gegen das hölzerne Kopfteil des Bettes sinken, an das er gefesselt war, und kniff stöhnend die Augen zu.

Gaidemar ergriff den abgetrennten Daumen mit spitzen Fingern und warf ihn zu Graf Guido hinüber. Die unappetitliche, blutige Gliedmaße landete mit einem leisen Klatschen neben dessen Bauchnabel.

Während Dado um Fassung rang, blieb Guido vollkommen ungerührt.

»Lügt mich nicht an, Graf«, mahnte Gaidemar kopfschüttelnd. »Und baut lieber nicht darauf, dass ich mit dem Zeigefinger weitermache. Es könnte ebenso seine Eier erwischen. Oder Eure.« Er sah Guido in die Augen und erkannte, dass der ihm glaubte. »Also: Noch einmal. Wer von Euch hat Prinz Liudolf vergiftet?«

Wohl ein Dutzend Mal hatte er Tedald von Canossa danach befragt und ihm keine Ruhe gelassen, bis der ihm alles erzählte, was sein Vater, Graf Atto, über jenen Unglückstag am Lago Maggiore berichtet hatte. Wieder und wieder. Aber er hatte keine Gewissheit bekommen, denn weder Atto noch Ida, Dedi oder Wim hatten ergründen können, wie Liudolf das Gift verabreicht worden war.

»Ich«, sagten der Graf und sein Schwager im Chor.

Gaidemar stieß verächtlich die Luft aus, hielt Dado wieder mit der Linken den Mund zu und stach ihm mit der Dolchspitze das rechte Auge aus. Dieses Mal war der Schrei so gellend, dass selbst Gaidemars große Hand ihn nicht ganz dämpfen konnte. Dado bäumte sich heulend auf, erschlaffte dann und lag still, weil er besinnungslos war. Er hatte sich bepinkelt, stellte Gaidemar mit distanziertem Desinteresse fest und wischte die unappetitlichen blutigen Überreste des Auges, die auf seinen Handrücken getropft waren, bedächtig am Bettlaken ab.

Sein Blick schien außergewöhnlich klar im zuckenden Schein der einzelnen Fackel, sein Gehör gleichermaßen geschärft. Gaidemar sah alles und hörte alles, und er fühlte überhaupt nichts. Was er an Barmherzigkeit oder Mitgefühl besitzen mochte, hatte er betäubt, so als wäre dieser Teil von ihm in den Tiefen eines Wintersees eingefroren. Darum war es die reine Wahrheit, als er zu Guido sagte: »Ich kann so weitermachen, bis die Sonne aufgeht, mir ist es gleich. Also zum dritten Mal: Wer von euch hat Liudolf vergiftet?«

»Du verfluchter Hurensohn!«, stieß Guido hervor und zerrte ebenso wütend wie vergeblich an seinen Fesseln. »Walpert hat mir im Namen der Königin *geschworen*, dass Otto mich wegen dieser alten Geschichte nicht behelligen würde! Nur deswegen haben wir euch in der Veroneser Klause nicht abgeschlachtet, was wir mühelos gekonnt hätten, einen nach dem anderen, mitsamt dem angeblich unbesiegbaren Otto! Wie *kannst* du es wagen, diese Zusicherung zu brechen?«

»Mühelos, Graf«, eröffnete Gaidemar ihm. »Denn ich unterstehe weder Adelheids Befehl noch Ottos, sondern dem des Erzbischofs von Mainz, der Liudolfs Bruder ist und mir auferlegt hat, den Tod des Prinzen zu rächen. Nur deswegen hat er seine Reiterlegion über die Alpen geschickt.« Er fand nicht, dass er verpflichtet war, hinzuzufügen, dass er ohne Wilhelms Auftrag genau das Gleiche getan hätte, um den Tod seines Cousins und Freundes zu rächen, denn nicht *er* war derjenige, der sich hier und heute für seine Taten verantworten musste.

Wieder packte er Dado, der sich jammernd zu regen begann, beim üppigen Lockenschopf und setzte die Dolchspitze an das verbliebene Auge.

»Nein, wartet«, sagte Guido atemlos, halb flehend, halb befehlend, und eine einzelne Träne rann über seine stoppelige Wange zum ausgeprägten Kin hinab. »Lasst ihn zufrieden, um der Liebe Christi willen, er hatte keine Ahnung, was es mit dem Ring auf sich hatte ...«

»Was für ein Ring?«, fragte Gaidemar barsch.

»Berengar hatte ihn mir gegeben. Unter dem Stein verbarg sich eine winzige Kammer, in der war das Gift. Ich wusste, Liudolf würde Dado als Geisel nehmen, also habe ich Dado den Ring geschenkt und gesagt, wenn der Prinz dir nahe kommt und du die Gelegenheit findest, ritze ihm die Haut mit der Fassung ein, öffne den Ring und sieh zu, dass das Pulver aus der Kammer in die Wunde gelangt.«

»Und Ihr wollt mir weismachen, er hätte nicht gewusst, was das bedeutet?«

Guidos Blick ergriff vor dem seinen die Flucht. »Tut ihm nichts mehr, Hauptmann«, bat er tonlos. »Wenn Ihr Rache wollt, nehmt mich, denn der Junge hat nur getan, was ich ihm aufgetragen habe. Er ist arglos. Gutherzig. Lasst ihn leben, ich ... flehe Euch an.« Aber er flehte vergeblich. Die einzige Gnade, die Gaidemar Dado von Benevent erwies, war, dass er ihm als Erstem die Kehle durchschnitt.

Er hatte das schauerliche Blutbad, das er auf dem Bett angerichtet hatte, mit der Felldecke verhüllt und sich in der Wasserschüssel auf dem Tisch das Blut abgewaschen, ehe er die Tür öffnete und sagte: »Du kannst wieder hereinkommen, Faramond. Es ist vorüber.«

Der Junge trat über die Schwelle, nahm den erbeuteten Helm ab und ließ den Blick über die beiden reglosen, unförmigen Erhebungen unter der Felldecke gleiten. »Will ich wissen, warum Ihr zwei gefesselte Männer getötet habt und einer von beiden vorher geschrien hat wie ein Ferkel auf der Schlachtbank?«

»Keine Ahnung«, erwiderte der Hauptmann. »Denk darüber nach und sag mir Bescheid, wenn du dich entschieden hast.«

Er würdigte die Richtstätte keines Blickes mehr, löschte stattdessen die Fackel und führte den Jungen in die Nacht hinaus und zurück zur Kapelle, wo sie die versteckten Mönchsgewänder unter dem Altar hervorholten.

»Und nun?«, flüsterte Faramond, als sie wieder ins Freie traten. »Warten wir bis Tagesanbruch und hoffen, bei der Wachablösung noch einmal unbemerkt durchs Tor zu kommen?«

Doch Gaidemar schüttelte den Kopf. Vermutlich würden die beiden Leichen lange vorher entdeckt werden, und dann würde hier die Hölle losbrechen, jeder Winkel der Burg durchsucht und jeder Fremde festgenommen, der sie zu verlassen suchte. »Wir verschwinden jetzt gleich. Hier.« Er hielt ihm den dicken Strick hin, der sein Mönchsgewand gegürtet hatte. In Wahrheit war es eine starke, aber dünne Hanfkordel, die er zusammengedreht hatte. »Wir klettern auf das Dach der Kapelle und weiter auf die Mauerkrone. Hiermit seilen wir uns ab. Die Kordel ist dünn, also reiß deine Kutte in Streifen und wickle sie um deine Hände, damit du dich nicht verletzt, klar?«

»Woher habt Ihr gewusst, dass wir über das Kapellendach auf die Mauer kommen würden?«, fragte Faramond erstaunt.

Gaidemar hatte es nicht gewusst. Er war ein Risiko eingegangen. »Beweg dich, Junge, wir müssen uns beeilen.«

Unbeschadet gelangten sie über die Ringmauer der Burg, und beim letzten Licht des untergehenden Mondes liefen sie geduckt zwischen den ordentlichen Reihen aus Weinstöcken entlang zum Saum des Eichenwäldchens, wo ihre Pferde warteten. Voller Erleichterung legte Gaidemar das Schwert wieder an. Sie streiften ihr gutes Schuhwerk über und schnürten die Bänder zu, so gut es bei der Dunkelheit ging, saßen auf und ritten in südöstlicher Richtung davon – zwei große Schatten in der jetzt pechschwarzen Nacht.

Gaidemar ließ die Zügel lang, damit Amelung sich selbst einen Weg suchen konnte.

»Ja«, sagte Faramond schließlich, als sie gewiss schon eine halbe Stunde unterwegs waren.

Gaidemar nickte gleichmütig, auch wenn der Junge es vermutlich nicht sehen konnte. »Sie mussten sterben, weil sie Prinz Liudolf vergiftet haben.«

»Gott, ist das wahr?«, fragte Faramond erschüttert. »Ein *Graf* begeht einen so widerwärtigen Mord?«

»Ich fürchte.«

»Und … der Rest?«

»Ich musste wissen, wie es geschehen ist. Für mich selbst, aber ebenso für Erzbischof Wilhelm, der genauso wenig mit dem Tod des Prinzen abschließen konnte, weil er nicht wusste, wie es passiert ist und wer wirklich dafür verantwortlich war.« Gaidemar ahnte, dass es dem König nicht anders erging. »Es war nicht ganz einfach, Graf Guido und seinem Schwager die Wahrheit zu entlocken. Ich musste ihnen ziemlich rüde auf die Sprünge helfen.«

»Haben sie sich gegenseitig bezichtigt?«

»Nein. Sie haben sich gegenseitig zu schützen versucht. Aber für noble Gesten war es ein bisschen zu spät.«

»Hm«, machte Faramond versonnen, und es war so lange still, dass Gaidemar schon zu hoffen begann, er habe für den Rest der Nacht seine Ruhe.

Aber dann bekannte der Junge zögernd: »Es verwundert mich trotzdem. Die noble Geste, wie Ihr es nennt, Hauptmann. Weil sie doch ... Ihr wisst schon. In Unzucht miteinander gelebt haben.«

»Was in aller Welt hat das damit zu tun?«, fragte Gaidemar verwundert.

»Na ja. Es ist eine schreckliche Sünde, oder? Ein Gräuel, steht in der Bibel. Ich dachte ... Ich habe geglaubt, Ihr hättet sie deswegen leiden lassen. Weil sie ... durch und durch verderbt waren.«

Gaidemar dämmerte, dass Faramond offenbar nicht über seinen Bruder und Sigurd von Hersfeld Bescheid wusste, die er so glühend bewunderte, die jedoch nicht zufällig ein Zelt teilten, seit sie vor all den Jahren als Grünschnäbel mit den ersten Rekruten zur St.-Albans-Legion gekommen waren. Und jetzt schien kein sehr glücklicher Zeitpunkt, es ihm zu sagen.

»Nein. Nicht deswegen. Das ist mir gleich. Und wenn es Gott wirklich ein Gräuel ist, muss man sich fragen, warum die Mönche es tun. Graf Guido und Dado von Benevent waren nicht durch und durch verderbt, Faramond. Ich habe getan, was nötig war, um die Wahrheit aus ihnen herauszuholen, und wären die Dinge anders gewesen, hätte ich einen von ihnen leben lassen. Aber sie haben zusammen heimtückisch einen Mann ermordet, und dafür schuldeten sie ihr Leben. Alle beide. Das war alles.«

»Ja, ich schätze, das verstehe ich.« Der Junge dachte eine Weile nach, ehe er sich vorsichtig erkundigte: »Und kann ich Euch noch eine allerletzte Frage stellen, Hauptmann?«

»Wenn's sein muss.«

»Wie ... fühlt es sich an? So etwas zu tun? So grausam zu sein?«

Gaidemar lag eine scharfe Abfuhr auf der Zunge, aber er schluckte sie hinunter. Er hatte Faramond zum Komplizen seiner Taten gemacht, wusste er, und darum schuldete er ihm ein paar aufrichtige Antworten. Also sagte er ihm die Wahrheit: »Einsam.«

Rom, Januar 962

»Die Römer nennen diesen Hügel Monte Mario«, erklärte Abt Hatto. »Aber er wird auch Mons Gaudii genannt, der Berg der Freude, weil die Pilger nach ihrer langen Reise gen Rom von hier aus erstmals die heiligen Stätten sehen können.«

Adelheid und Otto standen Seite an Seite und schauten auf die riesige Stadt hinab, die sich zu ihren Füßen erstreckte. Der unablässige Regen verschleierte den Anblick, aber die Königin erahnte ein schier unfassbares Gewirr aus Häusern, Palästen, Kirchen und Ruinen, das sich südöstlich von ihnen bis zum Tiber erstreckte und sich am anderen Ufer fortsetzte, ehe es sich im grauen Dunst verlor.

Otto bekreuzigte sich. »Ein Berg der Freude in der Tat, ehrwürdiger Vater.« Dann wandte er den Kopf und sah seine Frau lächelnd an. »Und? Was sagst du?«

Auch Adelheid schlug das Kreuzzeichen und schüttelte langsam den Kopf. »Nichts, mein König. Ausnahmsweise fehlen mir die Worte.«

Rom. Ihr gemeinsamer Weg hierher war so lang und so beschwerlich gewesen, aber das war es nicht, was Adelheid mit solcher Ergriffenheit erfüllte. Es war die Ewige Stadt selbst, die mit dem Grab des heiligen Petrus und dem Sitz des Papsttums das Herzstück ebenso wie die Wiege des Christentums war. Fast hatte sie Mühe zu glauben, dass sie tatsächlich hier stand.

Sie schluckte energisch. »Gott erweist uns eine große Gnade, dass er uns hergeführt hat, Otto.«

Er ergriff für einen Moment ihre Hand und drückte sie kurz, ehe er sie wieder losließ und sich an den Abt von Fulda wandte:

»Also, macht Euch auf den Weg zum Heiligen Vater und findet heraus, ob er gewillt ist, die Königin und mich am kommenden Sonntag zu krönen.«

Hatto wies mit einem treuherzigen Lächeln auf Ottos Heer, das am Fuße des Hügels auf dem Neronischen Feld ein freudloses Lager im Schlamm aufgeschlagen hatte. »Er kann schwerlich ablehnen, mein König.«

»Nein, ich weiß«, räumte Otto ein. »Aber ich wünsche nicht, dass er oder der römische Adel den Eindruck gewinnen, wir erzwingen diese Krönung mit vorgehaltenem Schwert. Dank der guten Verbindungen und der Klugheit der Königin haben wir den Norden Italiens befriedet. Es wäre töricht, jetzt noch um Rom eine Schlacht zu schlagen.«

»Ich glaube nicht, dass seine Heiligkeit das riskieren würde«, sagte Hatto zuversichtlich.

»Gewiss nicht«, stimmte Adelheid zu. »Erinnert ihn daran, dass Berengar immer noch auf freiem Fuß ist und den Kirchenstaat weiter bedrohen und drangsalieren wird, bis Otto sich seiner annimmst und ihn ein für alle Mal zur Strecke bringt.«

»Was ich tun werde«, versprach der König grimmig. »*Nach* der Kaiserkrönung.«

Hatto von Fulda grinste wie ein Lausebengel. »Der Heilige Vater wird gewiss erleichtert sein, das zu hören.«

Gaidemar kam mit einem hübschen grauen Wallach am Zügel, und ein kleines Rinnsal tröpfelte von seinem Helm, als er sich verneigte. »Eure Eskorte steht bereit, ehrwürdiger Vater.«

Hatto nickte. »Habt Dank, mein Sohn.« Mühelos schwang er sich in den Sattel und nahm die Zügel auf.

»Wie viele Männer nimmst du mit?«, fragte der König den Hauptmann gedämpft.

»Zwei Dutzend«, antwortete Gaidemar. »Weniger wäre leichtsinnig, mehr würde unseren Argwohn gar zu offensichtlich machen.«

»Du hast recht. Also geht mit Gott.« Otto legte Gaidemar für einen Moment die Hand auf den Unterarm und entließ ihn dann mit einem Lächeln.

Dergleichen hätte er früher nie getan, fuhr es Adelheid durch den Sinn. Aber wie so viele Dinge hatte sich auch Ottos Haltung seinem unehelichen Neffen gegenüber geändert, seit sie über die Alpen gekommen waren.

Sie hatten einen aufreibenden und schwierigen Herbst in Pavia verlebt. Mit Meister Stephanus' Hilfe hatten sie den Palast wieder instand gesetzt, aber vor allem hatten sie entthronte Bischöfe, vertriebene Äbte und verbitterte Adlige empfangen, die unter Berengars Herrschaft gelitten hatten, und getan, was in ihrer Macht stand, um begangenes Unrecht wiedergutzumachen. Grafen und Bischöfe wurden wieder eingesetzt, verdiente Weggefährten wie Atto von Canossa und Otbert von Mailand wurden mit Titeln und Ländereien belohnt, und Letzteren erhob Otto zum Pfalzgrafen von Italien, seinem Stellvertreter für sein Reich südlich der Alpen. Bei jedem Schritt und jeder Entscheidung hatte Otto sich mit Adelheid beraten und sich ihre verwandtschaftlichen Beziehungen wie auch ihre Kenntnisse des hiesigen Adels zunutze gemacht, und so war es nur folgerichtig, dass er sie in den Urkunden als *Consors Regni* bezeichnen ließ, als seine Mitregentin, genau wie Lothar es einst getan hatte. Adelheid wusste, genau das war sie, und der Titel stand ihr zu. Trotzdem erfüllte es sie mit Stolz und Befriedigung, dass Otto dies öffentlich anerkannte.

Doch er hatte sich nicht entlocken lassen, was es mit seiner plötzlichen Zuneigung für Gaidemar auf sich hatte. Wertschätzung hatte Otto seinem Neffen schon seit der Schlacht auf dem Lechfeld entgegengebracht, aber dies hier war etwas Neues. Etwas Vertrautes, Verschwörerisches. Adelheid war sicher, es hatte irgendetwas mit Guido von Astis rätselhaftem und grausigem Tod zu tun. Die Nachricht hatte sie kurz nach Allerheiligen erreicht, und auch wenn sie keine große Trauer auslöste – denn niemand hatte Graf Guidos Abkehr von Berengar getraut –, war sie doch sonderbar und verdächtig. Niemand schien zu wissen, wer dahintersteckte, es gab keinerlei Spuren oder Hinweise, so als wäre es ein geisterhafter Unhold gewesen, der die blutige Tat begangen hatte.

Dann war kurz vor Weihnachten ein Brief von Wilhelm eingetroffen. Der König hatte Adelheid vorgelesen, was der Erzbischof ihnen über die Gesundheit und die Fortschritte des kleinen Königs Otto zu berichten hatte, und sie war selig gewesen, so viel Gutes von ihrem Sohn zu hören. Das hatte sie indes nicht blind für die Tatsache gemacht, dass Wilhelms Epistel wesentlich länger war als die Passage, die der König ihr vortrug. Noch am selben Tag hatte er Gaidemar in dessen Zelt aufgesucht, und tags darauf – am Weihnachtstag – hatte der junge Faramond von Limburg vom König selbst die Schwertleite empfangen, obwohl doch Gaidemar als Hauptmann der Reiter des heiligen Alban seinem Burschen ebenso gut selbst Schwert und Sporen hätte anlegen können, um ihn in seine Legion aufzunehmen. Aber offenbar war es dem König ein Bedürfnis gewesen, Faramond, die ganze Legion und damit auch ihren Kommandanten zu ehren.

Adelheid hatte keine Einwände dagegen, wenn Männer ihre blutigeren Geheimnisse lieber für sich behielten. Im Gegenteil – sie misstraute Aufschneidern wie Berengar oder Henning, die sich mit ihrer Erbarmungslosigkeit brüsten oder ein Spektakel daraus machen mussten. Was sie hingegen ein wenig kränkte, war, dass sie sich ausgeschlossen fühlte, denn die königliche Gunst, die ihr einstiger Vertrauter neuerdings genoss, schien die Entfremdung zwischen Gaidemar und ihr selbst zu vertiefen. Und ganz gleich, wie oft sie sich vorbetete, dass dieses Gekränktsein eine kindische Anwandlung war – einer angehenden Kaiserin ganz und gar unwürdig –, sie ließ sich nicht verscheuchen.

»Und?«, fragte Hatheburg gespannt. »Hast du ihn gesehen?« Ihre Augen funkelten erwartungsvoll.

»Wen magst du nur meinen?«, entgegnete Gaidemar scheinbar verwundert und saß ab.

Seine Schwester schlug ihm nicht gerade sanft mit dem Handrücken vor die Brust. »Den *Papst* natürlich, du Troll!«

Er grinste flüchtig und überreichte Amelungs Zügel dem erstbesten Soldaten, der vorbeikam, denn seit Faramonds Schwertleite hatte er wieder einmal keinen Burschen. »Ja, ich habe ihn gesehen«, antwortete er seiner Schwester.

»Wie war er?«

Gaidemar führte sie in sein Zelt. Es war klamm und kalt im Innern, aber wenigstens regnete es nicht, und es war einigermaßen geräumig, was vermutlich der Grund dafür war, dass seine Freunde es zu ihrem bevorzugten Treffpunkt erkoren hatten – natürlich ohne ihn um Erlaubnis zu fragen.

Pippin und Sigurd saßen am Tisch über eine Partie Mühle gebeugt und teilten einen Becher Würzwein. Faramond und Volkmar, die ebenfalls zu Abt Hattos Eskorte gezählt hatten, nahmen die Helme ab und setzten sich zu Bolilut ans andere Tischende. Gaidemar streifte den nassgeregneten Mantel ab und entledigte sich seines Helms, ehe er sich neben seiner Schwester auf der wackligen Bank niederließ. Hatheburg schenkte ihnen aus dem dampfenden Weinkrug ein.

»Es stimmt, dass Papst Johannes sehr jung ist«, begann Gaidemar seinen Bericht. »Aber ich glaube nicht, dass er solch ein Einfaltspinsel ist, wie Erzbischof Brun es gern hätte. Mir scheint, er steht unter enormem Druck. Natürlich konnte ich nicht verstehen, was er und Abt Hatto zueinander gesagt haben, denn sie sprachen Lateinisch. Aber auf dem Rückweg hat der Abt uns erzählt, der Papst fürchtet, dass der römische Adel sich gegen den König erheben könnte. Papst Johannes hat offenbar nur begrenzten Einfluss auf die mächtigen Männer seiner Stadt. Jedenfalls fordert er einen Sicherheitsschwur von König Otto, dass er als Kaiser die Kirche und ihren obersten Hirten beschützen wird, nicht in römische Belange eingreift und der Kirche zurückgibt, was ihm an kirchlichem Besitz in die Hände fällt.«

»Nun, einen solchen Eid wird der König doch sicher bereitwillig leisten«, mutmaßte Sigurd. »Der Schutz und das Wohl der Kirche sind doch seit jeher sein größtes Anliegen.«

Gaidemar nickte. Was die Belange der *Kirche* betraf, werde Otto jeden verlangten Eid leisten, hatte Abt Hatto dem Papst zu verstehen gegeben. Die Machtansprüche des römischen Adels, die zukünftigen Grenzen des Kirchenstaates und alles Weitere solle ein Vertrag regeln, der noch auszuhandeln sei. *Nach* der Krönung. »Ich bin überzeugt, der Papst weiß genau, dass er keinen entschlosseneren Beschützer der Heiligen Mutter Kirche finden könnte als den König. Aber er weiß auch, dass er den Bogen nicht überspannen darf, denn Otto steht mit zwanzigtausend Mann vor seinen Toren.«

»Und wie groß ist das päpstliche Heer?«, wollte Pippin wissen.

»Es gibt keines.«

»Wenn man von den himmlischen Heerscharen einmal absieht«, warf Volkmar flegelhaft ein und erntete einen strengen Blick von seinem Bruder.

Um zu verhindern, dass sie anfingen zu streiten – denn seit Faramonds Aufnahme in die Legion trübte ein kindischer Wettstreit um Gaidemars Anerkennung das Verhältnis der Brüder –, setzte der Hauptmann seinen Bericht fort: »Der Lateranpalast ist riesig und ein fürchterliches Wirrwarr aus verschiedenen Bauwerken, weil er alle paar Jahre niederbrennt und neu aufgebaut wird. Aber die Halle, in welcher der Papst den ehrwürdigen Abt empfing, war die prunkvollste, die ich je gesehen habe. Selbst die neue Halle der Königin in Magdeburg kann sich nicht damit messen. Die Säulenreihen an beiden Seiten schienen himmelhoch aufzuragen, und der Boden war nicht mit Binsen bestreut, sondern mit glänzendem Marmor in verschiedenen Farben ausgelegt, die ein herrliches Muster ergaben.« Er winkte seufzend ab. »Ich bin nicht der Richtige, um sie euch zu beschreiben. Aber vermutlich werdet ihr sie ja in ein paar Tagen selbst sehen.«

»Also denkst du, die Krönung wird bald stattfinden?«, fragte Bolilut.

Gaidemar nickte. »An Mariä Lichtmess, hat Abt Hatto vorgeschlagen. Das ist übermorgen.«

»Lasst uns beten, dass es bis dahin aufhört zu regnen«, warf Hatheburg ein. »Die Krönungsgewänder der Königin sind nicht für dieses grässliche Wetter gemacht, und ich habe gehört, das Dach der Petersbasilika sei löchrig und lasse jedes Wetter ein.«

Tatsächlich ließ der Regen im Laufe des folgenden Tages nach, und gegen Abend klarte es auf. Der zweite Februar, der Tag des Festes Mariä Lichtmess, der in diesem Jahr auf einen Sonntag fiel, brach strahlend und ungetrübt an, und als Otto, Adelheid und ihr zahlreiches Gefolge vom Monte Mario aus zur Stadt zogen, wärmte die Morgensonne sie mit frühlingshaft anmutender Kraft.

Der König und die Königin waren in Gewänder aus weißem Seidenbrokat gekleidet, sodass man die Augen zusammenkneifen musste, wenn man sie anschaute, um nicht geblendet zu werden. Ihnen folgten die Fürsten der Welt und der Kirche, die sie auf dem langen Weg nach Rom begleitet hatten, angeführt von Erzbischof Adelgis von Hamburg-Bremen und Herzog Burchard von Schwaben, und eintausend handverlesene Männer der königlichen Leibgarde und der Reiterlegion des heiligen Alban bildeten Schutz und Ehrengeleit zugleich, als sie über die breite, gepflasterte Via Triumphale zur Porta Sant Peregrini ritten. Dort erwartete sie Papst Johannes mit seinen Würdenträgern und einer Abordnung der Stadt, um sie zur Petersbasilika zu geleiten.

Vielleicht wären zweitausend Mann doch besser gewesen, argwöhnte Gaidemar, als die Straßen im leonischen Viertel enger und schließlich zu schlammigen Gassen wurden. Schaulustige waren in großer Zahl erschienen und säumten selbst noch das schmalste Sträßchen, pressten sich mit den Rücken an Palastmauern, Kirchenwände, Tempelruinen oder erbärmliche Bretterbuden, die sich hier in loser Reihenfolge abwechselten, um den prunkvollen Zug hindurchzulassen. Aber nur die Kinder jubelten und winkten. Die erwachsenen Römer – Adlige in farbenprächtigen Seidenroben ebenso wie Bettler in Lumpen – beobachteten das fremde Königspaar schweigend und mit ernsten Gesichtern, in denen mal Misstrauen und Furcht, mal Herablassung zu lesen waren und manchmal auch eine Mischung aus alldem. Nein, herbeigesehnt hatten die Römer den blonden, blauäugigen Hünen aus dem Norden nicht, so viel stand fest. Vermutlich betrachteten sie ihn als notwendiges Übel, weil er in ihren Augen immer noch besser war als der Wüterich Berengar. Aber Ergebenheit sah anders aus.

Mit ein paar gemurmelten Befehlen zog Gaidemar seine Männer enger um das Königspaar zusammen.

Doch alles blieb ruhig, und sie erreichten den sonnenbeschienenen Vorplatz der Petersbasilika auf dem vatikanischen Hügel ohne Zwischenfälle. Gaidemar starrte mit leicht geöffneten Lippen an dem altehrwürdigen Bauwerk empor und hatte seine liebe Müh, mit den Gedanken bei seiner Aufgabe zu bleiben. Er hatte geglaubt, die Pfalzkapelle zu Aachen oder die erzbischöfliche Kirche in Köln seien groß. Doch dieses gewaltige, fünfschiffige Gotteshaus aus säuberlich gemauerten Ziegeln überstieg alles, was er sich je hätte vorstellen können. Man sah ihm an, dass es einer der heiligsten Orte der Christenheit war, und Gaidemar bekreuzigte sich und spürte einen Schauer der Ehrfurcht seinen Rücken hinabrieseln.

Dann nahm er sich zusammen, saß ab und trat zur Königin, um ihr Pferd zu halten, während Herzog Burchard ihr aus dem Sattel half.

Mit wehenden Gewändern und mehr jugendlicher Leichtigkeit als feierlicher Würde lief der Papst die breite Treppe zu den drei geöffneten Bronzeportalen hinauf, und das Königspaar folgte ihm mitsamt Gefolge in den säulenumstandenen Innenhof, der das »Paradies« genannt wurde. In seiner Mitte befand sich ein wundervoller Brunnen: Acht filigrane Säulen aus Porphyr trugen eine goldene Kuppel, unter welcher ein bronzenes Gebilde aufragte, das wie ein rundlicher Tannenzapfen aussah. Wasser ergoss sich darüber und funkelte im Sonnenlicht.

»Was ist heilig an einem Tannenzapfen?«, wisperte Volkmar an seiner Seite.

»Keine Ahnung«, gab der Hauptmann tonlos zurück. »Und jetzt halt die Klappe.«

»Es ist ein Pinienzapfen«, belehrte Abt Hatto sie flüsternd, der in der Reihe der kirchlichen Würdenträger gleich hinter ihnen stand. »Und er symbolisiert die Auferstehung.«

Gaidemar und Volkmar tauschten einen diskreten, ungläubigen Blick.

An dem sonderbaren Auferstehungszapfen hielt der König an und leistete den geforderten Eid zum Schutz der Kirche, des Papstes und Roms, und dann führte Papst Johannes das Krönungspaar durch die Silberne Pforte ins Innere der gewaltigen Basilika. Dort war es dämmrig nach dem sonnendurchfluteten Atrium, aber bald hatten Gaidemars Augen sich darauf eingestellt, und im warmen Schimmer ungezählter Kerzen erahnte er kunstvolle Wandmalereien und eine verwirrende Vielzahl von Seitenaltären, auf denen Gold und Edelsteine dezent schimmerten.

Auf einer runden Platte aus dem gleichen Porphyr wie draußen stand der Bischof von Albano und betete:»Oh Herr, in dessen Hand die Herzen der Könige ruhen, neige unserem Flehen dein barmherziges Ohr und gewähre deinem Diener Otto deine weise Herrschaft, auf dass er aus dem Quell deiner Ratschlüsse schöpfe ...«

Es ging noch eine Weile so weiter, und kaum hatte der ehrwürdige Bischof geendet, setzte ein Amtsbruder auf der nächsten roten Steinplatte die Gebete fort. So war ihr Fortkommen durch das lange Hauptschiff der Peterskirche langsamer als das einer greisen Schnecke, und Gaidemar hatte Muße, die Königin in ihren golddurchwirkten weißen Gewändern zu betrachten. Die Schultern waren noch genauso schmal und kerzengerade wie an jenem Morgen in Garda, als er sie zum ersten Mal gesehen hatte, das von einem durchschimmernden Seidentuch bedeckte Haar noch ebenso braun und satt glänzend, doch das Gesicht, das er im Profil sah, hatte sich verändert. Nicht weil es ein paar Falten aufwies, nicht einmal, weil das Leben seine Spuren darauf hinterlassen hatte. Der entrückte Ausdruck, mit dem Adelheid die Welt immer auf Abstand gehalten hatte, war verschwunden. Stattdessen zeigte ihre Miene eine heitere Ruhe, die ihr Gesicht beinah zu erleuchten schien. Gaidemar wusste, mit diesem Tag erfüllte sich ihr lang gehegter Traum. Es stimmte ihn froh, sie so zu sehen, erfüllte ihn mit Wärme, die sich so himmlisch anfühlte wie ein Herdfeuer an einem nasskalten Herbsttag. Und er wünschte ihr, dass der Traum halten möge, was er versprach.

Seite an Seite schritt das Königspaar die von zwölf weißen Säulen flankierten Stufen hinauf zum Altar, der genau über dem Grab des heiligen Petrus errichtet und von einem goldenen Baldachin überspannt war. Otto und Adelheid knieten nieder und streckten sich mit dem Gesicht nach unten auf dem schimmernden Marmorboden aus, die Arme seitlich ausgestreckt, so dass ihre reglosen Leiber eine Kreuzform darstellten. Während die versammelten Bischöfe, Äbte und hohen kirchlichen Würdenträger die Allerheiligenlitanei anstimmten, trat der Kardinalbischof von Ostia vor und salbte das Königpaar, indem er sie mit dem heiligen Öl am rechten Oberarm und zwischen den Schultern berührte.

Als Otto und Adelheid wieder knieten, trat endlich Papst Johannes vor sie, hob betend die schwere Reichskrone von dem Kissen, das einer seiner Bischöfe ihm hinhielt, streckte sie über dem Kopf in alle Richtungen, damit Gott, der heilige Petrus und ebenso die in der Kirche versammelten Römer und Deutschen sie sehen konnten, und senkte sie mit feierlicher Langsamkeit auf Ottos Haupt hinab. Dann wiederholte er das Ritual mit der etwas kleineren, aber gleich kostbar gearbeiteten Krone für Adelheid.

Gaidemar ertappte sich dabei, dass er den Atem angehalten hatte, so ergriffen war er von der heiligen Feierlichkeit dieses Augenblicks. Doch als Papst Johannes das Kaiserpaar segnete, fiel die Starre von ihm ab, und er atmete tief durch und bekreuzigte sich.

Otto und Adelheid verharrten regungslos vor dem Altar auf den Knien, und die flackernden Kerzen ließen die Edelsteine auf ihren Kronen funkeln, als sei das lebendige Licht göttlicher Gnade darin eingeschlossen.

Der junge Papst feierte die Krönungsmesse mit größerer Würde, als Adelheid ihm zugetraut hätte. Er hatte die Liturgie auswendig gelernt – die genau wie das gesamte Ritual dieser Kaiserkrönung unter Wilhelms Aufsicht im St.-Albans-Kloster zu Mainz ausgearbeitet worden war – und trug sie doch so vor, als seien die Worte, die Gebete und Fürbitten ihm gerade eben erst durch göttliche Offenbarung eingegeben worden. Das war eine hohe staatsmännische Kunst, die viel Übung und Fleiß erforderte, wusste die Kaiserin, und Papst Johannes stieg in ihrer Achtung.

Die Erhabenheit der Krönung und der Messe an diesem heiligen Ort, gepaart mit dem Zauber des Weihrauchs, drohte sie in einen Rausch zu versetzen, aber Adelheid schloss die Lider, spürte das keineswegs unangenehme Gewicht der Krone auf ihrem Kopf und betete: *Heilige Jungfrau, voll der Gnaden. Lass es mich richtig machen. Hilf mir, mich dieses heiligen Amtes würdig zu erweisen und sorge dafür, dass es mir nicht zu Kopf steigt …*

Nach der Messe zog die feierliche Prozession von St. Peter zum Lateranpalast, wohin der Papst zum Krönungsbankett geladen hatte. Die Zwischenfälle, die Gaidemar und Wido vorhergesagt hatten, blieben aus. Weder Steine noch Schmährufe prasselten auf das Kaiserpaar und sein deutsches Gefolge in den Straßen Roms nieder. Und nicht nur dort hatte die Stimmung sich gelöst, stellte Adelheid erleichtert fest, als sie von ihrem brokatgepolsterten Thronsessel an der hohen Tafel aus den Blick durch die Halle schweifen ließ. Es wurde nicht laut gelacht, und das Gemurmel an den vollbesetzten, langen Tischen war gedämpft, weil vermutlich alle noch von der Krönung und der Messe ergriffen waren, aber sie erkannte an der Körperhaltung und den Gesten der Gäste, dass diese ihren Argwohn und ihren Groll abgelegt hatten – zumindest für heute.

»Gestattet mir, erlauchter Kaiser und gnadenreiche Kaiserin, Euch anlässlich Eurer Krönung ein Geschenk zu machen«, bat der Papst mit einem charmanten Lächeln, und auf sein Zeichen traten vier junge Priester mit einer goldenen, edelsteinverzierten Büste auf einem Tragaltar vor. Obwohl sie von kräftiger Statur waren, ächzten sie ein wenig unter ihrer Last.

»Es ist das Kopfreliquiar des heiligen Sebastian«, erklärte der Papst stolz.

Adelheid hörte Otto an ihrer Seite verstohlen durchatmen. »Habt Dank für diese großzügige Gabe, Heiliger Vater«, sagte er ernst, doch Adelheid ahnte, dass ihr Gemahl sich zusammennehmen musste, um nicht wie ein beschenkter Junge zu strahlen, denn solch kostbare Reliquien waren in den Ländern jenseits der Alpen eine große Seltenheit.

»Erlaubt uns ebenfalls, Euch zum Zeichen unserer aufrichtigen Freundschaft einige Geschenke zu überreichen, Heiligkeit«, fügte der Kaiser hinzu, und die Römer an den Tafeln machten lange Hälse und raunten ebenso verblüfft wie anerkennend, als die elfenbeinverzierten Schatullen mit Gold, Silber und Edelsteinen vor den Papst gebracht und geöffnet wurden.

Vermutlich haben sie geglaubt, wir würden ihnen ungeschliffenen Bernstein und barbarische Holzschnitzereien offerieren, dachte Adelheid säuerlich und stellte verwundert fest, dass es sie verlangte, ihre deutsche Heimat vor dem Hochmut der kultivierten Römer in Schutz zu nehmen.

Wein plätscherte in die kostbaren Pokale an der hohen Tafel. Adelheid bewunderte den ihren – Gold mit Smaragden groß wie Stachelbeeren – und wollte ihn dem Papst entgegenheben, als eine große, feingliedrige Hand ihr zuvorkam.

»Wir wollen nicht ausgerechnet heute mit alten Gewohnheiten brechen, oder?«, fragte Gaidemar lächelnd, der hinter ihrem Sessel Posten bezogen hatte, und setzte den Becher an die Lippen.

Über den Rand hinweg schaute er ihr einen Herzschlag lang in die Augen, und die Kaiserin erkannte Wärme und Zuneigung in diesem Blick, die sie, so kam es ihr vor, lange nicht gesehen hatte.

»Habt Dank, lieber Freund«, antwortete sie.

Er kostete und gab ihr den Pokal mit einer kleinen Verbeugung zurück. Adelheid wandte sich zu Papst Johannes um.

»Trinken wir auf das Wohl und die göttliche Führung unseres geliebten Kaisers und unserer huldreichen Kaiserin«, rief der mit tragender Stimme.

»Unser geliebter Kaiser und unsere huldreiche Kaiserin!«, echoten die Gäste in einem donnernden Chor, und Adelheid empfand Erleichterung und Befriedigung zu gleichen Teilen, als sie selbst in den Augen des Bischofs von Albano und des Grafen von Spoleto Ergebenheit las.

Sie tauschte einen Blick mit Otto und erkannte, dass er das Gleiche dachte wie sie: Dies ist der Beginn von etwas völlig Neuem, etwas, das größer und bedeutsamer ist, als wir uns je hätten träumen lassen.

Sie führte den Becher zum Mund, doch ehe der erste Tropfen ihre Lippen berührte, brach Gaidemar in die Knie und schlug ihr im Sturz den Pokal aus der Hand.

Ein Aufschrei ging durch die prunkvolle Halle, aber trotzdem hörte Adelheid das grauenvolle Keuchen, mit dem Gaidemar um Atem rang. Zusammengekrümmt lag er zu ihren Füßen, die Linke um die Kehle gekrallt. »Volkmar …«, brachte er mühsam hervor. »Der Mönch an … an der Säule …«

Langsam wie in einem Albtraum wandte Adelheid den Kopf und entdeckte einen Mann im makellosen Benediktinerhabit, der mit gesenktem Kopf und gefalteten Händen im Säulengang hinter der linken Seitentafel stand. Ohne Eile wich er tiefer in den Schatten zurück und wandte sich dann zum Ausgang, aber die Reiter des heiligen Alban waren schneller. Volkmar von Limburg, der mit seinem Hauptmann die Ehrenwache gehalten hatte, rempelte sich rüde durch die Gäste, die wie erstarrt mit erhobenen Bechern an der hohen Tafel standen, rannte Erzbischof Walpert beinah über den Haufen und setzte über den fein gedeckten Tisch. Becher und Platten gingen scheppernd zu Boden. Niemand durfte in der Halle des Papstes Waffen tragen, aber Volkmar brauchte auch keine. Zehn Schritte vor dem Portal überwältigte er den Flüchtenden, dem im Gerangel die Kapuze vom Kopf glitt.

Es war Immed von Saalfeld.

Gaidemar lag auf dem eisigen Marmorboden und spürte kalten Schweiß auf Brust und Beinen. Lippen und Zunge brannten, als wäre Adelheids Wein mit flüssigem Feuer versetzt gewesen, und ihm war sterbenselend.

»Hauptmann«, hörte er Sigurds Stimme, und im nächsten Moment wurde er auf den Rücken gedreht, zwei kräftige Arme richteten ihn auf und stützten seinen Oberkörper. »Versucht, ruhig zu atmen, Pippin holt Hilfe.«

Gaidemars Blick war unscharf, aber er erkannte Sigurd und Faramond, die links und rechts neben ihm knieten. Sigurd redete dummes Zeug wie meistens, und Faramond flennte.

Der Hauptmann wollte seinen einstigen Burschen zurechtweisen, doch er brachte keinen Ton heraus. Mit jedem Herzschlag wurde das Atmen mühsamer. Das Brennen hatte sich ausgebreitet, kroch die Kehle hinab bis in den Magen. Er krümmte sich und würgte hilflos, aber nichts kam, weil seine Kehle sich mit einem Mal verkrampfte und vollkommen zuschnürte. Dann wurde ihm schwarz vor Augen – ganz plötzlich, so als habe ihm jemand eine blickdichte Augenbinde umgelegt –, und er hatte nicht das Gefühl zu stürzen, sondern als hebe sich der Erdboden und komme ihm entgegen.

So stirbt Gaidemar, der Bastard, dachte er, überwältigt von Atemnot und Schmerz. Er schloss die blinden Augen und ließ den hämmernden Kopf an Sigurds Brust sinken, lauschte seinem eigenen schaurigen Röcheln, das doch zu nichts führte, denn er bekam keine Luft mehr, und dann erfüllte Gott ihm seinen letzten Wunsch und ließ ihn Miras Stimme hören, auch wenn sie Sonderbares sagte:

»Sturmhut. Wir müssen uns beeilen. Beschafft mir Holzkohle.«

Und danach hörte er nichts mehr.

Er befand sich in einer höllengleichen Zwischenwelt aus Atemnot, Kälte, Lähmung und Schmerz. In seiner Verwirrtheit und Todesangst wähnte er sich wieder in den Händen der rachsüchtigen Obodriten, und sie taten fürchterliche Dinge mit ihm, flößten ihm ein bitteres, salziges Gebräu ein, obgleich er doch überhaupt nicht schlucken konnte, überschütteten seine Glieder mit Eis und entzündeten Feuer in seiner Magengrube, und wenn er sich loszureißen und zu wehren versuchte, fesselten sie ihn an die kalte Erde und setzten den nächsten Giftbecher an seine Lippen. So groß war sein Entsetzen, dass er geschrien hätte, wenn er nur hätte Atem schöpfen können, aber wann immer seine Not ihn in die finsteren Tiefen reißen wollte, hörte er wieder ihre Stimme: »Es ist gut, Gaidemar. Alles ist gut. Aber du *musst* trinken. Es macht dich gesund, vertrau mir.«

Und das tat er. Er war zu weit in die Zwischenwelt entrückt, um bewusste Entscheidungen zu treffen, aber er vertraute ihr, also öffnete er die gefühllosen Lippen und versuchte das Gebräu zu schlucken – ihr zuliebe.

Als er zum ersten Mal wieder richtig zu sich kam, saß sie auf einem niedrigen Schemel neben ihm und hielt seine kalte Hand mit ihren beiden, die sich himmlisch warm anfühlten.

»Mira …«

Sie lächelte auf ihn hinab, hob die Linke und strich ihm die Haare aus der Stirn. »Hier bin ich, Liebster.«

Sie war noch viel schöner als in den Bildern seiner Erinnerung, und wenngleich der gelbliche Schimmer einer Öllampe irgendwo außerhalb seines Blickfeldes die einzige Lichtquelle war, sah er doch das Grün ihrer Augen, ebenso klar und schimmernd wie der Stein, der in der kleinen Grube am Ansatz ihrer Kehle ruhte. Das üppige blonde Haar war zu einem Zopf geflochten, der über die rechte Schulter hing und dessen Ende ihn vermutlich am Kinn gekitzelt hätte, wäre die eisige Taubheit seiner Haut nicht gewesen.

»Hatheburg?« Schon die drei Silben brachten ihn in Atemnot, und er konnte kaum glauben, dass dieses schaurige Krächzen aus seiner Kehle gekommen sein sollte.

»Schsch.« Mira legte ihm einen Finger an die Lippen und schüttelte den Kopf. »Du darfst nicht sprechen, es ist zu anstrengend. Es geht ihr gut. Und mir auch. Alles Weitere muss bis morgen warten. Schlaf, Gaidemar. Und hab keine Furcht, du wirst nicht sterben, wenn du einschläfst.«

Er hatte Mühe, das zu glauben, aber es spielte keine Rolle. Erschöpfung spülte über ihn hinweg wie eine große, graue Welle, und seine Lider fielen zu. *Geh nicht wieder fort*, bat er, aber er war nicht sicher, ob er es gesagt oder gedacht hatte.

»Man nennt es Sturmhut oder Akonit«, hörte er Miras gedämpfte Stimme, als er aufwachte. »Es ist eine der gefährlichsten Giftpflanzen, die es gibt.«

»Wie konntest du ihn dann retten?«, fragte die Kaiserin ebenso leise, und Gaidemar verspürte eine solche Erleichterung, dass ihn schwindelte. Er war doch nicht zu langsam gewesen. Adelheid lebte.

»Ich habe ihm zerstoßene Holzkohle in Wasser eingeflößt, um das Gift zu binden. Und ein paar andere Zutaten, die so eklig sind, dass Ihr sie vermutlich nicht hören wollt, edle Kaiserin, aber sie können gegen dieses Gift im Körper eines Menschen kämpfen und es unschädlich machen wie die Reiterlegionen des Kaisers es mit den Ungarn getan haben.«

»Wo hast du das gelernt?«, fragte Adelheid bewundernd.

»Ich habe mich immer für die Heilkunst interessiert. Und als Gaidemar und ich nach der Schlacht an der Recknitz auf die Brandenburg kamen, war Fürst Tugomir so gütig, mich zu unterweisen. Es waren nur ein paar Wochen, aber ich habe ihn gebeten, mir alles über Gifte und Gegengifte beizubringen, weil … na ja, weil Gaidemar doch immer Euren Wein vorkostete.«

»Verstehe. Gott segne dich, Mira. Und ihn ebenso. Ohne Gaidemar wäre dies die kürzeste Herrschaft in der Geschichte des Kaisertums geworden, denn auch Ottos Becher war vergiftet.«

Mira zog scharf die Luft ein. »Wie habt Ihr das herausgefunden?«

»Pippin von Atzbach hat eine Ratte gefangen und ihr aus dem Becher zu trinken gegeben. Eine halbe Stunde später war sie tot. Immed von Saalfeld hatte sich als Mönch eingeschlichen und das Gift nicht in den Weinkrug, sondern in unsere Pokale geträufelt.«

»Er hat gestanden?«

»Zu guter Letzt.« Es klang eisig, und Gaidemar schloss, dass die vergangenen Stunden – oder Tage? – für Immed vermutlich auch nicht viel besser gewesen waren als für ihn.

»Und du bist sicher, dass Gaidemar außer Gefahr ist?«, fragte Adelheid. »Der Kaiser ist in ebensolcher Sorge um ihn wie ich, aber ich will ihm keine falschen Hoffnungen machen.«

»Ihr könnt ihm getrost sagen, dass Gaidemar wieder gesund wird«, versicherte Mira. »Es war wieder einmal knapp, aber auch diese Schlacht hat der Hauptmann der Reiterlegion des heiligen Alban gewonnen.«

»Ich bin nicht sicher, ob er das noch ist«, gab Adelheid zurück, in diesem beiläufigen, unschuldigen Tonfall, den sie immer dann anschlug, wenn sie etwas ausheckte.

Gaidemar riss die Augen auf. »Was soll das heißen?«

Adelheid und Mira standen neben seinem verfluchten Krankenlager und blickten auf ihn hinab. Er hätte nicht auf Anhieb sagen können, welche von beiden nachsichtiger lächelte, und hätte er sich nur rühren können, wäre er versucht gewesen, beiden den Hals umzudrehen.

»Nur Gutes«, antwortete Adelheid geheimnisvoll. »Und nun lasse ich Euch allein und berichte dem Kaiser, dass Ihr auf dem Wege der Besserung seid.«

Er wollte sie zurückhalten und protestieren, sie auffordern, ihm auf der Stelle zu sagen, was sie gemeint hatte. Aber ehe er sich weit genug aufgerafft hatte, war sie schon hinausgesegelt, und er hörte ihr leises, silberhelles Lachen, ehe die Tür sich schloss.

»Was immer er von mir will, kann er sich aus dem Kopf schlagen, wenn es bedeutet, dass ich mein Kommando aufgeben muss«, knurrte er, richtete sich auf die Ellbogen auf und fiel prompt wieder zurück in die Kissen, weil er nicht mehr Kraft hatte als ein Regenwurm.

Als Mira sich auf die Bettkante setzte, legte er die Hand um das Ende ihres Zopfes und stellte dankbar fest, dass die Taubheit allmählich wich, er die Weichheit ihrer Haare fühlen konnte. »Wie kommst du so plötzlich hierher?«

Sie hob den unvermeidlichen Becher vom Boden auf und hielt ihn ihm einladend hin. »Trink das für mich, und ich verrate es dir.«

Er knurrte angewidert. »Was ist darin außer Holzkohle?«

»Es ist Hühnerbrühe«, erwiderte sie beruhigend. »Das Gift ist besiegt, du brauchst keine Kohle mehr. Oder sonstige Arznei. Jetzt müssen wir dafür sorgen, dass du wieder auf die Beine kommst. Da ist Hühnerbrühe das beste Mittel.«

»Sag mir, was du mir eingeflößt hast«, verlangte er zu wissen.

»Ein andermal, Hauptmann«, versprach sie und lächelte schelmisch.

Er kostete die Hühnerbrühe voller Argwohn und leerte den Tonbecher dann mit wenigen großen Schlucken. Es schmeckte himmlisch.

Mira sah prüfend in das leere Gefäß und löste dann ihr Versprechen ein. »Hatheburg und ich sind nach Canarazzo gegangen.«

»Wo zum Henker ist das? Ich habe jeden Zoll des Slawenlandes nach euch abgesucht, ich schwör's bei Gott, aber ich habe euch nicht gefunden.«

»Was zweifellos daran liegt, dass Canarazzo nicht im Slawenland, sondern in Italien liegt. Nicht weit von Pavia.« Sie sah ihn an, erkannte, dass er sprachlos war, und erklärte: »Ich wollte nicht ins Slawenland, weil ich Angst hatte, du würdest nach uns suchen und uns dort finden. Also habe ich Anna um Rat gefragt. Sie war wild entschlossen, mir zu helfen. Weil ich ihr Wechselfieber lindern konnte, und außerdem war sie wütend auf dich, weil du mich verstoßen wolltest, um Jasna zu heiraten. Schau mich nicht an wie ein angeschossenes Kitz, Gaidemar, es waren *ihre* Worte, nicht meine.«

»Und dennoch die Wahrheit«, gestand er beschämt. »Ich hoffe, du kannst mir vergeben.«

Sie sah ihm in die Augen und nickte ernst. »Inzwischen, ja. Ich weiß, dass du teuer dafür bezahlt hast.« Sie beugte sich über ihn und küsste ihn sacht auf die Lippen, richtete sich wieder auf und fuhr fort: »Anna stammt aus Canarazzo, und sie hat mich hingeschickt. Und ehe du dich darüber erregst, dass ich allein mit einem Säugling die weite Reise unternommen habe: Uta hat mir Geld gegeben, bevor ich aufbrach, ich habe eine Magd und zwei Wachen als Eskorte angeheuert, und wir haben uns einer großen Pilgergruppe angeschlossen, die nach Rom zog. Im August kamen Hatheburg und ich ans Ziel. Annas Mutter hat uns mit großer Herzlichkeit aufgenommen und jeden Sonntag nach der Kirche einen anderen Bauernsohn aus dem Dorf zum Essen eingeladen, um einen Gemahl für mich zu finden.« Sie sah seine brennende Eifersucht und grinste frech, aber dann nahm sie wieder seine Hand, sah ihm in die Augen und fuhr fort: »Der Eifer der Heiratskandidaten kühlte ab, als meine Schwangerschaft offensichtlich wurde, und vor gut einem Jahr kam unser Sohn zur Welt. Ich habe ihn Liudolf genannt. Ich hoffe, das war in deinem Sinne.«

Gaidemar kniff die Augen zu und konnte trotzdem nicht verhindern, dass eine einzelne Glücksträne sich unter dem rechten Lid hervorstahl, über die Schläfe rann und verschämt in seinem Haar versickerte. »Liudolf …«, wiederholte er staunend, langsam, so als müsse er den Klang des Namens auf der Zunge erproben. Dann mobilisierte er seine nicht vorhandenen Kräfte und führte Miras Hand an die Lippen.

»Die Kinder sind beide in Annas Obhut«, sagte sie. »Ich bringe sie später her, damit du sie begrüßen kannst. Liudolf schlägt dir nach, übrigens. Und da saß ich also in einem Dorf in der Lombardei mit zwei Bastarden, und langsam ging das Geld aus, um Annas Mutter für unseren Unterhalt zu bezahlen, und da kommt kurz vor Weihnachten Anna selbst nach Canarazzo und erzählt mir die unglaubliche Geschichte von deiner geplatzten Hochzeit.« Sie sah ihn an und zuckte die Achseln. »Eine Weile habe ich mit mir gerungen und mich gefragt, was ich tun sollte. Dann habe ich erkannt, dass ich dir verziehen hatte und lieber mit dir leben wollte als ohne dich, vorausgesetzt, ich laufe nicht wieder Gefahr, deinen Prinzipien und ehernen Grundsätzen geopfert zu werden.«

Er schüttelte den Kopf, ungläubig und ein wenig erschüttert darüber, wie erwachsen Mira geworden war. Und wie selbstbewusst. »Dann wäre jetzt vielleicht der richtige Moment, um dich zu fragen, ob du meine Frau werden willst«, antwortete er.

Sie lächelte, schlüpfte unter die Woll- und Felldecken, die sich so hoch wie ein Alpenmassiv auf ihm türmten, schmiegte sich an ihn und legte den Kopf auf seine Schulter. »Na schön, meinetwegen, Hauptmann.«

Die feierliche Stimmung der Kaiserkrönung verflog schnell, denn es gab viel zu tun. Otto hielt Wort und begann, mit Papst Johannes und dem römischen Adel einen Vertrag über die Zukunft und den Schutz des Kirchenstaates auszuhandeln, während gleichzeitig die Vorbereitungen für den Feldzug getroffen wurden, der Berengar und die Seinen endgültig zur Strecke bringen sollte. Und weil Gaidemar um jeden Preis dabei sein wollte, beeilte er sich mit seiner Genesung.

Bei anhaltend lauen Temperaturen und vorfrühlingshaftem Sonnenschein kehrte er in sein Zelt zurück, das inzwischen auch Mira und die Kinder bezogen hatten. Die Reiter des heiligen Alban hatten Miras Rückkehr bejubelt wie die eines tot geglaubten Waffenbruders, und Gaidemar amüsierte sich insgeheim über die sonderbare Mischung aus Kameradschaft und Galanterie, mit der vor allem Volkmar, Sigurd, Pippin und Faramond ihr begegneten.

Sie hatte aus dem kargen und nüchternen Soldatenzelt mit ein paar Bahnen Tuch, Decken und schlichten Möbelstücken eine annehmbare Wohnstatt gemacht, in der es regelrecht anheimelnd wurde, wenn sie abends die Öllämpchen anzündete.

Gaidemar, der immer noch unter Taubheit und Kälte in Armen und Beinen litt, saß meist mit einer Decke über den Knien in seinem gepolsterten Sessel, kam sich vor wie sein eigener Großvater und ergötzte sich an seiner Familie. Liudolf war ein lebhafter kleiner Kobold mit seidigen schwarzen Kinderlocken und bläulingshellen Augen, der an der Hand seiner Mutter die ersten tapsenden Schritte unternahm, die Welt aber eigentlich doch lieber krabbelnd eroberte, und zwar schneller, als das Auge zu folgen vermochte. Er schien sich am liebsten an solchen Gegenständen oder Möbelstücken hochzuziehen, die seinem Gewicht nicht standhielten, polternd umzustürzen und ihn zu erschlagen drohten, sodass man ihn keinen Herzschlag aus den Augen lassen konnte, und er steckte alles in den Mund, was hineinpasste. Gaidemar konnte sich nicht entsinnen, je in seinem Leben so viel gelacht zu haben wie seit dem Augenblick, da er Liudolfs Bekanntschaft gemacht hatte, und als sein Sohn sich zum ersten Mal mit größter Selbstverständlichkeit auf seinem Schoß zusammenrollte und einschlief, hatte er ihn gehalten, ungeschickt und ein wenig ängstlich, hatte nicht gewagt, sich zu rühren, und dieses Wunder der göttlichen Schöpfung mit so viel Liebe bestaunt, dass sein Herz nicht groß genug schien, um sie zu beherbergen.

Hatheburg war zweieinhalb Jahre alt, und es war ein Schock für Gaidemar gewesen zu sehen, dass aus dem Säugling ein kleines, aber verständiges Mädchen geworden war, das ihn »Vater« nannte und mit unerhörten Fragen löcherte und sich heimlich seine Schuhe ausborgte, um sie anzuprobieren. Sie hatte das zarte Gesicht und die grünen Augen ihrer Mutter, und auch deren großes Herz schien sie geerbt zu haben, denn sie beschützte ihren kleinen Bruder mit der Leidenschaft einer Bärin und schenkte dem bislang unbekannten Vater ihre Zuneigung mit größter Selbstverständlichkeit. Zum ersten Mal in seinem Leben machte Gaidemar Bekanntschaft mit der schlichten Geborgenheit einer Familie, und er fand sie so verführerisch, dass er den Zelteingang am liebsten zugemauert hätte, um die Welt auszusperren und das Glück innerhalb der vier Stoffwände festzuhalten.

Doch er wusste natürlich, dass er sich auf Dauer nicht vor der Wirklichkeit verkriechen konnte, und als er die Folgen der Vergiftung überwunden hatte, wollte er das auch gar nicht länger. Prinz Bolilut hatte ihm berichtet, dass der Kaiser noch vor Beginn der Fastenzeit ein Heer aussenden wollte, um Berengar von Ivrea in San Leo zu belagern, und die Reiterlegion des heiligen Alban sollte ebenso dabei sein wie die slawischen Truppen.

Doch eines galt es noch zu tun, ehe Gaidemar nach vorn blicken und zusammen mit seinem Schwager nach Norden aufbrechen konnte, um den schlimmsten Feind seiner Kaiserin zur Strecke zu bringen, und darum ritt er zwei Wochen nach der Krönung nur begleitet von Volkmar und Sigurd zum Lateranpalast, wo Otto und Adelheid als Gäste des Papstes logierten. Doch Gaidemar ging nicht zu den prunkvollen, lichtdurchfluteten Gemächern gegenüber der altehrwürdigen Johannesbasilika, sondern folgte der Wegbeschreibung der Wache zur Rückseite des verwinkelten Palastgebäudes und eine aus Stein gehauene Treppe hinab zu den weit verzweigten Gewölben, wo in lichtlosen, schaurigen Verliesen die päpstlichen Weinfässer ebenso aufbewahrt wurden wie die Gefangenen.

In einer niedrigen Wachkammer ließ Gaidemar seine beiden Begleiter zurück, nahm eine Fackel aus einem der rostigen Wandhalter und öffnete den Riegel der eisenbeschlagenen Tür zur Linken, die die Wache ihm beschrieben hatte.

Fiepend und raschelnd ergriffen die Ratten die Flucht vor dem Fackelschein, als er über die Schwelle trat. Der niedrige Raum war feucht und kalt, die Wände mit Ziegeln ausgekleidet. Der Kerker war groß genug für ein Dutzend Gefangene, aber die reglose Gestalt, die mit dem Rücken zur Tür im unreinen, feuchten Stroh lag, war allein.

»Immed.«

Er rührte sich nicht. Eine Bruoch war alles, was sie ihm an Kleidung gelassen hatten, und der bloße Rücken, die Arme und Schultern waren von Striemen und länglichen Brandwunden bedeckt, die von einem glühenden Schürhaken rühren mochten. Blut war im verfilzten Haar getrocknet. Die nackten Füße und Waden waren geschwollen und schwärzlich verfärbt. Aber seine Stimme klang so spöttisch und herausfordernd wie eh und je, als er sagte: »Ich hatte ja so gehofft zu sterben, bevor du den Weg hierher findest, aber vergebens.«

»Wie so ziemlich alles in deinem Leben«, entgegnete Gaidemar leidenschaftslos und umrundete seinen Ziehbruder langsam, damit er dessen Gesicht sehen konnte.

Immeds Nase und Ohren waren noch an Ort und Stelle. Ebenso schien er noch beide Augen zu haben, auch wenn sie fast vollständig zugeschwollen waren. Blut war in unbescheidenen Mengen aus Mund und Nase gelaufen und auf Wangen und Kinn getrocknet, sodass das einstmals so gutaussehende Gesicht eine abscheuliche Fratze wie aus einem Albtraum geworden war. Durch die leicht geöffneten Lippen erahnte Gaidemar ein paar Lücken, wo bei ihrer letzten Begegnung noch bemerkenswert gute Zähne gewesen waren. Die Lippen waren aufgerissen und geschwollen, doch wenn man genau hinschaute, konnte man den grausamen, arroganten Zug um den Mund immer noch erkennen.

»Du hast allerhand eingesteckt«, stellte Gaidemar fest.

Die rostigen Ketten, mit denen Immed an Händen und Füßen gefesselt war, klirrten dumpf, als er sich auf einen Ellbogen aufrichtete. Es dauerte ein Weilchen, und als es vollbracht war, keuchte er, als wäre er einen steilen Bergpfad hinaufgerannt.

»Was willst du?«, fragte er. »Frohlocken?«

»Unter anderem«, räumte Gaidemar freimütig ein, fegte mit dem Fuß das bräunliche, übel riechende Stroh beiseite und ließ sich Immed gegenüber im Schneidersitz auf dem nackten Ziegelboden nieder. »Und mich verabschieden. Morgen wirst du hingerichtet.«

»Bestialisch, nehme ich an«, höhnte Immed.

Gaidemar sah ihm ins zerschundene Gesicht und nickte.

Immed richtete sich mit einiger Mühe weiter auf, bis er eine gekrümmte, sitzende Haltung eingenommen hatte und auf Augenhöhe mit seinem Ziehbruder war. Er stöhnte nicht und zuckte nicht zusammen, obwohl er üble Schmerzen leiden musste, und Gaidemar bewunderte wie eh und je seine Unbeugsamkeit und seinen Schneid.

»Warum hast du das getan, Immed? Ich kann es einfach nicht verstehen. Was hättest du durch Ottos und Adelheids Tod gewonnen?«

»Die Dankbarkeit und das Wohlwollen Berengars, der endlich zu seinem Recht gekommen und der unangefochtene König von Italien geworden wäre.«

»Sein *Recht*?«, widerholte Gaidemar fassungslos. »Berengar hat Italien gestohlen, wann immer niemand da war, um es vor ihm zu beschützen, das war alles. Obwohl es zuerst Lothar und dann Adelheid gehörte, aber er schert sich einen Dreck um Recht und Unrecht.«

»Oh, erspar mir deine Empörung, Gaidemar, davon wird mir speiübel«, konterte Immed, plötzlich zornig. »Berengar ist ein Nachfahre Karls des Großen, sein Großvater war König von Italien und Kaiser, und Berengars Anspruch auf Italien ist mindestens so gut wie Adelheids. Aber sie war sein Fluch ebenso wie meiner, deine angebetete Kaiserin. Ich wünschte, ich hätte sie zur Hölle geschickt ...« Er hatte sich in Rage geredet und atmete schwer, als er verstummte.

Gaidemar ließ ein paar Herzschläge verstreichen, ehe er fragte: »Was hätte sie dir je getan, um solch unversöhnlichen Hass zu verdienen?«

Immed schnaubte. »Sie hat dafür gesorgt, dass Judith sich zu Abraham von Freising ins Bett legte und mir den Grafentitel nahm und den Laufpass gab. Mir blieb nichts anderes übrig, als zu Berengar zu gehen. Vielleicht dem einzigen Mann, der Adelheid mehr verabscheute als ich«, schloss er mit einem bitteren kleinen Lachen.

»Aber wieso?«, fragte Gaidemar verständnislos. »Du hast ein Zuhause, du verdammter Glückspilz. Du hättest einfach nach Saalfeld gehen und in Frieden leben können.«

»Nein.« Es war eine kategorische Absage. »Das hätte bedeutet, du gewinnst.«

»Oh, komm schon, Immed, das ist kindisch.«

»Ah ja? Ich möchte dich sehen, lägen die Dinge umgekehrt. Aber du hattest ja immer die Nase vorn. Obwohl du nur ein Bastard bist, hattest du das Wohlwollen der Prinzen und der Königin, *du* hast das Kommando über eine Reiterlegion bekommen, *dein* Name war es, den Grafen und Bischöfe mit Hochachtung aussprachen. Sogar der König, obwohl er nicht wollte. Du warst immer … besser.«

Gaidemar spürte ein unangenehmes, hohles Gefühl in der Magengrube, als ihm aufging, wie sinnlos diese Aussprache war. »Ich hatte nichts sonst«, hörte er sich sagen, obwohl er sich doch geschworen hatte, sich vor Immed nicht zu rechtfertigen.

»Pah. Sogar die Zuneigung meines Vaters hast du dir erschlichen. Du hattest alles, obwohl du es gar nicht wolltest, und ich, der alles wollte, stand immer mit leeren Händen neben dir. Und darum war ich selig, als ich gesehen habe, dass du Adelheids Becher vorkosten würdest. Natürlich dachte ich, dass sie trinkt, ehe das Gift sich bei dir bemerkbar macht. Ich Tor habe zu hoffen gewagt, dass ich euch beide erwische und dich endlich einmal besiege. Aber es sollte nicht sein.« Wieder klirrten die Ketten, als er die flache Rechte auf die gebrochenen Rippen presste. »Und jetzt sag mir, was sie morgen mit mir tun werden.«

»Säcken.«

»Was zur Hölle soll das sein?«

»Ein alter römischer Brauch«, antwortete Gaidemar. »Sie nähen dich zusammen mit einer Schlange, einem Skorpion und einem Hahn in einen Sack und werfen dich in den Tiber.«

Immed verzog keine Miene. »Wozu ein *Hahn*?«, fragte er lediglich.

Gaidemar zuckte die Schultern. »Keine Ahnung. Niemand konnte es mir erklären.« Er nahm den kleinen Weinschlauch ab, den er an einer Lederschnur über der Schulter getragen hatte. »Aber du musst so nicht sterben, Immed. Ich habe dir einen Schluck Wein mitgebracht.«

Sein Ziehbruder richtete den Blick auf den dunklen, mit einem hölzernen Zapfen verschlossenen Schlauch. »Mit Sturmhut darin, nehme ich an?«

»Angemessen, denkst du nicht?«

»Wie hat es sich angefühlt?«, wollte Immed wissen.

»Ziemlich scheußlich. Aber vermutlich besser als eine Schlange und ein Skorpion und ein öffentliches Spektakel.«

»Und ein Hahn …«, spöttelte der Verurteilte, ohne den Blick von dem Trinkschlauch abzuwenden.

»Also? Was wählst du?«

Immed antwortete nicht sofort. Die Augenschlitze, die unter den violett verfärbten, geschwollenen Lidern zu erahnen waren, funkelten im Halbdunkel, aber ihr Blick war unmöglich zu deuten. Dann fragte er nörgelnd: »Du könntest dich nicht entschließen, mir einfach die Kehle durchzuschneiden?«

»Nein.«

»Nein. Natürlich nicht.« Immed stieß ein heiseres Keuchen aus, das vielleicht ein Lachen war. »Es ist nur so … Du denkst vermutlich, ich sei ohnehin auf dem Weg in die Hölle. Aber wenn du in meiner Haut stecktest, wüsstest du, dass ich für alles, was ich getan habe, gute Gründe hatte. Doch wenn ich von eigener Hand sterbe, indem ich diesen Wein trinke, bin ich auf jeden Fall verdammt.«

»Nicht, wenn ich ihn dir an die Lippen halte.«

Zum ersten Mal musste Immed um Haltung ringen. Er wandte den Kopf ab, und es war einen Moment still. Dann nickte er. »Bis zu meinem letzten Atemzug quälst du mich also mit deiner brüderlichen Großmut.«

Gaidemar seufzte und stand auf. »Vielleicht war's ein Fehler, herzukommen …«

»Untersteh dich«, stieß Immed hervor. »Her mit dem Wein.«

Gaidemar trat wieder einen Schritt auf ihn zu und blickte auf den blutverklebten Schopf hinab. Er kniete sich vor Immed auf den Boden und zog den Stopfen aus dem Schlauch.

Immed starrte auf die dunkle Öffnung. »Lass dir ja nicht einfallen, hierzubleiben und zuzuschauen, wie ich krepiere.«

»Wie du willst.«

Immed hob den Blick, sah ihm in die Augen und öffnete die blutverkrusteten Lippen.

Gaidemar wollte nichts mehr hören, keine Abschiedsworte und ganz gewiss keinen Dank, also setzte er ihm den Schlauch an die Lippen und ließ ihm den tiefroten Wein in den Mund rinnen.

Das Strafgericht ließ nicht lange auf sich warten.

Am nächsten Morgen ritten der Kaiser und die Kaiserin mit großem Pomp und Gefolge zum Neronischen Feld, um die Belagerungstruppen zu inspizieren, die gegen Berengar ausgesandt werden sollten, und kaum war der silberhelle Klang der Trompeten verhallt, erschien Wido mit zwei kaiserlichen Wachen am Eingang zu Gaidemars Zelt und winkte mit einem Finger. »Kommt, Hauptmann. Ich hörte, der Kaiser hat ein Hühnchen mit Euch zu rupfen.« Das diebische Vergnügen in seiner Stimme war nicht zu überhören.

Gaidemar tauschte einen Blick mit Mira, die ihm gegenüber an dem kleinen, wackligen Tisch saß, Hatheburg auf dem Schoß. Ihre Augen waren voller Furcht.

Gaidemar hob hilflos die Schultern. »Also dann.«

Er griff nach seinem Schwert, das auf der Kleidertruhe neben dem Tisch lag, doch Wido schüttelte den Kopf. »Unbewaffnet, Hauptmann.« Er grinste schadenfroh. »Ich hab meine Befehle.«

Mit einem Mal war Gaidemars Mund staubtrocken. Er nickte ihm wortlos zu, versuchte ohne großen Erfolg, Mira ein beruhigendes Lächeln zuzuschmuggeln und trat hinaus in den strahlenden Sonnenschein. Das Licht erschien ihm zu gleißend, seltsam trügerisch, doch dies war keine falsche Wintersonne, wie man sie in Sachsen im Februar manchmal sah, sondern hier war die Luft lind und warm und erfüllt von Frühlingsdüften.

Gaidemar atmete verstohlen tief durch und folgte Wido, der wie ein aufgeblasener Auerhahn vor ihm einher zu der großen Wiese am Westrand des Feldes stapfte.

Otto und Adelheid saßen auf zwei wundervoll geschnitzten, thronartigen Sesseln, die inmitten der blumenbetupften Wiese ein wenig sonderbar und deplaciert wirkten. Hinter ihnen standen die Trompeter und die Ehrenwache mit dem kaiserlichen Banner, und zu beiden Seiten des Kaiserpaares reihten sich die Fürsten der Welt und der Kirche, die sie auf ihren Romzug begleitet hatten. Gaidemar erkannte Herzog Burchard und den Grafen von Canossa, Erzbischof Walpert, Abt Hatto und zahllose weitere bekannte Gesichter, und mit sinkendem Herzen fragte er sich, ob er es wirklich verdient hatte, dass all diese großen Männer Zeugen seiner Demütigung wurden.

Er hörte Schritte hinter sich und warf einen gehetzten Blick über die Schulter. Volkmar, Sigurd, Pippin und Faramond hatten sich ihm unbemerkt angeschlossen. Gaidemar nickte ihnen dankbar zu, trat vor das Kaiserpaar und sank auf ein Knie nieder. »Ihr habt nach mir geschickt, erlauchter Kaiser, und hier bin ich.«

Mit undurchschaubaren, ernsten Mienen blickten sie auf ihn hinab, alle beide, Otto erhaben und streng mit seinem graumelierten Bart und dem breiten Goldreif auf der gefurchten Stirn, Adelheid kühl und unirdisch so ganz in Weiß und Gold gekleidet. Gaidemar versuchte, sich an ihre hinreißenden Ohren zu erinnern, die ein klein wenig abstanden und ihn bei ihrer ersten Begegnung mit so hilfloser Fürsorge und Hingabe erfüllt hatten. Er wollte diese Erinnerung, um sich zu vergegenwärtigen, dass es trotz aller Würde nur ein Mann und eine Frau waren, vor denen er kniete, damit er nicht völlig kopflos vor Ehrfurcht wurde. Doch so viele Jahre hatte er die Kaiserin nur mit einem züchtig verhüllenden Tuch auf dem Haupt gesehen, dass sein Gedächtnis ihn im Stich ließ. Also biss er die Zähne zusammen, richtete den Blick auf eine der kleinen zartrosa Blumen im Gras und wartete.

»Uns wurde berichtet, dass du den Giftmörder eigenmächtig gerichtet und so den Lauf der kaiserlichen Gerechtigkeit vereitelt hast«, begann Otto bedächtig, die Stimme nicht erhoben, aber tragend.

Gaidemar nickte. »Es ist wahr.«

»Und was hast du zu deiner Verteidigung vorzubringen?«

»Dass ich der Einzige war, den er tatsächlich vergiftet hat, und deswegen war es mein Vorrecht.«

»Eine wunderliche Auffassung von Recht und Kaisertreue, scheint mir«, entgegnete Otto. »Denn der Anschlag galt der Kaiserin und mir.«

Und wofür genau hat sie mich all die ungezählten Male ihren Wein vorkosten lassen, wenn nicht, weil sie und auch du billigend in Kauf genommen habt, dass ich an dem Gift sterbe, das für euch bestimmt war?, dachte Gaidemar rebellisch, aber er sprach es nicht aus. Es war ganz und gar ungehörig, denn natürlich war das Leben einer Königin mehr wert als das eines Bastards – so war eben die Ordnung, die der Allmächtige der Welt gegeben hatte, und Gaidemar hatte keine Einwände dagegen. Dennoch erfüllte seine eigene Sprachlosigkeit ihn plötzlich mit Zorn. In allen entscheidenden Momenten seines Lebens hatte er geschwiegen, weil er tief in seinem Herzen glaubte, ihm stehe es nicht zu, sich zu behaupten, und er ballte die Fäuste, als er erkannte, dass er im Begriff war, wieder in diese Falle zu tappen.

Dann atmete er tief durch. »Die Wahrheit ist, mir war gleich, ob ich im Recht war oder nicht. Immed von Saalfeld mag ein Schurke und ein Giftmörder gewesen sein, aber er war mein Ziehbruder. Sein Vater hat mich unter seinem Dach und an seiner Tafel aufgenommen, und doch war ich nicht schuldlos an dem Weg, den Immed eingeschlagen hat. Was ich getan habe, ist geschehen, um zwischen ihm und mir Gerechtigkeit herzustellen.«

Er nahm seinen Mut zusammen, sah dem Kaiser ins Gesicht und wäre vor Überraschung beinah hintenübergekippt, als er das strahlende, immer noch jungenhafte Lächeln darauf sah. Otto streckte die großen Hände aus, als wolle er ihn aufheben. »Gott segne dich, Gaidemar.«

»Aber …« Hoffnungslos verwirrt sah der Hauptmann zur Kaiserin, die ein wenig das Kinn hob und ihrerseits ihr geheimnisvolles kleines Lächeln zeigte.

»Und deswegen, lieber Freund, weil Ihr seid, wie Ihr seid, ebenso wie aus Dankbarkeit dafür, dass Ihr unser Leben wieder einmal mit dem Euren zu schützen bereit wart, haben wir beschlossen, Euch zum Grafen von Saalfeld zu erheben.«

Es war so still auf dem Neronischen Feld geworden, dass man das sachte Flattern der Banner in der Frühlingsbrise hören konnte.

Gaidemar spürte das Herz in der Kehle hämmern und fragte sich einen Moment verwirrt, ob dies hier ein verspäteter Traum seines langen Giftschlafes war. »Es gibt keinen Grafen von Saalfeld«, protestierte er dümmlich.

Otto lachte leise. »Jetzt schon.« Er erhob sich von seinem Sessel, machte einen Schritt auf Gaidemar zu und legte ihm die Hände auf die Schultern. »Steh auf, Lehnsmann«, gebot er, und als Gaidemar ungläubig blinzelnd vor ihm stand, ergriff der Kaiser das kostbare Schwertgehenk, das Hardwin von Wieda ihm anreichte. »Heute endlich finde ich Gelegenheit, dich mit dem Schwert deines Vaters zu gürten, der den gleichen unbestechlichen Sinn für Gerechtigkeit besaß wie du.«

Er schickte sich an, Gaidemar den silberbeschlagenen Schwertgurt umzulegen, doch der frisch gekürte Graf machte einen winzigen Schritt nach hinten und murmelte: »Wenn Ihr erwartet, dass ich irgendeine Grafentochter heirate, sucht Euch lieber einen anderen, erlauchter Kaiser. Denn ich will endlich die Mutter meiner Kinder zur Frau nehmen.«

»Und das sollt Ihr«, versicherte die Kaiserin beschwichtigend. Sie legte ihm die Hand auf den Arm. »Als Graf von Saalfeld werdet Ihr ein Bindeglied zwischen den deutschen und den slawischen Völkern des Reiches sein, und wenn nicht nur Eure Schwester dereinst die Fürstin der Heveller wird, sondern sogar Eure Gemahlin eine mährische Slawin ist, werden unsere Nachbarn östlich der Elbe umso eher bereit sein, Vertrauen zu Euch zu fassen.«

Gaidemar ging ein Licht auf. »All das habt *Ihr* Euch ausgedacht.«

Otto schloss die Schnalle des Schwertgehenks, trat einen Schritt zurück und betrachtete seinen vortrefflich gegürteten Neffen zufrieden. »Sag nicht, du bist verwundert«, raunte er ihm zu. »Du kennst sie doch.«

Gaidemar verneigte sich vor Adelheid. »Habt Dank, edle Kaiserin. Wieder einmal stehe ich in Eurer Schuld.«

Doch sie schüttelte den Kopf. »Wäret Ihr nicht nach Garda gekommen, hätte ich nicht angefangen zu graben. Es hat lange gedauert, aber ich bin glücklich, dass ich diese Schuld endlich vergelten kann.«

Ehe Gaidemar eine Erwiderung eingefallen war, legte der Kaiser ihm die Hand auf die Schulter, drehte ihn um und rief: »Sehet den Grafen von Saalfeld!«

Die Adligen, Bischöfe und Soldaten auf der Wiese, zu denen inzwischen auch die vollzählig versammelte St.-Albans-Legion zählte, begannen zu klatschen und zu jubeln und ließen ihn hochleben.

Gaidemar stand verlegen im Mittelpunkt des allgemeinen Getöses und wünschte sich auf die andere Seite der Alpen, bis die Reiter des heiligen Alban mit einem Mal eine Gasse bildeten und er Mira auf sich zukommen sah.

Er schloss sie in die Arme und sah in die strahlenden grünen Augen der zukünftigen Gräfin von Saalfeld. »Ein Name, Mira«, murmelte er staunend. »Ein Name für uns und unsere Kinder.«

»Und ein Ort, an den wir gehören werden«, fügte sie hinzu. »Wir haben ein Zuhause.«

»Ich kann's kaum erwarten«, gestand Gaidemar.

Mira nickte. »Aber vorher holen wir uns Berengar, Hauptmann.«

ENDE

Ich sage ja gern, nicht der Autor oder die Autorin findet das Thema, sondern umgekehrt. Und seit der Fertigstellung von *Das Haupt der Welt* habe ich darauf gewartet, dass mich das Thema für eine Fortsetzung findet, denn dass ich sie schreiben wollte, war mir immer klar. Warten kann ich zum Glück gut, und dann las ich vor ungefähr zwei Jahren zufällig über die junge, verwitwete Adelheid von Burgund, die von einem gefährlichen Feind eingekerkert wurde und sich und ihrer kleinen Tochter buchstäblich mit den Fingernägeln einen Weg in die Freiheit grub. Das hat mir imponiert und meine Neugier geweckt, und ich wollte wissen: Wer war diese Frau? Dieser Roman ist das Ergebnis meiner Spurensuche, und wie immer haben mir die Detektivarbeit der Recherche und das Verweben der Fakten mit der erfundenen Handlung sehr viel Freude gemacht. Aber hätte ich gewusst, in welchem politischen Klima dieser Roman erscheinen würde, hätte ich ihn vielleicht nicht geschrieben. Otto der Große wird aufgrund seiner Ausweitung des Reiches und seines Sieges über die Ungarn auf dem Lechfeld seit Jahrhunderten von nationalistischen Wirrköpfen, von Nazis und Rassisten als angeblicher Beleg für die Überlegenheit des deutschen Volkes missbraucht. Von dieser Deutung distanziere ich mich ausdrücklich. *Die fremde Königin* erzählt einen Abschnitt der deutschen und europäischen Geschichte, dessen Spuren heute noch sichtbar und Teil unserer politischen Realität sind. Ich finde es wichtig, zu verstehen, wie wir wurden, wer wir sind. Dieser Roman will zur Beantwortung dieser Frage beitragen, aber keinen völkischen Schwachsinn transportieren.

Adelheid und Otto blieben bis 965 in Italien, und sowohl der junge, wankelmütige und nicht besonders tugendhafte Papst Johannes wie auch der fürchterliche Berengar von Ivrea sorgten noch für allerhand Verdruss. Aber schließlich musste Berengar sich nach langer Belagerung ergeben, und Otto schickte ihn als Gefangenen nach Bamberg, wo er 966 starb. Sein Sohn Adalbert, der die Tochter des Grafen von Mâcon geheiratet hatte (da seine Vermählung mit Adelheid ja geplatzt war), verkrümelte sich nach Burgund und starb 971.

Für Adelheid und Otto blieben die Zeiten stürmisch. Ein Jahr nach ihrer triumphalen Rückkehr nach Deutschland mussten sie schon wieder nach Rom eilen, weil es dort drunter und drüber ging, und so begann das kaiserliche Reise-Pingpong, welches sich durch die Geschichte des Mittelalters zieht, weil es immer jeweils auf der Seite der Alpen zu kriseln begann, wo der Kaiser gerade nicht war. Sie ließen ihren Sohn Otto nachkommen, der in Rom zum Mitkaiser gekrönt wurde und ein paar Jahre darauf die berühmte byzantinische Prinzessin Theophanu heiratete, deren Nachruhm den ihrer Schwiegermutter heute oft überstrahlt, was ich ebenso ungerechtfertigt wie bedauerlich finde.

Otto der Große starb 973. Sein Sohn Otto II. überlebte ihn nur um zehn Jahre, und die Kaiserinnen Adelheid und Theophanu teilten sich die Herrschaft für den minderjährigen Otto III. Ob es zwischen den beiden willensstarken Frauen darüber wirklich zu dem häufig beschriebenen Zickenkrieg kam, ist heute umstritten. Eine sehr mächtige und einflussreiche Frau wurde übrigens auch Adelheids und Ottos Tochter Mathilda (oder Mathilde), die Äbtissin von Quedlinburg, die später für ihren in Italien weilenden Neffen Otto III. mehrere Jahre das Reich regierte.

Kaiserin Adelheid starb 999 in dem von ihr gegründeten Kloster Seltz im Elsass – mit achtundsechzig Jahren hochbetagt für ihre Zeit – und wurde ein knappes Jahrhundert später heiliggesprochen. Ihr Gedenktag ist der 16. Dezember, und bis zur Reformation gab es in Seltz einen regen Pilgerbetrieb. Heute gibt es von Adelheids Grab indessen keinerlei Spuren mehr.

Die relativ stabilen und friedlichen Zeiten, die die starke (und autoritäre) Herrschaft Ottos des Großen seinen Untertanen bescherte, gepaart mit Adelheids italienischen und Theophanus griechischen Einflüssen, führte zum Beginn der kulturellen Blütezeit, die als »Ottonische Renaissance« bezeichnet wird. Zeugnisse davon finden wir heute vor allem in Buchmalereien jener Zeit und den Bauwerken, die etwa Erzbischof Wilhelms Nachfolger Willigis in Mainz und Bruns Nach-Nachfolger Gero (ein Neffe des berüchtigten Slawenschlächters gleichen Namens) in Köln hinterließen. Spurlos verschwunden ist hingegen leider die sagenhafte Magdeburger Pfalz, von deren Bau und Einweihung in diesem Roman erzählt wird. Es ist auch nicht bekannt, wann genau sie gebaut wurde oder wo ihr exakter Standort war. Doch wenn Sie sich einen Eindruck davon machen möchten, wie sie ausgesehen haben könnte, empfehle ich Ihnen die faszinierende Rekonstruktion, die von Studierenden des Studiengangs Computervisualistik und Informatik an der Uni Magdeburg erstellt wurde und unter http://wwwisg.cs. unimagdeburg.de/projects/pfalz/f_modell.html zu bewundern ist.

Womit wir zur Rubrik »Dichtung und Wahrheit« kommen.

Wahr ist beinah alles, was ich über Adelheids Flucht aus der Festungshaft nach Canossa und ihre Heimkehr nach Pavia erzählt habe, nur Gaidemar habe ich natürlich in diese Geschichte hineingeschmuggelt. Wahr ist auch, dass Otto bereits in Pavia auf sie wartete und Adelheid nicht viel anderes übrig blieb, als ihn zu heiraten, wenn sie nicht die nächste Gefangenschaft riskieren wollte. Aber die beiden führten wohl tatsächlich eine glückliche und harmonische Ehe auf Augenhöhe, und es stimmt, dass Otto Adelheid in seinen Urkunden als Mitregentin ausweisen ließ. Auch dass Otto im Schlaf gesprochen hat, ist übrigens durch den Chronisten Widukind von Corvey verbrieft.

Liudolfs und Konrads Aufstand habe ich weitestgehend so geschildert, wie die Chroniken ihn berichten. Dazu zählen auch die besorgniserregenden Himmelszeichen, die zu Beginn dieser Krise gesichtet wurden, wie etwa der fallende Stern beim Reichstag auf dem Lechfeld von 952, bei dem es sich vermutlich um einen Meteoriten handelte. Sogar der verbale Zusammenstoß zwischen Liudolf und Henning vor den Toren von Mainz, als Henning seinem

Neffen den Strohhalm vor die Nase hielt und ihn verhöhnte, ist belegt – inklusive O-Ton –, was eine große Seltenheit ist. Doch an der Frage, wer denn nun die Ungarn ins Land gerufen hat, verzweifeln die Historiker. Es stimmt, dass Liudolf die Ungarn mit Geld und Führern ausgestattet und dass Konrad sie in Worms bewirtet hat, aber womöglich haben sie das nur getan, um die gefürchteten Reiterkrieger zu besänftigen und schnellstmöglich aus dem Reich zu komplimentieren. Henning, dem notorischen Ränkeschmied, wäre es vielleicht zuzutrauen, dass er die Ungarn herbeirief, um es auf Liudolf zu schieben und dessen Ansehen zu ruinieren, aber dafür gibt es keinen Beweis. Ganz sicher hatten die Ungarn aber vom Aufstand des Prinzen und dem Chaos im Reich gehört und sich vielleicht überlegt, dass dies doch ein hervorragender Zeitpunkt sei, um dort vorbeizuschauen und ein bisschen zu rauben und zu plündern. Mir erscheint diese Lösung die plausibelste.

Bei dieser Gelegenheit möchte ich mich bei meinen ungarischen Leserinnen und Lesern für das grausige Bild ihrer Vorfahren entschuldigen, das in diesem Roman vermittelt wird. Die einseitige Darstellung der Ungarn als mordende Barbaren, als »Feinde Gottes und der Menschen«, spiegelt wie immer in diesen Fällen die Meinung der zeitgenössischen Chronisten, nicht meine.

Die Schlacht auf dem Lechfeld gehört wohl zu den berühmtesten Ereignissen der deutschen Geschichte und hat auch in diesem Roman einen herausragenden Platz. Wo genau das Lechfeld sich befand, ist aber ebenso schleierhaft wie die Zahl der ungarischen Reiterkrieger. Der Chronist Adalbert schrieb, es seien ihrer so viele gewesen, dass sie nur vernichtet werden könnten, »wenn die Erde sie verschlingen oder der Himmel einstürzen würde«. Eine auch nur annähernd genaue Zahl ermitteln zu wollen, ist hoffnungslos, aber ihre erdrückende Überlegenheit darf als gesichert angesehen werden. Überliefert sind der ungarische Überfall auf den Tross, Ottos Ansprache an seine Truppen und Konrads Tod, nachdem er leichtsinnigerweise den Helm abgenommen hatte, um sich Kühlung zu verschaffen. Tatsächlich haben die deutschen Truppen nach dem unverhofften Sieg ihren König als »Vater des

Vaterlandes« bejubelt und ihn zum Kaiser ausgerufen. Was diesen Sieg herbeigeführt hat, bleibt hingegen rätselhaft. Dass ein Gewitter – an einem schwülen Augusttag ja nicht unwahrscheinlich – die gefürchteten ungarischen Bögen nutzlos gemacht haben könnte, ist nur eine Theorie. Belegt sind hingegen die Namen der drei ungarischen Heerführer, und auch dass Lehel Ottos Bruder Heinrich – im Roman Henning genannt – mit seinem Horn angegriffen hat, ist überliefert.

Genauso ungewiss wie die Lage des Lechfelds sind auch die geografischen Gegebenheiten auf dem Slawenfeldzug, der dem Sieg über die Ungarn folgte. Ob das Massaker von Kacherien tatsächlich in Kacherien und die Schlacht an der Recknitz wirklich an der Recknitz stattfanden, wissen wir nicht genau. Der Hergang der Schlacht hingegen, die vorausgegangene Falle, in die Otto und seine Armee gelockt wurden, die Finte, mit der sie die Obodriten übertölpelten und leider auch das anschließende Massaker an den Obodriten, all das ist bei Widukind detailliert beschrieben.

»Eingeschworene Jungfrauen«, die die Männerrolle in ihrer Familie übernahmen, wenn kein Mann zur Verfügung stand, gab es nicht nur in der slawischen Kultur des Mittelalters, sondern gibt es bis auf den heutigen Tag, zum Beispiel in Albanien.

Lückenhafte Informationen sind typisch für die Geschichte des 10. Jahrhunderts und die größte Hürde bei ihrer Rekonstruktion. Vielleicht haben Sie sich darüber gewundert, dass Tugomir, der Fürst der Heveller und Hauptfigur in *Das Haupt der Welt*, in diesem Roman noch den einen oder anderen Gastauftritt hat, obwohl man doch gelegentlich 945 als sein Todesjahr liest. Das ist aber lediglich das letzte Jahr, für welches sich ein Hinweis auf Tugomir (oder Tugumir, wie er meist geschrieben wird) in den Chroniken findet, also nur geraten.

Bei den drei Söhnen Ottos des Großen, deren Tod ich in diesem Roman erzählen musste, wissen wir zwar die Sterbedaten – zumindest ungefähr –, aber die Ursachen sind jeweils unbekannt, und darum habe ich sie erfunden.

Hennings Tod mit Mitte dreißig führt der Chronist Widukind tatsächlich auf die Armverletzung zurück, die Henning 939 in der Schlacht von Birten davontrug. Aber wir dürfen das mit höflicher Skepsis zur Kenntnis nehmen.

Wahr ist, dass Ottos unehelicher Sohn Wilhelm Erzbischof von Mainz wurde, aber die Geliebte habe ich ihm angedichtet. Er starb schon 968 mit nicht einmal vierzig Jahren und hatte vermutlich nicht genug Zeit, große bauliche Denkmäler in seiner Bischofsstadt zu hinterlassen. Aber sein Brief, mit welchem er bei Papst Agapet gegen die Gründung eines Erzbistums in Magdeburg intervenierte, ist erhalten und liefert uns unschätzbare Einblicke in die politische und soziale Realität seiner Zeit, und dass das Zeremoniell der Kaiserkrönung unter Wilhelms Leitung im Mainzer Kloster St. Alban erarbeitet wurde, stimmt auch.

Überliefert ist leider ebenso, dass die (vorgeblichen) päpstlichen Gesandten Giovanni und Azo nach ihrer Heimkehr nach Rom in der geschilderten Weise verstümmelt wurden.

Was genau die italienischen Truppen an der Veroneser Klause davon abgehalten hat, Otto und sein Heer zu vernichten, ist unklar, aber dass es geschah, ist ebenso überliefert wie die Einzelheiten der Kaiserkrönung und die Beteiligung slawischer Truppen an Ottos und Adelheids erstem Italienzug. Tatsache ist natürlich auch, dass Adelheid gemeinsam mit Otto zur Kaiserin gekrönt wurde, aber den anschließenden Giftanschlag habe ich mir ausgedacht.

Wahr ist übrigens auch, dass Asant ein beliebtes Verhütungsmittel war. Es ist ein Verwandter des wesentlich zuverlässigeren Silphium, welches bei den Damen der Antike so begehrt war, dass sie es schafften, es bereits im 4. Jahrhundert auszurotten. So musste man bzw. frau im Mittelalter mit Asant vorliebnehmen. Wahr oder zumindest wahrscheinlich ist ebenso, dass Judith von Bayern ein Verhältnis mit dem Bischof von Freising hatte.

Auf Recherchereisen geschehen Wunder. Wenn ich Ihnen erzählen würde, wie oft mein Mann und ich beim Besuch historischer Schauplätze durch eine Zufallsbegegnung mit einem Historiker,

Gärtner, ehrenamtlichen Aufsichtsmenschen, Reenactor oder sonst irgendwem interessante Einsichten gewonnen oder Antworten auf offene Fragen gefunden haben, würden Sie mir wahrscheinlich nicht glauben. Ähnlich verhält es sich mit Gebäuden, die für die Öffentlichkeit nicht zugänglich sind und deren Türen sich für uns auf wundersame Weise öffneten. So geschehen auch im Sommer 2016 in Mainz. Wir waren dort auf den Spuren von Erzbischof Wilhelm. Seine Bischofskathedrale St. Martin war ein Vorgängerbau der heutigen Johanniskirche, die aber zum Zeitpunkt unserer Reise wegen Ausgrabungsarbeiten geschlossen war. Auf der Suche nach einem nachsichtigen Grabungsleiter, der uns vielleicht einen kurzen Blick ins Innere erlauben würde, stießen wir stattdessen auf einen Geistlichen der evangelischen Gemeinde, der eine Gruppe durch die gesperrte Kirche führte (die zu dem Zeitpunkt keinen nennenswerten Fußboden hatte und ein echter Abenteuerspielplatz war). Er nahm uns kurzerhand mit hinein und erzählte Faszinierendes über die Geschichte des Bauwerks und die sensationellen Funde spätrömischer und merowingischer Mauerteile (die ich, wie ich es so gern tue, verstohlen mit der Hand berührt und mir dabei vorgestellt habe, dass Erzbischof Wilhelms Hand vielleicht auch genau diesen Stein einmal berührt hat). Den Namen unseres freundlichen Gastgebers habe ich nie erfahren, aber er soll der Erste sein, dem ich für die Unterstützung bei der Entstehung dieses Romans meinen herzlichen Dank ausspreche.

Ebenso wie meinen wunderbaren Testlesern Hildegard und Wolfgang Krane, Sabine und Frank Rose und Patrizia Kals, die meinen Manuskripten schon so viele Jahre ihre Zeit und Aufmerksamkeit widmen und mir mit ihren Kommentaren und Anregungen immer wieder die verblüffendsten Einsichten und Wege aus so mancher Sackgasse beschert haben. Danke, ihr Lieben!

Detlef Bierstedt, der meinen Hörbüchern sein schauspielerisches Können, seine enorme Erfahrung und seine wandlungsfähige Stimme angedeihen lässt, danke ich ebenso wie dem gesamten Team der Michael Meller Literary Agency und meiner Lektorin Karin Schmidt.

Wie stets an prominenter, letzter Stelle geht mein innigster

Dank an meinen Mann Michael, dessen Beitrag zur Entstehung dieses Romans wie auch aller vorherigen so vielfältig und maß- geblich war. *You see it's all clear, you were meant to be here ...* *From the beginning.*

R.G. im Dezember 2016

*»Du hast die Krone bekommen. Also trag sie
auch. Und zwar allein.«*

Rebecca Gablé
DAS HAUPT DER WELT
Historischer Roman
864 Seiten
ISBN 978-3-404-17736-3

Das Jahr 929: Beim blutigen Sturm auf die Brandenburg unter
König Heinrich I. gerät der slawische Fürstensohn Tugomir in
Gefangenschaft. Er und seine Schwester werden nach Magdeburg
verschleppt, und Tugomir macht sich einen Namen als Heiler. Er
rettet Heinrichs Sohn Otto das Leben, wird dessen Leibarzt und
Lehrer seiner Söhne. Doch noch immer ist er Ottos Geisel und
Gefangener zwischen zwei Welten.
Kaum ist Otto zum König gekrönt, rebellieren nicht nur die
Herzöge gegen ihn, sondern auch seine Brüder. Bald sieht sich
der junge Herrscher im Westen wie im Osten bedroht und muss
erkennen, dass er nur mithilfe eines Mannes seine Krone retten
kann: Tugomir, der ihm Freund und Feind zugleich ist …

Bastei Lübbe

*»Rüttle uns auf, oh Herr, wenn wir zu selbstge-
fällig sind, wenn unsere Träume wahr geworden
sind, weil wir zu bescheiden geträumt haben.«*

Rebecca Gablé
DER PALAST DER MEERE
Ein Waringham-Roman
960 Seiten
ISBN 978-3-404-17422-5

London 1560: Als Spionin der Krone fällt Eleanor of Waringham
im Konflikt zwischen der protestantischen Königin Elizabeth I.
und der katholischen Schottin Mary Stewart eine gefährliche
Aufgabe zu. Ihre Nähe zur Königin schafft Neider, und als Eleanor
sich in den geheimnisvollen König der Diebe verliebt, macht sie
sich angreifbar. Unterdessen schleicht sich ihr fünfzehnjähri-
ger Bruder Isaac in Plymouth als blinder Passagier auf ein Schiff.
Nach seiner Entdeckung wird er als Sklave an spanische Pflanzer
auf Teneriffa verkauft. Erst nach zwei Jahren kommt Isaac wieder
frei – unter der Bedingung, dass er in den Dienst des Freibeuters
John Hawkins tritt. Zu spät merkt Isaac, dass Hawkins sich als
Sklavenhändler betätigt ...

Bastei Lübbe

»In diesen Zeiten wird man unversehens zum Verräter. Oft unfreiwillig und schneller, als man es begreifen kann.«

Rebecca Gablé
DAS SPIEL DER KÖNIGE
Historischer Roman
1.200 Seiten
mit zahlreichen
Abbildungen
ISBN 978-3-404-16307-6

England 1455: Der Bruderkrieg zwischen Lancaster und York um den englischen Thron macht den achtzehnjährigen Julian unverhofft zum Earl of Waringham. Als mit Edward IV. der erste König des Hauses York die Krone erringt, brechen für Julian schwere Zeiten an. Obwohl er ahnt, dass Edward seinem Land ein guter König sein könnte, schließt er sich dem lancastrianischen Widerstand unter der entthronten Königin Marguerite an, denn sie hat ihre ganz eigenen Methoden, sich seiner Vasallentreue zu versichern. Und die Tatsache, dass seine Zwillingsschwester eine gesuchte Verbrecherin ist, macht Julian verwundbar …

Bastei Lübbe